LE CHÂTEAU
DE
VERSAILLES

DU MÊME AUTEUR

LE STYLE LOUIS XV, Paris, Larousse, 1941, coll. « Arts, styles et techniques ».

LE MOBILIER ROYAL FRANÇAIS, I, Paris, Éd. d'Art et d'Histoire, 1945.

LE MOBILIER ROYAL FRANÇAIS, II, Paris, Plon et R. Wittmann, 1955.

FRENCH ROYAL FURNITURE, III, Londres, Barrie & Rockliff, 1963.

LE MOBILIER ROYAL FRANÇAIS, IV, à paraître en 1986 aux Éditions Picard, avec la réédition progressive des trois premiers tomes.

SÈVRES, avec le concours de Serge Grandjean et de Marcelle Brunet, Paris, Gérard Le Prat, 1953.

MÖBEL VON J.H. RIESENER, Darmstadt, Fr. Schneekluth, 1955, coll. « Wohnkunst und Hausrat. »

LES MEUBLES FRANÇAIS DU XVIIIᵉ SIÈCLE, 1ʳᵉ éd., 2 tomes, Paris, Presses Universitaires de France, 1956, coll. « L'Œil du Connaisseur ». — 2ᵉ éd. entièrement refondue, 1 vol., Presses Universitaires de France, 1982.

LE SIÈGE LOUIS XV. — LE SIÈGE LOUIS XVI, Paris-Nice, Éd. Tiranty, 1958, avec disques et diapositives en couleurs de Pierre Devinoy, coll. « Trésor de la France ».

L'ART DU MEUBLE À PARIS AU XVIIIᵉ SIÈCLE, Paris, Presses Universitaires de France, 1ʳᵉ éd. 1958, 2ᵉ éd. 1968, coll. « Que sais-je ? ».

LA DAME À LA LICORNE, avec la collaboration de Francis Salet, Paris, Braun, 1960.

VERSAILLES, Paris, Fayard, 1ʳᵉ éd. 1961, coll. « Les grandes études historiques ».

LA MAISON DU XVIIIᵉ SIÈCLE EN FRANCE, Fribourg, Office du Livre, et Paris, Baschet, Plaisir de France, 1966.

OBJETS D'ART FRANÇAIS DE LA COLLECTION CALOUSTE GULBENKIAN, Lisbonne, Fondation Calouste Gulbenkian, 1969.

STYLES, MEUBLES, DÉCORS DU MOYEN AGE À NOS JOURS, 2 tomes, avec le concours de divers auteurs, Paris, Larousse, 1972, « Collection encyclopédique in-quarto ».

SAVONNERIE. ITS HISTORY. THE WADDESDON COLLECTION, Londres, The National Trust, et Fribourg, Office du Livre, 1982, coll. « The James A. de Rothschild Collection at Waddesdon Manor ».

BRONZES DORÉS DU XVIIIᵉ SIÈCLE FRANÇAIS. MANUEL DE RÉFLEXION ET DE DOCUMENTATION, *à paraître*.

PIERRE VERLET

LE CHÂTEAU
DE
VERSAILLES

FAYARD

*A la mémoire de
Jacques Noetzlin
Français et Suisse
ami de Versailles
ami de la liberté*

AVANT-PROPOS

Ce livre parut une première fois en 1961. Vite épuisé, il sortit de mes préoccupations. Il me fut réclamé. Je souhaitais le récrire en partie, l'améliorer tout au moins. Je dois au lecteur une excuse pour tant de lenteur.

N'ayant plus assez d'années devant moi pour tout reprendre, j'ai retouché mon texte lorsque cela m'a paru nécessaire. Je l'ai complété sur quelques points. J'ai cherché à le mettre à jour en fonction d'études nouvelles. Un historique sommaire du château depuis 1789 a été ajouté sous forme d'épilogue.

Afin de ne pas gêner la lecture, les notes ont été supprimées, soit en les incorporant au texte, soit en les abandonnant. Une bibliographie aidera quiconque entend pousser plus avant sa connaissance de Versailles. L'index topographique, qui fut bien accueilli, et la table des plans sont précédés d'un index des noms propres, artistes ou principaux personnages cités dans le texte. Nouveau livre, si l'on veut, et préférable à l'ancien, je l'espère.

On me permettra d'adresser une pensée de reconnaissance à ceux qui m'ont soutenu dans la préparation et l'achèvement de ce volume :

— à ma femme, qui fut l'appui affectueux, savant et calme de tous les instants ;

— au Service d'Architecture de Versailles, qui, depuis près d'un demi-siècle, me fut d'un secours permanent, à Henry Racinais en particulier et à ceux qui ont bien voulu dessiner les vingt-huit plans inclus dans le texte ;

— à ceux qui ont facilité mon travail aux Archives nationales, où je fus longtemps assidu, à la Bibliothèque nationale, aux bibliothèques de l'Opéra, de l'Institut, de l'Arsenal, de Chantilly, de Besançon, à la Bibliothèque

historique de la Ville de Paris et bien d'autres, où j'ai rencontré aide et courtoisie ;

— à M. Jean-Claude Le Guillou, qui s'est affirmé depuis quelques années comme un travailleur exigeant, sérieux, passionné de Versailles, et qui a spontanément et généreusement mis à ma disposition les résultats de ses recherches, même inédites, contribuant à faire bénéficier ce livre des plus récents progrès ;

— à M. Pierre Lemoine, conservateur actuel du château, auprès duquel j'ai trouvé, comme auprès de la plupart de ses prédécesseurs, un concours et un encouragement précieux, renforcés par une très ancienne amitié ;

— à Pierre Gaxotte, qui me demanda de traiter ce sujet pour la collection qu'il dirigeait à la Librairie Fayard, Les Grandes Études Historiques, *qui insista sans relâche pour une réédition et auquel j'aurais aimé pouvoir apporter ce livre rajeuni ;*

— à Pierre de Nolhac, avec un sentiment très fidèle de gratitude et de vénération. Tous ceux qui aiment Versailles lui doivent, l'avouant ou non et parfois l'ignorant, l'essentiel de ce qu'ils savent. Le vieux maître, alors qu'il était devenu conservateur du musée Jacquemart-André, accepta de recevoir, le 2 novembre 1925, un garçon de dix-sept ans qui souhaitait lui demander un conseil sur l'orientation de ses études. Il y mit une bienveillance et un discernement qui furent décisifs. Il accueillit par surcroît un demandeur d'autographes. Il écrivit sur l'un de ses beaux livres ces quelques mots : « Pour Pierre Verlet, bibliophile et ami de Versailles ». C'était une double ligne de conduite. Je n'ai pu remplir à mon gré la première consigne, les musées ne s'y prêtant guère. J'espère être resté ferme sur la seconde et, avec les moyens dont je disposais, ne pas avoir manqué de travailler dans ce sens.

Paris, premier décembre 1984

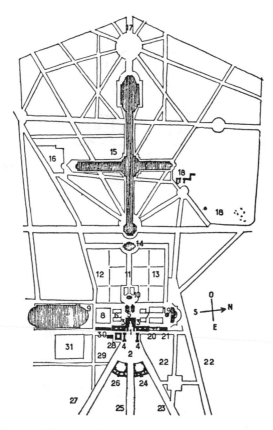

Fig. 1. — *Plan général du parc de Versailles (état actuel).*

1. Cour de marbre, cour royale, avant-cour ou cour des Ministres. — 2. Place d'Armes. — 3. Château. — 4. Ailes des Ministres. — 5. Parterre d'eau. — 6. Parterre du Midi — 7. Parterre du Nord. — 8. Orangerie. — 9. Pièce des Suisses. — 10. Parterre de Latone. — 11. Allée-royale. — 12 et 13. Bosquets. — 14. Bassin d'Apollon. — 15. Grand Canal. — 16. Ménagerie (vers Saint-Cyr). — 17. Grille-royale (vers Villepreux). — 18. Trianon (vers Rocquencourt et Marly). — 19. Bassin de Neptune. — 20. Réservoirs. — 21. Bâtiments du Gouvernement et Théâtre Montansier. — 22. Ville (quartier Notre-Dame et Clagny). — 23. Avenue de Saint-Cloud. — 24. Grande Écurie. — 25. Avenue de Paris. — 26. Petite Écurie. — 27. Avenue de Sceaux. — 28. Grand Commun. — 29. Ville (quartier dit du Vieux-Versailles). — 30. Surintendance et anciens ministères. — 31. Potager.

12

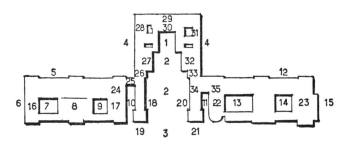

FIG. 2. — *Plan général du château (état actuel).*

REZ-DE-CHAUSSÉE : 1. Cour de marbre. — 2. Cour royale. — 3. Vers l'avant-cour ou cour des Ministres. — 4. Corps central. — 5. Aile du Midi. — 6. Cour dite de la Surintendance ou nouvelle cour de Monsieur. — 7. Cour dite de l'Apothicairerie. — 8. Salle du Congrès (ancien Escalier de l'aile du Midi). — 9. Cour de la Bouche. — 10. Cour des Princes. — 11. Cour de la Chapelle. — 12. Aile du Nord. — 13. Cour basse de la Chapelle. — 14. Cour de l'Opéra. — 15. Réservoirs. — 16. Pavillon de Provence. — 17. Pavillon d'Orléans. — 18. Vieille-aile. — 19. Pavillon Dufour. — 20. Aile de la Chapelle ou aile Gabriel. — 21. Pavillon Gabriel. — 22. Chapelle. — 23. Opéra. — 24. Escalier des Princes. — 25. Passage de la cour des Princes au parterre du Midi (ancienne Comédie) — 26. Passage de la cour royale au parterre du Midi. — 27. Escalier de la Reine. — 28. Appartement du Dauphin. — 29. Galerie-basse. — 30. Vestibule. — 31. Appartements de Mesdames et de Mme de Pompadour. — 32. Escalier dit des Maréchaux (emplacement de l'Escalier des Ambassadeurs, puis de la cour dite de la cave du Roi). — 33. Passage de la cour royale au parterre du Nord. — 34. Vestibule de l'escalier Gabriel. — 35. Vestibule de la Chapelle.
PREMIER ÉTAGE : 36. Galerie des Batailles. — 37. Palier de l'Escalier des Princes. — 38. Salle des Cent-Suisses ou des Marchands. — 39. Grande Salle des Gardes du Corps. — 40. Appartement de la Reine. — 41. Appartement du Roi. — 42. Chambre de Louis XIV. — 43. Grande Galerie. — 44. Grand Appartement. — 45. Salon d'Hercule. — 46. Emplacement de la Comédie de 1785. — 47. Vestibule de la Chapelle. — 48. Galerie de pierre dite Galerie de l'Opéra.

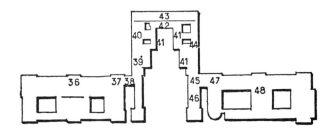

PREMIÈRE PARTIE

LES PREMIERS CHÂTEAUX DE LOUIS XIII ET DE LOUIS XIV

CHAPITRE PREMIER

LES DEUX CHÂTEAUX DE LOUIS XIII

LES CHASSES DU ROI HENRI

Henri IV décide à son insu du destin de Versailles. La terre ne lui appartient pas, mais il aime y chasser ; il en montre le chemin à son fils, qui établira là, pour chasser lui aussi, un petit domaine commode. Le château grandira et deviendra le plus fameux du monde. Louis XIV, Louis XV, Louis XVI continueront de chasser dans les bois de Versailles. Jusqu'à la fin de l'Ancien Régime, au milieu d'une magnificence extrême, de transformations ou d'embellissements sans cesse renouvelés, Versailles demeurera un domaine campagnard.

Le hasard semble avoir conduit le roi Henri sur ce terrain giboyeux et de moyenne culture, coupé d'étangs, de landes et de pâturages, que traverse le petit ru de Galie et qui est tout proche des châteaux royaux de Saint-Germain-en-Laye. Henri est venu à Versailles au mois de juillet 1589, alors qu'il était encore simple roi de Navarre et que, de concert avec Henri III, son cousin, il s'approchait de Paris soulevé par les Ligueurs. Quelle curieuse histoire aura ce site inconnu ! Deux cents ans plus tard, les Parisiens révoltés viendront à Versailles chercher le Roi et le ramener dans sa capitale.

La terre était, à la fin du XVIᵉ siècle, tenue par les Gondi, qui étaient également seigneurs de Saint-Cloud, où fut assassiné Henri III. Le maréchal de Retz, que la Saint-Barthélemy avait aidé, semble-t-il, à dépouiller et à supplanter Loménie, avant lui seigneur de Versailles, avait fait entrer ce petit fief dans la maison de Gondi, fraîchement transplantée de Florence par la grâce de Catherine de Médicis. L'évêque de Paris, Henri, premier cardinal de Retz et frère du maréchal, paraît avoir hérité de Versailles ; il avait pour neveu Jean-François de Gondi, qui fut le premier archevêque de Paris et à son tour possesseur de Versailles, oncle lui-même du futur cardinal de Retz, le turbulent auteur des *Mémoires*. Mais déjà Louis XIII s'était intéressé à ce lieu.

LES CHASSES DE LOUIS XIII

En transmettant à son fils le goût des Bourbons pour la chasse, Henri IV lui donna peut-être la nostalgie des plaines et des plateaux qui composent le paysage mollement vallonné de Versailles. Louis XIII a chassé ici, alors qu'il était âgé seulement de six ans. Il s'en souvient bien. Il y revient. Durant l'été de 1623, jeune roi de vingt-deux ans, il décide la construction d'un pavillon de chasse. L'avenir de Versailles se précise.

Les premières dépenses qu'il assume sont payées par les Menus-Plaisirs et l'on ne peut reprocher au Roi de gaspiller les fonds des Bâtiments. Le château, si l'on veut employer ce mot pour ce logis, est achevé en quelques mois et habitable dès l'été de 1624. Un passage des *Mémoires* du maréchal de Bassompierre, remarqué par Pierre de Nolhac, rappelle combien Louis XIII, devant l'Assemblée des Notables de 1627, est aisément justifié de toute critique sur ses dépenses d'architecture, « si ce n'est que l'on lui veuille reprocher le chétif château de Versailles, de la construction duquel un simple gentilhomme ne voudrait pas prendre vanité ».

La maison peut être sans prétention et le pays lui plaire : « una piccola casa che fa fabricare a Versaglia per ricreatione », telle est l'expression relevée par Louis Battifol dans la dépêche d'un ambassadeur vénitien au mois de juillet 1624.

Les achats de terrains se multiplient, sans être de grande conséquence. Les parties de chasse deviennent plus fréquentes ; déjà s'amorcent quelques séjours. Jean Héroard, le médecin du Roi, qui tient un journal des faits et gestes de celui-ci, nous renseigne sur l'attachement grandissant de Louis XIII à ce domaine naissant. Il note, en 1624, plusieurs chasses à Versailles, au cerf ou au renard, les 6, 8, 9 et 10 mars. En juin et juillet, interrompant à deux reprises ses séjours de Compiègne ou de Saint-Germain, Louis XIII vient, avec une impatience digne d'un Louis XIV, « voir son bâtiment ». Le 2 août, arrivant pour chasser, il « s'amuse à voir toutes les sortes d'ameublement que le sieur de Blainville, premier gentilhomme de la Chambre, avait fait acheter, jusques à la batterie de cuisine ».

LE CHÂTEAU DE 1623

Un inventaire, dressé en 1630 et publié par E. Coüard, donne l'état de ce premier château, où Louis XIII, sans la Cour, peut venir passer la nuit, accompagné d'une suite réduite, son capitaine des Gardes, son premier écuyer, Claude de Rouvroy, futur duc de Saint-Simon, qui deviendra premier gentilhomme de la Chambre à la mort de Blainville, le duc de Montbazon, Hercule de Rohan-Guémené, grand veneur, quelques autres encore, dont les fonctions sont liées à la chasse. L'inventaire ne décrit qu'un bel appartement, celui du Roi, qui est composé de quatre pièces, toutes tendues de tapisseries, et d'une petite galerie, décorée d'une peinture qui représente l'un des faits récents du règne, le siège de La Rochelle.

Que nous sommes loin du Versailles de Louis XIV ! On croirait lire la description de l'un de ces intérieurs bourgeois et de moyenne richesse, que représente au même moment Abraham Bosse sur nombre de ses estampes. On n'ose guère prétendre que la vie du Versailles futur commence à s'ébaucher ; quelques points de repère sont à peine tracés : la chasse, — le jeu, avec le billard et ce que l'on tire des coffres, trictrac, échecs, jonchets, trou-madame, jeu de l'oie, — la politique secrète du Roi peut-être aussi, lorsqu'il se réfugie dans son petit château pour échapper aux intrigues de la Cour et des deux reines.

Le 3 novembre 1626, réconcilié avec sa mère, Marie de Médicis, Louis XIII reçoit celle-ci à Versailles, ainsi que sa femme, la reine Anne. Quatre ans plus tard, presque jour pour jour, le 11 novembre 1630, c'est la *journée des dupes*, où Louis XIII, retiré à Versailles, éloigne la reine Marie et confirme l'autorité de Richelieu.

Qui pourrait deviner à ces quelques traits ce que seront, une quarantaine d'années plus tard, Versailles, la Cour de France, le pouvoir royal ? On ne voit encore ici qu'une modeste demeure, bâtie sur une butte sans renom et habitée par un souverain à l'humeur sombre et au caractère effacé : « un rendez-vous de chasse... un petit château de gentilhomme », notera plus tard le marquis de Sourches au début de ses *Mémoires*.

Le marché des travaux est signé le 15 septembre 1623. Il a été publié par M. Jean Coural. Il prévoit des murs « crespis par dehors avec tables de plastre ». Saint-Simon, dans une addition au *Journal* de Dangeau et dans deux passages célèbres de ses *Mémoires*, désigne « ce petit château de carte que Louis XIII y avoit fait pour n'y plus coucher sur la paille, qui n'étoit que la contenance étroite et basse autour de la cour de Marbre, qui en faisoit la cour, et dont le bâtiment du fond n'avoit que deux courtes et petites ailes ».

La longueur de ces ailes, selon le marché, correspond à 27 m 30 ; celle du corps de logis à 35 m (18 toises) sur le jardin. Le tracé intérieur répond à celui que la cour de marbre aura plus tard. *Château de carte*, faut-il voir là une expression péjorative pour désigner une construction légère et de vie précaire ? La réponse viendra vite. Le jeune Louis XIII, marquant pour Versailles une préférence sur tous les autres châteaux royaux, transformera cette première bâtisse dans les années qui suivent.

Le domaine restreint qu'il a fait délimiter pour former un parterre, prolongé d'un petit parc, et qui a été constitué au détriment de dix-sept propriétaires différents pour un prix total de 9 856 livres, ne dépasse pas 117 arpents (une quarantaine d'hectares). Ce n'est là qu'un début. Bâtiments et domaines vont bientôt se développer et Versailles s'agrandir, s'affirmer.

L'ACQUISITION DE LA SEIGNEURIE

Les années 1631 et 1632 sont décisives pour l'avenir. Louis XIII s'est pris à aimer cette région, non seulement pour la

chasse, mais pour son sol même. Il nous est difficile
d'imaginer ce qu'était cette campagne, que la main de Louis
XIV a, depuis, parfaitement ordonnée ; il est probable qu'elle
ressemblait à celle que l'on voit encore çà et là sur le plateau
de Trappes jusqu'au-dessus de Pontchartrain. Louis XIII
s'applique à créer un jardin, à accroître le domaine, à être le
maître du lieu.

Le *Journal* d'Héroard ne nous laisse pas ignorer les
préoccupations agrestes du Roi. Il note, le 24 août 1627, que
Louis XIII « entre dans son petit carrosse, tiré par un cheval,
et va se promener voir son plant ». Louis XIV agira de même.

Louis XIII crée un premier Versailles, modeste et conforme
à ses ambitions, honorable plutôt que royal. Il achète des
terres ; il achète *la* terre. Il double l'étendue du domaine
par l'acquisition, au prix de 16 000 livres, de 167 arpents
nouveaux en 1632. Il devient au même moment possesseur
de la terre seigneuriale de Versailles-au-val-de-Galie et des
droits y afférents, que lui cède le 8 avril 1632 pour 60 000
livres l'archevêque de Paris, Jean-François de Gondi. A cette
date, Versailles devient terre du Roi. Les trois fleurs de lis de
France remplacent dans le village les deux masses des armes
de Gondi. La reconstruction du château est presque en même
temps décidée.

LE CHÂTEAU DE 1631

Louis XIII, avant même la signature de l'acte de transfert
de la seigneurie, a précisé ses intentions à son architecte,
Philibert Le Roy, dont le nom et le travail sont attestés par
une suite de huit contrats, qui s'échelonnent entre 1631 et
1634 et qu'a retrouvés Louis Battifol. Cet historien a réussi,
en partant d'un registre ou bordereau conservé aux Archives
nationales, à identifier d'abord le nom de l'architecte, puis
à se reporter au minutier de l'étude notariale qui reçut les
contrats, à retrouver ceux-ci et à démêler ainsi l'origine,
jusque-là obscure, du second château de Louis XIII, que l'on
confondait avec le premier. On peut illustrer ces textes de
quelques vues ou plans, qui, postérieurs à la mort de

Louis XIII, mais vraisemblablement antérieurs aux premières interventions de Louis XIV, permettent de reconstituer ce château, essentiel au Versailles du Grand Roi.

Les ordres de Louis XIII sont clairs ; l'opération se déroule avec méthode et peut se résumer ainsi : 1631, façade sur les jardins, murs du parc ; 1632, aile droite (ou septentrionale) ; 1633, façade sur la cour et aile gauche ; 1634, clôture de la cour.

La place a été fixée une fois pour toutes par la construction précédente : le sommet de la butte. Le nouveau château sera de pierre et de brique, ou, plus exactement, à chaînages de pierre et parements de briques « mises en couleur », c'est-à-dire repeintes en façon de briques.

Quoique reconstruite de fond en comble, la façade principale sur la cour d'entrée (qui sera la future cour de marbre) n'a pas varié dans sa largeur du premier au second château de Louis XIII : cinq fenêtres, un rez-de-chaussée surmonté d'un premier étage, de hauts toits à lucarnes. Les deux ailes, qui limitent au sud et au nord cette cour et qui étaient jusque-là demeurées embryonnaires, sont construites aussi à cinq fenêtres chacune, suivant le tracé qui a été conservé depuis. Un pavillon d'angle termine chacune de ces ailes, que prolonge, fortement décroché, un second pavillon ; à l'extrême droite, c'est-à-dire à l'angle nord-est, le pavillon pourrait avoir, dès ce moment, abrité une chapelle. Un portique à arcades, fermé de grilles de fer, peintes en vert et or, réunit l'un à l'autre les deux pavillons qui forment les angles de la cour.

La façade sur le jardin est totalement rebâtie, plus en avant et plus large que la précédente. Elle comprend onze fenêtres, dont on retrouve vraisemblablement le souvenir dans l'entre-colonnement de la Galerie-basse. Deux pavillons, carrés et décrochés, symétriques à ceux de l'entrée, la terminent aux angles sud-ouest et nord-ouest.

De larges fossés, également de brique et de pierre, entourent le château, que quelques marches et un pont relient au jardin. Le parapet qui borde ces fossés et délimite une terrasse, des pilastres en pierre de taille et d'ordre dorique qui ornent les angles des pavillons, un fronton et un balcon qui marquent le centre de la façade sur les jardins rehaussent bien faiblement cette demeure, qui est analogue dans son aspect à plus d'un château d'Ile-de-France, que nous appelons « Henri IV » ou « Louis XIII », et dont le caractère principal est la simplicité.

Les jardins, d'abord dessinés par Jacques de Menours, lui-même neveu de Jacques Boyceau, qui a participé à leur premier aménagement et dont un ouvrage posthume, le *Traité du jardinage*, publié en 1638, reproduit un parterre de broderies avec un bassin circulaire composé pour Versailles, sont en partie remaniés en 1639 par deux jardiniers du Roi, Claude Mollet et Hilaire Masson, dont le compte détaillé a été publié par Nolhac. Ces noms de Mollet et de Masson, comme celui de Claude Denis, ingénieur fontainier, chargé de l'installation des eaux, vont se perpétuer dans le Versailles de Louis XIV et même au XVIIIᵉ siècle ; ils semblent annoncer et déjà porter avec eux les magnificences prochaines.

Une pompe, mue par un cheval et prenant l'eau dans l'étang voisin de Clagny, de petits bâtiments de communs et de garde sur la cour, achèvent de donner au second château de Louis XIII quelques traits de ressemblance, si réduit qu'en soit le dessin, avec le Versailles de Louis XIV. Ces traits se devinent, comme noyés dans la brume de cette terre marécageuse ; ceux que fera ressortir le Roi-Soleil sont encore difficiles à discerner.

Qui ne les distingue cependant aujourd'hui, malgré les agrandissements ou les déformations qui suivirent ? Le style et les couleurs des façades d'entrée, les proportions de la future cour de marbre sont là, et le plan général, avec ses quatre gros pavillons décrochés, qui se maintiendront jusqu'en 1669 et dont mainte trace subsistera, plus ou moins latente, dans la maçonnerie des cours intérieures. Dans les jardins, c'est de même une pensée encore mal exprimée, qui va pourtant s'imposer par la suite. Louis XIII et ses jardiniers semblent avoir lancé à Louis XIV et à Le Nostre quelques idées, que ceux-ci développeront prodigieusement certes, mais dont ils ne pourront plus se départir : le parterre du premier plan, la percée centrale, qui deviendra l'allée-royale, et peut-être, selon la remarque de Charles Mauricheau-

Beaupré, le grand rondeau du bout, dont la largeur pourrait être déjà celle du futur bassin des Cygnes (ou bassin d'Apollon) et qui est alimenté par le ru de Galie et par les étangs voisins, l'utilisation enfin de l'étang de Clagny pour fournir l'eau des premiers bassins, la pompe de ce côté, et probablement aussi les deux longues allées parallèles à l'allée centrale et qui seront plus tard celles des bassins des Saisons. Tout ceci fournit comme l'espoir des jardins futurs, mais reste enveloppé d'incertitude.

L'intérieur continue d'être fort simple, cheminées en plâtre, planchers de sapin ou carreaux de terre cuite au sol. Si le mobilier devient un peu plus riche, des influences extérieures peuvent en être cause plutôt que les goûts assez rudes de Louis XIII. La *Gazette* mentionne, en 1634, le présent que la duchesse de Savoie, Christine de France, fait au Roi, son frère, de quatre meubles complets pour décorer le château de Versailles ; tous quatre sont de velours à fond d'argent, l'un bleu, un autre gris-de-lin, un troisième vert, le dernier nacarat. On retrouvera de tels ensembles, joliment colorés, dans le premier Trianon de Louis XIV.

Les dépenses, au demeurant, n'ont pas été considérables : 213 000 livres ont été payées, d'après les chiffres relevés par Battifol, à Philibert Le Roy pour les bâtiments principaux qui forment le second château, 42 000 livres à Jacques de Menours pour les jardins, auxquelles il faut ajouter au moins les 40 000 livres du compte de Mollet et Masson pour 1639 ; très peu de choses, semble-t-il, pour le décor intérieur et le mobilier. Versailles n'est pas un palais ; c'est un petit château, où un roi timide se retire pour être loin du faste, des ennuis et du monde.

LA VIE DE LOUIS XIII À VERSAILLES

Louis XIII y reçoit parfois les dames de la Cour pour leur offrir de belles collations, mais petitement, comme tout ce qu'il fait. La grandeur appartient à Richelieu en ses châteaux de Rueil ou de Richelieu ; la magnificence et l'audace, poussées jusqu'au scandale, seront le fait de Louis XIV. Louis

XIII est-il mysogyne ? Il n'accepte pas qu'Anne d'Autriche séjourne dans son Versailles, à cause de « ce grand nombre de femmes qui me gâteraient tout, si la Reine y allait ». Cependant Mlle de La Fayette ou Mlle d'Hautefort ne lui auraient pas déplu.

On possède précisément le compte des dépenses du Roi pour le 23 mai 1637. Mlle de La Fayette a fait ses adieux au Roi quelques jours plus tôt pour entrer en religion, et Louis XIII s'est réfugié à Versailles. L'ensemble de la dépense de ce jour, qui est un jour maigre, se monte, tout compris, le pain et le vin clairet, les soles, carpes, brochets, turbots, saumons, aloses et mulets, les œufs et le beurre (12 livres pour la Bouche du Roi et 120 livres pour le commun), les salades, la chandelle et la cire, à un total de 1 288 livres. Que ce chiffre est éloigné de ce gouffre que représentera le Grand Commun de Versailles sous Louis XIV ou sous Louis XVI !

La modeste maison de Louis XIII est conforme à ses goûts. Versailles est alors un lieu de repos et de recueillement, non de plaisir ou de luxe, et c'est bien ainsi que ce roi estime ce château jusqu'en ses derniers jours. Au moment de l'ouverture du testament de Richelieu, Nicolas Goulas note dans ses *Mémoires* que Louis XIII quitta Saint-Germain et « s'en alla à Versailles, importuné de la quantité de gens qui arrivaient », et Nolhac a cité le désir de Louis XIII à ce moment, si sa santé s'était rétablie, d'abdiquer pour se retirer à Versailles, comme en un médiocre Escorial.

VERSAILLES ET L'ENFANCE DE LOUIS XIV

Louis XIV utilisera Versailles de tout autre manière, mais ne modifiera qu'avec lenteur le château de son père. Dans les années 1651 et suivantes, il y chasse, il y dîne à maintes reprises. Le château même paraît l'occuper assez peu, quoique Gomboust, dans le cartouche qui accompagne son plan de Paris, l'ait fait représenter parmi les « maisons royales et remarquables aux environs de Paris », où Saint-Germain occupe la place principale, accosté de Madrid, Rueil, Vincennes, Bicêtre.

Le jeune roi se familiarise avec le petit domaine, ses jardins et ses bois. Venant de Saint-Germain, dont dépend Versailles, il entend des noms qui, plus tard, lui reviendront en mémoire : « Saint-Cyr au Val de Galie, proche nostre chasteau de Versailles », mentionné par un acte de sa minorité, Marly sur la route qui va d'un château à l'autre, Noisy, Trianon, au-delà des limites de ses jardins. Il ne peut encore savoir combien il aimera cette terre, mais il est sûr d'être attaché à ce qu'y a créé ou ébauché son père.

Ses ambitions deviendront autrement vastes et, d'étape en étape, feront sortir le palais immense du petit château de Louis XIII. Le souvenir de celui-ci se maintiendra pourtant jusque dans la situation et les fondations du bâtiment principal. Au mois de mai 1665, au moment du voyage du Bernin en France, Chantelou, parlant de Versailles, mentionne, malgré les premiers travaux et les dépenses déjà considérables accomplis par Louis XIV, le caractère encore modeste de cette demeure, « tenant toujours de son premier plan, qui estoit un ouvrage du roy deffunt ».

CHAPITRE II

PREMIÈRES EXPÉRIENCES DE LOUIS XIV

LOUIS XIV ET SES MAÎTRES

Louis XIV va marquer Versailles de sa volonté et de ses goûts. Qui songerait à le nier ? La création nouvelle et titanique qu'il impose à cette terre ne s'imagine pas sans l'autorité du maître. Il est bon cependant de nuancer ces affirmations et d'examiner comment le Grand Roi a été mené, souvent inconsciemment, par de multiples expériences préalables, les siennes ou celles des autres.

L'héritage qui lui a été transmis, le personnel qui l'entoure et même le château de Louis XIII ont dû bien des fois peser à son insu sur ses propres décisions. Il a, lui aussi, évolué, cherché, tâtonné avant d'aboutir au chef-d'œuvre de l'art classique et monarchique qu'il nous a légué. On retient aujourd'hui la puissance de la conception, la réussite qui paraît tout d'un bloc sortie d'un cerveau bien organisé. Il faut songer à l'homme, aux hommes, dont il fut, bien que roi, solidaire et parfois disciple. C'est le problème de l'élaboration de Versailles. On essaiera de l'esquisser ici.

Il est bon de rappeler dès l'abord quelques dates. Lorsqu'il commence en 1661 ses premiers travaux à Versailles, Louis XIV est âgé seulement de vingt-trois ans ; il en aura à peine plus de quarante lorsqu'il aura donné à son œuvre le tracé définitif. 1661, c'est l'année de la mort de Mazarin, de la naissance du Dauphin, de l'arrestation de Fouquet, des jeunes amours avec La Vallière ; c'est le début d'un gouvernement personnel et absolu, d'un règne qui se veut grand, d'un monarque qui s'est affirmé, mais qui s'interroge encore.

LES MAISONS ROYALES

Il a reçu dans son héritage de nombreux et glorieux châteaux, dans lesquels il va mordre et tailler avec une ardeur toute neuve, avec un impétueux désir de magnificence et d'éternité. Ces châteaux cependant s'imposent à lui sans qu'il s'en doute ; ils le laissent en apparence agir à sa guise ; ils semblent marqués d'une placidité séculaire, habitués à être pétris par les caprices des rois, puis abandonnés et repris. Lui-même se laissera captiver à ces jeux, avant de trouver à Versailles la terre presque vierge qui lui vaudra son plus grand amour.

A vivre dans son enfance parmi ces châteaux divers, à les contempler, à les pratiquer dans sa jeunesse et à former sur eux ses premières expériences, il s'est composé un type de château idéal, parfois contradictoire dans ses éléments, qu'il va poursuivre à Versailles. Les châteaux de ses ancêtres sont les siens ; leur image est imprégnée en lui. Versailles peut apparaître comme leur enfant à tous.

Louis XIV aime qu'un château possède de longs toits plats, qui dessinent leurs terrasses sur le ciel, comme Saint-Germain, mais une habitude héréditaire le porte aussi vers les hauts toits à la française, aux décrochements vigoureux, comme à Monceaux. Il apprécie la noblesse et la clarté de la pierre seule comme à Villers-Coterets ou aux Tuileries, mais les jeux que produit la pierre alliée à la brique, comme dans les additions apportées par son grand-père Henri IV à Fontainebleau, ne lui déplaisent pas, et il sait, pour l'avoir vu à Blois, que certaines façades peuvent être de brique et de pierre, alors que les autres sont seulement de pierre. Il connaît l'agrément des galeries de circulation, qui ceinturent un château à la manière d'un grand balcon, comme à Chambord, ou qui se limitent, sur une seule façade, à une large terrasse, comme à Amboise. Il a éprouvé les facilités que donnent les petits escaliers en vis à l'intérieur des demeures gothiques, Compiègne ou Vincennes par exemple, sans méconnaître la noblesse des grands escaliers droits, comme ceux du Louvre. Il reconnaît que les reliefs, les dorures ou les couleurs vives impressionnent les foules et confèrent de l'intérêt à une demeure même vieillie, comme Madrid. Il possède une bonne douzaine de grands châteaux, dont il a étudié, éprouvé et comme vécu les avantages et les beautés.

GRANDS CHÂTEAUX DE FRANCE

Il existe aussi dans son royaume quantité de châteaux qu'il a connus dans la vie voyageuse de la Cour et dont il a pu, même s'il n'y a parfois passé qu'une nuit, admirer et retenir plus d'un détail. Dans l'extraordinaire périple notamment qui, pendant une année entière, lui a fait parcourir une partie de la France et l'a conduit jusqu'aux Pyrénées, au moment de son mariage avec l'infante Marie-Thérèse, il n'a pas été insensible à leur diversité.

Certains lui ont plu par le faste des réceptions qu'ils permettent ou par la beauté de leurs bois giboyeux, tels Blois ou Chambord, qu'il va rattacher à la Couronne dès la mort de son oncle Gaston d'Orléans.

D'autres châteaux jouissent d'un prestige ancien et, tout gothiques qu'ils soient, ont pu lui donner une impression de puissance, voire d'élégance archaïque : Poitiers, qui fut aux ducs de Berry, Tarascon, que le roi René voulut au bord du Rhône, Avignon, que bâtirent les papes dans le Comtat, ou encore cet ancien palais des rois de Majorque, qu'il a contemplé à Perpignan, sur la terre de Roussillon, tout récemment enlevée à l'Espagne.

Les grandes demeures de la Renaissance lui sont d'un style plus familier. Lorsqu'il loge à Nérac, qui fut embelli par ses ancêtres les rois de Navarre, ou à Saint-Jean-d'Angély, que le premier prince de Condé a fortement marqué, il retrouve les jolis traits classiques qu'il aime dans les châteaux royaux de la vallée de la Loire.

Deux châteaux surtout, plus proches encore de son temps, n'ont pas manqué de l'émerveiller : Cadillac et Richelieu.

En remontant de Bordeaux, sur une belle galiote fleurdelisée, le Roi débarqua à Cadillac ; il y passa avec sa Cour la nuit du 7 octobre 1659 et fut reçu avec un éclat extraordinaire par le deuxième duc d'Épernon ; le fier château, aujourd'hui bien loin de son ancienne splendeur, était encore tout neuf, avec ses riches décorations, ses sculptures, ses tapisseries et ses magnifiques jardins.

Richelieu fut un autre objet de surprise. Le château immense, avec ses communs, s'annonçait comme le fera plus tard Versailles par une ville, créée par le cardinal, aux rues droites, aux maisons basses, et par une avant-cour de dessin pentagonal. L'architecture de brique et de pierre donnait à l'ensemble une grande unité. Sur les façades du logis principal, des statues antiques semblaient préluder à la richesse des intérieurs. Louis XIV s'en souviendra. Peut-être, comparant le Versailles de son père et l'œuvre accomplie par Richelieu, se persuadera-t-il aussi que le ministre doit être moins puissant que le maître et que celui-ci devrait, pour la beauté de son palais, surpasser tous les autres.

Des leçons qu'il a retenues du voyage de 1659 - 1660, il faut au moins en noter encore une. Se trouvant à Nîmes, le Roi est allé voir le Pont-du-Gard ; environ un quart de siècle plus tard, ce nom reviendra dans la bouche des courtisans, alors qu'il entreprendra, pour parfaire son Versailles, la tâche, en apparence folle, de détourner le cours de l'Eure et de construire l'aqueduc de Maintenon.

Réflexions et souvenirs se complètent sans cesse de ce qu'il a remarqué dans la région parisienne, où, depuis une quarantaine d'années, une vraie fureur de bâtir a pris seigneurs et financiers. Autant que l'architecture, les problèmes de distribution intérieure, d'aménagement, de décor, voire de mobilier commencent à devenir à la mode. Dans ce domaine, qui touche à l'éducation et à la manière de vivre, un homme paraît l'avoir marqué plus que d'autres, le cardinal Mazarin ; une femme aussi, sa mère, la reine Anne. Et ces deux influences, étrangères l'une et l'autre, vont, mêlées à son information personnelle, donner d'étonnants résultats. L'histoire de Versailles est un peu celle du goût du jeune homme, qui peu à peu se forme ; c'est aussi l'histoire de l'art français, qui, sous l'impulsion du Roi, se libère des influences extérieures et prend une personnalité à son tour dominatrice.

MAZARIN

Mazarin l'initie à la beauté des décorations bien étudiées, à la recherche des tissus somptueux, au plaisir presque sensuel du collectionneur d'objets rares. Par lui, une forte influence italienne se surajoute à tout ce que l'atavisme apporte à son esprit.

Dans son Palais-Cardinal, qui deviendra plus tard une annexe de la Bibliothèque royale, Mazarin a fait travailler Romanelli, notamment au décor de sa fastueuse galerie. Il a entassé les meubles riches, de grandissimes cabinets à la mode de son pays, des tables de mosaïque, des torchères, des cassolettes, des vases, des bassins et même une table en argent ciselé, des étoffes précieuses, comme ce brocart de Florence rebrodé d'or et d'argent qu'ont peint Romanelli et Pierre de Cortone et qui, légué au Roi, sera pendant quelque temps l'orgueil des collections de la Couronne. Il a entassé les tapisseries et les tableaux, qu'il léguera à son jeune élève et maître ; beaucoup viennent des collections de Charles Ier d'Angleterre, vendues par Cromwell : l'*Antiope* du Corrège et le *Mariage mystique de sainte Catherine* du même peintre, ou encore les deux petits Raphaël, le *saint Michel* et le *saint Georges*, la tenture des *Actes des Apôtres,* tissée à Mortlake, et *tutti quanti.* Des objets d'or, de jaspe ou de cristal de roche, négligemment répandus dans ses appartements, de fines procelaines de Chine, des statuettes antiques ou modernes, disposées sur les tables ou les cabinets, des diamants et des perles, enfermés pour son plaisir dans les layettes de ses cassettes, ajoutent à la jouissance quotidienne de l'amateur. Pas un de ces traits qui ne se retrouve en Louis XIV.

ANNE D'AUTRICHE

Anne d'Autriche lui transmet un héritage plus complexe. Une partie est d'ordre purement artistique ; l'autre lui laissera le goût de la femme raffinée.

Louis XIV recevra de sa mère, par son testament en 1666, un certain nombre de pièces d'orfèvrerie, de meubles, de bijoux ou de tissus, qu'il placera à Versailles. Il a vu en outre, pendant ses jeunes années, la Reine-mère évoluer dans un cadre très soigné, et même un peu trop riche. Les deux appartements qu'Anne d'Autriche a fait décorer et meubler au Louvre, quand son fils avait une vingtaine d'années, paraissent avoir laissé à celui-ci un souvenir ébloui. De riches plafonds et de précieux parquets de marqueterie, des cabinets rehaussés de cornalines, de lapis ou d'agates, des meubles revêtus de vernis polychromes ou de mosaïques, de la vaisselle d'or, des filigranes d'or ou d'argent, une chambre que rehaussent un miroir, une table et même un balustre d'argent, un Salon des Bains orné de colonnes de marbre, de chapiteaux de bronze doré et d'une profusion d'or sur toute la décoration, ont frappé sa jeune imagination. Louis XIV se rappelle même avoir vu antérieurement, au Palais-Royal, l'ancien Palais-Cardinal de Richelieu, dans l'oratoire de sa mère, de grands carreaux de cristal montés dans de l'argent, et, dans ce même appartement de la Reine, une galerie entière décorée par Vouet, avec un riche plafond doré et un parquet du plus grand luxe exécuté par l'ébéniste Macé.

Plus encore que de cette richesse, Louis XIV se souviendra toute sa vie des manières de sa mère ; son élégance et ses parfums, les femmes qui l'entouraient et le ton de bonne société qu'elle avait fait régner autour d'elle l'ont frappé. Il en gardera la nostalgie ; son Versailles en conservera plus d'un trait : les gants odorants, le linge soigné, une propreté surprenante pour l'époque, les miroirs, les fleurs aux parfums violents font désormais partie de sa vie. Il aimera, lui aussi, être entouré de jolies femmes, qui, si elles ont de l'esprit, le domineront aisément, telles les Mortemart, Mme de Soubise ou Mme de Maintenon. Il transposera à l'échelle d'une immense Cour les belles manières qu'il a vu fleurir auprès de sa mère. Il essaiera même de ressusciter le « cercle » qu'elle tenait d'une manière souveraine ; la reine Marie-Thérèse, la Dauphine de Bavière, la duchesse de Bourgogne échoueront successivement dans ce rôle qu'il tentera de leur imposer ; il en aura du regret. Anne d'Autriche, que Louis XIII a laissée à l'écart de son petit château de Versailles, se tiendra spirituellement présente dans le grand Versailles de son fils.

Le château de Louis XIV nous apparaît comme l'aboutissement des influences ou expériences subies par le Roi. Une vingtaine d'années suffiront à établir Versailles pour toujours mais d'autres châteaux, d'autres esprits ont en quelque sorte insensiblement modelé ce château et l'ont préparé à naître dans l'esprit même de son créateur. Parmi tous ceux à qui Versailles doit son existence et qui peuvent prendre rang parmi les tout premiers, figurent également Fouquet et Colbert.

VAUX-LE-VICOMTE

Plus qu'aucun autre, le château de Vaux-le-Vicomte émeut ceux qui aiment Versailles et qui cherchent à en retracer la genèse. On se plaît à retrouver là, dans la sobriété, la noblesse, la vénération qui entourent ce château, l'inspiration même qu'y puisa Louis XIV. On croit se retrouver comme aux sources de Versailles.

A considérer par le détail le plan des deux châteaux ou leur décoration intérieure, on pourrait être d'abord surpris de ce qui les sépare. Le grand salon ovale de Vaux, rythmé dans ses parties hautes par les douze signes du zodiaque, dallé de blanc et de noir, ruisselant de lumière, n'aura pas son pareil à Versailles. Si le Salon du Roi, au centre et au premier étage de Versailles, future chambre de Louis XIV, avec son étage supérieur de petites fenêtres d'attique, ou encore le cabinet des Termes devaient rappeler le souvenir du salon de Vaux, le résultat paraîtrait assez mesquin ; c'est plutôt dans le salon central de Clagny ou dans celui de Marly qu'il faut en retrouver l'idée. Louis XIV va donner au décor des murs et des portes une richesse insoupçonnée de Fouquet, qui, fidèle encore aux usages anciens, les a voulus revêtus de tapisseries, sauf dans quelques pièces, où de petits panneaux décorés de rinceaux et de grotesques, voire de paysages, sont conformes à ce que l'on aime à Paris au milieu du XVIIe siècle. Les nouveautés de Vaux et la surprise du Roi résident davantage dans la composition des plafonds et surtout dans l'harmonie de l'ensemble.

Des plafonds élevés et arrondis, non pas à traverses apparentes et plats comme dans la plupart des maisons royales, mais aux courbes puissantes, vigoureusement compartimentés, richement décorés, peints, dorés, et, surtout dans l'appartement de gauche ou appartement du Roi, fortement rehaussés de sculptures, forment l'étonnant décor de Vaux. L'appartement d'été de la Reine-mère au Louvre ou la galerie du palais de Mazarin pouvaient seuls présenter jusque-là un luxe aussi grand.

Le souci du détail est poussé fort loin. Soit que Fouquet l'ait voulu ainsi, soit que le talent coordinateur de Le Brun ait exigé une telle plénitude, la manufacture de tapisseries que Fouquet a installée à Maincy, auprès de son château, pour travailler au décor des murs, tisse, sur des cartons de Le Brun ou sur des modèles de Raphaël repris par Le Brun, non seulement les tentures murales, mais des portières et jusqu'à des soubassements de fenêtres assortis.

Cette harmonie complète est recherchée de même à l'extérieur : les communs de brique et de pierre de part et d'autre du château de pierre, les jardins savamment étagés par Le Nostre, la grande perspective centrale, le dessin général, la disposition des bosquets, la grotte, les eaux semblent préfigurer Versailles.

Le jeune roi, de Vincennes ou de Fontainebleau, a suivi la naissance prodigieusement rapide de ce château nouveau. Il y est venu en 1657, en 1659, en 1660, où il reçut, avec la nouvelle reine Marie-Thérèse, un accueil magnifique. En moins de cinq années, tout est accompli. Louis XIV observe, s'étonne d'un luxe aussi insolent et aussi beau. Il annonce sa venue pour le 17 août 1661, et ce sera la grande fête de Vaux, où Louis XIV admire un château presque parfait, le plus « moderne » qu'il ait jamais vu. Il constate aussi ce que peuvent donner le pouvoir et l'argent à qui sait bien s'entourer. L'intérieur magnifiquement ordonné, les jardins et les gerbes d'eau, le théâtre portatif décoré par Le Brun, le spectacle de Molière, les feux d'artifice composés par Torelli, pas un détail n'échappe au Roi.

L'ÉQUIPE DE VAUX

L'arrestation de Fouquet suit de dix-neuf jours la fête de Vaux. Il est peu probable que celle-ci ait provoqué la disgrâce du surintendant, depuis longtemps décidée et soigneusement dissimulée. Il est bon cependant de noter que Louis XIV et Colbert, s'estimant fondés à dépouiller le financier, vont bénéficier de toute l'équipe qui s'est formée sur le grand chantier de Vaux, désormais libéré.

Les projets du jeune roi sur Versailles, pour certains qu'ils soient, sont encore trop imprécis pour que l'effet soit immédiat. Mais, de même que le souvenir de Vaux et de ses fastes paraît avoir frappé Louis XIV, de même tous ceux qui travaillèrent pour Fouquet vont être peu à peu, directement ou indirectement, absorbés par Versailles.

On cite d'ordinaire trois grands noms, à qui l'on doit Vaux et que l'on retrouve dès les premières transformations de Versailles : Louis Le Vau, qui n'a d'ailleurs pas été découvert par le surintendant, car il a travaillé auparavant pour les châteaux royaux, — Charles Le Brun, dont le séjour en Italie a été dû, ne l'oublions pas, à la protection de Richelieu, — André Le Nostre, qui reprendra à Versailles, avec une ampleur accrue, les mouvements de terrain et les perspectives qu'il a ménagés avec un art déjà très sûr à Vaux. L'accord des trois hommes est peut-être le secret de la réussite de Vaux ; il donnera aussi à Versailles son unité.

Si on relève les noms des entrepreneurs ou artisans que Jean Cordey a publiés d'après les comptes ou marchés de Vaux et si on les compare à ceux qu'on lit dans les comptes de Versailles, conservés à partir de 1664, on retrouve bien souvent les mêmes, et la répétition empêche de croire à un simple hasard : Antoine Bergeron, le principal maçon de Vaux, le menuisier Jacques Prou, La Baronnière, qui deviendra le grand doreur des boiseries et des meubles de Versailles, ou encore les sculpteurs Thibault Poissant et Lespagnandel. Les similitudes de style qu'on note entre les plafonds de l'appartement du Roi à Vaux et ceux du Grand Appartement de Versailles, femmes dansantes et guirlandes, riches encadrements de fleurs et de fruits, rosaces, canaux et palmettes, écoinçons chargés d'enfants et de trophées, sphinx et lions, ne présentent alors plus rien que de normal : même inspiration due à Le Vau ou à Le Brun ; exécution fréquemment conduite par les mêmes mains.

Louis XIV et Colbert transfèrent les tapissiers de Maincy aux Gobelins, où les cartons dus à Le Brun seront retissés, notamment des portières, sur lesquelles les armes de France remplaceront les emblèmes ou chiffres de Fouquet. Des orangers aussi bien que de nombreux arbrisseaux sont transplantés de Vaux aux Tuileries ou à Versailles. Quelques meubles, un lustre de cristal de roche et jusqu'à des carreaux de marbre blanc et de pierre noire, retenus par le Roi, montrent la diversité de ce que fournit le château du surintendant déchu. Et plus tard, lorsque Versailles sera presque achevé, en 1683, Louis XIV se souviendra encore de ce qu'il a vu une vingtaine d'années plus tôt chez son ministre : il achètera au fils de celui-ci, le comte de Vaux, pour les placer dans ses jardins (on les voit encore dans les quinconces proches de Latone) de grands termes de marbre que Poussin avait spécialement dessinés à Rome pour Fouquet.

Il serait faux cependant de penser que l'impression produite par le château de Vaux sur l'esprit du jeune Louis XIV suffit à susciter d'emblée Versailles ou que l'équipe employée par Fouquet s'est mise aussitôt à l'œuvre pour faire mieux encore. Le rêve du Roi va se préciser, se préparer, comme celui d'un artiste qui approche son plus grand ouvrage en une série d'ébauches ou d'états successifs ; les expériences que fera le Roi, et souvent ailleurs qu'à Versailles, ne seront pas inutiles.

Il faudra aussi, pour organiser le chantier, infiniment plus vaste de Versailles, l'aide puissante de Colbert, l'ennemi même de Fouquet. Étrange destinée que celle de ces deux hommes ! L'un, grâce à Vaux, devient peut-être un guide inavoué, sans lequel Versailles eût été bien différent ; l'autre sera en quelque sorte l'exécutant ou l'outil nécessaire. Ils meurent à quelques années de distance, alors que Versailles est presque achevé. Fouquet pense-t-il, dans sa prison, qu'il a été l'un des maîtres du Roi, qu'il lui a fourni un modèle et des hommes ? Et Colbert, sur ses derniers jours, la grande œuvre réalisée, se rappelle-t-il combien il a été lui-même hostile à Versailles ?

COLBERT

On peut affirmer que, sans Colbert, Versailles n'aurait pas été aussi grand. Le ministre est, comme le Roi, un élève de Mazarin. Comme le Roi, il tient du Cardinal l'art de travailler et de faire travailler, d'organiser un État aussi bien qu'une grande demeure. Mazarin, léguant au Roi son fidèle Colbert, lui a donné un instrument parfait. L'homme qui a dirigé sa fortune et sa vaste collection va employer la même méthode, les mêmes plans, pour ordonner et conserver les collections royales. Les entreprises de Louis XIV ne souffriront pas de mains inexpertes.

On doit admirer en Colbert, non seulement l'être infatigable, présent à tout, connaissant le prix des petits détails, mais aussi le commis affamé de la gloire de son patron. L'ampleur de son travail et son ardeur à servir le Roi paraissent presque inhumaines. La seule correspondance de Colbert que conserve la Bibliothèque nationale forme encore aujourd'hui quarante gros volumes, dont une partie seulement a été publiée et qui contiennent, même après la lecture qu'en fit Nolhac, bien des détails curieux sur l'élaboration de Versailles.

Colbert a des vues personnelles et réfléchies sur ce que devrait être un grand château royal. Il les expose à Louis XIV à diverses reprises, notamment en 1664, lorsqu'il critique les plans du Bernin pour le Louvre, et peut-être le Roi a-t-il eu tort, pour lui et pour ses successeurs, de ne pas retenir au profit de Versailles quelques-uns de ces sages avis. Colbert est opposé aux terrasses et même aux combles plats, qui peuvent « subsister au plus 20 ou 30 années » ; il rejette toute idée de logement royal en façade, à cause du bruit ; il ne pense pas que des « appartements sains » puissent exister ailleurs qu'au midi ou au levant (alors qu'on rendra si triste à Versailles le Grand Appartement en l'exposant au nord) ; il a des idées fort précises sur la disposition de la Grande Salle des Gardes, de la Salle de Bal, de la Salle des Festins royaux et même de la Chapelle, qui, peut-être en souvenir des chapelles palatines de l'ère gothique, devrait être entièrement séparée, spacieuse, et même à deux étages. Et surtout, dans l'esprit de Colbert, le grand château royal devrait être à Paris, au Louvre.

On rappellera plus loin le passage véhément et fameux où Colbert reproche à son souverain les sommes qu'il engloutit dans ce misérable château de Versailles et qui lui paraissent contraires à la gloire du Grand Roi. Que Louis XIV ne tienne pas compte des observations de Colbert, celui-ci ne s'en vexe pas ; attaché à son roi, il le sert loyalement ; voyant la passion du monarque pour Versailles, sentant l'inévitable s'accomplir et constatant l'ampleur des travaux, Colbert va désigner un contrôleur particulier, Petit, qui, dans des rapports dont beaucoup subsistent, le renseigne minutieusement sur le progrès des chantiers aussi bien que sur les souhaits du Roi.

L'activité artistique du surintendant a en vue, dans les premières années du règne, d'autres châteaux que Versailles. Elle profite en définitive à celui-ci. On dira plus loin quel immense chantier devint Versailles et de quelle utilité fut la présence de Colbert. Il faut songer dès l'abord à l'énorme effort accompli par le ministre dans un pays affaibli par deux minorités successives et à peine remis des guerres religieuses. Il s'agit de rivaliser avec l'Italie et de la surpasser dans le décor des palais ; mais il ne suffit pas d'amener des Italiens à Paris, il faut établir des métiers nouveaux.

Il est superflu de redire ici le rôle de Colbert dans la réorganisation des corporations, dans les fondations d'académies, dans la protection des manufactures. Les résultats de sa politique sont cependant de trop forte conséquence sur le futur Versailles pour qu'on ne cite pas au moins quatre points essentiels : la fabrication des glaces, — la création de meubles de luxe aux Gobelins et au Louvre, — l'ouverture de carrières de marbre dans les Pyrénées, — le progrès des collections royales.

Colbert sait flatter les goûts du monarque et les servir. Sans l'attention portée par lui à tout ce qui doit faire la gloire de Louis XIV et de ses châteaux, un autre se serait-il trouvé pour assumer cette immense entreprise et la rendre possible dans tous ses détails ? On peut poser cette question et constater aussi que Colbert, avant de travailler avec ardeur et parfois contre son propre gré à Versailles, s'est, comme son maître, formé la main sur d'autres châteaux royaux.

PREMIÈRES TRANSFORMATIONS DES CHÂTEAUX ROYAUX

Parmi les premiers travaux auxquels a pu s'intéresser le jeune Louis XIV, il en est dont l'inspiration revient, on l'a dit, à sa mère ou à Mazarin plutôt qu'à lui-même. On y trouve des goûts qui seront longtemps les siens, au Louvre principalement : de riches plafonds dorés, des portes fortement ornées, des planchers précieusement composés. Dans le vieux château du Louvre, un appartement des Bains pour la Reine-mère, un magnifique Cabinet du Conseil, bientôt un entresol confortable pour le Roi, ou encore, à Fontainebleau, un Cabinet du Billard, bien situé, en angle sur l'étang, indiquent plus d'une tendance dont héritera Versailles.

Lemercier, l'ancien architecte de Louis XIII et de Richelieu, est mort en 1654. Il a été remplacé comme premier architecte du Roi par Louis Le Vau, qui se mit à l'œuvre à Vincennes dès la même année. Mazarin, rentré d'exil et plus maître que jamais de l'esprit de la Reine, s'intéressa à cette entreprise et désigna Colbert pour le seconder. Le travail consistait à rendre habitable et fastueuse la grande résidence du bois de Vincennes, jadis établie par Charles V. Le pavillon récemment élevé pour Louis XIII au sud servit de point de départ et fut doublé d'épaisseur ; c'est le pavillon du Roi. Un pavillon symétrique fut bâti à l'est et destiné à Anne d'Autriche ainsi qu'au Cardinal ; il est doté d'un bel escalier de pierre, d'une terrasse au premier étage sur les jardins, de boiseries, de dorures, de paysages peints à l'intérieur. Les façades sont ornées de hauts pilastres doriques et d'une frise à triglyphes, avec de grands toits d'ardoises. Des arcatures et un balcon relient les deux corps de bâtiment, selon une disposition qui exista, à l'arc de triomphe central près, à Versailles. Que de similitudes unissent les deux châteaux ! Vincennes apparaît

comme une ébauche du futur Versailles, auquel manquerait
le bâtiment principal au creux de ses deux bras.

LE LOUVRE ET LES TUILERIES

D'autres bâtiments vont bientôt, sinon passionner, du
moins intéresser le jeune Louis, dont Colbert n'imagine pas
la résidence principale ailleurs qu'à Paris. Mazarin a fait créer
par des hommes à lui, des Italiens, dans l'aile septentrionale
des Tuileries, la prodigieuse Salle des Ballets, qui sert de
cadre aux premiers grands spectacles du règne. De brillantes
cavalcades se déroulent dans les cours ; Vigarani, Gissey,
Berain y travaillent ; on les retrouvera à Versailles. Le fameux
carrousel du Louvre est antérieur de deux ans à la première
grande fête de Versailles. Le Nostre donne de l'unité, du
pittoresque et de la grandeur tout à la fois au jardin des
Tuileries, dont il demeurera jusqu'à sa mort le jardinier en
chef ; avec une majesté déjà toute versaillaise, il dessine l'axe
principal de perspective jusqu'à la future butte de l'Étoile.
Le Vau rebâtit les façades du Louvre aussi bien que des
Tuileries. Les peintres Errard, Champaigne et surtout Le
Brun, les sculpteurs Marsy, Anguier, Girardon, tous noms
qui seront familiers aux visiteurs de Versailles, décorent les
appartements de ces deux châteaux. La Galerie d'Apollon est
décorée par Le Brun, comme un prélude à celle de Versailles.
Les plans que l'on établit pour créer une nouvelle façade
d'entrée au Louvre et pour relier Louvre et Tuileries habituent
Louis XIV à ne pas s'effrayer des plus gigantesques desseins.
Les premiers changements réclamés au Louvre par le Roi
en personne présentent un autre intérêt. Ils le montrent
préoccupé de ses collections, qu'il cherche, en héritier de
François Ier, en disciple de Mazarin, à installer richement. Le
plan que dessine D'Orbay en 1661, sur ses indications et sur
celles de Le Vau, situe les divers cabinets destinés aux
tableaux, aux beaux livres, aux « médailles, coquilles et autres
curiosités » et prévoit même des volières. Ne se croirait-on
pas déjà à Versailles ?
Louis XIV, en même temps, établit sa Cour sur un pied

de faste jusque-là inconnu. Il transporte celle-ci d'un château à l'autre au gré des travaux, comme si des installations précaires et inconfortables devaient être la rançon des bâtiments magnifiques qui assureront sa gloire pour les siècles à venir. Le *Journal* tenu à ce moment par Olivier d'Ormesson laisse apparaître ce curieux contraste. Un jour, pour la réception d'un ambassadeur, sont étalés les meubles d'argent, les plus riches tapisseries de la Couronne, les cabinets rehaussés de pierres fines ; un autre jour, le Louvre est tout encombré, jusque dans l'appartement du Roi, de coffres entassés et rangés comme des barrières. On pourrait presque suivre l'ouverture des principaux chantiers des premières années du règne par les déplacements de la Cour, qui se réfugie ailleurs de façon passagère. Pour permettre l'exécution de ses vastes projets sur le Louvre, le Roi quitte ce palais et décide de s'établir aux Tuileries, d'où les travaux le repoussent vers Vincennes. Il commence alors à fréquenter Saint-Germain, dont Versailles est tout proche.

SAINT-GERMAIN

L'équipe préparée par Fouquet trouve à Saint-Germain, presque aussitôt transplantée de Vaux et magistralement conduite par Louis XIV et Colbert, son meilleur champ d'expériences. Notre attention est peut-être trop volontiers retenue aujourd'hui par le Versailles de Mansart, mais à l'époque où naissent les premiers travaux qu'accomplit le Roi à Versailles, d'autres travaux, et assez semblables, les accompagnent et souvent les précèdent légèrement dans le temps. Saint-Germain, château trop mal connu, constamment défiguré au cours du XVIIIᵉ et du XIXᵉ siècle, mériterait d'être mieux étudié ; il expliquerait certainement par des dates et par des noms plus d'une réussite accomplie à Versailles, préparée comme en un premier essai dans le vieux château royal, dont chacun se plaît alors à reconnaître l'extraordinaire situation, sur sa colline qui domine la Seine et les campagnes du Pincerais et du Parisis.

A Saint-Germain comme à Versailles, Louis XIV commence

le travail par les jardins. Faut-il y voir une influence de Mlle de La Vallière, ou seulement la marque d'une passion pour les aménagements des parterres et des bosquets, qui ne le quittera plus jusqu'à sa mort ? Le Nostre, au pied du vieux château, dessine, comme aux Tuileries et comme à Vaux, deux longs parterres de broderies, que prolonge vers les lointains la grande perspective des Loges ; il compose des bosquets et le boulingrin entre le château-neuf et le château-vieux ; il imagine surtout la prodigieuse terrasse à flanc de coteau, l'une des plus coûteuses et des plus majestueuses entreprises du règne.

L'installation d'un appartement intime, que le Roi se réserve, semble préluder aux prochains travaux de Versailles. Les exécutants seront les mêmes : Le Brun, Cucci, Prou et Buirette, La Baronnière, les Le Moyne. Des glaces partout multipliées, une grotte, des effets d'eau, de l'argent et du bronze, du corail et du marbre, des amours et des fleurs à profusion marquent ici les thèmes préférés du Roi.

LA PART DU ROI

Fort de ses premières expériences, enhardi de succès en succès, préparé par son atavisme et par ceux que l'on peut appeler ses maîtres, appuyé sur une bonne équipe, sur une organisation solide, sur des finances prospères, Louis XIV va pouvoir travailler comme aucun de ses prédécesseurs, pas même François Ier, ne l'a fait.

Il aime l'architecture, jusqu'à se reprocher à son lit de mort d'avoir eu trop de goût « pour les bâtiments ». Il est également passionné de tout ce qui touche au décor intérieur. Il se plaît dans les jardins, s'intéresse aux fleurs, aux arbres rares, s'amuse à voir planter. Ses goûts personnels vont se confondre avec ce qui va faire la magnificence de Versailles. Il est persuadé qu'une belle demeure contribue autant à la gloire d'un grand roi que la conquête d'une nouvelle province.

Les exemples abondent de ce souci permanent de Louis XIV pour ses châteaux, et tout spécialement pour Versailles, dont il suit, par sa correspondance avec Colbert, les progrès avec minutie, même lorsqu'il est au loin. « Mandez-moi l'effet que les orangers font à Versailles dans le lieu où ils doivent être », écrit-il à son ministre, du camp devant Besançon, le 16 mai 1674.

On trouvera plus loin mainte mention de ses interventions personnelles et de son rôle. Admirons cette réponse, soucieuse de ne pas retarder le travail et désireuse tout à la fois d'en décider personnellement, qu'il adresse « du camp devant la citadelle de Gand », le 10 mars 1678, à Colbert, qui, neuf jours plus tôt, lui a annoncé que Le Nostre « fait faire un modèle de la nouvelle pièce », vraisemblablement le futur bassin de Neptune : « Quand le modèle sera fait, il ne faut point perdre de temps pour commencer à travailler à dégrossir l'ouvrage ; car, pour les ornements, je serai bien aise de voir le modèle devant qu'on y travaille. »

Comme son éducation sommaire lui a donné un tour d'esprit plus « visuel » que purement intellectuel, Louis XIV ne se contente pas de choisir, lorsqu'il s'agit d'un ouvrage important, sur de simples dessins. Il veut, avant de décider, voir les volumes, l'effet et presque la réalité. Dès ses premiers travaux au château, il prend l'habitude de se faire présenter des maquettes, qui s'ajoutent aux dessins. Que ne donnerait-on pas aujourd'hui pour contempler, sous ces modèles réduits, le premier Versailles ressuscité et comme anticipé : le futur Escalier des Ambassadeurs dans sa version initiale (1671), le parterre d'eau tel qu'il devait accompagner la façade de Le Vau (1672) ou la troisième chapelle du château (1676).

Le Roi — on aura l'occasion de le répéter — ne néglige aucun détail. Il s'inquiète des « échantillons » des marbres à employer dans l'appartement des Bains. Il s'entretient par écrit avec Colbert durant son voyage d'Alsace et de Lorraine, en 1673, du réglage des pompes et du débit des fontaines, qu'il entend bien vérifier lui-même à son retour, avant de décider « là-dessus le temps qu'elles devront aller et la grosseur des jets ». Au moment où les développements du parterre d'eau se précisent et où la sculpture de marbre prend une importance grandissante dans ses jardins, il décide de « voir », à l'aide de figures de plâtre, l'effet que feront sur le parterre ainsi décoré les grandes statues qu'a dessinées Le Brun.

Apte à travailler dans le grand et à traiter de pair avec un Le Nostre et un Le Vau, il ne dédaigne pas de se faire décorateur et presque tapissier. La correspondance de Colbert abonde en indications de cet ordre. Louis XIV décide, par exemple, en 1663, de l'addition de filets d'or aux croisées de ses appartements, ou, un autre jour, à la Ménagerie, il regarde de près la décoration qui s'y fait, fixant la hauteur, la couleur d'un lambris, « et veut en ordonner lui-même ». Un « style Louis XIV » va se former et évoluer à Versailles, avec la participation directe du Roi, selon ses goûts. Pourtant, dans ce qu'il exige, on le sent bien souvent tributaire des hommes qu'il emploie. Des dessinateurs ou des architectes peuvent lui imposer à son insu, s'ils sont habiles, leur manière de voir. Des difficultés d'exécution peuvent surgir, qui, une fois au moins, lorsqu'il s'agira de l'adduction de l'Eure, le feront reculer.

LA PEINE DES HOMMES

Dans l'œuvre collective et colossale du château qui se crée, on rend hommage — et l'on a raison — à Louis XIV, aux architectes, à Le Nostre, à Colbert, mais on oublie trop la masse de ceux qui leur ont obéi et sans qui rien n'eût été possible. On se représente mal — et plus les moyens mécaniques progressent, plus il sera difficile de l'imaginer — la main-d'œuvre immense, les misères, les morts que coûta Versailles.

Chaque fois que s'ouvre l'un des grands chantiers qui donnèrent au Versailles majestueux et calme que nous admirons sa forme définitive, les travailleurs se comptent par milliers, et chaque fois les accidents sont nombreux. L'administration royale, avec l'empirisme paternel qui la caractérise, tente de remédier à ces malheurs. Faut-il appeler indemnités, secours, charité, les sommes que l'on voit inscrites sur les registres des Bâtiments et qui nous renseignent sur ces accidents du travail ?

Lorsque débute, après la paix de Nimègue, en 1678, la grande étape qui doit à peu près terminer le château, ces tristes mentions se multiplient. Une sorte de pitoyable tarif semble s'établir : de 30 à 40 livres pour un bras cassé ou une jambe rompue, 40 livres pour un bras cassé et une côte enfoncée. On note aussi 60 livres pour un œil crevé et la même somme pour une « tête cassée » ! L'arrêt de travail plonge une famille dans la misère, mais combien plus la mort de son chef, et l'on est surpris de voir, dans ce cas, des indemnités souvent égales aux précédentes. En 1679, la veuve d'un ouvrier qui a été tué « en travaillant à dévêtir les ailes » du grand moulin de Satory reçoit seulement 40 livres et, l'année suivante, la veuve d'un charpentier qui a été tué « en échafaudant à la petite écurie » touche encore moins : 30 livres. En vertu d'un arbitraire dont les raisons nous échappent et qu'il faudrait peut-être expliquer par des situations de famille différentes, on rencontre aussi des sommes plus élevées : 100 livres, par exemple, en 1672, à la veuve d'un ouvrier tué en travaillant aux murs du grand canal, 100 livres aussi, la même année, à une veuve dont le fils est mort en « tombant d'un échafaut ».

La colline de Satory, bien avant les hécatombes que causèrent la Pièce des Suisses ou l'aqueduc de l'Eure, paraît avoir été meurtrière. En 1671, un manœuvre tombe dans l'un des puits creusés pour le nouveau réservoir ; sa veuve reçoit 75 livres. L'année suivante, un éboulement des terres dans le « percement de la montagne » pour le passage de l'aqueduc cause la mort d'un homme, à la veuve duquel on donne 75 livres.

On élève des monuments aux morts des guerres ; on inscrit leurs noms sur des plaques de marbre ; on grave aussi les noms des grands bienfaiteurs du château. Les ouvriers qui édifièrent Versailles n'ont-ils pas droit à notre reconnaissance ? En gagnant rudement et péniblement leur vie, sans bien comprendre que les siècles continueraient d'admirer leur travail, ils ont servi leur pays.

Il a fallu à Louis XIV une grande dureté pour mener à bien, tel un chef militaire, son immense entreprise dans une nature hostile. Peut-être, en comprenant mieux les difficultés de la lutte qu'il a engagée, est-il devenu plus sensible aux malheurs qu'elle cause. Une remarque, faite par Olivier d'Ormesson dans son *Journal* au mois de juillet 1668, c'est-à-dire à l'époque de la grande fête qui suit le traité d'Aix-la-Chapelle, le montre encore assez inhumain. Une femme, dont le fils est tombé et s'est tué « pendant qu'il travaillait aux machines de Versailles », injurie le Roi ; celui-ci la fait arrêter et supplicier du fouet. Beaucoup prirent le parti de la mère et « blâmèrent Louis XIV ».

Les sommes versées aux victimes de son grand ouvrage peuvent paraître étrangement diverses ; elles existent. Louis XIV, par souci d'honnêteté ou par crainte du scandale, peu importe, ne laissera pas se renouveler la scène pénible de 1668.

Il n'y a pas non plus que de durs moments dans la vie des chantiers. Chaque année, les tailleurs de pierre dressent leur « mai », le jour de l'Ascension, dans la cour du château ou dans les bosquets. Le Roi leur donne une gratification pour boire et l'on verra plus loin qu'à la nouvelle de la naissance du duc de Bourgogne les échafaudages servent à alimenter un feu de joie.

Bientôt les moyens habituels des entreprises qui travaillent pour les Bâtiments du Roi ne suffiront pas au travail qui leur est demandé. On doit recruter une main-d'œuvre supplémentaire. 1 252 livres seront, dans le courant de l'année 1678, versées en gratifications « à ceux qui ont été de Paris travailler à Versailles ». Et Louis XIV, après la paix de Nimègue, commence à faire appel à ses soldats ; les Suisses et l'infanterie, en 1679-1680, travaillent au nouveau potager et au grand réservoir de Bois-d'Arcy. Que de soucis pour organiser de tels ateliers !

Il faut l'esprit d'ordre d'un Colbert pour parvenir à constituer, dans une ville encore presque inexistante, à quatre lieues de Paris, et avec les moyens techniques assez rudimentaires et « gothiques » de l'époque, une cité provisoire. Des baraquements légers sont édifiés pour servir de dortoirs ; un chirurgien est appointé pour « panser les ouvriers qui ont été blessés » ; en 1680, un petit hôpital ou « Salle de la Charité » est construit. On s'inquiète des gens de journée et des chevaux de somme qui iront porter aux travailleurs « l'eau bonne à boire » ; on assure des rations supplémentaires de pain et de vin aux ouvriers « pour leur faire faire diligence » ; on se préoccupe aussi de rassembler l'outillage nécessaire aux immenses remuements de terre qu'exigent, à la fin de cette période, les grands projets du Roi pour ses jardins : des pioches et des bêches, 1 200 brouettes pour les Suisses en 1679, que l'on fabrique sur place en livrant le sapin, les clous et les boulons, des tombereaux, pour lesquels on doit prévoir des ferrures et des roues de rechange, et tout à l'avenant.

Versailles, avant d'être un beau château, est un gigantesque chantier. Louis XIV doit en faire l'expérience et s'accoutumer à cet état. Un tableau conservé dans les collections royales d'Angleterre, où l'on a voulu voir la main de Van der Meulen et qui date de cette époque, en donne un aperçu fidèle. Le lecteur verra ce tableau reproduit au revers de la couverture du présent volume. Nous nous trouvons reportés à deux siècles du nôtre dans la cour de la Grande Écurie, toute encombrée de matériaux, comme l'est aussi la Place d'Armes. Colbert, descendu de son carrosse, examine des plans, entouré d'architectes et d'entrepreneurs. Le château se profile à l'arrière-plan, les ailes des ministres étant encore en construction (vers 1680). D'innombrables ouvriers, manœuvres, tailleurs de pierre, s'affairent de tous côtés. Un matériel de sapines, de roues, d'échafauds ou de brouettes, apporte une aide sommaire à cette armée de travailleurs. Nous sommes encore en plein règne du bois et de la main, où l'effort humain compte au maximum. L'application de Colbert, la volonté de Louis XIV animent et forcent le travail. Pendant plus de vingt ans, sur cette terre ingrate où peinent et s'ingénient tant de gens, le travail se poursuivra, opiniâtre et superbe. Le château prodigieux, ses jardins invraisemblables, surgiront de cet effort colossal.

CHAPITRE III

UN CHÂTEAU DE FÊTES ET D'INTIMITÉ

PREMIÈRES VISITES

Louis XIV, tout au début de son règne personnel, a semblé prêter d'abord peu d'attention à ce petit château, qu'il a connu dans son enfance et où il a aimé chasser. Après son mariage, quatre mois s'écouleront avant qu'il y conduise Marie-Thérèse, le 25 octobre 1660. On peut même calculer à ce moment qu'il n'y est pas venu depuis deux ans. Et ce sera presque aussitôt le coup de foudre.

Quelle raison trouver à ce passage subit de l'indifférence à la passion, une passion qui, jusqu'à sa mort, l'attachera à ce domaine ? Aucune peut-être, sinon l'amour. L'automne est beau à Versailles. Le Roi a été séduit. Il a aussi près de lui une jeune nymphe, qui se plaît dans les jardins et dont il est éperdument amoureux. Versailles sera le château de leurs amours.

Pour Saint-Simon, le doute ne se présente même pas. « Il s'en servoit pour être plus en particulier avec sa maîtresse. » « L'amour de Mme de la Vallière, qui fut d'abord un mystère, donna lieu à de fréquentes promenades à Versailles. »

La Grande Mademoiselle est du même avis. Notant de temps à autre dans ses *Mémoires* les voyages de la Cour à Versailles, elle fait, à la date de 1666, aussitôt après avoir parlé de Mlle de La Vallière, cette remarque : « Nous allions souvent à Versailles ; personne n'y pouvoit suivre le Roi sans son ordre. Cette sorte de distinction intriguoit toute la Cour, chacun la vouloit avoir. »

Saint-Simon précise ce dernier point. Traitant, dans une addition au *Journal* de Dangeau, de l'origine des justaucorps à brevet, il explique : « Au commencement que le roi fut amoureux de madame de la Vallière, et qu'il ne s'en cacha plus, la cour étoit à Saint-Germain, et Versailles au même état à peu près où Louis XIII l'avoit mis, qui n'étoit rien. Le roi y alloit une fois ou deux la semaine, en très-petite compagnie, passer une partie de la journée avec madame de la Vallière, et imagina un habit bleu doublé de rouge, avec la veste rouge, l'un et l'autre brodés d'un dessin particulier : il en donna à une douzaine de ceux à qui il permettoit de le suivre à ces petites promenades particulières de Versailles. »

Louis XIV va dès lors imposer à son petit château un caractère en quelque sorte double. D'une part, c'est le refuge de sa vie amoureuse ; il y trouve une retraite qu'il ne peut obtenir dans aucun autre de ses grands châteaux ; il y vient de Saint-Germain en privé, accompagné de quelques courtisans qu'il veut distinguer, de même que, plus tard, il ira en de petits séjours se reposer de Versailles à Trianon ou à Marly. Mais d'autre part, il cherche, en quelques occasions, à étaler aux yeux de tous sa passion pour sa maîtresse et pour son château, qui paraissent se confondre en un seul amour. Les dates sont là. La faveur de Versailles correspond d'abord à celle de Mlle de La Vallière. Le château demeure un instant restreint à l'intimité qu'y cherche le Roi. Les jardins, plus vite, deviennent magnifiques, pour plaire à la dame et permettre de recevoir parfois la Cour entière.

PREMIERS TRAVAUX

Les premiers moments de la faveur de Versailles sont, comme peuvent l'être ceux d'un jeune amour, entourés de mystère et de discrétion. Les travaux que subit alors le château de Louis XIII sont encore mal connus ; ils importent d'ailleurs assez peu, puisqu'ils seront bientôt repris et comme submergés par les campagnes ultérieures. Les comptes ne sont régulièrement tenus qu'à partir de la nomination de Colbert à la place de Ratabon, à la surintendance des Bâtiments, le premier janvier 1664. On est limité jusque-là à quelques marchés, à quelques rapports, souvent à des hypothèses.

On pourrait prendre pour de la logique ou attribuer à un

48

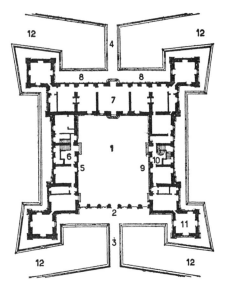

FIG. 3. — *Le château vers 1660.*

1. Cour du château (future cour de marbre). — 2. Grille. — 3. Pont-levis vers la cour d'entrée. — 4. Pont-levis vers le parterre occidental. — 5. Corps de logis du Sud. — 6. Degré du Sud (futur Degré de la Reine). — 7. Corps de logis principal ou occidental. — 8. Terrasse occidentale (future Galerie-basse). — 9. Corps de logis du Nord. — 10. Degré du Nord (futur Degré du Roi). — 11. Pavillon du Nord-Est ou Pavillon de la Chapelle. — 12. Fossés.
(A comparer au plan de 1667, fig. 4, p. 50).

plan bien préparé le déroulement des travaux de Versailles, tant le résultat nous paraît aujourd'hui parfait et sûr. Pourtant l'empirisme triomphe ; seule existe vraiment la volonté du Roi de créer d'abord de l'extraordinaire, ensuite du grand.

On est amené à distinguer deux larges étapes. La première est un peu folle. Le Roi, entraîné par sa jeunesse, par son désir d'étonner, par sa passion sincère et presque démesurée pour ce château, s'enthousiasme pour mainte idée nouvelle. Plus tard, ce qui n'était encore qu'ébauche ou fantaisie trouvera sa forme définitive.

Les dépenses sont tout de suite considérables, et Colbert en étalera le montant avec dépit sous les yeux du Roi : entre

1661 et 1663, Versailles a déjà absorbé 1 500 000 livres. Le ministre trouve la maîtresse un peu coûteuse. Où va l'argent ?

Le château lui-même en retient assez peu, bien qu'on s'applique à corriger ce qu'il a de trop simple et de trop banal : quelques embellissements peut-être dans les toitures ; l'amélioration du tracé des fossés ; l'établissement d'un grand balcon de fer forgé qui ceinture la demeure entière à hauteur du premier étage et que le Roi veut muni de portes à serrures à la séparation des principaux appartements ; des enrichissements de peinture et de dorure, dus, semble-t-il, principalement à Charles Errard, dans quelques pièces du château ; l'installation de deux petits cabinets, montés sur trompes, dans les angles du corps principal et des corps de logis du premier étage. Tout ceci représenterait bien peu de chose, s'il n'y avait les extérieurs, où, poussé déjà par son goût du grandiose, peut-être aussi pour être agréable à Mlle de La Vallière, le Roi s'engage en des travaux, dont l'échelle était inconnue jusque-là.

LES COMMUNS

La suite de Louis XIV, lorsque celui-ci daigne conduire à Versailles les reines Marie-Thérèse et Anne d'Autriche, est d'un faste ignoré de Louis XIII ; les exigences du nouveau roi n'ont, même en ses voyages privés, aucun rapport avec celles que son père avait pu manifester. Il apparaît aussitôt nécessaire de reconstruire les communs et la « basse-cour ». Un marché, qu'ont retrouvé et publié Brière et Mauricheau-Beaupré, montre, avec les premiers rapports adressés par Petit à Colbert, que cet ouvrage fut l'un des principaux que reçurent les bâtiments au cours des années 1662-1663.

Deux longues ailes, au nord et au sud, sont substituées aux médiocres communs du château de Louis XIII. Construites en avant des deux ailes qui délimitent la cour intérieure primitive, mais en retrait par rapport à elles, elles annoncent, par leur décrochement, le mouvement que les architectes seront par la suite amenés à donner aux cours du château et que personne pourtant ne peut encore pressentir.

50

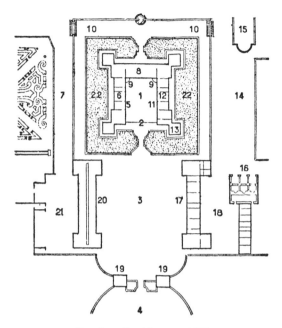

Fig. 4. — *Le château en 1667.*

1. Cour du château (future cour de marbre). — 2. Grille. — 3. Avant-cour. — 4. Place d'Armes. — 5. Corps de logis du Sud. — 6. Degré de la Reine. — 7. Parterre du Midi. — 8. Corps de logis occidental. — 9. Cabinets en encorbellement. — 10. Perron du parterre occidental. — 11. Corps de logis du Nord. — 12. Degré du Roi. — 13. Pavillon de la Chapelle. — 14. Parterre du Nord. — 15. Bassin de la Sirène. — 16. Grotte de Thétis. — 17. Aile Nord de 1662 (offices). — 18. Basse-cour des cuisines. — 19. Pavillons de garde et de portier. — 20. Aile Sud de 1662 (écuries). — 21. Basse-cour des écuries. — 22. Fossés. (A comparer aux plans du château vers 1660, fig. 3 p. 48 et vers 1674, fig. 7, p. 74.)

L'aile du Nord, que détruira Gabriel à la fin du règne de Louis XV, est aménagée pour les cuisines et les offices de la Bouche du Roi et du Commun ; bâtie du côté de l'étang de Clagny, elle doit abriter des réservoirs, ainsi qu'une pompe, actionnée par un cheval.

L'aile du Sud subsiste en majeure partie sous le nom de « vieille aile » dans le Versailles actuel, en arrière du pavillon Dufour. Elle est destinée aux écuries. Elle est plus large que

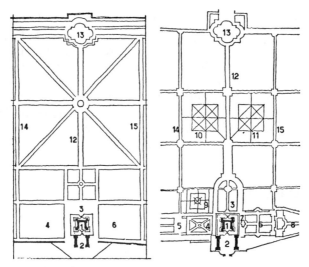

FIG. 5. — *Les jardins vers 1662*   FIG. 6. — *Les jardins vers 1663.*

(Afin de laisser apparaître les progrès des deux premières années de Louis XIV sur un tracé général inchangé, la numérotation est commune aux deux plans).
1. Cour du château (future cour de marbre). — 2. Avant-cour. — 3. Parterre occidental.— 4. Parterre du Midi.— 5. Parterre de l'Orangerie de Le Vau.— 6. Parterre du Nord.— 7. Bassin de la Sirène.— 8. Allée de cascatelles.— 9. Le Bois-vert.— 10 et 11. Les Deux-Bosquets (futurs bosquets de la Girandole et du Dauphin).— 12. Grande allée centrale (future allée-royale).— 13. Grand-rondeau occidental (futur bassin des Cygnes ou d'Apollon).— 14 et 15. Futures allées des Saisons.
(À comparer au plan de 1674, fig. 11, p. 108.)

la précédente, mais cette différence n'apparaît guère, car un large pavillon saillant termine à chacune de leurs extrémités l'une et l'autre de ces deux ailes nouvelles.

En outre, deux petits pavillons, dont la toiture d'ardoise est traitée en dôme, sont reliés l'un à l'autre par une grille de fer et terminent cette basse-cour du côté de l'est ; ils servent de corps de garde et de logement de portier. Un hémicycle les précède ; un soubassement cintré les rattache à un mur de clôture, qui forme deux étroites basses-cours latérales ; celles-ci sont à leur tour terminées chacune par un long pavillon bas, sorte de hangar ou d'appentis, pour faire remise de carrosses du côté sud, bûcher du côté nord.

Ainsi commencent à s'organiser les services d'une Cour qui se complique. Un détail montre suffisamment l'ampleur que, sous l'impulsion de Louis XIV, prend ce premier Versailles, qui nous paraît encore tout petit : au mois de mars 1663, le scellement des croisées d'une partie des communs porte déjà sur une centaine de fenêtres ou lucarnes. C'est par centaines aussi qu'on compte au même moment les terrassiers qui travaillent à l'extérieur.

LES JARDINS

L'immensité des sommes payées suffirait à expliquer le travail entrepris dans les jardins au cours des années 1661-1663. Le domaine s'étend et le Roi achète des terres, qui vont être « enfermées dans le parc de Versailles », notamment au sud-ouest, sur la paroisse Saint-Pierre de Choisy, et au nord-ouest, sur la paroisse Notre-Dame de Trianon. Les jardins s'organisent et l'aménagement de leurs différents plans entraîne dès ce moment des remuements de terre considérables. Les comptes sont encore trop sommaires pour nous renseigner par le détail. Il suffit cependant, pour s'assurer de l'effort accompli par le Roi, de jeter les yeux sur deux plans de cette époque qu'un tracé schématique reproduit ci-contre : le plan de la collection D'Anville à la Bibliothèque nationale, que l'on hésite à considérer comme antérieur aux grands travaux de 1662, et un plan de la Bibliothèque de l'Institut, qu'Alfred Marie a daté avec vraisemblance de janvier 1663.

Le tracé général paraît être encore celui de Louis XIII, mais déjà tout s'ordonne et s'amplifie. A l'intérieur du quadrilatère principal, formé de jardins ou de taillis, se retrouvent les mêmes grands axes, qui se recoupent à angles droits.

Quelques accroissements de terrains, à l'est, du côté du village et de la pompe de Clagny, permettent à Louis XIV de développer les parterres de part et d'autre du château ; au nord, un long bassin quadrilobé, bientôt dénommé *bassin de la Sirène*, au milieu de la façade latérale, commande un large parterre, dont les extrémités sont marquées par deux petits bassins circulaires et par un bassin plus vaste, qui domine lui-même une allée de cascatelles terminée par un rondeau ; au midi, un premier parterre, orné d'un bassin, qui, par la sculpture dont on le décorera, prendra bientôt le nom de *parterre de l'Amour*, surplombe une Orangerie, qu'établit à ce moment Le Vau.

Les terres que l'on tire de la butte pour construire cette Orangerie et former le parterre bas qui prolonge celle-ci, sont reportées en avant du grand parterre occidental de Louis XIII ; ce parterre, qui continue d'être orné d'un bassin, se termine en demi-lune ou en fer à cheval (dont les branches sont tournées vers le château, alors que la création de Latone aboutira plus tard au mouvement inverse).

A l'angle du parterre méridional et du parterre occidental, le plan de 1663 signale un bosquet d'un dessin assez compliqué, qui s'appelle peut-être déjà le *Bois-vert*, tandis que, dans les compartiments boisés qui descendent vers le grand-rondeau, se distinguent, — sur un tracé losangé que Le Nostre a déjà essayé à Vaux, — deux bosquets ornés chacun d'un bassin, qu'on nommera plus tard *bosquet de la Girandole, bosquet du Dauphin* et qu'on désigne pendant quelque temps comme *les Deux-Bosquets*.

Au-delà du *grand-rondeau* du fond, Le Nostre ébauche une patte d'oie, dont la branche centrale servira quelques années plus tard de point de départ au Canal.

Dans un Versailles qui, en apparence, s'est peu modifié, les transformations des jardins, dès ces premiers travaux, s'avèrent remarquables. La situation du château sur sa butte commande le reste et les grands axes préparés par Louis XIII continuent de s'imposer. Mais déjà le paysage est étudié par Louis XIV et par Le Nostre avec une passion qui laisse deviner les grandeurs toutes proches. Le parterre occidental, amplifié, est axé sur des perspectives qui n'auront plus de limites. Les deux parterres latéraux qui bordent le château, tout réduits qu'ils soient encore, sont déjà comme marqués de leur destin futur ; celui du nord, composé de verdure, se termine par une allée d'eau ; celui du sud, consacré aux fleurs, domine un parterre d'orangers. Louis XIV semble déjà prévoir son Versailles de demain.

L'IMPATIENCE DU ROI

Le château de son père devient son œuvre propre. Conservateur et respectueux de son héritage, le Grand Roi maintiendra jusqu'à sa mort, malgré toutes les remontrances, le style des façades d'entrée. Il saura adapter ses transformations personnelles aux grandes lignes du tracé donné par Louis XIII aux jardins. Mais il magnifie tout l'ensemble. Est-ce pour sa gloire, à laquelle il songe constamment ? Est-ce par goût du riche et du grand ? N'est-ce pas aussi parce qu'il s'est pris d'amour pour ce domaine et qu'il le veut tout de suite selon son rêve ?

Les quinze cent mille livres englouties en moins de trois ans sur cette terre ne font que traduire l'impatience de Louis XIV. Celle-ci se lit presque à chaque ligne des rapports de Petit à Colbert, qu'a publiés en grande partie Nolhac pour l'année 1663. Louis XIV est présent ; il pousse, il presse, il ordonne.

Dans les mois de février et mars, il est à chaque instant sur le terrain. Avant même que les peintres aient terminé leur travail, il assiste, quatre heures durant, dans l'un des nouveaux petits cabinets disposés en encorbellement dans l'angle de la cour, à des essais de tenture, de tablettes ou de tableaux. Il aime l'or et veut qu'on l'applique en filets aux croisées de son antichambre et chez la Reine. Il fait hâter la pose du parquet de son Cabinet, où il lui arrive de tenir déjà le conseil. « Il ne faut qu'une vitre ou une targette cassée pour faire parler quantité de contrôleurs et mécontenter Sa Majesté, qui paraît fort satisfaite quand elle vient ici. »

Le Roi est heureux, en effet, dès qu'il voit s'ordonner ce qu'il a approuvé ou souhaité. Il est là lorsqu'on pose la seconde assise de l'Orangerie de Le Vau et ne dissimule pas son contentement « de la bonté et solidité de cet ouvrage », dont il n'envisage pas pour l'instant le caractère éphémère. Tout contre-temps l'impatiente. Déjà apparaît en lui ce

« superbe désir de forcer la nature », d'où surgira le grand
Versailles. Une phrase, qu'on relève dans l'une de ses notes
à Colbert en 1678, pourrait s'appliquer à cette époque : « Il
faut encore presser les nouveaux bâtiments, afin qu'ils soient
faits *dans le moment que j'ai dit.* » Les gelées retardent son
plaisir de voir les constructions s'achever, et il faut l'assurer
de la diligence qu'on apportera au travail, le beau temps
revenu. Les arbres eux-mêmes doivent donner rapidement les
effets qu'il attend d'eux. Les pépinières installées par Fouquet
à Vaux répondent à ses premiers vœux, avant que des forêts
entières, transplantées d'Ile-de-France, de Normandie, de
Compiègne ou d'ailleurs viennent, sur son ordre, créer un
paysage nouveau.

Ce château, qu'il semble d'abord réserver à son intimité,
Louis XIV le veut de plus en plus extraordinaire. Il ne lui
déplaît pas d'en montrer parfois le caractère exceptionnel.
De là, la création de la Ménagerie, ou les fêtes prodigieuses
qu'il donne ; de là aussi, les inquiétudes de Colbert.

LA MÉNAGERIE

L'année 1664 est marquée d'un certain nombre de progrès :
nouveaux embellissements du château lui-même, notamment
aux toitures, qui sont, semble-t-il, rehaussées de plomb
doré à ce moment ; acquisitions de terres ; transformations
apportées aux parterres du Nord et du Sud ; arrivée de
sculptures aussi bien que « d'arbres verts » ; travaux de
peinture et de dorure qu'accomplit Errard à l'intérieur du
château ; soins apportés aux abords du château, au pavage
des cours, aux terrassements destinés à « faire l'advenue et
place du château ».

Cette année voit aussi se développer le goût de Louis XIV
pour sa Ménagerie et sa Laiterie, dont la création paraît
remonter à 1662 ou 1663.

Des dépenses de maçonnerie ou de terrassement pour les
bâtiments, les cours, les bassins ou les aqueducs se retrouvent
dans les comptes à ce moment. Louis XIV semble avoir tenu
à un certain éloignement du château, tant pour l'hygiène

que pour faire de sa Ménagerie un but de promenade. Celle-ci comprend un grand salon octogone au premier étage, que ceinture un balcon, d'où l'on voit proprement et sans danger les cours, qui se développent sur un plan rayonnant ; la cour des gazelles, celle des poules et celle du chenil, la volière, la ménagerie proprement dite sont mentionnées dès cette époque.

Le Roi s'intéresse à tout fort en détail, aux rocailles ou aux dallages de pierre de liais de la Laiterie ou de la grotte, à l'horloge à pendule qu'exécute Martinot, aux corniches de stuc que sculptent les frères Marsy et pour lesquelles il réclame « assez de saillie pour y mettre des porcelaines et autres curiosités ».

Toujours impatient, méticuleux, satisfait de voir le travail accompli, Louis XIV vient, en août 1664, se rendre compte de ce qui a été réalisé. Un rapport de Petit à Colbert nous le montre, passionné, redoutable pour son entourage. Il pose une première question : où en est la pompe de la Ménagerie ? La réponse est conforme à ce qu'il attendait ; il pousserait plus loin sa curiosité, si Le Vau et Petit, le devançant, ne lui faisaient jouer, dès son apparition sur le balcon, les jets d'eau des bassins, que le Roi fait ensuite marcher lui-même, manœuvrant les robinets, au risque de se faire mouiller, et faisant régler la hauteur et le volume des jets comme il l'entend, et non sans s'inquiéter du débit de l'ensemble et de la capacité du réservoir.

LES REPROCHES DE COLBERT

Colbert est devenu soucieux de l'attention par trop soutenue de son maître pour un château qu'il juge, lui, secondaire à la gloire du Roi. Il connaît trop bien les hommes pour ne pas discerner ici une passion qui ne se contient plus et que les premiers travaux accomplis sont loin d'atténuer. Courageusement, il prend la plume et dans une lettre fameuse, qu'ont publiée P. Clément et Nolhac et dont il faut citer les passages essentiels, il essaie de ramener le Roi au droit chemin, c'est-à-dire aux grands travaux du Louvre :

« Votre Majesté retourne de Versailles. Je la supplie de me permettre de lui dire sur ce sujet deux mots de réflexion que je fais souvent et qu'elle pardonnera, s'il lui plaît, à mon zèle. Cette maison regarde bien davantage le plaisir et le divertissement de Votre Majesté que sa gloire... Si Votre Majesté veut bien chercher dans Versailles où sont plus de cinq cent mille écus qui y ont été dépensés depuis deux ans, elle aura assurément peine à les trouver. Si elle veut faire réflexion que l'on verra à jamais dans les comptes des trésoriers de ses Bâtiments que, pendant le temps qu'elle a dépensé de si grandes sommes en cette maison, elle a négligé le Louvre, qui est assurément le plus superbe palais qu'il y ait au monde et le plus digne de la grandeur de Votre Majesté... Votre Majesté sait qu'au défaut des actions éclatantes de la guerre, rien ne marque davantage la grandeur et l'esprit des princes que les bâtiments, et que toute la postérité les mesure à l'aune de ces superbes maisons qu'ils ont élevées pendant leur vie. Ah ! quelle pitié que le plus grand Roi... fût mesuré à l'aune de Versailles ! Et toutefois il y a lieu de craindre ce malheur. »

Colbert voit juste, dans l'immédiat, mais Louis XIV aura raison sur lui pour l'avenir. D'un château qui n'est encore établi que pour son plaisir personnel, le Roi va créer un palais, un parc, une ville, que les siècles futurs ne pourront qu'admirer et qui conserveront mieux qu'aucune de ses batailles la mémoire de Louis le Grand. Il y faudra beaucoup d'années et d'argent, d'art et de peine. Dès maintenant le Roi, sous prétexte de fêtes, entrouvre parfois son domaine et présente à sa Cour sa nouvelle conquête.

LA FÊTE DE 1664

Les fêtes données par Louis XIV à Versailles n'ont pas seulement des buts vulgaires de faste et de vanité. Elles sont un moyen de gouvernement. Par sa richesse, sa prestance, son adresse personnelle, le Roi, qui y participe, comme il l'a fait aux Tuileries au grand carrousel de 1662, s'impose physiquement à sa noblesse. Ces fêtes fournissent en outre à l'art français un terrain d'expériences extraordinaire ; la part qu'y prennent Le Brun, Molière ou Lully, Vigarani ou Gissey, Colbert ou Louis XIV lui-même suffit à montrer la qualité qu'on réclame d'elles, le soin dont on les entoure ; elles expriment les goûts personnels du Roi. Elles ont peut-être aussi un objet plus pratique, au moins pour les principales d'entre elles ; fêtes de plein air, elles marquent une étape dans le développement des jardins de Versailles ; longuement préparées, mais mises au point dans la hâte inévitable des derniers jours, elles forcent à réaliser pour une date fixée les projets et les travaux en cours.

Dès le mois de septembre 1663, Louis XIV, au retour de Lorraine, a, huit jours durant, magnifiquement traité sa Cour à Versailles. Bals et ballets, comédies jouées par Molière, dont l'*Impromptu de Versailles*, concerts, promenades, chasses ou soupers ont commencé de provoquer l'étonnement. La Reine-mère n'est pas la dernière à admirer jusque dans l'intérieur du château, en apparence peu changé, les progrès accomplis, la richesse des meubles et des bijoux, les ouvrages exotiques, les jasmins partout répandus qui donnent aux appartements un parfum nouveau. Ce n'est qu'un début.

Carlo Vigarani, inventeur émérite, machiniste et metteur en scène, qui a été introduit par Mazarin à la Cour de France, écrit dans une lettre en date du premier mars 1664 qu'il est en train de préparer un ballet pour la campagne, et probablement pour Versailles, où le Roi compte se rendre dès que le temps le permettra. Deux mois passent et, pendant le séjour que fait la cour du 5 au 14 mai, Versailles s'ouvre sur une fête fameuse, dont le titre, *les Plaisirs de l'Isle enchantée*, dit à lui seul le merveilleux et dont Louis XIV a voulu perpétuer le souvenir par des relations imprimées et par l'estampe.

Les principaux spectacles se déroulent entre le futur parterre de Latone et le grand-rondeau ou futur bassin d'Apollon. Des architectures de verdure ou de carton doré sont dressées. On joue déjà de la lumière et des vastes perspectives du parc, en laissant tantôt apparaître celles-ci et tantôt en les dissimulant derrière un écran de verdure.

Le thème choisi par le Roi et par le duc de Saint-Aignan,

premier gentilhomme de la Chambre en exercice, est inspiré par un épisode de l'*Orlando furioso* de l'Arioste ; c'est un prétexte à montrer de beaux chevaux et de splendides habits, à faire entendre les trompettes et les timbales ou les violons de Lully, à déployer d'ingénieuses et rutilantes machines, à donner des divertissements auxquels participe Molière.

Le 7 mai, à la tombée du jour, aux lumières, surgit un magnifique cortège. Le Roi, devant les reines, Mlle de La Vallière et une Cour nombreuse, personnifie Roger à la tête de ses cavaliers. Il participe aux courses de bagues, qui s'achèvent par un festin de la plus grande fantaisie.

Le lendemain, sur un théâtre improvisé au fond duquel apparaît, comme bâti sur une île, se mirant dans le grand-rondeau, le palais de la magicienne Alcine, Molière et sa troupe jouent *la Princesse d'Elide* ; le jour suivant, au bord même de la pièce d'eau, la Cour assiste au triomphe de Molière et de ses ballets, de Lully et de ses musiciens, de Vigarani et de ses artifices. Roger est délivré des charmes de l'enchanteresse Alcine, dont le palais est détruit dans un fracas de tonnerre et de fusées.

Une course de têtes dans les fossés du château, le 10 mai, course à laquelle la Cour assiste du grand balcon de ferronnerie du pourtour et d'où le Roi sort deux fois vainqueur, — une promenade à la Ménagerie et une représentation des *Fâcheux* de Molière dans l'un des salons du château, sur un théâtre démontable, imaginé, dit-on, par le Roi, le 11 mai, — une loterie splendide, une joute entre le marquis de Soyecourt et le duc de Saint-Aignan, une nouvelle représentation de Molière, le *Tartufe*, le 12, — encore une course de têtes et le *Mariage forcé* de Molière, le 13, achèvent ces journées, dont la magnificence paraît presque irréelle.

PREMIÈRES IMAGES

Lorsque, le 14 mai, la Cour quitte Versailles pour Fontaine-bleau, la renommée du petit château et des fêtes qu'on y donne commence à se répandre. Toute la ville en parle. Mme de Sévigné, pour sa part, ne se fait pas faute de raconter dans Paris avec force détails les merveilles qu'elle a vues. Elle laisse même percer des critiques, provoquées par l'égoïsme du Roi et la petitesse du château : « Tous les courtisans estoient enragés, car le Roy ne prenoit soin d'aucun d'eux, et MM. de Guise, d'Elbeuf n'avoient pas quasy un trou pour se mettre à couvert. » L'amour du Roi pour cette demeure ne le porte-t-il pas presque uniquement vers les jardins, dans lesquels il a donné ses fêtes de mai ?

Le peu que nous savons des premiers travaux de Louis XIV nous ramène également vers l'extérieur. Sous Louis XV, l'architecte Blondel, qui avait cherché à se renseigner sur ces travaux et sur la constitution du domaine, se contentait de renvoyer à l'édition de Félibien de 1674, en constatant « l'obscurité des différents travaux de Louis XIV et les contradictions qui les entourent ». Le Roi lui-même n'a pas daigné conserver le souvenir des premiers appartements, alors qu'il a commencé, dès cette époque, à faire reproduire les extérieurs par la peinture ou par la gravure.

Van der Meulen a représenté le château et la première Orangerie, vus de Satory, où figure au premier plan le maître, à cheval, donnant des ordres pour l'aménagement du terrain. Le domaine est alors si mince, qu'on aperçoit encore, — Nolhac l'a remarqué, — une ancienne ferme tout contre l'Orangerie de Le Vau.

Israël Silvestre, qui grave les planches des *Plaisirs de l'Isle enchantée* et qui a déjà donné quelques images du petit château « où le Roi se va souvent divertir à la chasse », dessine et grave à deux reprises au moins en 1664 le château vu de la cour d'entrée, avec ses communs, ses pavillons de garde, sa cour demi-circulaire ; des plants de jeunes arbres composent un grand demi-cercle par-devant ; une large avenue, au centre, précède tout l'ensemble, qui demeure encore bien modeste.

On commence cependant à deviner, autour de ce château presque obscur, la passion et les grands desseins du Roi. Le rédacteur des *Plaisirs de l'Isle enchantée*, en notant que Louis XIV a choisi pour donner ces fêtes son château de Versailles, énumère les principaux attraits de ce « palais enchanté » : l'or qu'on y voit partout répandu (toitures, grilles et grand balcon), le marbre (qui doit être encore feint en peinture plus souvent que réel), la symétrie (qui se développe dans les jardins sur les schémas établis par Louis XIII), enfin la nouvelle Ménagerie.

Que tout ceci nous paraît réduit, à nous qui connaissons ce qui va suivre ! La passion aveugle-t-elle le Roi ? On croirait, à voir sa fierté, qu'il pressent déjà l'avenir. A-t-il, en contemplant de son parterre la percée qui s'amorce vers la plaine de Galie, reçu au visage, avec le vent d'Ouest, la prémonition de ce qu'il faut faire ? En a-t-il déjà discuté avec Le Nostre ? Celui-ci, au mois de septembre 1665, fait visiter au Bernin les jardins qu'il entrevoit peut-être dans toute leur grandeur future. Le Roi survient. Le Romain, à court de compliments, trouve tout juste à dire à Sa Majesté « qu'il s'étonnait comment Elle ne venait dans un si agréable lieu qu'une seule fois la semaine ; qu'il méritait bien qu'Elle y vînt au moins deux fois ».

Que Le Bernin patiente un peu. La passion du Roi ne fait que naître. Le petit château qui sert à son intimité va devenir l'un des plus grands de la terre. La Cour de France y résidera pendant cent ans. Les jardins, dont Le Nostre lui montre une première ébauche, seront fameux dans tout l'univers. Aucun obstacle, aucune critique ne semble devoir arrêter l'élan de Louis XIV.

CHAPITRE IV

LE GRAND AMOUR

L'ATTACHEMENT DU ROI

La place que prend Versailles dans la vie du Roi se décèle à maint indice. Fêtes, spectacles, séjours se multiplient. Au mois de juin 1665, Carlo Vigarani doit, en six jours, construire un théâtre dans le parc, puis, en septembre, improviser dans une des salles du château un théâtre sur lequel Molière joue *l'Amour médecin*. En juillet, la tante du Roi, Henriette, reine d'Angleterre, a séjourné à Versailles, où sa fille, Madame, vient d'accoucher d'un enfant mort-né. Le petit château demeure intime et accueillant jusque dans les peines, et c'est à Versailles que Louis XIV se réfugie, en janvier 1666, à la mort de sa mère. Cet hiver-là, le séjour de la Cour à Saint-Germain amène plus d'une fois le Roi dans son château de plaisance ; il y vient chasser en février avec le cardinal Orsini. Il y séjourne avec sa Cour à diverses reprises en avril et en mai. Il a laissé son cœur ici ; les travaux et les dépenses reprennent avec entrain.

L'année 1665 est marquée par des paiements de 200 000 livres rien que pour la maçonnerie, qui se répartissent ainsi : 175 000 pour l'ensemble du château, 2 000 pour le Billard, qui doit déjà se trouver à l'angle oriental de la cour d'entrée, et 23 000 livres pour le « pavillon du Roi aux advenues du chasteau ».

Le Roi, en effet, sans vouloir apparemment toucher au petit château de son père, sent le besoin d'embellir et d'augmenter les bâtiments. On a vu les enrichissements d'ornements et de dorures qu'il a apportés aux toitures et aux ferronneries, les agrandissements qu'il a donnés aux communs. En 1665, il fait repeindre « en brique » les façades et jusqu'aux fossés, comme pour faire ressortir avec plus d'éclat les encadrements de pierre ; il fait disposer en même temps sur les façades de la cour des bustes de marbre sur des consoles, ainsi qu'on les voit encore aujourd'hui.

A l'intérieur même du château, les embellissements de peintures se poursuivent ; près de 15 000 livres sont payées au peintre Charles Errard. Le Roi surveille en personne l'installation de son Cabinet des Cristaux, de son Cabinet des Filigranes et de son Cabinet des Miroirs.

En avant des communs, de part et d'autre de la place, disposés comme sur les côtés d'un trapèze, six pavillons au moins, de brique, de pierre et d'ardoise, sont construits, soit pour le service du Roi, soit pour quelques-uns des principaux seigneurs de sa Cour.

Mais le principal intérêt du Roi se porte encore vers ses jardins.

LA CITÉ DES EAUX

L'image qu'Henri de Régnier a poétiquement attachée au Versailles de Louis XIV traduit à merveille les difficultés, les nostalgies et les succès que rencontre le Roi dans son parc. D'étangs, de mares et de rus informes, il va créer l'ensemble le plus magnifiquement ordonné qui soit ; il rêve d'une cité marine, qui remplacera le marécage, avec un grand canal sillonné de vaisseaux ou de gondoles. Mais Louis XIV ne se contentera pas d'une lagune et de bassins, si beaux soient-ils : il veut des eaux jaillissantes, un Versailles bruyant et animé du fracas des eaux. Ce sera son beau souci, sa poursuite épuisante, son demi-échec aussi, au milieu des magnificences qu'il fait surgir de ce sol. Combien, ici encore, les efforts de Louis XIII apparaissent, quoique timides, si réalistes et si conformes à la nature du terrain que Louis XIV peut les poursuivre, en leur donnant une échelle immense !

Le drainage s'opère sur les parties basses des jardins ; la création de plans d'eau de plus en plus vastes prolonge de façon logique ce qu'a amorcé Louis XIII : le rondeau du Nord ou bassin du Dragon après 1666, que continuera plus tard le bassin de Neptune, — le bassin du parterre bas de l'Orangerie, qui sera par la suite déplacé et complété par la Pièce des Suisses, au midi, — le bassin de l'Ovale ou futur bassin de Latone, dans le parterre de la demi-lune, au-dessous du parterre occidental. Le rassemblement des eaux et la recherche de points de vue démesurés atteindront de ce côté à l'effet le plus grandiose. Au-delà du grand-rondeau, qu'a peut-être fait établir Louis XIII lui-même au bout de ses jardins et que des cygnes et des jets d'eau viennent égayer, avant qu'il se transforme en Bassin d'Apollon, une pensée géniale, dont le mérite doit revenir à Le Nostre, fera naître le Canal gigantesque, dont l'aménagement est amorcé en 1667 et exécuté dans son premier tracé en 1668.

Le Canal permettra à Louis XIV de naviguer, bien que loin de toute rivière, sur de beaux bateaux, richement ornés, aux pavillons fleurdelisés, comme le firent ses ancêtres sur la Seine ou sur la Loire, Charles V, Louis XI, ou encore Louis XIII, qui s'amusait enfant à faire manœuvrer une galère à Saint-Germain au son des canons et des trompettes. Versailles sera plus privilégié et plus riche qu'aucun autre château. Une petite cité nautique s'élèvera sur ses rives. Dès le mois d'avril 1669, le maître charpentier Tortel commence avec huit compagnons, à Versailles même, la construction d'un grand navire, qui sera bientôt mis à flot sur le Canal.

Les bassins des parterres, puis ceux des bosquets, que l'on appellera volontiers fontaines, selon la mode italienne, doivent être, eux aussi, plus extraordinaires que tout ce qu'on a pu voir jusqu'ici et donner à Versailles sa physionomie exceptionnelle. On en prépare les fonds avec soin, comme on le fait aussi pour les réservoirs, par un travail considérable de glaise, travail dit de *corroi* ou *conroi*, qu'exécute un excellent ouvrier, envoyé d'Audenarde, Jean Bette, qui, jusqu'à sa mort en 1677, sera chargé de tous ces ouvrages. Le goût du Roi pour la splendeur va, d'autre part, s'appliquer au décor de ces bassins.

La sculpture apparaît, de bronze parfois, de plomb le plus souvent, que l'on peint à l'imitation du bronze. Les noms des frères Marsy, de Michel Anguier, de Lerambert sont mentionnés dans les comptes autour de 1665 et 1666 pour des ouvrages encore modestes. Sur le parterre du Nord, le bassin de forme oblongue, que Louis XIV fera déplacer avant même que Le Vau commence à transformer les façades, est, parmi les premiers, orné d'un Triton et d'une Sirène, qui lui vaudra pour quelques années son nom de *bassin de la Sirène*. Un Amour, juché sur un dauphin et tirant de l'arc, est préparé au même moment pour le bassin symétrique au précédent, sur le parterre du Midi, et un dragon pour le rondeau du Nord.

Quelques sculptures de pierre paraissent avoir précédé celles destinées aux pièces d'eau. Nolhac les a étudiées et en fixe les débuts à 1664 : termes pour rythmer les grilles qui ferment le *parterre de l'Amour*, encore appelé *jardin des fleurs*, termes ou statues pour décorer le *parterre de la demi-lune*, l'allée qui fait suite et qu'on appellera bientôt *allée-royale*, ou le pourtour du grand-rondeau occidental. En 1667, apparaîtront les premiers termes de marbre « autour du bassin en ovale et en divers lieux du jardin ».

Des vases sont commandés en grand nombre à partir de 1665, vases de bronze, de cuivre battu, de faïence, notamment de faïence bleue et blanche des manufactures de Nevers ou de Saint-Cloud, pour contenir des fleurs, surtout des jasmins, ou des arbustes, principalement des ifs et des sapins.

Sculptures, fleurs, verdure forment le fond d'un décor que le Roi souhaite rehausser du mouvement des eaux. Sur ce point, l'effort de Louis XIV sera prodigieux et inlassable, comme s'il était emporté par son rêve. Deux remarques, qui accompagnent la relation de la fête de 1668, traduisent déjà les difficultés rencontrées et les préoccupations du souverain : les eaux, « que l'art y a conduites malgré la nature qui les luy avoit refusées », les eaux qui forment « l'un des plus beaux ornements de cette maison ».

Les principes sommaires adoptés par les ingénieurs de Louis XIII sont tout d'abord suivis. Au nord du château, la pompe continue de prendre l'eau dans l'étang de Clagny pour alimenter les bassins. Mais Louis XIV aime l'extraordinaire et souhaite d'énormes jets d'eau et de nombreux effets. Il faudra donc diriger sur Versailles de plus en plus d'eau et l'aller chercher toujours plus loin ; cette eau devra être montée par des moyens sans cesse perfectionnés ; comme elle est encore insuffisante à alimenter en permanence des fontaines plus nombreuses, on sera entraîné à construire des réservoirs de plus en plus vastes, qui l'emmagasineront et la tiendront prête à jouer pour le plaisir du Roi et sur ses ordres.

Saint-Simon, méconnaissant la nature du terrain, observera plus tard la plaie qui déchire le cœur du Roi ; sans pitié, mais finalement admiratif, il écrira : « L'abondance des eaux forcées et ramassées de toutes parts les rend vertes, épaisses, bourbeuses ; elles répandent une humidité malsaine et sensible, une odeur qui l'est encore plus. Leurs effets, qu'il faut pourtant beaucoup ménager, sont incomparables. »

Cité des eaux et cité merveilleuse, mais artificielle et précaire, Louis XIV connaîtra amèrement les limites de son pouvoir sur elle.

Le premier travail important consiste à améliorer le rendement de la pompe à chevaux établie par Louis XIII et à accompagner celle-ci d'une haute tour, la *tour d'eau*, qui se dresse sur une base d'architecture composée par Le Vau en 1664. Les dépenses sur ce chapitre sont tout de suite considérables. Denis Joly, qui est l'ingénieur fontainier du Roi pour Versailles, après avoir été celui de Fouquet à Vaux, et dont Louis XIV et Colbert suivent presque au jour le jour les travaux, reçoit, tant pour ses « machines et eslévations d'eau et mouvement de la pompe », que pour « la conduite des eaux au chasteau et à la Ménagerie, » des acomptes dont l'importance est significative : un peu plus de 300 000 livres sur les années qui vont de 1664 à 1667.

Malgré les difficultés et les déboires, Versailles deviendra vite célèbre, non seulement par la beauté de ses jardins et de ses eaux, mais aussi par l'ingéniosité qui préside à leur distribution, à leurs jets, à leur pittoresque. Et ceci apparaît dès les premières additions de Louis XIV au château de Louis XIII, particulièrement dans l'installation de la grotte de Thétis.

LA GROTTE DE THÉTIS

Au flanc du château principal, en 1664 ou 1665, Louis XIV construit un petit « casin » presque cubique, dont la partie supérieure doit être un réservoir, mais qui sera aussi le palais merveilleux de Thétis et de Phœbus. L'art des rocailleurs, celui des hydrauliciens, que cultivèrent au Moyen Age les princes de la maison de Valois et qu'enrichirent constamment les Italiens, surtout les Francini ou Francine, au service du roi de France de Henri IV à Louis XV, sont repris ici avec une fougue nouvelle.

L'iconographie, qui nous est connue par une suite de planches publiées en 1679 et accompagnées d'un texte de Félibien, ainsi que par des descriptions contemporaines, dont la plus fameuse est celle placée par La Fontaine en 1669 en tête de ses *Amours de Psyché et de Cupidon*, forme une suite d'allusions à peine voilées, imaginées par les Perrault à la louange du Roi-Soleil.

La Fontaine, lorsqu'il commence à décrire la grotte, abandonne la prose et compose un long poème, qui prélude par ces mots : « Dieu des vers et du jour, Phébus, inspire-moi. » Il ne manquera pas une occasion de préciser que Louis et Apollon ne font qu'un :

> « *Quand le Soleil est las, et qu'il a fait sa tâche,*
> *Il descend chez Thétys, et prend quelque relâche :*
> *C'est ainsi que Louis s'en va se délasser...* »

La grille, qui ferme les trois baies de la grotte et que le serrurier Breton a composée en fer et en laiton, dessine un soleil rayonnant. Le bas-relief central qui se trouve au-dessus représente, sculpté par Gérard Van Opstal, Apollon fatigué ramenant le soir son attelage.

En avant de la grotte, des jets d'eaux surgissent du sol et peuvent en interdire l'accès aux importuns. Et La Fontaine d'indiquer, parlant d'Apollon :

> « *Celle qu'il s'en va voir seule occupe son âme,*
> *Il songe aux doux moment où, libre et sans témoins,*
> *Il recevra l'objet qui dissipe ses soins.* »

L'intérieur de la grotte, composé de rocailles, d'effets d'eau, de miroirs et de statues, forme un surprenant hommage, lentement élaboré, rendu à Phœbus-Apollon et aux divinités marines. En 1665, on amène à pied-d'œuvre les coquillages, les cailloux polychromes et les pierres de roche, dont le rocailleur Duval va, pour une somme de 20 000 livres, décorer les murs de compartiments, de masques et des chiffres du Roi. En 1666, sont taillées à Cannes quatre grandes coquilles de marbre. En même temps, Louis XIV fait venir d'une maison de Montmorency un orgue hydraulique, dont le mécanisme doit être assez voisin de celui des grottes du château-neuf de Saint-Germain. Une partie du mobilier paraît même composée et animée de jeux d'eau. La Fontaine mentionne, ainsi que les comptes et les estampes, les « lustres de roches et de liquide cristal », qui égaient la voûte et qui reçoivent l'eau du réservoir situé juste au-dessus. S'il faut en croire le poète, de partout surgissent ou retombent des jets d'eau fracassants.

Cependant la plus saisissante beauté de ce lieu et la plus noble sera constituée, dans trois niches au fond de la grotte, par des groupes de marbre, fameux avant même d'être achevés, représentant *Apollon servi par les nymphes* et *les chevaux du Soleil*. Ces groupes, œuvres de Girardon, de Regnaudin et de Tuby, de Gilles Guérin et de Marsy, paraissent avoir été mis en place seulement en 1676 et furent précédés de leurs modèles en plâtre. Nous les admirons encore aujourd'hui dans un cadre différent. Après avoir été transportés en 1684 sur l'ordre de Louis XIV au bas du parc, dans le bosquet des Dômes, puis rapprochés du château en 1704, ils ont été placés sous Louis XVI dans un nouvel agencement de rochers, dans le bosquet dit des Bains d'Apollon, tandis que deux grandes figures de marbre, *le berger Acis* et *la nymphe Galatée*, également exécutées par Tuby pour la grotte de Thétis et transportées en 1686 avec leurs socles au bosquet des Dômes, sont demeurées dans ce dernier bosquet.

Il est curieux de constater combien ce travail considérable et coûteux de la grotte, dont le pittoresque nous déroute quelque peu, eut une durée éphémère. Les matériaux employés étaient fragiles. Les réparations dans le ciment, dans les rocailles et les conduits étaient fréquentes et difficiles. Les amours du Roi changeaient aussi. La construction de l'aile du Nord en 1684 fit disparaître ce lieu de délices et de surprise, que Louis XIV créa pour Mlle de La Vallière, qui fut seulement achevé au temps de la faveur de Mme de Montespan, et qui dut passablement déplaire à Mme de Maintenon. L'orgue fut démonté. Girardon fut chargé de faire transporter les grands groupes de marbre à leur nouvel emplacement, et l'on procéda rapidement à l'enlèvement des « matériaux et décombres de la démolition de la grotte ».

Palais de rêve, dans un château dont le succès semblait encore, aux yeux du plus grand nombre, tout provisoire, la grotte n'aura guère vécu plus d'une quinzaine d'années.

Consacrée à Thétis et à Apollon, était-elle autre chose qu'un pavillon de fêtes, parmi les fêtes auxquelles le Roi semblait encore devoir consacrer son château ? Un observateur attentif aurait pu noter davantage et distinguer ici certains traits du Versailles de demain. Au milieu de la richesse fantasque des rocailles, l'importance donnée aux eaux et aux sculptures annonce les prochains embellissements des jardins. Louis XIV s'avère ici décorateur autant que bâtisseur, dans un château où l'intimité voisine avec le besoin de faste et de publicité. Curieux contrastes de Versailles ! Certains jours, c'est un château secret et fermé, que des dilettantes, comme La Fontaine et ses amis, choisissent pour lire le manuscrit de *Psyché*, un lieu, « hors de la ville, qui fût éloigné, et où peu de gens entrassent ». Mais il est d'autres jours où le Roi annonce à qui veut voir clair ce que sera bientôt Versailles, les jours notamment où il donne des fêtes qui surprennent l'univers.

LA FÊTE DE 1668

L'importance que donne le Roi au château de ses amours, les foules qu'il ne dédaigne pas d'y attirer, apparaissent particulièrement au moment de la fête de 1668. Le désir qu'il a d'amuser et de retenir sa Cour dans ce château intime s'étale en cette journée mémorable, ainsi que le goût qu'il apporte aux plus petits détails, même à des décorations passagères.

La fête a lieu en plein été, au retour de la campagne de

Franche-Comté et deux mois après la signature de la paix d'Aix-la-Chapelle, le 18 juillet 1668. Le Roi offre cette fête « pour réparer en quelque sorte ce que la Cour avoit perdu dans le carnaval pendant son absence ». Elle précède de peu la modification par Le Vau, sur les jardins, des façades de Louis XIII. Elle marque aussi le progrès des eaux dans le bas du parc, là où seront bientôt établies les fontaines des Saisons. Elle consacre enfin de façon officielle les sculptures du *bassin du Dragon* et les jets d'eau ajoutés au grand-rondeau occidental, qui, deux ans plus tard, va devenir le bassin d'Apollon.

Louis XIV met à la préparation de cette fête un soin attentif, que l'on peut suivre par la correspondance de Carlo Vigarani. Il dépense pour cette seule journée, rien qu'en installations provisoires et en décors, une somme de 117 000 livres, alors que le total des sommes inscrites cette même année pour Versailles sur les comptes des Bâtiments se monte à 338 000 livres.

Il marque « lui-même les endroits où la disposition du lieu pouvoit par sa beauté naturelle contribuer davantage à leur décoration ». Il assigne à chacun son rôle : Colbert a la haute main sur l'ensemble des bâtisses et sur la préparation des feux d'artifice ; le duc de Créquy, premier gentilhomme de la Chambre, aidé de Vigarani, est chargé du théâtre ; le maréchal de Bellefonds, premier maître d'hôtel, s'occupe du souper, avec le concours d'Henry de Gissey pour les décorations ; Le Vau construit la salle de bal. Les noms du petit état-major ainsi constitué par le Roi disent assez l'importance qu'il attribue lui-même à cette fête et ne l'empêchent pas de venir, le 29 juin, donner en personne un coup d'œil aux préparatifs.

Les emplacements choisis par Louis XIV se trouvent aux intersections des grandes allées du parc, de part et d'autre de l'allée-royale. Un plan conservé à la Bibliothèque nationale et un dessin au Musée national de Stockholm, une relation imprimée en 1679 et des planches de Le Pautre gravées à ce moment nous conservent le souvenir de cette fête fameuse.

Une collation, dressée vraisemblablement au bosquet de l'Étoile, présente dès le début à la Cour le caractère féérique qui domine cette journée. Cinq longues tables, correspondant aux cinq allées du bosquet, disposées en éventail, au milieu d'une architecture de verdure, servent de buffet. L'une des tables est décorée « comme la face d'un palais basti de massepain et pastes sucrées », tandis que des orangers portent des fruits confits.

Après une visite du *bassin des Cygnes* (ou futur bassin d'Apollon), où le Roi se fait conduire en calèche, la Reine (à quelques semaines d'accoucher du duc d'Anjou) étant en chaise et la Cour dans des carrosses, ont lieu les représentations de *Georges Dandin* et des intermèdes des *Fêtes de l'Amour et de Bacchus*, spécialement écrits par Molière et Lully. Le théâtre, préparé à l'emplacement où sera bientôt fixé le bassin de Bacchus, étonne la Cour par sa grandeur et sa magnificence. L'amphithéâtre contient à lui seul 1 200 places. La scène mesure 36 pieds (environ 12 mètres) d'ouverture et la salle 38 pieds de hauteur. Les plus riches tapisseries de la Couronne, mêlées aux feuillages et à des colonnes qui imitent le marbre et le lapis, forment un décor inattendu. Les armes du Roi, deux statues (de carton) représentant la Victoire et la Paix surmontent et encadrent la scène. Plus de trois cents bougies sur des lustres de cristal éclairent la scène.

La surprise est encore plus grande, lorsque, le spectacle terminé, la Cour, traversant l'allée-royale, se dirige, pour aller souper, vers le carrefour où se trouve aujourd'hui placé le bassin de Flore. Un édifice octogone, terminé en une sorte de dôme, est dressé à cet endroit. Gissey, dans les couleurs, les jeux d'eau et les effets d'éclairage, s'est montré d'une ingéniosité remarquable. La table, où s'assiéront tout à l'heure le Roi, Monsieur, son frère, et les dames, et où seront servis cinq services de cinquante-six grands plats chacun, est disposée en octogone autour d'un mont Parnasse ruisselant de cascades et surmonté d'un Pégase.

Le festin achevé, la Cour, remontant vers le château par l'allée de Cérès, qu'on appelle alors l'*allée des Prés*, rencontre derrière une palissade de verdure un nouveau sujet d'émerveillement. Là où sera ensuite établi le bassin de Cérès, surgit un pavillon en octogone qu'a construit Le Vau. C'est la salle de bal, traitée en rocailles. Des tribunes pour placer une

partie des courtisans, une sorte d'abside en direction du
château pour former une perspective décorée de termes, de
lumières et de guirlandes, des peintures imitant le porphyre,
le marbre ou le rocher, des statues de plâtre ou de carton
représentant Arion, Orphée et les Muses, les jeux des eaux
surtout, soit projetées en jets, soit déversées en nappes qui
tombent de dauphins ou de masques, et dont le bruit se
mêle au son des violons, forment de cette construction
éphémère un palais féerique.

L'étonnement s'accroît encore lorsque, sortant de la salle
de bal, les invités du Roi voient le parterre de Latone et tout
le petit château de Louis XIII transformés par la lumière :
des statues et des vases comme incandescents, des jeux d'eaux
qui paraissent embrasées, un feu d'artifice, qui s'achève par
le lancement, de la tour de la pompe de Clagny, de fusées
qui dessinent dans le ciel les chiffres du Roi, clôturent cette
étonnante journée, où Louis XIV, montrant à la foule les
prodiges qu'il est capable de réaliser, prélude aux nouveaux
travaux qu'il va charger Le Vau d'accomplir.

DEUX CHÂTEAUX OPPOSÉS

La grande fête de 1668 a prouvé à l'Europe l'attachement
de Louis XIV à son domaine de Versailles. La passion du Roi
ne peut plus faire de doute. Celle-ci va se développer en deux
sens, qui paraissent contradictoires, l'amenant à conserver ce
qu'il a commencé d'aimer, tout en agrandissant progressivement et en transformant de fond en comble la presque
totalité des appartements. La volonté tenace d'un maître trop
amoureux de son château n'a cessé depuis lors de peser sur
les architectes, tiraillés entre deux tendances inconciliables :
conserver et rajeunir. Versailles en fut la victime magnifique.

Du côté de l'entrée, le château continue d'être « Louis
XIII ». Le Roi, dès qu'il aborde sa demeure, y retrouvera
jusqu'à sa mort les souvenirs de son enfance ou de sa jeunesse,
embellis et développés par tout ce qu'il a ajouté au château
primitif, que l'on dénommera *château-vieux*. Sur les jardins,
qui forment son œuvre propre et son orgueil, les façades

vont être renouvelées et s'accroître démesurément, comme à l'échelles du paysage façonné par lui ; ce sera le *château-neuf*.

Le château-vieux, d'additions en additions, verra sa forme primitive se rétrécir avec le temps, se déformer, au point de devenir presque invisible, mais toujours présent, agaçant même quelquefois pour ceux qui voudraient le remplacer. Avec un respect peut-être un peu voyant, comme les bijoux qu'il offre à la Reine, Louis XIV, qui l'a en vénération, le décore de balcons et de toits dorés, de sculptures et de portiques ; il fait même paver de marbre son antique cour et précéder celle-ci de quelques marches, afin qu'aucune voiture, pas même la sienne, n'en approche. Aux architectes, qui voudraient cacher la disparate choquante qu'offrent avec le nouveau château ces vieilles façades, à Colbert, qui va jusqu'à souligner méchamment au Roi l'indice de trop humble origine dont ce souvenir du vieux temps risquerait de marquer un monarque parvenu si haut, Louis XIV répond avec une fierté et un entêtement sans réplique : « Qu'on pouvait l'abattre tout entier, mais qu'il le ferait rebâtir tout tel qu'il était et sans y rien changer. »

Sur les jardins et sur ce qui devient cours intérieures, au nord et au midi, le vieux château s'efface, diminue, dévoré par un château nouveau, écrasé dans une lutte inégale. Du vivant même de Louis XIV, et plus encore par la suite, des additions sur les deux cours intérieures en rapetissent de plus en plus les murs. Gabriel, en reconstruisant la grande aile auprès de la Chapelle, a contribué, sous un prétexte de rajeunissement, à estropier définitivement et à rendre boiteuse la carcasse primitive, la cellule initiale, l'émouvant témoin qu'avait entendu maintenir, non sans une secrète vanité peut-être, le Roi-Soleil en personne.

Les agrandissements de 1669 et des dix années qui suivent sont caractéristiques de la conduite de Louis XIV à l'égard du vieux château ; ils laissent deviner sa façon de procéder, par étapes, sur un plan général qu'il entrevoit peut-être, mais sur des réalisations à base d'empirisme. On demeure surpris des accroissements par paliers du château du côté des cours. Chaque progrès accompli semble porter en germe les

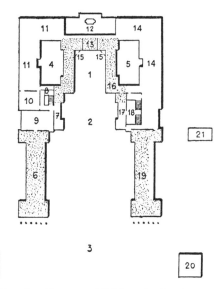

FIG. 7. — *Le château vers 1674 (premier étage).*

En grisaille, le château-vieux ; en blanc, le château-neuf. 1. Cour de marbre. — 2. Cour royale. — 3. Avant-cour. — 4. Cour de la Reine. — 5. Cour du Roi. — 6. Aile de 1662 dite vieille-aile. — 7. Futur appartement de Mme de Maintenom — 8. Grand Escalier de la Reine. — 9. Emplacement de la Grande Salle des Gardes (Chapelle de 1676). — 10. Chapelle de 1672 (future Salle des Gardes de la Reine). — 11. Appartement de la Reine. — 12. Terrasse. — 13. Salon du Roi (future Chambre de Louis XIV). — 14. Appartement du Roi (futur Grand Appartement). — 15. Cabinets-volières. — 16. Cabinet du Billard. — 17. Appartement de Mme de Montespan. — 18. Grand Escalier du Roi (ou des Ambassadeurs). — 19. Aile du gouvernement et des offices. — 20. Pavillons pour les ministres. — 21. Grotte de Thétis. (A comparer au plan de 1667, fig. 4, p. 50. — Pour le plan détaillé de l'appartement du Roi vers 1674, voir fig. 9, p. 83 ; pour l'appartement de la Reine vers 1740, voir fig. 17, p. 390.)

agrandissements suivants, comme si le Roi savait d'avance ce qu'il veut obtenir. Est-ce exact ? Essais et repentirs ne manquent pas. « On commença par quelques bâtiments, écrira plus tard Perrault, qui étant à moitié, ne plurent pas et furent abattus. » Louis XIV n'est-il pas sans cesse entraîné par sa passion ? Il travaille en « rapetasserie », selon le mot méprisant de Colbert. Il maintient ce qui lui plaît. A ses architectes de donner de l'unité à des bâtiment successifs, dont ils n'ont guère pu préciser l'aboutissement, ce qui fait dire à Saint-Simon : « Il y bâtit tout l'un après l'autre, sans dessein général ; le beau et le vilain furent cousus ensemble, le vaste et l'étranglé. » Ce dernier mot s'applique aux façades d'entrée et veut être blessant. C'est ici pourtant, sur le sol des cours et sur les murs, que s'inscrit peut-être avec le plus de persistance l'amour du Roi pour Versailles. Les décrochements qui, de ressaut en ressaut, nous conduisent jusqu'au cœur du château, aux fenêtres de la cour de marbre, rappellent l'attachement profond de Louis XIV au château de Louis XIII.

LE « VIEUX » CHÂTEAU

Lorsqu'il décide, après la fête de 1668, la création du château-neuf sur les jardins et le maintien du château-vieux du *côté des cours,* le Roi conserve à la fois le château de son père et les deux ailes qu'il a lui-même construites en avant de ce château en 1662. Les façades latérales de l'ancien château, qui regardaient sur les parterres, demeurent pour l'instant intactes, mais leur rôle se réduit ; elles donnent naissance aux cours intérieures du Roi au nord, de la Reine au midi, le partage étant maintenu au premier étage, de part et d'autre d'un salon central, dont les trois fenêtres occupent le fond de la cour de marbre, entre le Roi, à droite, la Reine, à gauche. Les deux cabinets qui avancent sur les angles de cette dernière cour sont enrichis de volières, tandis que sont maintenus, au centre des deux corps de logis, deux escaliers principaux, l'un pour le Roi, l'autre pour la Reine, doublés chacun d'un escalier qui dessert l'étage des lucarnes. A l'angle nord-est de la cour de marbre, au premier étage, où sera plus tard installé le cabinet aux tableaux et, sous Louis XV, le cabinet de travail du Roi, se trouve le Billard du Roi, dont Noël Coypel « rétablit » les peintures en 1672 et dans lequel des colonnes, utilisant le mouvement de l'ancienne façade du nord, paraissent avoir formé une sorte de niche.

Deux ailes nouvelles, — ailes intermédiaires et de rac-

76

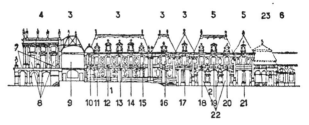

FIG. 8. — *Coupe montrant les façades septentrionales de la cour de marbre et de la cour royale, le Salon du Roi et la terrasse du château neuf, projet conservé à Stockholm.*

1. Cour de marbre. — 2. Cour royale. — 3. Château de Louis XIII ou château-vieux. — 4. Château-neuf. — 5. Bâtiment de 1669. — 6. Aile du gouvernement et des offices (anciens communs de 1662, plus tard aile dite de la Chapelle ou aile Gabriel). — 7. Terrasse du premier étage (au-dessous, la Galerie-basse). — 8. Premier Salon de Vénus — 9. Salon du Roi (future Chambre de Louis XIV) — 10. Cabinet-volière. — 11 et 12. Futur Billard de Louis XIV, puis Chambre de Louis XV. — 13 et 14. Degré du Roi (futur Salon de la Pendule). — 15. Futur Cabinet aux tableaux (futur Salon de la Pendule) — 16. Cabinet du Billard (futur Cabinet-intérieur). — 17 à 21. Appartement de Mme de Montespan (future Petite Galerie de Mignard, puis app^t de Mme Adélaïde et app^t intérieur du Roi). — 17. Futur Cabinet-doré de Mme Adélaïde. — 18 et 19. Future Bibliothèque de Louis XVI. — 20 et 21. Future salle à manger d'angle. — 22. Vestibule du Grand Escalier du Roi (ou des Ambassadeurs). — 23. Pavillon de Bontemps (futur emplacement du Cabinet des Curiosités de Louis XIV et du Salon des Jeux de Louis XVI).
(Voir les plans de l'appartement du Roi : vers 1674, fig. 9, p. 83 ; vers 1693, fig. 14, p. 208; vers 1740, fig. 16, p. 311 ; vers 1789, fig. 25, p. 522.)

cord, — sont établies, prenant pour bases les pavillons décrochés de Louis XIII et se terminant chacune par un pavillon d'angle identique à ceux-ci. Les hauts toits à la française, séparés, à pentes raides, percés soit de lucarnes, soit d'œils-de-bœuf, accentuent le caractère « Louis XIII » de cette suite de bâtiments.

L'unité est apportée non seulement par l'ardoise et par les plombs dorés des toitures, par la peinture « en façon de brique » avec encadrements de pierre des murs, mais aussi par un certain nombre d'éléments d'architecture ou de décor : tables de pierre, que l'on dotera bientôt de consoles et de bustes comme sur la cour de marbre, — hauts pilastres doriques qui forment les angles, — frise de triglyphes avec métopes de brique, — colonnes de marbre enfin, qui sont ajoutées et destinées à porter les balcons du premier étage, aux trois fenêtres centrales de la cour de marbre et à chacun des pavillons d'angle.

Les deux longues ailes de 1662, avec leurs doubles pavillons d'extrémité et leur corps principal percé de onze baies, sont égalisées d'épaisseur ; rehaussées d'un étage au-dessus des anciennes arcades du rez-de-chaussée, elles vont être progressivement mises en accord avec les façades précédentes et seront précédées, à l'est, vers la Place d'Armes, d'un portique surmonté de statues ; leurs toitures, d'abord dissimulées derrière une balustrade à l'italienne, comme sur la nouvelle façade des jardins, seront couronnées en 1679 de combles couverts d'ardoise et ornés de plombs dorés.

Ainsi, à l'aide de cinq ressauts successifs, plus ou moins marqués, la nouvelle façade orientale des deux ailes bâties par Louis XIV en 1662 se trouve complètement rattachée, aux alentours de 1671, aux cinq fenêtres originales du Versailles de Louis XIII. Quel esprit de suite apparent au milieu de transformations qui peuvent parfois sembler incohérentes !

Esprit de suite apparent et semblant d'*incohérence*, ces deux caractères, qui marquent les travaux dirigés par Le Vau à partir de 1668, ont été mis en lumière récemment par M. Jean-Claude Le Guillou. Celui-ci, partant du projet conservé à Stockholm (Musée national, coll. Cronstedt, voir la fig. 8 ci-contre), a mené une étude minutieuse sur les textes et les plans, observant jusqu'au jeu des ombres sur le dessin. Il a examiné attentivement ce qui subsiste de ces travaux dans le Versailles dit de Mansart. Il a suivi projets et abandons, hésitations en somme. Louis XIV conservera sur les façades du côté des cours l'aspect général du petit château de son père, déjà agrandi par lui. L'architecture restera ici à peu près fidèle à l'héritage reçu et se maintiendra telle jusqu'à la fin du règne de Louis XV. Une *enveloppe* d'un caractère différent, sera construite en pierre sur les jardins.

Le Roi marque cette étape en faisant abattre les deux pavillons de garde établis en 1662 et en donnant à la grille de clôture de la grande cour, qu'on appellera bientôt *cour royale*, un tracé rectiligne et continu, qu'indique notamment une estampe de Silvestre datée de 1674.

Architectes, terrassiers et maçons ont pu croire Versailles achevé de ce côté. Au prix d'énormes remuements de terre pour établir un nouveau terre-plein en avant de son château, Louis XIV semble leur annoncer la prochaine étape, en faisant édifier dès 1671 en pierre et en brique deux gros pavillons de chaque côté. Ces pavillons, carrés et hauts, sont d'abord isolés, détachés en avant et en retrait du reste des façades nouvellement décorées ou bâties ; ils constituent l'amorce des futures ailes des Ministres, qui feront progresser encore en 1679 le château du côté de l'entrée.

La reconstruction du mur du fond de la cour de marbre en 1678 entraîne des modifications ou, plus exactement, des améliorations. L'étude de M. Le Guillou sur cette opération se résume ainsi. Sept fenêtres au lieu de cinq sur la façade. Ces fenêtres sont plus larges que celles de Louis XIII. Celles du centre, au nombre de trois, sont dessinées en plein cintre et sont surmontées d'un attique de trois petites fenêtres. Les deux volières des angles sont supprimées. Le tracé général des toitures sur la cour de marbre et sur la cour royale (combles coupés « à la Mansart » et continus derrière une même balustrade ornée de statues) donneront aux façades de Versailles sur les cours d'entrée leur aspect définitif. Elles demeurent à peu près fidèles au style fixé par Louis XIII.

Du côté des jardins, les additions ordonnées par le Grand Roi au château primitif sont plus originales et plus complètes, plus nettes et moins complexes. En deux campagnes de travaux, le château-neuf prend la forme qu'il a conservée depuis.

LE CHÂTEAU-NEUF

Dès que Louis XIV a décidé d'agrandir et d'envelopper d'une façade nouvelle le premier château sur ses trois côtés qui regardent l'occident, le nord et le midi, il voit s'élever un palais qu'il sent à son image, dont il a choisi lui-même le style, qu'il pourra corriger, augmenter, mais dont il ne modifiera plus le caractère : la pierre seule, de hautes colonnes, des statues, des vases et des trophées, des toitures dissimulées, tout un ensemble qu'il a cherché en harmonie avec les jardins qui l'enserrent.

La première transformation, dont le reste découlera, consiste à demander à Le Vau d'enfermer le château-vieux, de le dissimuler en quelque sorte, afin de tripler la superficie qu'avait primitivement celui-ci sur les parterres. Les contemporains, à vrai dire, n'ont pas deviné le résultat qui suivrait presque fatalement cette opération : une grande galerie de façade. Ils n'ont d'abord vu, comme vraisemblablement le Roi lui-même, que l'application de deux gigantesques cornières de pierre, reliées par un même socle à puissantes arcades sur tout le rez-de-chaussée, et destinées à asseoir deux grands pavillons, celui du Roi au nord et à l'ouest, celui de la Reine à l'ouest et au sud. Le lien avec le château-vieux se fait en quatre points seulement, aux anciens pavillons d'angle.

Louis XIV et Colbert suivent de près l'avancement de l'assise du nouveau château. Au moins de juin 1669, selon un rapport recopié par Nolhac, les murs du rez-de-chaussée sont presque achevés et l'on s'apprête à la solivure.

Le socle à refends n'a pas changé, aux deux extrémités de la façade occidentale, avec ses deux ressauts qui portent les groupes de colonnes du grand étage ; au centre, se trouvait la terrasse et l'on croit percevoir encore, auprès de la septième fenêtre de chaque côté, sous les pilastres des étages supérieurs, la trace du départ de cette terrasse. Les masques sculptés aux clefs des croisées de ce rez-de-chaussée sont, dans l'ensemble, ceux que décrit ou qu'annonce Félibien en 1674 ; têtes d'hommes et de femmes montrant les âges de la vie, sur le parterre occidental, têtes de divinités marines, sur le parterre du Nord, proche de la grotte de Thétis ; têtes souriantes ou couronnées de fleurs, qui regardent au midi le parterre de l'Amour ou parterre des fleurs.

Le premier étage subira deux changements importants en 1678-1679, lorsque la Galerie remplacera la terrasse, d'une part, et que le Roi, d'autre part, poussé par Mansart et peut-être sur une suggestion de Le Brun, ainsi que semble l'avoir établi Fiske Kimball, décide, en mars 1679, de remplacer par de hautes fenêtres cintrées les fenêtres à linteaux droits de 1669 ; celles-ci, plus austères et surmontées de bas-reliefs, avaient pourtant reçu l'agrément de Louis XIV au temps de Le Vau. Toutefois si l'on considère particulièrement les façades latérales du nord et du midi, on est obligé de reconnaître que les dispositions originales sont encore nombreuses. Non seulement le nombre des colonnes alternées de niches n'a pas varié, mais les bas-reliefs d'enfants qui surmontent celles-ci ou les statues qui accompagnent les unes et les autres continuent d'être conformes au programme signalé par Félibien : jeunes bacchantes, Ganymède, Hébé, du côté de la Grotte et de l'appartement des Bains ; enfants musiciens ou comédiens, Terpsichore, Erato, du côté du midi, où l'on eut alors l'intention de construire un bâtiment pour la Comédie. En outre, le choix de l'ordre ionique pour les colonnes et pilastres du premier étage, de l'ordre corinthien pour les pilastres et les frises du second étage, l'encadrement des fenêtres de cet étage d'attique, le profil des corniches et des moulures, le dessin de la balustrade qui couronne le tout, achèvent de montrer la persistance de Louis XIV à maintenir ses propres créations jusque dans les transformations et dans les améliorations qu'il y apporte par la suite.

Le même phénomène va se produire à l'intérieur du nouveau bâtiment.

L'APPARTEMENT DU SOLEIL

Louis XIV, reprenant à l'instar de plusieurs de ses ancêtres, notamment Charles VI, le « soleil d'or rayant » pour emblème, se divinise volontiers sous les traits de Phœbus-Apollon. Il apparaît, costumé de la sorte, dans plusieurs ballets. Les tissus d'or dont il s'habille, les diamants dont il aime à se couvrir, lui donnent un éclat impressionnant. Quoique de petite taille, sa prestance et les succès qu'il remporte rendent à ceux qui travaillent pour lui la comparaison facile. Le masque irradié, le mythe d'Apollon, les cortèges des Heures, des Jours, des Saisons ou des Éléments vont former le fonds principal de l'iconographie versaillaise.

Sur les portiques qui terminent désormais les deux ailes de la cour royale, douze grandes figures de pierre représentent les Éléments : à gauche, Cérès, Pomone et Flore pour la Terre, Neptune, Thétis et Galatée pour l'Eau ; à droite, Junon, Iris et Zéphyre pour l'Air, Vulcain et deux cyclopes pour le Feu.

Sur les balcons des deux avant-corps que Le Vau établit sur le parterre occidental et sur ceux qui dominent la terrasse du premier étage, trois groupes de quatre colonnes chacun portent douze statues des Mois, hautes de 7 pieds et demi (2,45 m de haut), auxquelles seront ajoutés un peu plus tard Apollon et Diane ; les bas-reliefs rectangulaires sculptés au-dessus des fenêtres montrent alors, sous figures de jeux d'enfants, les occupations des Saisons et des Mois.

Dans les jardins, les quatre bassins des Saisons, à l'intersection des deux grandes allées du nord et du sud, préparent le visiteur aux deux bassins principaux de cette partie du parc, consacrés l'un à Apollon et l'autre à Latone, mère d'Apollon. Et l'on a vu que la Grotte bâtie près du château doit être considérée comme le palais de Thétis où vient se délasser le Soleil.

On pourrait multiplier les exemples de la même allégorie savamment répétée. Félibien l'a noté : « Il n'y a rien dans cette superbe maison qui n'ait rapport à cette divinité. »

Nulle part le thème n'a été aussi marqué, aussi visible pour le moins averti, que dans l'appartement du Roi. Cet appartement, comme s'il fallait en même temps souligner l'instabilité des efforts humains, même chez un Louis XIV, n'a pas été mené jusqu'à son terme ; les transformations que le Roi demandera par la suite à Mansart et à Le Brun lui feront perdre l'unité un instant voulue.

L'appartement, dont le programme se précise peu à peu au cours des années 1670 (date de la mort de Le Vau) et 1672, moment où s'affirme l'importance du grand escalier de marbre qui le dessert, est encore en grande partie reconnaissable aujourd'hui. Félibien l'annonce en 1674 dans sa première *Description du Château de Versailles* : « Les plafonds doivent être enrichis de peintures par les meilleurs Peintres de l'Académie Royale. Et comme le Soleil est la devise du Roy, l'on a pris les sept Planettes pour servir de sujet aux Tableaux des sept pièces de cet appartement ; de sorte que dans chacune on y doit représenter les actions des héros de l'antiquité, qui auront rapport à chacune des Planettes et aux actions de Sa Majesté. On en voit les figures symboliques dans les ornemens de sculpture qu'on a faits aux corniches et dans les plafonds. »

Réminiscence italienne, probablement suggérée par Le Brun en personne, qui n'a pas manqué d'admirer à Florence, au Palais Pitti, les plafonds des *Sale degli Planetti*, peints par Pierre de Cortone durant le quart de siècle précédent, la suite des sept pièces de Versailles offrait un magnifique programme, avant d'être amputée, sous prétexte d'embellissement, dix ans après avoir été conçue.

Le premier salon dans lequel on pénètre sur le palier du Grand Escalier et qui prend jour sur le parterre du Nord est consacré à Diane. L'enfilade se poursuit telle qu'on la connaît aujourd'hui, puis se prolonge, à l'ouest, sur des pièces qu'a fait disparaître ensuite l'installation du Salon de la Guerre et de la Galerie. Le Salon d'Apollon forme jusque-là le centre de l'appartement et constitue la Grande Chambre du Roi, le Salon de Mars étant Salle des Gardes ou Salle des Festins et le Salon de Mercure Antichambre. La pièce d'angle (futur Salon de la Guerre), éclairée de trois fenêtres au nord et trois à l'ouest, est consacrée à Jupiter ; c'est le Grand Cabinet ou Cabinet du Conseil ; une partie de sa décoration, peinte par Antoine Coypel, sera réutilisée une dizaine d'années plus tard dans le décor de la Salle des Gardes de la Reine. La pièce suivante, dont les deux fenêtres s'ouvrent sur le parterre occidental, sert de Petite Chambre ; la peinture principale, qui doit représenter Saturne sur son char, ne paraît pas avoir été mise en place. La dernière pièce est un petit Cabinet fort clair et fort plaisant, qui prend jour par deux fenêtres sur le parterre occidental et par trois fenêtres sur la terrasse du premier étage ; comme ces fenêtres-ci regardent vers l'appartement de la Reine, on imagine, par une flatterie plus touchante que fine envers la souveraine, de consacrer à Vénus la décoration de ce Cabinet ; une partie des peintures semble avoir été utilisée un peu plus tard dans le décor de l'actuel Salon de Vénus, lorsque celui-ci fut établi à l'entrée du Grand Escalier et que Mme de Montespan habitait tout auprès.

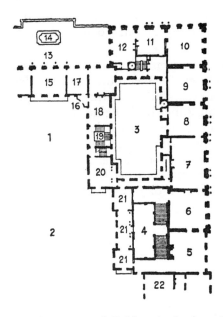

Fig. 9. — *Appartement du Roi (premier étage) vers 1674.*

1. Cour de marbre. — 2. Cour royale. — 3. Cour du Roi. — 4. Grand Escalier (ou des Ambassadeurs). — 5. Emplacement du second Salon de Vénus. — 6. Salon du Grand Escalier ou Salon de Diane. — 7. Salle des Gardes ou Salon de Mars. — 8. Antichambre ou Salon de Mercure. — 9. Grande Chambre ou Salon d'Apollon. — 10. Grand Cabinet, Cabinet du Conseil ou de Jupiter (futur Salon de la Guerre). — 11. Petite Chambre du Roi ou Chambre de Saturne. — 12. Petit Cabinet du Roi ou premier Salon de Vénus. — 13. Terrasse. — 14. Bassin de la terrasse. — 15. Salon du Roi (future Chambre de Louis XIV). — 16. Cabinet-volière. — 17. Futur Cabinet du Conseil, — 18. Futur Billard de Louis XIV, puis Chambre de Louis XV. — 19. Degré du Roi (futur Salon de la Pendule). — 20. Cabinet du Billard (futur Cabinet aux tableaux, puis Cabinet-intérieur). — 21. Appartement de Mme de Montespan (future Petite Galerie de Mignard). — 22. Pavillon de Bontemps (futur Cabinet des Curiosités de Louis XIV et Salon des Jeux de Louis XVI).
(Voir la coupe, fig. 8, p. 76, et le plan général du premier étage, fig. 7, p. 74 ; à comparer au plan du même appartement vers 1693 fig. 14, p. 208.)

Tel est, dans sa composition générale, l'appartement dans lequel le Roi-Soleil s'installe au mois de novembre 1673 et qu'il fait aussitôt meubler de son beau mobilier d'argent, sa Grande Chambre étant elle-même tendue d'un splendide brocart d'or et d'argent sur fond d'or, dit brocart des Amours.

Les travaux de décoration, qui ont été surtout actifs dans les années 1672 et 1673 et qui, en cette dernière année, laissent prévoir, rien qu'en marbres et en glaces pour les appartements du Roi et de la Reine, une dépense de 70 000 livres, sont loin d'être achevés lorsque le Roi s'y établit. Raccords et embellissements de marbres, garnitures supplémentaires de bronze doré demandées à Cucci, devants de cheminées pour l'été peints par Le Moyne, établissement des plafonds se continuent dans les années qui suivent.

Le Brun a conçu et dirigé l'ensemble du décor. Les acomptes versés pour les divers « tableaux de plafonds » se prolongent jusqu'en 1678 au moins. On possède les noms des peintres, qui sont presque tous des élèves de Le Brun ; la majeure partie de leurs ouvrages, parfois restaurés fâcheusement au XIXᵉ siècle, demeure encore en place aujourd'hui. Il est bon d'observer ces décorations. Elles sont les premières de cette ampleur réalisées à Versailles par le Roi et consacrées à sa gloire, à sa personne et à ses exploits. Elles seront respectées de ses successeurs, comme intégrées désormais à l'héritage de Louis XIV et à son château.

Dans le Salon de Diane, les quatre peintures qui encadrent le sujet central du plafond, *Diane assise sur un char tiré par des biches*, représentent, sous les figures d'*Alexandre*, de *Cyrus*, de *Jason* ou de *César*, autant d'allusions au Roi, « qui s'est fait de bonne heure un plaisir de la chasse et qui n'a pas plutôt pris en main le gouvernement de son État, que pensant à tout ce qui pouvoit contribuer à la félicité de ses peuples, Sa Majesté commença d'établir le commerce dans les contrées les plus éloignées, et envoia dès lors pour cet effet des Colonies Françoises à Madagascar et en divers autres lieux. »

Le Salon de Mars est consacré à « l'image des actions héroïques du Roy ». *Mars sur un char tiré par des loups*, occupe le centre du plafond ; les deux tableaux des extrémités symbolisent *la Terreur* et *la Gloire*. Dans la voussure, six tableaux, « peints en manière de bas-reliefs d'or, contiennent autant de sujets d'Histoire qu'on a jugé se rapporter aux exemples de valeur et de sagesse que le Roy a données dès qu'il a commencé à prendre le soin et la conduite de ses Armées. »

Au plafond du Salon de Mercure, Jean-Baptiste de Champaigne a représenté, autour de *Mercure sur son char tiré par des coqs*, quatre grandes peintures d'histoire ancienne, choisies pour chanter les louanges du Grand Roi, et quatre camaïeux dans les angles, qui figurent *l'Adresse du corps, — la Connaissance des Beaux-Arts, — la Justice, — l'Autorité royale*.

Le Salon d'Apollon a été confié à Charles Delafosse, qui, dans la grande composition lumineuse du centre, a accompagné *le Char du Soleil* des allégories des Saisons, de la Magnificence, de la Magnanimité et de la France au manteau fleurdelisé. Au pourtour, dans la voussure, sont peintes les *Quatre Parties du Monde*, en encoignures, et quatre grandes compositions sur des « vertus, exprimées par des sujets tiréz de l'histoire » ; on y voit notamment *Auguste bâtissant le port de Misène*, allusion au port de Rochefort, qui, selon Félibien, « surpasse ce que les Romains ont jamais fait de plus somptueux en ce genre ».

Tout ce qui, sur ces plafonds, n'est pas peinture, est sculpté et doré, avec ce sens de la richesse équilibrée et de l'allégorie savante qu'aiment Louis XIV et Le Brun. Plus d'un élément du décor, déjà essayé à Vaux ou, au Louvre, dans la Galerie d'Apollon, se retrouve au milieu des attributs divins, propres à chaque planète. On remarque, aux écoinçons du plafond du Salon de Diane, des trophées de chasse. La corniche et les angles du plafond du Salon de Mars sont composés d'attributs militaires, et les casques eux-mêmes, qui forment les consoles, symbolisent les Parties du Monde qu'éclaire le Soleil. Des amours retiennent des guirlandes aux quatre coins du plafond du Salon de Mercure, prenant pour point de départ le chapeau ailé du dieu. Certaines des belles figures du Salon d'Apollon, qui forment comme une ronde et un support autour du tableau central, ainsi que dans la Chambre du Roi au château de Vaux, peuvent personnifier les Muses qui accompagnent Phœbus.

Presque toutes les portes qu'on admire encore aujourd'hui dans ces quatre salons pourraient venir de l'installation primitive. On les date d'ordinaire des modifications apportées par Louis XIV à l'appartement en 1681, ce qui est certain pour les salons extrêmes, non pour ceux dont on vient de décrire les plafonds. Louis XIV songea un instant à des portes de bronze et demanda à Caffiéri de lui présenter un modèle en 1673. Peut-être certaines portes furent-elles ornées de glaces, notamment dans le Cabinet du Conseil ou salon d'angle, pour refléter, comme à Saint-Germain, les jardins. Dès 1672, en tout cas, Caffiéri, Lespagnandel et Temporiti sculptent dans le bois la plupart des portes de l'appartement des Planètes. Celles du Salon de Vénus et du Salon de l'Abondance, qui datent de 1681, seront décorées uniformément, anonymement pourrait-on presque dire, de soleils, de chiffres couronnés et de bâtons royaux en sautoir. La plupart des autres, sur un dessin général en apparence identique, semblent montrer par maint détail que l'on se trouve bien à l'époque où le thème original est rigoureusement suivi dans l'appartement du Roi-Soleil : têtes de chiens et croissants, carquois, arcs et épieux sur quatre vantaux du Salon de Diane ; casques, boucliers, lauriers, trompes et brandons sur les portes du Salon de Mars ; caducées et livres de comptes sur celle du Salon de Mercure ; lyres et trépieds sur celles du Salon d'Apollon.

Aux encadrements des portes, aux ébrasements des fenêtres, dans le bas des lambris, parfois sur le mur entier, — et jadis dans une progression plus complète, que celle aujourd'hui visible, — le marbre brille, flamboie, accentue sa préciosité et ses effets, plus on approche ou plus on approchait de la personne du Roi. Félibien, émerveillé d'une richesse aussi nouvelle, s'est complu à détailler les qualités, les couleurs, voire la provenance des marbres employés, depuis le Salon de Diane jusqu'à la Chambre de Saturne ou au Cabinet de Vénus sur la terrasse.

LE BRUN

La pensée de Charles Le Brun accompagne celle du Roi dans tout cet appartement ; elle ne fera que s'étendre au cours des années qui suivent, à l'intérieur comme à l'extérieur du château. Sans Le Brun, Versailles eût existé, mais certainement bien différent, moins noble, moins homogène, moins « Louis XIV ».

Premier peintre depuis 1662, Le Brun est attaché désormais à la gloire du Grand Roi, dont il a enrichi les châteaux des Tuileries, du Louvre ou de Saint-Germain des mythologies les plus flatteuses. Même lorsqu'il décore pour Colbert le château de Sceaux, il représente l'apothéose d'Apollon. Il régnera sur Versailles grâce au monarque qu'il sert et qu'il loue.

L'art décoratif se confond le plus souvent alors avec la peinture, avec la sculpture. Installé aux Gobelins, Le Brun ne donne guère de limites à son activité. Il fournit des modèles pour le mobilier d'argent ou pour la statuaire des jardins, esquisse un projet de plafond aussi bien qu'un carton de broderie ou de tapisserie. Anthony Blunt a fort justement résumé en ces termes le caractère de son art : « Le Brun n'a pas produit une seule œuvre que l'on soit tenté de contempler, d'étudier, d'analyser, mais, en créant un ensemble tel que la décoration de Versailles, il fut un maître. » Vingt années de la confiance du souverain et de puissance unique pour un artiste lui vaudront de marquer de son génie le château tout entier.

Son goût de l'allégorie ou de l'ornement tiré de l'antiquité classique, mais tempéré d'éléments contemporains, plaît à Louis XIV, qui ne redoute — on vient de le voir avec son bel appartement, — aucune comparaison. Les trophées, les amours, dont son art est rempli, continueront d'inspirer les générations suivantes. On sera pourtant bien ingrat avec lui. Il mourra dans la disgrâce quelques années après Colbert. La nouvelle équipe qui sera mise en place en 1684 avec la faveur de Louvois et de Mme de Maintenon affectera de l'ignorer, l'évincera. Il achève alors les Salons de la Guerre et de la Paix, qui complètent majestueusement sa Galerie, mais c'est à Mignard que Louis XIV demandera les plafonds de la Petite Galerie, et l'oubli viendra si vite que Saint-Simon, notant, en 1695, la mort de Mignard, attribue à celui-ci « la grande galerie de Versailles et ses deux salons ». Pourtant Le Brun était partout présent dans le Versailles du Roi-Soleil.

Il est là dans le bel appartement du premier étage, qu'on appelle bientôt, comme pour lui rendre hommage autant qu'à son maître, *le Grand Appartement*. Mais s'il laisse à d'autres artistes le soin d'exprimer sa pensée, il intervient en personne dans la décoration de l'appartement des Bains. La mort de Le Vau, le caractère effacé de François D'Orbay à qui incombe en 1670 l'exécution des programmes commencés, lui permettent de surgir à tout instant, le crayon à la main. Il ne peut ignorer les décorations qui se font chez Mme de Montespan ou chez la Reine. On le retrouvera dans les jardins, et toujours avec la même magnificence, toujours sous le signe d'Apollon.

L'APPARTEMENT DES BAINS

Au rez-de-chaussée du château, au-dessous de l'appartement du Soleil, Louis XIV et Le Brun ont voulu rappeler encore le mythe divin. L'appartement des Bains, qui ne conserve de son décor original que d'infimes morceaux, a marqué les contemporains d'un souvenir ébloui. Il a été créé en même temps que celui du premier étage, mais, tout tourné vers la jouissance et le raffinement, il est achevé avec plus de lenteur. Commencé en 1671, il est définitivement meublé en 1680. Destiné, dans le langage de la Cour, aux « plaisirs du bain », il peut être considéré comme une annexe du royaume de Mme de Montespan. Il forme une sorte d'appartement privé, où, dans un Versailles qui se peuple, se visite et s'encombre, Louis XIV aime se retirer au milieu d'une magnificence inouïe. Avant lui, François Ier à Fontainebleau, en créant quelque cent cinquante ans plus tôt un appartement des Bains, avait montré le même penchant d'un roi qui se plaît à entretenir de jolies femmes dans un cadre somptueux, extraordinaire et fantaisiste à l'extrême.

Le luxe des marbres, des bronzes, des statues et des peintures rivalise avec celui du Grand Appartement. Quatorze portes de l'appartement des Bains ont été rehaussées de sculptures, dues à Temporiti, et l'on peut évaluer à plus de 80 000 livres les acomptes payés entre 1672 et 1676 pour les revêtements de marbre et les colonnes des quelques pièces qui le composent.

Le vestibule, précédé d'une salle décorée de fresques, est situé au centre de la façade sur le parterre du Nord, du moins avant le prolongement de cette façade vers l'est : on y entre à volonté par les marches du jardin ou par le milieu de la cour du Roi. Malgré les modifications subies par ce rez-de-chaussée au XVIIIe et au XIXe siècle, subsistent la plupart des anciennes colonnes et des pilastres de marbre des Flandres, dont les chapiteaux ont valu à cette pièce son nom de *Vestibule-dorique*. Le plafond peint par Le Moyne a

FIG. 10. — *Appartement des Bains vers 1680.*

1. Cour de marbre. — 2. Terrasse du parterre d'eau. — 3. Cour du Roi. — 4. Parterre du Nord. — 5. Vestibule-dorique. — 6. Salle de Diane ou Pièce-ionique. — 7. Cabinet des Mois ou Salon octogone. — 8. Chambre des Bains. — 9. Cabinet des Bains. — 10. Galerie-basse. — 11. Escalier du Roi.
(A comparer au plan de l'appartement de Mesdames vers 1755, fig. 19, p. 428).

disparu, aussi bien que les niches qu'ornaient quatre statues antiques ou copiées de l'antique, Apollon, Vénus, Mercure et Bacchus.

La *Salle de Diane* ou *Pièce-ionique*, qui vient ensuite, était également décorée de colonnes. Celles-ci, au nombre de douze, les unes en marbre des Pyrénées, les autres en marbre des Flandres, étaient surmontées de chapiteaux de marbre blanc et disposées au pourtour de la pièce. Deux statues de Pallas et de Flore, des décors sculptés et d'autres peints, exécutés entre 1671 et 1676, complètent alors ce salon, dont le plus remarquable ornement est fourni par un meuble de brocart d'or et d'argent ; deux lits de repos, dont les bois dorés et argentés sont sculptés des attributs de Diane, font partie de ce meuble.

Éclairé de trois fenêtres sur chacun des deux parterres, le vaste cabinet d'angle, aujourd'hui appelé *Cabinet de Mesdames*, est alors célèbre sous le nom de *Cabinet des Mois* ou *Salon octogone*. « L'or, le métail doré, le marbre et la peinture », écrit Monicart dans son *Versailles immortalisé*, resplendissent de tous côtés. Rien n'en est resté, ni le plafond octogone, dû à Le Moyne, ni le grand tableau ovale, que peignit Houasse pour orner la cheminée et qui était consacré au mythe d'Apollon, *la Poursuite de Daphné*, ni les encadrements de portes et de fenêtres en marbre rouge du Languedoc, ni surtout l'ornement essentiel de ce salon, les douze grandes figures des Mois, « de métail doré », qui, sur des socles de marbre au pourtour, composaient un zodiaque et qu'a reproduites Monicart. Tuby, Le Hongre, les Marsy, Girardon, Desjardins, Houzeau et Regnaudin avaient modelé ces statues, dont Le Brun avait donné le dessin ; on les voyait encore, conservées dans un magasin des architectes du château, en 1765, chacune tenant une corne d'abondance et un flambeau.

Le luxe était encore plus grand dans la chambre suivante ou *Chambre des Bains*. Sur la paroi de marbre se détachaient six colonnes de brèche isabelle, avec leurs bases et leurs chapiteaux de bronze doré, ouvrages de Caffiéri, de Lespagnandel et de Temporiti, à qui l'on doit probablement les volets des fenêtres, sculptés de dauphins et de jets d'eau, seul reste subsistant aujourd'hui de l'ancien décor. Cucci avait ciselé, en bronze doré, les dessus de porte et l'encadrement d'un grandissime miroir, qui fut livré en 1678. L'un des plus riches brocarts fabriqués pour Louis XIV, à dessin de bergers et de bergères, garnissait le lit, les deux fauteuils, les deux carreaux, les douze tabourets ; il tapissait aussi l'alcôve ; ce meuble se retrouvera plus tard dans la Chambre du Roi au premier étage de la cour de marbre.

Le *Cabinet des Bains* terminait cet appartement extraordinaire dans une égale somptuosité. Le plafond peint par De Sève, les dessus de porte modelés par Cucci, les lambris de marbre, peut-être mêlés à des panneaux de stuc pour figurer des bassins et des aiguières, des dauphins et des emblèmes du Roi, servaient de cadre aux baignoires. Louis XIV fit d'abord établir une grande cuve octogonale, taillée dans un seul morceau de marbre de Rance, qui fut payée 15 000 livres. Il fit ajouter, en 1678, deux baignoires allongées, en marbre blanc ; ces dernières furent établies dans un renfoncement, au fond de la pièce ; un réservoir, disposé en arrière, servait à les alimenter ; des ornements de bronze, dus à Cucci, les accompagnaient.

La faveur de l'appartement des Bains fut de très courte durée. Son abandon coïncide avec l'emprise de Mme de Maintenon sur le Roi. Dépouillé d'une partie de ses marbres, sa piscine octogonale recouverte d'un plancher, il servira de premier exil à Mme de Montespan, en 1685. Le duc du Maine l'habitera, puis le comte de Toulouse et la veuve de celui-ci. Madame Adélaïde, Madame Victoire se le partageront de 1745 à la fin de l'Ancien Régime. Presque tous ses ornements disparaîtront. La belle cuve sera déposée à grand-peine en 1750 et transportée chez une autre favorite royale, dans le jardin de l'Ermitage de Mme de Pompadour ; après divers avatars, elle reviendra à Versailles en 1934 et sera placée dans l'Orangerie, seul vestige, avec les volets et colonnes signalés plus haut, d'un appartement magnifique, dont la création correspond au plus fort de la passion de Louis XIV pour Versailles et pour Mme de Montespan.

L'APPARTEMENT DE Mme DE MONTESPAN

Avec son exactitude habituelle, Nolhac a situé l'appartement de celle qui, dans ce nouveau Versailles, supplante Mlle de La Vallière : au haut du Grand Escalier du Roi, non loin du futur Salon de Vénus, sur l'emplacement de ce qui deviendra, en 1685, la Galerie de Mignard. De plain-pied avec celui du Roi, cet appartement est obtenu grâce à la construction de l'aile intermédiaire du côté nord de la cour en 1669, celle-ci ayant peut-être été décidée pour loger la marquise, qui, depuis quelques mois, domine le cœur du

Roi. Il prend pour point de départ l'ancien pavillon d'angle où se trouvait la chapelle qui est alors transportée du côté sud, auprès de l'appartement de la Reine. Les cinq fenêtres qui regardent la cour royale et qui correspondront plus tard au Cabinet-doré de Madame Adélaïde, à la Bibliothèque de Louis XVI et à la dernière salle à manger de Louis XV, doivent être celles derrière les glaces desquelles il faut imaginer Louis XIV et sa redoutable maîtresse : « Les courtisans évitoient de passer sous ses fenêtres, note Saint-Simon, surtout quand le Roi y étoit avec elle ; ils disaient que c'était passer par les armes, et ce mot passa en proverbe à la cour. »

L'appartement de Mme de Montespan, enrichi de peintures et de dorures dès 1671, paraît avoir comporté dès l'origine une galerie, que rehaussent des colonnes et des bustes de marbre et dont le volume pourrait n'avoir pas varié lors des aménagements faits par Mignard pour Louis XIV en 1685. Mme de Montespan aime le faste. Son appartement « devient le centre de la Cour, des plaisirs, de la fortune, de l'espérance et de la terreur des ministres et des généraux d'armée, et l'humiliation de toute la France. Ce fut aussi le centre de l'esprit, et d'un tour si particulier, si délicat, si fin, mais toujours si naturel et si agréable, qu'il se faisait distinguer à son caractère unique ».

Un escalier particulier, aux parois de marbre (que Louis XIV fit déposer en 1685, lors de la disgrâce de la dame), permet aux courtisans de monter faire leur cour à la marquise. Le Roi possède son entrée personnelle, outre celle qui communiquait avec le palier du Grand Escalier.

Dans cet appartement, dont le décor original ne semble pas avoir laissé la moindre trace ni même un ancien dessin s'être conservé, et qui fut totalement remanié par Louis XIV et par Louis XV, il est difficile d'imaginer la distribution des pièces, le mobilier, les personnages, l'altière Athénaïs ou les visites privées du Roi, dont Saint-Simon a laissé un récit amusant, sinon véridique, ce gascon de Lauzun, caché sous le lit, l'ayant plus tard conté au duc et probablement inventé.

Le règne de Mme de Montespan connut dans cet appartement plus d'une tempête. Faute d'avoir prévu le coup de foudre de Louis XIV pour Mlle de Fontanges à Saint-Germain, un jour de 1679, Mme de Montespan vit se partager un moment les faveurs du Roi. La supériorité de la Mortemart sur la jeune fille, « d'une beauté étonnante », au dire de Mme de Sévigné, mais « sotte comme un panier », selon l'abbé de Choisy, est résumée par Saint-Simon, qui écrit à propos de Mlle de Fontanges : « Sa beauté la soutint un temps ; mais son esprit n'y répondit en rien. Il en falloit au Roi pour l'amuser et le tenir. » La mort de Mlle de Fontanges en 1681, alors que les comptes précisent le crédit de celle-ci par la construction, à Versailles même, d'offices à son nom, consolide fort à propos, mais pour peu de temps, la situation de Mme de Montespan.

Une autre femme, au même moment, habite le premier étage du château, de l'autre côté de l'appartement du Roi, la Reine en titre, la pauvre Marie-Thérèse, celle que Mme de Sévigné veut bien appeler « la dame du château » et qui mourra en 1683 sans avoir entrevu la disgrâce de la maîtresse, sans avoir peut-être soupçonné l'attrait encore obscur qu'exerce sur le Roi Mme de Maintenon.

L'APPARTEMENT DE LA REINE

La Reine occupe en apparence un appartement presque égal à celui du Roi. Un salon central au fond de la cour sépare et relie l'un et l'autre. Cette répartition, sensible dès les installations de 1662 et marquée par la présence, au centre des deux ailes primitives, de deux escaliers semblables, se reflète dans l'installation des appartements et jusque dans leur décor, leur iconographie ou leur mobilier, à quelques nuances près de supériorité que s'accorde le Roi.

Dans sa *Promenade de Versailles*, publiée en 1669, Mlle de Scudéry décrit un grand Cabinet, qui paraît bien s'appliquer à l'appartement de la Reine, si facile à confondre qu'en soit la description avec un cabinet de l'appartement du Roi : pilastres de miroirs, panneaux décorés de feuillages dorés sur fond de lapis, meuble de vernis bleu rehaussé de filigranes d'argent témoignent d'un même faste.

Les agrandissements de Le Vau vont profiter à l'appartement de la Reine autant qu'à celui du Roi, du moins au premier étage. Un appartement ancien est conservé, semble-t-il, à Marie-Thérèse dans le château-vieux, c'est-à-dire dans l'angle sud-ouest de la cour de marbre. Un escalier de marbre, qui, bien qu'agrandi en 1680, n'aura jamais l'ampleur de l'escalier du Roi, est construit, en pendant à celui-ci, en arrière de l'aile nouvelle de 1669. Le Brun lui-même, à n'en pas douter, préside, à partir de 1671, à la décoration de l'appartement nouveau, bien exposé sur le parterre du Midi. Le luxe des marbres, des plafonds, des dorures et des sculptures, l'iconographie même apparaissent avec à peine moins « d'art et de magnificence que dans le grand appartement du Roy ».L'équilibre est presque parfait.

Au Salon de Diane correspond d'abord, du côté de la Reine, une chapelle, presque carrée, qu'éclairent trois fenêtres. Cette chapelle, plus grande que celle de l'ancien pavillon d'angle du nord-est, est cependant fort exiguë ; bénite en octobre 1672, elle fera place à la Salle des Gardes de la Reine lors de la création, quatre ans plus tard, d'une nouvelle chapelle, établie un peu plus à l'est, sur le grand espace vide qui donnera ensuite naissance, au premier étage, à la Grande Salle des Gardes du Roi et de la Reine (actuelle Salle du Sacre).

Le Grand Appartement de la Reine débute par une Salle des Gardes (future Antichambre du grand-couvert), dont le plafond, dû principalement à Vignon et dépouillé au XIXᵉ siècle de sa peinture centrale représentant, comme dans la Salle des Gardes du Roi, *le dieu Mars assis sur son char tiré par des loups*, a conservé de ses origines tout un appareil guerrier, sculpté ou peint, notamment les six grands camaïeux figurant des reines guerrières et des femmes fortes de l'antiquité.

Le salon suivant (futur Salon de la Reine), tenant lieu tout d'abord d'Antichambre, est consacré à Mercure, comme la pièce correspondante de l'appartement du Roi. Les tableaux des voussures présentent pareillement des exemples illustres tirés de l'antiquité, se rapportant aux arts et aux lettres : *Sapho et sa lyre, — Pénélope et sa tapisserie, — Aspasie et les philosophes, — Cérisène et la peinture.*

Vient ensuite la Grande Chambre de la Reine, dont l'emplacement n'a pas varié, mais dont le décor a été renouvelé au XVIIIᵉ siècle. La corniche est ornée de soleils et de foudres. Comme pour annoncer la présence du Roi, le sujet principal du plafond représente le Soleil, l'Europe, les Heures, les Quatres Parties du Monde. Ces décorations ont disparu, mais on peut penser que la majeure partie des sculptures (non des peintures) du plafond actuel remonte à l'époque de Marie-Thérèse. On a, d'autre part, retrouvé en 1939, sous les boiseries murales sculptées pour Marie Leczinska, le tracé des anciens dessus de porte. Le lit de Marie-Thérèse, que reproduit un dessin des Archives nationales, était disposé à l'intérieur d'une alcôve, sur une estrade de marqueterie exécutée par Golle.

Enfin le grand cabinet d'angle (futur Salon de la Paix) conduit vers l'oratoire et la petite-chambre de la Reine, qui regardent le parterre occidental, selon le plan adopté chez le Roi. Autant que par le salon central du fond de la cour de marbre, on peut rejoindre l'appartement du Roi par la grande terrasse que D'Orbay, poursuivant après la mort de Le Vau, en 1670, les travaux commencés par celui-ci, installe au premier étage sur une aire de ciment et un dallage de marbre. Cette terrasse, qui sera constamment sujette aux infiltrations, est ornée en son centre d'un bassin, dont le groupe doré a été sculpté par Tuby. Tout ceci disparaîtra lors de la construction de la Grande Galerie.

L'appartement de la Reine continuera cependant de recevoir quelques embellissements, comme pour montrer que la triste souveraine n'est pas totalement oubliée. Les aménagements de 1680 en conservent le souvenir, sans cesser de rappeler la présence du Roi-Soleil, dont on croit retrouver ici, dans le délaissement doré et la modestie de Marie-Thérèse, un reflet atténué.

La nouvelle Salle des Gardes de la Reine, achevée à ce moment et d'abord dénommée Salon de la Reine, est établie sur l'emplacement de la chapelle de 1672. Elle est somptueusement lambrissée de marbre. Il semble que le Roi n'hésite pas à utiliser, pour celle qu'il n'a jamais réussi à aimer, des miettes de son propre appartement. Le plafond

octogonal dont il a fait orner cette Salle des Gardes représente
Jupiter sur son char ; les tableaux des voussures montrent
des sujets qui étonnent un peu ici : *Ptolémée Philadephe,
Alexandre Sévère, Trajan, Solon* ; ils s'expliquent, si l'on
songe que les uns et les autres ont été peints pour le grand
cabinet d'angle ou du Conseil de l'appartement de Louis
XIV. Nous sommes de même amené à penser que, dans la
disparate présentée par les portes de cette salle, l'une au
moins de celles-ci, décorée de sabliers, pourrait venir de la
Chambre de Saturne dans le même appartement.

La décoration de la Salle des Gardes a le mérite aussi de
conserver intacts, comme les Salons de Vénus et de Diane,
ses revêtements de marbre du règne du Grand Roi, de même
que l'escalier de la Reine, transformé au même moment sur
des dessins que Fiske Kimball a attribués à D'Orbay, permet
d'évoquer aujourd'hui, avec ses compartiments de marbre,
ses pilastres, ses bronzes et jusqu'au trompe-l'œil qui le
surmonte, les splendeurs autrement fameuses, évanouies
depuis deux cents ans, de l'escalier du Roi.

LE GRAND ESCALIER

A l'époque de l'attachement juvénile de Louis XIV à son
château on doit encore attribuer la création du grand
escalier de marbre qui donne un accès richissime au Grand
Appartement du parterre nord et qu'on a pris l'habitude de
désigner par la suite du nom d'Escalier des Ambassadeurs.

Louis XIV s'est contenté jusque-là d'un escalier assez
modeste, qui datait peut-être de Louis XIII et qu'il avait fait
orner de marbre ; deux fenêtres éclairaient cet escalier sur la
cour et deux fenêtres sur l'ancienne façade des jardins.

Dans les transformations préparées par Le Vau en 1669,
la place d'un escalier plus majestueux pour le Roi est prévue
au milieu de la nouvelle aile intermédiaire construite sur la
cour. Deux points semblent acquis dès l'origine : l'escalier
doit aboutir, au premier étage, à l'entrée du Grand Appartement, qui va se trouver, de ce fait, agrandi, en même temps
que la façade sur les jardins, d'un salon nouveau de trois

fenêtres (qui sera le second Salon de Vénus) ; puisque cet escalier doit être situé dans le milieu de bâtiments assez profonds, il sera doté d'un éclairage vertical.

Dès 1671, un premier emmarchement, qui ne sera que provisoire, est établi en pierre. Plusieurs coupes, signalées par Nolhac et conservées à la Bibliothèque de l'Institut, qui peuvent dater des environs de 1672, indiquent la disposition initiale. De puissants termes de pierre ou de marbre supportent la corniche ; les plinthes sont en marbre, comme doivent l'être la balustrade et la rampe, comme aussi les encadrements des portes et des fausses portes du palier ; ces dernières sont ornées de médaillons circulaires et de trophées. La voûte, très bombée, percée en son centre d'un vitrage rectangulaire que surmonte un lanterneau, est décorée de sortes de pilastres à rosaces et, dans les angles, de grands trophées de stuc. Tout ceci doit se répéter dans le salon nouveau qui donne sur le parterre ; un projet, de peu postérieur au précédent, indique des termes de femmes, beaucoup plus sveltes, destinés à porter la corniche de ce salon, pour lequel on prévoit alors un plafond, au lieu d'un lanterneau, ce qui prévaudra par la suite. En 1672, tandis que Jacques Gabriel travaille encore à la maçonnerie, Poncelet Cliquin et Paul Charpentier aux charpentes du comble, une somme de 75 000 livres est inscrite pour la décoration de l'escalier selon ce dernier projet.

Que se passe-t-il alors ? Quelles critiques, quelles interventions, quelles hésitations du Roi ? Faut-il voir ici la marque de changements apportés aux premiers projets de Le Vau par D'Orbay, son successeur ? Doit-on reconnaître des suggestions nouvelles apportées par le grand décorateur que nous venons de voir à l'œuvre dans les appartements royaux ? L'incertitude en tout cas est apparente. En 1674, dans son *Guide* de Versailles, Félibien se contente de donner les dimensions de l'escalier et sa place, en indiquant sa forme : « un grand paillier... ; deux rampes, l'une à droit et l'autre à gauche ». Louis XIV se fait, à ce moment même, présenter un nouveau projet, qu'exécutent Prou pour la menuiserie et Anguier pour la décoration, sous la direction de Le Brun, et qui revient à 950 livres.

Les comptes mentionnent, la même année, les ouvrages

de crépi et d'enduit exécutés par Rossignol pour la préparation des fresques, d'énormes dépenses de marbre (35 000 livres rien que pour le dallage et les marches) et le travail des stucateurs et sculpteurs habituels, Marsy, Guérin, Girardon, Regnaudin, Le Hongre, Desjardins, Utinot, Lespagnandel, Caffiéri et, travaillant spécialement à la fontaine qui doit décorer le premier palier, Tuby, Massou et Houzeau. La grande équipe des sculpteurs des façades et des jardins est au complet ; l'ordonnateur est là, Le Brun, qui dirige aussi ses peintres, dont Anguier prépare le travail.

Le Roi est attentif à l'exécution de ce grand ouvrage, et, comme si la guerre de Hollande ne lui donnait pas au début le loisir de le suivre d'assez près, une certaine lenteur se manifeste. Le gros travail s'effectuera seulement au cours des années 1676 - 1678. Colbert lui écrit, le 1er mars 1678 : « Les marches de l'escalier s'avancent fort et j'espère qu'il sera entièrement achevé dans le mois de juillet. » Louis XIV, occupé par le siège de Gand, répond : « Je serai bien aise que le grand escalier soit fait... »

Il faut attendre la paix de Nimègue pour que l'escalier s'achève en une sorte de triomphe du Roi et de ses artistes. Alors que 92 000 livres avaient été prévues en 1674 et seulement 30 000 en 1675 « pour continuer les ouvrages du grand escalier », 90 000 livres sont inscrites en 1676, 115 000 en 1677, 121 000 en 1678, pour tomber à quelques milliers de livres dans les années suivantes. En 1680, le *Mercure* publie une description enthousiaste et, en 1681, une extraordinaire procession de la Fête-Dieu, qui le prend pour centre, permet de le voir dans tout son éclat. Quelques modifications apportées à ce moment dans la disposition de la fontaine ou d'autres que Louis XIV étudie dans les dernières années de son règne deviennent d'une importance négligeable devant l'ampleur de ce qui a été accompli.

Le parti arrêté en 1674 comprend, au centre du vestibule, éclairé de trois baies sur la face septentrionale de l'aile médiane de la cour royale, un premier perron de onze marches, coupées à pans. En face, sur le premier palier, une fontaine. De ce palier s'élèvent, à angles droits, deux volées, chacune de vingt et une marches. Les murs et parois sont

incrustés à compartiments géométriques de marbre de Rance
et du Languedoc, sur un fond de marbre blanc ; les marches
sont également de marbre. La rampe est exécutée en bronze,
vraisemblablement à balustres, et demandée à Cucci, qui est
payé pour ce travail 31 000 livres.

Le palier du premier étage se présente comme un vaste
rectangle, décoré de huit magnifiques portes (quatre ouvrant
sur les salons de Diane et de Vénus et sur les appartements
du Roi et de Mme de Montespan, et quatre fausses portes) ;
il est, en outre, rythmé de pilastres et de colonnes ioniques,
dont les bases et chapiteaux de bronze doré sont l'œuvre de
Tuby et de Caffiéri, celui-ci étant aussi l'auteur des trophées,
chiffres du Roi et riches ornements divers, qui sont sculptés
sur le bois des portes.

Quatre niches forment le centre de chacun des côtés. Celle
qui surmonte le premier palier et la fontaine est décorée du
buste du Roi par Varin, qu'accompagnent son soleil, sa
devise et des trophées de bronze doré. Les armes de France
et de Navarre lui répondent sur la paroi méridionale. Les
attributs de Minerve et ceux d'Hercule, également en bronze
doré, meublent les deux niches qui sont situées au centre
des deux petits côtés et que l'on peut comparer, malgré leur
décor plus somptueux, à la niche qui orne encore le premier
étage de l'escalier de la Reine. Tuby et Coysevox sont les
auteurs de ces compositions qu'a dessinées Le Brun.

Les deux longues parois du premier étage sont, en outre,
décorées, de part et d'autre des niches, de quatre fresques
représentant, dans des perspectives de loggias à colonnes
ioniques, les Quatre Parties du Monde, sous figures de
personnages pittoresques qui semblent occupés à regarder
monter les visiteurs ; entre ces fresques et les portes, quatre
« tapisseries feintes », que Van der Meulen a peintes à
fresque, représentent les dernières victoires du Roi celles de
1677, Valenciennes, Cambrai, Cassel et Saint-Omer.

La richesse de ces décorations n'est rien en comparaison
des deux morceaux qui firent la renommée du Grand
Escalier : la fontaine et le plafond.

La fontaine est formée d'une belle vasque de marbre rouge
et blanc, taillée en coquille, que portent deux dauphins de

bronze doré. Une triple nappe d'eau produit un bruit cristallin, qui enchante le visiteur. Deux tritons de bronze, puis un Centaure de marbre antique, que Louis XIV a reçu en cadeau du prince Albani, surmontent cette vasque.

Le plafond constitue le tour de force de Le Brun, qui semble préluder ici à ce qu'il accomplira dans la Grande Galerie. Sous des allégories aux exploits du Roi, sous des allusions au Soleil, la gloire et les triomphes de Louis XIV y sont déjà proclamés. L'influence italienne est plus sensible qu'elle le sera dans la Galerie ; Émile Mâle a pu montrer l'usage fait ici de l'*Iconologie* de Cesare Ripa, que l'on citera plus loin. Il est évident aussi que Le Brun a voulu surpasser ses modèles et y a réussi.

Cet ouvrage considérable et tant vanté ne nous est plus connu que par des descriptions et des gravures, outre les nombreux dessins préparatoires qu'exécuta Le Brun et que conserve le Louvre. On demeure émerveillé de l'habileté prodigieuse mise par lui à ordonner et accumuler tant de détails sur un espace aussi réduit ; encore la voûte est-elle percée, en son centre et sommet, d'un large rectangle, fait de glaces de cristal cernées de métal doré, d'où vient la lumière. Sur les quatre parois cintrées, le peintre réussit à donner l'illusion d'une immense architecture, toute de trompe-l'œil, où les Quatre Parties du Monde et les Muses, des allusions aux dernières victoires du Roi, des fleurs et des oiseaux, des camaïeux d'or, des compartiments peints à l'imitation du lapis, composent la plus belle introduction que l'on puisse imaginer au Grand Appartement.

La destinée de ce grand ouvrage allait être cruelle : dix ans de travaux, soixante-dix ans d'existence. Le théâtre, démontable il est vrai, que Louis XV fait installer dans la cage du Grand Escalier, les projets qu'il ébauche dans cette partie du château et que l'on retrouvera plus loin, annoncent sa condamnation. On entoure celle-ci de quelques formes ; on espère sauver une partie de l'ouvrage ; on envisage un nouvel escalier, aussi riche et plus moderne, dont Louis XVI arrêtera l'exécution.

Louis XV demande à Picault, en 1750, la dépose et la transposition sur toile, afin de les conserver, des fresques du palier du premier étage. Il fait de même entreposer dans les magasins des Bâtiments les marbres et les bronzes. La dispersion de tant de richesse devient inévitable. Qu'en reste-t-il aujourd'hui ?

Deux magnifiques portes, sculptées par Caffiéri, au revers des Salons de Diane et de Vénus, au haut du dérisoire escalier dit des Maréchaux établi ici par Louis-Philippe, constituent le seul élément demeuré en place.

Avec un pieux respect, Charles Mauricheau-Beaupré a rassemblé dans une petite salle de l'aile du Nord ce qui peut être groupé des épaves conservées par Louis XV : une des compositions de Van der Meulen, la *Reddition de Cambrai*, avec un autre fragment, le soleil de métal doré d'une des niches, le buste du Roi par Varin.

Il y aurait lieu de poursuivre, comme une recherche archéologique que l'on ferait sur un palais disparu, le souvenir de ces précieux débris. Le centaure Albani, placé après la destruction de la fontaine dans les jardins de Trianon, où il fut oublié, dégradé par les intempéries, a trouvé asile au Louvre. On devrait découvrir au château de Dampierre la grande vasque de cette fontaine, ainsi qu'un certain nombre de plaques de marbre de Rance ou du Languedoc, que le duc de Luynes se fit donner par Louis XV. Le duc de Chaulnes, de son côté, demanda en 1760 une partie des marbres de l'escalier pour former le placage du grand autel qu'il voulait offrir à l'église paroissiale de Chaulnes ; celle-ci fut totalement détruite par la guerre de 14 - 18. *Sic transit !*

LE TRIANON DE PORCELAINE

Il est bon de considérer ici un autre ensemble du Versailles de cette époque, aussi fameux que l'Escalier des Ambassadeurs, aussi enchanteur que la grotte de Thétis, et comme eux disparu sans laisser d'autre trace qu'un fabuleux souvenir : le Trianon de porcelaine. Encore un témoin des amours de Louis XIV et de Mme de Montespan, qui disparaîtra comme par hasard au moment où Mme de Maintenon affirme son pouvoir sur le Roi !

En 1668, le Roi s'intéresse à un jardin qu'il possède au nord-ouest de son parc, du côté de Trianon, et dont les comptes mentionnent depuis quelque temps les treillages ou les échalas. Il fait démolir le village voisin ; les pierres de l'église de Trianon vont notamment servir à construire les murs du cimetière de Choisy. La création d'un pavillon, au fond du parc de Versailles, symétriquement opposé à la Ménagerie par rapport au Canal, correspond, ainsi que l'a remarqué Pierre de Nolhac, aux transformations effectuées par Le Vau : « Il semble que Louis XIV veuille remplacer immédiatement le petit château qui disparaît, le séjour des fêtes et des plaisirs de sa jeunesse. »

La construction est rapidement menée par Le Vau au cours de l'année 1670, où le maçon reçoit pour 155 000 livres d'acomptes. La demeure est petite : un pavillon sans étage, de cinq baies de façade, que précèdent quatre autres pavillons de dimensions encore plus réduites. La décoration est extraordinaire, à l'extérieur comme à l'intérieur. Elle est traitée à la chinoise, c'est-à-dire en porcelaine, ou plus exactement en faïence. C'est une symphonie en bleu et blanc.

Des carreaux, qui viennent de Hollande, de Paris ou de Saint-Cloud, de Lisieux et de Rouen, recouvrent les murs ; des vases de faïence, des oiseaux peints au naturel, des amours brandissant des arcs et des flèches, que Louis XIV a peut-être fait réemployer en 1710 pour le décor de l'Ile des Enfants, auprès du Bassin de Neptune, surchargent la balustrade et les toitures, et l'on enrichira encore les combles de nouveaux ornements en 1672. Petit palais éclatant de couleurs, écrasant de fioritures et de pittoresque, tel apparaît ce premier Trianon. Les fenêtres elles-mêmes et les grilles sont peintes « en fayance ».

L'intérieur est carrelé de céramique. Les murs du salon central dans le pavillon principal sont décorés de stuc bleu et blanc « travaillé à la manière des ouvrages qui viennent de la Chine ». De part et d'autre de ce salon sont situés deux appartements, l'appartement de Diane et l'appartement des Amours ; l'un et l'autre sont meublés avec la même fantaisie théâtrale, séduisante, inédite ; les lits des deux chambres sont enrichis de sculptures, de rubans, d'écharpes, de dentelles d'or et d'argent, et leurs dossiers s'accompagnent d'un grand miroir ; presque tous les meubles, tables, guéridons ou sièges sont « peints et vernis de bleu et blanc façon de pourcelaine ».

Pour ajouter encore à la sensualité de cette demeure, que Félibien désigne comme « un petit palais d'une construction extraordinaire, et commode pour passer quelques heures du jour pendant le chaud de l'été », Louis XIV fait établir, en 1671-1672, un « cabinet des parfums », dont les comptes signalent la dépense, notamment une somme de 1 920 livres « pour les cageots et tiroirs des parfums ». Ce qu'avait eu de surprenant et de frivole le premier Versailles sous le règne de La Vallière, Trianon semble le dépasser désormais. Et c'est à nouveau vers les jardins que se porte le luxe le plus inouï.

Dans les années 1670-1672 s'accumulent les paiements destinés aux plantations de Trianon : des milliers de tombereaux de terre et d'innombrables charretées de fumier, des défrichages et des labours, des giroflées doubles, des anémones, des tubéreuses, des jasmins d'Espagne et des narcisses qui viennent de Constantinople, soixante marronniers d'Inde pour la seule année 1671. En même temps, des ferblantiers présentent au Roi des modèles « d'amortissements pour les cabinets de treillages. » Mais Louis XIV exige davantage, surtout dans ces jardins de Trianon qu'il veut encore plus étonnants que ceux de Versailles !

Le plus invraisemblable paraît atteint avec les cultures de jasmins et d'orangers. Louis XIV et ses jardiniers ont planté ceux-ci en pleine terre, sur la pente exposée au Midi qui regarde le Canal. Cet exploit n'est possible qu'au prix de constructions de charpente, que l'on installe l'hiver et qui iront en se perfectionnant par la suite. Louis XIV peut ainsi, sous le ciel de Versailles, défier le soleil. Il a établi, avec des gages de 17 500 livres, un jardinier spécial pour cette partie des jardins, Le Bouteux. Il prend soin de faire donner à celui-ci des consignes très précises, au mois d'octobre 1674 : « Voir que Le Bouteux aye des fleurs pour le Roy pendant tout l'hiver... Rendre compte toutes les semaines des fleurs qu'il aura. »

Le sort de ce coin de terre est désormais fixé, comme l'a été un peu plus tôt celui de Versailles. Trianon devient, par la volonté de Louis XIV, pour un siècle et plus, le domaine des plantations rares et des fleurs. Les contemporains l'ont perçu dès la naissance de ce premier pavillon. Félibien note : « Ce palais fut regardé d'abord de tout le monde comme un enchantement ; car n'ayant été commencé qu'à la fin de l'hyver, il se trouva fait au printemps, comme s'il fût sorti de terre avec les fleurs des jardins qui l'accompagnent... » Ces jardins embaumés s'élèvent pour le plaisir du Roi ; ils correspondent probablement aussi aux goûts de Mme de Montespan. Ils sont à peine achevés que la dame se fait bâtir à Clagny un autre palais environné, lui aussi, de jardins fastueux.

CLAGNY

« Folie » à l'échelle du grand siècle, aménagé en contre-bas du château de Versailles, dont il est un instant comme une annexe, auprès de l'étang du même nom, le château de Clagny s'est évanoui, comme tout ce qui rappelle Mme de Montespan. N'accusons pas ici Mme de Maintenon. Louis XV, après avoir repris ce petit domaine, démolira le château, morcellera le parc dont il donnera même une partie à Marie Leczinska pour y élever un couvent de chanoinesses (dit Couvent de la Reine, aujourd'hui Lycée Hoche).

Cette maison, qui commence à s'élever en 1674, est d'abord destinée à « Messeigneurs les enfants naturels du Roi » ; celle qui met ces enfants au monde à ce moment, Mme de Montespan, s'en fera un palais ; celle qui les élève et qu'il faut imaginer parfois ici, Mme de Maintenon, laissera généreusement ce château à sa rivale lors de sa disgrâce. La belle Athénaïs, en peu de temps, avait su faire de Clagny une demeure merveilleuse, qui coûta fort cher à Louis XIV : 127 000 livres en 1674, 463 000 en 1675, 409 000 en 1676, 366 000 en 1677, 307 000 en 1678, 183 000 en 1679, 128 000 en 1680 ; les dépenses s'abaissent ensuite au-dessous de

100 000 livres, pour disparaître avec la défaveur de la marquise et le don qui lui est fait en propre de ce château.

Demeure d'apparat, essentiellement constituée d'une grande galerie et d'un salon central, Clagny fournit à Jules Hardouin-Mansart, petit-neveu du grand Mansart, l'occasion de se pousser auprès du Roi par l'entremise de la favorite. Le château est comme un reflet de Versailles avec son appartement des Bains, son Orangerie, sa Ménagerie, sa Laiterie. Malgré sa magnificence, il est peu de chose en comparaison des jardins ; ceux-ci, au dessin desquels a travaillé Le Nostre, rivalisent par leur luxuriance avec ceux de Trianon. On y trouve notamment un petit bois d'orangers, que décrit avec enthousiasme Mme de Sévigné dans une lettre du 7 août 1675 : « Pour cacher les caisses, il y a des deux côtés des palissades à hauteur d'appui, toutes fleuries de tubéreuses, de roses, de jasmins, d'œillets. » Rien de tel pour flatter les goûts du Roi !

LES JARDINS DE VERSAILLES

Dans le Versailles nouveau qu'on pourrait être tenté d'appeler celui de Mme de Montespan, les jardins continuent d'apparaître comme la préoccupation majeure du Roi. Une force immense les anime et les transforme : La Vallière, Montespan, muses passagères. Apollon règne sur ce domaine. Il est aidé de Le Nostre.

Si l'on veut bien examiner avec attention les quelques représentations du Versailles de cette époque, particulièrement le petit tableau de Patel que conserve le Musée de Versailles, et que Nolhac a daté de 1668, on éprouve une sorte d'exaltation et presque de vertige devant ce qui s'accomplit. Le passé est là, mais aussi l'avenir. Versailles est en train de se créer, tel que les siècles l'admireront.

Le château n'est encore « rien », malgré les embellissements de dorures ou de bustes, les agrandissements de communs ou de pavillons, dont l'a doté Louis XIV. Sur la gauche du tableau, une modeste église de village, quelques maisons, un grand mur oblique rappellent le désordre obscur d'autrefois. Mais déjà les grands desseins apparaissent avec les six pavillons symétriques et la largeur inaccoutumée, d'une majesté surprenante, des trois avenues plantées d'arbres qui convergent vers la place. Cette place n'existe pourtant encore qu'à l'état de chaos, sillonnée de pistes plutôt qu'ordonnée. Le maître arrive. Il vient de Saint-Germain avec ses carrosses et ses cavaliers. Au fracas des voitures, se joint le tintamarre de la fanfare et des deux timbaliers qui l'annoncent. Sur la place aux rampes arrondies, dont les balustrades de la future cour reprendront sensiblement le mouvement, chacun s'est rangé ; sur deux lignes symétriques, gardes-françaises et gardes-suisses sont sous les armes.

La grandeur de Versailles est désormais certaine. Louis XIV et son équipe nous livrent, sur ce modeste tableau de Patel, le fruit de leur pensée, la rigueur et la finesse qui ont donné à leurs travaux, en apparence les plus décousus, l'admirable unité que nous leur connaissons. L'enveloppe que va donner Le Vau au petit château de Louis XIII est comme par avance dessinée par les fossés. Le parterre de l'Ouest ne peut, avec son modeste bassin terminal, s'appeler encore parterre d'eau ; il sera bientôt remodelé et tout creusé de réservoirs. Le parterre de Latone, bien que n'étant pas encore décoré de ses sculptures, a reçu sa forme définitive. La dissymétrie des deux parterres latéraux permet de deviner l'échelle colossale que le Roi entend donner au Versailles de demain. Mlle de Scudéry a noté cet état provisoire dans sa *Promenade de Versailles*, en 1669 ; « On voit à la gauche et à la droite deux allées de pins qui semblent deux bois, quoiqu'il n'y ait que celle de la main gauche qui ait un véritable bois derrière elle. »

Le parterre du Midi, que l'on aperçoit bordé de grilles et de termes, et l'Orangerie de Le Vau seront doublés, lorsque le château aura pris les mesures qu'a ordonnées le Roi. Déjà, le parterre du Nord a reçu les dimensions et jusqu'au tracé du Versailles immuable. Seul le rideau de sapins, que l'on vient de citer d'après Madeleine de Scudéry, maintient encore un équilibre pour les yeux entre les deux parterres. La grotte de Thétis pourra disparaître, les réservoirs être reportés plus au nord, le bassin de la Sirène être supprimé et celui de la

Pyramide offrir un contour différent au bassin qui domine l'allée d'eau ; les murs de maçonnerie et les palissades de verdure sont en place de ce côté et déjà conçus selon la volonté du créateur. Jusque dans les lointains la plaine de Galie s'organise ; le Canal est amorcé ; les bois sont plantés et parcourus d'avenues régulières qui mènent à la Ménagerie ou à Trianon. Le sens des proportions apparaît à l'échelle adoptée. L'ancienne « grande allée » qui formait l'axe du petit parc de Louis XIII a été bousculée, élargie, replantée entre 1667 et 1669 pour s'appeler fièrement allée-royale. La double rangée d'arbres qui, au-delà du Canal, conduit la vue en direction de Villepreux semble une avenue tracée pour des géants qui viendraient d'un autre monde ! Une terre nouvelle est façonnée, sur laquelle, après Louis XIII, ont travaillé deux artistes qui s'appellent Louis XIV et Le Nostre.

Cette époque, où l'on sent naître l'admirable parc, où les parterres et les bosquets se développent, s'ordonnent et semblent se fixer pour l'éternité, est peut-être la plus belle de toutes. Elle est comme le printemps de Versailles.

PARTERRES ET BOSQUETS

Le parterre occidental prend, en 1672, son nom de *parterre d'eau* et ses dimensions, sinon son aspect définitif. Des marches sont décidées pour exhausser le château-neuf sur une sorte de socle : cinq marches entre le château et la terrasse, sept entre la terrasse et le parterre. Ce perron monumental, dont Colbert suit attentivement le progrès et dont le mérite doit revenir à D'Orbay, a été calculé avec une justesse si parfaite, qu'il n'y aura plus à le modifier. Jacques Gabriel l'exécute en même temps que les réservoirs et la maçonnerie du parterre. Le tracé même de ce parterre aura besoin d'un plus long mûrissement pour aboutir à l'actuel parterre d'eau.

Une grande pièce d'eau, d'un dessin compliqué de quatre-feuilles avec quatre bassins secondaires, en constitue l'essentiel ; elle est comme étouffée de vases et d'arbustes. Le sculpteur Sibrayque, qui a fourni le modèle présenté au Roi, est chargé de dessiner les bordures de ce grand bassin multiforme.

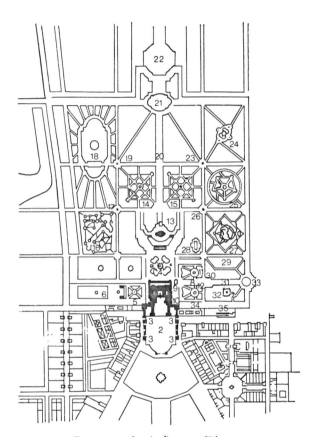

FIG. 11. — *Les jardins en 1674.*

1. Cour de marbre et cour royale. — 2. Avant-cour. — 3. Pavillons des Ministres. — 4. Parterre occidental ou parterre d'eau. — 5. Parterre du Midi. — 6. Parterre de l'Orangerie de Le Vau. — 7. Potager (premier Potager). — 8. Parterre du Nord. — 9. Bassin de la Sirène. — 10. Grotte de Thétis. — 11. Bassins des Couronnes. — 12. Bassin de la Pyramide. — 13. Parterre de Latone. — 14 et 15. Les Deux-Bosquets. — 16. Labyrinthe. — 17. Saisons (Bacchus). — 18. Ile-royale. — 19. Saisons (Saturne). — 20. Allée-royale. — 21. Bassin d'Apollon. — 22. Tête du Canal. — 23. Saisons (Flore). — 24. Salle des Festins ou du Conseil. — 25. Montagne d'eau (ancien bosquet de l'Étoile). — 26. Saisons (Cérès). — 27. Amphithéâtre ou Théâtre d'eau. — 28. Le Marais ou le Buffet. — 29. Les Berceaux d'eau. — 30. Nappe d'eau. — 31. Allée d'eau. — 32. Pavillon d'eau. — 33. Bassin du Dragon. — 34. Réservoirs. — 35. Pompe ou Tour d'eau.
(A comparer aux plans des jardins en 1663, fig. 6, p. 51, et vers 1690, fig. 12, p. 171.)

A l'extrémité occidentale, auprès des marches qui descendent vers Latone, ont été placés, sur des socles de pierre, les deux sphinx de marbre blanc de Sarrazin et Lerambert, que l'on voit aujourd'hui au parterre méridional et que sont venus rehausser en 1670 deux enfants de bronze doré, fondus par Duval. Un globe de marbre blanc, sorte de cadran solaire mis au point par le mathématicien Buot, est installé entre ces deux sphinx en 1675.

Le *parterre du Nord*, déja doublé d'étendue depuis quelques années, est apparu, lors de la fête du 6 septembre 1670, dans son tracé définitif, avec ses broderies robustes de verdure qui lui ont valu son nom de *parterre en gazon*. Son bassin supérieur, le vieux bassin de la Sirène, d'abord déplacé pour demeurer dans l'axe du nouveau parterre, est probablement supprimé peu après. Les deux bassins circulaires du bas du parterre sont décorés par Tuby et par Le Hongre de tritons, de sirènes et de couronnes, des fleurons desquelles sortent alors de multiples jets. La *fontaine de la Pyramide*, à l'extrémité de ce parterre, en direction de l'*Allée d'eau*, ne sera achevée que deux ans plus tard ; Girardon travaille à ses vasques superposées, chargées de tritons, d'enfants et d'écrevisses, dont Le Brun a donné le dessin.

Le *parterre du Midi*, d'un luxe floral qui le fait dénommer *parterre à fleurs*, est encore limité, ainsi qu'on l'a remarqué sur le tableau de Patel, à la terrasse qui surplombe la première Orangerie ; il est orné pour l'instant de ses anciennes grilles, de son bassin de l'Amour et de ses termes de pierre.

On se rappelle que des termes de marbre ont été dressés en 1667 autour du « bassin en ovale » du *parterre de la demi-lune*, parterre que Le Nostre est amené à dessiner à nouveau. Dès 1668, les frères Marsy commencent le grand ensemble de sculptures qui va donner son nom à ce parterre : la *Latone* de marbre blanc, les paysans qui se changent en grenouilles, les tortues et les lézards de plomb, qu'accompagneront des roseaux de laiton ou de fer blanc.

La perspective doit se continuer par un groupe colossal en avant du Canal, mis en place sur l'ancien rondeau de l'Ouest à la fin de 1670. Les plombs énormes de l'*Apollon* ou *Soleil Levant*, qui semble, sur son char tiré par quatre chevaux, vouloir s'élancer pour prendre possession du château, seront complétés un an plus tard par quatre baleines et quatre tritons, modelés comme les précédents par Tuby et comme eux bronzés par Jacques Bailly. Les ressources nouvelles que la statuaire apporte au décor des parterres servent au même instant à l'enrichissement des bosquets.

Le bosquet du *Labyrinthe* se peuple de sculptures d'un pittoresque étonnant. L'exécution des animaux de plomb polychrome qui le décorent est accomplie en majeure partie en 1672 et 1673 par la brillante équipe à laquelle on doit ces embellissements : Massou, Le Gros, Mazeline, Tuby, Le Hongre, Houzeau, Desjardins, Blanchard et Marsy. L'ouvrage s'achève en 1674 et 1675, où l'on ajoute encore des figures et des bancs, des inscriptions en lettres d'or, des rocailles, de l'émail ou de la peinture, et la curieuse machine des *Fables d'Ésope*, dont une maquette préliminaire, due aux orfèvres Mercadé et Ballin, a été approuvée par le Roi, sorte de feu d'artifice aquatique, animé de volatiles, à l'entrée même du bosquet. Le Labyrinthe, orgueil de Versailles, joyeux livre de fables aux multiples fontaines et aux jolis treillages, imaginé vraisemblablement par Le Nostre et inspiré par La Fontaine, offert par Louis XIV à la distraction de sa Cour et de ses enfants, fut, après avoir été entretenu et conservé par Louis XV, détruit par Louis XVI dès le début de son règne et remplacé par le triste *Bosquet de la Reine*. Les animaux furent alors déposés et dispersés. Les deux grandes statues de plomb, exécutées par Tuby et Le Gros en 1673 pour en annoncer l'entrée, *Esope, l'Amour tenant le Fil d'Ariane*, ont été curieusement placées depuis au Bosquet de l'Arc de Triomphe, puis à l'intérieur du château. En 1787, une annonce imprévue, relevée par Havard, proposait à vendre « ou à troquer contre un bijou » une « machine hydraulique, propre pour un appartement, représentant les principales pièces de l'ancien Labyrinthe de Versailles, et ayant 12 jets d'eau ». Le Labyrinthe aura vécu tout juste un siècle !

Dans les longues allées du nord et du sud, aux quatre intersections des allées transversales, sur les adductions d'eau préparées pour la fête de 1668, les bassins des *Saisons* sont décorés à partir de 1672. L'importance donnée à ce travail nous surprend, aujourd'hui que nous connaissons ces bassins dépourvus d'une partie de leurs ornements et limités au sujet principal. 12 000 livres sont prévues pour 1672, 20 000 pour 1673. L'ouvrage débute par *Cérès* et par *Flore*, où travaillent Tuby et Regnaudin, et l'on prévoit encore 8 000 livres en 1674 pour l'achèvement de ces deux fontaines. *Bacchus* est commencé en 1673 et la sculpture confiée aux Marsy ; on songe l'année suivante à *Saturne*, dont le groupe est payé 19 460 livres à Girardon en 1679. De multiples mentions dans les comptes, des ordres préparatoires ou d'exécution montrent la minutie apportée à ces admirables ouvrages : hauteur du groupe principal, ornements accessoires, parties à dorer et parties à peindre, abaissement des margelles, qui seront remplacées en 1684 par du marbre blanc ; la science et la précision de l'art de Versailles apparaissent à propos de ces quatre bassins, qui, de plus, étaient jadis placés dans la pleine lumière de larges allées, bordées de hautes palissades de verdure, et qui sont aujourd'hui romantiquement étouffés dans la pénombre des grands arbres.

Le bosquet de l'*Ile-royale*, qui a reçu également le nom de *Miroir* ou d'*Ile d'Amour*, prend sa forme et son nom à une date que Nolhac situait en 1674, mais qui est certainement antérieure. Le bassin primitif, destiné à assainir le marécage de la partie basse du parc qui avoisine le chemin de Saint-Cyr, sera l'objet de travaux nouveaux au cours des années 1674 et 1675. Le Nostre a imaginé ici, au centre du plan d'eau, un îlot rectangulaire. Il entoure ce terre-plein de nombreux jets d'eau, « qui n'empêchaient pas qu'on ne s'y promenât sans être mouillé », et y ajoute un bassin supérieur (qui seul subsiste aujourd'hui).

De l'autre côté de l'allée-royale, la *Salle des Festins*, dont l'installation commence en 1671, demande près de trois ans de travail. De gros terrassements sont nécessaires, non seulement pour la confection des réservoirs, mais pour l'assiette du tertre principal. On sait que ce bosquet, dessiné par Le Nostre dans le même esprit que le précédent, était composé d'un long parterre central polylobé, isolé par un fossé et de multiples jets d'eau, et relié à la terre ferme par plusieurs ponts tournants. Également désigné sous le nom de *Salle du Conseil*, on le verra prendre, en 1706, sa physionomie actuelle sous le nom de fontaine de l'*Obélisque*.

Le bosquet voisin, dit *bosquet de l'Étoile*, que Le Nostre paraît avoir installé dès 1668, est embelli en 1671 et doté de réservoirs particuliers : il devient alors, grâce à ses effets d'eau et à son rocher central, le bosquet de la *Montagne d'eau*, qui demeurera jusqu'en 1704.

Le bosquet de l'*Amphithéâtre* ou du *Théâtre d'eau* est composé avec un luxe extraordinaire et destiné aux effets les plus surprenants. On en attribue l'idée à Louis XIV lui-même. Vigarani en dirige l'exécution à partir de 1671 ; après la présentation d'un modèle sculpté par Houzeau, commencent les transports de terre, les plantations de charmes, les arrivages de rochers, de pierres « de molière » et de coquillages. Les figures des bassins (aujourd'hui dispersées, on en voit dans les jardins de Trianon ou à la National Gallery de Washington), les perspectives, les jeux d'eau les plus variés donnaient dans ce bosquet, dont l'entretien effraya Louis XV, l'illusion d'un théâtre plus merveilleux que tout autre, un théâtre de plein air et d'eau, d'une poésie particulière.

Le plus curieux de ces bosquets, sinon celui du goût le plus pur, fut peut-être le bosquet du *Marais* ou du *Buffet*. Mme de Montespan passe pour en être l'inventeur, Le Nostre le réalisateur. Le motif central est composé d'un chêne-vert, fait de cuivre et de ferblanterie, peint en naturel et repercé de multiples jets d'eau. Des cygnes de plomb et d'étain semblent nager sur la pièce d'eau rectangulaire, d'où l'arbre émerge d'un amas de rocailles : des roseaux de métal, également peints, ajoutent à l'artifice. Des tables « à manger » et des buffets, ornés de corbeilles et de vases, où se mêlent le marbre, l'eau, le métal peint et doré, achèvent le décor.

Au-dessous du parterre du Nord, l'allée qui mène au *bassin du Dragon* est embellie et reçoit le décor qui va la rendre aussitôt fameuse sous le nom de l'*Allée d'eau*. Le travail est entrepris dès l'achèvement du bassin du Dragon, en 1668. Le Brun donne aux sculpteurs des dessins, dont l'inspiration générale semble due à Claude Perrault. Au sommet de l'allée, la grande *Nappe d'eau* ou cascade du

Bain des Nymphes, du nom du panneau principal, l'un des chefs-d'œuvre de Girardon, est mise en place en 1670, accompagnée de bas-reliefs exécutés par Le Gros et par Le Hongre. Quatorze bassins circulaires, portés chacun par des groupes de trois enfants, modelés avec une variété charmante par Le Gros, Le Hongre et Lerambert, sont posés en 1670 ; accompagnés de vases de cuivre plantés d'ifs, ils descendent jusqu'au bassin du Dragon.

De part et d'autre de l'Allée d'eau, dans deux longues pentes boisées ont été aménagés deux bosquets, dont les comptes mentionnent les améliorations dans les années 1671, 1672 et suivantes et que représentent les planches des premières éditions du *Guide* de Félibien. A droite, du côté des réservoirs, la fontaine du *Pavillon d'eau* est décorée de dauphins, dont les jets se rencontrent en une sorte de construction cristalline. A gauche, du côté du Théâtre d'eau, le *Berceau d'eau* (ou plus exactement les *Berceaux d'eau*) est construit sur un principe analogue, à ceci près que les visiteurs marchent sur une pente gazonnée que surmonte par places une voûte liquide.

L'eau commence à devenir un sujet de tourment. Le luxe des fontaines et le plaisir que prend le Roi à les voir jouer entraînent en ces années-là des travaux et des dépenses qui s'accroissent sans cesse. Il ne suffit pas de préparer trois immenses réservoirs sous le parterre d'eau (1671), d'en faire établir un à Trianon (1670), ni même de collecter, sur des suggestions qui paraissent dues à Francine, l'eau du plateau de Satory, notamment de l'étang du Val et du moulin de Launay, que Louis XIV achète à Mme de Buc en 1668. Il faut faire venir l'eau jusqu'aux réservoirs.

Les moulins à vent se multiplient à partir de 1670. Les comptes en font foi, tandis qu'Olivier d'Ormesson note dans son *Journal* la promenade qu'il est allé faire à Buc et à Jouy et la construction des « moulins à vent qui se font pour eslever les eaux de la rivière des Gobelins, qui commence au-dessus de Buc ». On doit imaginer le Versailles de cette époque animé par les ailes, garnies de coutil rouge et blanc, de ces moulins. La colline, qu'on appelle *montagne de Satory*, est percée avec beaucoup de peine et surmontée de cinq moulins, tandis que d'autres sont installés dans le creux de Clagny et à Trianon et que l'on prépare un moulin qui doit récupérer l'eau descendue au Canal pour la faire remonter aux réservoirs situés auprès du château ou à celui construit par Jean Bette au milieu du parc. Louis XIV a cru trouver à ce moment dans ces moulins la solution du problème des eaux de Versailles ; il s'apercevra bientôt de l'insuffisance de ce moyen. Pour l'instant, des ordres précis sont donnés aux meuniers et à tout le personnel des fontainiers : il leur faut avoir des pièces de rechange constamment prêtes, et le Roi insiste pour « que les moulins de la montagne tournent toujours lorsqu'il y aura du vent ».

On sent percer ici l'inquiétude, le point faible de Versailles. Les dépenses sont immenses sur le chapitre des eaux et toujours insuffisantes : 700 000 livres sont prévues en 1671, presque autant en 1672. Et pourtant le travail sera tout à recommencer dans les années suivantes. Il n'en va pas de même du Canal, qui prend rapidement son aspect définitif.

LE CANAL

Les travaux du Canal se déroulent en deux étapes. En 1668-1669, quelque 200 000 livres ont permis de préparer un premier bassin et de mettre à flot, dès le printemps de 1669, neuf embarcations, dont les noms et les couleurs sont, à eux seuls, pleins de charme : le brigantin, décoré d'un brocart bleu, or et argent : — trois chaloupes, garnies chacune d'un damas de couleur différente, la chaloupe verte, la chaloupe jaune, la chaloupe bleue ; — la felouque napolitaine, en damas violet ; — la chaloupe biscayenne, en damas rouge ; — une petite chaloupe verte et blanche, en brocart à fond d'argent ; — une petite chaloupe rouge, en damas rouge broché d'or ; — enfin une petite berge, plus spécialement destinée à Monsieur et à Madame, dont elle porte les chiffres brodés sur le velours de ses garnitures. Une galiote est transportée dans le courant de 1669 de Saint-Germain à Versailles ; une autre est construite sur place, en même temps qu'un grand vaisseau, dont les sculptures, les dorures, les petits canons, les pavillons, flammes, banderoles et pavesades offrent l'image brillante d'un navire de guerre en miniature ; les quatorze petites fenêtres et les trois portes du vaisseau royal sont garnies de gros de Tours cramoisi ; sa table pliante, ses trois fauteuils et ses douze tabourets sont couverts de brocart d'or et d'argent. Des mariniers sont engagés et même des galériens sont amenés sur le Canal, dont le succès est grand dès l'origine.

L'élargissement et l'allongement de cette extraordinaire pièce d'eau deviennent inévitables et constituent une seconde étape ; ils sont jugés nécessaires à la majesté de la perspective ; ils procureront, par une croisée de deux grands bras, des buts de promenade à la flottille : la Ménagerie, à gauche, le petit château qui vient de sortir de terre à Trianon, à droite. 696 000 livres sont affectées en 1671 à cette opération et 264 000 en 1672. Tuby reçoit en même temps la commande, pour orner la tête du Canal, auprès du bassin d'Apollon, de deux énormes chevaux marins surmontés d'enfants, que Le Brun a dessinés et qui, jusqu'à la fin de l'Ancien Régime, seront visibles du château. On étudie, la même année, le modèle d'un « salon », qui, tout au bout du Canal, non loin de la grille-royale qui ferme le parc, aurait servi de prétexte à une gigantesque colonnade, à l'échelle de Versailles.

L'intérêt que porte le Roi à sa flottille entraîne des dépenses et des préoccupations accrues. Le logement des matelots absorbe, en 1673, une somme de 5 600 livres, en attendant que se crée, entre le Canal et Trianon, un véritable village, encore en partie subsistant et connu sous le nom de *Petite-Venise*. Voici l'un des ordres donnés en 1674 par Colbert à son inspecteur Lefebvre : « Qu'il visite souvent tous les bastimens qui sont sur le canal, et fasse la revue du nombre d'hommes qu'il y aura, et m'envoyer tous les mois son certificat. » Aux officiers et matelots français, se sont ajoutés cette année-là quatre gondoliers vénitiens, la Sérénissime République ayant trouvé bon de faire sa cour au roi de France en lui offrant pour son Canal deux gondoles dorées, parmi les plus belles qu'on eût jamais construites à Venise.

LA VILLE

Les séjours de plus en plus nombreux de Louis XIV à Versailles, la Cour qui s'amplifie, les projets d'installation définitive qui peut-être s'insinuent dans l'esprit du Roi donnent aux architectes encore bien d'autres travaux. Le service du château d'abord : dans les années 1672-1673 des agrandissements importants sont faits aux Écuries, à la Chancellerie, à la Surintendance des Bâtiments. Le Roi vient de décider à Dunkerque, le 22 mai 1671, de rendre « le plus florissant et fréquenté qu'il se pourra » le bourg de Versailles, qu'il a « en particulière recommandation ». Il donne des terrains dans certaines parties de la nouvelle ville à tous ceux qui en voudront, mêlant les avantages aux servitudes. Une cité, différente des autres par sa majesté, par son unité initiale, est en train de naître.

Comme une livrée royale, les couleurs du château imposent leur décor de brique, de pierre et d'ardoise à la ville neuve. Les maisons de l'ancien village sont démolies, après que les architectes Lambert et D'Orbay eurent été chargés, en 1674, de « donner les alignements » de la future cité. Il est même un instant question de débaptiser la modeste bourgade et de l'appeler Villeneuve-Saint-Louis.

Un immense travail de pavé se développe, dans les cours et les avant-cours du château d'abord, puis, à partir de 1674, dans toute la ville. En même temps, les plantations d'arbres dans les avenues et les rues continuent d'être une préoccupation royale, sous l'œil attentif d'un maître qui ne néglige rien et décide de tout. Une note du mois d'octobre 1674, traitant de la plantation d'ormes, laisse son jugement en attente : « Si on relèvera les arbres de la grande avenue partout où ils sont plus haut ou plus bas que les terres, le Roy verra cet article la première fois qu'il ira à Versailles. »

En face du château, entre les trois grandes avenues qui partent de la Place d'Armes, se sont édifiés, couronnés de dômes, les hôtels de Noailles, d'une part, de Lauzun et de Quitry, d'autre part, que le Roi rachètera plus tard pour construire de nouvelles écuries. Tout ce qui fait face au côté nord des jardins (l'actuelle rue des Réservoirs) est bâti, dans les années 1671 à 1674, par la plus haute noblesse : Monsieur, Luynes, du Lude, Alluyes, Bouillon, Créquy, Longueville, Condé, Soissons.

Dans cette ville nouvelle, une église est construite en 1672-1673, confiée à des Récollets. L'ancienne église, modeste église de village entourée de son cimetière et datant vraisemblablement du XVe siècle, est pour l'instant conservée et embellie. Elle est placée sous le vocable de saint Julien et située non loin de l'Orangerie, près de l'emplacement où s'édifiera plus tard le Grand Commun (l'actuelle rue Saint-Julien en conservant le souvenir). Des sculptures, des peintures, dont un saint Julien peint par Coypel, des fonts baptismaux de marbre, de l'argenterie, des ornements brodés aux armes du Roi viennent l'enrichir, et même deux cloches supplémentaires « cy devant servant au clocher de Trianon ».

La paroisse de Versailles est celle du château. Les séjours de Louis XIV deviennent plus fréquents et l'autorité du Roi se fait plus pesante. En 1674, celui-ci obtient de l'archevêque de Paris la démission du curé et son remplacement par des prêtres de la Congrégation de la Mission, qui desservent déjà la chapelle du château et que Saint-Simon traitera de « cagots abrutis ».

Dans les domaines les plus divers, l'esprit despotique du jeune roi s'affirme ; sa passion pour Versailles également. Les séjours et les fêtes se multiplient dans les années 1669, 1670, 1671, malgré les travaux du château et du parc. Les guerres qui éloignent Louis de sa demeure ne font qu'accroître le désir qu'il a de la retrouver, ainsi, en 1672, au retour de la campagne de Hollande, et plus encore, en 1674, après celle de Franche-Comté.

LES FÊTES DE 1674

La publication, sortie en 1676 des presses de l'Imprimerie royale, a pour titre : « Les divertissemens de Versailles donnez par le Roy à toute sa Cour au retour de la conqueste de la Franche-Comté en l'année M. DC. LXXIV. » Ces fêtes, dont les illustrations gravées par Le Pautre et Chauveau nous ont, avec les descriptions de Félibien ou les mentions de paiements conservées dans les comptes, transmis un souvenir précis, marquent aux yeux de chacun les travaux accomplis à Versailles au cours des dernières années ; elles se déroulent en effet, sous forme de six journées espacées sur près de deux mois, en différents points du château et des jardins, dont elles semblent annoncer l'achèvement.

Le 4 juillet 1674, en une sorte d'hommage rendu à Mme de Montespan, une collation est servie au nouveau bosquet du *Marais*. Puis a lieu, devant le château illuminé, une représentation de l'*Alceste* de Quinault et de Lully, la cour de marbre formant la scène ; Vigarani a travaillé aux décorations ; il a fait apporter des orangers et fait peindre (sur deux faces seulement par une mesure d'économie inattendue) en « couleur de marbre » douze guéridons, qui portent les girandoles destinées à éclairer ce théâtre. La journée se termine par un souper dans les Grands Appartements du château, à peine achevés et meublés quelques mois plus tôt.

Le mercredi suivant, 11 juillet, est consacré aux jardins du nouveau palais de Trianon. « Sous une feuillée, faite en forme de salon, ornée de fleurs », percée de niches pour les musiciens et les choristes, Lully dirige l'exécution de son *Eglogue de Versailles*, dont Quinault a écrit les paroles. Le souper ramène la Cour dans les jardins de Versailles et montre l'usage que l'on peut faire du nouveau bosquet de la *Salle des Festins*, dont l'illumination est merveilleuse.

La troisième journée, celle du 19 juillet, débute par une collation à la Ménagerie et se poursuit par une promenade sur le Canal ; la gondole du Roi précède le grand vaisseau, sur lequel, éclairés de falots, les musiciens et les chanteurs donnent un concert. La soirée se termine par une représentation du *Malade imaginaire* ; la grotte de Thétis sert de fond à la scène, que précèdent de « grands châssis peints d'architecture ornée de figures et bas-reliefs ».

La journée du samedi 28 juillet comprend, comme les trois précédentes, plusieurs étapes. La collation est servie au milieu des effets d'eau sans cesse renouvelés du *Théâtre d'eau*. La représentation qui suit est consacrée à une remise en scène de l'opéra de Lully, *les Fêtes de l'Amour et de Bacchus*.

Avec le concours de Berain, qui paraît avoir également travaillé aux décorations du concert de Trianon, un théâtre a été dressé au bout de l'allée du Dragon, du côté de la Tour d'eau. Après une promenade en calèche aux flambeaux, pour assister à un feu d'artifice tiré du Canal, la journée s'achève par un extraordinaire souper dans la cour de marbre. Vigarani a imaginé d'installer la table sur un vaste octogone autour de la fontaine qui orne alors le milieu de la cour. Un monument d'architecture forme le centre, animé de cascades dans le bas et surmonté d'une colonne lumineuse.

La cinquième journée n'a lieu que le 18 août. Ouverte par la présentation au Roi des drapeaux pris par Condé à la bataille de Senef, elle est marquée d'une collation dans un bosquet proche de Latone, peut-être la *Girandole* (celui de gauche des *Deux-Bosquets*, ainsi dénommé par l'effet de ses jets d'eau). Puis, sur un théâtre improvisé dans l'Orangerie, est représentée l'*Iphigénie* de Racine. Un feu d'artifice et une illumination sur le Canal, préparés par Le Brun lui-même, terminent cette soirée.

Une fête de nuit extraordinaire clôt, le 31 août, les fêtes de 1674. C'est à la fois l'apothéose du Roi, le triomphe de son metteur en scène, Vigarani, le succès éclatant de son Canal, dont ce fut peut-être le plus beau spectacle. Ayant traversé le parc illuminé, Louis XIV et sa Cour se sont embarqués sur les magnifiques bateaux dorés. Les rives sont comme métamorphosées. D'énormes transparents, qui font apparaître des statues, des monstres, les chars d'Apollon et de Neptune, des pyramides, des fontaines et un immense palais de Thétis, ont surgi comme dans un rêve et se dressent dans une étrange clarté. Le Roi semble un demi-dieu et Versailles sa demeure enchantée. Qu'on n'aille pas croire pourtant à une féerie passagère, à la fantaisie coûteuse de quelque mégalomane. Louis XIV ne s'éloigne pas du réel et suit bien ses projets.

Les fêtes de 1674 proclament son amour profond pour sa terre de Versailles. Elles consacrent, par les points précis qu'il a choisis, ce qu'il estime réussi et que l'on peut croire définitif : la cour de marbre, le Grand Appartement, la grotte de Thétis, l'Orangerie, quelques bosquets, le Marais, le Théâtre d'eau, la Salle des Festins, et surtout le Canal.

NOUVEAUX PROJETS

L'amoureux jamais rassasié des beautés de son château rêve de faire mieux encore. L'aboutissement que semble donner la date de 1674 est suivi d'un temps de repos, qui correspond à la seconde partie de la guerre de Hollande. La paix de Nimègue (1678) réveille les projets et les travaux qui marqueront à peu près l'achèvement du Versailles de Louis XIV.

Dans l'intervalle, des statues, des clefs de croisées viennent compléter le décor des façades. Peintres et décorateurs achèvent les Grands Appartements du Roi et de la Reine, l'appartement des Bains, le Grand Escalier. Le nouveau Salon de Vénus est commencé en 1677.

Les travaux de l'*Ile-royale* se poursuivent ; des jeux d'eau sont ajoutés au *Théâtre d'eau* et des perfectionnements apportés à la *Salle des Festins ou du Conseil*. Un second élargissement de l'allée-royale est préparé en 1674. Des bosquets nouveaux sont aménagés : l'*Encelade* et la *Renommée* en 1675, et, à peu près au même moment, la *Galerie d'eau* et les *Sources*, meublant ainsi les derniers carrés du bas du parc qui n'ont pas encore été décorés. On sculpte en même temps les grandes figures de marbre que l'on croit destinées au parterre d'eau. D'anciens bosquets se transforment : 300 000 livres sont prévues en 1677 pour le renouvellement des deux grands bosquets du nord, le *Pavillon* et le *Berceau d'eau*, qui vont prendre leur aspect définitif sous le nom de bosquet de l'*Arc de Triomphe* et de bosquet des *Trois-Fontaines* ; le premier, décoré de vasques, de pyramides et de guéridons d'eau, orné d'un pavillon d'eau au sud, recevra de grands groupes de sculpture un peu plus tard ; le second est composé de jets, de berceaux d'eau et de cascatelles, étagés selon la pente du terrain, sur trois paliers successifs.

Le Canal continue de connaître le plus grand succès. Il rassemble souvent la Cour et la famille royale. Une anecdote, que conte au mois d'août 1676 Mme de Sévigné, montre qu'il peut donner lieu à des rencontres pittoresques. En plein règne de Mme de Montespan, le jeune duc du Maine, son fils, à qui l'on interdit alors d'appeler Louis XIV son père et qui n'est âgé que de six ans, soupe en gondole avec sa gouvernante, Mme de Maintenon. Son bateau s'approche de celui du Roi. L'enfant lève son verre, « s'écrie : à la santé du Roi mon père, et se jette en mourant de rire sur Mme de Maintenon ».

Deux « yacks » ont été construits en Angleterre l'année précédente sur l'ordre de Colbert et dorés à Versailles par La Baronnière en 1677. Six chaloupes nouvelles, « voiturées » par eau de Rouen au port de Lucïennes, puis par la route jusqu'à Versailles, sont enrichies de sculpture par Caffiéri, peintes, dorées et garnies de damas qui donne à chacune sa couleur particulière : rouge, verte, blanche, jaune, bleue, aurore. En même temps, des rampes pour faciliter l'accès aux débarcadères sont construites tant à Trianon qu'à la Ménagerie.

Le problème des eaux ne cesse de préoccuper Louis XIV, qui achète en 1675 pour 300 000 livres la terre de Glatigny, pour y installer aussitôt un grand réservoir, en même temps qu'un nouveau potager. La même année, une pompe d'un modèle nouveau est montée par un certain Fourdrenier. L'impatience du Roi se devine à maint indice : on fait rechercher l'eau, après l'aménagement de la colline de Satory au sud, sur le versant nord de la vallée, sur les « montagnes de Roquancourt et de Noisy », ce qui n'empêche pas de multiplier les études et les travaux en direction de Trappes et de Bois-d'Arcy. De nouveaux moulins sont créés ; on décide de doter désormais ceux-ci, et les anciens également, de six ailes, comme si on voulait les contraindre à plus d'activité. Les chagrins et les dépenses de Louis XIV sont loin d'être finis. Heureusement, il l'ignore et n'est encore que tout fier de sa conquête.

Le Versailles de Louis XIII, depuis qu'il l'a pris en main et après quelques années de tâtonnements, s'est magnifiquement épanoui. Le premier Versailles de Louis XIV, encore modeste, fut celui de Mlle de La Vallière. Les travaux ont commencé avec la paix d'Aix-la-Chapelle et ont donné naissance à ce qu'on peut appeler le second Versailles, celui de Le Vau et de Mme de Montespan. En dix années à peine, un chef-d'œuvre a été réalisé. D'immenses projets se préparent ensuite, à l'échelle du domaine et du Roi ; la paix de Nimègue donnera la possibilité de les faire aboutir. Plus que Marie-Thérèse, plus que Mme de Montespan, la vraie reine de ce troisième Versailles, dont l'achèvement peut être situé aux environs de 1684, sera Mme de Maintenon. Des trois Versailles de Louis XIV, celui-ci sera le plus durable et le plus grand, le plus coûteux aussi.

CHAPITRE V

LES DÉPENSES DE LOUIS XIV

« *LE DÉTAIL DE TOUT* »

« Le Roi, qui vouloit tout voir par lui-même... » La remarque de Sourches au siège de Mons peut s'appliquer à Louis XIV à Versailles, alors qu'il dirige la plus glorieuse opération de son règne. Les exemples de cette tournure d'esprit qui le porte, comme le fera Napoléon, à une incroyable minutie, pourraient être variés à l'infini. Saint-Simon lui en fait grief : « Son esprit, naturellement porté au petit, se plut en toutes sortes de détails. » Versailles n'eut pas lieu de s'en plaindre.

On rappellera ici quelques traits qui peuvent se résumer d'une expression, dont Louis XIV annote l'un des rapports de Colbert ; celui-ci, craignant d'importuner son maître, alors à l'armée, par trop de précisions sur les travaux, reçoit en réponse ces mots, faits d'autorité et de netteté : « Le détail de tout. »

La part essentielle prise par le Roi dans la construction et dans la décoration du château se manifeste à tout propos. Il a « le coup d'œil de la plus fine justesse », « le compas dans l'œil », concède Saint-Simon, qui ne peut nier cette qualité non plus que la direction personnelle donnée par le Roi à ses Bâtiments. La façon dont il écoute ses architectes ou Le Nostre est caractéristique. Comme le feront Louis XV et Louis XVI, il travaille avec eux.

Un plan du rez-de-chaussée du château, antérieur à 1675, que conservent les Archives nationales, a bien pu passer par ses mains ; des coups de crayon, rapidement tracés, indiquent, en rouge, ce qu'il faut supprimer (par exemple la chapelle de 1672), en noir, ce qui doit être établi (par exemple, des colonnes au Salon-ionique de l'appartement des Bains). Il existe même un dessin, exécuté vraisemblablement pour ce dernier salon, où sont présentés d'un côté une grande figure en pied et de l'autre un buste sur une console et où Colbert a ajouté ces mots : « Le Roy veut les figures. A Lille ce 28 mai 1671. »

Les ordres du Roi reçus par Mansart entre 1699 et 1702, qui nous ont été conservés sur un registre particulier, montrent presque à chaque page l'attention étonnante qu'il apporte aux moindres détails. On y voit Louis XIV étudier avec le sérieux qui convient à un artiste la qualité et la couleur d'une dorure aussi bien que la manière dont on pourrait déplacer une souche de cheminée « pour qu'elle ne se puisse voir ».

Les programmes annuels qu'il fait établir pour Versailles et qui existent pour les années 1672 à 1683 font preuve du même esprit réaliste et précis. L'histoire du château est consignée par le menu dans ces ordres qui servaient aux prévisions de dépense. Un changement intervient parfois en cours de travail, mais assez rarement, car Louis XIV n'aime pas avancer en aveugle.

Le « détail de tout », réclame le Grand Roi. Cet état d'esprit n'est pas étranger au succès de Versailles.

LA PLACE DE VERSAILLES

Comment un château obscur est-il devenu en moins de vingt ans le symbole et le guide d'un art magnifiquement ordonné, qui sera l'art des Bourbons et l'art de l'Europe civilisée pendant plus d'un siècle ? Le travail acharné, exigeant et coûteux du maître et de ses équipes peut répondre à cette question. Louis XIV a créé Versailles et a donné à sa demeure une place exceptionnelle dans le monde.

Il ne suffisait pas cependant de vouloir réaliser quelque chose de riche et de grand pour réussir. Si le château de Richelieu existait encore, combien peu de ceux qui visitent Versailles y feraient aujourd'hui pèlerinage ! Pour fameux que soient les jardins des Médicis auprès de leur palais-neuf de Florence, qui songe à comparer leur renommée à celle de Versailles ? Qui a fait la gloire de Le Brun, de Ballin, de Boulle, de Le Nostre ou de Mansart, sinon celui qui leur a fourni un travail exceptionnel, les a dirigés, leur a procuré le lieu où développer leur talent ?

On peut discuter de ce que la robuste vitalité de l'art français du XVIIe siècle aurait produit sans Versailles. On peut se demander si cet art n'aurait pas été submergé par un nouvel épanouissement de l'art italien. Versailles, tenant de l'un et empruntant à l'autre, conquiert, par la volonté et par les dépenses de Louis XIV, une suprématie sans conteste.

L'ITALIANISME

Louis XIV est trop familier de l'art italien pour ne pas reconnaître tout ce qu'il doit à celui-ci, qui lui est comme un point de départ, rapidement dépassé.

L'Italie lui est à bien des égards un objet d'imitation. Les plafonds peints et les revêtements de marbre de ses palais, les escaliers monumentaux, les salles magnifiques qui se succèdent, les galeries : à Versailles ? Oui, mais d'abord en Italie, et ce n'est pas par hasard que les *Salles des Planètes* du Palais Pitti ou le *Salon* de marbre du palais romain des princes Colonna sont marqués d'antériorité.

Les façades altières et presque sans ressauts, les portiques, les longues corniches qui soulignent les balustrades derrière lesquelles se dissimulent les toitures viennent aussi des palais italiens, auxquels devait assez bien s'apparenter, avec ses hautes fenêtres droites du premier étage, la façade de Le Vau sur les jardins. Versailles, un instant, paraît s'orienter vers le *palazzo*. Les grottes et les casinos qui naissent autour du palais principal, le premier Trianon ou la grotte de Thétis, renforcent la comparaison. Les jardins peuplés de statues, les jeux d'eau surtout font crier à l'imitation. On a pu mettre en parallèle le mouvement des eaux à Versailles, et surtout en descendant du parterre d'eau vers le nord par l'allée d'eau jusqu'au bassin de Neptune, avec celui qui anime l'ancienne villa papale de Caprarole en Ombrie : de la plate-forme du château, descend en jets successifs la *catena d'aqua*, qui vient aboutir aux bassins inférieurs.

La Quintinie a voyagé en Italie ; Le Nostre, le grand Le Nostre lui-même, n'a-t-il pas un jour reçu du Roi mission de se rendre en Italie, afin de « rechercher avec soin s'il trouvera quelque chose d'assez beau pour mériter d'être imité dans les maisons royales » ? Louis XV, encore en 1746, renouvellera ce geste en faveur de l'ingénieur fontainier Denis, en lui permettant de « voyager dans toute l'Italie, pour y prendre connaissance de toutes les belles choses qui concernent son art ».

Si l'on ajoute que le château, dans ses décorations tant intérieures qu'extérieures,. et singulièrement dans les années 1670-1680, est, ainsi que l'a souligné Émile Mâle, en partie dominé par l'*Iconologie* qu'a écrite le chevalier Cesare Ripa et qu'une édition illustrée, publiée à Paris par Baudoin, a fait connaître en France une trentaine d'années plus tôt, on aura un aperçu sommaire de ce que Versailles doit à l'Italie, où ont, de plus, séjourné plusieurs des plus importants artistes, Le Brun notamment.

L'Italie forme, en outre, la principale source qui alimente les collections royales : peintures des XVIᵉ et XVIIᵉ siècles, sculptures antiques aussi bien que modernes, vases de porphyre que l'on exécute à Rome plus beaux que jamais, statuettes de bronze, tables d'albâtre, de stuc ou de marbre enrichissent les appartements ou les jardins de Versailles.

Aux objets d'art importés d'Italie s'ajoutent ceux que fabriquent à Paris un certain nombre d'artistes ou d'artisans que Louis XIV implante en France, selon une tradition qui remonte à Louis XI ou à Charles VIII. Vigarani pour les fêtes et les machines de théâtre, Torelli pour les feux d'artifice, Temporiti et Caffiéri pour la sculpture d'ornement, Cucci pour les bronzes et les meubles, des mosaïstes, des miroitiers composent, au bénéfice de l'art italien, une troupe impressionnante, qu'il est bon de rappeler.

Notons pourtant que tout ce petit peuple est soumis aux volontés et aux goûts du maître, et que l'artiste le plus célèbre et le plus fier de l'Italie d'alors, l'architecte et sculpteur Lorenzo Bernini, ne parvient pas à s'imposer. Il exécutera le buste du Roi, que l'on placera plus tard dans le Salon de Diane. Il donnera des plans et des conseils, que l'on ne suivra guère. Il enverra une statue équestre du Roi, que celui-ci demandera à Girardon de transformer et qu'il fera placer le plus loin possible, au bout de la pièce d'eau des Suisses. Le goût de Louis XIV, entraîné par les transformations qu'il opère à Versailles, se détache d'année en année de l'Italie.

UN GOÛT QUI S'ÉPURE ET SE FRANCISE

Il y aurait pour l'histoire du goût une bien curieuse histoire à écrire, — et bien difficile à démêler, car il y faudrait une chronologie très serrée, — de l'évolution artistique de Louis XIV. On peut la percevoir dans ses grandes lignes. Versailles affine le Roi ; les dépenses servent à son éducation. Les embarras financiers de la fin du règne eux-mêmes, l'obligeant à moins de dépense, contribuent à l'épuration de son goût. Il ne faudrait pas omettre enfin les expériences qui s'accomplissent en dehors de lui, mais près de lui et qui vont des décorations intérieures des hôtels de la place Vendôme à celles du chœur de Notre-Dame de Paris, des aménagements inspirés par Monseigneur à ceux que réclame la jeune duchesse de Bourgogne.

On rencontrerait la permanence des goûts du Roi pour les matériaux somptueux, les marbres, les miroirs, les dorures. On verrait Louis XIV, forcé par la nécessité de remplacer l'argent ciselé par le bois doré, faire travailler celui-ci avec une perfection presque égale ; on le trouverait enclin, par un goût qui évolue, à plus de légèreté et de finesse. Aux portes chargées d'ornements dorés sur fond d'or du Grand Appartement, répondraient celles, décorées de jolies rosaces, dont la dorure se découpe sur un fond blanc, de sa Chambre de 1701. Aux plafonds, dont la sculpture toute dorée enferme quelques larges tableaux, feraient place les plafonds entièrement peints, encadrés seulement d'un peu de dorure, de Mignard, enfin les arabesques d'or d'Audran à la Ménagerie en 1698, qui annoncent les corniches de stuc doré du règne de Louis XV. On constaterait comment l'art du XVIIIe siècle se cherche à Versailles aux environs de 1690-1700 et combien les travaux de Louis XIV ont favorisé cette évolution.

Le mot de « goût » est difficile à définir. Peut-être la démonstration serait-elle plus nette si l'on notait les traces d'un certain « mauvais goût » dans les premières créations de Louis XIV à Versailles et la disparition de celui-ci par la suite. La Grotte de Thétis, avec ses « arrosures », ses « pissures » et ses rocailles, n'était-elle pas une œuvre plus étrange que jolie, plus tournée vers la grosse plaisanterie que réellement plaisante, malgré la beauté de ses sculptures ? L'arbre de tôle peinte qui formait le principal attrait du bosquet du Marais n'a-t-il pas heureusement fait place aux baldaquins des Bains d'Apollon après 1704 ? Le Trianon de faïence, plus étonnant que fin, — les façades principales de pierre et de marbre du second Trianon, à la fois riches et élégantes, — la pureté de l'aile de pierre de Trianon-sous-Bois, marqueraient assez bien trois étapes du style de Louis XIV.

Le chemin parcouru par le Roi et par l'art français se trouve résumé dans une remarque du président de Brosses dans l'une de ses lettres d'Italie : « Vous me demandez, mes amis, si toutes les eaux si vantées des jardins d'Italie valent mieux que celles de Versailles. Non, assurément. Vous voyez qu'il y a ici une quantité de fontaines qui ne sont que de petites minuties. À Versailles, tout est dans le grand, tout porte le caractère de magnificence qui était le caractère particulier de Louis XIV. »

LE « LABORATOIRE »

Un chantier énorme, actif d'un bout à l'autre du règne, malgré des fortunes diverses, constitue pour le Roi et son équipe le plus précieux des terrains d'expériences. Le maître est difficile et minutieux ; il apprécie le travail bien fait, — et Louvois l'apprendra un jour à ses dépens. — Il met, surtout avant la guerre de la Ligue d'Augsbourg, au service de ceux qui travaillent pour lui des moyens immenses. A ce titre, Versailles constitue une sorte de laboratoire.

Un style nouveau qui se crée, mais aussi des techniques qui s'éprouvent, vont être le fruit des dépenses de Louis XIV à Versailles. On a déjà cité les métiers ou les matériaux qui sont alors implantés en France, ou encore l'importance accordée au bronze doré dans le décor intérieur et l'ameublement. On pourrait dire aussi les progrès apportés au chauffage ou aux adductions d'eau. On se contentera de citer ici, à propos des toitures, un exemple curieux des expériences tentées à Versailles.

Les toits en terrasse ne cessaient de causer des soucis. Les chapes de ciment sur la terrasse de Le Vau n'empêchèrent pas les infiltrations dans la Galerie-basse. Les toitures dissimulées et de faible pente furent aussi, l'hiver, l'occasion de fuites. Après divers essais sur le corps principal et sur l'aile du Midi, on imagina de couvrir la grande aile du Nord en cuivre, et l'on fit venir à cet effet de Stockholm, non seulement de grandes feuilles de cuivre rouge et des milliers de planches de sapin, mais aussi un couvreur suédois, dont la présence à Versailles est indiquée par les comptes de 1687 et de 1688 et par les gages versés à un interprète. Le résultat paraît d'ailleurs avoir été médiocre et, durant les gros hivers de la fin du règne, on dut s'astreindre à déblayer la neige des toits de cuivre de cette aile.

Les déboires de toute espèce sont fréquents, et Colbert laisse échapper cette remarque, lorsque Huyghens lui démontre l'inutilité de la Tour d'eau, où l'on fait monter l'eau pour la redistribuer ensuite dans des réservoirs qu'il eût mieux valu alimenter du premier coup : « Que voulez-vous ? Il faut bien payer son apprentissage. » Versailles coûte cher, mais les résultats sont énormes et variés.

LE PROFIT ET LA GLOIRE

Il est des bénéfices impondérables. On peut chiffrer approximativement les dépenses de Versailles, mais si l'on veut mettre en regard le profit que Louis XIV et, autant que son pays, une bonne partie de l'univers ont tiré du château, on est obligé de se tourner vers des valeurs plus morales que matérielles. Le vide immense que ferait dans le monde l'absence de Versailles témoigne de l'intérêt de sa présence.

Louis XIV a amené des provinces à la France. Il a gagné des batailles et signé des traités, implanté fermement sa famille en Espagne. Par son administration, son travail et la clarté de son esprit, il a contribué à mettre le royaume au premier rang de l'Europe. Tout ceci est lointain. Versailles demeure.

Que cette entreprise colossale et, en apparence, folle ait été entachée parfois d'ambition et d'orgueil, personne n'y contredira. Mais que, par souci de perfection et de beauté, le Roi ait été entraîné, par ses architectes et par lui-même, par Versailles aussi et par ce qu'il y avait déjà accompli, vers une amélioration continue, qui devait aboutir au chef-d'œuvre, on doit convenir que Versailles est devenu un ouvrage désintéressé, et, quelque coûteux qu'il eût été, s'est peu à peu chargé de bénéfices. Il a plus fait pour la gloire de Louis XIV que tout autre de ses actes et a valu à la France un renom considérable.

En créant Versailles, Louis XIV, à son insu peut-être, a légué à ses successeurs et à son peuple un capital extraordinaire. Certains ont pu trouver, et dès le XVIIIe siècle, cet héritage bien lourd. D'autres parfois considèrent les bénéfices personnels qu'ils peuvent tirer du prestige de Versailles, et l'on a peut-être eu trop tendance, en ces dernières années, à réduire Versailles à un domaine exploitable. Versailles est immatériel, ou plutôt, dans les charges et les bénéfices qu'il apporte, on devrait considérer ceux-ci comme réels par la seule présence de Versailles, alors que les charges sont seulement d'ordre financier.

Louis XIV n'a certes pas eu le « touriste » en vue, mais il a été sensible aux louanges que recevait son œuvre, heureux de faire admirer celle-ci. Nous devrions aujourd'hui mieux comprendre ce que représente de sacrifices l'honneur pour une nation de posséder Versailles, savoir aussi que, par son existence, Versailles est un bénéfice de tous les instants, où

l'art moderne pourrait lui-même puiser bien des enseignements.

Dès le règne de Louis XIV, Versailles déborde le cadre des
expériences limitées aux techniques ou à l'évolution du goût.
Versailles rayonne en France et hors des frontières, et ce dut
être là, plus d'une fois, la récompense secrète de l'énorme
effort accompli par le Roi-Soleil.

L'INFLUENCE DE VERSAILLES

Le style de Versailles va transformer la plupart des châteaux
et palais de l'Europe. Un type a été créé par Louis XIV, qui
répond si bien à la vie de faste telle qu'on l'imagine à cette
époque, qu'il sera presque partout repris et imité.

Ce style s'impose d'abord — et quoi de plus naturel ? —
à la famille du Roi. Monseigneur, on le verra plus loin,
reflète le plus souvent les goûts de son père non seulement à
Versailles, mais aussi dans sa propre maison, à Meudon. Il a
des velléités d'indépendance, mais les transformations qu'il
apporte au château de Louvois, déjà conforme lui-même au
modèle louis-quatorzien, visent à rapprocher davantage celui-
ci du plan versaillais, tant dans les intérieurs (Cabinet
des Gemmes, Galerie) que dans les extérieurs (Orangerie,
fontaines et statues, Salle des Marronniers, etc.), et Monseigneur s'est si bien moulé sur son maître qu'il rédige, comme
le Roi son père pour les jardins de Versailles, une *Manière
de montrer Meudon*, commençant par ces mots : « Il faut... »

Les bâtards aussi. Le comte de Toulouse aura sa Galerie
dorée dans son hôtel parisien et fera décorer de trophées de
pierre la façade latérale de son château d'Anet, dont les
portes du vestibule, sculptées à ornements d'or sur fond
blanc, rappellent celles de la Chapelle de Versailles. Quant
au duc du Maine, il transforme son château de Sceaux, que
Colbert a déjà embelli au point d'en rendre Louis XIV
presque jaloux, en un petit Versailles, dont les Cabinets
peints, les jardins, le Canal deviendront célèbres.

L'influence se poursuit dans la lignée directe du Roi. On
verra plus tard combien Louis XV et Louis XVI se montreront

respectueux de Versailles. Louis XVI a, pour sa part, subi si fortement le modèle donné par Louis XIV que la progression du Grand Appartement du Roi est suivie de son temps, et jusque dans la terminologie, à Compiègne par exemple, où l'on installe, sans nécessité architecturale apparente, un « Salon de l'Œil-de-Bœuf » auprès de la Chambre du Roi, ou encore aux Tuileries dans les premières années de la Révolution, où le « Salon de l'Œil-de-Bœuf » précède la « Grande Chambre du Roi ».

Ministres et courtisans ont les yeux fixés sur leur souverain et cherchent à l'imiter. Le grand maître de la Prévôté de l'Hôtel, le marquis de Sourches, l'auteur des *Mémoires*, fait de son château de Sourches dans le Maine un reflet de celui de Versailles, et le grand maître de la Garde-robe, le duc François VIII de La Rochefoucauld, installe auprès de son château de La Terne en Angoumois « une petite chambre dans le bois, appelée le Trianon de Madame ».

On n'en finirait pas de donner des exemples de l'incessante influence de Versailles. La Chapelle de Versailles, aussitôt construite, sert de base aux projets, mi-classiques, mi-gothiques, établis pour l'église du monastère bénédictin de Bonne-Nouvelle à Orléans. Le duc de Choiseul, plus tard, s'installant à Chanteloup, veut avoir comme chez le Roi grand-parc et petit-parc. De même, le beau-père de Louis XV, le roi Stanislas, embellit son duché de Lorraine avec un faste digne du Roi-Soleil ; bien des fontaines de Nancy existeraient-elles si celles de Versailles ne les avaient précédées ?

L'influence de Versailles, partout diffuse et présente en France, pourrait à la rigueur s'expliquer dans ce pays-ci comme une marque d'unité de l'art français, dont Versailles n'offrirait que le reflet. Rien de tel à l'étranger. Cette influence existe pour elle-même, transplantée par la volonté de souverains ou de seigneurs, qui aspirent à recréer chez eux une image de Versailles. Les études de Dussieux et de Louis Réau ont montré la place, que l'on ne mettra jamais trop en évidence, occupée par Versailles dans l'expansion de l'art français à la fin du XVIIe et au XVIIIe siècle. Leurs exemples, pris auprès de Pierre le Grand, de Frédéric II, des Bourbons d'Espagne ou d'Italie, des petites cours allemandes pourraient êtres répétés à l'infini. On en choisira ici quelques-uns, plus ou moins connus.

Les pays du Nord sont soumis à Versailles de façon presque artificielle, sans attaches profondes, par des princes qui sont subjugués par ce qu'ils entendent dire ou par ce qu'ils voient. Frédéric IV visite Versailles, étant Prince Royal de Danemark, en 1693 ; le château de Rosenborg à Copenhague conserve plus d'un souvenir qui paraît issu de ce voyage : horlogeries de Thuret, lustre de cristal qui passe pour un cadeau du Grand Roi, ou encore petites peintures montrant le roi danois, tel un Louis XIV dans ses carrousels, coiffé d'un casque à plumes ou dans des combats de têtes. Le château de Fredensborg, construit peu après, montre l'influence de Versailles, combinée à celle de Saint-Cloud ou à celle des châteaux francisés de Bavière ; on voit sans surprise, au parterre « français » qui se trouve devant ce dernier château, une statue de *l'Hiver* inspirée par celle de Girardon du parc de Versailles.

De même en Suède. L'influence de Louis XIV, des façades de Mansart, des meubles d'argent, se fait sentir sur le Palais Royal de Stockholm, celle de Louis XV, de ses Petits Appartements, de ses meubles, de ses « tables volantes », de ses théâtres sur les châteaux de Gripsholm ou de Drottningholm, celle de Marie-Antoinette sur le petit château de Haga. Le roi de Suède ne vint à Versailles qu'au temps de Gustave III, mais, comme plus d'un souverain européen, il ne manquait pas de s'informer des constructions ou des décorations commandées par le roi de France. Bien des précisions sur le Versailles de Louis XIV nous viennent aujourd'hui des dessins rassemblés par un architecte de S.M. suédoise, Nicodème Tessin le jeune, qui a même laissé une intéressante relation de sa visite à Versailles en 1687, à laquelle on fera plus loin des emprunts.

La Russie, de Pierre le Grand à Catherine II, subit une influence identique, même si des architectes ou des stucateurs italiens servent parfois d'intermédiaires. Les châteaux de Tsarskoié-Selo (aujourd'hui Pouchkine) ou de Peterhof portent encore, malgré les ravages causés par la dernière guerre, le témoignage du renom de Versailles. A Peterhof, la pente,

en avant du château, est plus forte qu'à Versailles et la
grande allée d'eau centrale rappellerait plutôt la cascade de
Saint-Cloud ; mais les petits palais annexes de Marly, de
Monplaisir et de l'Ermitage, la Ménagerie, le Grand Canal
et tout un peuple de statues, les innombrables fontaines, la
Pyramide dessinée comme au bosquet de l'Obélisque, et
l'arbre de métal percé de jets d'eau comme au Marais, par
leurs noms, leur style, leur présence, demeurent, au bord du
golfe de Finlande, comme un hommage aux conceptions de
Louis XIV dans l'art des jardins. On trouve presque naturel
d'apprendre que l'hydraulicien de Peterhof, Sualem, était
parent de celui qu'employa Louis XIV pour sa Machine de
Marly. Enfin, jusque dans leurs décorations intérieures ou
leurs mobiliers, les anciens châteaux impériaux de Russie
traduisent l'admiration d'Élisabeth pour Louis XV ou le
prestige des artisans employés à Versailles pendant tout le
XVIIIe siècle. Le palais-musée de l'Ermitage à Léningrad ou
le château de Pavlovsk regorgent des commandes faites par
Catherine II à Paris ou des souvenirs rapportés de leur voyage
à la Cour de France en 1782 par le comte et la comtesse du
Nord (futur Paul Ier et Maria Feodorovna).

La Pologne, de tout temps perméable à l'art français,
permettrait d'apprécier la même ferveur. A Varsovie, aux
Lazienki, le Palais sur l'Ile, élevé et décoré pour Stanislas-
Auguste Poniatowski, est empreint d'un charme très proche
des goûts de Marie-Antoinette. A côté des grands châteaux
royaux, un château comme celui de Bialystock, construit et
décoré à la française pour les Branicki, ou les achats faits à
l'époque de la Révolution par les princes Czartorisky d'un
grand nombre de meubles provenant de Versailles fournissent
deux exemples parmi beaucoup d'autres ; on pourrait y
ajouter le choix des soieries commandées à Lyon pour le
château de Varsovie en 1764 « comme pour la Cour de
France ».

L'Allemagne bénéficie d'une surabondance de princes,
presque tous éblouis par le Roi-Soleil. Il est toujours pittoresque et plaisant pour un Français de voir comment Versailles,
même incompris, a été aimé par les électeurs, et les princes
germaniques ; jardins et châteaux, galeries, meubles et

collections, et jusqu'aux maîtresses installées avec éclat, sont traités à la mode de Versailles. Plus que toute autre, la maison de Bavière est sensible à cette influence. Ses liens avec la Cour de France sont nombreux. L'une de ses princesses, devenue Madame la Dauphine, est la belle-fille de Louis XIV ; une autre, Elisabeth-Charlotte, est mariée à Monsieur, frère du Roi ; née princesse Palatine, elle restera célèbre par l'indépendance de son caractère et par sa correspondance, riche en réflexions savoureuses. L'électeur de Bavière, Max-Emmanuel (Maximilien II), allié de Louis XIV et chassé de ses états par la guerre, séjourne longtemps en France. L'un des attraits de l'ancienne Résidence de Munich, des châteaux « Louis XV » de Nymphenburg et d'Amalienburg, du château plus « Louis XIV », de Schleissheim ne vient-il pas d'un apport français, mêlé de germanisme et d'italianisme ? Le Grand Roi ne redoute pas d'être imité ; en 1714, il envoie à ce même Max-Emmanuel, rentré en Bavière, l'un de ses fontainiers. L'électeur Palatin, Charles-Théodore, un Wittelsbach lui aussi, fera créer un peu plus tard dans ses jardins de Schwetzingen, près de Mannheim, un ensemble où les perspectives, les fontaines, souvent la statuaire, jusqu'à une volière animée de jeux d'eau et de volatiles rappelant ce que Louis XIV avait fait disposer à l'entrée de son Labyrinthe, sont marquées du culte de Versailles.

L'électeur de Brandebourg, dont l'envoyé Spanheim laisse une curieuse relation de la Cour de Versailles en 1690, veut avoir comme le Roi-Soleil des meubles d'argent ; ceux-ci, au lieu d'être massifs, seront de bois recouvert de plaques d'argent repoussé.

L'électeur de Saxe, bientôt roi de Pologne, constitue de magnifiques collections de peintures et d'antiques et compose son « Grünes Gewölbe » selon l'image qu'il se fait des Cabinets des appartements de Louis XIV.

Toute l'Allemagne va se couvrir de demeures inspirées de Versailles, encadrées de jardins à la française, décorées par des peintres venus de Paris, dessinées parfois par l'architecte du Roi lui-même, Robert de Cotte, meublées selon les styles français : Trèves, Cologne, Mayence, Deux-Ponts, Louisbourg, Wurzburg, Mon Repos, Ansbach, Bayreuth et l'Ermitage,

Berlin, Potsdam et Sans-Souci, Cassel, Stuttgart et, chez l'Empereur lui-même, Vienne ou Schoenbrunn, la liste est longue de ces résidences où l'art de Versailles se retrouve, plus ou moins travesti.

Louis XIV n'a pas été insensible à cette influence de son art à l'étranger, influence qui ira se développant avec le temps. Par les princes de Bourbon qui règnent au XVIIIᵉ siècle à Madrid, à Parme, à Naples, cette influence se propage tout naturellement dans ces dernières cours, l'Italie subissant par un choc en retour l'art versaillais. Robert de Cotte travaille pour Philippe V, ainsi que l'équipe des sculpteurs de boiseries employée à Versailles pendant le premier tiers du XVIIIᵉ siècle et composée de Du Goullon, Le Goupil et Taupin. Le Palais Royal de Madrid, la Granja avec ses fontaines et ses sculptures, Saint-Ildefonse dont les jardins sont accommodés dans le goût de ceux de Versailles, plus tard Parme et Colorno, le Palais Royal de Naples et celui de Caserte forment autant d'étapes de l'art bourbonien.

Dès les premières fêtes données par Louis XIV à Versailles, des albums, qui en gardent le souvenir, sont expédiés aux cours étrangères. Au lendemain des journées des *Plaisirs de l'Isle enchantée*, le 16 mai 1664, Carlo Vigarani écrit à la duchesse de Modène pour les lui décrire, et la *Relation* du carnaval de 1683 sera dédiée à la duchesse de Hanovre. Comme s'il voulait aider à cette propagande et à la diffusion de ses grands travaux, Louis XIV, dès qu'il a achevé un ouvrage important, le fait reproduire par l'estampe : Silvestre, Baudet, Le Pautre conservent et répandent l'image des bâtiments, des plafonds, des galeries, du Grand Escalier, des principaux tableaux et sculptures des collections du Roi.

L'Angleterre elle-même, malgré les guerres et malgré son particularisme, ne sera pas hostile à cette pacifique victoire de Louis XIV. Guillaume III reçoit en 1697 des orfèvres de Londres quelques meubles d'argent, à l'imitation de ceux que Louis XIV a été obligé de fondre quelques années plus tôt pour soutenir la guerre contre lui. Le même roi Guillaume fait modifier selon un esprit versaillais les jardins d'Hampton Court. Le Nostre est en correspondance avec le comte de Portland. Le continuateur de Walpole observa ce phénomène :

« Le Nostre a étonné le monde à Versailles, et son commis Grillet vint terminer les fontaines de Chatsworth pour le duc de Devonshire et de Bretby dans le Derbyshire pour Lord Chesterfield, ouvrages qui ont toujours été considérés comme les grands travaux hydrauliques de l'Angleterre. »

Il est curieux de constater que, peu sensible dans le décor intérieur, sauf chez quelques grands seigneurs comme le deuxième duc de Devonshire à Chatsworth ou le premier duc de Montagu à Bloomsbury, l'influence de Louis XIV s'étend davantage à l'art des jardins. Des fabrications spéciales seront même exécutées en plomb aux XVIIIe et XIXe siècles, afin de reproduire des statues et des vases des jardins de Versailles pour le décor des jardins anglais !

La Cour d'Angleterre sera une nouvelle fois conquise par l'art de Versailles au début du XIXe siècle. Lorsque les meubles de Versailles auront été dispersés par la Révolution, un curieux personnage, que l'on aimerait connaître davantage, s'intéressera à eux. Il se nomme François Benois. Il a été, dit-on, marmiton à Versailles, dont il semble avoir apprécié la splendeur. Il est devenu pâtissier du Régent. Il a la confiance de ce prince, qui sera plus tard George IV. Il lui sert parfois de conseiller et d'intermédiaire dans ses achats. Dans le cercle du Régent, se trouve aussi Lord Yarmouth, futur Lord Hertford, fondateur de la collection continuée par son fils, le quatrième marquis de Hertford et connue ensuite sous le nom de Wallace. Sur le sol anglais, se regrouperont quelques épaves magnifiques du mobilier de Versailles.

On pourrait prolonger ce florilège dans les sens les plus divers et jusqu'en plein XXe siècle. Des demeures de milliardaires américains, construites aux alentours de la première guerre mondiale, s'inspirent de Versailles par maint détail de l'architecture ou de la décoration intérieure, et surtout par les jardins, perspectives ou fontaines. Ainsi, Whitemarsh Hall (en Pennsylvanie, pour le banquier Stotesbury), Shadow Lawn (dans le New Jersey, pour le président de Woolworth, Parson). Ces palais ont été étudiés par Mr. James T. Maher dans *The Twilight of Splendor,* publié aux applaudissements de *Classical America,* une association dont le nom exprime à lui seul une forte tradition française.

Parmi tant d'hommages rendus au génie et au goût de
Louis XIV, il en est encore un qu'on ne peut passer ici sous
silence : celui de Louis II de Bavière. Dans sa folie même,
l'admiration éperdue que ce pauvre souverain témoigne
au Roi-Soleil est touchante entre toutes. Dans l'île de
Herrenchiemsee, avec son tapis-vert que prolonge le lac,
devant un « parterre d'eau » qu'accompagnent deux grands
rochers de bronze (auxquels songea un instant Louis XIV
sans les réaliser et qui sont pour l'instant démontés), le
château — tout le corps central du château de Versailles —
se dresse, légèrement déformé comme dans un rêve, et d'une
vilaine couleur jaune. Deux Escaliers des Ambassadeurs au
lieu d'un, la Galerie des Glaces chargée de luminaire, un
étonnant Salon de l'Œil-de-Bœuf, la Galerie de Mignard,
un Salon du Conseil assez surprenant, la Grande Chambre
du Roi, au centre, qui attend Louis XIV, avec son lit
chargé de broderies d'or, dans une alcôve qui s'arrondit
démesurément, tout est là et rien n'est en place. Le
dépaysement est extraordinaire. Le roi de Bavière a beaucoup
travaillé, et plus encore son ambassadeur à Paris, qui fut
l'un des premiers à consulter les archives des Bâtiments du
Roi. Hommage d'un malade ou d'un prodigue, peu importe.
Ce Versailles, reconstitué et transformé au milieu d'un lac
bavarois, résume à lui seul le sortilège dont Louis XIV a
enrichi le monde.

LES COMPTES

Si les premières dépenses de Louis XIV à Versailles nous
sont connues globalement et avec peu de détails, les comptes
des Bâtiments ont été complètement conservés à partir de
1664 et publiés jusqu'en 1715. On peut regretter parfois le
caractère confus de certaines mentions ou le libellé trop vague
de certains paiements. L'existence de ces comptes demeure
la source principale de l'histoire du château. Colbert, honteux
de Versailles, a failli nous en priver. Ce qui subsiste des
travaux de Louis XIV, et même ce qui a disparu, nous
apparaît, grâce à eux, avec moins d'imprécision. On pourra

se replonger cent fois dans ces comptes et, même après tout
ce qu'y a puisé Nolhac, en retirer des renseignements encore
inconnus. Nous en retiendrons pour l'instant ici ce qui peut
éclairer les dates, l'étendue, la nature des principales dépenses
de Louis XIV.

Versailles fut en apparence un ouvrage de la paix, dont
les progrès essentiels et les dépenses les plus considérables
ont été accomplis chaque fois que celle-ci était proclamée :
paix d'Aix-la-Chapelle en 1668, paix de Nimègue en 1678,
ou encore trêve de Ratisbonne en 1684. Cette dernière paraît
avoir rapporté à Louis XIV quatre millions de livres. Une
question se pose. La guerre n'aurait-elle pas aidé à créer
Versailles ? Qui saurait dire ce que le château doit aux villes
des Pays-Bas et aux contributions de guerre levées par
Louix XIV ? Qui ne voit aussi l'orgueil militaire du Roi
s'étaler dans le château et dans le parc ?

Les Quatre Parties du Monde, les emblèmes terrassés de
l'Empire et de l'Espagne accueillaient le visiteur à l'entrée
du Versailles de Le Vau aussi bien qu'à la voûte du Grand
Escalier. La guerre de Hollande, le Passage du Rhin, l'Europe
en apparence domptée proclament la gloire du Roi à la voûte
de la Grande Galerie ou dans le bosquet de l'Arc de
Triomphe.

Rappelons enfin que, dans chacun des développements du
château, les travaux sont abordés par un aménagement des
jardins, qui absorbent non seulement des sommes énormes,
mais où Louis XIV appellera désormais ses troupes en renfort.

Les plus grosses dépenses des années 1664 à 1666 concernent
les jardins, les fouilles de terre, la maçonnerie ; le total
s'élève à 1 657 000 livres pour ces trois années. Puis vient la
guerre et vient la paix.

1668 est à nouveau marqué par de gros paiements pour
les jardins, fouilles et terrassements (152 000 livres sur un
total de 338 000), qui reprennent en 1671 et 1672 (493 000
et 415 000 livres), cependant que, de 1669 à 1671, Jacques
Gabriel reçoit, à lui seul, 1 349 500 livres pour le « nouveau
bâtiment » ou château-neuf et 54 500 livres en 1672 pour
les deux bâtiments en ailes sur la cour. Puis les paiements
retombent : la guerre a repris.

La paix reparaît. 1678, 1679, 1680 pour les jardins et les remuements de terre, 1679 et 1680 pour les bâtiments ramènent des dépenses plus fortes que jamais. Pour la seule année 1679, qui fixe définitivement le sort de Versailles, les acomptes versés aux entrepreneurs de maçonnerie se répartissent ainsi : Jacques Gabriel, pour la grande aile du côté de l'Orangerie (ou aile du Midi), 256 500 livres ; P. Bergeron, pour l'un des bâtiments destinés aux ministres entre les pavillons de l'avant-cour, 184 100 livres ; Mezières et Hanicle, pour le second de ces bâtiments, 199 500 livres ; Vigneux, pour la Grande Écurie, 536 000 livres ; Thévenot, pour la Petite Écurie, 585 800 livres.

Ces dépenses colossales s'amplifient encore en 1685 avec les travaux de l'Eure, auxquels participent de nombreux régiments. La guerre dite de la Ligue d'Augsbourg les réduit à presque rien. La paix de Ryswick est de courte durée. La guerre de Succession d'Espagne ruine, à l'achèvement de la Chapelle près, les derniers projets du Grand Roi sur son château.

Il est bon, si l'on veut comparer entre elles les dépenses de Louis XIV à Versailles, de ne pas séparer les travaux de la première moitié du règne de ceux de la seconde moitié. Le tableau ci-contre les donnera jusqu'en 1715. De plus, afin de mieux faire saisir l'attachement de plus en plus vif du Roi pour son château, nous indiquons, comme points de comparaison, les chiffres des dépenses du Louvre et des Tuileries, qui, au début, dépassent fortement ceux de Versailles, et ceux de Saint-Germain ; à ce château qu'il aime pourtant beaucoup, le Roi, entre 1664 et 1680, consacre des sommes, qui tournent en moyenne autour de cent mille livres par an, celles de Versailles autour du million, sinon plus.

Nous ajoutons aussi, dans le même but, les dépenses de Marly, qui, infirmant la remarque de Saint-Simon, sont largement inférieures à celles de Versailles, sauf pour quelques années : 1669, 1703, 1714 et 1715.

Une dernière observation s'impose. Les chiffres fournis par les comptes ne peuvent être d'une exactitude absolue. Le régime des acomptes indique des sommes annuelles

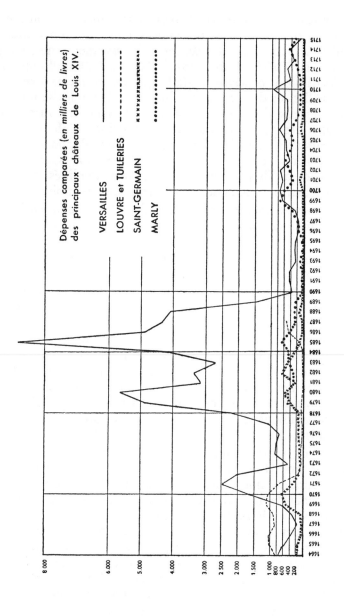

Dépenses comparées (en milliers de livres)
des principaux châteaux de Louis XIV.

VERSAILLES

LOUVRE et TUILERIES

SAINT-GERMAIN

MARLY

approximatives, que vient parfois terminer un compte de parfait paiement plusieurs années plus tard. En outre, les différents chapitres des comptes des Bâtiments ne sont pas toujours séparés d'une façon très stricte ni uniforme. Des dépenses qui concernent Marly peuvent se mêler à celles de Versailles, et des paiements faits pour Versailles se retrouver parmi ceux du Louvre ; sortir les uns ou les autres pour refaire des additions ou des soustractions n'aboutirait pas forcément à une précision certaine. Nous donnons donc ici les chiffres tels qu'ils ont été publiés par Guiffrey, en estimant qu'ils peuvent être légèrement modifiés, mais que leur répartition demeure exacte dans son ensemble.

On peut calculer que Versailles, bâtiments, jardins et domaine, sans compter les fêtes, a coûté à la France de Louis XIV environ 80 millions de livres.

Signalons dès maintenant que le dixième environ de cette somme, — près de 9 millions, — fut consacré à un travail inutile, puisqu'avorté, l'adduction des eaux de l'Eure, qui devait alimenter d'eaux sans cesse jaillissantes les fontaines des jardins.

On aimerait traduire ce chiffre de 80 millions de livres en équivalences d'aujourd'hui. M. Jean Fourastié voulut bien m'y aider. En prenant pour base un salaire moyen de un sou par heure de manœuvre en 1698, il proposait d'abord de donner à ces 80 millions de livres une équivalence de 1 600 millions d'heures de travail (ou 500 000 années de travail).

On est tenté de multiplier ce nombre d'heures de travail par le prix d'une heure de manœuvre de nos jours. Mais M. Fourastié nous mit en garde. Il observa que, si l'on comparait le revenu d'un intendant général du temps de Louis XIV et le traitement actuel d'un haut fonctionnaire de rang à peu près équivalent, la situation se présenterait de toute autre façon. Le second personnage paraîtrait misérable à côté du premier, tandis que le salaire du manœuvre s'est amplifié dans des conditions telles qu'il aurait dû être, en 1960, multiplié par 44 et celui de l'intendant général par 2.

Les calculs se transformeraient de même si l'on considérait telle ou telle technique. Les tapisseries, par exemple, fourniraient encore de nos jours des prix de revient élevés. Les glaces, très chères au début du règne de Louis XIV, sont devenues de moins en moins coûteuses.

Depuis vingt-cinq ans, les variations des monnaies et des prix, des salaires et des traitements n'ont fait que compliquer le problème. On s'accordera à penser que Louis XIV, en nous donnant Versailles, a enrichi la France. On se gardera de considérer le coût d'un certain nombre d'erreurs dont nos contemporains n'ont pas lieu d'être fiers. Les dépenses du Grand Roi ont valu à l'univers un château que personne n'oserait ne pas admirer.

DEUXIÈME PARTIE

LE VERSAILLES DE LOUIS XIV

CHAPITRE PREMIER

LE CHÂTEAU

UNE SORTE D'ENVOÛTEMENT

Quelle force attire et retient le Roi sur ce domaine ? Un immense amour ? L'amour de ce qu'il a lui-même accompli ? « Il aimoit cette maison avec une passion démesurée », note le marquis de Sourches en 1682. Ah ! qu'il est loin le temps où les courtisans pouvaient parler avec dédain de ce chétif château ! Mais qu'il est proche pourtant celui où loger la Cour pour quelques jours entraînait d'innombrables complications ! Et si le Roi s'établissait ici définitivement, ne serait-ce pas tout le personnel de l'État qu'il faudrait songer à loger ?

Que de chemin parcouru en moins de vingt ans ! Le Roi, qui a tout juste atteint la quarantaine en 1678, aurait peine à le croire, s'il avait le temps, entraîné par ses travaux, de faire retour en arrière. Loret, dans sa *Muze historique*, ne faisait-il pas, au moment du mariage avec Marie-Thérèse, encore rimer Versailles avec broussailles ? Quel ordre aujourd'hui dans ces jardins, dans ces bosquets, et quelle grandeur !

Il est possible que Louis XIV s'admire ici lui-même. Il a pu jouir à Versailles de son goût pour les conquêtes et les victoires. Saint-Simon lui reprocha son amour obstiné de ce site, d'ailleurs choisi par Louis XIII. Sourches avait, avant lui, observé l'attirance étrange du Roi pour cette terre difficile : « Il y avoit forcé la nature, laquelle lui avoit refusé le secours d'une heureuse situation. Les jardins en étoient d'une magnificence surprenante, et l'on y voyoit quantité de fontaines, dont chacune avoit besoin d'une rivière pour la faire jouer, quoiqu'il n'y eût naturellement pas une goutte d'eau à Versailles, à la réserve d'un méchant étang. »

Les bassins renvoient l'image des façades altières, ainsi que des sculptures, qui chantent les louanges du Grand Roi. Tout ceci est son œuvre. Le Brun, Perrault ont habilement distribué la flatterie, mais surtout Le Vau, Mansart, Le Nostre ont su donner à cette terre l'air de magnificence qui convient au Roi-Soleil. Le plaisir de planter et de bâtir, de décorer avec richesse un appartement, d'ordonner, n'est pas étranger non plus à l'attachement du Roi. Il sait qu'il y a encore beaucoup à faire à Versailles, même si le château paraît achevé aux yeux de sots courtisans. Et puis, son goût change, comme ses amours. Il commence à se lasser des hauteurs de Mme de Montespan. Encore quelques passades, et vient le règne de Mme de Maintenon. Le château prendra alors sa forme définitive, comme figé par une volonté nouvelle, qui gouverne discrètement le Roi.

Le plaisir de la chasse, qui, dit-on, retient Louis XIV ici, n'est pas particulier à Versailles, mais explique en partie ce domaine qui s'étend sans cesse. Si tous les grands châteaux royaux hors de Paris sont aménagés pour la chasse, aucun ne lui apporte autant de diversité de plaines et de bois et n'a reçu tant de soins.

Le problème de l'eau, on le verra plus loin, peut être aussi préoccupant qu'une guerre. Louis XIV hésite un moment. Songe-t-il aux rives de la Loire, comme François Ier ? Il aime beaucoup Chambord et ses forêts giboyeuses. Une phrase de Charles Perrault, que cite Nolhac, laisse percer l'inquiétude. « On était en branle de quitter Versailles en ce temps-là pour aller bâtir dans un terrain plus heureux. »

Mais le Roi est comme envoûté par son château. Rien ne le rebute et tout l'attire, de ce qu'il a fait et de ce qu'il fera encore. Réussira-t-il ?

LE ROI SE FIXE À VERSAILLES

La décision devient publique en 1682. Le 6 mai de cette année, Louis XIV fixe à Versailles sa résidence. Il songeait depuis longtemps à ce projet. L'attachement était trop profond, les travaux trop poussés, les agrandissements successifs trop tournés vers ce but, pour ne pas rendre cette installation irrévocable.

Les courtisans sont furieux. La Cour « pour toujours à la campagne », tonne Saint-Simon, quelques années plus tard, dans ses *Mémoires* et probablement aussi dans les couloirs du château. Le Roi le sait, peu lui importe. Sa noblesse lui est maintenant docile. Pressent-il qu'il commet une faute à l'égard de Paris, que paieront ses successeurs ? Il n'aime guère Paris, où il se rend très rarement. Il agit pourtant avec prudence et affecte de laisser croire que l'installation à Versailles pourrait n'être que provisoire, causée par les grands travaux qu'il entreprend à Saint-Germain en 1682. L'installation du roi d'Angleterre dans ce dernier château en 1689 fait que, l'eût-il souhaité, Louis XIV ne reviendra pas en arrière.

Le petit château de Louis XIII, déjà fortement développé, devient pour un peu plus de cent ans le siège du gouvernement de la France. Les communs, la ville s'étendent. D'autres châteaux vont se créer ou se transformer dans les environs, soit pour le Roi et sa famille, Marly, Noisy, Trianon, Saint-Cloud, Choisy, soit pour les courtisans et les ministres qui embelliront ce coin d'Ile-de-France, Chaville, Meudon, Sceaux, un couvent même que le Roi bâtira pour Mme de Maintenon, Saint-Cyr. Le château de Louis XIII demeure le noyau de travaux qui se multiplient pour le plus grand bien de l'art français.

LES PREMIÈRES DISPOSITIONS COMMANDENT LE RESTE

Obstinément fidèle à la création initiale de son père, du moins du côté des cours, poursuivant ses propres agrandissements avec une continuité qui ferait croire, on l'a déjà remarqué, à une sorte de plan fermement arrêté dès l'origine, Louis XIV apporte un semblant de logique à l'immensité de ses dépenses. Il croit peut-être créer un château nouveau à partir des années 1678-1679 : c'est toujours le même château qu'il agrandit.

Les changements apportés à son propre appartement sont provoqués par l'installation de la Grande Galerie. Le raccord des deux pavillons isolés à droite et à gauche de l'avant-cour pour former les ailes des Ministres, le doublement du parterre du Midi à l'égal de celui du Nord ne font que réaliser des dispositions déjà préparées ; tout ceci paraît normal, réfléchi. L'Orangerie elle-même et ses deux escaliers géants, le Potager nouveau, la Pièce des Suisses ne font que reprendre, à une échelle extraordinaire, ce qui a été une première fois établi et que semblait annoncer naturellement le terrain choisi par Louis XIII.

Le dessin général des allées du parc n'est pas modifié. L'implantation des trois grandes avenues qui convergent vers le château a été depuis longtemps fixée. Les progrès se font par étapes et comme logiquement préparés. On peut affirmer que, dans les gigantesques transformations qu'il va faire subir au château après la paix de Nimègue, au prix de dépenses prodigieuses, le Roi, par souci d'économie, par conservatisme, autant que par une prévision générale presque toujours minutieusement arrêtée, s'attache à respecter le plus possible ce qui a été entrepris par son père ou par lui. Le chantier prend un développement invraisemblable ; il est cependant en grande partie commandé par les premières dispositions.

LE CHANTIER

Deux notes, prises par le marquis de Sourches, qui à partir de cette époque, devient, ainsi que Dangeau, un mémorialiste attentif de la vie de la Cour, soulignent l'impatience qui saisit Louis XIV de venir s'installer à Versailles et l'atmosphère de chantier dans laquelle il accepte de vivre.

20 avril 1682. La Cour, qui a passé l'hiver à Saint-Germain, quitte ce château où commencent des agrandissements ; elle se rend à Saint-Cloud pour quinze jours, jusqu'à ce que tous les appartements de Versailles soient « en état d'être habités ».

6 mai 1682. « Le Roi quitte Saint-Cloud pour venir

s'établir à Versailles, où il souhaitoit d'être depuis longtemps, quoiqu'il fût encore rempli de maçons. »

Comme, après les maçons, interviennent les menuisiers et les peintres, le désordre est grand. La Dauphine doit, dès le second jour, quitter l'appartement où elle s'est provisoirement installée et occuper l'appartement de Mme Colbert à la Surintendance, où elle accouchera, trois ou quatre mois plus tard, du duc de Bourgogne. La Cour part le 21 septembre pour Chambord, se rend de là à Fontainebleau ; quand elle revient le 16 octobre, les travaux sont loin d'être terminés.

Il faut donc se résoudre à s'installer au milieu d'un chantier, et c'est ainsi que nous devons imaginer une partie de la vie de Versailles. Il y a encore des échafaudages dans la Grande Galerie en 1684, et l'on verra Louis XV en faire placer à son tour pour les relevés destinés aux estampes de Massé. La grande Chapelle est consacrée en 1710 ; deux ans plus tard, elle est encore encombrée d'échafaudages. L'existence quotidienne demeurera souvent, et jusque sous les deux règnes suivants, sujette à la confusion que causent les travaux.

L'importance du chantier, qui ne chôme pas de la paix de Nimègue au début de la guerre de la Ligue d'Augsbourg, se mesure au nombre des accidents inscrits dans les comptes. Des blessés, des morts aussi. En 1682, par exemple, on donne une gratification de 154 livres aux ouvriers « qui ont travaillé deux nuits pour tâcher de sauver un manœuvre qui a péri dans un puits du Parc-aux-Cerfs », et, l'année suivante, le chirurgien Godefroy reçoit 105 livres, « pour avoir pansé 21 ouvriers blessés ».

Le nombre des travailleurs est immense. En 1684, on verse 34 000 livres rien que pour le logement des ouvriers et plus de 5 000 livres pour les bois de lits et les paillasses. Cependant la main-d'œuvre est encore insuffisante. Le Roi fait appel à ses troupes, à son infanterie, à ses Suisses, au régiment Dauphin ; il leur fait donner des pioches et des bêches pour travailler aux terrassements, aux réservoirs, aux bassins, à la nouvelle Orangerie, qui exige une modification colossale du terrain. Dangeau note dans son *Journal* à la date du 31 mai 1685 : « Par le calcul que l'on fit de tous les gens qui travaillent présentement ici ou aux environs pour Versailles, on trouve qu'il y en avoit plus de 36 000 travaillant actuellement. »

Et ce n'est pas fini ! Le château paraît bientôt s'achever, encore que l'aile du Nord avance trop lentement au gré de Louis XIV. La bataille engagée sur l'Eure va, à son tour, absorber une énorme main-d'œuvre ; on y verra s'épuiser quelques-uns des régiments du Roi. La guerre et le manque d'argent qu'entraîne celle-ci interrompent ce prodigieux effort. Louis XIV rouvrira le grand chantier pour construire la Chapelle, mais ne finira pas son Opéra. A ce dernier détail près (que viendra compenser le chef-d'œuvre de Louis XV), la volonté inébranlable du Grand Roi a forgé Versailles en un quart de siècle et lui a donné une apparence d'éternité.

ÉTAPES ET RÉSULTATS

Les premiers travaux suivent, la paix de Nimègue à peine signée, ceux qu'a commencés le Roi avec Le Vau et D'Orbay et dont Hardouin-Mansart prendra la direction. La modification des façades du château-neuf sur les parterres et la création de la Grande Galerie s'accomplissent en 1679 et 1680, tandis que, sur l'avant-cour, s'achèvent les deux ailes des Ministres.

L'agrandissement du parterre du Midi s'exécute au moment où le Roi décide, pour loger sa Cour, d'ajouter au corps central du château deux larges ailes, celle du Midi d'abord (1678-1682), puis celle du Nord (1685-1689). Le déplacement de l'Orangerie et celui des réservoirs, la démolition de la grotte de Thétis accompagnent obligatoirement ces constructions. Versailles se développe à un rythme incroyable, selon des desseins qui paraissent inéluctables.

Des décorations intérieures nouvelles rejoignent presque sans interruption celles de l'époque précédente. On a vu que les travaux de l'Escalier des Ambassadeurs et du Salon de Vénus, ralentis par la guerre, ont été achevés seulement aux environs de 1679-1680. La Grande Galerie et ses deux Salons sont décorés entre 1681 et 1684, terminant de façon définitive le Grand Appartement.

Mais le château même devient trop petit pour loger les services de la Cour et s'accroît sans cesse : nouveaux bâtiments pour les offices du Roi et de la Reine (1678), Écuries (1679-1682), Grand Commun (1682-1684, aujourd'hui hôpital militaire), Surintendance (1683-1690, aujourd'hui n° 6 de la rue de l'Indépendance-Américaine), sont la conséquence de l'installation du Roi à Versailles.

Le Roi devient plus exigeant et sa famille s'agrandit. Après la mort de la Reine, il fait établir sur un nouveau plan son appartement intérieur, qu'il modifiera et agrandira jusqu'en 1701. Les deux ailes nouvelles sur les jardins sont à peine suffisantes pour loger ses enfants ou petits-enfants, légitimes ou légitimés. Lorsque le Dauphin, puis le duc de Bourgogne, sont installés dans le corps central du château, des bâtiments annexes sont créés sur l'ancienne cour de la Reine (1699), ainsi qu'on a déjà commencé d'en élever sur la cour intérieure du Roi (de 1692 à 1699).

La Chapelle nouvelle, établie en 1682, est, à son tour, jugée trop petite et remplacée par un édifice magnifique, dont l'élaboration se poursuit sur toute la dernière partie du règne (1689-1712).

L'afflux de la foule entraîne, d'autre part, le besoin pour le Roi de quitter de temps en temps Versailles, où il venait jadis chercher un semblant d'évasion des autres châteaux royaux. Clagny à peine achevé pour Mme de Montespan, le Roi s'intéresse à Marly (1679) ; puis, toujours pris par son goût pour les bâtiments, Marly terminé, il fait démolir le Trianon de porcelaine pour un nouveau palais, qui est commencé durant l'hiver de 1686-1687 et dont les agrandissements ou transformations l'occuperont presque jusqu'à sa mort.

Ainsi sont remplies les trente-cinq dernières années du Roi à s'efforcer d'achever et de perfectionner Versailles. Malgré les difficultés de la seconde moitié de son règne, malgré quelques échecs et quelques lacunes, le programme s'accomplit. Louis XIV, s'il n'avait fait que construire Versailles, aurait bien rempli sa tâche. L'art de Versailles témoigne du succès d'un grand roi, d'une équipe ardente et d'un siècle exceptionnel.

JULES HARDOUIN-MANSART

« C'était un grand homme bien fait, d'un visage agréable, et de la lie du peuple, mais de beaucoup d'esprit naturel, tout tourné à l'adresse et à plaire, sans toutefois qu'il se fût épuré de la grossièreté contractée dans sa première condition... Il se fourra auprès du grand Mansart... On le soupçonna d'être son bâtard ; il se dit son neveu, et, quelque temps après sa mort, arrivée en 1666, il prit son nom pour se faire connoître et se donner du relief, qui lui réussit. Il monta par degrés, se fit connoître au Roi... Il étoit ignorant dans son métier ; de Coste, son beau-frère, qu'il fit premier architecte, n'en savoit pas plus que lui. Ils tiroient leurs plans, leurs desseins, leurs lumières, d'un dessinateur des bâtiments nommé l'Assurance, qu'ils tenoient tant qu'ils pouvoient sous clef... Avec ses plans, il s'étoit frayé l'entrée des cabinets, et peu à peu de tous, et partout, et à toutes les heures, même sans plans et sans avoir rien à dire de son emploi... Il gagnoit infiniment aux ouvrages, aux marchés, et à tout ce qui se faisoit dans les bâtiments, desquels il étoit absolument le maître... »

Le portrait de Saint-Simon est exact, à la réserve de quelques points qui ne sont pas sans importance. Hardouin était, par sa mère, petit-neveu de François Mansart. A trop pratiquer le mémorialiste, ici témoin de tous les jours, témoin haineux et prompt à percer l'intrigue, j'ai peut-être été injuste envers l'architecte, l'un des plus fameux du Versailles de Louis XIV. On m'a reproché de ne pas lui avoir consacré une rubrique particulière, comme le font d'habitude les historiens du château. Essayons d'être équitable.

Hardouin-Mansart est l'un de ces brillants produits que Versailles a fait naître, grand courtisan, attentif à éblouir le maître, mal élevé, mais habile, adroit à utiliser le travail des autres, versé dans l'art de soigner sa publicité et ses profits. A-t-il été vu par Saint-Simon sous son vrai jour ? Excessif dans ses propos, notre duc sait que peu de plans sont de sa main. Hardouin avait appris à dessiner, mais, devenu comte de Sagonne et surintendant des Bâtiments du Roi, il n'en avait plus le temps. Certains de ses croquis sont des esquisses informes. Il est exact que de nombreux architectes, plus tard renommés, dont Robert de Cotte, Pierre Cailleteau dit Lassurance, Gilles Oppenordt, Germain Boffrand, travaillèrent à mettre au net ses projets.

Fut-il lui même le génial architecte dont le nom est resté lié au Versailles de 1678, à l'Orangerie, au Grand Trianon, à Clagny, à Marly, au Dôme des Invalides ? Un « maçon », écrit Saint-Simon ; un « maçon », dit le bon Le Nostre devant son travail de marbre dans un bosquet qui paraît être celui de la Colonnade. Fiske Kimball a, le premier, mis en relief le rôle joué par Le Brun dans le dessin des baies et des glaces de la Grande Galerie, ce qui entraîna la nouvelle ordonnance des façades de Versailles sur les jardins. Enfin, n'oublions pas Louis XIV.

Si le talent d'Hardouin-Mansart fut d'amener le Roi à préciser ses propres idées sur l'architecture, puis de le pousser vers des dépenses considérables et d'aboutir aux résultats que l'on admire, il faut lui en avoir de la reconnaissance. Louis Hautecœur, dans une étude approfondie de son œuvre, insiste sur l'organisation de son agence. Il souligne la science de Mansart dans la mouluration, qu'il voulait fine et élégante ; le compliment n'est pas médiocre. Science également dans la stéréotomie de la pierre, dont témoigne par-dessus tout l'Orangerie de Versailles.

Dans l'ingratitude qui paraît se manifester chez Louis XIV au moment de la mort d'Hardouin-Mansart, n'y a-t-il pas une raison ? Le Roi avait vu clair dans le jeu de son surintendant. Il se servait de lui comme d'un homme qui savait travailler dans le grand et était capable d'exécuter ou faire exécuter ses projets les plus superbes.

Grand architecte ou bon serviteur ? Il eut le bon sens de ne pas refuser les idées du Roi. Il prenait les moyens de les réaliser. Ce fut un homme utile, nécessaire à Louis XIV, nécessaire à la perfection de Versailles. Ne faut-il pas le louer, même s'il avait le caractère bas ?

L'ART DE VERSAILLES

Le visiteur est parfois saisi de contrastes qui l'étonnent : une majesté, qui sait ne pas être pesante ; une unité, qui n'atteint jamais à l'ennui ; une symétrie qui existe dans les masses, et non dans le détail.

Un air de sérénité se dégage, qui résiste à l'analyse. Est-ce dû aux hommes qu'employa Louis XIV, aux architectes qui se sont succédé pour améliorer sans cesse et transformer le château primitif, aux grands axes tracés sous Louis XIII dans les jardins et amplifiés par Le Nostre, au contrôle qu'exerça longtemps Le Brun sur bien des points de la décoration tant intérieure qu'extérieure ? N'est-ce pas plutôt l'œuvre de celui qui sut diriger vers un même but des talents aussi divers ?

D'où vient que les mêmes qualités de rigueur et de noblesse continuent de marquer, comme un héritage naturel, les créations dont s'enrichira le château au cours du XVIIIᵉ siècle ? On en arrive parfois, les réemplois aidant, à ne pouvoir démêler qu'au prix d'un grand effort la part du XVIIᵉ siècle de celle du XVIIIᵉ sur certaines boiseries. Un remarquable historien de l'architecture française n'a-t-il pas reproduit, sans choquer personne, comme appartenant au Petit Trianon des décorations faites pour le Grand Trianon de Louis XIV ? L'architecture du Petit Trianon lui-même, conçue sous Louis XV dans un style « Louis XVI », n'est-elle pas directement sortie de celle qui fut composée sous Louis XIV pour l'extrémité de l'aile de Trianon-sous-Bois ?

La mythologie et le langage des allégories sont les mêmes d'un siècle à l'autre ; les motifs puisés à l'antique donnent une grammaire décorative identique, à peine mise en veilleuse durant quelques années sous Louis XV ; ce dernier roi, on le dira plus tard, est l'auteur du Salon d'Hercule, digne dans sa magnificence de la Grande Galerie ; les sphinx adossés qui décorent le Cabinet-doré de Marie-Antoinette sont issus de ceux qui, cent ans plus tôt, sont venus décorer l'Escalier de la Reine. Des différences existent dans le détail de l'exécution ; l'esprit demeure le même. Et sous chacun des trois règnes, les fleurs des jardins jetées à profusion dans la décoration, des amours et des enfants partout répandus en de gracieux tableautins, des trophées fastueux, militaires aussi bien que champêtres, apportent une continuité dont on est en droit de se demander si ce n'est pas là le style même et comme la personnalité de ce château, ou du moins l'esprit dont Louis XIV a définitivement marqué ce lieu.

Le problème surprend davantage encore, si l'on songe aux mains différentes, qui, à l'époque de Louis XIV notamment, ont travaillé à chacun des grands ouvrages, et si l'on constate aussi que cet art particulier à Versailles n'est en définitive, dans l'exécution tout au moins, qu'un produit parisien.

Nous avons trop tendance aujourd'hui à vouloir attribuer à un maître déterminé telle ou telle œuvre. La notion d'atelier et celle de copie doivent être rappelées et soulignées dans le sens que nous leur trouvons constamment aux XVIIᵉ et XVIIIᵉ siècles.

Le travail est presque toujours collectif. Le peintre ou le sculpteur, lorsqu'il est de grande renommée, n'intervient de sa main que rarement. Ce qui importe, c'est la conception de l'œuvre, la direction de l'atelier. La voûte de la Grande Galerie peinte par Le Brun ! Oui, le mérite de l'œuvre revient au premier peintre de Louis XIV, mais assez peu de chose dans le travail matériel, sauf quelques touches appliquées de son pinceau, lorsque, venant surveiller les progrès de *son* ouvrage, Le Brun monte « sur l'échaffaud ». Le reste est l'affaire de *ses* peintres, de peintres obscurs dont les comptes des Bâtiments mentionnent parfois les paiements par l'intermédiaire d'Antoine Paillet, sans même énoncer leurs noms, et dont la besogne est toute d'exécution : broyage et application de couleurs, sur des dessins qui ont été agrandis à l'échelle par d'autres compagnons du grand peintre à Paris. Cette pratique existe tout aussi bien dans le meuble, dans la boiserie, dans le bronze, où non seulement plusieurs mains, mais souvent deux ou trois ateliers différents doivent intervenir sur le même objet. Et l'on ne comprendrait pas, sans cette notion d'*atelier*, comment un Girardon ou un Tuby peuvent avoir en chantier tant d'ouvrages au même moment, travailler aux stucs des appartements en même temps qu'à une dizaine de grandes sculptures destinées aux jardins.

L'artiste néanmoins signe son œuvre et s'en glorifie ; sa

pensée demeure sa véritable création ; la main des exécutants importe d'autant moins qu'elle est dirigée par lui. De là peut-être l'unité de la sculpture de Versailles ; le peintre Le Brun en est le principal animateur.

On en vient tout naturellement à l'idée de copie. L'œuvre « originale » n'est exaltée que si elle est irremplaçable : en glyptique, par exemple, ou pour les tableaux de maîtres anciens, encore que l'on ne se fasse pas faute de recopier ces tableaux si leurs dimensions ne conviennent pas à certains dessus de porte. De même que des praticiens travaillent chez les sculpteurs contemporains à exécuter les statues que ceux-ci ont modelées, des pensionnaires du Roi recopient à Rome, pour le décor des jardins de Versailles, les *Vases Borghèse* ou *Médicis*, l'*Antinoüs du Belvédère*, le *Gladiateur ou Gaulois mourant du Capitole ;* Tuby reproduit le *Laocoon* et Coysevox la *Vénus de Médicis*, Girardon restaure et complète la *Vénus d'Arles*, ou transforme au gré du Roi une statue équestre du Bernin. L'expression d'art décoratif prend ici tout son sens. Originaux ou copies, œuvres de la main des maîtres ou productions d'atelier se mêlent, afin que l'effet souhaité, l'harmonie d'ensemble soient obtenus.

Quelle saine appréciation de la belle décoration ! Quelle finesse, peut-être inconsciente ! Une peinture italienne du XVIe siècle retouchée par un peintre français de la fin du XVIIe siècle, une sculpture antique recopiée sans servilité excessive par un artiste parisien, voire une « bordure » très marquée autour d'un tableau ancien, tout se fond, s'amalgame, dans le parc, dans le château. Voilà, nous semble-t-il, la véritable école de Versailles.

L'aisance avec laquelle fut résolu le problème des copies, la perfection qu'un Louis XIV, un Colbert, un Le Brun ont su tirer de ces dosages d'œuvres venues de partout, savamment choisies, transformées selon les besoins témoignent assez de la grandeur de cette époque. Pas de fétichisme à l'égard de l'œuvre originale. Pas d'impuissance non plus.

Qu'on ne prenne pas toutefois trop à la lettre cette expression, « l'art de Versailles ». Les terres ont été remuées ou les pierres taillées et posées à Versailles, mais tout ce qui est décor, ronde-bosse ou mobilier est venu de Paris. Sous l'impulsion de Louis XIV, lui-même inspiré peut-être et comme porté par son Versailles, le style parisien s'est transformé.

On peut penser aussi que, de proche en proche, par l'habitude de ce qu'ils voyaient, un Louis XV, un Louis XVI, les artistes ou artisans qui travaillèrent pour eux, puis pour d'autres, persévérèrent dans un style fait de clarté et d'une pompe savamment distribuée. L'influence de Versailles est continuellement sensible. Paris cependant demeure la capitale, capitale artistique bien souvent, artisanale presque toujours.

Les grands architectes ont leur bureau, leur hôtel à Paris aussi bien qu'à Versailles. C'est à Paris que Colbert s'adresse, lorsqu'une question délicate apparaît, pour demander l'avis de l'Académie d'Architecture. Les comptes mentionnent les louages de carrosses pour M. Le Brun, qui délaisse de temps à autre sa calme résidence des Gobelins pour venir surveiller l'exécution de ce qu'il a ordonné.

Les sculptures du parc sont nées à Paris, du dessin à l'exécution, même si le choix en a été arrêté à Versailles, où elles apparaîtront dans leur vraie lumière. Leur expédition, qui se fait le plus souvent par eau jusqu'à Port-Marly, n'est pas toujours facile. Dans le transport, en 1696, de l'atelier du Louvre où travaille Girardon jusqu'à Versailles, du groupe de l'*Enlèvement de Proserpine*, destiné à la Colonnade, le voiturier ajoute à sa facture deux chevaux qui sont morts à la peine. Les comptes indiquent une autre fois les « cages et traîneaux de charpenterie » destinés au déplacement par la route de Paris à Versailles de grands marbres destinés au jardins.

Les meubles d'orfèvrerie, les broderies de Saint-Joseph, les tissus de Charlier, les ébénisteries de Boulle. d'Oppenordt ou de Poitou, les bronzes de Cucci sont exécutés à Paris ou dans les faubourgs. Pierre Francastel a insisté sur le rôle de Paris dans « l'art de Versailles » ; ce rôle est considérable. Par les commandes inouïes qu'il demande à Paris en faveur de Versailles, Louis XIV assure pour tout le XVIIIe siècle et bien au-delà la suprématie de Paris ; Versailles cependant conserve son propre style, qui donne le ton à l'art français contemporain.

LE CHÂTEAU DE LA FRANCE

« Madame, je veux qu'il y ait appartement et que vous y dansiez. Nous ne sommes pas comme les particuliers ; nous nous devons tout entiers au public. » Le public ! Louis XIV y pensait en créant Versailles, plus peut-être qu'on ne le fait aujourd'hui. Cette phrase, que reproduit Sourches, adressée par Louis XIV à la Dauphine, peut être interprétée comme la marque d'un autoritarisme redoutable ; elle témoigne aussi d'une préoccupation constante du Roi.

Parfois Louis XIV en vieillissant se fatigue de cette représentation perpétuelle, de cette foule, et ce sera le drame de ses deux successeurs à Versailles. Il se retire à Trianon, à Marly, ou donne subitement un ordre, comme au mois d'avril 1685, de ne plus laisser entrer dans les jardins lorsqu'il s'y promène cette foule qui vient de Paris et cette « canaille qui avoit gâté beaucoup de statues et de vases ». Épisode de courte durée. Versailles est ouvert au public, appartient au public.

Cette vie avec la foule, au milieu des ouvriers, des porteurs d'eau, des visiteurs, a quelque chose de touchant. Le Roi l'admet et sera bien obligé de l'admettre jusqu'à la fin de l'Ancien Régime. Le peuple l'entend bien ainsi ; c'est une manière pour lui de voir son prince et d'admirer le beau château, qui semble un bien commun. A notre grand étonnement, et pour les raisons les plus diverses, de nombreux actes de la vie royale sont publics, les repas au grand-couvert aussi bien que les naissances des Enfants de France, toutes portes ouvertes.

Qu'on relise dans Sourches les tableaux pittoresques qui accompagnent la naissance du premier petit-fils de Louis XIV, le duc de Bourgogne, en 1682 : le Roi se faisant apporter un matelas dans la chambre de sa belle-fille, ou le tumulte populaire des premières heures. « Il s'éleva un si grand cri de joie dans le château qu'en un moment la nouvelle en alla jusqu'au bout de la ville... On s'étouffoit dans les

galeries et dans les appartements pour se montrer au Roi, et
la canaille, ne voulant pas témoigner moins de joie que les
honnêtes gens, cassa, par une espèce de fureur, toutes les
vitres de la surintendance, où Mme la Dauphine étoit
accouchée ; les uns frappaient des mains pendant que le Roi
passoit ; les autres allumoient des feux dans lesquels ils
jetoient tout ce qu'ils rencontroient : ils brulèrent les grues
et les échafauds qui servoient aux bâtiments ; il y en eut qui
jetèrent leurs propres habits dans le feu ; enfin, si on ne les
eût empêchés, ils eussent brûlé tout le bois qui étoit dans
les chantiers des marchands de Versailles. »

Ces mouvements de la foule ou ces chahuts, qui marquent
les événements heureux du règne, ont, un autre jour,
pour origine une fausse nouvelle annonçant la mort de
Guillaume III d'Angleterre, qu'on appelle à Versailles « le
prince d'Orange » : aussitôt, la foule se déchaîne, veut
allumer des feux dans la cour du château, et le maréchal de
Duras doit intervenir pour rétablir l'ordre et le calme. On
voit dans ces moments combien le peuple a pris conscience
du rôle de Versailles dans l'histoire de la France.

Les conséquences de cette bonhomie royale, des droits aussi
qu'a pris la foule dans ce château, sont multiples. Les jours
de grandes fêtes, où la curiosité se fait plus vive, Versailles
attire bien des bourgeois de Paris, et le désordre est à son
comble.

Saint-Simon le note, le 11 décembre 1697, le jour du bal
paré qui se donna pour le mariage du duc de Bourgogne
dans la Grande Galerie, « superbement ornée », garnie
d'« échafauds » ou gradins. « La tête y tourna au duc
d'Aumont qui se mêla de toutes ces fêtes... Ce fut donc une
foule et un désordre dont le Roi même fut accablé ; Monsieur
fut battu et foulé dans la presse : on peut juger ce que
devinrent les autres. Plus de place, tout de force et de
nécessité ; on se fourroit où on pouvoit. Cela dépara toute
la fête. » Le duc exagère-t-il ? Dangeau, plus nuancé affirme,
en relatant ce bal, n'en « avoir jamais vu un plus beau » ; il
observe aussi la courtoisie de Louis XIV en cette occasion :
« Tout ce qu'il y auroit eu à désirer, c'est qu'il y eût moins
de foule. Le roi se donna même beaucoup de peine pour y
remédier et pour mettre les dames encore plus à leur aise. »

Prenons, un autre jour, le témoignage du marquis de Sourches, qui, dans son *Journal*, ajoute ce commentaire à la description de l'audience donnée par le Roi au doge de Gênes, le 15 mai 1685 : « Malgré toutes les précautions que l'on avoit prises pour qu'il n'y eût point de désordre à sa réception, l'affluence de toutes sortes de gens fut si effroyable dans Versailles que le désordre régna depuis la cour du château jusque dans la grande galerie, où le Roi reçut le doge... »

Une autre conséquence du caractère public de Versailles est le nombre de voleurs qui fréquentent cet accueillant palais et qui, jusqu'à la fin de l'Ancien Régime, demeureront l'une des plaies du château. Les exemples de mésaventures sont nombreux ; citons-en deux.

En 1676, le concierge du château, Le Bel, signale qu'on a eu l'impudence de voler une flamme d'argent qui garnissait des pincettes allant avec des chenêts d'argent dans les Grands Appartements mêmes du château.

En 1691, le scandale est plus gros. On a volé dans l'Antichambre du Roi des franges sur les portières et coupé dans la Chambre de parade un morceau du beau lit de broderie. Sourches et Saint-Simon font avec pittoresque le récit de la restitution inopinée qui eut lieu au souper du Roi. Laissons la parole au duc, qui fut témoin de la scène :

« Vers l'entremets, j'aperçus je ne sais quoi de fort gros et comme noir en l'air sur la table, que je n'eus le temps de discerner ni de montrer par la rapidité dont ce gros tomba sur le bout de la table. Le bruit que cela fit en tombant, et la pesanteur de la chose fit bondir les plats, mais sans en renverser aucun, et de hasard cela tomba sur la nappe et point dans des plats. Le Roi, au coup que cela fit, tourna la tête à demi, et sans s'émouvoir en aucune sorte : « Je pense, dit-il, que ce sont mes franges... » Cela fit un moment de murmure... « Voilà, dit le Roi, qui est bien insolent », mais d'un ton tout uni et comme historique. »

Le premier moment d'émoi passé, on s'avisa de fermer les portes, et l'on arrêta un pauvre gentilhomme de Saintonge, venu en curieux au souper du Roi et parfaitement innocent.

Les vols sont fréquents dans les jardins. Louis XIV pour

quelques bosquets, Louis XV pour la plupart des autres
devront faire établir des grilles et des serrures. Du temps du
Grand Roi, selon Blondel, les statues étaient mutilées, les
conduites de plomb coupées, les robinets de cuivre volés. Le
caractère public du Versailles d'Ancien Régime ne laisse pas
de nous surprendre aujourd'hui. Le sans-gêne de la foule,
déjà sensible à l'intérieur du château, s'étale au dehors avec
plus d'excès encore. On doit reconnaître aussi que le Roi,
tout en désapprouvant les déprédations et les vols, paraît
encourager l'hommage naïf et parfois désinvolte de la foule ;
on le voit, dans des moments difficiles de la fin de son
règne, descendre dans ses parterres « pour prendre l'air un
moment et pour se montrer au public ».

Château de la France, où le Roi semble s'admirer et que
le peuple admire en les confondant l'un et l'autre, Versailles
l'est jusque dans son iconographie. La France apparaît
personnifiée, mêlée aux effigies du Roi, avec une insistance
particulière dans la seconde moitié du règne, comme si
Louis XIV, conscient de la grandeur de son œuvre, voulait y
associer le pays entier ; elle figure aux plafonds de la Grande
Galerie, du Salon de la Guerre et du Salon de la Paix ; elle
veille sur le sommeil du Roi à l'arcade de l'alcôve de sa
dernière Chambre ; elle se montre dans ses victoires au
bosquet de l'Arc de Triomphe ; elle apparaît, en un raccourci
géographique idéal, avec ses rivières et ses fleuves, au parterre
d'eau.

Si Louis XIV et son peuple s'incarnent volontiers dans ce
château, il faut observer aussi que château et jardins ne font
qu'un. La magnificence royale, éclatante dans les bâtiments,
est encore plus étalée dans les jardins, où l'effort de tous a
été plus grand et dont le Roi tire encore plus de vanité.

CHAPITRE II

LES JARDINS

UN PROLONGEMENT DU CHÂTEAU

Dès l'origine, domaine de chasse et de plaisance, Versailles ne se conçoit pas sans ses jardins. Ceux-ci se développent et s'embellissent à une cadence que le château suit à peine. Ils ont occupé Louis XIII et forment l'un des soucis quotidiens de Louis XIV. Sans eux, Versailles n'existerait pas.

Les agrandissements du château apparaissent constamment solidaires de ceux des jardins. On a vu le parterre du Nord doubler d'étendue avant la transformation des façades, le parterre du Midi se dessiner en même temps que la grande aile nouvelle, les progrès du Canal se poursuivre tandis que le château demeurait encore réduit.

Le Roi est fier de ses jardins, plus encore peut-être que de la décoration de son palais. Le Brun le seconde à chanter sa louange. La statuaire qui va peupler les jardins de Versailles, depuis les divinités antiques jusqu'aux figures qui se rapportent à son histoire, lui sont, au même titre que les peintures des plafonds, un accompagnement d'orgueil qui l'enchante. L'eau même paraît devoir lui obéir et ajouter un élément presque magique à la gloire du château. Jardins et château se trouvent si bien unis et confondus, que l'on voit en celui-ci et en ceux-là une terminologie, un style, des auteurs, des techniques, une iconographie identiques.

L'architecture de pierre des bâtiments est accompagnée, soutenue, prolongée par celle, plus subtile, moins tangible, plus instable, dont Louis XIV a aimé s'entourer dans ses jardins, avec une passion qui ne se démentira pas jusqu'à ses derniers jours. Nous avons peine à imaginer aujourd'hui ce qu'ont pu représenter de travail, d'effort, d'intelligence et de goût les jardins de Versailles. Nous ne voyons plus qu'un plan, dont le dessin est assez bien respecté et que continuent de ponctuer les statues et les bassins ; l'élévation a disparu ; les murs se sont en quelque sorte écroulés.

Car c'est bien d'architecture qu'il s'agit. **Le Nostre** est un architecte de plein air, et Hardouin-Mansart essaiera même de se mesurer avec lui dans la création de certains bosquets. Des murs ont existé ; là où nous ne voyons qu'arbres romantiques et charmilles broussailleuses, il faut penser palissades droites et feuillues, hautes murailles de verdure quotidiennement entretenues, dont les faces et couronnements rectilignes encadrent parfaitement et poursuivent les alignements carrés des façades. Les fleurs des parterres elles-mêmes, jonquilles, anémones, narcisses, tulipes, avec leurs tiges droites, semblent, aussi bien que les ifs, refléter le même caractère altier.

La perspective, hors celle de l'allée-royale et du Canal, tant bien que mal conservée, s'arrête aujourd'hui à une forêt d'arbres, à des allées ombreuses. Ces allées constituaient jadis des trouées de lumière, de larges passages clairs, pour se rendre d'une salle à l'autre. Versailles n'a-t-il pas été, dans l'esprit et les goûts de Louis XIV, d'abord un jardin ? Les dénominations et le style même se confondent si bien qu'il nous arrive de rester perplexes devant une mention de comptes ou devant un dessin, pour peu que ceux-ci nous parviennent séparés de leur contexte : plein air ou intérieur ?

Les bosquets s'appellent salles ou cabinets. Certains comportent des « plafonds », qui peuvent être peints. D'autres sont « meublés » de buffets, de tables ou de guéridons, et il est même questions de miroirs d'eau, de tapis, de broderies. Un château de plein air s'est créé à côté du château de pierre ; le second ne peut se comprendre sans le premier. Le Grand Appartement du Roi, au premier étage du palais, éblouit le visiteur, mais combien plus cet appartement féerique, construit de verdure, de soleil et d'eau, qui donne à Versailles son caractère de faste invraisemblable et dont Louis XIV est si fier ! On trouve ici une Salle du Conseil et des Festins, un Buffet, une Salle de Bal, un Théâtre et même une Galerie des Antiques. A ces bosquets, faits pour les réceptions, s'ajoute le Canal, fort bien adapté, avec sa flottille et ses larges rives, à entendre la musique et à servir de cadre aux plus grandioses fêtes de nuit.

La langue est la même. Le style aide encore à cette fusion des jardins et du château. L'équipe des sculpteurs qui travaille aux décors extérieurs ou intérieurs du château est aussi la même et reçoit le plus souvent du même Le Brun les dessins de ce qu'elle doit faire. L'inspirateur de tous est Louis XIV.

Le Roi veut, dans ses jardins comme dans ses appartements, de la sculpture et de la dorure, du marbre, du bronze ou du « métail », et l'on rencontre les mêmes noms : un Keller ou un Ladoireau pour les fontes ou les ciselures, un Nicolas Bailly pour la conservation des tableaux du Cabinet du Roi et le même Nicolas Bailly pour l'entretien des peintures ou des vernis qui accompagnent en polychromie ou en bronzure la plupart des fontaines. La richesse ordonnée et touffue qui préside au dessin des parterres se retrouve sur les parquets précieux de marqueterie ou sur les tapis de la Savonnerie. L'art royal de Versailles est empreint d'unité. La volonté du maître est partout présente.

Il a fallu, pour réussir, la foi aveugle et tyrannique de Louis XIV. « Jardins de l'intelligence », a dit Lucien Corpechot. La fomule est heureuse et précieuse ; elle est incomplète et eût singulièrement déplu à Saint-Simon. Jardins de la volonté, certes, d'une volonté intelligente et dominatrice, qui force au chef-d'œuvre et à l'admiration.

Construire, agrandir le château jusqu'à l'immensité demandait des artistes, des hommes et de l'argent, mais rien qui fût irréalisable. Versailles, bâti en vingt ou trente ans, n'est pas plus invraisemblable qu'une cathédrale, une cathédrale qui serait élevée à la gloire de Louis XIV. Mais pour faire, d'une terre ingrate et fangeuse, surgir des jardins merveilleux et d'innombrables fontaines, pour accomplir durant près d'un demi-siècle un rêve de grandeur en de surprenantes et multiples créations, il fallait être le Roi-Soleil. « Il se plut à tyranniser la nature, à la dompter à force d'art et de trésors. » Et Saint-Simon d'ajouter, dans les critiques impitoyables, partiales mais souvent clairvoyantes, qu'il dresse contre Louis XIV et contre Versailles : « La violence qui y a été faite

partout à la nature repousse et dégoûte malgré soi. » Notons
le *malgré soi* et l'admiration latente de Saint-Simon, à qui
semble répondre, deux générations plus tard, un autre duc,
plus objectif celui-ci et grand amateur de jardins, le duc de
Croÿ ; après avoir critiqué la replantation du parc sous Louis
XVI, Croÿ se prend à remarquer combien le genre des jardins
français est « bien plus noble que le ton anglais. Le fait est
qu'il faut celui de Le Nostre pour accompagner des palais et
le ton de grandeur ».

Le terrain de Versailles est marécageux. Le choix en incombe
à Louis XIII. Mais le développement que donne Louis XIV
aux jardins impose une conquête perpétuelle. « La recoupe,
écrit Saint-Simon, y brûle les pieds ; mais, sans cette recoupe,
on y enfoncerait ici dans les sables, et là dans la plus noire
fange. » Les comptes signalent, en effet, les pierres que l'on
tire, que l'on voiture, que l'on enterre et que l'on bat pour
former cette recoupe et tenir avec quelque fermeté des allées
qui ne soient pas que de boue.

Création artificielle, ce parc s'agrandit sans cesse et réclame
un immense effort collectif. Les comptes sont là pour conserver
le souvenir de cette entreprise colossale, dans laquelle une
multitude d'hommes est engagée et qui dépasse tout ce que
l'on aurait pu noter dix ans plus tôt.

Les trous et les labours, les rigoles et les fossés que l'on
doit creuser et qui n'empêchent pas l'arrosage réclamé l'été
par les jeunes plants, et jusqu'à l'échenillage ou aux élagages,
sont inscrits dans ces comptes. Des pépinières sont établies à
Noisy, à Rocquencourt, au Roule. Les déchets sont nombreux
et il faut sans cesse remplacer les sujets qui s'adaptent mal.
On essaie de semer des glands de chêne ou des graines d'if,
qui viennent de Normandie, mais le Roi est pressé et fait
transplanter par quantités énormes des arbres qu'il achète
aussi grands que possible. En 1680, il fait payer 400 livres à
des officiers du prince de Nassau qui ont passé « soixante-
douze journées à transplanter de gros arbres dans le parc ».
Toute nouvelle extension des jardins se traduit par des
acquisitions massives de plants nouveaux ; en 1684, on voit
venir à Versailles des chênes, des tilleuls et des « chicomores »,
des marronniers d'Inde, 6 000 ormes « du pays d'Artois » et

4.040.000 pieds « de charmille arrachés dans la forêt de Lions en Normandie, pour planter dans le grand parc ». Des conifères et des résineux sont même expédiés du Dauphiné. En 1681, de grands épicéas sont apportés en caisses de Paris à Versailles ; l'année suivante, on annonce comme un succès l'arrivée « d'un piscéa de 24 pieds (7,20 m) de haut ».

Ce travail de géants pose à chaque instant des problèmes qu'il faut étudier aux dimensions mêmes de Versailles : quantités invraisemblables d'outils, d'échelles, de brouettes, d'arrosoirs de cuivre, de pots de terre et surtout une main-d'œuvre immense pour l'entretien et plus encore pour les remuements de terre nécessaires ; on verra plus loin les difficultés insurmontables que suscitent les eaux. La fierté du Roi s'applique à résoudre et faire résoudre chacun de ces problèmes ; son orgueil semble le pousser à atteindre le Versailles impossible dont il rêve. Cette terre, qu'il a fait remodeler à des dimensions inhumaines peut-être, mais harmonieuses et comme naturelles, il la montre avec satisfaction, il la contemple avec amour.

Lorsque le doge de Gênes se rend à Versailles en 1685, Louis XIV lui fait proposer de voir « toutes les fontaines et les autres magnificences du jardin et du parc de Versailles ». S'il vient à être malade et à être privé de sa promenade, le Roi s'empresse, aussitôt rétabli, de se faire conduire « en chaise qu'on traîne à bras », ce qu'il fera souvent sur ses vieux jours dans sa petite « roulette », pour laquelle il fait aménager en plans inclinés certains degrés. Il n'est pas de meilleure preuve de son attachement à ce sol recréé par lui que le petit guide qu'il rédige de sa main et propose à ses visiteurs.

La grandeur de ces jardins, de leurs parterres, de leurs perspectives semble à sa taille. Rien ne lui paraît irréalisable, ni trop beau, ni trop coûteux. Il faut dire aussi qu'il a su choisir un dessinateur à sa mesure, à la mesure de Versailles, en la personne d'André Le Nostre.

LE NOSTRE

On a parfois cherché à diminuer le rôle traditionnellement attribué à Le Nostre dans les jardins de Versailles. On a mis en avant les noms de jardiniers secondaires, que mentionnent les comptes, et qui peuvent être ceux de dessinateurs pour les broderies des parterres, d'arpenteurs ou de releveurs de plans, d'entrepreneurs enfin, chargés de l'entretien des diverses parties de ces jardins. Pourquoi dénier à Le Nostre la part essentielle, alors qu'au moment de sa mort, en 1700, Dangeau aussi bien que le *Mercure* le reconnaissent comme l'auteur des jardins de Versailles ?

Louis XIV l'a vu à l'œuvre chez Fouquet à Vaux. Il l'a employé dans ses divers châteaux, notamment aux Tuileries et à Saint-Germain. Il lui a donné un logement aux Tuileries avec l'entretien de ce jardin ; il lui a aussi concédé à Versailles une maison, contiguë à celle de Pierre Francine, rue Dauphine (actuellement Hoche), ainsi qu'un appartement au Grand Commun. La correspondance administrative du règne a conservé la trace d'une recommandation en sa faveur à l'ambassadeur de France à Rome en 1679, où est précisée l'étendue de son activité : le voyage en Italie doit notamment « lui fournir de nouvelles pensées sur les beaux dessins qu'il invente tous les jours pour la satisfaction et le plaisir de S. M. ».

On ne peut méconnaître que Le Nostre ait dirigé les vastes tracés du parc de Versailles lorsqu'on lit, dans les ordres donnés en décembre 1674 pour les plantations à faire dans les allées du tour du Canal, cette mention : « Presser Ballon de les faire tout suivant les mémoires du Sr. Le Nostre. » Veut-on un autre exemple ? Blondel, étudiant au milieu du XVIIIe siècle le bosquet des Trois-Fontaines et admirant la façon dont Le Nostre a su tirer parti de la déclivité du terrain, sa science de l'hydraulique et de la mécanique, sa *main intelligente*, conclut en ces termes : « Ce bosquet seul aurait été capable de faire la réputation de Le Nautre. »

Il est juste d'associer, à propos de ce bosquet, un nom à celui de Le Nostre : le Roi, qu'une touchante amitié lie à son « jardinier ». Une série d'aquarelles, que conserve la Bibliothèque de l'Institut et qui seront à diverses reprises mentionnées dans les pages suivantes, porte, à côté du plan du bosquet des Trois-Fontaines, cette indication manuscrite : « de la pensée du Roy, exécuté par Monsieur Le Nostre ».

LES PARTERRES

« En sortant du chasteau par le vestibule de la Cour de marbre, on ira sur la terrasse ; il faut s'arrester sur le haut des degrez pour considérer la situation des parterres des pièces d'eau et les fontaines des Cabinets. Il faut ensuite aller droit sur le haut de Latonne... et puis se tourner pour voir le parterre et le château. Il faut après tourner à gauche pour aller passer entre les Sfinx... On fera une pause pour voir le parterre du midy, et après on ira droit sur le haut de l'Orangerie, d'où l'on verra le parterre des orangers et le lac des Suisses. » Ainsi s'exprime Louis XIV au début de sa *Manière de voir les jardins de Versailles*.

Le parterre occidental ou parterre d'eau, le parterre du Midi, longtemps appelé parterre de l'Amour ou parterre des fleurs, le parterre du Nord, parterre de gazon, d'arbres verts, d'arbustes taillés, constituent bien, aux yeux du Roi, l'encadrement idéal de son château.

Louis XIV est, depuis son enfance, accoutumé à ces trois vastes parterres ; il aime qu'on les voie et insiste pour que des grilles de fer permettent au regard d'apercevoir, des cours d'entrée, la clarté de ces grands espaces. Les trois parterres du château primitif vont non seulement subsister, mais s'étendre à la mesure de l'immense château du Roi-Soleil.

Après l'agrandissement à ses dimensions définitives du parterre du Nord dès avant la construction des nouvelles façades de Le Vau, le *parterre du Midi* est, lui aussi, doublé d'étendue dans sa largeur, tandis que la grande aile s'achève et que les travaux se préparent pour donner à l'Orangerie la place qu'elle occupera désormais. Les termes et les grilles de l'ancien parterre sont démontés et transportés en 1685. On ne peut qu'admirer l'art qui préside à ces changements. Les mesures et le dessin des marches de marbre « rose », la situation des deux sphinx de Lerambert, amenés du bout du parterre d'eau, la disposition des vases de bronze de Duval et de Ballin, le diamètre même des deux bassins, qui, vus de leur bord, paraissent gigantesques et qui sont exactement proportionnés à l'ensemble du parterre, tout parvient à une perfection qui semble normale à Versailles. On peut être

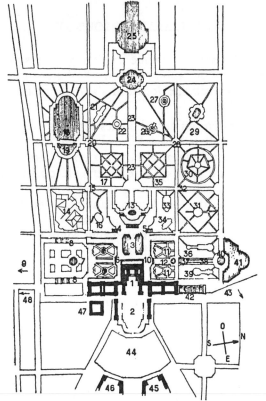

FIG. 12. — *Les jardins vers 1690.*

1. Cour de marbre et cour royale. — 2. Avant-cour ou cour des Ministres. — 3. Parterre occidental. — 4. Cabinet du Point-du-jour. — 5. Cabinet de Diane. — 6. Parterre du Midi. — 7. Parterre de l'Orangerie de Mansart. — 8. Les Cent-marches. — 9. Vers la Pièce des Suisses. — 10. Parterre du Nord. — 11. Bassins des Couronnes. — 12. Bassin de la Pyramide. — 13. Parterre de Latone. — 14. Labyrinthe. — 15. Saisons (Bacchus). — 16. Salle du Bal. — 17. La Girandole (anc^t. Deux-bosquets). — 18. Ile-royale ou Ile d'Amour. — 19 Vertugadin. — 20. Saisons (Saturne). — 21. Galerie d'eau ou Salle des Antiques. (Salle des Marronniers après 1704). — 22. Colonnade (Bosquet des Sources avant 1684). — 23. Allée-royale. — 24. Bassin d'Apollon. — 25. Tête du Canal. — 26. Bains d'Apollon ou les Dômes (ou fontaine de la Renommée en 1675). — 27. Encelade. — 28. Saisons (Flore). — 29. Salle des Festins ou du Conseil (l'Obélisque après 1706). — 30. Montagne d'eau (anc^t. l'Étoile). — 31. Théâtre d'eau. — 32. Saisons (Cérès). — 33. La Sablonnière. — 34. Le Marais (Bains d'Apollon en 1704). — 35. Bosquet Dauphin (anc^t. Deux-bosquets). — 36. Les Trois-Fontaines (anc^t. Berceaux d'eau), — 37. Nappe ou Bain des Nymphes. — 38. Allée d'eau. — 39. Arc-de-triomphe (anc^t. Pavillon d'eau). — 40. Bassin du Dragon. — 41. Pièce dite de Neptune ou des Sapins. — 42. Réservoirs. — 43. Grille du Dragon (vers Clagny). — 44. Place d'Armes. — 45. Grande Écurie. — 46. Petite Écurie. — 47. Grand Commun. — 48. Vers le nouveau Potager.
(A comparer au plan de 1674, fig. 11, p. 108.)

assuré que Le Nostre a travaillé ici ; son goût des proportions justes et majestueuses apporte à Louis XIV un concours encore plus précieux et difficile lorsqu'il s'agit de mettre au point le parterre d'eau.

Si l'on considère aujourd'hui des fenêtres du château ou, comme le conseillait Louis XIV, du haut des marches qui mènent à Latone l'ensemble du *parterre d'eau* ou parterre occidental, on ne peut qu'être émerveillé de l'harmonie et de la magnificence suprême d'un tel chef-d'œuvre. Rien n'est plus simple que ces larges plans d'eau et de sable, où le jeu des eaux lui-même, quelque imposant qu'il soit, est groupé sur deux points ; rien n'est plus sobre que ces bronzes monumentaux et opulents, largement et précieusement ciselés, dont sont ponctuées les margelles. Mais que de tâtonnements et de recherches avant d'en venir là !

Si l'on compare le dessin compliqué du parterre dessiné en 1672 à celui qui va naître, on a l'impression de se trouver devant un miroir brisé, tant l'ouvrage est déchiqueté ! Vingt-huit statues de marbre blanc, — vingt-quatre figures et quatre groupes, — que commencent à exécuter, en 1674, chacun des sculpteurs de l'équipe de Versailles, devaient encore y être ajoutées. Mais le Roi et son entourage s'inquiètent de l'effet que vont produire, sous les fenêtres du château, ces verticales blanches dressées comme des chandelles ; on procède à des essais à l'aide de figures de plâtre posées sur des socles de bois. On hésite et l'expérience se poursuit ; les statues sont envoyées de Paris et leurs piédestaux en pierre sont préparés. En 1684, un contre-ordre est donné ; les figures seront, pour leur plus grand nombre, réparties autour du parterre du Nord, le long des palissades de verdure des faces nord et ouest de ce parterre. Les deux bassins du parterre d'eau sont alors tracés ; les Keller reçoivent la commande des fontes qui, exécutées d'après Coysevox, Tuby, Regnaudin, Le Hongre, Le Gros, Raon, Van Clève, Magnier, Granier ou Lespingola vont représenter en bronze les Fleuves ou les Rivières de France, des Nymphes ou des groupes d'enfants et qui font encore l'ornement de ces bassins.

Admirons ici, plutôt qu'une science, une sorte d'empirisme, qu'on peut être tenté d'appeler « goût ». Essayons d'établir à nouveau la part qui revient à chacun dans une pareille réussite. La décision finale, le choix, la responsabilité appartiennent à Louis XIV. On vient de citer les noms des sculpteurs et des fondeurs. Le dessin exact et la proportion des deux bassins avec leurs angles arrondis et rentrants, la largeur des allées doivent être attribués à Le Nostre. « Parterre d'eau, du dessein de M. Le Nostre », souligne l'une des aquarelles de la Bibliothèque de l'Institut signalées ci-dessus. Ce qu'on appelait le « perron du chasteau », ces sept marches qui servent de piédestal colossal et doux au château de pierre, datent, on l'a vu, de l'époque où D'Orbay venait de succéder à Le Vau. Il fallait, semble-t-il, un autre architecte pour plaquer le dernier accord.

Là où les statues de marbre faisaient prévoir un foisonnement de lignes verticales, se sont substituées les horizontales des grands groupes de bronze au bord des bassins. Entre les hautes façades du château et les murs de verdure lointains des premiers bosquets, l'énorme surface du parterre, dont l'étendue est encore soulignée par l'étirement des marches du perron du château ou du degré de Latone, est animée seulement par les jets des deux bassins. Deux vases de marbre, énormes et magnifiques, le *vase de la Guerre* et le *vase de la Paix*, sculptés en 1684 par Coysevox et Tuby, serviront à ponctuer la façade qu'a élevée Hardouin-Mansart.

Du côté de Latone, outre les grands vases aux emblèmes d'Apollon, sculptés par Drouilly et Du Goullon, qui viendront orner le haut des marches, on éprouve le besoin d'arrêter d'une forte masse l'architecture de verdure. Ce sera l'objet des deux « cabinets d'eau », dont on fait les fouilles et les fondations au bout du parterre d'eau dans l'année 1684 : « du dessein de Monsieur Mansart », précisent les aquarelles citées plus haut. Le *cabinet du Point-du-Jour*, à gauche, est encadré de trois statues de marbre destinées primitivement au parterre d'eau, l'*Eau*, le *Printemps*, le *Point-du-Jour* ou l'*Étoile du Matin*, et orné, sur ses bassins de marbres polychromes, de deux combats d'animaux, formant effets d'eau, fondus en bronze par les Keller en 1687. Le *cabinet du Couchant ou de Diane*, à droite, sert de départ à la suite des statues de marbre qui vont border deux des côtés du parterre du Nord ; il est, comme le précédent, encadré de trois figures de marbre, *Diane*, l'*Air*, *Vénus* ou l'*Heure de Midi*, et décoré de combats d'animaux en bronze.

Le *parterre du Nord* est rehaussé de vases de bronze ou de marbre, disposés sur les balustrades ou parmi les broderies, de sculptures de marbre, d'abord destinées au parterre d'eau et réparties le long de ses deux côtés de verdure, et, au haut de ses marches, près de l'endroit où se trouvait jadis le bassin de la Sirène, de deux figures, dont les modèles en bronze, fondus par les Keller, sont toujours en place : le *Rémouleur*, d'après l'antique, la *Vénus pudique* ou « honteuse », d'après Coysevox. Les deux bassins des *Tritons* ou des *Couronnes* reçoivent de légères modifications et celui de la *Pyramide*, déposé et restauré en 1684, des ornements nouveaux.

Le *parterre de Latone* est, au cours des mêmes années, l'objet de quelques restaurations ou embellissements. De grands et magnifiques vases de marbre blanc et tout un peuple de termes et de statues sont sculptés à Rome d'après l'antique ou par l'équipe habituelle sur des dessins de Le Brun ou de Mansart. Le dessin du parterre lui-même et de ses rampes ne subit plus de changement. Louis XIV continue de poursuivre l'idée, qu'il a peut-être prise à Vaux au bord de l'Anqueil, de décorer la muraille de niches et de statues ; aux dessins que donne Le Brun, succèdent des modèles de figures de plâtre, que livre Girardon en 1684 pour poser « au fer à cheval proche Latone ». Ces projets sont ensuite abandonnés et Louis XIV donne l'ordre, en 1702, de planter d'ifs les rampes de ce parterre « pour cacher les murs de terrasse, comme dans le reste ».

On peut affirmer que les parterres de Versailles ont pris, à quelques détails près, aux environs de 1684, sinon un peu plus tôt, leur caractère désormais immuable. Il n'en va pas de même des bosquets. Ici le Roi s'amuse à des changements qu'il poursuivra jusqu'à la fin de son règne, comme il se plaît à reprendre de temps à autre à l'intérieur du château la distribution de ses appartements privés.

LES FONTAINES ET LES BOSQUETS

Suivons l'ordre établi par Louis XIV pour la visite de ses jardins. Les bosquets nouveaux alternent avec les anciens. Le

total forme un ensemble d'au moins treize bosquets principaux, que visite et décrit Nicodème Tessin, lorsqu'il parcourt,
dans le sens même de l'itinéraire royal, en 1687, les jardins
de Versailles.

Le *Labyrinthe* n'est l'objet que de dépenses d'entretien.
Entre ce bosquet et le parterre de Latone, est créée la *Salle
du Bal*, vraisemblablement sur un dessin de Le Nostre et à
la place d'un ancien bosquet encore mal connu. En 1680 et
1681, les travaux de maçonnerie et de ciment, les transports
de terre, la confection des rocailles qui décorent les gradins,
l'installation du petit réservoir particulier à ce bosquet dans
une butte établie en arrière, la plomberie, qui se monte à
quelque 50 000 livres, sont activement conduits. Des modèles
de guéridons, de torchères et de vases sont présentés au Roi,
puis exécutés en « métail » par Mazeline et Jouvenet, Legros
et Massou, Le Hongre, Fontenelle en 1683, tandis que des
feuillages de fer blanc et des treillages surmontés de pommes
tournées achèvent de donner un caractère pittoresque, précieux et faussement rustique, à cette salle de fête, où le Roi
se plaît, aussi bien que Monseigneur, à donner des collations
et des illuminations.

Les *Deux-Bosquets* ont fort peu varié depuis leur création.
Le bosquet de la *Girandole* reçoit, pour tout changement,
des bancs de pierre et des bouquets ou ornements de
ferblanterie. Celui qui lui fait face, de l'autre côté de l'allée-
royale, est dénommé *Bosquet-Dauphin* à cause d'un dauphin
de métal qui est ajouté à sa décoration à une date indétermi-
née.

Les modifications sont plus profondes à l'*Ile-royale* ou *Ile
d'Amour*. Le *Vertugadin*, ou bassin supérieur, avec ses
vasques et ses masques, était à peine décoré que l'île du
grand bassin s'effondrait ; on laissa subsister en pleine-eau
quelques-uns des gros jets qui ornaient cette île et l'on
disposa des niches de verdure et des statues au pourtour.
Nicodème Tessin nous fournit une nouvelle preuve du sérieux
apporté à chacune de ces transformations : on voit encore
aujourd'hui, demeurées en place malgré les malheurs subis
par ce bosquet devenu le *Jardin du Roi* au temps de Louis
XVIII, deux statues colossales sculptées d'après l'antique,

l'*Hercule Farnèse* par Cornu, la *Flore Farnèse* par Raon ; Tessin a vu ces deux figures essayées sous forme de peintures, avant leur mise en place définitive.

La *Galerie d'eau* ou *Salle des antiques* était trop fragile, avec ses goulettes, ses jets innombrables, ses charmilles taillées et ses arbres, pour demeurer longtemps intacte. Elle est, en 1680 et 1681, l'objet de restaurations importantes et semble avoir été, avec le Labyrinthe, l'un des premiers bosquets de Versailles à être fermé, à l'époque même de Louis XIV, d'une grille de fer. En 1704-1705, tout en maintenant sa forme allongée, on transforme ce bosquet, désormais privé de fontaines, en une *Salle des Marronniers*.

Le bosquet des *Sources* change entièrement de caractère. Des dépenses assez élevées de corroi et de maçonnerie, de rocailles et de goulettes, de sculpture, de plantation de buis nain sont effectuées en 1682. Puis, au mois de juin 1684, ainsi que le note Dangeau, Louis XIV ordonne d'élever à cette place « une colonnade de marbre avec de grosses fontaines ». Hardouin-Mansart, et non Le Nostre, dirige le travail, auquel participent cinq brigades du régiment Dauphin. L'année suivante est pleine de paiements pour les travaux accomplis, de sculpture notamment. Le Roi, à qui des modèles et des maquettes en plâtre ont été présentés, est impatient de voir son nouveau bosquet, qu'il vient visiter à diverses reprises en juin et en décembre 1685. Selon le *Mercure*, qui décrit un an plus tard le bosquet encore inachevé, Louis XIV est satisfait de la magnificence de sa *Colonnade*, qui se détache avec élégance sur un fond de verdure. Il est fort possible qu'il s'en souvienne bientôt lors de la construction du péristyle de Trianon. Le groupe central, l'*Enlèvement de Proserpine*, que Girardon a commencé aussitôt, sera mis en place en 1699 seulement.

Traversant l'*allée-royale*, qui est garnie d'un *tapis-vert* de gazon et qui s'enrichit de vases et de statues à partir de 1684, l'itinéraire de Louis XIV conduit, par l'allée qui mène à Flore, au bosquet qu'on nomme alors *les Bains d'Apollon*. Ce bosquet, d'abord désigné sous le nom de *Fontaine de la Renommée* d'après sa figure centrale, a fait partie, on l'a vu, en même temps que les Sources, la Galerie d'Eau et l'Encelade, des embellissements apportés au bas des jardins aux environs de 1675. Il est sans cesse l'objet de nouveaux travaux à partir de 1677. Hardouin-Mansart paraît avoir travaillé ici de concert avec Le Nostre. Deux pavillons sont élevés qu'on appelle Cabinets ou Salons, et qui sont revêtus de marbre, avec colonnes, pilastres et frontons ; leurs toitures, qui affectent la forme de dômes, d'où le nom de bosquet des *Dômes* qu'on donnera le plus souvent à ce bosquet, sont rehaussées d'ornements de plomb doré et surmontées de groupes d'enfants, dus à Mazeline et à Le Hongre, à Buirette et à Lespingola. L'orfèvre et fondeur Ladoireau, qui va bientôt exécuter un travail analogue dans la Grande Galerie du château, reçoit en 1680-1681 une somme de 15 000 livres pour les trophées de bronze qui sont plaqués en chutes resplendissantes sur ces deux pavillons. Mais ceci ne plaît pas encore au Roi, qui décide, au mois de juillet 1684, de « faire encore quelque chose de plus magnifique ». La double balustrade de marbre qui entoure le bassin octogonal du centre du bosquet vient d'être sculptée de trophées d'armes appartenant à toutes les nations ; des balustrades de fer forgé et doré l'accompagnent. Le Moyne est chargé de peindre les plafonds des deux cabinets. Apollon lui-même fera le plus bel ornement du bosquet. Girardon reçoit l'ordre de transporter, de la Grotte de Thétis que l'on démolit, les groupes déjà fameux. Ceux-ci sont disposés dans le fond, entre les pavillons, devant des palissades de treillages et de verdure, *Apollon servi par les nymphes* au centre, les *chevaux* à droite et à gauche, enfin *Acis* et *Galatée*, de part et d'autre ; ils resteront là jusqu'en 1704 et, pendant vingt ans, le bosquet sera celui des *Bains d'Apollon*. Le 15 mai 1685, le Roi, satisfait, donne à danser à sa Cour dans ce nouvel ornement de son parc ; les hautbois sont installés dans les pavillons et le bosquet est tout illuminé. En 1704, Louis XIV fera transporter à un emplacement nouveau les trois grands groupes d'Apollon et de son attelage et disposer ici, sur des socles ornés de coquillages, d'autres sculptures, dont certaines sont spécialement composées à ce moment, comme l'*Aurore* de Magnier. Depuis, le bosquet a beaucoup souffert ; ses pavillons ont été abattus sous le règne de Louis XVIII et ses ornements restaurés au XXᵉ siècle ; il ne représente plus qu'un pâle souvenir des magnificences du Roi-Soleil.

La fontaine d'*Encelade*, avec son énorme jet, n'est pas modifiée. Le bosquet qui lui fait face, de l'autre côté de l'allée de Flore, la *Salle des Festins ou du Conseil*, demeure également sans changements jusqu'en 1706 ; à cette date, Louis XIV décide de simplifier ce bosquet, assez ancien et d'un entretien coûteux ; le dessin polylobé des plantations est respecté, mais les eaux sont rassemblées en un seul jet, haut et puissant, pour retomber dans un grand bassin rectangulaire, à pans coupés, orné de marches et de talus de gazon. Le nom de fontaine de *l'Obélisque* lui est resté attaché depuis lors.

Même tendance au bosquet suivant, le vieux bosquet de l'*Étoile*, dont le centre était devenu en 1671 *Montagne d'eau* et où Louis XIV se plaît encore, au mois d'août 1684, à ordonner « quelques changements ». En 1704, la « montagne » disparaît et le bosquet reprend sa modestie initiale.

Le bosquet du *Théâtre d'eau* est particulièrement dispendieux, tant pour l'entretien que pour la consommation d'eau. Un exemple le montrera : en 1684, on fournit pour ce bosquet un robinet d'un pied, qui pèse 2 029 livres et qui coûte 1 826 livres. Il semble que Louis XIV ait voulu conserver jusqu'à sa mort ce bosquet glorieux, qu'il gratifie de quelques mots de commentaire dans sa *Manière de voir les jardins de Versailles* : « On ira après à Cérès pour aller au théâtre, on verra les changements, et considérera les jets des arcades. »

Le bosquet du *Marais*, parfois dénommé le *Buffet*, lui aussi orgueil du premier Versailles et fort coûteux, disparaît en 1704. Le chêne-vert métallique qui en formait le principal ornement est dépecé, fondu et mis en lingots par Desjardins. Un nouveau bosquet des *Bains d'Apollon* est établi sur son emplacement. Les trois grands groupes sculptés pour la Grotte de Thétis sont transportés à ce moment du bosquet des Dômes et placés ici, comme au fond d'une petite galerie de verdure, sous trois baldaquins de plomb doré, dont le modèle en cire et en bois nous a été conservé ; précédés de nappes d'eau, ils demeureront dans cet arrangement jusqu'aux transformations du bosquet par Louis XVI.

Dans l'espace libre situé au-dessous de ce bosquet, là où Louis XV établira le petit bosquet du Dauphin et qu'on appelle la *Sablonnière*, Louis XIV décide, en juillet 1684, de créer une fontaine « qui devoit être beaucoup plus magnifique que toutes celles qui étaient déjà faites ». Dangeau, six mois plus tard, précise que le Roi est allé voir le modèle de la fontaine « qui sera au-dessous du marais » qui doit coûter trois millions et demander trois ans de travail. Comptes ou dessins gardent le souvenir de cette grande cascade qui eût été consacrée au *Mont de Parnasse*. Le projet est abandonné, puis repris après la paix de Ryswick sur un thème différent, qui reparaît tout à la fin du règne sous le nom de *bosquet de Diane* qui ne sera pas plus exécuté que le précédent.

Le bosquet des *Trois-Fontaines*, qui a reçu son dernier aménagement en 1677, ne comporte pas de sculpture. Il est célèbre par la quantité et la variété de ses eaux.

Le bosquet de l'*Arc de Triomphe* est parvenu à son terme entre 1679 et 1683. Une dépense de 50 000 livres est inscrite en 1680 pour son achèvement. Ses treillages, ses bancs de marbre, ses aiguilles ou pyramides de cuivre viennent enrichir les décorations antérieures. De nouveaux piédestaux et guéridons, rehaussés d'ornements de métal doré, modelés par Le Gros et Massou, supportent des vasques, dont les effets s'ajoutent à ceux des deux buffets latéraux et de l'arc de triomphe du fond. Tuby présente, en 1681, le modèle de la grande fontaine du bas du bosquet, la *France triomphante*, qui domine les figures captives de l'Espagne et de l'Empire ; ce groupe, achevé en 1683, demeure le seul élément subsistant de ce vaste ensemble, les fontaines latérales de *la Gloire* et de *la Victoire*, dues principalement à Mazeline et à Houzeau, ayant elles-mêmes disparu, fondues vraisemblablement au début du XIXe siècle. Les piédestaux ou scabellons ont été dispersés et dépouillés de leurs dorures. Pierre Pradel en identifia plusieurs, utilisés comme gaînes pour des bustes à l'intérieur du château. Nous en avons retrouvé deux à l'ancienne École de Médecine de Paris, égarés dans le foyer des professeurs. Triste destinée de ce bosquet orgueilleux !

Louis XIV rêve, dans les mêmes années, de mettre le point final à cette partie de son jardin, en créant, sur des dessins auxquels Le Nostre et Le Brun paraissent avoir travaillé avec lui, la grande *Pièce de Neptune*, qu'on désigne encore un moment de son ancien nom de *Pièce des Sapins*. La vaste cuvette est creusée en 1679-1680 et son mur dressé ; on estime encore en 1681 à 40 000 livres les seules dépenses de maçonnerie à prévoir pour ce bassin. Des ormes, des épicéas sont plantés l'année suivante et des recoupes posées. De 1682 à 1684 sont exécutés, transportés et établis les parapets avec leur sculpture de glaçons, les vases, les masques et les coquilles de « métail », d'où sortent les multiples et beaux jets que le Roi voit jouer pour la première fois tous ensemble en mai 1685. Ce n'est là que l'annonce d'un projet plus grandiose : Louis XIV, de plus en plus passionné de sculpture, demande à Le Brun des croquis, à Coysevox, à Houzeau, à Raon, des modèles en plâtre pour un Neptune, pour une Amphitrite et pour divers groupes. Ce bassin doit marquer l'un des sommets de Versailles et comme le triomphe du Roi sur les eaux. Louis XIV n'en verra pas l'achèvement.

LES EAUX

La splendeur des jardins, les marbres, les dorures, les fleurs, l'empressement des artistes et le talent des jardiniers ne peuvent faire oublier au Roi-Soleil la résistance que, sur un point au moins, lui oppose la nature : il ne parvient pas à conduire à Versailles les fleuves dont il a désormais besoin ! Le problème, qui s'est déjà posé à lui au cours des étapes précédentes, devient plus difficile à résoudre que jamais, lorsque les fontaines se multiplient et qu'il les veut plus abondantes. Le Roi souhaite aussi que celles-ci jouent en permanence comme chez son cousin Condé à Chantilly. Il met à y réussir un acharnement extraordinaire.

Blondel fournit des chiffres de la consommation d'eau, alors que, sous Louis XV, plusieurs bosquets ont été déjà supprimés : « Lorsque toutes les fontaines, bassins et bosquets de Versailles jouent les jours publics, ou que le Roi les ordonne pour un Ambassadeur, ou autre grand Seigneur, il se consomme la quantité de 35 292 muids (9 458 m³) d'eau en 2 heures et demie environ, que dure ce spectacle. Mais lorsque les fontaines de ce jardin jouent seulement à l'ordinaire pendant la belle saison, elles consomment 48 360 muids (12 960 m³) d'eau seulement depuis 8 heures du matin jusqu'à 8 heures du soir. »

Les dépenses deviennent écrasantes, encore qu'il soit difficile de les saisir toutes, tant elles sont diverses. Quelques chiffres en donneront un aperçu général. On prévoit sur ce chapitre 821 000 livres pour 1678, 965 000 livres pour 1679, 1 627 000 livres pour 1680. Les dépenses inscrites sous la rubrique « aqueducs et étangs » s'élèvent, rien qu'en travaux de maçonnerie et remuements de terre, à 1 143 000 livres en 1684, et l'on notera plus loin les centaines de milliers de livres absorbées par les travaux de la « machine de Seine » entre 1681 et 1685, puis les millions que réclament ceux de « la rivière d'Eure » entre 1685 et 1688.

On a vu, dans la période précédente, le Roi créer, devant l'insuffisance des premiers réservoirs proches de Clagny, trois vastes réservoirs sous le parterre d'eau et, pour alimenter plus abondamment ceux-ci, accomplir d'énormes travaux sur le plateau de Satory. Le réservoir de Satory réclame de plus en plus d'eau, afin de satisfaire le Roi au jeu de ses fontaines. L'eau est en quelque sorte devenue l'ennemie de Louis XIV, qu'il doit poursuivre toujours plus loin, pour échouer en définitive, alors qu'il se croyait tout près du but.

En 1678, le réservoir de Satory et l'aqueduc creusé dans la colline sont en voie d'achèvement, mais l'eau de la Bièvre, conduite par l'étang du Val et le moulin de Launay, ne suffit plus ; des travaux de plus en plus vastes vont s'opérer sur la rivière en amont et en aval de ces deux points.

« Ce que je recommande le plus, écrit encore Louis XIV à Colbert du camp devant la citadelle de Gand le 10 mars 1678, c'est ce qui regarde les étangs et les rigoles qui doivent y amener l'eau. C'est à quoi vous ferez travailler sans relâche. » Depuis quelque temps déjà, les géographes, académiciens ou autres, notamment l'abbé Picard et Gobert, poursuivent leurs prospections et travaux de nivelage sur tout le sud de Versailles. Le Roi fait rassembler d'après leurs calculs, au sud-ouest de Versailles, en deux vastes étangs, les mares du plateau environnant : l'étang de Trappes, qui subsiste encore, que mentionnent les comptes à partir de 1678 et pour lequel 143 000 livres sont encore dépensées en 1684 ; l'étang de Bois-d'Arcy, qui sera comblé au temps de Napoléon Ier et auquel il consacre 200 000 livres en 1680, tout en y faisant travailler ses soldats.

D'autres travaux sont entrepris en même temps au sud-est de Versailles, sur le cours oriental de la Bièvre et sur l'Yvette. Les étangs du Trou-Salé, du Pré-Clos, de Saclay viennent, en 1681 et dans les années suivantes, renforcer les opérations précédentes au prix d'un ingénieux travail de rigoles, de réservoirs et d'aqueducs. La suppression de la Grotte de Thétis et de son réservoir, l'abandon des pompes de Clagny, l'insuffisance du réservoir de Satory et de sa canalisation en tunnel accélèrent la construction, à l'entrée de Versailles, au Parc-aux-Cerfs, à partir de 1682 et surtout de 1685, de deux grands réservoirs nouveaux appelés parfois réservoirs de Gobert. D'autre part, lorsque Louvois succède à Colbert comme surintendant des Bâtiments, il remplace le système de siphon adopté pour le passage des eaux de la région de Saclay dans le fond de Buc par le grand aqueduc que nous connaissons aujourd'hui et pour lequel 99 000 livres sont dépensées en 1684 et 179 000 en 1685.

A ce réseau d'étangs, dont le niveau est supérieur à celui de Versailles et qu'alimentent les mares, ruisseaux et jusqu'aux eaux de pluie, rassemblées et drainées, va s'en ajouter un autre, qui entraîne de plus en plus loin Louis XIV. L'abbé Picard et son successeur La Hire, nivelant de proche en proche le terrain au sud-ouest de Versailles, constatent que le plateau de Trappes rejoint une suite d'étangs, d'un niveau plus élevé : étangs du Mesnil, de Pourras (ou de Saint-Hubert), du Perray et de la Tour, qui, reliés par des aqueducs ou aménagés en rigoles et en retenues, vont pouvoir constituer, selon Barbet, « depuis l'étang de la Tour, près de Rambouillet, jusqu'à Trappes et Versailles, un cours d'eau continu de 34 km environ de longueur, dont près des deux tiers en aqueducs maçonnés ». Notons que Louis XIV dans cette région, s'approche de Maintenon ; nous l'y retrouverons bientôt. Suivons pour l'instant ses travaux dans une autre direction.

On a déjà cité les opérations menées du côté de Rocquen-court. Elles aussi coûteront cher au Roi. Certaines concernent les « eaux bonnes à boire », destinées à alimenter le château, la ville, Trianon, principalement les sources du Chesnay, de Bailly, de Ville-d'Avray ou de Trianon même. Les plus dispendieuses intéressent les jardins de Versailles. Un ensemble d'étangs et de rigoles, d'aqueducs et de réservoirs, basé sur les différences de niveau et analogue à celui de la région méridionale, est entrepris sur les plateaux du nord.

Les étangs de Graissets, dont l'aménagement coûte plus de 320 000 livres en 1679-1680, entre Rocquencourt et Louveciennes, de Marotte, du Butard et de Vaucresson, plus à l'est, aboutissent à la création de deux réservoirs à l'entrée de Versailles, le réservoir de la butte de Picardie et surtout, alimenté par celui-ci aussi bien que par Satory, le réservoir de Montbauron. Cet immense bassin double, que représente notamment une peinture de Martin et qui subsiste encore entre les avenues de Paris et de Saint-Cloud, prend une importance essentielle comme magasin des eaux destinées aux réservoirs du château. 400 000 livres ont été affectées à sa construction, à laquelle le Roi fait participer ses troupes. Le 16 mai 1685, il y voit pour la première fois entrer l'eau.

Le 14 novembre suivant, arrivant de Fontainebleau, « il monte à cheval pour aller voir l'eau qui entre dans le réservoir de la butte de Montboron par le nouvel aqueduc ». Le Roi porte un intérêt passionné, une impatience presque fébrile à ce problème des eaux. Montbauron, par les réservoirs des Deux-Portes ou de Marly, reçoit ce jour-là l'eau que fait monter du lit même de la Seine une machine extraordinaire.

LA « MACHINE »

Il faut dire quelques mots de l'entreprise invraisemblable devant laquelle Louis XIV n'a pas reculé et que l'on désignera plus tard sous le nom de « machine de Marly ». Il s'agit d'un ouvrage énorme, d'un mécanisme ingénieux et compliqué, presque tout de bois et à ciel ouvert, établi sur le cours de la Seine en face de Bougival. Des estampes existent, qui nous le représentent, ainsi qu'une maquette au Conservatoire des Arts et Métiers de Paris. La « machine » sera remise en état au temps de Louis XVIII et de Napoléon III, reconstruite en fer et abritée dans un bâtiment de brique et de pierre ; elle servira alors à alimenter en partie les fontaines de Versailles, avant d'être aujourd'hui définitivement abandonnée.

Les moulins, qui, munis de six ailes, fonctionnent au moins au nombre de treize en 1682, à Clagny, à Trianon et à Satory, les pompes actionnées par des chevaux, notamment la grande pompe sur laquelle veille Francine, s'avèrent trop faibles pour répondre aux volontés du Roi. Celui-ci, inquiet peut-être déjà et impatient certainement, fait tambouriner et connaître un peu partout qu'il est prêt à accueillir et à récompenser les hydrauliciens qui l'aideront.

L'année 1682 semble décisive. L'abbé de Guyenne et même des Anglais présentent des pompes ou machines de leur invention pour l'élévation des eaux. Le Roi assiste, cette même année, le 25 juin, à l'expérience faite par un gentilhomme liégeois, Deville, qu'il pensionne depuis trois ans déjà pour la construction d'une machine établie sur la Seine, au moulin de Palfour, au pied du coteau de Saint-Germain. La pompe de Palfour n'est qu'un essai ; elle est destinée à élever l'eau jusqu'à la terrasse de Saint-Germain et au nouveau château du Val. Sans même attendre la fin de ce travail, Louis XIV, dès 1681, a chargé Deville de mettre en chantier une autre machine, dont le principe est identique et dont la dépense ne l'effraie pas, puisqu'il la destine à Versailles.

Deville, qui est accompagné d'un charpentier liégeois, Rennequin Sualem, sans lequel il n'aurait vraisemblablement rien pu entreprendre, établit sa machine sur un bras de la Seine entre Bougival et l'île de Croissy. Il s'entoure de Liégeois, taillandiers et maîtres de forges, charpentiers et menuisiers, dont plusieurs membres de la famille Sualem, et fait venir du pays de Liège une partie du matériel, fers corroyés, pompes et cuirs. En 1682, 513 000 livres sont dépensées à la nouvelle « Machine de la rivière de Seine », autour de laquelle les accidents de travail se multiplient. 200 000 livres sont prévues et 845 000 dépensées en 1683 ; 521 000 livres en 1684.

Louis XIV commence à prendre grand espoir. Il croit
« tenir » son eau. En août 1684, accompagné du Dauphin, il
vient rendre visite à Deville et à sa machine ; il examine les
aqueducs « qui doivent amener l'eau jusqu'à la butte de
Montboron ». L'eau de la Seine parviendra effectivement
dans les réservoirs de Montbauron à la fin de 1685 et Louis
XIV offrira quelques mois plus tard à Deville une gratification
de cent mille livres, outre une pension viagère. Mais l'histoire
de la « machine » n'intéresse déjà plus Versailles ; Louis XIV
s'en sert pour alimenter les fontaines de son nouveau château
de Marly. Il a pour Versailles d'autres desseins.

LES TRAVAUX DE L'EURE

Ces travaux, si coûteux soient-ils et démesurés, paraissent
à Louis XIV insuffisants. « L'eau manquoit quoi qu'on pût
faire, et ces merveilles de l'art en fontaines tarissoient, comme
elles font encore à tous moments, malgré la prévoyance de
ces mers de réservoirs qui avoient coûté tant de millions à
établir et à conduire sur le sable mouvant et sur la fange. »
Le drainage des marécages et l'eau des étangs, les pompes
les plus perfectionnées, l'eau de la Seine amenée par la
prodigieuse machine semblent de médiocres expédients. Le
Grand Roi doit, pour son Versailles, tenter l'impossible. Les
« travaux de la rivière d'Eure », ainsi qu'on va les appeler
durant quelques années, sont l'aboutissement inévitable de
la poursuite de l'eau.

Louis XIV, dès qu'il entrevoit cette solution, n'hésite pas
un instant. Il lance la nouvelle au mois d'août 1684 à son
Lever à Fontainebleau. Une dizaine d'années plus tôt, il
avait, sur une proposition de Riquet, créateur du canal du
Languedoc, songé à une adduction de la Loire. Le projet de
conduire une partie de l'Eure jusqu'à Versailles, en un
canal, qui, selon Barbet, eût été navigable, semble presque
raisonnable.

Le Roi est plein de confiance en son état-major. Philippe
de La Hire, excellent mathématicien autant que géographe,
familier du sol de France dont il a dressé la carte, part

en éclaireur, accompagné de l'ingénieur Gobert ; aidés d'arpenteurs, armés d'excellents niveaux doubles fournis par Butterfield, tous deux font et refont les calculs de nivellement.

Au début de février 1685, Vauban part à son tour, escorté de Mesgriny, qui le seconde, et d'une petite troupe de dessinateurs. Louvois vient les rejoindre le 19 ; il amène avec lui le fidèle Chamlay et Deville, l'ingénieur de la Machine de Marly. Ensemble, ils inspectent le terrain tant dans la région de Maintenon que dans celle de Pontgoin, à l'ouest de Chartres. Louvois rentre le 23, fait son rapport au Roi. Le projet est aussitôt adopté. Dès le 25, Louis XIV détache une partie de ses régiments de La Ferté et de Languedoc, qui travaillent à Montbauron et qu'il dirige vers Maintenon.

Une nouvelle aventure commence. Ce n'est pas une folie ; c'est une entreprise difficile, plus réfléchie que hasardée, décidée dans une période de paix, par des stratèges pour qui la vie des hommes compte assez peu. Louis XIV et Vauban s'y appliquent, s'y acharnent comme ils feraient d'un siège.

Les courtisans, par nature plus chagrins qu'optimistes, mesurent les risques de l'opération. Sourches reflète leur inquiétude. La distance à parcourir est d'une vingtaine de lieues, peut-être davantage ; la dénivellation est faible : on l'estime, entre Pontgoin et Versailles, de 80 pieds (26 m) ; malgré les progrès qu'ont entraînés dans ce domaine les récents travaux accomplis autour de Versailles, notamment ceux de Gobert, on peut redouter quelques erreurs d'appréciation. Et que d'ouvrages d'art à construire, surtout les deux gigantesques aqueducs de Berchères et de Maintenon, dont certaines arcades seront « plus hautes deux fois que les tours de Notre-Dame » ! Restera l'orgueil de dépasser les ouvrages des Romains : avec ses trois étages l'aqueduc de Maintenon aurait rappelé le Pont-du-Gard, mais l'aurait étonnamment surpassé. Déjà, devant tant d'apparente mégalomanie, certains envisagent l'échec et appréhendent l'inutilité d'« une si prodigieuse dépense ».

A deux ans près, Louis XIV faillit gagner.

Le projet consiste, en gros, à améliorer le cours de l'Eure entre Chartres et Coulombs et, dans le dessein d'amener les matériaux à pied d'œuvre, à retravailler les lits de deux petits affluents de l'Eure, la Voise ou « ruisseau de Gallardon », la Drouette ou « ruisseau d'Epernon », à créer, pour éviter la boucle et la perte de niveau que fait l'Eure à Chartres, un nouveau lit artificiel ou canal allant de Pontgoin à Maintenon, à préparer des écluses sur l'Eure, notamment aux environs de Pontgoin, et sur la Voise et la Drouette, enfin à se raccorder aux étangs de la forêt d'Yvelines, non sans avoir élevé les deux grands aqueducs mentionnés plus haut.

On peut suivre encore, sur la carte mieux que par ce qui subsiste dans la campagne chartraine, le déroulement de cet immense programme. Les comptes royaux, par les sommes versées, témoignent de l'ampleur du travail et permettent d'en observer le déroulement. L'ouvrage progresse à pas de géants ; il est nécessaire à Versailles.

Le tracé du nouveau cours de l'Eure, qu'on l'appelle canal ou aqueduc, est si bien étudié et épouse de si près les courbes du terrain qu'il apparaît en quelques mois sur le sol. Partant de Pontgoin, le futur lit de la rivière, à hauteur de Courville, remonte vers le nord, vers Saint-Arnoult, rejoint le Brosseron, contourne les hauteurs des bois de Fontaine-la-Guyon et de Bailleau-l'Évêque, continue vers le nord jusqu'à Briconville, puis bifurque à l'est en zigzaguant quelque peu jusqu'au-dessus de Berchères-la-Maingot. Ici, il faudra construire un grand aqueduc de maçonnerie, à deux étages d'arcades, pour traverser le « fond de Berchères ». Puis un aqueduc de terre rejoindra la vallée de l'Eure à Maintenon. Nouvel aqueduc de maçonnerie, colossal, demeuré inachevé ; « il n'en est resté que d'informes monuments qui éterniseront cette cruelle folie ». N'en déplaise à M. le duc de Saint-Simon, les morceaux sont beaux.

Sur la rive droite de l'Eure, l'aqueduc doit se poursuivre en légers remblais par Fourches, Houderville, Craches et l'Epinay et rejoindre l'étang de la Tour, auprès de Vieille-Église, dans la forêt de Rambouillet.

La main-d'œuvre immense qu'il faut pour exécuter ce plan est en partie fournie par des entreprises privées, notamment celle de Pierre Le Maistre, vieil habitué des Bâtiments du Roi à Paris ou à Versailles. On aide celles-ci en drainant vers elles des maçons, des piqueurs de grès, des briqueteurs, appelés d'un peu partout, d'Ypres, d'Arras, du pays de Douai, du pays de Caux, de Brie, d'Armentières ou de Liège. Mais surtout on fait aussitôt monter en ligne les régiments du Roi.

Un énorme effort technique s'accomplit en même temps : travaux d'écluses, réfection des ponts et des chaussées, non seulement sur les nouveaux cours d'eau, mais aussi pour faciliter les transports par eau sur la rivière. Un petit port est aménagé sur l'Eure entre Coulombs et Nogent-le-Roi pour tout ce qui vient de Normandie, et l'Eure est rendue navigable jusqu'à Maintenon. La canalisation de la Voise et de la Drouette (dont on voit encore, malgré le mauvais entretien, les traces aujourd'hui) a pour but d'apporter les matériaux tirés des carrières de Gallardon et d'Epernon. Dix-neuf « bateaux-chalans » sont commandés en Auvergne en 1687 pour le seul transport de ces matériaux. Des moulins à chevaux sont installés afin de « tirer les eaux pour fonder les piles » du grand aqueduc, et l'on construit une machine pour laquelle on appelle de Bougival le liégeois Lambotte. Par dizaines de milliers de livres le charbon de terre et le plomb viennent d'Angleterre, et par centaines de milliers de livres les gros tuyaux « de fer de fonte de 18 pouces » de Champagne et de Normandie. A lui seul, l'aqueduc de Maintenon s'annonce comme un ouvrage cyclopéen ; rien que pour l'approvisionner en grès, chaque année, durant quatre ans, on consacre une somme de plus de cent mille livres.

L'argent ne manque pas. De 1685 à 1688, les « travaux de l'Eure » engouffrent en moyenne deux millions de livres par an, ce qui, avec les 870 000 livres encore dépensées en 1689 et les menues sommes qui marquent ensuite les premières années d'abandon de l'ouvrage, forment un total de près de neuf millions.

L'année 1685 se passe de tous côtés en fouilles, en excavations, en terrassements, en installations de chaussées, de ports, de ponts, d'écluses, en approvisionnements, en travaux préparatoires. 130 000 livres sont dépensées sur la Voise, autant sur la Drouette, autant sur le nouveau cours de l'Eure autour de Fontaine-la-Guyon. Les écluses absorbent plus de 300 000 livres et déjà l'aqueduc de Maintenon plus de 450 000. Lorsque Louis XIV, partant pour Chambord, vient du 3 au 5 septembre parcourir à cheval les travaux, couchant à Gallardon, dînant à Berchères, passant une journée entière sous la pluie dans la région de Pontgoin, il peut être rassuré. Le travail est gigantesque, mais le démarrage est excellent et l'organisation paraît admirable.

Le Roi revient deux fois sur place en 1686. C'est montrer l'intérêt qu'il porte à l'ouvrage. Il manifeste son contentement au marquis et futur maréchal d'Huxelles, lorsque, en juillet, après avoir parcouru tout le terrain deux jours durant, il passe ses troupes en revue dans la plaine de Maintenon.

Une légère inquiétude le saisit lorsqu'il revient au milieu de septembre. Ses troupes sont « encore fort belles », quoique « fort diminuées par les maladies » ; il va falloir les relever, les mettre au repos dans leurs quartiers d'hiver.

Les travaux cependant progressent et l'on peut escompter que, dans quatre ans, l'eau arrivera jusqu'à Versailles. Le 2 septembre, on a montré ce beau travail avec fierté aux ambassadeurs siamois. La partie ouest est déjà presque aménagée entre Pontgoin et Berchères-la-Maingot, mais l'incertitude vient du grand aqueduc, qui résiste, tel le donjon d'une place forte ; rien que pour lui, et pour la maçonnerie seule, on doit verser à Pierre Le Maistre 938 000 livres d'acomptes dans l'année.

Louis XIV commence à s'impatienter. Il porte en 1687 le nombre de ses bataillons d'infanterie de vingt-deux à trente-six, ses escadrons de dragons de trois à six. Il vient les voir en avril, en juillet, mais, à la fin de septembre, doit se résoudre à les renvoyer dans leurs garnisons. Il pleut continuellement et on murmure à Versailles qu'il y aurait plus de vingt mille malades. L'avancement des travaux laisse cependant beaucoup d'espoir. La section ouest, pratiquement terminée jusqu'aux environs de Berchères, est l'objet d'améliorations, de rehaussements, plus que de grands travaux. Laissant de côté pour l'année suivante le raccord avec Maintenon, on passe avec optimisme à l'aménagement de la région de Rambouillet ; autour de Vieille-Église, du Perray et des Bréviaires, des étangs de la Tour, de Port-Royal et de

Hollande, les travaux se multiplient. On creuse le canal du côté de Craches. On commence à attaquer à grands frais la portion de l'aqueduc sur la rive gauche de l'Eure.

La campagne de 1688 s'annonce bien. On commande dix grandes soupapes de cuivre, de deux pieds de diamètre, tant l'on se sent prêt « à raccorder les conduites de la rivière d'Eure » aux réservoirs du Parc-aux-Cerfs. Lorsque Louis XIV vient voir ses troupes en mai, il y trouve « beaucoup moins de malades qu'on ne disoit ». Seul le régiment d'Enghien paraît éprouvé ; il en dira deux mots à M. le Duc. Lui cache-t-on la vérité ? Louvois est revenu de Maintenon avec la fièvre, et bientôt, comme au long d'un siège meurtrier, de mauvaises nouvelles parviennent à la Cour ; le duc de Valentinois, le jeune Charost, trois colonels d'infanterie, un brigadier de dragons sont parmi les malades. Quant aux hommes, on comprend l'indignation de Saint-Simon.

Louis XIV se croit en présence des mêmes ennemis qu'il a jusque-là connus et vaincus. Il vient inspecter ses troupes, comme dans ses campagnes du Nord, en parade, avec les dames. Cette guerre nouvelle, ces morts que causent « le rude travail et plus encore l'exhalaison de tant de terres remuées » paraissent l'irriter. Ne les a-t-il pas déjà rencontrés à Versailles ? Les grands travaux pourtant se sont accomplis. Ici, tout se déroule selon la même méthode, avec une expérience accrue. Un dessin du musée de Stockholm montre, de part et d'autre de la vallée de Berchères, l'emplacement assigné à chaque bataillon : Champagne, Maine, Languedoc, les dragons, les parcs à outils ; de même, les comptes indiquent les puits qui sont construits pour ravitailler en eau les troupes. Un repli est-il nécessaire ? Il le fera, mais il changera l'un des chefs.

Le 16 août 1688, Louis XIV doit faire « décamper » ses troupes de Maintenon et les envoyer se rétablir dans les petites villes environnantes. Il ne croit pas abandonner l'entreprise pour autant et fait détacher de chaque bataillon quelques dizaines d'hommes pour continuer à travailler. Quant au « major-général des troupes de la rivière d'Eure », Laubanis, il est « envoyé ailleurs » et remplacé par Caillavel, capitaine aux Gardes.

Premier revers du Grand Roi, bientôt suivi de beaucoup d'autres, l'aqueduc de Maintenon demeure aussi le grand échec de Versailles. Louis XIV croit encore à une trêve ; ce sera une dure capitulation.

La guerre de la Ligue d'Augsbourg commence. Dès la fin d'août, il doit envoyer à la frontière presque toute son infanterie. Vauban et Huxelles vont se retrouver quelques semaines plus tard sous les murs de Philippsbourg. Louis XIV se persuade qu'il peut finir l'ouvrage avec les seules entreprises civiles, qui continuent de recevoir en 1689 de forts acomptes, peut-être autant sur l'arriéré que sur leurs travaux nouveaux. Vauban a donné son avis : deux ans de travail pour achever le grand aqueduc. On songe un instant à utiliser celui-ci sans l'étage supérieur et à remplacer l'aqueduc de Berchères par un système de siphons. Mais le projet est abandonné et tout l'ouvrage en même temps. Les paiements tombent à 40 000 livres en 1690 et à quelques milliers de livres par an à partir de 1694. Ce ne sont plus alors que de menues dépenses d'éclusages et de loyers ; une pension annuelle de 1 500 livres à Pigoreau, « ci-devant directeur des travaux de l'aqueduc de la rivière d'Eure », versée jusqu'en 1715, indique assez que le Roi n'est pas ingrat, mais qu'il ne conserve aucune illusion sur la reprise des travaux.

Doit-on penser que cet énorme effort « devint la ruine de l'infanterie », reprocher à Louis XIV « l'or et les hommes que la tentative obstinée en coûta pendant plusieurs années », y voir l'influence néfaste de Louvois et de Mme de Maintenon ? Aux accusations véhémentes de Saint-Simon, Pierre de Nolhac a répondu avec équité : « Le reproche mérité qu'on peut lui faire n'est pas d'avoir commencé les travaux de l'Eure, mais d'avoir, en les abandonnant, cédé au découragement devant la défaite et la pénurie. »

L'utilisation de son infanterie, dans la paix, aux grands travaux nécessaires à ses jardins, les gigantesques et insalubres remuements de terre que Louis XIV demande à ses soldats, l'histoire de Versailles en témoigne suffisamment ; les travaux de l'Eure n'innovent point. Les millions de livres dépensés sur une seule entreprise, Louis XIV les a déjà sacrifiés volontiers pour le grand ouvrage de Riquet en Languedoc, le « canal de jonction des deux mers » ; l'adduction de l'Eure, reliant par eau le Perche et la Beauce à la région parisienne, ne représente pas un objet inutile ; Versailles fournit le prétexte et l'énergie à réaliser ce dessein. L'aménagement des étangs a préparé le travail jusqu'auprès de Rambouillet. L'aqueduc de Buc, au même moment, est une construction qui, pour moins colossale et plus limitée qu'elle soit, témoigne d'une audace semblable à celle de Maintenon. Louis XIV se croit alors le maître de l'Europe. Il estime possible, en 1684, de diminuer les tailles de plus de deux millions de livres. Mais il n'a pas prévu la nouvelle guerre, la ruine et, par là, l'échec d'un ouvrage dont le succès était apparu normal.

C'en est fini du rêve d'un Versailles sans cesse animé par des eaux innombrables. Il faut compter, amasser l'eau pour pouvoir la dépenser, puis l'emmagasiner à nouveau. Pendant un quart de siècle, les promenades du Roi dans la magnificence de ses jardins lui rappelleront son échec. Louis XIV fait jouer les eaux pour lui et sa Cour, les fait montrer aux ambassadeurs étrangers, mais ce sera toujours avec parcimonie, avec calcul, selon des horaires ménagés.

Blondel, dont on a cité plus haut quelques chiffres sur la consommation, donne, à l'époque de Louis XV, les précisions suivantes : « Les eaux jaillissantes des bosquets de Versailles dépensent un volume d'eau si considérable lorsqu'elles jouent toutes ensemble, qu'on se contente ordinairement durant l'été, seulement de faire jouer de 10 h du matin à 8 h du soir pendant le séjour du Roi les parterres d'eau et quelques bassins qui s'aperçoivent du château et des terrasses »...

Louis XIV, si fier de montrer ses belles fontaines, doit ruser avec son plaisir. Il existe même, pour le bassin du Dragon, deux hauteurs différentes du jet principal, la « grande manière » ne se donnant qu'en présence du Roi. Du moins peut-il se consoler de cet échec par l'extraordinaire impression que procure à ses visiteurs le spectacle éphémère et magnifique des eaux de Versailles. Il peut aussi montrer avec fierté son Canal, dont la réussite est totale et qui donne à sa Cour un plaisir permanent.

LE CANAL

La flottille continue de se développer ; une organisation parfaite augmente encore l'agrément que tire Versailles de cette étonnante création. Une galiote dorée venue de Rouen en 1679 et une autre de Dunkerque en 1682, un nouveau « yack » peut-être en 1682, un vaisseau que le marquis de Langeron a construit sur place avec du bois venu d'Amsterdam et avec l'aide de charpentiers du Havre et que le Roi voit mettre à l'eau au mois d'août 1685, une galère également construite à Versailles et un heu hollandais en 1686, une gondole et une piotte « construites de neuf » en 1687 ajoutent encore à l'attrait du Canal. C'est probablement pour le « vaisseau Langeron » que les Keller livrent en 1686 treize pièces de canon et 6 livres de balles. Un radoub et des pontons d'embarquement sont établis en 1681-1682.

Les mariniers, appelés le plus souvent de Poissy, du Pecq ou de Saint-Cloud lors des séjours du Roi ou de la Reine à Versailles, sont remplacés désormais par des équipages fixes. En 1684, le personnel du Canal comprend : un capitaine, un lieutenant, un maître, un contre-maître, onze matelots, six gondoliers, dont quatre Vénitiens et deux « nouvellement venus de Toulon », huit charpentiers dont deux Italiens, « charpentiers de barque vénitienne », deux calfats, plus, à titre passager, des scieurs de long. Tout ce monde, pour lequel on construit de nouveaux logements en 1684 à la Petite-Venise, est encore insuffisant. Dangeau note, en 1685, l'arrivée de Flandre de trois compagnies pour les frégates, au total 260 hommes, qui savent tous ramer. « Il y en aura 60 par jour, toujours prêts quand le Roi ou les courtisans voudront s'embarquer. » Félibien indique même un peu plus tard sur le Canal l'existence d'une « compagnie des galiotes ».

Le Canal semble offrir à Louis XIV une compensation naïve des insuccès de sa politique maritime. Les chroniqueurs de la Cour notent les promenades, les concerts, les feux d'artifices qu'il y donne. Parfois, lorsque l'âge vient, le Roi renonce à s'embarquer sur le conseil de Fagon, à cause de ses rhumatismes, même lorsque le temps est beau. Que de fêtes pourtant le Roi-Soleil n'a-t-il pas données en utilisant ce cadre extraordinaire ! Entre bien d'autres, citons cette relation des *Mémoires* de Sourches, en juillet 1685, pour le mariage du duc de Bourbon, fils de M. le Prince et petit-fils du grand Condé, avec Mlle de Nantes, fille du Roi et de Mme de Montespan : « Sa Majesté monta en carrosse avec toutes les dames..., alla s'embarquer sur le canal sur lequel toute cette belle compagnie se promena jusqu'à dix heures du soir dans des barques magnifiques qui suivoient un yacht dans lequel étoit toute la musique du Roi avec des timbales et des trompettes, chantant et jouant des airs de la composition de Lulli. »

L'hiver, le Canal offre un plaisir nouveau, celui des promenades en traîneaux, qui parfois donnent lieu à des scènes pittoresques : « L'après-dînée, note Dangeau le 31 décembre 1684, le Roi alla à des traîneaux d'une façon nouvelle ; la glace étoit diminuée ; il arriva beaucoup d'accidents. M. le Prince fut dans l'eau jusqu'au cou, et les princesses renversées. »

Le succès du Canal entraîne, à son tour, un regain de faveur pour les deux petites maisons auxquelles ses bras aboutissent : Trianon et la Ménagerie. On a vu l'aménagement de la rampe de Trianon en 1670 ; l'accès du côté de la Ménagerie, préparé au même moment, est encore l'objet de grandes dépenses en 1680 : plus de 24 000 livres pour les fouilles, transports de terre et maçonnerie ; l'année suivante, on sème et on arrose les gazons de ce côté. Trianon sera bientôt l'objet d'un remaniement total, la Ménagerie d'embellissements fort importants.

LA MÉNAGERIE

Premier élément du décor et des amusements du parc, la Ménagerie demeure toujours aussi vivante. Les collations et les promenades de la Cour y sont innombrables, celles de Monseigneur en particulier, qui, certains jours, y va tirer des canards.

La duchesse de Bourgogne aime cet enclos pittoresque, où Louis XIV lui fait créer un jardin particulier et une nouvelle

Laiterie. Des travaux sont entrepris à son intention, en 1698, dans un esprit qui annonce ce que l'on appellera « style Régence ». Les sculpteurs Taupin, Du Goullon, Le Goupil, dont l'art aimable, fleuri, léger, va rajeunir le décor intérieur de Versailles pendant tout le premier tiers du XVIIIᵉ siècle, embellissent son appartement, que viennent orner des peintures nouvelles, notamment celles de Claude Audran.

Sans rien perdre de son originalité, la Ménagerie se maintient en avant de la mode. Les ordres donnés par Louis XIV à Mansart sont précis : « Il me paraît qu'il y a quelque chose à changer, que les sujets sont trop sérieux, qu'il faut qu'il y ait de la jeunesse mêlée dans ce que l'on fera. Vous m'apporterez des dessins quand vous viendrez, ou du moins des pensées. Il faut de l'enfance répandue partout. »

TRIANON

A Trianon, l'activité est plus grande encore et les répercussions artistiques plus considérables, car il s'agit du Roi lui-même. L'amour de Louis XIV pour son petit château ne fait que croître avec les années. Moins solennelle et moins ample que Versailles, plus « privée », cette maison charmante, claire et fleurie, devient pour le Roi une sorte de repos ; elle lui permet des expériences de goût, où l'on se plaît aujourd'hui à voir naître l'art français du XVIIIᵉ siècle ; ses jardins en même temps lui rappellent, dans leur échelle assez réduite, l'exubérance florale qu'il a jadis tant recherchée pour son premier Versailles.

Le Trianon de porcelaine est exigu, mais son aspect brillant et pittoresque ne déplaît pas au Roi, qui longtemps ne songe pas à le changer. En 1683, le peintre Bailly reçoit près de 3 000 livres pour les « ornements et rétablissements de peinture qu'il fait aux combles des pavillons », et l'on continue de remplacer les « carreaux de Hollande » des cascades ou de peindre « à ornemens bleus et blancs » et « en pourceline » les vases de ces cascades aussi bien que les bancs avoisinants. L'intérieur du château, que nous fait connaître un inventaire de 1685, demeure à peu près intact.

Lorsqu'il rentre de Flandre, en 1684, Louis XIV se rend à Trianon et le « trouve plus beau que jamais ». Dangeau et Sourches, en 1685, 1686, notent les promenades, les collations ou les soupers, les séances de musique, de danses ou de « chansons », à quoi semblent destinés, le printemps et l'été, les jardins de Trianon. L'une des plus brillantes fêtes données à cette époque, le mariage du duc de Bourbon et de Mlle de Nantes, est marquée notamment, le 27 juillet 1685, à l'issue de la promenade sur le Canal citée plus haut, par un souper à Trianon « sur quatre tables différentes, qui furent servies dans les quatre cabinets qui terminent les berceaux du jardin, lesquels étoient éclairés par un grand nombre de lustres de cristal ».

Louis XIV cependant voudrait pouvoir séjourner ici, tranquille au milieu de ses fleurs, loin du cérémonial qui parfois lui pèse, avec quelques dames, dont Mme de Maintenon, à qui ne peut que déplaire le pavillon bâti pour Mme de Montespan. Mansart va construire, sur des ordres, semble-t-il, assez précis du Roi et en accord étroit avec Le Nostre, un nouveau palais, de pierre et de marbre, noble et bien ordonné dans son architecture, intimement lié pourtant à la verdure et aux parterres. Une passion soudaine saisit le Roi durant l'hiver de 1686-1687.

Saint-Simon, contant peut-être à sa manière l'épisode de la fenêtre, mauvaise dans ses mesures, qui aurait été préjudiciable à Louvois et à la France entière, se fait l'écho de l'attention portée par Louis XIV à la construction de sa nouvelle maison. Sourches, dans des notes moins enflammées, transcrit au jour le jour l'impatience du Roi. Celui-ci, se rendant probablement mal compte de l'importance du travail, a cru, comme pour le Trianon de faïence, que l'hiver suffirait à son achèvement. Il voit l'été venir et le bâtiment encore inhabitable : « il le pressoit avec beaucoup d'activité et alloit même souvent y passer les après-dîners sous une tente, où il travaillait à ses affaires avec M. de Louvois et jetoit de temps en temps les yeux sur l'ouvrage pour le faire avancer ».

La nature et les entrepreneurs semblent se liguer pour contrecarrer Louis XIV dans ses projets. Il décide, rentrant de Maintenon le 30 juillet 1687, de « venir à Versailles dans le dessein de souper avec les dames à Trianon ; mais il vint une pluie si forte et si continuelle qu'il fut obligé de s'en revenir au château et d'y faire rapporter son souper ». Au mois de septembre suivant, à la suite d'une longue et violente conférence de Louis XIV et de Louvois « touchant les bâtimens de Trianon », Louis XIV s'emporte contre les entrepreneurs et est pris d'un accès de fièvre ; cette fièvre, peut-être contractée aux travaux de l'Eure, semble éclater à propos de Trianon. Le 2 octobre, le Roi, dont l'irritation ne fait que croître, abandonne Versailles pour Fontainebleau « jusqu'au temps où on lui faisoit espérer qu'il pourroit avoir un appartement habitable à Trianon, ce qu'il souhaitoit avec beaucoup d'impatience ». Le 13 novembre, Louis XIV quitte Fontainebleau et, multipliant les relais, arrive au début de l'après-midi à Versailles, « où il prit aussitôt un autre carrosse pour aller à Trianon ». Les seules dates consignées à ce moment par Dangeau traduisent l'état d'esprit du Grand Roi, qui se rend à Trianon les 14, 15, 16, 22, 26, 27 et 29 novembre, 5, 10, 11, 13, 15, 17, 20 et 31 décembre, 6, 16 et 19 janvier 1688 ; enfin le 22 janvier, il y dîne pour la première fois.

A partir de ce moment, les promenades, les dîners, les soupers, et bientôt les représentations théâtrales vont se multiplier à Trianon, où les travaux sont pourtant loin d'être finis. La décoration des principaux appartements, les sculptures des boiseries de la Galerie, aussi bien que les balcons ou rampes à l'extérieur du Cabinet des Glaces ou de Trianon-sous-Bois, sont achevés en 1689 ; de même pour le mobilier. En juillet 1688, on apporte des « échantillons de broderie de dessein extraordinaire » pour les meubles du château. Dangeau peut noter, le 13 novembre 1688, le retour de Fontainebleau et la visite du Roi à Trianon « qu'il trouva achevé et meublé ». Le provisoire règne cependant encore ; de nouveaux guéridons ou des pieds de table, destinés à supporter des tables d'albâtre ou de stuc décoré, notamment pour la Galerie, sont sans cesse apportés. Charlier reçoit, en 1688 et 1689, le paiement de 66 000 livres pour un beau damas rouge broché d'or destiné au nouveau château. C'est seulement le 28 mars 1690 que Dangeau peut annoncer une

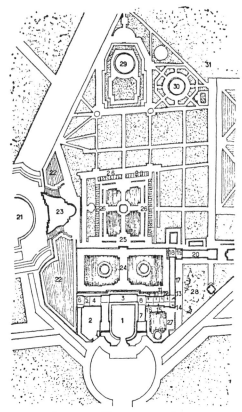

FIG. 13. — *Trianon en 1694.*

1. Cour d'entrée. — 2. Cour des Offices. — 3. Péristyle. — 4. Appartement du Roi. — 5. Chambre du Roi. — 6. Cabinet des Glaces ou du Conseil. — 7. Comédie (appartement du Roi en 1703). — 8. Salon des Colonnes. — 9 à 16. Appartement de réception. — 9. Salle de la Musique. — 10. Antichambre des Jeux. — 11. Chambre du Sommeil. — 12. Cabinet du Couchant. — 13. Salon-frais. — 14. Salon des Sources. — 15. Appartement de Mme de Maintenon. — 16. Buffet. — 17. Galerie. — 18. Salon des Jardins. — 19. Salle du Billard. — 20. Trianon-sous-Bois. — 21. Bras du Canal. — 22. Cultures d'orangers. — 23. Le Fer-à-cheval. — 24. Parterre-haut. — 25. Parterre-bas. — 26. Berceaux de treillages. — 27. Jardin particulier du Roi. — 28. Jardin des Sources. — 29. Le Plat-fond d'eau. — 30. Rond d'eau. — 31. Emplacement du Buffet d'eau ou Cascade (1703).

visite du Roi dans son Trianon « meublé de neuf très magnifiquement ».

La distribution générale du nouveau château à ce moment nous est assez bien connue par des aquarelles et des plans, que possèdent les Archives nationales, la Bibliothèque nationale et la Bibliothèque de l'Institut, et surtout par deux documents appartenant au Musée national de Stockholm et publiés par Ragnar Josephson. L'un est un grand dessin, qui montre la façade du côté du jardin, avec sa balustrade alors surmontée de vases et de groupes sculptés en pierre et notamment, au-dessus des pilastres et des colonnes de marbre à chapiteaux ioniques qui séparent les sept arcades du péristyle, de grandes figures de femmes et d'enfants. L'autre document est un plan, dessiné par Le Nostre lui-même, qui a accompagné ce plan d'un texte de sa main. Ces deux documents furent adressés en 1694 et 1698 par Cronström à Nicodème Tessin, qui avait visité le chantier en 1687. Le plan ci-contre résume l'état de 1694.

A gauche du péristyle, du côté du Parterre et du Canal, l'appartement du Roi, qui n'est guère achevé avant 1692, s'étend jusqu'au grand Cabinet d'angle. Ce dernier Cabinet, que l'on appelle aussi Cabinet des Glaces, sert au Roi de Cabinet du Conseil ; il est décoré de glaces, selon le principe adopté quelques années plus tôt pour le Cabinet du Conseil à Versailles ; deux fenêtres l'éclairent sur le jardin et trois baies ouvrent sur les cultures d'orangers. La Chambre du Roi, contiguë à ce Cabinet, est agrandie en 1700 et reçoit alors la belle décoration de colonnes corinthiennes qui subsiste aujourd'hui de part et d'autre de l'alcôve. Sur la cour intérieure, sont établis un arrière-appartement, des aménagements pour les seigneurs, les offices.

A droite du péristyle, est disposé l'appartement de réception, qui commence au Salon des Colonnes et dont les noms variés et jolis doivent être cités : Salle de la Musique, Antichambre des jeux, Chambre du Sommeil, Cabinet du Couchant, Salon-frais, Salon des Sources. A partir du Salon des Sources qui, en arrière du Salon-frais, forme l'angle, commence un appartement qui prend vue sur le jardin intérieur et qui paraît avoir été, presque dès l'origine, celui de Mme de Maintenon. On trouve ici la Chambre des Fleurs, le Cabinet du Repos et le Cabinet du Levant. Par la Salle du Buffet on rejoint le Salon des Colonnes. L'aile qui, à droite de la cour d'entrée, se termine sur ces deux dernières pièces, est occupée jusqu'en 1703 par la Comédie.

La Galerie, qui, en retour d'équerre, borde le parterre principal, se termine par un beau salon d'angle ou Salon des Jardins ; trois baies de ce salon ouvrent sur un large degré et trois autres baies prennent vue sur un grand jet d'eau que Le Nostre a spécialement disposé dans un bassin carré.

Le Billard, qui vient ensuite, amorce l'aile de Trianon-sous-Bois. Cette dernière aile, « où logent les princesses et les dames de la cour », comprend deux étages, alors que tout le reste du château est composé d'un seul rez-de-chaussée fort élevé.

Les appartements de l'aile de droite ou aile du Nord, et plus spécialement ceux de Trianon-sous-Bois, sont comme enfouis dans la verdure et la fraîcheur. On connaît la lettre de la Palatine : « J'ai quatre chambres et un cabinet, dans lequel je vous écris. Il a vue sur les sources, comme cela s'appelle... Les arbres entrent presque dans mes fenêtres. » Louis XIV, pour profiter davantage de ces agréments, quittera, en 1703, l'aile du Midi et, supprimant le théâtre, viendra s'installer de ce côté, auprès de Mme de Maintenon.

Les embellissements apportés à ce moment dans cette aile pour le nouvel appartement du Roi — Monseigneur prenant l'appartement laissé par son père dans l'aile gauche — ne laissent pas d'intéresser l'art décoratif français : les hautes fenêtres cintrées, les cadres des glaces, les frises des corniches surtout, qui nous sont connus par des dessins et par un certain nombre d'éléments demeurés en place, sont déjà empreints des caractères aimables de l'art du XVIIIe siècle.

L'appartement de Louis XIV et celui de Mme de Maintenon ouvrent dès lors l'un et l'autre sur le charmant jardin clos, dit *Jardin du Roi*. Au-delà, séparé par le bassin du Cupidon, commençait le *Jardin des Sources*, bordé sur deux côtés par la Galerie et par l'aile de Trianon-sous-Bois. On sent, dans le texte de Le Nostre, le plaisir qu'a pris celui-ci à dessiner ce jardin, tout irrégulier, planté d'arbres séparés de petits canaux « qui vont serpentans sans ordres et tourne dans les places vides autour des arbres avec des jets d'eau inégalement placé... C'est d'un frais où les dames vont travaillé, joué, faire collation... C'est le seulle jardin, et le Thuillerie, que je cognoisse aisé à ce promener et le plus beau. Je laisse les autres dans leurs beauté et grandeur ». Singulier hommage rendu par le dessinateur de Louis XIV à son petit bosquet des Sources, qui n'existe plus depuis le Premier Empire !

On revient au jardin classique, de broderies et de bassins circulaires, avec le grand parterre méridional, ou *parterre-haut*, que prolonge, à l'ouest, le *parterre-bas*, alors encore encadré de ses berceaux de treillage, garnis « de jassemins roses d'une beauté admirable ». Le bois, qui fait suite aux parterres et qui est composé de grands arbres dont Louis XIV et Le Nostre se sont montrés très fiers, se termine par le bassin du *Plat-fond d'eau*, que précède un boulingrin, et d'où l'on voit, en se retournant, se découper les arcades du péristyle du château. Le *Buffet d'eau* voisin, que Mansart construisit en 1703, servait de point de départ à une suite d'allées et de bosquets, qui ramenaient les promeneurs jusqu'au bout de Trianon-sous-Bois.

Le romantisme qui marque de nos jours les jardins de Trianon est peut-être, malgré les fleurs des parterres, encore plus tragique ici qu'à Versailles. L'entretien parfait de ces jardins, la variété des pavillons de treillage, le luxe invraisemblable des fleurs ont émerveillé les contemporains. Saint-Simon, parlant de Trianon, où Mme de Saint-Simon avait été, il est vrai, « nommée » plusieurs fois et invitée à souper, devient admiratif : « Rien n'étoit si magnifique que ces soirées de Trianon ; tous les parterres changeaient tous les jours de compartiment de fleurs, et j'ai vu le Roi et toute la Cour les quitter à force de tubéreuses, dont l'odeur embaumoit l'air, mais étoit si forte par leur quantité, que personne ne put tenir dans le jardin, quoique très vaste et en terrasse sur un bras du canal. »

Cette exubérance florale est confirmée par un tableau de 1693, conservé à la Bibliothèque nationale et publié par Alfred Marie, sur la plantation des fleurs dans les parterres ; celles-ci sont groupées en oignons (tulipes, narcisses, jacinthes), en fleurs vivaces (juliennes, véroniques, œillets de poète, jacinthes étrangères, jacées, coquelourdes, œillets d'Espagne, violettes de mer) et en grosses fleurs vivaces (matriquaires, campanelles, grandes giroflées, lis blancs, valériennes grecques) ; le total des trois groupes, répartis sur onze rangs entre deux lignes de buis, est de 96 000 pieds !

Le Nostre, en 1694, cite pour le seul jardin particulier (ou
jardin du Roi) le chiffre de deux millions de pots employés
continuellement à ces changements quelle que soit la saison,
et il ajoute : « Jamais on ne void de feuille morte ny
arbrisseaux quy ne soit en fleurs. » Déjà, sous Louis XV, on
conservait une certaine nostalgie de cette beauté des jardins
de Trianon, témoin cette note du duc de Luynes en 1743 :
« J'oubliois de marquer que le Roi étant à Trianon, dans le
petit jardin particulier qui est auprès de Trianon-sous-Bois,
on parla des changements de fleurs que l'on faisoit dans ce
jardin et dans celui de l'autre côté du château du temps de
Louis XIV. Ces changements se faisoient avec des pots de
grès que l'on mettoit en terre, et l'on formoit tous les jours
de nouvelles décorations de fleurs. M. Gabriel dit au Roi
qu'il y avoit eu jusqu'à 900 000 pots pour ces changements
à Trianon ».

Trianon laisse peut-être apparaître, mieux encore que
Versailles, la passion du Roi pour les fleurs et tout spécialement pour les orangers. Outre les orangers en pleine terre
précédemment plantés sur les pentes qui regardent le Canal,
s'ajoutaient en effet, l'été, une grande quantité d'orangers
en caisses, répartis dans les allées des parterres qui font face
au château. La prédilection du Roi pour cet arbuste devait,
d'autre part, l'entraîner à construire dans ses jardins de
Versailles la plus surprenante Orangerie que l'on ait jamais
vue.

L'ORANGERIE

Le projet grandiose qui consiste, avec le développement
du parterre du Midi et la construction de la grande aile de
ce côté, à rebâtir de fond en comble l'Orangerie de Le Vau,
afin de donner à celle-ci l'ampleur nécessaire et de la mettre
à l'échelle du nouveau Versailles, se manifeste assez tôt. Dès
1678 et dans les quelques années suivantes, apparaissent dans
les comptes des fouilles et des transports de terre destinés à
cette Orangerie. On déplace, au prix d'un long effort, les
grands sapins du *Bois-vert* qui domine le Labyrinthe ; on

inscrit même, en 1679, la dépense de 2 803 fagots « pour faciliter le chemin qui a été fait pour voiturer » ceux-ci. Les murs de terrasse, la plantation des buis marquent les progrès du nouveau parterre, mais l'essentiel reste à faire.

Hardouin-Mansart, peut-être guidé par un premier dessin dû à Le Nostre, dresse les plans ; sur ses indications, le menuisier Tessier établit, en 1683, pour 138 livres le modèle de la nouvelle Orangerie. Le caractère colossal et majestueux du projet séduit Louis XIV. Les travaux sont aussitôt rapidement conduits. Le régiment Dauphin participe à l'opération et l'entrepreneur de maçonnerie Pierre Le Maistre reçoit en acomptes pour la seule année 1684 une somme de 449 000 livres et 611 000 livres en 1685. Un nouveau chef-d'œuvre enrichit Versailles.

Le 14 novembre 1685, Louis XIV, arrivant de Fontainebleau, se rend d'abord, on l'a vu plus haut, aux réservoirs de Montbauron. « Ensuite il se promena dans l'Orangerie, qu'il trouva d'une magnificence admirable. » Ce bâtiment, étonnant, dont le public ne connaît guère aujourd'hui que les façades et les deux gigantesques escaliers dits des *Cent-Marches*, est à la mesure du Grand Roi. Celui-ci, fier de son œuvre, donne aussitôt l'ordre à ses graveurs d'en diffuser l'image et, trois quarts de siècle plus tard, l'architecte Blondel estime l'Orangerie « digne de la magnificence des Romains... une des merveilles de l'Europe ».

LA PIÈCE DES SUISSES

Un autre travail gigantesque se poursuit presque en même temps. Il est destiné à assainir la région marécageuse qui s'étend au sud du parc, jusqu'au pied de la colline de Satory, et, tout en aidant à la création d'un nouveau Potager, à prolonger, selon les dimensions qui conviennent à Versailles, la perspective de l'Orangerie en un miroir colossal. Ce sera principalement l'œuvre du régiment des Gardes-suisses, du moins pour la première partie de l'opération, qui s'accomplit en deux fois.

En 1679, les transports et remuements de terre sont

considérables ; les dépenses aussi. Tout un matériel de bêches, de pioches, de hottes, de brouettes est assemblé, et l'on organise, l'été, le transport par voiture de l'eau « bonne à boire » destinée aux soldats. 69 000 livres sont versées en 1680 pour fouilles et transports de terre à l'entrepreneur Jacquier, tandis que 105 000 livres sont payées au régiment des Suisses. L'année suivante, les dépenses s'élèvent à 121 300 livres, parmi lesquelles figure une gratification de 5 811 livres au major du régiment, Surbeck. L'aménagement des margelles, la plantation d'épicéas et de gazon, la sculpture d'une barque par Caffiéri marquent la fin du travail au cours des années suivantes.

En 1687, Louis XIV ordonne un agrandissement de la Pièce des Suisses, qui atteindra alors ses dimensions définitives. L'entrepreneur Pierre Leclerc reçoit 83 800 livres cette année-là « sur les terres qu'il fait transporter sur l'augmentation de la pièce des Suisses ».

Le « lac des Suisses », dans sa simplicité même et dans son étendue, demeure l'un des plus étonnants ouvrages de Louis XIV. On ne peut accuser le Roi de mégalomanie pour l'avoir fait aménager et creuser. Au prix de bien des maladies parmi ses troupes, Louis XIV a amélioré une région malsaine. Il a su porter ce bassin à des proportions si justes, qu'on ne voit plus son immensité ; sa superficie d'une douzaine d'hectares est vaste, dit-on, comme trois fois tout l'ensemble du grand château. L'art magnifique et pondéré de Versailles triomphe dans de tels exploits.

En même temps, Louis XIV ne perd pas de vue les besoins de l'existence quotidienne de son château. Les terres enlevées à la grande pièce d'eau, ainsi que celles qui viennent du Parc-aux-Cerfs, vont servir à la création d'un nouveau Potager.

LE POTAGER

Le Roi prévoit, en 1679, une somme de 120 000 livres « pour le transport des terres et les murs de closture du nouveau potager, contenant vingt arpens ». Il dépense en réalité 177 000 livres cette année-là et autant l'année suivante rien que pour la maçonnerie des murs de ce nouveau jardin.

Ces hauts et beaux murs, dont la majeure partie subsiste encore, délimitent le vaste terrain, compartimenté de jardins intérieurs, qui va remplacer l'ancien Potager du Vieux-Versailles, désormais insuffisant. En 1681, les dépenses s'élèvent encore à 128 000 livres. Les treillages, les grilles et portes de fer, dues à Alexis Fordrin, le grand bassin central, les conduites de plomb figurent dans les comptes, ainsi que les fournitures nécessaires à la culture : châssis, caisses, paniers, cloches à melons, graines et plants.

La Quintinie règne sur ce domaine ; le Roi lui fait construire, en 1682, une maison, ainsi que des logements pour ses jardiniers. On établit au même moment les murs intérieurs ou galeries destinées à la grande figuerie.

Louis XIV est fier de ce nouvel ouvrage. Le 31 juillet 1684, note Dangeau dans son *Journal*, le Roi « se promena à pied dans ses jardins et dans son potager, où il permit à tous ceux qui le suivoient de cueillir et de manger du fruit ». Il renouvellera bien souvent ses promenades sur ce terrain, si bien choisi, si bien préparé, qu'il n'a cessé d'être fameux au XIXᵉ siècle et jusqu'à nos jours sous le nom d'École nationale d'Horticulture. Son jardinier, fort des encouragements du Roi et de ses expériences, préparera même un traité, qui sera publié deux ans après sa mort, en 1690 : *Instructions pour les jardins fruitiers et potagers*.

L'orgueil, que Louis XIV tire de son Versailles et qui est légitime, éclate de toutes parts. Les jardins, par l'effort prodigieux qu'ils ont demandé, par leur majesté et par leur luxe, le retiennent particulièrement. Ils reflètent le château ; un même esprit les a fait naître. Ils sont intégrés à la vie quotidienne du Roi aussi bien que ses appartements.

CHAPITRE III

LES JOURNÉES DU ROI

LE MONARQUE ET L'HOMME PRIVÉ

Louis XIV imprime aux occupations royales un faste et une ostentation dont aucun souverain de France, pas même François Ier ou Henri III, n'a poussé la « mécanique » aussi loin. La progression de ses appartements, la hiérarchie des « entrées », les rites qui doivent entourer sa personne selon qu'on se trouve dans telle pièce ou dans telle autre sont fixés avec une minutie qui peut nous paraître aujourd'hui ridicule, mais qui emplit l'existence de la plupart de ses courtisans. Les rivalités, qu'il sait entretenir dans la noblesse astreinte à son service, interdisent aux prérogatives nouvelles de se faire jour sans son assentiment. Mais derrière le monarque impassible et majestueux, qui sait accompagner ses grâces « de quelque discours agréable, qui augmentoit encore la valeur du présent », l'homme parfois apparaît, timide et indécis, prisonnier de sa Cour.

Devant les réactions en chaîne que pourrait produire un mot prononcé en faveur de tel ou tel, il lui arrive de s'enfermer dans un mutisme, qui peut sembler aux uns dignité, à d'autres irrésolution, comme le feront bien souvent Louis XV et Louis XVI. En 1691, par exemple, la veille de la Pentecôte, alors que, vêtu du grand manteau, il touche les écrouelles, il assiste impassible à une discussion des plus vives entre le maître de la Garde-robe, La Salle, et le major des Gardes du Corps, Brissac, « à qui auroit l'honneur de soutenir le manteau... Le Roi ne fit pas semblant d'entendre cette dispute, quoiqu'il sentît bien qu'on lui tiroit son manteau ».

L'homme, avec ses mesquineries et ses faiblesses, le

monarque, avec son souci de grandeur et son acharnement au travail, les occupations auxquelles s'astreint celui-ci, les plaisirs que celui-là s'accorde, transparaissent dans la composition de ses appartements, Il se prodigue en public, affiche ses maîtresses et ses bâtards, vit jusque dans ses actes les plus humbles en « représentation » presque permanente ; mais il éprouve aussi, et surtout en vieillissant, le besoin de se réfugier parfois dans une solitude relative. Le Versailles de ses premières années étant maintenant ouvert à tous, Louis XIV est amené, surtout à partir de 1684, à organiser un appartement « intérieur » au-delà de son appartement officiel. Un dualisme s'établit entre l'appartement du monarque et celui de l'homme privé, qui, perceptible sous son règne, ira en s'accentuant et donnera au Versailles du XVIIIe siècle sa physionomie particulière.

LES ANTICHAMBRES

La progression classique de l'appartement royal, celle qui apparaît déjà dans l'appartement du parterre du Nord en 1669, comprend Vestibule, Salle des Gardes, Antichambre, Chambre, Grand Cabinet, qui peut servir au Conseil et à la suite duquel sont situées quelques pièces de caractère moins officiel. Lorsque Louis XIV, aussitôt après la mort de la reine Marie-Thérèse et peut-être même un peu avant, décide d'étendre son appartement sur tout le fond de la cour de marbre et sur les côtés de cette cour, notamment sur le côté gauche ou méridional, jusque-là dévolu à la Reine, ce déroulement traditionnel sera respecté.

L'extension que donne alors le Roi à son propre appartement peut être expliquée par maintes raisons intimes autant qu'officielles : mort de la Reine, orgueil personnel, désir de communiquer directement avec l'appartement de Mme de Maintenon ; mais il faut aussi noter le transfert du gouvernement à Versailles et les obligations qui en résultent et qui apparaissent dès les antichambres.

Le rôle de celles-ci est multiple. Elles servent d'entrée habituelle à l'appartement du Roi. Bien des gens ne voient

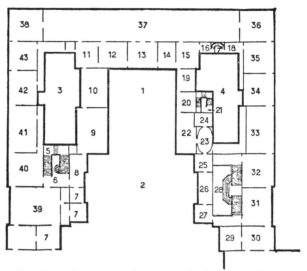

FIG. 14. — *Appartement du Roi (premier étage) vers 1693.*

1. Cour de marbre. — 2. Cour royale. — 3. Cour de la Reine. — 4. Cour du Roi. — 5. Escalier de la Reine. — 6. Palier de l'Escalier de la Reine. — 7. Appartement de Mme de Maintenon. — 8. Vestibule conduisant à l'appartement du Roi (loggia en 1701). — 9. Salle des Gardes du Roi. — 10. Antichambre du grand-couvert. — 11. Seconde Antichambre ou Salon des Bassans. — 12. Chambre du Roi (Chambre de 1684). — 13. Salon du Roi (Chambre de Louis XIV en 1701). — 14. Cabinet du Conseil. — 15. Cabinet des Termes (ou des Perruques) — 16. Cabinet de garde-robe. — 17. Escalier demi-circulaire. — 18. Passage vers le Salon d'Apollon. — 19. Cabinet du Billard ou des Chiens — 20. Salon sur le petit-escalier. — 21. Degré du Roi. — 22. Cabinet aux Tableaux. — 23. Salon-ovale. — 24. Cabinet des Coquilles (futur Cabinet aux Livres). — 25. Premier Salon de la Galerie. — 26. Petite Galerie. — 27. Salon du bout de la Galerie. — 28. Grand Escalier. — 29. Cabinet des Médailles. — 30. Salon de l'Abondance. — 31. Salon de Vénus ou pièce de marbre. — 32. Salon de Diane ou du Billard. — 33. Salon de Mars ou du Bal. — 34. Salon de Mercure ou Chambre du Lit. — 35. Salon d'Apollon ou Chambre du Trône. — 36. Salon de la Guerre. — 37. Grande Galerie. — 38. Salon de la Paix. — 39. Grande Salle des Gardes du Corps. — 40 à 43. Ancien appartement de la Reine (Salle des Gardes, Antichambre, Grand Cabinet, Chambre).
(A comparer aux plans du même appartement vers 1674, fig. 9, p. 83, et vers 1740, fig. 16, p. 311.).

Louis XIV qu'ici, soit qu'il sorte de chez lui pour descendre l'escalier dit de la Reine, soit qu'il se rende, comme il le fait chaque jour, chez Mme de Maintenon, soit qu'il soupe à son grand-couvert. Il sait, lui aussi, pouvoir y trouver ses courtisans qui l'attendent ou le guettent.

« Le soir, le maréchal de Villars qui arrivoit de Flandres, salua le Roi quand il sortit de son cabinet pour passer à l'appartement de la marquise de Maintenon, et le Roi s'arrêta un moment à lui parler. »

« Le soir, comme le Roi sortoit de son cabinet pour aller chez la marquise de Maintenon, la duchesse de Chevreuse lui demanda pour son fils, le vidame d'Amiens, un brevet de retenue de deux cent vingt mille livres sur sa charge de capitaine lieutenant des chevau-légers de sa garde »...

Ces deux exemples, qui sont empruntés, à deux jours d'intervalle, aux *Mémoires* du marquis de Sourches, en mars 1711, et qui pourraient être multipliés à l'infini, situent assez bien le rôle des antichambres dans la vie de la Cour.

Le Vestibule, qui conduit au palier de la Reine et à l'appartement de Mme de Maintenon, est lambrissé de marbre et s'éclaire par deux fenêtres dorées qui donnent sur la cour royale. En 1701, pour éclairer davantage l'Escalier de la Reine, de plus en plus fréquenté, Louis XIV fait percer, dans le mur de ce vestibule qui fait face à la seconde fenêtre, la grande arcade surbaissée qui a subsisté depuis.

La Salle des Gardes forme la première pièce de l'appartement du Roi. Elle abrite, comme son nom l'indique, les Gardes du Corps qui veillent sur la personne du Roi et qui présentent les armes à son passage, alors qu'ils frappent seulement du pied pour les ducs, les princes du sang et les chevaliers du Saint-Esprit. Elle est garnie de râteliers, de bancs de bois, de lits de veille et de paravents grossiers, qui, dans un pittoresque habituel à Versailles, contrastent avec le décor assez somptueux des murs.

Une tenture de cuir doré, un grand tableau de bataille commandé en 1686 à Parrocel pour orner le dessus de la cheminée, une corniche décorée de triglyphes et de métopes à attributs guerriers, deux grands lustres de bronze, rehaussés des chiffres royaux, composent un magnifique ensemble, dans une pièce dont les proportions sont fort nobles et qui prend jour sur la cour de marbre et sur la cour de la Reine.

La Salle des Gardes introduit encore d'une autre façon auprès du Roi. C'est dans cette salle, d'après les précisions données par Sourches, qu'on dispose tous les lundis la table des placets, « couverte d'un tapis de velours avec de la frange d'or. Au commencement, le Roi recevoit les placets lui-même, c'est-à-dire que les gens qui avoient à en donner venoient les mettre en sa présence sur la table. Depuis, le Roi se lassa de cette occupation, et ce fut M. de Louvois qui les reçut. Ensuite, quand il fut surintendant des Bâtiments, son fils, M. le Marquis de Courtenveaux, le soulagea de cette peine ».

La salle suivante, ou Première Antichambre du Roi, est dénommée *Salle du grand-couvert*, ou encore *Salle où le Roy mange*. Lorsqu'il n'y a plus ni Reine ni Dauphine, Louis XIV soupe ici en public. On a cité dans un chapitre précédent, à propos des vols à Versailles, l'épisode de la restitution des franges volées au Grand Appartement, en un paquet jeté sur la table. Les descriptions de Sourches et de Saint-Simon sont assez précises pour nous laisser voir la place du Roi : au milieu, le dos tourné à la cheminée, qui est mitoyenne à la seconde antichambre et dont le marbre sera modifié en 1701 ; derrière lui, debout, son premier médecin, Daquin, et quelques courtisans, dont le duc de Saint-Simon ; à la gauche du Roi, au bout de la table, auprès des fenêtres qui donnent sur la cour de marbre, le couvert resté vide de Monsieur et de Madame, ce jour-là demeurés à Paris. Un plan de Blondel indique en outre, sur le mur qui fait face au Roi et qui est adossé à la Salle des Gardes, l'emplacement de la tribune destinée à la musique des soupers.

L'éclairage de cette belle salle, primitivement distribué par trois fenêtres sur la cour de marbre et trois fenêtres sur la cour de Monseigneur, fut diminué d'une fenêtre lorsqu'on créa de ce côté-ci l'appartement de nuit du duc de Bourgogne, en 1699. Des tableaux de batailles commandés à Parrocel pour orner les murs, quatre portières en brocatelle de Venise « fond aurore à fleurs vert et blanc enfermées par bandes de brocart fond de satin couleur de feu à fleurs or, argent et soie », décorent cette antichambre, où l'on doit en outre mentionner le fauteuil de table du Roi, « de velours cramoisy, garni de frange, molet et galon d'or ; le bois peint de rouge avec filets d'or ». Un second fauteuil semblable fut ajouté lorsque le duc d'Anjou, proclamé roi d'Espagne, soupa et dîna ici à plusieurs reprises entre le 16 novembre 1700 et son départ pour l'Espagne, à la droite de son grand-père, qui le traita comme son égal.

De cette antichambre, les deux portes du fond, de part et d'autre de la cheminée, conduisent depuis 1701 dans la grande antichambre dite de l'*Œil-de-Bœuf*. Cette dernière fut établie à ce moment sur deux pièces, prises en 1684 sur d'anciennes dépendances de l'appartement de la Reine et rattachées à l'appartement du Roi : l'*Antichambre des Bassans* (ainsi nommée à cause des nombreux tableaux du Bassan qui en ornaient les murs) à gauche, et la *Chambre du Roi*, à droite, dans l'angle de la cour de marbre.

LE SALON DE L'ŒIL-DE-BŒUF

L'expression d'*Œil-de-Bœuf* est née du grand ovale vitré qui prend sa lumière sur la cour de Monseigneur ou de la Reine et qui fut percé lors des transformations accomplies en 1701. Les ordres successifs, que donne le Roi en juillet et août de cette année et qu'a publiés Nolhac, montrent l'attention apportée à cette création. Le désir d'économie est évident, mais on sent aussi Louis XIV entraîné par le souci du beau.

Le problème, au départ, semble tout simple. De deux pièces (l'Antichambre des Bassans et sa Chambre), il s'agit de « n'en faire qu'une », donc d'abattre la cloison qui les sépare et d'opérer les raccords nécessaires ; mais les plafonds de ces deux pièces ne sont pas de hauteur égale, et la poutre un instant envisagée pour relier les deux cintres risque de produire un vilain effet. Une partie des anciennes menuiseries doit être conservée, mais en les « allongeant » et en leur donnant un caractère d'unité. Un attique est dressé tout autour, dont le rampant incurvé sera décoré sur l'ordre du

Roi d'une « espèce de frise courant en bas-reliefs de plâtre moulé, qui représenteront des jeux d'enfants ». L'exécution de cette extraordinaire corniche est dirigée par Mansart et Robert de Cotte. Tout ce qui est relief, y compris le treillage simulé qui forme le fond, est doré sur un blanc uni. Rien de plus frais, de plus souriant, de plus élégant que la voussure du Salon de l'Œil-de-Bœuf ; l'art des jardins l'inspire, l'enfance l'égaie, les sculpteurs de Versailles y déploient un esprit rajeuni. Louis XIV, ainsi qu'il le montre presque au même moment à la Ménagerie ou à Trianon, devient ici l'initiateur du XVIIIe siècle.

Le succès de cette magnifique antichambre, « qui ne surprend pas moins par sa richesse que par sa grandeur », est éclatant. Louis XIV ne néglige rien pour contribuer au luxe de ce salon. Le nombre des glaces, — les tableaux, presque tous de Véronèse, disposés entre celles-ci ou en dessus de porte, — les trois lustres qui l'éclairent le soir, — les quatre portières et les vingt-quatre tabourets de bois sculpté et doré qui la meublent et qui sont de brocart alterné d'or et d'argent et de satin rouge et or, confèrent à cette pièce la somptuosité qui plaît au Roi et qui annonce celle, plus grande encore, de sa Chambre.

LA CHAMBRE DE LOUIS XIV

Un salon d'axe, ouvrant par trois fenêtres sur la cour de marbre à l'Est et par trois baies à l'Ouest sur la terrasse, séparait, on le sait, l'appartement du Roi de celui de la Reine. Modifié et embelli lors des remaniements du fond de la cour de marbre en 1678 et de l'établissement de la Grande Galerie, il est ainsi décrit par Félibien : « Ce salon plus exhaussé qu'aucune autre pièce du premier appartement du Roy occupe, outre la hauteur entière de l'étage où il est, toute celle de l'attique qui est au-dessus, et une partie de la hauteur du comble dont la voûte du même salon est couverte en forme de pavillon... Dans son lambris dont tous les ornements sont doréz on voit seize grands pilastres d'ordre composite... Quatre sont occupéz par des portes, au-dessus desquelles des tableaux représentent l'un le portrait de Vandeik peint par luy-même, un autre le portrait du marquis d'A*** [François de Moncade, ces deux portraits de Van Dyck étant demeurés en place jusqu'à nos jours] peint aussi par Vandeik ; le troisième est un Saint Jean-Baptiste de Michel-Ange de Caravage, et le quatrième une Sainte Madeleine de Guide. Le grand tableau de Sainte Cécile du Dominiquin est au-dessus de la cheminée dans l'intervalle du milieu du côté du Midy, et le grand tableau de David jouant de la harpe du même peintre est placé vis-à-vis vers le Septentrion. Un attique qui répond dans le salon à l'attique de dehors est partagé en autant d'intervales que le grand ordre inférieur... »

Lorsque Louis XIV installe, en 1684, sa Chambre tout à côté, dans l'angle de la cour de marbre, le grand salon central est désigné sous le nom de *Salon du Roi* ou encore *Salon où le Roi s'habille*. Cette disposition durera dix-sept ans.

Le transfert de la Chambre de Louis XIV était presque inévitable. Selon une très ancienne tradition, le Roi logeait au centre même de son château. Il était le cœur du château ; lorsqu'il dormait, la vie semblait s'arrêter. Par les Gardes et par le « mot », par les cérémonies du Coucher et du Lever, entre lesquelles le sommeil du Roi libérait les courtisans de leur service, la Chambre du Roi fixait, plus encore que le cours du soleil, les limites des jours et des nuits de Versailles, et l'on peut noter, comme un symbole, que Louis XIV désigne pour sa dernière chambre, non seulement le milieu de son château, mais le plein est, l'axe même sur lequel le soleil se lève sur ses terres. Comme s'il lui était impossible de vivre et de mourir dans la chambre biaise et sombre de 1684, il prend possession, en 1701, du Salon du Roi.

L'architecture générale de ce salon est respectée, avec ses trois fenêtres, avec son rythme de pilastres, de portes et de glaces, tant du côté de la Chambre de 1684 que du côté du Cabinet du Conseil, avec son attique orné de peintures rectangulaires et de pilastres trapus. Le mur occidental, qui était percé de trois baies sur la Galerie, est complété pour former le fond de l'alcôve. Les aménagements et les embellissements de 1701 visent à donner plus de richesse, de gaieté, de lumière et de confort à ce salon déjà un peu ancien. La noblesse du décor s'en trouve du même coup rénovée.

Qui est responsable de cette transformation ? Robert de Cotte auprès de Mansart ? Les sculpteurs nouveaux qui travaillent ici comme à l'Œil-de-Bœuf, notamment l'équipe de Taupin, Le Goupil et Du Goullon ? N'est-ce-pas aussi le Roi par les ordres précis qu'il donne et les modèles qu'il choisit ? Une harmonie blanc et or, où dominent les amours, les treillages et les fleurs, se fait jour dans le maintien des anciennes structures.

Encadrée de deux pilastres, dont les ornements d'agrafes et de volutes annoncent l'art dit de la Régence, l'alcôve royale, très peu profonde, est marquée par un cintre de treillages, disposés en perspective, et par d'admirables sculptures : deux *Renommées* dues à Lespingola, et surtout *la France triomphante*, modelée par Nicolas Coustou.

« Des ornemens riches et légers » ont été sculptés à la demande du Roi sur les vantaux des portes. Louis XIV, « ayant veu les croisées neuves faites pour sa chambre posées, en a trouvé le bois trop gros et ordonné d'en faire d'autres et de faire des volets, embrasements et arrière-voussures à ces croisées ornées de sculpture très richement ». Il s'intéresse à chaque détail, à la balustrade du lit, à la serrurerie de bronze doré des portes et des croisées, établie suivant de nouveaux modèles. L'un de ses ordres permet d'apprécier, une fois de plus, la précision de son esprit : il ordonne, le 28 février 1702, « de faire des machines propres à poulies pour attacher des rideaux aux trois croisées de l'attique de sa chambre à Versailles et de percer avec des trépans les arrière-voussures des croisées pour y passer les cordons pour qu'on puisse les baisser et hausser d'en bas, et d'accommoder le tout proprement ».

Le Grand Roi veut être économe : il fait conserver, chaque fois qu'il le peut, une partie de l'ancien décor. Mais il s'applique aussi à demeurer moderne. Tout s'ordonne, évolue avec majesté et sûreté. Il ne se lasse pas de créer *son* Versailles ; il sait, malgré l'âge et sans rien renier de son faste, demeurer à la tête de l'art décoratif français, dont il affirme l'étonnante vitalité. Il s'impose à ses successeurs dans les domaines les plus divers.

La composition même du meuble, avec son lit solennel (qu'il ne faudrait pas confondre avec la reconstitution imaginée aujourd'hui), ses deux grands fauteuils, ses pliants, ses deux carreaux, son tapis de table, sa tenture d'alcôve et ses quatre portières, ne variera pas jusqu'à la fin de l'Ancien Régime. Le meuble d'été est formé de deux brocarts alternés, l'un d'argent à bergers, l'autre vert à fleurs ; il a été créé pour la chambre de l'appartement des Bains et sera employé successivement dans les chambres de 1684 et de 1701. Le meuble d'hiver, établi en 1701, sera utilisé par Louis XV, qui le fera restaurer en 1736, et par Louis XVI, qui, voyant sa vétusté, devra se résoudre à le faire détruire ; il est de velours rouge cramoisi et si richement rebrodé d'or que, en le faisant brûler en 1785, on en tirera trois lingots d'or d'un poids total de 253 marcs (une soixantaine de kilos !)

D'un souverain à l'autre, les murs de la Chambre ont vu les mêmes actes, résonné des mêmes paroles. Le premier gentilhomme de la Chambre « en année » ouvre à huit heures et quart le rideau du lit de Louis XIV, qui vient d'être éveillé par son premier valet de chambre et de recevoir la visite de son premier médecin ; il lui apprend, s'il y a lieu, quelque nouvelle importante, et peut en profiter pour demander une grâce : ainsi le duc de Gesvres obtient-il pour lui-même, en 1687, le gouvernement de Paris ou le duc de Beauvillier pour le jeune vidame de Chartres les gouverne-ments de son père, le duc de Saint-Simon, en 1693. Ceux qui ont les grandes-entrées, introduits en même temps, en profitent pour « parler au Roi, s'ils avoient quelque chose à lui dire ou à lui demander ». Les petites-entrées pénètrent à leur tour dans la Chambre et tous assistent à la toilette du Roi. « On lui voyoit faire la barbe de deux jours l'un, et il avoit une petite perruque courte, sans jamais en aucun temps, même au lit, les jours de médecine, paroître autrement en public. » Aidé de son service d'honneur, le Roi s'habille. « Il se faisoit presque tout lui-même, avec adresse et grâce. » Enfin viennent les prières.

La Chambre peut servir à certaines audiences solennelles des grands corps du royaume ou d'ambassadeurs, selon l'antique usage. Dans les chambres de 1684 et de 1701, il n'existe plus d'estrade de marqueterie ; « il y a le balustre qui fait le même effet, en dedans duquel les princes sont à côté du Roy ». La Chambre sert aussi, presque chaque jour, au dîner du Roi, « sur une table carrée vis-à-vis la fenêtre du milieu », au moins depuis la mort de la Dauphine, dans l'antichambre de laquelle le Roi avait pris, après la mort de la Reine, l'habitude de dîner.

Le soir, les cérémonies du Coucher déclenchent un mécanisme analogue à celui du Lever. Le Roi, quittant le cercle du Cabinet du Conseil, « donnoit le bonsoir, passoit dans sa chambre à la ruelle de son lit, où il faisoit sa prière comme le matin, puis se déshabilloit. Il donnoit le bonsoir d'une inclination de tête, et, tandis qu'on sortoit, il se tenoit debout au coin de la cheminée, où il donnoit l'ordre au colonel des gardes seul ; puis commençoit le petit coucher, où restoient les grandes et secondes entrées ou brevets d'affaires. Cela étoit court. Ils ne sortoient que lorsqu'il se mettoit au lit. Ce moment en étoit un de lui parler pour ces privilégiés ; alors tous sortoient, quand ils en voyoient un attaquer le Roi, qui demeuroit seul avec lui ».

Saint-Simon omet ici un rite, établi par Louis XIV, qui, pendant cent ans, tiendra dans la Grande Chambre de Versailles la plus haute noblesse en haleine lors du Coucher du Roi : la cérémonie du bougeoir, que le même Saint-Simon traite ailleurs de bagatelle, mais qu'il décrit tout au long, lorsqu'il en est, comme cela lui arriva en 1702, le héros : « Quoique le lieu où il se déshabilloit fût fort éclairé, l'aumônier de jour, qui tenoit, à sa prière du soir, un bougeoir allumé, le rendoit après au premier valet de chambre, qui le portoit devant le Roi venant à son fauteuil. Il jetoit un coup d'œil tout autour et nommoit tout haut un de ceux qui y étoient, à qui le premier valet de chambre donnoit le bougeoir. C'étoit une distinction et une faveur qui se comptoit, tant le Roi avait l'art de donner l'être à des riens... On ôtoit son gant, on s'avançoit, on tenoit ce bougeoir pendant le coucher, qui étoit fort court, puis on le rendoit au premier valet de chambre, qui, à son choix, le rendoit à quelqu'un du petit coucher. »

LE CABINET DU CONSEIL

La Chambre de Louis XIV communique directement depuis 1701 avec le Cabinet du Conseil. Le remplacement du Salon de Jupiter par le Salon de la Guerre et la nouvelle disposition de l'appartement du Roi ont imposé le transfert du Cabinet sur la cour de marbre, le séparant d'abord de la Chambre par le Salon du Roi.

Dès 1682, des livraisons de meubles indiquent le nouveau « cabinet où le Roy tient conseil ». Une décoration, qu'a définie avec précision Alfred Marie, composée de lambris de glaces, avec des consoles pour porter des vases d'agate ou de jaspe tirés des collections royales, est établie en 1684 et sera renouvelée en 1701, d'où le nom de *Cabinet des Glaces* qu'on donne parfois à ce Cabinet, comme on le fera de celui de Trianon.

C'est, à l'origine, une pièce assez étroite, que deux fenêtres éclairent sur le fond de la cour de marbre. Le Cabinet du Conseil, encore appelé *Cabinet du Roi*, est marqué d'un double caractère, officiel et privé, que son mobilier permet d'évoquer.

Le meuble, décrit par un inventaire de 1708 demeuré inédit que conservent les Archives nationales et auquel il sera fait de fréquents emprunts dans les pages suivantes, est de brocart d'argent et comprend quatre portières, une table pour le Conseil avec un dessus de velours vert, trois fauteuils, douze pliants, un paravent et même un lit de repos. Ce dernier, avec ses deux dossiers chantournés, « ses deux traversins, ses deux carreaux, ses franges, ses glands et ses houppes d'or et d'argent », pourrait nous sembler incongru, si nous ne nous rappelions une note de Dangeau en 1686 : le Roi, qui souffre alors de sa tumeur, « a fait mettre un lit dans le lieu où il a accoutumé de tenir le conseil, afin de s'y tenir le jour, si son mal l'oblige à être couché ; cet endroit-là est plus éloigné du bruit ».

Le Cabinet est dédié à la délectation du souverain autant qu'à son travail. Les glaces multiplient l'image des gemmes qui ornent les murs. Trois tableaux du Poussin et un de Lanfranco ont été placés en dessus de porte dans des bordures sculptées par Caffiéri. Les portes elles-mêmes, que Louis XV conservera, ont été l'objet de soins attentifs. En 1701, « Sa Majesté a ordonné de faire une table pour le Cabinet du Conseil en accommodant une table d'albâtre qui est dans les magazins de Paris, à laquelle on fera un pied des plus magnifiques qu'il se pourra avec une bordure de bronze ». Une console de bronze doré est, d'autre part, prévue pour porter une pendule.

Depuis longtemps déjà, Louis XIV a fait disposer ici un beau clavecin rehaussé de peintures. Il peut lui arriver d'entendre dans son Cabinet ses musiciens ou ses écrivains. Voici ce que note Dangeau à la date du 5 janvier 1685 : « Le matin il se fit réciter par Racine la harangue qu'il avoit faite à l'Académie le jour de la réception de Bergeret et du jeune Corneille, et les courtisans trouvèrent la harangue aussi belle qu'elle avoit été trouvée belle à l'Académie. Racine la récita dans le Cabinet du Roi. »

Le Roi donne ici des audiences, à propos desquelles Saint-Simon cite à maintes reprises ce Cabinet. Voyez ce qu'il dit de la manière dont est reçue Mme de Soubise : « Si... elle avoit à parler au Roi..., elle étoit admise à l'instant qu'elle le vouloit. C'étoit toujours à des heures publiques, mais dans le premier cabinet du Roi, qui étoit et est encore celui du Conseil, tous deux assis au fond, mais les portes des deux côtés absolument ouvertes... et la pièce publique contiguë à ce cabinet pleine de tous les courtisans. » En 1710, Saint-Simon, après une longue disgrâce, a la joie d'y être reçu. « J'y trouvai le Roi seul, et assis sur le bas bout de la table du Conseil, qui étoit sa façon de faire quand il vouloit parler à quelqu'un à son aise et à loisir... Comme il vit qu'il n'y avoit plus de points à traiter, il se leva de dessus sa table. »

Le Roi entre ici chaque matin, un instant après son Lever, pour y donner « l'ordre à chacun pour la journée, ainsi on savoit à un demi-quart d'heure près tout ce que le Roi devoit faire. Après quelques audiences, Louis XIV se rend à la messe, puis rentre à son Cabinet pour le Conseil. « Les ordres que les secrétaires d'État prenoient tous les matins, entre le lever et la messe, abrégeoient et diminuoient fort ces sortes d'affaires. »

Avant 1684, le Conseil a lieu avant la messe, qui est célébrée aux environs d'une heure ; entre la messe et son dîner, le Roi se rend chez Mme de Montespan. Au temps de Mme de Maintenon, de nouvelles habitudes, que l'on observera plus loin, fixent un autre horaire : messe, Conseil, dîner.

Les jours des conseils sont aussi réglés que les heures. « Le dimanche il y avoit conseil d'État et souvent les lundis ; les mardis, conseil de finances. Les mercredis, conseil d'État ; les samedis, conseil de finances. Il étoit rare qu'il y en eût deux par jour, et qu'il s'en tînt les jeudis ni les vendredis. Une ou deux fois le mois, il y avoit un lundi matin conseil de dépêches... Le jeudi matin étoit presque toujours vuide. C'étoit le temps des audiences que le Roi vouloit donner et le plus souvent des audiences inconnues par les derrières ; c'étoit aussi le grand jour des bâtards, des bâtiments, des valets intérieurs, parce que le Roi n'avoit rien à faire. Le vendredi après la messe étoit le temps du confesseur qui n'étoit borné par rien et pouvoit demeurer jusqu'au dîner. »

Après son dîner, « au sortir de table, le Roi rentroit tout de suite dans son cabinet. C'étoit là un des moments de lui parler, pour des gens distingués. Il s'arrêtoit à la porte un moment à écouter ; puis il entroit, et très rarement l'y suivoit-on, jamais sans le lui demander, et c'est ce qu'on n'osoit guères. Alors il se mettoit avec celui qui le suivoit dans l'embrasure de la fenêtre la plus proche de la porte du cabinet, qui se fermoit aussitôt, et que l'homme qui parloit au Roi rouvroit lui-même pour sortir en quittant le Roi... C'étoit aussi le temps où Monseigneur se trouvoit quand il n'avoit pas vu le Roi le matin ; il entroit et sortoit par la porte de la galerie ».

« Après souper, le Roi se tenoit quelques moments debout, le dos au balustre du pied de son lit, environné de toute la cour ; puis, avec des révérences aux dames, passoit dans son cabinet, où en arrivant il donnoit l'ordre. »

Jusqu'en 1701 tout au moins, l'exiguïté du Cabinet du

Conseil oblige le Roi à s'installer, le soir, dans le Cabinet voisin ou *Chambre des Perruques*, qu'on appelle aussi *Cabinet des Termes* à cause de sa décoration de « vingt figures de jeunes enfants en forme de thermes, qui soutiennent des festons doréz ».

« Il y passoit un peu moins d'une heure avec ses enfants légitimes et bâtards, ses petits-enfants légitimes et bâtards, le Roi dans un fauteuil, Monsieur dans un autre... Monseigneur debout ainsi que tous les autres princes, et les Princesses sur des tabourets... Les dames d'honneur des Princesses et des dames du palais de jour attendoient dans le Cabinet du Conseil, qui précédoit celui où étoit le Roi. »

Ce Cabinet des Termes ou des Perruques sert au Roi à changer de vêtements ou, selon Sourches, « de chapeau, de souliers, de chemise et de perruque deux ou trois fois par jour ». Il est garni de glaces jusque sur les portes. Il sera diminué dans ses dimensions en 1701, afin d'agrandir le Cabinet du Conseil. Jusque-là, ses portes étaient les seules à s'ouvrir tant sur les « intérieurs » et les gardes-robes du Roi que sur la Grande Galerie.

On notera qu'il existait, en outre, un *appartement du Conseil*. Cet appartement, sur lequel les travaux de M. Tony Sauvel ont apporté d'utiles précisions, est installé au rez-de-chaussée de la cour royale, dans l'aile méridionale ou Vieille-aile. Il comprend antichambre, greffe, buvette et salle : celle-ci sert aux séances du Conseil des Parties (pour lequel la table est couverte d'un tapis vert), du Conseil des Finances et du Conseil de Direction (avec tapis violet).

Après les derniers changements opérés par Louis XIV, le Cabinet du Conseil donne accès au Cabinet du Billard et à l'appartement intérieur du Roi ainsi qu'à la Grande Galerie.

LE GRAND APPARTEMENT ET LA GRANDE GALERIE

Il est une région de Versailles où presque rien ne change, où les premières créations de Louis XIV semblent avoir inspiré une sorte de respect au Grand Roi lui-même et à ses successeurs : son ancien appartement du premier étage, sur

le parterre du Nord, qu'on appelle désormais le Grand
Appartement. Les additions qui accompagnent les projets de
1678, créant le Salon de Vénus et la Grande Galerie avec ses
deux salons annexes de la Guerre et de la Paix, rehaussent
encore le prestige de cet appartement, éblouissant de marbres,
de peintures, de dorures et de sa célébrité même. L'installation
d'un appartement distinct pour le Roi autour de la cour de
marbre oriente le premier vers un rôle de parade, qui aide
encore à sa conservation. Dès 1682, l'ancien Appartement
des Planètes tend à devenir ce que nous appellerions
aujourd'hui un appartement « historique », un appartement
que l'on préserve, que l'on soigne avec amour, que l'on
montre avec orgueil, et dont on se sert assez peu.

Le Grand Escalier, dénommé *Escalier du Roi* ou *Escalier
des Ambassadeurs*, sert d'entrée solennelle au Grand Appartement ; l'une des portes du palier du premier étage conduit,
on le sait, au Salon de Vénus, l'autre au Salon de Diane. La
tribune de la chapelle neuve, qui se trouve située à ce
moment sur le pourtour du futur Salon d'Hercule, ouvre
sur une pièce qui s'ajoute à l'Appartement, le *Salon de
l'Abondance* ; on pénètre, par ce salon, dans l'un des cabinets
les plus riches de l'appartement privé du Roi, le Cabinet des
Médailles, ce qui explique les représentations de gemmes des
collections royales dont Houasse a décoré le plafond.

Le *Salon de Vénus* est orné de colonnes de marbre à
chapiteaux de bronze, de placages de marbre et, dans une
niche, d'un *Cincinnatus* antique, le tout mêlé de colonnades
feintes et de statues en trompe-l'œil. Le Salon de Diane
reçoit, en 1685, autour du buste de Louis XIV par Le Bernin,
une noble décoration de marbre et de bronze, à laquelle
travaillent Mazeline, Jouvenet et les Keller. Ces deux salons
semblent, à l'origine, avoir été pavés de marbre, aussi a-t-on
pris l'habitude d'appeler *pièce de marbre* le Salon de Vénus,
cependant que le Salon de Diane est dénommé *Salon du
Billard*.

Les trois salons suivants n'ont guère subi de modifications
dans leur décor. Seule leur affectation a changé. Le Salon de
Mars devient le *Salon du Bal*, le Salon de Mercure la *Chambre
du Lit*, le Salon d'Apollon la *Chambre du Trône*. L'ancien

Salon de Jupiter fait place au *Salon de la Guerre*, à la suite duquel se développe la *Grande Galerie*, aujourd'hui connue sous le nom de Galerie des Glaces, terminée, à l'angle Sud-Ouest, par le *Salon de la Paix*.

Le caractère d'unité, que l'abandon du programme initial a fait perdre au Grand Appartement dans ses pièces du parterre Nord, est repris avec magnificence lorsque Le Brun met au point ce dernier ensemble. La décoration peinte des plafonds, les hautes fenêtres cintrées, le placage régulier de marbres polychromes sur lesquels se détachent de fastueuses applications de métal doré confèrent à la Galerie et à ses deux salons une splendeur et une majesté encore inconnues. Le dessein général, arrêté par Le Brun en accord avec Louis XIV et Hardouin-Mansart au début de 1679, traduit, sur toute la longueur de la façade occidentale qui regarde les jardins, la gloire et la fierté du règne.

Les attributs de la guerre et de la paix, dans les deux salons extrêmes, semblent rappeler que l'alternance d'expéditions victorieuses et de périodes consacrées à la bonne administration ont permis au Roi de créer Versailles. Ces salons encadrent la Galerie elle-même, dont le plafond raconte l'histoire de Louis XIV, depuis sa prise en main du gouvernement en 1661 jusqu'au traité de Nimègue en 1678. Le Brun, non content de traiter son sujet en allégories comme à la voûte du Grand Escalier, n'a pas craint de montrer partout la présence du Roi, comme si, au faîte de son règne, Louis XIV prenait pour toujours possession de Versailles. Il est ici, jeune roi triomphant, au centre de la Galerie, au-dessus des trois arcades de glaces qui, jadis, formaient l'entrée du Salon de son appartement. Il est là aussi, à cheval, dans le grand bas-relief encadré de captifs et de Renommées, que Coysevox a modelé pour le Salon de la Guerre.

La réussite de ce règne, qui n'a pas encore vingt ans, s'étale et se prodigue avec tant d'éclat dans le Grand Appartement, que Louis XIV s'éblouit lui-même et ne veut plus y voir que des meubles d'argent. Amplifiant ce qu'il admira chez sa mère et chez Mazarin, il a déjà, depuis une quinzaine d'années, commandé pour les Tuileries, le Louvre, Saint-Germain ou Versailles des vases, des bassins ou des cassolettes d'argent ciselé, dont le nombre, les dimensions, le poids et la richesse vont se multipliant. Des chenets et d'énormes lustres, des guéridons de six pieds de haut, des seaux à orangers, deux tables qu'a ciselées Ballin et qui pèsent chacune 1 500 marcs (375 kg), de grandissimes miroirs, et même, pour le Salon de Mercure, un balustre qu'ont exécuté aux Gobelins les orfèvres Loir et Villers et qui pèse une tonne, paraissent de moins en moins surprenants. Louis XIV rêve, pour le Salon d'Apollon, d'un trône d'argent massif, que Saint-Simon croit avoir vu, mais qui ne sera que de bois sculpté et argenté. Il commence à recevoir, en 1686, pour la Galerie, la livraison de tabourets et de bancelles d'argent massif. L'Europe s'émerveille ; Tessin, lors de sa visite à Versailles en 1687, dénombre la quantité de meubles d'argent qu'il admire dans chacune des pièces du Grand Appartement. L'Europe s'inquiète aussi ; elle jalouse ce roi de France, trop heureux jusqu'ici et d'un orgueil insupportable. La coalition se resserre contre lui. La page insolente que représente dans la vie de Louis XIV et dans celle de Versailles, durant quelques années, le luxe insensé du mobilier d'argent devra disparaître. Pour soutenir la guerre dite de la Ligue d'Augsbourg, le Roi-Soleil est bientôt contraint d'envoyer à la fonte ce mobilier prodigieux et dépouille d'un seul coup son Grand Appartement de Versailles, ce que note Dangeau au mois de décembre 1689 : « Le Roi veut que dans tout son royaume on fasse fondre et porter à la monnoie toute l'argenterie qui servoit dans les chambres, comme miroirs, chenets, girandoles, et toutes sortes de vases, et pour en donner l'exemple il fait fondre toute sa belle argenterie, malgré la richesse du travail... Le Roi a fait emporter toute son argenterie... Il n'y en a plus du tout dans tous les appartements et on travaille à la faire fondre. »

L'expérience cependant n'a pas été inutile à l'art français : ciseleurs, orfèvres et bronziers ont acquis à ces travaux une grande dextérité de main. Les meubles de bois doré, tables, guéridons et miroirs, tabourets ou pliants, qui remplacent dans le Grand Appartement, à partir de 1689, les meubles d'argent sont dignes par la finesse de leurs sculptures et la qualité de leurs dorures, sinon par le prix de la matière, de rivaliser avec ceux-ci. Dans son luxe le plus téméraire, le Versailles de Louis XIV demeure une source de profits artistiques.

Les goûts du Roi s'affirment et se décantent dans cet appartement illustre. On a dit le marbre et les dorures, et la louange partout répandue dans la nouvelle Galerie. L'amour des marbres précieux se retrouve dans les tables achetées à Rome en 1683 et dans les années suivantes, qui sont bordées de bronze doré par Cucci et destinées à cette Galerie. La prédilection de Louis XIV pour les belles sculptures apparaît dans les huit niches ou socles, dont il fait décorer cette même Galerie, afin d'exposer huit antiques, parmi les meilleures de ses collections, notamment la *Vénus d'Arles* et la *Diane chasseresse*.

Le souci du détail demeure constant. Le Roi ordonne de nouveaux modèles de girandoles de cristal pour les guéridons du Grand Appartement. Il fait tisser par Charlier, pour accompagner les meubles d'argent de la Galerie, des rideaux de damas blanc rehaussé d'or. Mme de Montespan sait lui être agréable en faisant broder à Saint-Joseph, pour le Salon d'Apollon et le Salon de Mercure, des meubles d'une richesse extrême, qui seront par la suite achevés à Noisy, à Versailles même et peut-être à Saint-Cyr, sous le règne de Mme de Maintenon.

Cet appartement, détourné peu à peu de son rôle d'habitation, n'est plus un appartement comme les autres. Il est *l'Appartement* et a si bien modelé la vie de la Cour que les réceptions que Louis XIV y donne se nomment elles-mêmes *appartement*. Trois fois la semaine durant les mois d'hiver, le lundi, le mercredi et le jeudi, jeux, buffets, musique ou bal charment les courtisans, fort sensibles, d'autre part, à l'honneur de se trouver là.

Les fêtes qui se déroulent dans le Grand Appartement sont nombreuses. Des bals, des concerts ou des soupers peuvent s'y tenir en plus des jours d'appartement, telle cette fête du 19 juillet 1684, où un bal est donné dans le Salon de la Paix et un grand souper, et où l'on entend, dans le Grand Escalier, très apprécié pour ce genre de symphonies, « toute la musique avec des timbales et des trompettes ».

La vie religieuse, qui encadre l'existence de la Cour, ramène celle-ci chaque jour dans le Grand Appartement pour le cortège royal qui se rend à la tribune de la Chapelle, et, de façon plus solennelle, aux quelques grandes fêtes où se déploie la procession des chevaliers du Saint-Esprit, descendant à la Chapelle, soit par l'Escalier de la Reine et la cour, soit par le Grand Escalier, ou bien encore à l'Épiphanie, alors que l'on tire les rois dans un brillant souper.

Enfin, l'Appartement sert aux audiences solennelles, où le Roi est assis sur son trône et sous un dais, soit dans le Salon d'Apollon, soit, de façon très exceptionnelle, dans la Galerie : audiences des ambassadeurs moscovites, en 1681, ou des députés d'Alger, qui font leur compliment au Roi lorsqu'il traverse le Grand Appartement, au mois de mars 1685, — audience extraordinaire du doge de Gênes, le 15 mai 1685, dont Sourches et Dangeau ont laissé un récit attentif et que le peintre Hallé fut chargé de représenter, — nouvelles audiences des ambassadeurs de Moscovie en 1685 et 1687, — fameuse réception, en 1686, dans la Galerie des ambassadeurs de Siam, — audience des ambassadeurs du roi de Maroc en 1699, — audience enfin, le 19 février 1715, de l'ambassadeur de Perse, dont Saint-Simon a tracé un récit féroce, exact cependant et facile à confronter avec le tableau d'Antoine Coypel, et où Louis XIV, qui « ployoit sous le poids » des diamants dont son habit était couvert et « parut fort cassé, maigri et très méchant visage », connut pour la dernière fois la pompe de sa Galerie.

L'APPARTEMENT INTÉRIEUR

Le Grand Appartement à peine achevé et complété par la Galerie, l'appartement de la cour de marbre étant en cours d'installation, Louis XIV s'applique à créer à son usage un appartement privé ou *appartement intérieur*. Ceci paraît correspondre à une évolution de son caractère et de sa vie ; le déclin de Mme de Montespan l'amène à reprendre à son profit personnel l'appartement qu'elle occupait au premier étage ; l'influence discrète de Mme de Maintenon le pousse, alors qu'il n'atteindra pourtant la cinquantaine qu'en 1688, à demeurer plus souvent chez lui, dans ses « intérieurs », à rechercher davantage le cercle réduit de sa famille et de ses enfants. L'appartement intérieur répond à ce désir ; il comprend des pièces intimes et d'autres où le Roi peut recevoir ses familiers ; on y trouvera un Billard, une Galerie, et, comme dans le Grand Appartement, des œuvres d'art innombrables, particulièrement des tableaux et des gemmes.

Ce double courant, cette distinction entre le monarque et le particulier doivent être observés ici. Le Roi-Soleil, bien avant les grands travaux que Louis XV entreprendra dans le même but, demande à ses architectes de réduire la cour intérieure pour permettre à son appartement privé de se développer. Certes, ceci n'est encore qu'une ébauche. Une majesté presque égale à celle du Grand Appartement est recherchée jusque dans le choix des tissus ou dans la décoration, composée le plus souvent de pilastres classiques. Il est cependant remarquable que Louis XIV lui-même ait éprouvé le besoin d'échapper aux contraintes de son château, devenu trop immense et comme inhumain, en accommodant celui-ci au risque de le dénaturer. Un déséquilibre apparaît alors ; la belle unité du premier Versailles semble rompue.

Un paiement, fait en 1682 au menuisier Prou, mentionne le « petit cabinet où l'on met la chaise percée du Roi. » Le *Cabinet des Termes* franchi, qui perdra une vingtaine d'années plus tard son nom pour celui, moins solennel, de *Chambre des Perruques*, l'appartement intérieur commence, que bien peu connaissent en dehors des familiers et des serviteurs du souverain. Félibien en donne une description sommaire. Saint-Simon se fait hargneux et assez mal renseigné lorsqu'il parle des « cabinets de derrière », des « audiences inconnues par les derrrières », des bâtards ou des gens des Bâtiments qui approchent le Roi, « non par la chambre mais par les derrières ». Les plans ou coupes conservés aux Archives nationales, les études de Fiske Kimball et Alfred Marie, l'inventaire de 1708, nous aident à retrouver un peu de l'intimité du Grand Roi dans cette suite de pièces qui s'éclairent sur la cour de marbre, la cour royale ou la cour intérieure et que Louis XV tranformera complètement.

1684, 1692, 1699, 1701 forment les principales étapes de travaux qui peuvent, semble-t-il, se résumer ainsi :

A la date du 9 juin 1684, Dangeau annonce que le Petit Appartement du Roi est achevé. La première pièce, qui deviendra plus tard la Chambre de Louis XV et qui est alors éclairée de deux fenêtres sur la cour de marbre et de deux fenêtres sur la cour intérieure, est installée en *Salon du Billard*. Les portes de ce salon sont surmontées d'aigles et de guirlandes ; Louis XV les fera remonter dans sa Pièce des Chiens, où Nolhac les identifia.

La création de l'Escalier des Ambassadeurs et la présence de l'escalier dit de la Reine à la tête de l'appartement du Roi, auprès de la nouvelle Salle des Gardes sur la face méridionale de la cour de marbre, ont transformé l'ancien escalier du Roi, jusque-là en façade sur le milieu du côté nord de la même cour, en un simple escalier intérieur. C'est le *Petit Degré du Roi*. Le « nouveau bâtiment dans la cour des Bains », où cet escalier est établi, prélude à d'innombrables travaux qui se poursuivront pendant tout le XVIIIᵉ siècle autour de l'ancienne cour du Roi, alors également appelée cour des Bains.

Le nouveau bâtiment sert à aménager plus à l'est, en 1692, deux cabinets, le *Cabinet des Coquilles* et le *Salon-ovale*, que nous allons retrouver dans un instant. Il est augmenté en 1699, vers le nord, d'un bâtiment d'abord destiné au service du Roi, bâtiment qui divise l'ancienne cour intérieure en deux cours désormais distinctes.

En 1701, Louis XIV, pour agrandir, ainsi qu'on l'a vu, son Cabinet du Conseil, décide « d'abattre le cintre et l'attique porté par des termes au Cabinet des perruques pour en rabaisser le cintre ». Il ordonne en même temps « de redorer d'or repassé le *Cabinet du Billard* pour qu'il convienne mieux au reste de l'appartement ». Ici commencent ses « intérieurs ».

La progression des premiers cabinets du Roi, que l'on peut suivre sur l'inventaire de 1708, s'établit à ce moment comme suit : la *Chambre des perruques*, — puis, sur la face nord de la cour de marbre, le *Billard*, alors appelé *pièce où sont les chiens du Roi*, où l'on voit douze tabourets sculptés et dorés, garnis de brocart d'argent à fleurs brochées d'or, et deux niches « de bois de chêne blanchy et doré à deux chiens, garnies en dedans de tripe rouge avec deux petits matelas de même tripe pour le dedans et un grand pareil garni autour de galon d'or pour le dessus ». Vient ensuite le *Salon sur le petit-escalier*, éclairé de deux fenêtres sur la cour de marbre (partie du futur Salon de la Pendule) et meublé de trois tabourets de brocart.

Il faut situer vraisemblablement à la suite du Cabinet des Perruques, sur le côté occidental de la cour intérieure du Roi, la *Garde-robe* avec sa « chaise d'affaires à layette de velours rouge, placée dans une niche garnie de gros de Tours rouge avec un galon d'or », — puis le *petit escalier* demi-circulaire, qui a remplacé l'escalier plus large servant, dans le Versailles de Le Vau, à monter du rez-de-chaussée aux appartements d'attique, selon une précision qu'a bien voulu me donner M. Le Guillou, — enfin le « *passage* de la garde-robe aux grands appartements ».

Une partie de cette installation a été perçue de Saint-Simon. Celui-ci, dans la mécanique des après-soupers, observe les valets de chambre, le gouverneur de Versailles et les garçons bleus, qui « étoient dans le cabinet des chiens, qui flanquoit celui où étoit le Roi, la porte entre deux toute ouverte ». Ailleurs, pour fixer d'autres moments de la journée, le duc mentionne l'escalier. Ainsi, après le dîner : « Le Roi s'amusoit à donner à manger à ses chiens couchants, et avec eux plus ou moins, puis demandoit sa garde-robe, changeoit devant le très peu de gens distingués qu'il plaisoit au premier gentilhomme de la chambre d'y laisser entrer, et tout de suite le Roi sortoit par derrière et par son petit degré dans la cour de marbre pour monter en carrosse ; depuis le bas de ce degré jusqu'à son carrosse, lui parloit qui vouloit, et de même en revenant ».

Les pièces suivantes, sur la cour de marbre jusqu'à l'angle, puis sur la cour royale jusqu'au pavillon d'angle, forment ce qu'on pourrait appeler l'appartement du collectionneur.

LE COLLECTIONNEUR

La passion que Louis XIV apporte à rassembler dans son Versailles les objets d'art les plus riches et les plus rares va, dans la seconde moitié de son règne, se tourner particulièrement vers son appartement privé. Depuis l'époque des premiers Cabinets consacrés aux gemmes ou aux cristaux dans le Versailles de 1663, tout le château est devenu l'écrin d'une fabuleuse collection, dont on pourrait suivre sur place le progrès.

Les achats, surtout dans les quelques années qui précèdent la guerre de la Ligue d'Augsbourg, se multiplient à un rythme extraordinaire. Les installations vont de pair. On a vu le Roi disposer ses gemmes sur des consoles dorées, appliquées sur des glaces dans son Cabinet du Conseil, ou quelques-uns de ses tableaux préférés auprès de sa Chambre, dans son Cabinet des Bassans, entre de grands pilastres dorés.

Au-delà de son Billard et du salon qui conduit à son Petit Degré, dans une double pièce qu'éclairent les deux dernières fenêtres septentrionales de la cour de marbre et la fenêtre d'angle en retour et qui correspond à une partie du Salon de la Pendule actuel et du Cabinet intérieur de Louis XV, il fait accrocher un certain nombre des tableaux qui lui sont le plus chers sur une tapisserie de damas rouge, rehaussée de brocart et de passementerie d'or « en manière de pilastres volans ». Le Roi, qui aime ce long cabinet, parfois appelé *Cabinet aux Tableaux*, bien exposé au midi, y fait disposer de grandes consoles dorées pour ses cristaux de roche.

Dans la pièce voisine, mal éclairée, mais extraordinaire de décoration, dite le *Salon-ovale*, il expose également des tableaux précieux et, dans quatre niches encadrées de pilastres corinthiens, de grands groupes de bronze, qui comptent parmi les plus prisés des collections royales : *Jupiter* et *Junon*, dits « chenets de l'Algarde » (le premier d'entre eux appartenant aujourd'hui au Louvre), *l'Enlèvement d'Orithie* d'après Marsy et l'*Enlèvement de Proserpine* d'après Girardon (tous deux demeurés à Versailles).

Tout à côté, en arrière du Salon-ovale, dans le même petit bâtiment construit en 1692 sur la cour intérieure, il installe un petit cabinet carré, d'abord dénommé *Cabinet des Coquilles*, puis, en 1708, *Cabinet aux livres*, où seront rangés ses livres les plus précieux et probablement, parmi ses manuscrits, les *Heures d'Anne de Bretagne*, qu'il a fait relier de neuf en 1684. Il ordonne des armoires basses tout autour, que ferment des glaces ou un treillis de fil de laiton, et qui sont garnies intérieurement de taffetas rouge.

Deux pièces des Cabinets du Roi vont surtout devenir fameuses par le soin apporté à leur décoration et par les trésors qu'elles renferment : le Cabinet des Curiosités ou des Médailles, la Petite Galerie que Mignard sera chargé de peindre.

LE CABINET DES MÉDAILLES

Le nom de *Cabinet des Médailles* est resté attaché de nos jours à tout un ensemble de curiosités et d'objets d'art, antiques ou modernes, conservés à la Bibliothèque nationale, dont le Cabinet de Louis XIV à Versailles forme le fonds. La passion sincère que le Roi met à s'instruire, à s'entourer de savants, à rassembler des témoignages de l'histoire romaine ou de l'histoire de ses propres ancêtres, doit se joindre à l'orgueil de posséder chez lui et de montrer de pareilles raretés. Un exemple entre beaucoup d'autres : lorsque le roi d'Angleterre vient lui faire visite le 1ᵉʳ juillet 1691, Louis XIV, après une conversation de trois quarts d'heure avec lui, le mène voir les « raretés de son petit appartement et puis son cabinet des médailles ».

Le Roi confie, semble-t-il, en 1681, à un disciple de Gissey, Jean Iᵉʳ Berain, le soin de composer un cabinet spécialement aménagé à cet effet.

On appellera cette pièce indifféremment *Cabinet des Raretés*, *Cabinet des Curiosités*, *Cabinet des Bijoux* ou plutôt, vers la fin du règne, alors que le penchant du collectionneur le porte davantage vers ce genre d'objets, *Cabinet des Médailles*. Louis XIV a fixé son emplacement, à l'entrée du Grand Appartement, auprès du Grand Escalier de Le Brun et de la nouvelle Chapelle, ce qui lui donne l'occasion, que notent les contemporains, de s'arrêter presque chaque jour au sortir de la messe pour contempler, voire étudier, ses trésors. Ce serait même là, au dire de l'abbé de Choisy, l'une des raisons de la faveur du père de La Chaise. « Le roi s'amusoit les après-dinées à voir ses médailles ; et ce fut ce qui augmenta beaucoup le grand crédit du père de La Chaise, son confesseur. Ce père aimoit fort les médailles, et prétendoit s'y connaître, Il prit ce prétexte pour être presque toujours avec le roi. »

L'unique pièce qui compose ce Cabinet, incorporée sous Louis XV à l'appartement de Madame Adélaïde, devint le Salon des Jeux de Louis XVI. On y entre, à l'époque de Louis XIV, par cinq marches du Salon de l'Abondance. Une fenêtre, face à la porte, donne sur le balcon qui surmonte l'entrée du passage menant de la cour royale au parterre du Nord. Le plan général est celui d'un carré allongé, que des pans coupés et des niches transforment presque en octogone. Des descriptions anciennes, un plan coté qui appartient aux Archives nationales, un croquis conservé à Stockholm permettraient de reconstituer aisément une maquette de ce lieu merveilleux, où les objets les plus rares des collections royales en or ou en argent, en porphyre ou en jade, et même de petits tableaux savamment groupés des plus grands maîtres sont intimement liés au décor de glaces et de dorures.

Le plafond, où dominent le bleu de lapis et l'or et que rehaussent d'innombrables miroirs, est aussi extraordinaire. Il est traité en coupole ou calotte légèrement ovale, que les peintres Le Moyne, Houasse et Boulogne, les sculpteurs Mazeline, Jouvenet et Le Hongre, ont surchargée d'ornements : des amours sont peints, et d'autres, en relief, sont assis sur des trophées d'armes ; des guirlandes de fleurs tombent en festons symétriques et quatre tableaux, disposés en avant des pendentifs de la coupole, étalent avec complaisance certains des goûts du Roi : *l'Abondance, la Magnificence, la Symétrie, l'Amour accompagnant Vénus*.

Le « meuble » comprend un lit de repos garni de ses matelas et carreaux, deux fauteuils et six pliants, tous garnis d'un riche brocart d'or et d'argent, décoré de fleurs, des chiffres du Roi et des lyres d'Apollon, tout rehaussé de camaïeux et de campanes rebrodés d'or.

Les médailles ou monnaies, anciennes et modernes, et les intailles ou camées que le Roi s'est plu à rassembler, emplissent les tiroirs des douze petits cabinets disposés le long des murs, de la table octogone placée au centre et des tablettes installées jusque sous le lit de repos.

Les collections s'augmentent ; en amateur soucieux de les présenter avec éclat, Louis XIV établit de nouveaux projets. Le déménagement de Mme de Montespan permet une extension dont le Roi profite aussitôt. Non loin du Cabinet des médailles, la Petite Galerie fournira un cadre aussi extraordinaire et tout aussi fameux.

LA PETITE GALERIE

L'appartement de Mme de Montespan, au premier étage du côté nord de la cour royale, devient, réuni à l'Appartement du Roi, une suite homogène et magnifique, composée d'un salon, de la galerie proprement dite et d'un second salon. La fenêtre qui vient après le pavillon d'angle de la cour de marbre éclaire le *premier salon de la Galerie*. Ce salon, qui s'ouvre, d'autre part, sur le Salon-ovale de l'appartement du Roi, est aujourd'hui connu sous le nom de *Cabinet-doré* ou *Cabinet de musique de Madame Adélaïde*. Les trois fenêtres suivantes sont celles de la *Galerie* (aujourd'hui bibliothèque de Louis XVI et partie de la dernière salle à manger de Louis XV). Le *salon du bout de la Galerie* comportait deux fenêtres, se trouvant en angle.

La décision de cette nouvelle et somptueuse installation est prise à la fin de l'automne de 1684, en même temps qu'est préparé l'appartement des Bains pour Mme de Montespan. Dangeau la consigne dans son *Journal* le 5 décembre : « J'appris que le roi prenoit pour lui le logement de madame de Montespan, qu'il joignoit à son petit appartement et qu'il avoit choisi Mignard pour en peindre le salon et la galerie. » Le Roi se fait présenter des dessins, dont certains existent encore, et des modèles en bois ou en cire ; l'ébéniste Oppenordt est notamment payé, en 1685, pour deux modèles de chambranles.

Menuisiers, doreurs et peintres se mettent aussitôt à l'œuvre. Mignard reçoit 33 000 livres pour la peinture de la voûte de la Galerie, que l'on charge, aussitôt faite, Audran de graver. Il y a figuré Apollon et Minerve, assis sur des nuages, apparaissant « à travers le grand jour de l'ouverture feinte » au milieu de cette voûte ; un enfant symbolise la France ; des divinités, des Vertus, les Heures du Jour, des Amours avec les attributs des Arts peuplent cette décoration, qui comprend au pourtour un certain nombre de figures « peintes en façon de bronze ». Le plafond du premier salon représente Prométhée et Jupiter ; celui du second, Jupiter et l'Olympe assistant à la création de Pandore.

Cette galerie, que l'on appelle aussi bien *Galerie de Mignard* que *Petite Galerie* et parfois *Galerie des Bijoux* et qui sera toute détruite entre 1753 et 1769, permet au vieux peintre de prendre sa revanche sur son ancien rival, Le Brun. La galerie de celui-ci était livrée aux courtisans ; celle de Mignard va servir quotidiennement à la délectation du mécène. Louis XIV l'entend bien ainsi. Il en fait un cadre précieux, parqueté d'une mosaïque de bois rares, entièrement tapissé jusqu'aux dessus de fenêtres et aux poutres qui séparent la galerie de ses salons, d'abord d'un damas bleu, plus tard d'un damas rouge, avec des pilastres ornés de casques et de chapiteaux en broderie d'or. C'est ici qu'il aime voir, dans des bordures magnifiquement sculptées, quelques-uns de ses plus beaux tableaux, que « l'on change et renouvelle souvent... afin que le Roy puisse jouir de la vue d'un plus grand nombre de ces rares ouvrages ». La *Joconde* notamment paraît avoir été exposée quelque temps dans le premier salon.

Le Roi entrouvre cet appartement extraordinaire, qui communique par son dernier salon avec le palier du Grand Escalier, à sa famille, pour y donner quelques fêtes, et à quelques visiteurs distingués, pour leur faire admirer ses trésors. Il y reçoit, par exemple, en 1693, le Prince Royal de Danemark, qui assiste, le jour de la Chandeleur, du « balcon qui est au bout de la petite galerie », à la procession des chevaliers du Saint-Esprit. Lorsque l'électeur de Cologne, en 1706, vient incognito à Versailles, le Roi le reçoit dans son

Cabinet « par les derrières », l'introduit dans son appartement intérieur par le petit degré, et lui montre ses collections.

Nicodème Tessin le jeune donne, en 1687, une description savoureuse de la Galerie de Mignard, qui traduit à sa manière l'émerveillement des contemporains, non seulement sur ce qu'ils voient, mais aussi sur les projets les plus extravagants du Roi : « La gallerie du bijou n'est qu'à trois fenestres avec son cabinet à chaque bout. Le plafond est de Monsr Mignard ; le petit duc de Bourgogne [symbolisant la France] est représenté au millieu ; ell'est meublée d'un damas bleu pour relever les tableaux qui sont tous des plus grands maîtres, où la *Nativité* d'An. Carrache [qui se trouve aujourd'hui au Louvre et que Louis XIV venait d'acheter à Noël Coypel] est admirable. Les quatre grands tableaux d'Alban, qui estoient autrefois à Rome dans le cabinet du Chevalier del Pozzo y sont aussi [l'*Histoire de Vénus et Adonis* par l'Albane, appartenant également au Louvre]. La quantité des beaux agathes guarnies des diamants y est prodigieuse, et l'on y voit les présents des Siamois et des ambassadeurs de Chine, où il y a une perle fort remarquable. L'ouvrage que l'on fait aux Gobelins du fond de lapis lazuly avec tous ses chapiteaux de bronze dorés dans le feu se fait pour cette gallerie, et sera d'une grande beauté et dépense excessive. »

L'ouvrage dont il est ici question est l'une de ces entreprises folles, l'un de ces rêves de richesse absurde et quasi orientale, dont à deux reprises au moins, si l'on ajoute à ceci le mobilier d'argent, Louis XIV fut la victime et qui se terminèrent en échec, comme si Versailles n'avait que faire de l'excès des riches matières. Les comptes des Bâtiments inscrivent les paiements d'ouvrages d'écaille dorée, de lapis, de menuiserie, ornements de bronze, modèles et autres, que Cucci, plusieurs années durant, façonne aux Gobelins et qui sont destinés à la Petite Galerie. En 1692, Louis XIV doit renoncer à mener à bien cet ouvrage trop dispendieux. Il fait transporter aux Tuileries, « en l'estat qu'ils sont », les « lambris de lapis et d'écaille de tortue de la Gallerie des bijoux ».

Depuis quelque temps, le Roi semble se fatiguer des compositions richissimes qu'il a aimées jusque-là. Sans se départir de l'opulence, mais contraint désormais à ne pas négliger l'économie, il s'arrête volontiers à la beauté du travail sur des matériaux plus sobres. Ceci apparaît à ce moment dans la décoration de la Chapelle.

LA CHAPELLE

Dans la vie du château et du Roi, la Chapelle occupe une place importante. L'année liturgique certes, mais aussi les décisions ou les habitudes prises par Louis XIV vont, durant une centaine d'années, servir de règle au Versailles royal.

La messe quotidienne, que le Roi entend le plus souvent de sa tribune, est prétexte au cortège qui se déroule à travers le Grand Appartement. « Allant et revenant de la messe, chacun lui parloit qui vouloit, après l'avoir dit au capitaine des gardes si ce n'étoit gens distingués. » Au cours de cette procession, solennelle et familière tout à la fois, on découvre Louis XIV lançant lui-même quelque nouvelle, tel ce jour de juillet 1684 où il annonce, tout heureux, une trêve de vingt ans avec l'Empereur, la trêve de Ratisbonne. Il voit parfois se prosterner sur son passage certaines délégations, auxquelles il n'a pas donné audience, comme les envoyés d'Alger en 1681 ou ceux de Siam en 1684. Il arrive aussi qu'un incident vienne troubler l'ordonnance du cortège, comme au cours de l'hiver de 1711, où un écuyer meurt subitement : « On l'emporte à la sacristie, et on prie le Roi, qui étoit déjà en marche, de vouloir faire halte un moment. »

A la messe, « sa musique chantoit toujours un motet ». Que d'admirables pièces, que l'on réentend aujourd'hui avec plaisir, ont été écrites pour les messes quotidiennes ou les saluts de Versailles ! Les jours de fête, à Noël notamment, la pompe était plus extraordinaire encore : « A matines et à trois messes de minuit en musique, et c'étoit un spectacle admirable que la chapelle. » Saint-Simon ne peut se défendre de reconnaître la beauté de ce « spectacle », tandis qu'il observe sans indulgence la piété, peut-être étroite et trop formelle, de Louis XIV : « A la messe, il disoit son chapelet (il n'en savoit pas davantage), et toujours à genoux, excepté à l'évangile ; aux grandes messes, il ne s'asseyoit dans son fauteuil qu'aux temps où on a coutume de s'asseoir. »

Cette piété, qui se développe avec l'âge ou sous l'influence de Mme de Maintenon, entraîne de plus en plus le Roi à assister aux vêpres, aux saluts, aux sermons ; elle contribue peut-être à le rendre intolérant à l'égard de ses courtisans, engendrant l'hypocrisie. « Il manquoit rarement le salut les dimanches, s'y trouvoit souvent les jeudis et toujours pendant toute l'octave du Saint-Sacrement. » « Il étoit très respectueusement à l'église. A sa messe tout le monde étoit obligé de se mettre à genoux au Sanctus et d'y demeurer jusqu'à la communion du prêtre, et, s'il entendoit le moindre bruit ou voyoit causer pendant la messe, il le trouvoit fort mauvais. »

Dangeau se fait l'écho de l'état d'esprit qui régnait à Versailles dès le mois de décembre 1684 : « Le major déclara que le roi lui avoit ordonné de l'avertir de tous ceux qui causeroient à la messe. » Le même major des Gardes du Corps, Brissac, qui « voyoit avec impatience toutes les tribunes bondées de dames l'hiver au salut, les jeudis et les dimanches », se chargea un jour d'instruire le Roi sur la sincérité de la piété de celles-ci ; il fait annoncer que le Roi ne viendra pas et retire ses Gardes ; les dames quittent presque toutes la Chapelle ; le Roi arrive et s'étonne « de ne point voir de dames remplir les tribunes », et Brissac, au sortir du salut, lui conte son stratagème.

L'étiquette et les questions de préséance ne perdaient rien ici de leur importance. Les jours où le Roi communiait, où il faisait « ses dévotions » et qu'on nommait ses « bons jours », étaient fixés : le samedi-saint, pour ses pâques, à la paroisse de Versailles, et les autres jours à la chapelle du château, veille de la Pentecôte, 15 août, premier novembre et 24 décembre. Ces jours-là, selon l'antique coutume royale, il touchait les malades des écrouelles dans l'une des galeries basses du château, la Galerie de la Chapelle le plus souvent à partir de 1688. L'après-dîner de ces jours, le Roi s'enfermait avec son confesseur et distribuait les bénéfices vacants.

Même au cours des cérémonies religieuses, Versailles demeurait le lieu de rivalités, que les mémorialistes relatent à tout instant, Saint-Simon plus que tout autre, attaché aux privilèges qui lui paraissent tenir au titre ducal que Louis XIII a conféré à son père. On voit l'écrivain noter, en 1704, l'embarras du Roi pour départager, dans le déroulement des cérémonies du Vendredi-Saint, les prétentions de M. le Grand, qui était Lorraine, et les droits que croyaient avoir les ducs : « Personne n'alla plus depuis à l'Adoration de la Croix que les princes du sang et les bâtards. » Saint-Simon avait relaté, quelques années plus tôt, l'habileté du grand maître de la Garde-robe, François VII de La Rochefoucauld, qui refusait de se rendre au sermon en prétextant « qu'il ne pouvoit s'accommoder d'aller, comme les derniers de la Cour, demander une place à l'officier qui les distribuait, s'y prendre de bonne heure pour en avoir une bonne, et attendre et se mettre où il plaisoit à cet officier de le placer ». Saint-Simon rapporte encore comment la quête, que faisait les jours de grandes fêtes une dame, désignée d'abord par la Reine, puis par la Dauphine ou par Mme de Maintenon, fit naître une dispute entre les princesses de Lorraine et les duchesses.

La Chapelle cependant demeure un sanctuaire, où les fastes de la liturgie, la musique, la majesté même dont Louis XIV aime à s'entourer se rencontrent dans un cadre que le Roi Très-Chrétien se plaît à vouloir religieux et magnifique, à la gloire de Dieu, mais à la sienne aussi. Il y parvient assez bien.

Louis XIV, après avoir déplacé, pour l'agrandir ainsi qu'on l'a dit plus haut, la chapelle proche de l'appartement de la Reine, fait construire un bâtiment particulier, entre la partie orientale du bâtiment principal de Le Vau et la grotte de Thétis. La chapelle nouvelle ainsi obtenue est bénite en 1682 ; elle est enrobée peu après dans la construction de la grande aile du Nord. Délimitée par les murs qui forment aujourd'hui le Salon d'Hercule au premier étage et le vestibule actuel au-dessous, elle est presque carrée. Les côtés de l'ouest et de l'est sont garnis de tribunes, bordées d'une balustrade et rythmées de grands anges en cariatides. Le maître-autel est placé au nord, et l'on a calculé que le sommet du retable devait à peu près se trouver au niveau de l'actuelle cheminée du Salon d'Hercule. La tribune royale, au sud, est accompagnée de deux lanternes ou « cabinets » :

à gauche, côté Évangile, pour le Roi ; à droite, pour la Reine, puis pour la Dauphine, qui parfois s'y fait porter en chaise à travers le Grand Appartement, de même que le Roi, lors de ses accès de goutte, se fait conduire en « roulette ».

Cette chapelle, qui nous est connue par une peinture d'Antoine Pezay, où se voit Dangeau prêtant serment de grand maître de l'Ordre du Mont-Carmel, est d'une somptuosité moyenne. Elle restera en service près de trente années. Il faut imaginer ici, sur un espace fort réduit, une partie de la vie religieuse de Versailles au temps de Louis XIV, la présence de Bossuet et les sermons de Fléchier, de Bourdaloue, de Massillon, les Te Deum pour les victoires, encore nombreuses, qui marquent la guerre de la Ligue d'Augsbourg, des baptêmes, comme celui du duc de Bourgogne en 1687, quelques mariages, comme celui du duc de Chartres, neveu du Roi et futur Régent de France, avec Mlle de Blois, fille du Roi et de Mme de Montespan, celui du duc du Maine avec Mlle de Charolais, petite-fille du Grand Condé, en 1692, ou celui, plus solennel, du duc de Bourgogne avec Marie-Adélaïde de Savoie, en 1697. C'est ici également qu'assiste pour la première fois à la messe le duc d'Anjou après avoir été déclaré roi d'Espagne le 16 novembre 1700. Saint-Simon dépeint la scène : « ... Le Roi alla à la messe à la tribune, à l'ordinaire, mais le roi d'Espagne avec lui et à sa droite. A la tribune, la maison royale, c'est-à-dire jusqu'aux petits-fils de France inclusivement, et non plus, se mettoient à la rangette et de suite sur le drap de pied du Roi ; et comme, là, à la différence du prié-Dieu, ils étoient tous appuyés comme lui sur la balustrade couverte du tapis, il n'y avoit que le Roi seul qui eût un carreau par-dessus la banquette, et eux tous étoient à genoux sur la banquette, couverte du même drap de pied, et tous sans carreau. Arrivant à la tribune, il ne se trouva que le carreau du Roi, qui le prit et le présenta au roi d'Espagne, lequel n'ayant pas voulu l'accepter, il fut mis de côté, et tous deux entendirent la messe sans carreau. »

Louis XIV entrevoit depuis quelque temps une chapelle qui serait à l'échelle de son château ; en vieillissant, en se rangeant, ses installations personnelles étant assurées magnifiquement et le souci de Dieu le travaillant plus qu'à l'époque des La Vallière et des Montespan, il amplifie, embellit, affine lentement son rêve. Il y sacrifie la construction de son Opéra. Ses finances deviennent mauvaises et la guerre terrible. Il y met plus de vingt ans. Mais il dote Versailles de la plus extraordinaire des chapelles palatines.

En janvier 1689, Sourches remarque que plusieurs logements des officiers des Gardes ont été démolis « pour commencer à bâtir » la nouvelle chapelle, et les comptes mentionnent au même moment la démolition « de la charpente du pavillon et corps de logis en aile qui a été abattu pour la construction de la chapelle ». La consécration n'aura lieu que le 5 juin 1710, le cardinal de Noailles officiant exceptionnellement comme archevêque de Paris, malgré les prétentions du grand aumônier, le cardinal de Janson.

« On détruisit incontinent après l'ancienne chapelle, et on ne se servit plus que de celle-là. » Le travail de décoration est d'ailleurs loin d'être achevé. Dans les mois suivants, les peintres reparaissent avec leurs échafaudages. Louis XIV y assiste cependant aux offices, et l'on y voit diverses cérémonies. Le mariage du duc de Berry y est célébré, le 6 juillet 1710 ; au début de 1711, l'électeur de Cologne y dit la messe devant la duchesse de Bourgogne ; le Roi, quelques semaines plus tard, y fait chanter un Te Deum pour la prise de Girone, tandis que, plusieurs mois après, séjournant à Marly, il s'arrête encore un instant à Versailles « pour voir quelque nouvel ouvrage qu'on faisoit dans sa chapelle ».

Louis XIV profite bien peu de ce travail énorme, qui, dans son esprit, doit se terminer par l'aménagement des deux vestibules haut et bas, — qu'il achèvera presque totalement, — par la transformation en salon du premier étage de l'ancienne chapelle, — que décorera Louis XV sous le nom de *Salon d'Hercule*, — et par la construction d'un nouvel escalier, différent de l'Escalier des Ambassadeurs. Louis XIV envisage, à la fin de 1711, si la paix est rétablie, un séjour de trois semaines à Chambord et de deux semaines à Fontainebleau, « pendant lequel on bâtiroit à Versailles le grand degré pour descendre de son appartement dans sa chapelle ». Il lèguera ce projet à ses successeurs, en même temps que le monument extraordinaire que sa munificence et son énergie ont réussi à élever et que les siècles ont bien diversement jugé.

Saint-Simon, en blâmant avec sa mauvaise humeur habituelle « cet immense catafalque », s'applique à en détailler les défauts et constate, avec raison d'ailleurs, que « tout y a été fait pour la tribune, parce que le Roi n'alloit guère en bas, et celles des côtés sont inaccessibles par l'unique défilé qui conduit à chacune ». Le duc, si sévère soit-il, reconnaît cependant « que la main d'œuvre y est exquise en tous genres. »

Plus d'un jugement hostile fut porté, au XVIIIᵉ siècle, sur la grande Chapelle de Louis XIV. Voltaire la traitera d'« étonnant colifichet », et Gabriel lui-même, l'architecte de Louis XV, certainement sensible à la beauté de la pierre et au caractère altier de la colonnade corinthienne qui rythme les tribunes intérieures, et sans méconnaître la « magnificence de cet édifice », ne parlait-il pas de « tout ce fatras d'ornement », lorsqu'il demandait, en 1765, la démolition de la lanterne centrale de la toiture qui menaçait ruine ?

Notre époque semble avoir été plus équitable envers ce grand ouvrage, qui absorba si longtemps l'esprit et les ressources du Roi-Soleil sur son déclin. Pierre de Nolhac a remis la Chapelle de Louis XIV à sa vraie place dans l'histoire de Versailles et lui a consacré un album entier de reproductions. Quelque déséquilibre qu'ait apporté la construction de ce bâtiment à la rigueur des toits du château, — rigueur assez compromise aujourd'hui par toutes sortes de modifications ou d'additions, — l'œuvre de Mansart et de Robert de Cotte apparaît comme un tout, comme l'une des grandes réussites de l'art de Versailles, comme l'un des beaux legs que nous a transmis l'ancienne monarchie.

Louis XIV et Mansart avaient d'abord cherché à ne pas innover. Dans les premiers projets, la Chapelle devait se fondre dans l'architecture extérieure du château ; l'intérieur devait être tout revêtu de marbre, comme un prolongement du Grand Appartement ; l'œuvre eût bien porté la marque de son siècle, le XVIIᵉ.

Les travaux, lorsqu'ils sont repris après la paix de Ryswick, vont être empreints d'un esprit différent. L'influence de Robert de Cotte se fait plus vive. La piété du Roi veut s'exprimer dans une grandeur sereine. La guerre, aussitôt revenue à cause de la Succession d'Espagne, pousse probablement aussi le Roi à ne conserver le marbre que pour le sol et la balustrade du pourtour et à se contenter pour le reste de la pierre d'Ile-de-France. Enfin, le prodigieux renouvellement artistique que l'on a déjà constaté chez le vieux roi dans les toutes premières années du XVIIIᵉ siècle contribue à transformer en un édifice « moderne » ce qui aurait pu n'être qu'un prolongement tardif du style Louis XIV.

Une partie des hommes qui travaillent ici est, au demeurant, nouvelle et va contribuer à propager le style rajeuni que le Roi a choisi : Robert de Cotte d'abord, seul maître d'œuvre après la mort de Mansart en 1708, ordonnateur de la plupart des travaux de décoration, sera premier architecte du Roi jusqu'en 1735 ; Antoine Coypel, qui peint la majeure partie de la voûte, deviendra l'un des peintres préférés du Régent ; Claude Audran, qui dirige la vitrerie, sera l'un des maîtres de Watteau ; Du Goullon, qui a notamment sculpté le buffet d'orgue, appartient à cette nouvelle équipe de sculpteurs sur bois que nous avons vue à l'œuvre dans l'appartement du Roi sur la cour de marbre ou à la Ménagerie ou que nous retrouverons au début du règne de Louis XV dans les Petits Appartements du Roi ou la Chambre de la Reine ; Antoine Vassé, qui a sculpté le lutrin, travaillera plus tard aux bronzes du Salon d'Hercule. Des constatations de même ordre se multiplient, si l'on se tourne vers les sculpteurs de pierre.

La Chapelle de Versailles a été, par sa décoration tant extérieure qu'intérieure, une gigantesque et merveilleuse entreprise de sculpture. Le goût du Grand Roi pour cet art, que l'on a déjà vu s'épanouir dans les jardins une trentaine d'années plus tôt, se donne à nouveau libre cours. Léon Deshairs, dans la minutieuse étude qu'il a consacrée à ce sujet, observe que, sur les 2 500 000 livres que Louis XIV dépensa pour sa Chapelle, « la sculpture coûta à elle seule près du tiers de la somme totale, un peu plus que la maçonnerie ». Les noms indiqués par les mémoires donnent comme principaux sculpteurs ceux qui seront célèbres dans les trente ou quarante années suivantes et dont l'art aimable est celui du XVIIIᵉ siècle : les deux Coustou, Robert Le Lorrain, Frémin, Van Clève, Pierre Le Pautre. Chose curieuse, les deux plus grands sculpteurs de Louis XIV ne reçoivent aucune commande : Girardon, parce qu'il est trop âgé ; Coysevox, parce qu'il est alors absorbé par les travaux de Marly. Ainsi tout concourt, et principalement dans la sculpture qui forme l'essentiel de la décoration, à faire de la Chapelle de Versailles le premier grand ouvrage du nouveau siècle.

A cet art de précurseurs, s'ajoute et se mêle le retour à des traditions médiévales, formulées de façon plus ou moins conscientes. Le rappel, dans cette chapelle palatine placée sous le vocable de saint Louis, de la chapelle construite par ce roi dans son Palais de Paris (ou même de la réduction de celle-ci, à un seul étage, qui fut longtemps celle de la Cour à Saint-Germain) est net, et André Pératé a finement analysé le « souvenir des constructions gothiques » que Louis XIV reprend ici : chapelle de verre, encore plus que de pierre, au comble aigu décoré en son centre d'un clocheton, aux contreforts chargés d'éléments sculptés, aux gargouilles saillantes. Le décor est différent ; les principes sont proches. Et ceci apparaît encore davantage dans la riche iconographie, dont le programme serré forme un vrai « catéchisme en images ».

Pierre Pradel a étudié avec attention « le symbolisme de la chapelle de Versailles » et a noté les « emprunts faits aux doctrines du Moyen Age » : parallélisme entre l'Ancien et le Nouveau Testament, « recherche du détail pittoresque, voire amusant », représentations simplifiées à l'instar des imagiers gothiques. Il a en même temps remarqué que ce symbolisme « est beaucoup plus complexe, beaucoup plus secret que celui des grandes cathédrales ». L'inspiration due à l'*Iconologie* de Ripa, mise en lumière par Émile Mâle, est assez fréquente, notamment dans les statues de Vertus qui couronnent les bas-côtés à l'extérieur, ou dans le thème des Quatre Parties du Monde du vestibule du premier étage. L'intervention des Jésuites, — et « on imagine mal l'élaboration d'un décor de la chapelle sans l'avis du Père La Chaise ou de son successeur, le Père Le Tellier », — l'âpreté des luttes menées par le Roi contre les Protestants ou contre les Jansénistes, le culte de son saint patron que Louis XIV entend glorifier dans ce château qui devient celui de sa dynastie, compliqueraient singulièrement les problèmes iconographiques, si l'esprit dominateur du Roi n'y avait apporté une magnifique unité.

La voûte est consacrée à Dieu : la Résurrection au-dessus de l'autel ; Dieu le Père, au centre ; la Pentecôte, à l'ouest ; mais le Roi n'est pas absent de cet hommage. On a noté que, dans cette dernière peinture, la colombe de l'Esprit-Saint plane juste au-dessus de la tribune royale, comme au jour du Sacre elle descend sur l'Oint du Seigneur, tandis que, sur deux compartiments du centre, la monarchie française est présente avec les figures agenouillées de saint Charlemagne et de saint Louis.

Le culte de saint Louis semble se confondre avec l'orgueil qu'éprouve le Roi Très-Chrétien de posséder dans la Sainte-Chapelle de son Palais de Paris les grandes reliques de la Passion ; Versailles chantera cette gloire : peints sur la voûte, sculptés dans la pierre, des anges portent et rappellent ces glorieux trophées, et le thème de la Passion se développera avec insistance tout autour de la Chapelle.

Rien n'est insignifiant à Louis XIV pour prendre possession de ce grand vaisseau. Étant en personne présent à sa tribune, face à l'autel, et ses courtisans à droite et à gauche, il dispose en quelque sorte sa famille dans les bas-côtés par l'intermédiaire des saints patrons dont elle porte les noms, à chacun des autels secondaires. C'est une curieuse litanie royale, louis-quatorzienne, où sont présents les vivants et les morts. Qu'on en juge.

Dans une petite chapelle, qui n'est pas, selon l'usage, en axe, mais saillante sur le bas-côté gauche, voici Marie, et Thérèse dans une chapelle disposée au premier étage au-dessus de la précédente ; à la droite de la chapelle de la Vierge, Louis, du nom du Grand-Dauphin et de son fils, le duc de Bourgogne, et, à côté, sainte Victoire, qui figurait parmi les prénoms de la Dauphine de Bavière ; face à la chapelle de la Vierge, voici l'autel de sainte Anne, patronne de la même Dauphine, mais surtout de la Reine, mère de

Louis XIV ; à côté du précédent, se trouve l'autel de sainte Adélaïde, dont la duchesse de Bourgogne porte le prénom, et plus loin, vers le chevet, à droite et à gauche du chœur, deux autels encore rappellent les deux petits-fils puînés du Roi : saint Philippe, à gauche, le roi d'Espagne ; saint Charles, à droite, le duc de Berry.

Louis XIV a comme par avance choisi les noms des enfants et des petits-enfants de Louis XV, en léguant à son arrière-petit-fils une chapelle capable de lui plaire, clairement consacrée au culte de sa « maison » autant qu'à celui de Dieu, lumineuse et fleurie comme un élégant salon, faite pour la pompe et pour la Cour, d'où le Roi, de sa tribune, peut observer chacun, étonnante chapelle, merveille artistique, moins faite peut-être pour la prière que pour la glorification royale, bien digne de Versailles.

LA PLACE D'ARMES

Versailles est peut-être né des guerres heureuses du Roi. Les soldats, les chevaux vont jusqu'à la fin de la monarchie être intégrés à la vie du château, et ceci, une fois de plus, par la volonté bien marquée de Louis XIV. Avec ses casernes, ses troupes, ses écuries, Versailles demeurera, bon gré, mal gré, une ville militaire.

Les vieilles traditions de la monarchie, avec ses rois-soldats ou ses gardes attachés à la personne du prince, entretenaient jusque dans l'intérieur du château un esprit militaire. Le premier janvier, à la sortie de la messe, avait lieu la cérémonie de passation du bâton par le capitaine des Gardes en exercice au nouveau capitaine d'année, et chaque jour l'ordre donné par le Roi dans son Cabinet. Lorsque le roi d'Angleterre Jacques II vient à Versailles pour la première fois, le 8 janvier 1689, Sourches, dépeignant la visite, doit d'abord brosser un petit tableau militaire : « Les régiments des gardes battirent au champ ; les gardes de la porte et de la prévôté se tinrent sous les armes dans leurs postes ; les Cent-Suisses bordèrent le degré ; les gardes du corps se postèrent sous leurs armes comme quand le Roi arrive. Le Roi alla au-devant de lui jusqu'au-delà de la salle des Gardes, où il le reçut avec toute sa Cour, et le conduisit jusque dans son cabinet. »

Il ne déplaît pas à Louis XIV d'être sans cesse escorté de son capitaine des Gardes, ni de voir les lits à pavillons rouges et les paravents des Suisses enlaidir les plus belles salles de son château. La guerre, l'armée l'occupent sans cesse. Saint-Simon ne le cache pas : « C'étoit de ses campagnes et de ses troupes qu'il entretenoit le plus ses maîtresses. » Avec une application curieuse, Louis XIV, comme un officier subalterne, ou comme le fera plus tard Frédéric le Grand, fait manœuvrer ses soldats dans les cours de son château. Il a même fait frapper une médaille pour en conserver le souvenir à la postérité. L'ampleur de l'avant-cour, la majesté de la Place d'Armes sont en partie nées de là. Soyons-en donc reconnaissants au Grand Roi.

Pour loger les corps de garde, il a fait aménager à grands frais les dessous des terrasses de l'avant-cour ; cette installation coûtera bien vite fort cher en réparations au ciment pour pallier les infiltrations d'eau dans les voûtes. Les Gardes-suisses sont placés à droite en entrant, les Gardes-françaises à gauche ; depuis les décisions du Roi en 1685, les premiers sont habillés en rouge et leurs officiers en bleu, les seconds en bleu et leurs officiers également en bleu, avec broderies d'argent. Il faut les imaginer formant le décor quotidien du Versailles de Louis XIV, le fond de la Place d'Armes, du côté de l'est, étant bordé et animé par les Écuries.

LES ÉCURIES

L'extraordinaire et le grandiose sont assez cultivés par le Roi pour qu'on soit assuré d'en retrouver les effets jusque dans les palais qu'il destine à ses chevaux. Bâtiments nécessaires à la vie du château, les Écuries forment aussi le point d'appui magnifique que réclamait, à l'est, l'architecture de Louis XIV et de Mansart. « Ces vastes ailes qui s'enfuient sans tenir à rien... » La réflexion malveillante de Saint-Simon néglige un peu trop l'accompagnement, d'une majesté sans pareille, que le Roi a prévu de ce côté dans les travaux définitifs de Versailles.

Ici encore, les premières dispositions s'imposent au plan final. La grande patte-d'oie des trois larges avenues, de Saint-Cloud, de Paris et de Sceaux, oblige à une disposition assez surprenante et trapézoïdale des bâtiments. Des fenêtres du premier étage du château, principalement du Salon du Roi (ou Chambre de 1701), les deux Écuries vont apparaître d'une savante architecture, dessinées en amphithéâtre ou en deux gigantesques fers à cheval et fortement modelées ; elles s'arrêtent sur leurs gros pavillons d'angle, qui sont à trois fenêtres comme ceux qui terminent les ailes des ministres, et elles sont marquées en leur centre d'une grande arche triomphale, dont se souviendra plus tard le prince de Condé à Chantilly.

L'ouvrage est énorme, la dépense prodigieuse et le travail rapidement conduit, pour les deux Écuries à la fois. Dès l'année 1679, les acomptes de pierre et de maçonnerie s'élèvent à 536 000 livres pour la Grande Écurie (entre l'avenue de Saint-Cloud et l'avenue de Paris), à 585 000 livres pour la Petite Écurie (entre l'avenue de Paris et l'avenue de Sceaux, c'est-à-dire à droite lorsqu'on regarde la Place d'Armes, le château derrière soi). Les dépenses de maçonnerie sont arrêtées en 1681 à 946 000 livres pour la Petite Écurie, en 1682 à 844 000 livres pour la Grande Écurie, en comprenant une gratification spéciale « en considération de la précipitation et frais extraordinaires pour rendre les ouvrages faits et parfaits dans le temps que S. M. a ordonnés ». La précipitation a même été si grande que l'on parle de scandale et de dilapidation de fonds.

La Grande Écurie, où logent le grand écuyer, Louis de Lorraine, et son fils, Brionne, comporte deux manèges ; l'un est couvert, l'autre forme une sorte de carrière. La Petite Écurie, avec son premier écuyer, Beringhem, comprend notamment les remises des carrosses ; elle possède aussi son manège couvert. L'une et l'autre, outre les chevaux, les voitures, le personnel des écuries, abritent divers services qui relèvent du grand écuyer : les pages, les hérauts d'armes ; des musiciens aussi, dont un dossier spécial des Archives nationales nous fait connaître les noms antiques : trompettes, grands hautbois, hautbois et musettes de Poitou, tambours et fifres, cromornes et trompettes marines.

Louis XIV est fier de ces nobles bâtiments, et aussi des beaux chevaux qui s'y trouvent, ce que note Félibien dans son Guide . « Il n'y a personne qui ne sçache qu'en cela la magnificence de Sa Majesté surpasse infiniment celle des autres Monarques. Les Princes Étrangers se font gloire même d'envoyer de tous côtéz au Roy les chevaux les plus estimez qu'ils ayent chez eux ; de sorte qu'on voit dans les seules Écuries de Versailles, ce qu'on ne pourroit rencontrer ailleurs que par des longs voyages ; je veux dire une élite admirable de chevaux d'Angleterre, de Pologne, de Dannemark, de Prusse, d'Espagne, d'Afrique, de Perse, et de divers autres Païs éloignez, sans parler de ceux de France. »

L'intérêt que le Roi porte à ses bêtes apparaît à maintes reprises, dans les *Journaux* de Sourches ou de Dangeau, par les visites qu'il leur fait et par la façon dont il apprécie les présents qu'il reçoit. Louis XIV aime le cheval ; Saint-Simon le reconnaît et le note en 1715 : « Il étoit encore admirable à cheval à son âge. » Il serait fier d'aller au manège de la Grande Écurie voir monter ses petits-fils, mais il éprouve du dépit quand le duc de Duras lui dit de ceux-ci « qu'ils ne seroient jamais à cheval que des paires de pincettes ». Il fait observer, ici comme ailleurs, le respect dont il aime être entouré et qui, jusque chez les chevaux, met à part le « rang du Roi ».

Il sait aussi le gouffre de dépenses que représentent, et que représenteront jusqu'à la fin de l'Ancien Régime, ces prodigieuses Écuries de Versailles dans le budget royal. Il essaie à diverses reprises d'y porter remède. Aux mauvais jours de 1689, il décide d'un seul coup de retrancher beaucoup de chevaux pour économiser, croit-il, cent mille écus par an. En 1715, ses Écuries renferment encore quelque sept cents chevaux, dont environ les deux tiers se trouvent à la Grande Écurie.

Le manège de la Grande Écurie fut, peu après son achèvement, le théâtre de quelques fêtes, une course de bagues en 1684, des spectacles d'opéras et surtout, au mois de mars 1685, un grand carrousel, que Monseigneur avait ordonné avec le concours de Berain et dont la description occupe une vingtaine de pages des *Mémoires* de Sourches.

Si vastes fussent-elles, les Écuries étaient encore trop petites pour la richesse des équipages du Roi. Dès 1684, des additions sont apportées à la Petite Écurie et des écuries spéciales sont créées : écuries de la Dauphine, écuries de Monsieur, écuries de Mademoiselle, écurie des chevaux infirmes, écuries des Gardes du Corps. La vénerie surtout, que développe Louis XIV, réclame de plus en plus de chevaux. Versailles n'est-il pas, plus encore que militaire, un domaine de chasse par ses origines mêmes ? Le Chenil n'est-il pas contigu à la Grande Écurie ?

LA CHASSE

Quelques remarques enregistrées par Saint-Simon situeront l'importance de la chasse dans l'existence du Roi.

« Rien jusqu'à lui n'a jamais approché du nombre et de la magnificence de ses équipages de chasses. » « Il aimoit fort à tirer, et il n'y avoit point de si bon tireur que lui, ni avec tant de grâces. Il vouloit des chiennes couchantes excellentes ; il en avoit toujours sept ou huit dans ses cabinets, et se plaisoit à leur donner lui-même à manger pour s'en faire connoitre. Il aimoit fort aussi à courre le cerf, mais en calèche, depuis qu'il s'étoit cassé le bras en courant à Fontainebleau, aussitôt après la mort de la Reine. Il étoit seul dans une manière de soufflet, tiré par quatre chevaux, à cinq ou six relais, et il menoit lui-même à toute bride, avec une adresse et une justesse que n'avoient pas les meilleurs cochers, et toujours la même grâce à tout ce qu'il faisoit. Ses postillons étoient des enfants depuis neuf ou dix ans jusqu'à quinze, et il les dirigeoit. »

Le duc devient chagrin lorsqu'il apprécie le domaine de Versailles, où Louis XIII avait pourtant déjà beaucoup chassé : « Les parcs et les avenues, tous en plants, ne peuvent venir. En gibier, il faut y en jeter sans cesse ; en rigoles de quatre et cinq lieues de cours, elles sont sans nombre ; en murailles enfin, qui par leur immense contour enferment comme une petite province du plus triste et du plus vilain pays du monde. »

Le tableau est sombre et peut se justifier par un temps brumeux d'hiver ou par l'humeur de l'écrivain. Reprenons-en les points principaux.

Le domaine d'abord. Louis XIV a constitué celui-ci peu à peu, tenacement, en paysan, ou plus exactement en seigneur, à qui l'on doit céder, en capétien, qui veut toujours plus. Au-delà des jardins et du petit-parc, à peu près limité à ce que nous appelons aujourd'hui le parc de Versailles, s'étendait le grand-parc, acquis et aménagé pour la chasse. Les premiers accroissements furent accompagnés, en 1677-1678, d'une première série de travaux : tracé d'allées et plantations nouvelles, constitution de réserves à gibier et de faisanderies, aménagement de rigoles, construction de murs de clôture, munis de portes à barreaux et de logements de portiers.

Louis XIV avait acheté, en 1675, pour 161 000 livres, au nord-ouest de son parc, la terre et seigneurie de Noisy. En 1679, il prévoit une dépense de 700 000 livres pour des acquisitions de terres, qui se multiplient de tous côtés dans les années suivantes : à l'ouest, Galy, Choisy-aux-Bœufs, Bouchevilliers, aux religieux de Sainte-Geneviève-du-Mont ; — à l'est, Velizy à Louvois, Chaville à Le Tellier, qui, joint plus tard au domaine de Monseigneur à Meudon, permettra d'abattre en 1706 les murs qui séparent les deux parcs de Chaville et de Meudon pour n'en faire qu'un seul ; — au sud enfin, jusque dans la région de Verrières. Le duc de Chevreuse, qui avait eu plus que d'autres à souffrir de la constitution du domaine de ce côté, s'était vu enlever peu à peu « quantité de terres relevantes de son duché de Chevreuse, lesquelles le Roi avoit enfermées dans son parc de Versailles ». Il accepte en 1691 une transaction ; il cède au Roi, qui lui doit alors quelque 800 000 livres, les restes du duché de Chevreuse et reçoit, outre des rentes sur la Ville et diverses indemnités, le comté de Montfort.

Ainsi, pour ses chasses, Louis XIV était-il parvenu à former un domaine considérable, dont, malgré des abandons regrettables à l'époque de la Révolution et des cessions malheureuses depuis, de beaux morceaux subsistent. Charles Mauricheau-Beaupré, qui a étudié cet aspect du Versailles de Louis XIV, en décrit ainsi l'enceinte : « Elle se détachait du mur de la Forêt de Marly un peu avant Saint-Nom, sans toucher à Villepreux ni à Trappes, mais enfermait les villages de Bailly, Noisy, Rennemoulin, Fontenay-le-Fleury, Saint-Cyr, Bois-d'Arcy, Guyancourt, Villaroy, sans parler de hameaux comme la Minière ni du bois des Gonards. » On a calculé que le grand-parc, à lui seul, devait représenter environ 6 600 hectares, chiffre qu'il faudrait plus que doubler si l'on ajoutait Noisy et Marly.

Le Roi a organisé ce vaste ensemble, et les comptes des Bâtiments permettent de reprendre plusieurs des critiques formulées par Saint-Simon.

Routes. On en crée à Fausses-Reposes ou à Porchefontaine en 1677-1678, dans le bois de Trappes en 1680, dans le bois du Buisson de Verrières en 1682. Ces routes ne sont pas qu'utilitaires. Mauricheau-Beaupré a remarqué qu'une grande allée, dont un côté subsiste partiellement aujourd'hui et qui pourrait être aisément reconstituée, est tracée à travers les bois jusqu'à Vélizy pour prolonger, par-dessus le fond de Porchefontaine, la grande perspective commencée par l'avenue de Paris. Le Nostre, qui paraît avoir été l'ordonnateur de ces tracés gigantesques, fait de même prolonger, à l'ouest, la grande perspective du Canal par une avenue de plus de 2 600 arbres, qui conduit jusqu'à Villepreux et qui, amorcée par une patte-d'oie à la grille-royale du bout du Canal, semble répondre, avec un sens extraordinaire de la symétrie et de la grandeur, aux avenues qui, à une lieue de là, partent, à l'est, de la Place d'Armes ; ainsi la ligne droite constituée par l'avenue de Villepreux, le Canal, l'allée-royale, le parterre d'eau, les cours intérieures du château, l'avenue de Paris, l'allée de Vélizy, s'étendait sur plus de trois lieues !

Plants. On ajoutera seulement un chiffre à ce qui a déjà été dit là-dessus : en 1683, on arme d'épines 14 836 pieds d'arbres dans les avenues de Versailles « pour les conserver d'être écorchés par les bêtes fauves ».

Gibier. Les remises à gibier sont innombrables dans tout le grand-parc, particulièrement dans les plaines de Saclay, de

Guyancourt, de Toussus ; on les laboure, on les sème, on les plante. Le Parc-aux-Cerfs a été agrandi en 1678 et une nouvelle faisanderie créée au même moment, une autre au Vésinet bientôt après ; et Dangeau dans son *Journal* inscrit, le 16 août 1685, que l'on a fait partir de l'une de ces faisanderies cinq mille perdrix et deux mille faisans tout à la fois.

Murailles enfin. La clôture du grand-parc est indiquée en 1684, rien qu'en acomptes de maçonnerie, pour une somme de 347 000 livres, et Dangeau, en cette même année, note à la date du 22 juillet que le Roi est allé faire le tour de son nouveau parc « et trouva les murailles à hauteur presque partout ». Une partie de ces murs, dont le tour équivaudrait à quelque quarante-trois kilomètres, plusieurs des vingt-deux pavillons qui les accompagnaient subsistent encore, comme un fier témoignage de ce que fut Versailles.

Louis XIV donne à la chasse à courre un luxe inconnu jusque-là et abandonne les chasses au vol des anciens temps ; non qu'il n'ait essayé celles-ci à Versailles même : une héronnière et milanière est construite à Noisy en 1675, mais dix ans plus tard Dangeau rapporte que sa suppression a été décidée ; la vénerie des grands chiens du Roi prend sa place, s'ajoutant à l'extraordinaire Chenil qui a été construit en arrière de la Grande Écurie en 1685 et auquel le *Mercure* consacre une description l'année suivante. C'est ici qu'habite l'un des plus importants personnages du château, le grand veneur, François VII de la Rochefoucauld.

Dangeau écrit encore dans son *Journal*, le 8 décembre 1685 : « Le Roi s'enferma avec Monseigneur et M. de la Rochefoucault pour voir le plan de son grand parc et y faire travailler à tout ce qui pourrait l'embellir pour la chasse. » On retrouve ici l'esprit de méthode qui a « fait » Versailles. Le même *Journal* de Dangeau, presque à chaque page, abonde en mentions des chasses de Louis XIV ou de son fils. Le Grand Roi transmettra à ses successeurs à la fois un domaine organisé et des goûts ; l'énorme et coûteux travail qu'il a accompli leur profitera et contribuera à leur faire aimer Versailles.

Louis XV et Louis XVI seront encore plus fervents chasseurs

que lui. Versailles et la chasse ne font qu'un. Les courtisans s'étonneront parfois de ne trouver, au XVIIIᵉ siècle, dans la bouche du roi de France que de perpétuelles considérations sur la chasse. Égoïsme ? Préoccupation futile ? Sagesse, au contraire, de ne rien dire en public que d'insignifiant et de neutre ? Saint-Simon n'a pas manqué d'observer ce trait dans la vie de Louis XIV ; à son Lever, « souvent il parloit de chasse » ; le soir, dans son Cabinet, à son cercle, « la conversation n'étoit guère que de chasse ou de quelque autre chose aussi indifférent ».

Dans les instructions que le Roi rédige en 1700 à l'intention de son petit-fils, le duc d'Anjou, partant pour l'Espagne, on lit ces conseils, qui traduisent son expérience personnelle : « Ne quittez jamais vos affaires pour votre plaisir ; mais faites-vous une sorte de règle qui vous donne des temps de liberté et de divertissement. Il n'y en a guère de plus innocent que la chasse et le goût de quelque maison de campagne, pourvu que vous n'y fassiez pas trop de dépense. »

La « maison de campagne » et les chasses du Grand Roi à Versailles ont coûté fort cher. Elles sont pourtant inséparables, et Napoléon Iᵉʳ le sentira parfaitement, lorsqu'il essaiera de faire revivre Versailles par le biais de la chasse.

Avec le Lever, le Conseil, la messe, le grand-couvert, le Coucher et, l'hiver, les soirs d'appartement, la chasse fait partie des règles que Louis XIV s'est données, des obligations royales que ses successeurs seront tenus d'observer, du cadre monotone et doré dans lequel, par lui et autour de lui, sa famille, sa noblesse, sa Cour seront contraintes de vivre.

CHAPITRE IV

LA VIE DE LA COUR

L'APPARTEMENT DE LA REINE

La vie de la Cour gravite autour du Roi. Il semble que Versailles, en enflant démesurément la personne du monarque et en faisant de ses appartements comme de ses actes le centre de la France, ait contribué à écraser plus que jamais la Reine elle-même. Une sorte de fatalité va peser sur l'appartement que celle-ci occupe. L'équilibre, auquel s'est appliqué quelque temps Louis XIV, entre son appartement et celui de son épouse, est, on l'a vu, rapidement rompu. La Reine, reléguée à son rôle de représentation secondaire, vivra tristement et dignement dans son bel appartement doré, qui évoluera peu par la suite, sauf un instant au début du règne de Louis XV. Marie-Thérèse, Marie Leczinska demeureront et mourront ici avec une discrétion et une modestie qui seront peut-être sainteté, mais sainteté passive. La seule qui réagira contre l'existence attribuée aux reines dans le grand Versailles de Louis XIV sera Marie-Antoinette ; sa vie sera plus animée, son destin plus tragique...

Les derniers embellissements apportés à l'appartement de la Reine, tel qu'il avait été dessiné par Le Vau et D'Orbay, ont été conduits sous la direction de Mansart. Ils concernent l'escalier de marbre et la Salle des Gardes. Ils datent de 1680. Marie-Thérèse meurt en 1683. Louis XIV songeait déjà à étendre son propre appartement sur la partie de la cour de marbre qui avoisinait le domaine de la Reine. Il communiquera bientôt par là avec l'appartement qui sera créé pour Mme de Maintenon sur la cour royale.

Le Roi ne tarde pas à faire rouvrir l'appartement de la Reine et le donne à celle qui, désormais, doit faire figure de

Reine, être sa remplaçante, son héritière, la Dauphine. Le cas se présentera une seconde fois dans l'histoire de Versailles, à la fin du règne de Louis XV, au profit de la dauphine Marie-Antoinette.

Madame la Dauphine, celle qu'on appellera la Dauphine de Bavière, est d'abord établie, en 1682, avec Monseigneur, son époux, au centre de la grande aile du Midi, spécialement aménagée pour le couple delphinal. La mort de Marie-Thérèse remet en cause cette disposition. Le Dauphin se transporte au rez-de-chaussée du corps central, sur le parterre du Midi, où il s'installe, on le verra plus loin, avec magnificence ; mais le plan de son appartement dépend de celui attribué à sa femme, c'est-à-dire de l'appartement de la Reine ; sa chambre est située juste au-dessous de l'ancienne chambre de Marie-Thérèse.

La Dauphine, princesse assez terne, mais tendre mère, vit presque aussi retirée que la Reine. Malade, elle passe une partie de ses journées avec la Bezzola, son amie, dans quelques Cabinets en arrière de sa Chambre, qui prennent jour sur la cour intérieure ; celle-ci est alors, il est vrai, encore assez vaste. On prévoit de l'orner en son centre d'un bassin, qui, selon M. Le Guillou, n'aurait pas été exécuté. Saint-Simon a compris le côté presque tragique de ces appartements intérieurs de Versailles, chez la Reine et même chez le Roi : ils « y ont les dernières incommodités, avec les vues de cabinets et de tout ce qui est derrière, les plus obscures, les plus enfermées, les plus puantes ».

La Dauphine, dans ses moments de représentation, habite le grand appartement, tourné vers le parterre du Midi, où Louis XIV affecte de continuer l'étiquette établie pour la Reine. Ainsi Dangeau note-t-il, après chacune des convalescences du Roi, que celui-ci, en 1686, 1687, 1690, recommence à dîner et à souper « à son ordinaire en public dans l'appartement de la Dauphine ». Sur la table du prêt, la nef d'orfèvrerie est placée comme pour la Reine. Et c'est dans la Chambre de la Reine, avec l'ancien décor composé pour Marie-Thérèse et tout juste modifié par la présence d'un nouveau balustre de bois sculpté et doré, qu'il faut imaginer, en avril 1690, la mort de la pauvre princesse, âgée de vingt-neuf ans, le viatique qui lui est apporté de la Chapelle et que le Roi escorte depuis le bas du Grand Escalier, les adieux qu'elle fait à ses enfants, notamment au dernier, à la naissance duquel elle attribue sa maladie, sa complainte enfin, poignante et simple comme un poème médiéval : « Berry, tu sais que je t'ai toujours tendrement aimé, mais tu me coûtes cher ! »

La Dauphine morte, l'appartement de la Reine est à nouveau fermé aux courtisans, sauf en quelques occasions exceptionnelles, comme lors de l'exposition des ornements offerts par le Roi à la cathédrale de Strasbourg. Il faut attendre le mariage du duc de Bourgogne pour voir cet appartement reprendre vie.

LA DUCHESSE DE BOURGOGNE

Un problème, tel qu'on en verra maintes fois se poser dans le cours du XVIIIe siècle, se présente alors aux architectes et au Roi : un problème de logement. Le Grand Dauphin occupe l'appartement du rez-de-chaussée et ne souhaite pas déménager ; sa descendance paraît bien assurée avec trois princes, Bourgogne, Anjou, Berry, et l'on ne juge pas utile de le remarier.

La duchesse de Bourgogne représente à la fois la Reine et la Dauphine ; ses grands officiers sont à peu près les mêmes, qui servirent l'une et l'autre, sauf quelques modifications dues à l'influence de Mme de Maintenon, qui entend bien tenir en lisière la princesse. Il faut installer le duc de Bourgogne à proximité de sa femme, mais aussi non loin de la « dévote fée », qui veille sur lui comme une mère. Comme on n'est guère pressé de mettre ensemble les deux jeunes princes (lors des cérémonies du mariage, en 1697, le duc de Bourgogne a quinze ans et sa femme douze), le projet mûrit avec lenteur.

On établit pour le duc de Bourgogne deux appartements, entre lesquels se trouve l'appartement de la marquise, chez qui le jeune couple passe une partie de ses jours et de ses soirées. Le premier appartement est situé au-delà de celui de

Mme de Maintenon, entre la cour royale et la cour des Princes ; il est vaste et comprend notamment une Bibliothèque, qu'a souhaitée ce prince studieux. Le second appartement, dit *appartement de nuit*, sera construit au moment où le prince sera autorisé à coucher avec sa femme, pour le retour de Fontainebleau de 1699, dans un bâtiment qui viendra barrer, derrière l'Escalier de la Reine, la cour intérieure pour former deux petites cours distinctes, qu'on appellera désormais cour de Monseigneur ou cour de la Reine, à l'ouest, et cour de Monsieur, à l'est. Cet appartement, qui comprend seulement une chambre à deux fenêtres, un Cabinet et une garde-robe, sera plus tard incorporé aux Cabinets de la Reine, au niveau desquels il se trouve, sur la face orientale de la cour de Monseigneur.

La duchesse de Bourgogne, dont la gaieté ranime pendant une dizaine d'années la vie de la Cour, occupe l'appartement de la Reine. Les quatre pièces principales, sur le parterre du Midi, continuent de former Salle des Gardes, Antichambre, Cabinet d'audience et Chambre. A peine fait-on quelques améliorations ou modifications du décor existant. Le peintre Audran et plusieurs doreurs opèrent des retouches aux plafonds et aux boiseries ; assez peu de chose, semble-t-il, d'après les comptes. Le mobilier lui-même demeure traditionnel, un peu ancien et plein de disparate. Le meuble de la Chambre, dans laquelle la duchesse de Bourgogne mettra au monde les deux ducs de Bretagne et, le 15 février 1710, le duc d'Anjou, le futur Louis XV, n'est-il pas celui, très riche il est vrai, qui a été établi pour les couches de la Dauphine en 1683 ?

De petits Cabinets, notamment un joli Cabinet-doré, ordonné par le Roi en septembre 1701, un oratoire et une garde-robe complètent sur la cour l'appartement de la princesse et constituent son appartement intérieur. De plus, le Salon de la Paix devient son Salon des Jeux et, sans être détaché de la Galerie, est considéré comme incorporé à son appartement en tant que Grand Cabinet.

On peut suivre ici, malgré les modifications apportées pour Marie Leckzinska et Marie-Antoinette, le récit de l'agitation qui saisit la Cour aux nouvelles reçues de Meudon, tour à tour optimistes et pessimistes, durant la dernière maladie de Monseigneur, notamment dans la nuit du 14 au 15 avril 1711, où Saint-Simon, tout pétillant de se trouver à pareil spectacle et heureux, faut-il le dire, de se voir délivré d'un règne possible du Grand Dauphin, perce chacun de ses « regards clandestins » et note tout, sans bienveillance certes, mais avec une précision surprenante : la toilette de la duchesse de Bourgogne, installée comme chaque soir au milieu de la Chambre, la foule des courtisans intéressés à l'événement, « tout Versailles rassemblé ou y arrivant », les dames accourues « en déshabillé », la petite porte, qui, de la ruelle de la Chambre, donne sur le petit cabinet intérieur de la duchesse de Bourgogne. Bientôt le duc de Beauvillier, premier gentilhomme de la Chambre du duc de Bourgogne, tiré de son sommeil, se rend compte de l'étroitesse de ce cabinet et dirige avec sang-froid les principaux personnages du drame vers le Grand Cabinet ou Salon de la Paix, où s'installent les deux fils de Monseigneur, les ducs de Bourgogne et de Berry. « On y ouvrit des fenêtres, et les deux princes, ayant chacun sa princesse à son côté, s'assirent sur un même canapé près des fenêtres, le dos à la galerie ; tout le monde épars, assis et debout, et en confusion dans ce salon, et les dames les plus familières par terre, aux pieds ou proche du canapé des princes. » Lorsque la Palatine, « rhabillée en grand habit, arriva hurlante, ne sachant bonnement pourquoi ni l'un ni l'autre », elle trouva sa belle-fille, la duchesse d'Orléans, assise sur le canapé qui fait pendant à celui des princes, du côté de la cheminée. Ici prend place l'épisode comique décrit par Saint-Simon : le Suisse couché dans l'un de ces lits « de veille à pavillon » en serge rouge, qui, la nuit, surgissaient dans tout le Grand Appartement, le Suisse que cette foule, émue à des titres divers, a négligé, se réveille soudain, s'agite, étire un gros bras presque nu, entrouve son pavillon et montre sa bonne tête toute ébahie, pour se rendormir aussitôt.

La duchesse de Bourgogne et son époux porteront bien peu de temps les titres de Dauphine et de Dauphin. Moins de dix mois plus tard, dans ce même appartement de la Reine, tendu de noir, un spectacle bouleverse le peuple de qui est venu en foule et qui, après avoir traversé la Galerie et le Salon de la Paix, pénètre dans la Grande Chambre de Marie-Thérèse : deux corps, disposés côte à côte sur le même grand lit de parade, encadrés de cierges de cire jaune, sont là, veillés par les dames du Palais, les évêques ou les menins du Dauphin.

LES APPARTEMENTS DE MONSEIGNEUR

L'appartement du Dauphin fut considéré comme l'une des merveilles de Versailles. Il vient, dans la hiérarchie traditionnelle de la Cour, aussitôt après celui du Roi et celui de la Reine. A chacune des transformations du château, notamment dans les instructions données à Le Vau en 1669, Louis XIV se préoccupe de l'appartement de Monseigneur le Dauphin, mais en y apportant, semble-t-il, une certaine désinvolture.

On sait avec quelle indifférence calculée le Grand Roi traitait son fils. Ce n'était probablement qu'apparence. Ce fils, son successeur probable sur le trône, est l'objet de sa vigilance inquiète. Est-il malade, le père suspend la mécanique de son existence pour ne plus quitter le chevet de Monseigneur. Mais le caractère tyrannique du Roi se manifeste à tout instant dans la vie quotidienne, n'ignorant rien des actes de son fils, le blâmant à l'occasion, lui imposant jusqu'à son propre confesseur, et se préoccupant naturellement de le loger à sa guise.

Lorsque Monseigneur épouse, au mois de janvier 1680, Marie-Anne-Victoire de Bavière, Versailles s'achève et Louis XIV a choisi un nouvel appartement pour son fils. L'appartement précédent, dont les travaux sont mentionnés par les comptes en 1678 et qui était probablement le troisième de ceux occupés par le Dauphin à Versailles, était situé au rez-de-chaussée du corps central, sur le parterre du Midi ou parterre de l'Amour. La place était jolie, au-dessous de l'appartement de la Reine, de plain-pied avec les jardins, que l'on avait garnis au printemps de 1680, sur la terrasse même du Dauphin, de « belles giroflées ». Cet appartement, que Monseigneur retrouvera plus tard, était limité par la Galerie-basse et la Chapelle, et fort exigu pour loger le Dauphin et la Dauphine. Ce fut un logis provisoire. Les dépenses, au demeurant, ont été médiocres : un peu de menuiserie, quelques peintures. Le Roi a pour son fils à ce moment des projets plus grandioses.

Louis XIV vient de fixer avec Mansart les plans du château définitif. La première des ailes nouvelles, celle qui va s'avancer au midi jusqu'au-dessus de l'Orangerie, sera affectée à ses enfants et réservée au Dauphin dans sa plus belle partie du premier étage. Cette aile, que l'on dénommera plus tard *aile des Princes*, devient pour un temps l'*aile de Monseigneur*.

A peine installé, Monseigneur doit retourner au rez-de-chaussée du corps central du château, où se sont, dans l'intervalle, établis Monsieur et sa seconde femme, la Palatine, Charlotte-Élisabeth de Bavière. La Reine vient de mourir, et la Dauphine doit prendre possession de son appartement.

Il est difficile de juger du caractère de Monseigneur, que ses installations successives aideront peut-être à éclairer quelque peu. Saint-Simon, qui était en mauvais termes avec le Dauphin, a mis son talent à desservir sa mémoire. Il reconnaît cependant, une fois au moins, qu'il pouvait y avoir en Monseigneur une personnalité cachée et note, à propos de ses interventions autour du testament du roi d'Espagne, en 1700 : « Monseigneur, tout noyé qu'il fût dans la graisse et dans l'apathie, parut un autre homme. »

Ce prince était-il médiocre jusqu'au fond de l'âme, « sans vice ni vertu », pâle reflet d'un père qui le dominait et qu'il imitait à tel point que, après la mort de la Dauphine, il eut en Mlle Chouin, « aussi sa Maintenon autant que le Roi avait la sienne » ?

A Versailles, le Dauphin « remplissait les devoirs de fils et de courtisan avec la régularité la plus exacte », mais il avait le plus vif désir d'échapper à cette vie de représentation, d'obéissance, d'impersonnalité. Le jeu, la chasse presque quotidienne, surtout la chasse au loup, qui l'entraînait en forêt de Saint-Germain, en forêt d'Yvelines, en forêt de Sénart, ne sont pour lui que prétextes à « tuer le temps ». Son petit-fils, Louis XV, connaîtra la même fureur de chasser, comme il héritera de son goût pour les pièces entresolées et discrètes, où un valet de chambre complaisant pousse quelque pauvre et jolie créature. Meudon, qui sera la passion de Monseigneur et son séjour fréquent dans les douze ou treize dernières années de sa vie, prouve également son besoin d'évasion, qui apparaît chez Louis XV et même chez Louis XIV. Versailles, pesant par instant au Grand Roi, l'est davantage à sa descendance, et surtout lui vivant.

La responsabilité de Louis XIV paraît lourde sur le caractère du Dauphin. Celui-ci a, pour son redoutable père, de l'affection et de l'admiration et il a dans le sang quelques-uns de ses goûts ; on a dit celui de la chasse ; il faut noter aussi un penchant affirmé pour les arts, et notamment l'amour ancestral des beaux objets de collection.

Monseigneur est collectionneur. On ne peut expliquer sans cela son appartement de Versailles. Comme Louis XIV, il aime les bibelots et les objets rares. Il manifeste son tempérament d'artiste — et peut-être son désir de s'évader et d'être « un autre homme » — dans les courses de bagues et les carrousels, dans les mascarades, où il excelle et où il apparaît, aux applaudissements du courtisan, dans des costumes extraordinaires que lui dessine Berain. Comme son grand-père Louis XIII, il aime manier lui-même le crayon ou la plume et exécute d'aimables tableautins, dont le Cabinet des Estampes de la Bibliothèque nationale conserve quelques spécimens et qu'il ne néglige pas de faire encadrer dans de belles bordures dorées. Comme beaucoup de ses aïeux, il recherche les tableaux des grands maîtres, les vases d'agate ou de cristal de roche. Il manifeste un goût bien marqué pour les riches tissus « des Indes », les porcelaines de Chine, les cabinets de laque. N'est-il, ici encore, qu'un reflet de Louis XIV et installe-t-il des Cabinets de bijoux et de raretés dans ses appartements par simple imitation de ce que crée le Roi son père ? Louis XIV semble avoir cultivé, peut-être avec une arrière-pensée politique, ce goût chez lui. Quand son fils avait vingt ans, s'il faut en croire Sourches, il lui avait fait un cadeau de 50 000 écus d'œuvres d'art, « parce que ce jeune prince faisait un cabinet de toutes les choses les plus belles, les plus rares et les plus curieuses qu'il pouvait rencontrer ».

En vrai collectionneur, Monseigneur aime fureter. Lorsqu'il se rend à Paris, il ne va pas seulement à l'Opéra, mais aussi chez les « marchands de curiosités ». Il passe pour avare. Mme de Montespan, qui connaît plus d'un trait de son caractère, lui offrira pour ses appartements de Versailles de riches et extraordinaires tissus, qu'elle fait broder, pour lui comme pour le Roi, dans son couvent de Saint-Joseph. Cependant il dépense « infiniment en bâtiments, en meubles, en joyaux de toute espèce », concède Saint-Simon. Et s'il tient un compte minutieux de ses dépenses personnelles, ce n'est peut-être que bon ordre. Soucieux en tout cas de sa collection, il en fait dresser un inventaire en 1689. L'appartement que Louis XIV ordonne pour son fils en 1684, mais que celui-ci modèle insensiblement à son goût personnel, peut apparaître comme l'œuvre d'un dilettante.

Que Louis XIV ait d'abord manifesté quelque négligence ou dédain envers cette nouvelle installation, ceci paraît ressortir d'une réponse faite à Louvois, qui s'inquiète, au retour du voyage de Fontainebleau, au mois de novembre 1684, des retards apportés aux travaux dans cette partie du château, et notamment des délais que réclame Boulle : « Mon fils aura le plaisir de le voir finir. » Au même moment, le Roi prescrit à son ministre : « Prenez plus soin de ma chambre que du reste. » Mais bientôt Louis XIV semble surpris de ce qu'il découvre lui-même des talents de son héritier. Les Cabinets de Monseigneur vont devenir l'une des curiosités de Versailles et lorsque, le 8 janvier 1689, le roi d'Angleterre fait sa première visite à Louis XIV, celui-ci le laisse au haut de l'Escalier de la Reine, afin que, pénétrant chez Monseigneur, Jacques II puisse admirer ces cabinets et discuter « en connaisseur des tableaux, des porcelaines, des cristaux et de tout ce qu'il y vit ».

Une description, que rédige en 1687 de l'appartement du Dauphin l'architecte suédois Nicodème Tessin et qui s'ajoute à ce que nous pouvons connaître par les Comptes des Bâtiments, les papiers du Garde-Meuble ou les anciens guides, nous permet d'imaginer ces installations du prince, dont, à une pièce près et encore presque entièrement dépouillée, les XVIIIe et XIXe siècles n'ont rien laissé subsister.

On doit, un peu comme chez le Roi, distinguer l'appartement officiel de l'appartement privé. Le premier explique une phrase de Tessin, que l'appartement du Dauphin ne renferme « rien de remarquable ». Il est bien question de revêtir de marbre le nouvel appartement de Monseigneur, afin de lui donner une décoration semblable à celle de l'appartement qui forme l'angle opposé de la façade et qui était celui des Bains. Ce projet n'aboutit pas, et il semble que les transformations de l'appartement de « représentation » aient été peu considérables ; elles donnent toutefois à cet appartement plus de développement, grâce à la disparition d'un petit appartement contigu à l'ancienne Chapelle, et permettent le déplacement vers l'est de chacune des pièces dont était composé auparavant l'appartement de Monsieur.

Une belle *Salle des Gardes* est créée, vaste pièce à colonnes, que précède un *Vestibule* et où l'on accède, auprès de l'Escalier de la Reine, par la cour intérieure, alors encore dans ses dimensions originales.

L'*Antichambre*, ancienne Salle des Gardes de Monsieur, est augmentée d'un perron, donnant un accès facile sur le parterre. Elle est tendue et meublée de bleu, l'une des couleurs préférées de Monseigneur, qui fait joindre au mobilier de cette pièce une niche à deux chiens.

La *Chambre*, ancienne Antichambre de Monsieur, qu'éclairent alors deux fenêtres sur les jardins et que les transformations du XVIIIᵉ siècle diviseront en deux cabinets étroits, est meublée, l'hiver, de riches brocarts, et l'été, de deux taffetas alternés, l'un bleu pâle, l'autre rayé de bleu, de blanc et d'or. Elle a été embellie d'un tableau qui vient d'entrer dans les collections royales, le *Triomphe de Flore* du Poussin ; cette grande peinture, qui se trouve aujourd'hui au Louvre et dont les bleus devaient alors apparaître avec un vif éclat, est disposée en dessus de cheminée ; elle ne semble pas avoir été très appréciée du Dauphin, qui la fait renvoyer à la Surintendance lorsqu'il modernise, avec dessus de glaces, la cheminée de sa Chambre, aux environs de 1700.

Le Grand Cabinet ou *Salon de Monseigneur* occupe l'emplacement de la Chambre et du petit Cabinet d'angle de Monsieur ainsi que du Cabinet de Madame ; il prend les

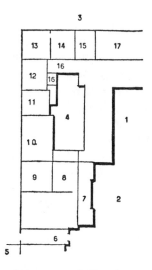

FIG. 15. — *Appartement de Monseigneur vers 1695.*

1. Cour de marbre. — 2. Cour royale. — 3. Perron du parterre occidental.
— 4. Cour de Monseigneur ou de la Reine. — 5. Comédie. — 6. Passage
public conduisant au parterre du Midi. — 7. Arcades du vestibule de
l'Escalier de la Reine. — 8. Escalier de la Reine. — 9. Vestibule de l'appᵗ.
de Monseigneur. — 10. Salle des Gardes. — 11. Antichambre. — 12.
Chambre. — 13. Grand Cabinet ou Salon de Monseigneur. — 14. Cabinet-
doré. — 15. Cabinet des Glaces. — 16. Arrière-appartement et caveau.
— 17. Galerie-basse.
(A comparer au plan de l'appartement du Dauphin vers 1755, fig. 18,
p. 410.)

dimensions qu'on lui connaît actuellement, avec trois fenêtres
sur la terrasse du parterre du Midi et trois fenêtres sur le
perron du parterre d'eau. Monseigneur commence à recevoir
la Cour dans ce cabinet en janvier 1685, mais il semble que,
l'année suivante, Mignard travaille encore sur l'échafaudage
à peindre le plafond, où il représente Monseigneur en héros,
Apollon et les Vertus. Le Moyne a peint les panneaux du
lambris, où paraissent avoir dominé le blanc, l'azur et l'or.
Le meuble d'été, offert par Mᵐᵉ de Montespan, est lui-même
« fonds brun, rehaussé d'or, enrichi de pourcelaines argent
et bleu », avec les bois « peints convenables à l'étoffe ».

Ce salon est le premier des trois que l'on va dénommer
les Cabinets de Monseigneur. Le prince, comme pour se

marquer à lui-même qu'il est un peu chez lui, a fait disposer aux fenêtres, jusqu'à hauteur d'homme, des rideaux de taffetas blanc. C'est ici le royaume de collectionneur.

Dans le Cabinet d'angle, Monseigneur a placé un certain nombre de tableaux de maîtres, dont Monicart, dans son *Versailles immortalisé*, a dressé la liste. Il a fait installer des miroirs et a disposé sur des consoles sa collection de porcelaines de Chine, où domine le bleu et blanc, qui explique les couleurs choisies pour le décor et le mobilier de la pièce.

Le Cabinet suivant, précédemment Chambre de la Palatine, est éclairé de deux fenêtres sur le parterre d'eau. Il est peint en blanc et or. La richesse de son plafond, auquel a travaillé Cucci, lui fait donner le nom de *Cabinet-doré*. Monseigneur a placé ici, sur des consoles de bois doré, des bronzes, des bijoux, et notamment de beaux vases de pierres dures, agates, cristaux de roche ou autres, où sa collection rivalise avec celle du Roi. Le meuble, dont le tissu brodé, représentant les Éléments, lui a été donné par Mme de Montespan, comporte des bois « de riche sculpture dorée » ; Monseigneur fait ajouter plus tard aux quatre fauteuils et aux six pliants qui le composent deux « grands fauteuils de commodité », dont les bois sont également sculptés et dorés et pour lesquels il choisit lui-même une « étoffe des Indes fond d'or à fleurs ». Le Cabinet-doré est à peu près terminé au mois de novembre 1687.

Le dernier des Cabinets, *Cabinet des Glaces* ou *Cabinet à glaces*, est achevé en 1686. Une partie de son décor paraît avoir été préparée pour l'appartement de 1682 dans l'aile du Midi, Monseigneur ayant, au dire de Dangeau, réglé avec Louvois, au mois de juin 1684, le transport « de son cabinet de marqueterie et de glaces ». La pièce, éclairée de deux fenêtres et contiguë à la Galerie-basse, conserve encore aujourd'hui des encadrements de portes et de fenêtres que l'on daterait volontiers du début du XVIIIe siècle et qui pourraient avoir été faits pour l'installation de Monseigneur. Boulle est l'auteur des marqueteries et des bronzes qui composent les planchers et les lambris, les consoles, les scabellons et même les sièges de ce Cabinet ; il reçoit des Bâtiments du Roi la somme considérable de 94 000 livres pour ces ouvrages, qui s'échelonnent entre 1682 et 1686. Les glaces proviennent de la manufacture de Guymont et les tissus de velours bleu qui garnissent les sièges du couvent de Saint-Joseph. Plutôt que la description, souvent reproduite, de Félibien, on peut lire celle de Tessin, qui note ce qu'il a vu en 1687 : « Cabinet fort riche, où le plafond est représenté en compartimens octogons et quarrés, remplies de glaces all'imitation des incavatures antiques ; les quatre murailles y sont fort jolyment inventés et revesties des lambris, guarnis de touttes sortes des œuvres de rapport d'otton (sic), estain, etc. ; le pavé est d'une marquetterie très fine. » Et Tessin d'ajouter : « L'on attribue tout au génie de Monseigneur. »

Le Dauphin devait vivre un peu plus d'un quart de siècle dans cet appartement. Très vite, ses Cabinets devinrent célèbres et fréquentés ; il éprouva alors le besoin d'avoir un appartement plus intime et plus retiré. La seule place dont il pût disposer était le revers de son grand-appartement et de ses cabinets, sur la cour intérieure, au fond même de cette cour et dans sa partie la plus sombre, en rez-de-chaussée, d'où le nom de *caveau*, que Monseigneur se plut à donner par ironie à cette partie du grand château où il lui était possible de recevoir ses intimes.

Le 23 janvier 1692, Dangeau note déjà que Monseigneur joua le soir dans son caveau, comme il a accoutumé de le faire les jours qu'il n'y a ni appartement, ni comédie. L'année suivante, les Comptes des Bâtiments témoignent qu'il ne s'agit plus d'un cabinet unique, mais du « nouvel appartement de Monseigneur », dont les dépenses de maçonnerie et de charpenterie indiquent la construction en une sorte d'appentis, mordant sur la cour. Les mêmes comptes mentionnent, en 1696, les travaux de menuiserie et de dorure de la « petite chambre de Monseigneur », chambre que Saint-Simon, avec sa précision topographique coutumière, décrit à la date du 19 mars 1701, lors d'une indigestion de Monseigneur.

L'inventaire des meubles du château en 1708 nous fournit une description détaillée de cet arrière-appartement du Grand Dauphin. Une garde-robe, avec une petite bibliothèque et un « passage derrière les cabinets », garni de portières et de tabourets, précédait la « petite chambre à alcôve », celle même que situe Saint-Simon au revers de la grande-chambre et du grand-cabinet d'angle. Cette chambre, décorée d'un « ceintre servant à faire le tour d'une manière d'alcôve », était éclairée d'une seule fenêtre, dans l'embrasure de laquelle était une table à écrire ; elle était, comme pour l'assombrir encore, tendue et meublée de velours cramoisi, avec des crépines et des franges d'or ; les pieds du lit étaient dorés et sculptés « à dauphins ».

Complétant le « caveau » de Monseigneur, un « petit cabinet en entresol », auquel conduisait un étroit escalier intérieur, est indiqué comme tendu d'une petite tapisserie brodée sur fond d'argent, représentant les Fables d'Ésope, et meublé d'un fauteuil et de quatres pliants, d'une broderie semblable, « donnée à Monseigneur par Mme de Montespan ».

Le Dauphin ne refuse pas d'être entouré, et jusque dans ses appartements les plus secrets, des souvenirs de Mme de Montespan, mais il s'applique à ne rien devoir à celle qui règne alors à Versailles. « Il n'avoit jamais pu aimer Mme de Maintenon, ni se ployer à obtenir rien par son entremise. Il l'alloit voir un moment au retour du peu de campagnes qu'il a faites, ou aux occasions très rares ; jamais de particulier ; quelquefois il entroit chez elle un instant avant le souper pour y suivre le Roi. » Suivre le Roi ! C'était comme la raison d'être de Monseigneur ; c'était aussi le sort, dans ce grand Versailles, de la plus haute noblesse de France.

LA NOBLESSE DOMESTIQUÉE

Chez ce monarque orgueilleux, habile jusqu'ici et heureux dans ses entreprises, l'existence et l'organisation de sa Cour, qu'il veut nombreuse et fastueuse, qu'il doit donc s'appliquer par les moyens les plus divers à retenir, qu'il surveille aussi et qu'il lui faut amuser, est un souci permanent.

En 1684, Versailles est, dans son architecture, presque terminé. La grande aile du Midi, les ailes des Ministres, les communs sont élevés ; l'aile du Nord est commencée. Le Roi n'est pas satisfait. Loger une telle Cour n'est pas une petite affaire. Il médite là-dessus, revoit les plans, remet bientôt en question la distribution intérieure de cette dernière aile, fait appeler Mansart. Habile homme, l'architecte revient vingt-quatre heures plus tard avec un nouveau plan, qui fournit « cinquante-cinq beaux logements de plus à donner aux courtisans ».

« Ah ! Que le monarque les tient bien tous enchaînés à courte laisse ! » La forte expression de La Varende campe le maître, le fouet à la main, entouré de sa Cour, « anéantie, accoutumée à toute sorte de joug, et à se surpasser les uns et les autres en flatteries et en bassesses ».

Et comme chacun, possesseur de beaux hôtels à Paris ou même à Versailles et de grands châteaux en province, est heureux d'obtenir de ce maître un logement de rien, presque une niche, dans *son* château, dont même un Saint-Simon marque alors son contentement !

Que viennent-ils faire à Versailles ? Montrer leur présence, servir, attendre une récompense, ou tout simplement *l'*attendre. Nous sommes bien loin de la Fronde. Versailles est la revanche royale. Qu'est devenu le fils du Grand Condé ? Il fait antichambre. « Il dormoit le plus souvent sur un tabouret au coin de la porte, où je l'ai maintes fois vu ainsi, attendant avec tous les courtisans que le Roi vînt se déshabiller. » Et Saint-Simon de noter ailleurs, avec une égale précision : « J'ai vu, mais fort rarement, Monseigneur et Messeigneurs ses fils au petit couvert, debout, sans que jamais le Roi leur ait proposé un siège. J'y ai vu continuellement les princes du sang et les cardinaux tout au long. J'y ai vu assez souvent Monsieur... : il donnoit la serviette et demeuroit debout ; un peu après, le Roi, voyant qu'il ne s'en alloit point, lui demandoit s'il ne vouloit point s'asseoir ; il faisoit la révérence, et le Roi ordonnoit qu'on lui apportât un siège ; on mettoit un tabouret derrière lui. Quelques moments après, le Roi lui disoit : « Mon frère, asseoyez-vous donc. » Il faisoit la révérence, et s'asseoyoit jusqu'à la fin du dîner, qu'il présentoit la serviette... »

A Saint-Simon semble répondre en écho Mme de Sévigné, qui, parlant des gouverneurs, écrit à sa fille en 1689 : « Ils sont si passionnés pour sa personne qu'ils ne souhaitent que de quitter ces grands rôles de comédie, pour le venir regarder à Versailles, quand même ils devroient n'en être pas regardés. »

En cette même année 1689, Sourches observe cette sorte de fascination, pleine de savoir-faire et de nuances, que le Roi-Soleil exerce sur sa noblesse : « Jamais prince ne sut si bien que le Roi prendre dans le besoin des manières capables d'engager ses serviteurs à oublier les dégoûts qu'ils avoient reçus, et à sacrifier de nouveau leur vie et leurs biens pour son service. »

L'art que cultive le Roi « de donner l'être à des riens », le service qu'il exige autour de lui des plus grands et qu'il arrive à faire considérer « comme le souverain bonheur », dominent la vie de la Cour, obligent au séjour. Quel dépit, quelle rancune de la part du Roi, contre ceux qui négligent de se rendre au pèlerinage de Versailles ou qui méprisent assez leur propre intérêt pour mettre « toute leur dévotion... à ne le point voir ».

Ce culte rendu à sa personne lui paraît presque naturel, tant ses succès et Versailles l'ont enorgueilli de lui-même. Il connaît la force de son regard. M. le duc de Saint-Simon, tout critique et peu indulgent qu'il soit, se sent flatté quand le Roi jette les yeux sur lui. Louis XV et même Louis XVI, quoique avec moins de bonheur, continueront à Versailles cette politique que l'on pourrait qualifier de « visuelle », distinguant celui-ci, ignorant celui-là. Être aperçu du Roi, mieux encore, être nommé pour un voyage à Trianon ou à Marly ou, plus prosaïquement — mais insigne distinction — pour tenir le bougeoir au Coucher royal, c'est ce qu'attend désormais la plus haute noblesse de France.

Au calcul du Roi, répondent les ambitieuses pensées de sa domesticité dorée. Être remarqué du maître, première étape pour s'approcher plus près de lui, puis tenter d'obtenir une ambassade, un titre, un gouvernement, une pension. L'indifférence n'existe guère en face de telles perspectives. Versailles, par la courtisanerie qu'y instaure Louis XIV, sera bien funeste à l'aristocratie française.

L'esprit de servilité à l'égard du Roi s'accompagne de toutes les mesquineries d'une société astreinte à vivre en cercle fermé et, malgré l'immensité du château, trop pressée sur un espace restreint, dont l'appartement royal forme le centre, pour que des étincelles ne risquent pas de jaillir à tout instant. La politesse et la maîtrise de soi, dont Louis XIV ne se départit guère, craquent bien souvent chez les autres en des éclats violents.

On n'en finirait pas de noter les querelles qui firent la joie de la Cour et qui, nécessitant ou non les interventions du Grand Roi, donnèrent à maintes reprises à son Versailles un pitoresque plein de saveur. Les mémorialistes abondent en anecdotes, telle la gifle donnée par la Palatine à son fils, le duc de Chartres, au milieu de la Grande Galerie, ou, au moment de la mort de la Dauphine, la lutte de préséance entre les princesses de la maison de Lorraine et les princesses de la maison de Savoie, ces dernières obéissant à contre-cœur à l'ordre qu'elles ont reçu du Roi de prendre leur tour de garde auprès du corps, Mme de Nemours feignant de se trouver mal et s'éclipsant, la comtesse de Soissons voulant en faire autant et maintenue de force par le grand maître des cérémonies, ou encore, quelques jours plus tard, lorsque le Roi, pour recevoir les compliments de condoléance de la reine d'Angleterre, veut être entouré d'un « grand cercle de dames vêtues de mantes de deuil », le nouvel épisode qui s'élève de la perpétuelle dispute entre les princesses et les duchesses, « ces dernières, qui avoient prémédité la chose, étant venues de fort bonne heure, et ayant occupé toutes les meilleures places ».

Les sujets de rivalité ne manquent pas ; leur existence, loin d'irriter le Roi, ne lui déplaît peut-être pas. Chaque titulaire d'une charge, petite ou grande, croit qu'il y va « de son honneur » de ne pas tolérer le moindre empiètement sur « ses droits ». Lorsque les disputes s'enveniment et qu'il juge bon de trancher, Louis XIV n'est-il pas satisfait des occupations qu'il a su donner à sa noblesse ?

L'étiquette a ses rigueurs ; elle forme une sorte de règle, qu'impose la monarchie et à laquelle le Roi se soumet ; elle doit en principe donner à la Cour sa dignité. Louis XIV s'astreint jusqu'à ses derniers jours à observer les menus détails que lui imposent ces usages et qu'il a souvent lui-même forgés, comme les anneaux d'une chaîne d'or qui enserre et parfois étouffe son Versailles. L'entourage du Roi agit de même. Une princesse nouvelle arrive-t-elle au château ? Elle doit apprendre et savoir « la carte de la Cour ». Une attention de tous les instants maintient l'étiquette, les usages, les droits et, pour une large part, compose la trame de l'existence de cette Cour. On ne peut qu'admirer comment la duchesse de Bourgogne note, rien qu'en traversant sa Salle des Gardes (ou Salle des Gardes de l'appartement de la Reine), la présence d'un laquais à la livrée de Saint-Simon.

L'ESPIONNAGE

Louis XIV ne s'arrête pas seulement à d'innocents détails. Un réseau discret recouvre Versailles, une trentaine d'années durant. Un espionnage, que Saint-Simon a certainement exagéré, mais qu'il faut bien reconnaître, renseigne le Roi. La crise religieuse qu'il a ouverte par la Révocation de l'Édit de Nantes, sa poursuite des Jansénistes, qui aboutit à la proclamation de la bulle *Unigenitus,* s'ajoutent à son titre de Roi Très-Chrétien et à son esprit patriarcal pour l'autoriser à intervenir dans les affaires privées de ses sujets, et tout particulièrement de ceux qui vivent sur son domaine.

Les Suisses des appartements, qu'on rencontre dans les antichambres et les galeries, en des points de passage obligé, sont affectés à la surveillance intérieure du château, pour laquelle ils reçoivent, le Roi vieillissant, des consignes de plus en plus strictes. On leur demande, selon Saint-Simon, de rapporter qui ils ont vu passer, qui a pénétré dans cet appartement, à quelle heure et pendant combien de temps : ce pourrait être encore une consigne militaire ; — ce qu'ils ont entendu des conversations : la sécurité du Roi, très largement comprise, l'exige peut-être. Par ce moyen et par d'autres, la poste notamment, Louis XIV se trouve peu à peu renseigné sur l'attitude intime des principaux personnages de sa Cour. Lorsqu'il fait à Saint-Simon de véhéments reproches sur son esprit de critique presque systématique, il fait allusion, — et le duc l'a compris, — à des faits précis.

La police intérieure du château est bien conduite et les renseignements qu'elle recueille aboutissent au Roi, qui devrait au moins en tirer moins d'illusions sur les hommes en général et sur les flatteurs qui l'entourent en particulier.

Une fois sur pareil chemin, il est difficile à Louis XIV de s'arrêter. Sourches, le grand prévôt, n'a-t-il pas la haute main sur le ravitaillement de la Cour ? Pourquoi ne pas lui demander d'indiquer ceux qui font maigre en carême et ceux qui s'en dispensent ? Sous l'influence de la dévote Maintenon, le Roi en arrive à se renseigner sur les confesseurs. La guerre des consciences, à laquelle il aboutit, l'amène aux plus révoltantes interventions. L'atmosphère de la Cour s'en ressent. Que de déchirements, d'hypocrisies, de sacrilèges ! Les plus courageux quittent la Cour au moment des grandes fêtes religieuses, pour aller s'enfermer dans un monastère ou tenter à Paris de conserver au moins leur indépendance sur ce point. Les autres affichent une soumission complète et une dévotion égale à celle du souverain.

Il faut avouer que la vie de la Cour et, souvent, l'opinion du Roi sont en grande partie basées sur l'impondérable, sur la rumeur. Plus que Saint-Simon, chez qui pourtant abondent les « on-dit », Sourches trahit cet état d'esprit, tout naturel dans l'oisiveté où vivent la plupart des courtisans, à une époque où les moyens d'information sont presque tous verbaux, dans une société surtout qui est en attente des grâces, des décisions ou du bon vouloir d'un seul. Qu'il s'agisse des places, des pensions ou des honneurs, des promotions dans l'Ordre du Saint-Esprit, dont les vacances laissent courir autant de suppositions ou de bruits que pour le cardinalat à Rome, des campagnes ou des déplacements à espérer ou à redouter, « on sut », « on disoit », « on apprit », « on assuroit », « on eut nouvelle positive », « on nommoit », « il couroit des bruits sourds », « le bruit couroit », « on murmuroit à l'oreille », telles sont les expressions habituelles, et telle est l'atmosphère qu'entretient à dessein le Roi, de qui dépend toute décision.

Louis XIV est parfois lui-même la victime du manque d'informations ou de la fausseté de celles-ci. Le château isole peu à peu du réel le Roi aussi bien que sa Cour. Il arrive à

Louis XIV de « débiter la nouvelle » d'un combat qui n'a pas eu lieu, ou d'avancer par erreur la mort de l'un de ses adversaires. Et lorsqu'arrivent les premiers courriers, après quelqu'une de ces défaites ou de ces coûteuses victoires qui, pendant plus de vingt ans, vont, au retour de la belle saison, si souvent tenir Versailles en suspens, quelle inquiétude et quelles rumeurs à la Cour sur le sort de ses fils, quels faux espoirs chez le Roi, d'habitude si maître de lui ! Saint-Simon, qui ne lui fait grâce de rien, le montre ainsi, après Ramillies, « réduit à demander des nouvelles aux uns et aux autres, sans que personne lui en pût apprendre ».

On aurait tort cependant de ne voir que le côté tragique de la Cour de Versailles dans la seconde moitié du règne. Malgré la surveillance dont chacun se sent plus ou moins l'objet ou malgré le poids des guerres incessantes, il y eut aussi d'heureuses nouvelles et de bons moments. Un Dangeau est satisfait du vide et de la vanité de son existence. Un Saint-Simon a plaisir à disséquer ou déchirer quelques-uns des personnages pittoresques qu'il rencontre dans les appartements du château. Qu'on relise les portraits qu'il trace de la princesse d'Harcourt ou de Mme Panache, parmi bien d'autres, et l'on verra qu'il ne s'ennuyait pas, ou encore l'anecdote du fou rire que prennent tour à tour le maréchal de Boufflers à la Chapelle, puis le Roi dans son Cabinet, enfin la Cour entière, pour une chanson contre les Montsoreau ; Saint-Simon en donne même le récit deux fois dans ses *Mémoires*.

LE JEU

Louis XIV accorde une grande importance au jeu, dont il fait, par goût personnel ou par calcul politique, l'une des occupations fondamentales de sa Cour, l'un des fléaux aussi, et pour longtemps établi, de son Versailles.

Il aime personnellement jouer ; après les longues heures qu'il consacre aux affaires et aux soucis, le jeu lui est un apaisement. Partout où il réside, il veut qu'on joue gros jeu. A-t-il un chagrin très vif, comme après la mort de Monsieur, il ne se renferme pas, mais réunit sa Cour à Marly, ordonne qu'on joue aussitôt et donne l'exemple. Curieuse discipline pour lui-même, le jeu lui sert à tenir, voire à ruiner ses courtisans ; les joueurs malheureux ont plus que d'autres « besoin des bienfaits du Roi ».

Les appartements sont adaptés, on l'a vu, à ce passe-temps, qui devient passion. Le jeu constitue, l'hiver, l'une des principales attractions des soirs d'appartement. Qu'il s'agisse du Grand Cabinet de Monseigneur, du Cabinet qui précède l'appartement de Mme de Maintenon, du Salon de la Paix que Louis XIV fait incorporer à l'appartement de la duchesse de Bourgogne pour en faire un salon de jeu, ou du cabinet de l'appartement des principaux seigneurs, partout l'on joue. Un « cabinet » est plus souvent une espèce de tripot qu'un salon de conversation.

Les jeux que préfère le Roi varient suivant son âge et la mode. Les deux jeux de cartes habituels à la seconde moitié de son règne sont le reversi et le lansquenet ; à l'époque de la guerre de la Ligue d'Augsbourg, les courtisans y dépensent des sommes énormes, sans souci de « la misère où la meilleure partie du royaume étoit réduite en ce temps-là », constate Sourches. Louis XIV, qui aime les jeux de hasard, se met de plus en plus aux jeux de boule : au jeu du portique — il y joue même dans son lit s'il est souffrant — ou au jeu du trou-madame, dérivé du précédent.

Enfin, excellant aux jeux d'adresse, il est passionné de billard. Le Salon de Diane continue d'être dénommé par habitude le « Salon du Billard » ; il a fait installer, en 1684, dans son appartement intérieur une salle de billard et, dans le Cabinet des Jeux de la duchesse de Bourgogne, un billard est placé au milieu des tables à jeu.

Cette fureur du jeu à la Cour, imposée ou entretenue par le Roi, comporte plus d'une fâcheuse conséquence. Certains se ruinent ; d'autres édifient de grandes fortunes, tel d'Antin, le fils de M. et de Mme de Montespan. Comme pris à son propre piège, le Roi est entraîné à accepter, s'ils sont grands joueurs, des hommes de petite naissance ; même porteurs de noms illustres, les joueurs ne se montrent pas tous d'une correction parfaite et provoquent de fâcheux incidents. Pour un courtisan habile, le jeu devient un moyen de pénétrer plus avant dans les faveurs du Roi ; on murmure que le principal mérite de Dangeau est de savoir galamment tenir sa partie en face du Roi au reversi ou au billard. Mme de Maintenon elle-même, qui réprouve le jeu, est contrainte de le tolérer jusque dans son appartement.

LES FEMMES

Le Versailles de 1684 n'est plus celui des belles années du règne, celui des grandes passions de la jeunesse de Louis XIV Le premier Versailles s'est renouvelé, a changé comme les amours du Roi ; le château de Mlle de la Vallière et celui de Mme de Montespan disparaissent et s'effacent. Le grand Versailles, le château adulte et définitif que Louis XIV léguera à ses successeurs, est celui de Mme de Maintenon.

Le Roi continue d'être avec les dames mieux que poli, empressé, galant ; il perd auprès d'elles de sa superbe ; il se plaît en leur compagnie, les distingue, les honore ; c'est pour lui un aimable passe-temps, et sa Cour l'imite. La femme occupe toujours une grande place dans le Versailles de la seconde moitié du règne, en apparence tout au moins, car on observe de profonds changements.

Les mémorialistes de la Cour remarquent de temps à autre, après 1684, le rôle des dames dans la vie du château ; il est surtout de parade ; pour une au moins, il est de politique. Accompagner le Roi dans ses voitures, dans ses promenades, être désignées pour un Trianon ou pour un Marly (où les maris sont tout juste tolérés), être admises à ces soupers de dames qu'il organise encore parfois dans son appartement, servir de fond brillant, dans leurs magnifiques atours, aux fêtes de la Cour ou aux réceptions d'ambassadeurs, c'est d'abord ce qu'il leur demande, avec une autorité qui ne se relâche pas, avec la courtoisie d'un grand maître.

Le Roi-Soleil ne peut cependant se passer d'une présence féminine tout à côté de lui : un corps peut-être, mais aussi un esprit. Tout dominateur qu'il soit, il semble éprouver le besoin d'avoir auprès de lui une intelligence subtile qui le mène sans qu'il s'en doute. La longue faveur de Mme de Montespan ne fut pas due seulement à sa beauté, mais aussi à la force de son esprit ; sur ce point, Mme de Maintenon la dépasse, la supplante. Versailles, qui doit peut-être les grandes étapes de son développement aux éclatantes passions de Louis XIV, s'achève sur l'astucieux triomphe de Mme de Maintenon.

Les courtisans observent l'éloignement progressif de Mme de Montespan, la montée de la veuve Scarron, l'importance de moins en moins secrète de celle-ci après la mort de la Reine. Louis XIV ménage autant qu'il le peut l'orgueil de la première ; il continue d'aller, avant son dîner ou après son souper, rendre visite à Mme de Montespan, qui donne à la Cour une grande mascarade lors du carnaval de 1685 dans son appartement qu'elle a fait décorer en « foire Saint-Germain » ; personne ne s'y trompe : l'appartement n'est plus le même. Au lieu de la garder tout près de lui, au premier étage sur la cour royale, à la suite de son appartement, Louis XIV, sous le prétexte d'embellir son château, d'ajouter une Petite Galerie et d'exalter le talent de Mignard, l'a délogée et installée depuis quelques semaines au rez-de-chaussée, et, non sans cruauté, dans l'appartement des Bains, témoin de leurs amours ; certes, on y a fait quelques aménagements ; tout cependant, distribution des pièces, disposition des alcôves, ensemble du décor, rappelle le souvenir des superbes années.

Mme de Montespan tient tête, s'accroche. Le Roi feint de conserver à son égard le même rythme de vie que jadis, mais encourage son ancienne maîtresse à multiplier les séjours à Paris. Il a pour elle désormais plus d'admiration (s'il est capable d'un tel sentiment) que de tendresse ; il s'est détaché d'elle, alors qu'elle ne le sera jamais de lui. Une autre le tient. Il essaie cependant d'être patient. Lorsque, en 1691, Mme de Montespan se résigne à lui faire demander par Bossuet la permission de quitter la Cour et de se retirer dans le monastère de Saint-Joseph, qu'elle a jadis fondé à Paris, le Roi y consent « avec joie » et donne aussitôt son appartement du rez-de-chaussée au duc du Maine, celui qui, contre sa mère, avait depuis longtemps pris ouvertement parti pour Mme de Maintenon.

MADAME DE MAINTENON

La vraie reine du Versailles de 1684, celle qui durant quatre ou cinq ans connaît le château dans sa plus grande splendeur, un Versailles auquel elle est étrangère et dont elle verra bientôt, comme indifférente, les premiers amoindrissements, c'est, qu'on le veuille ou non, Mme de Maintenon. Après avoir supplanté Mme de Montespan, dont elle a été comme la servante, elle semble s'appliquer à faire disparaître plusieurs des grands ouvrages qui ont marqué le passage de celle-ci. Chaque jour, Louis XIV se rend chez elle ; l'esprit du château va changer et perdre un peu de sa grandeur.

Lorsque Saint-Simon annonce « Mme de Maintenon régnoit ; on parlera d'elle à son tour », on est assuré que le duc ne l'oubliera pas. Avec toute la malveillance dont il est capable, Saint-Simon n'omet rien, ni le voyage en Amérique et la misère, ni les pénibles séjours à La Rochelle et à Paris, ni le mariage avec Scarron, alors qu'elle « crut faire la plus grande fortune et la plus inespérable d'épouser ce joyeux et savant cul-de-jatte », ni le charme et l'esprit de la jeune veuve, qui s'employa dans quelques grandes maisons où elle « étoit à tout faire », ni l'appui qu'elle rencontra auprès de Mme de Montespan, qui lui obtint le marquisat de Maintenon, ni la première attitude de Louis XIV, qui la trouvait alors « insupportable », enfin son influence grandissante, ses conseils à Mme de Montespan, puis au Roi en faveur de la même Montespan, avec l'hypocrisie et l'habileté que l'on sait. « Adroite et experte au métier », cette femme, plus âgée que le Roi de trois ans et de huit que Mme de Montespan, saisit l'occasion de la mort de Marie-Thérèse et se fait épouser. Doit-on supposer que toutes les décisions funestes de la seconde moitié du règne de Louis XIV lui sont imputables, la Révocation de l'Édit de Nantes, la guerre de la Ligue d'Augsbourg et le reste ? Elle domine le Roi par son esprit, plus mâle que féminin, un esprit de fondatrice d'Ordre, et par une dévotion outrée, qui s'ajoute peut-être à ses charmes intimes. Finies les amours et la gaieté opulente de Versailles. « Elle pensoit et sentoit si fort en petit, en toutes choses, qu'elle étoit toujours en effet moins que Mme Scarron », note férocement Saint-Simon.

Le règne de Mme de Maintenon peut se marquer à Versailles par les destructions ou par l'espionnage que l'on a dit ; il apparaît aussi dans un circuit nouveau qui se forme à l'intérieur du château même et qui s'éloigne du Grand Appartement. Le courtisan, pour obtenir une grâce, tourner un remerciement, faire la présentation d'un parent, doit saisir le moment où, l'après-midi, au sortir de son Cabinet, le Roi, passant par son antichambre et la salle de ses Gardes, se rend chez la secrète reine de France.

Louis XIV a installé la marquise de plain-pied avec son nouvel appartement, sur la cour royale, presque en face de l'ancien logement de Mme de Montespan, au haut de l'Escalier de la Reine. Le Roi va chez elle chaque jour pour se détendre et travailler. Il y convoque l'un ou l'autre de ses ministres ; Mme de Maintenon lit ou fait de la tapisserie, et « rarement elle y mêloit son mot » ; mais elle surveille le ministre, qu'elle a peut-être reçu auparavant. Saint-Simon décrit son manège, sa rouerie, comme s'il avait été présent. Il est bien renseigné. N'ayant été reçu par elle, semble-t-il, que deux fois, à l'occasion du mariage de Mlle d'Aubigné avec le comte d'Ayen et, en 1710, pour remercier la marquise d'avoir permis la nomination de Mme de Saint-Simon comme dame d'honneur de la duchesse de Berry, il décrit l'appartement de Mme de Maintenon et tout spécialement sa chambre avec tant de précision qu'on hésite à le prendre ici pour guide ou l'inventaire manuscrit de 1708.

Notons, comme un signe des temps, que cet inventaire mentionne l'appartement de Mme de Maintenon aussitôt après ceux du Roi et de la duchesse de Bourgogne, avant ceux de Monseigneur ou des Princes.

L'entrée principale est située en face de la porte de la Salle des Gardes du Roi. Deux petites antichambres, tendues de damas rouge et meublées de quelques sièges, servent de passage habituel au Roi et introduisent à la pièce principale, la Chambre.

Grande pièce profonde à l'angle de la cour royale, la chambre de la marquise est tendue et meublée de damas vert et or, en bandes alternées avec du damas rouge. Le lit est placé dans un enfoncement en forme d'alcôve fermée de rideaux, au fond et à droite ; il est couronné de quatre bouquets de plumes blanches et aigrettes. La plupart des fauteuils, pliants et banquettes, et jusqu'aux deux tables de noyer et sapin recouvertes des mêmes damas, que décrit l'inventaire, sont mis en place par Saint-Simon (qui commet cependant une erreur, remarquée par M. Le Guillou, à propos de la cheminée, indiquée par les plans au fond de la Chambre, sur le mur adossé à la Grande Salle des Gardes, et non à droite de la porte en venant de la seconde antichambre). D'un côté, se trouvent la table du Roi, son fauteuil et deux pliants aux bois peints vert et or, dont l'un sert généralement au ministre qui vient travailler, et dont l'autre reçoit le sac dans lequel celui-ci a apporté ses papiers. La place de la dame, en vis-à-vis ou formant pendant, présente, elle aussi, une table et un fauteuil ; une grande niche, devant laquelle elle s'installe, abrite un lit de repos, garni de ses coussins ; cette niche est drapée de damas rouge et de damas vert et or, et ornée de vases de fleurs sculptés, dont la dorure est « glacée de rouge et vert ». Deux petits bureaux de noyer marqueté d'étain, une table à écrire pliante en bois de violette, deux miroirs et un lustre, suspendus à des cordons d'or à houppes de bouqueterie d'or, complètent le cadre de cette pièce, d'où la marquise surveille le gouvernement de la France. Par un curieux retour des choses, presque tout ce mobilier fut envoyé à Saint-Cyr en 1726 pour y servir à Marie Leczinska.

Les jours de travail, c'est-à-dire presque chaque jour, le ministre sorti, Louis XIV et Mme de Maintenon peuvent rester quelques instants seuls. « Le Roi, ajoute Saint-Simon, passoit à une chaise percée [qui est située derrière le lit et qu'indiquent les plans et l'inventaire], revenoit au lit de Mme de Maintenon, où il se tenoit debout fort peu, lui donnoit le bonsoir, et s'en alloit se mettre à table. »

Par cinq marches, qui ont été supprimées depuis, et par un passage oblique, qui est peut-être aujourd'hui l'un des rares vestiges originaux de cet appartement et qui est alors garni de damas rouge cramoisi, on monte au Grand Cabinet de Mme de Maintenon, situé au-dessus de l'arcade qui joint la cour royale à la terrasse du Midi.

On accède également à ce Cabinet, sans traverser la Chambre, par le Salon de marbre (Salle des Cent-Suisses ou salle dite de 1792 de l'actuel musée), qui est contigu au palier de l'escalier des Princes et d'où, après avoir monté cinq marches, on pénètre dans une antichambre, conduisant, à droite, à l'appartement du duc de Bourgogne, et, à gauche, au Grand Cabinet de la marquise.

L'appartement de Mme de Maintenon comprend, à côté de ce Cabinet, une garde-robe indépendante et quatre chambres pour les gens de son service, eux aussi « modestes, respectueux, humbles, silencieux », dont la « chambre de Dame Jeanne », Mlle Balbien, la fidèle Nanon, la servante des lointains jours de misère, « dévote comme elle et vieille ».

Dans le Grand Cabinet ont lieu des représentations, des mascarades, des concerts. C'est là également que s'assemblent pour jouer, en attendant la fin du travail du Roi et son souper, la duchesse de Bourgogne et sa Cour. Ce Cabinet, qui est assez richement meublé de velours rouge cramoisi et tendu de brocart à fond d'or, comporte à cet effet de nombreuses tables à jeu. Louis XIV a fait établir, au dire de Saint-Simon, une sonnette qui, de la Chambre, « répondoit au grand cabinet » ; son souper annoncé, il tire cette sonnette et, de l'étroit passage, descendent à la file Monseigneur, le duc et la duchesse de Bourgogne, le duc de Berry, et les dames qui les accompagnent, « habillées pour aller au souper ».

Telle est la « mécanique de chez Mme de Maintenon ». Pendant une trentaine d'années, l'existence de la Cour et peut-être celle de la France ont, presque chaque jour pendant quelques heures, tenu dans deux pièces et deux passages. En levant les yeux vers les fenêtres qui forment l'angle de la cour royale, on songe à celle qui, doucereuse et fine, habile à manœuvrer le caractère tyrannique de Louis XIV, a fait et défait, prudemment mais sûrement, ministres et généraux.

Ce petit appartement est, par lui-même, une sorte de symbole. Modeste, mais à l'étage royal, en avant de la cour de marbre et face à l'appartement royal qui l'enserre, mais qui peut en être aisément épié, sobre et fastueux tout à la fois, il rappelle la longue et pesante domination qu'imposa l'ancienne Mme Scarron au Versailles de Louis XIV.

Et cette femme fut si tenace qu'elle semble, défiant le temps, avoir continué de s'accrocher à Versailles. On sait qu'elle fut enterrée à Saint-Cyr. Les bombardements de la dernière guerre firent surgir ses restes. Elle revint à Versailles. De tous les fantômes de la Cour de Louis XIV, de toutes les femmes qui entourèrent le Grand Roi, elle seule réussit à se maintenir avec un tel entêtement et jusque dans la mort. Dans une chapelle latérale de la grandiose Chapelle qu'elle a poussé le Roi-Soleil à élever, les ossements de Mme de Maintenon ont reposé pendant plusieurs années sous une draperie fleurdelisée.

LE THÉÂTRE

L'influence de Mme de Maintenon devient partout sensible, si diffuse et feutrée qu'elle soit, sur Versailles à partir de 1684. Elle apparaît particulièrement sur le théâtre, auquel la « sultane » s'intéresse à plusieurs titres. Les projets de Louis XIV vont même s'en trouver sérieusement modifiés.

Le Roi, qui a tant aimé les grands spectacles d'opéra, aussi bien que les comédies où l'on peut rire à gorge déployée, ne néglige pas d'un seul coup les divertissements qu'il doit à sa Cour. Il a prévu deux théâtres : une grande salle pour le ballet et l'opéra, au bout de l'aile du Nord, auprès des réservoirs, et une petite salle pour la « comédie », entendons par là les représentations des comédiens italiens ou français, tragédie comprise. Il réalisera seulement la seconde de ces deux salles.

Il a fait installer celle-ci, peut-être à titre provisoire, dans un étroit espace qui aurait dû servir (et qui sert aujourd'hui) de passage entre la cour des Princes et le parterre du Midi, auprès de l'escalier des Princes. Des paiements signalent, pour les années 1681 et 1682, les grilles de fer destinées à fermer les baies et des ouvrages de menuiserie se montant à 32 000 livres. Dangeau note, en 1685, quelques modifications apportées à la scène. Un dessin, conservé dans les papiers de Robert de Cotte, montre l'aménagement de cette petite salle, que nous retrouverons sous Louis XV : des loges latérales sont prises dans l'ébrasement des baies ; un gradin demi-circulaire encadre le parterre et est surmonté de la tribune royale, adossée au mur de l'escalier des Princes et composée d'une grande loge octogonale et de deux petites loges latérales, celle du centre étant ornée des armes de France. Le tout est assez sommaire et servira aux spectacles ordinaires, qui, au moment du carnaval, ont lieu trois fois la semaine dans le dessein d'égayer la Cour.

Il y aurait de curieuses listes à dresser des pièces jouées sur ce petit théâtre de Versailles. Tantôt, on donnait des opéras de Lully ou de Delalande, où l'on essayait de reprendre les derniers succès de Fontainebleau ou de Paris. Tantôt, on représentait des tragédies célèbres, *Polyeucte, Bajazet*, des œuvres de Thomas Corneille, ou encore les ouvrages de quelques ecclésiastiques, plus ou moins protégés par la marquise ; l'abbé Boyer, que railla Boileau, l'abbé de Brueys, l'abbé Pellegrin comptent parmi les moins obscurs. De même, aux comédies de Molière, s'opposaient de pauvres imitations, *la Malade imaginaire* de Dufrénoy, ou les œuvres de Baron. On eut même l'idée, au carnaval de 1688, de reprendre, sans peut-être en avoir prévenu Mme de Maintenon, une œuvre de Scarron, *Jodelet maître et valet*.

La Cour, il faut le dire, s'ennuyait souvent à ces spectacles. Le Roi fréquentait peu cette salle de la Comédie, où le Dauphin et, plus tard, la duchesse de Bourgogne furent assidus.

Louis XIV, pendant quelques temps, posséda un petit théâtre plus personnel et plus fermé, qui fut installé dans l'aile du nord-est (à droite de la cour d'entrée) de son palais de Trianon en même temps qu'était reconstruit ce château. Dangeau, qui relate les nombreux spectacles d'opéra, de ballet ou de comédie donnés dans cette dernière salle, en fait mention pour la première fois le 3 décembre 1688.

La salle comportait une tribune royale, des tribunes latérales, une sorte de portique au pourtour, un orchestre, que l'on pouvait supprimer pour former salle de bal.

Accompagnant Louis XIV dans sa tribune, le roi et la reine d'Angleterre assistent fréquemment à des représentations d'opéras de Lully, de Destouches ou de Colasse, à des reprises de Molière, comme celle du *Bourgeois Gentilhomme*, en 1691, à des ballets, comme celui de *Flore* sur une musique de Delalande, en 1689 ; de magnifiques collations rehaussent ces spectacles. Mme de Maintenon, par l'appartement de laquelle on peut atteindre la tribune royale, paraît avoir peu goûté le petit théâtre de Trianon. En 1703, Louis XIV fait détruire celui-ci, pour ne pas le remplacer, et établir à sa place son propre appartement, ainsi qu'on l'a vu plus haut.

La marquise, par puritanisme peut-être, souvenir de sa première éducation huguenote ou méfiance féminine à l'égard de jolies actrices, manifeste une certaine inquiétude envers le théâtre, à moins qu'elle ne contrôle celui-ci et ne le fasse tourner à ses desseins. N'a-t-elle pas pour tâche de veiller sur l'âme du monarque, dont la vertu exige la fidélité à sa propre personne ? Elle le détache des opéras. Elle lui fait préparer des « comédies de dévotion » ; on connaît celles de Racine, *Esther*, que le Roi, dans le courant de janvier 1690, va voir quatre fois à Saint-Cyr avec sa Cour, *Athalie*, deux ans plus tard ; Louis XIV est contraint d'écouter également, et probablement d'admirer tout autant, des œuvres de Duché, *Jonathas, Absalon*. Mme de Maintenon fait représenter celles-ci dans le Grand Cabinet de son appartement de Versailles, sur « un fort joli théâtre », qui est dressé provisoirement et où jouent la duchesse de Bourgogne et les Noailles ; ce sont là spectacles de famille.

Dans les dernières années du règne, l'habile marquise sent le besoin de distraire son prince des mauvaises nouvelles qui l'assaillent ; elle fait reprendre pour lui les grandes pièces de Molière, qui lui rappellent sa jeunesse et le divertissent ; *Georges Dandin, le Médecin malgré lui, Monsieur de Pourceaugnac, le Bourgeois Gentilhomme*. Les représentations ont lieu chez elle, dans les années 1712 à 1715, et, prudente à l'extrême, elle ne tolère plus de femmes sur la scène ; tous les rôles sont tenus par les musiciens de la Chambre, déguisés ou travestis.

Pris dans une telle atmosphère, comment Louis XIV parviendrait-il à doter le château du grand théâtre qui lui manque ? Il y a pourtant sérieusement songé. En 1685, en pleine paix, dans un Versailles à son sommet, Louis XIV tenait encore l'opéra au centre de ses préoccupations. On doit, cet hiver-là, donner le *Roland* de Lully. Le Roi fait établir pour les premiers jours de janvier un théâtre démontable dans le manège de la Grande Écurie, où se succèdent les représentations. Il poursuit en même temps le projet d'une salle définitive, qui lui paraît nécessaire à l'achèvement de son Versailles.

Il entrevoit, certes, les difficultés d'une telle entreprise. Peu après son mariage, il a connu à Paris la grande salle « des ballets » ou « des machines », que Vigarani, sous l'impulsion de Mazarin, édifia au château des Tuileries. Il n'ignore pas l'échec et l'énorme dépense de cette salle immense et de cette scène extraordinaire.

Les plus belles fêtes de Versailles se sont déroulées jusque-là sur des scènes ou dans des salles dont l'emplacement éphémère, la construction rapide, la décoration brillante ont presque toujours été ordonnés directement par lui et confiés au même Vigarani. L'expérience des Tuileries ne paraît pas le rebuter. Versailles ne peut être parfait qu'avec un théâtre digne de lui.

Vigarani est chargé d'établir les plans d'une salle et d'une scène presque aussi grandioses que celles des Tuileries ; le 17 janvier 1685, il signe ces plans, que Mansart prend aussitôt en main. La construction commence, et déjà les *Guides* de la fin du XVIIe siècle annoncent ce grand ouvrage. Que se passe-t-il alors ? Lassitude ? Ruine ? Dégoût de l'opéra et des ballets ? L'effort du roi vieillissant se porte sur sa Chapelle ; il aboutit. De théâtre, point, hors les fondations et les quelques pans de murs que, dès le début de la guerre de la Ligue d'Augsbourg, en 1688, on recouvre de planches, en un provisoire qui va durer quelque trois quarts de siècle. Du moins, Louis XIV peut-il transmettre à Louis XV, ici comme sur beaucoup d'autres points, une ligne de conduite toute tracée ; quoique en état d'ébauche, l'Opéra de Versailles est né.

LA MUSIQUE

La musique, dont l'importance dans la vie de la Cour et dans l'art français ne fait que croître, semble également évoluer selon les goûts du souverain. « Lully, Delalande : les deux musiciens auxquels Louis XIV a donné sa confiance se succèdent et se complètent. » Le premier, Florentin d'origine, a connu la plus brillante époque de Versailles, au décor sans cesse changeant, aux fêtes continuelles ; il a surtout travaillé pour la Chambre du Roi, pour la musique profane, pour l'opéra ; il meurt en 1687 et son fils, Jean-Louis Lully, ne fait que passer. Michel-Richard Delalande, que M. Norbert Dufourcq s'est appliqué à faire mieux connaître, reçoit, le 9 janvier 1689, la charge de surintendant de la Musique royale ; il semble de vieille souche française et roturière ; il s'occupera surtout de la Chapelle du Roi, à laquelle il est attaché depuis 1683.

Delalande ne reçoit plus, comme Lully, la commande chaque année d'un nouvel opéra. Les ballets deviennent rares. Il écrit pour les soupers du Roi des symphonies et surtout pour sa Chapelle des motets avec soli, chœurs et orchestre, motets qui sont destinés aux messes royales et dont les paroles sont presque toujours demandées aux Psaumes, Hymnes pour Noël ou pour la Pentecôte, Te Deum pour d'illusoires victoires, Leçons de Ténèbres pour la Semaine Sainte, Antiennes en l'honneur de la Sainte Vierge.

Louis XIV aime encore la grande musique de Cour, fastueuse et quasi militaire, vibrante et sonore à l'excès, dominée par les cuivres et les timbales de son Écurie. Il en fait encore donner, on l'a vu, en dehors de la Saint-Louis, pour certaines fêtes, sur son « yack » du Canal, ou dans l'Escalier des Ambassadeurs, qui, par la résonance de sa cage de marbre et l'opulence de son décor, forme, au dire des contemporains, l'endroit « admirable pour de semblables divertissements ».

Louis XIV, qui a beaucoup aimé l'orgue, au point d'en faire placer un dans ses appartements de Versailles, semble, en vieillissant, et peut-être grâce aux progrès que les vingt-quatre violons ont accomplis sous la direction de Lully, préférer des sonorités plus douces, une musique intime, dont on le sent parfait amateur. On l'a vu placer un clavecin dans son Cabinet (Cabinet du Conseil). Est-il malade ou fatigué, il fait venir auprès de lui quelques-uns de ses violons ou son guitariste, Robert de Visée, sa « petite musique », qu'il entend longuement. Mme de Maintenon le sait et s'intéresse, elle aussi, à la musique. Jusqu'à ses derniers jours, chez elle ou dans sa Grande Chambre, à la Chapelle, à ses soupers, Louis XIV vivra à Versailles entouré de musique, qu'il écoute avec beaucoup d'attention, témoin cette phrase de Saint-Simon, qui rapporte que le Roi fredonnait, en mangeant, certains airs qu'il reconnaissait et qui étaient, prétend le méchant duc, « les endroits les plus à sa louange des prologues des opéras », ou encore cette autre indication qui a été relevée par les historiens de Delalande : celui-ci « avait commencé à faire quelques changements dans plusieurs de ses anciens motets ; Sa Majesté qui s'en aperçut l'empêcha de continuer ».

LES FÊTES ET DIVERTISSEMENTS

La Cour entière semble vieillir avec son Roi. Dans un Versailles qui n'était qu'ébauché, le monarque avait donné ses fêtes les plus brillantes, mais il était jeune, son entourage également et ses maîtresses.

1683-1685. L'immense Versailles s'achève. Le Roi-Soleil est à son zénith ; le château aussi. La paix règne sur l'Europe, au profit de Louis XIV ; le mobilier d'argent, les décorations les plus riches, les marbres, les bronzes semblent jetés à profusion, et bientôt l'eau sera probablement contrainte d'obéir aussi. Tout, dans cette demeure, flatte l'orgueil du Roi, qui n'a pas encore connu d'échec. On serait tout naturellement enclin à penser que, dans ce cadre amplifié à l'extrême et glorieux entre tous, Louis XIV va divertir sa Cour par des fêtes dont les splendeurs feraient oublier celles du premier Versailles ; ce serait inexact.

Les jardins semblent trop beaux ou trop achevés pour que le Roi consente à les gâter par des installations provisoires, jadis nécessaires à leur progrès. On observe curieusement, dans les divertissements donnés dans le Grand Appartement pour le retour du Roi, à la fin du carnaval de 1683, *les Fontaines de Versailles* dialoguant et chantant sur une musique de Delalande, ces fontaines étant personnifiées à l'intérieur même du château. Louis XIV descend dans ses jardins pour les admirer ; il admet tout au plus une fête dans un bosquet déterminé ou sur son Canal. Il n'a plus le désir des grands spectacles de plein air, qui ont été liés à la création de Versailles. N'a-t-il pas, d'autre part, donné à sa prodigieuse demeure des ressources en quelque sorte permanentes en la dotant d'une Galerie et d'Écuries, où pourraient se déployer les plus folles magnificences ?

Fêtes de juillet 1684, qui se déroulent dans le Grand Appartement et sur l'Escalier des Ambassadeurs, « appartements » magnifiques d'avril 1685 avec concert dans le Salon de la Paix et grand jeu dans la Galerie toute éclairée, invraisemblable réception du doge de Gênes dans la Galerie en mai 1685, mariage fastueux du duc de Bourbon et de Mlle de Nantes, dont la pompe se développe de l'Escalier à la Galerie. Cette même année 1685, le manège de la Grande Écurie, où l'on a donné déjà, en juillet 1682, le temps étant menaçant, l'opéra de *Persée*, d'abord prévu dans la cour de marbre, sert de cadre à un carrousel fameux. On pourrait croire Versailles destiné à des fêtes plus resplendissantes que jamais. Le goût du Roi n'y est plus.

Le Dauphin cependant prendrait volontiers la relève de son père pour diriger les divertissements de la Cour. Il y met certainement moins de faste et plus de puérilité. Il a l'âge qu'avait Louis XIV à l'époque des grands carrousels de Paris et des premières fêtes de Versailles ; il dispose de moins d'argent, mais de plus de loisirs. Pour l'un des carrousels de Monseigneur, Philidor compose une marche aux quatre timbales, dont la sonorité a dû faire dresser l'oreille du Grand Roi. Mais si on les compare à ceux de son père, que les déguisements du Dauphin paraissent vulgaires ! Ce n'est plus Roger, Alexandre ou le Grand Cyre.

Le *Mercure* décrit, avec l'admiration des flatteurs, le carnaval de 1683, le dernier carnaval brillant du règne de Louis XIV. Au cours des mois de février et mars, cinq bals extraordinaires ont lieu dans cinq appartements différents de Versailles ; chacun de ces soirs, le Dauphin change huit ou dix fois d'habits. Composés par Berain, ces habits, dont on conserve quelques dessins, sont plus pittoresques ou étranges que fastueux, et, selon notre goût, plus « XVIIIᵉ » que « Grand Siècle » ou, si l'on préfère, plus près d'Audran ou de Gillot que de Le Brun.

Les efforts du Dauphin pour animer la Cour semblent s'arrêter net ou se limiter à des parties restreintes à l'intérieur de ses appartements. Un vieillissement précoce du Roi qui, rappelons-le, n'a encore que quarante-sept ans en 1685, serait-il cause du voile de morosité, qui, bien avant les revers et les deuils, va recouvrir la vie de la Cour à Versailles ? Peut-être, pour une part. Sourches qui n'est pas suspect de méchanceté, constate, le premier janvier 1685, la tristesse de la procession des chevaliers de l'Ordre du Saint-Esprit, la plupart « estropiés de gouttes et de vieillesse ». Le « sang royal » n'est pas non plus trop fringant ni trop beau. Le Dauphin tourne vite à l'obésité et le duc du Maine est pied-bot. Le Roi, dans ces années-là, est de plus en plus sujet aux crises de goutte. Aussi, profitant de l'installation de la Galerie de Mignard, accepte-t-il aisément de reporter vers son appartement intérieur, en « petites fêtes particulières », ce qui aurait jadis donné lieu à des manifestations éclatantes et publiques.

Il aime pourtant encore la jeunesse et le faste. Il apprécie les mascarades du Grand Dauphin, les espiègleries du duc du Maine, et, plus tard, l'enjouement de la duchesse de Bourgogne. Il est remarquable que le ballet représenté durant le carnaval de 1686 sur le petit théâtre du château s'intitule *Ballet de la Jeunesse*. Mais, s'agit-il de spectacles, de divertissements et de fêtes, il apparaît désormais réticent, dans une attitude d'autant plus étrange que le château est mieux fait que jamais pour la splendeur.

Saint-Simon ne manque pas d'observer ce phénomène et note, après la réception du doge de Gênes : « Depuis, jusqu'en 1688, le temps se passa dans le cabinet moins en fêtes qu'en dévotion et en contrainte. » Faut-il voir, ici encore, l'influence de Mᵐᵉ de Maintenon ?

Malgré la guerre et les difficultés financières, malgré la fonte du mobilier d'argent, les visites du roi et de la reine d'Angleterre redonnent quelque éclat à l'« appartement » durant les hivers des années 1689 et suivantes. Louis XIV traite en souverains, avec une générosité et un tact extraordinaires, ces hôtes que leur situation rend dociles à ses invitations. Versailles, tout spécialement à la fête de l'Épiphanie, semble un peu revivre de la présence de deux rois et d'une reine au sein de la famille royale.

Mme de Sévigné en perçoit les échos jusqu'aux Rochers et écrit aussitôt à sa fille, le 15 janvier 1690 : « On me mande que plusieurs duchesses et grandes dames ont été enragées, étant à Versailles, de n'être pas du souper des Rois. »

L'année suivante, « le roi et la reine d'Angleterre arrivèrent avec toute la cour à Versailles sur les six heures du soir. Les appartements commencèrent par un grand jeu de portique, qui fut suivi d'un grand jeu de lansquenet, et, sur les dix heures, Leurs Majestés se mirent à table dans la plus grande pièce du grand appartement du Roi. Leur table, qui étoit de vingt couverts étoit au milieu, et il y en avoit quatre autres semblables, où mangèrent la plus grande partie des dames des deux cours, desquelles tables l'une étoit tenue par Monseigneur, l'autre par Monsieur, l'autre par Madame et l'autre par la petite Mademoiselle. On fit un Roi à chaque table et on cria « le roi boit » en musique, qui fut accompagné de tambours, de timbales et de trompettes. »

La présence de Leurs Majestés Britanniques ajoute à l'éclat des fêtes données au mois de décembre 1697 pour le mariage du duc de Bourgogne avec la princesse de Savoie. Par la richesse des habits et des bijoux, par les illuminations du Grand Appartement, par la magnificence des collations, ce fut l'un des plus brillants et probablement le dernier des grands spectacles offerts par le Roi-Soleil à sa Cour.

Lorsque Jacques II vint, au mois de novembre 1700, rendre visite à Philippe V, on vit même trois rois, non pas « tous trois ensemble », observe Saint-Simon, mais « dans la même maison », remarque Dangeau. On doit aussi reconnaître qu'une partie des soirées du roi d'Espagne à ce moment « se passoit chez Mme de Maintenon dans des pièces séparées de de celles où elle étoit avec le Roi, et là, il jouoit à toutes sortes de jeux, et le plus ordinairement à courre comme des enfants avec Messeigneurs ses frères, Mme la duchesse de Bourgogne, qui s'occupoit fort de l'amuser, et ce petit nombre de dames à qui cet accès étoit permis ».

Il faut attendre l'animation apportée par la duchesse de Bourgogne, dans son aimable vitalité, pour retrouver un semblant de résurrection dans le château, mais toujours sous la surveillance plus ou moins occulte de Mme de Maintenon, chez qui se passent plus souvent que dans le Grand Appartement ces fêtes, dont aucune n'approche, même de très loin, des splendeurs de l'ancien Versailles. Sourches et Dangeau les notent fidèlement et l'on surprend même Saint-Simon à rédiger ces lignes : « L'année 1708 commença par les grâces, les fêtes et les plaisirs... Le Roi fit à Versailles de magnifiques Rois, avec beaucoup de dames, où la cour de Saint-Germain se trouva ; il y eut, après le festin, un grand bal chez le Roi, qui en donna plusieurs parés et masqués tout l'hiver, à Marly et à Versailles, où il y en eut aussi chez Monseigneur et dans l'appartement de Mme la duchesse de Bourgogne. »

Le duc de Berry semble avoir un instant cherché à prendre pour tâche d'animer Versailles. En 1714, alors qu'il occupait l'appartement du Dauphin, il donna, durant le carnaval, plusieurs bals, qui attirèrent de Paris une foule inaccoutumée ; mais il mourait à son tour trois mois plus tard.

A l'âge, à l'influence de Mme de Maintenon, aux malheurs, s'est ajouté l'attrait de Marly, où le Roi se réfugie de plus en plus dans les dernières années de son règne. Tout en tenant son monde d'une main ferme et bien haut son grand château, Louis XIV a, de son vivant, trop souvent négligé de divertir sa Cour et montré pour un autre château un attachement trop visible. Il a, par là, donné un fâcheux exemple à ses successeurs et contribué à amoindrir le prestige de son Versailles, tant il était difficile, même au Grand Roi, dans l'épuisante vie de la Cour, de se maintenir imperturbable dans cette demeure toute tournée vers le faste et la représentation.

CHAPITRE V

VERSAILLES À LA MORT DE LOUIS XIV

LE GRAND ROI

La vie de Louis XIV à Versailles et plus encore celle de la Cour nous ont entraîné à faire souvent appel au témoignage de Saint-Simon. L'histoire des habitants du château peut être écrite avec minutie en utilisant le *Mercure* ou les *Mémoires* qu'ont rédigés au jour le jour et le plus sottement du monde un Sourches ou un Dangeau. M. le duc de Saint-Simon voit les choses autrement. Il est partial mais intelligent, passionné mais lucide, plus porté certes à la sévérité qu'à la bonté, consciencieux cependant, apte aux jugements les plus féroces ou les moins fondés et prêt à appuyer ses dires par des détails dont la précision, presque toujours parfaite, nous étonne, peu tourné vers la charité, parce qu'il méprise l'espèce humaine et voit choses et gens surtout par leurs côtés médiocres. Sa haine de Versailles aboutit à l'injustice et au parti pris, tout en accumulant l'exactitude. Son dénigrement presque systématique des actes et même des pensées supposées de Louis XIV pourrait donner au grand portrait du Roi qu'il brosse à la date de 1715 une physionomie complètement fausse, si le même Saint-Simon, humain jusque par ses contradictions, n'opérait des retouches, discrètes il est vrai, mais d'un peintre de génie, qui campe son modèle tel qu'on peut enfin le voir et l'admirer.

« Ce fut un prince à qui on ne peut refuser beaucoup de bon, même de grand. » « Il aima en tout la splendeur, la magnificence, la profusion. Ce goût, il le tourna en maximes par politique, et l'inspira en tout à sa Cour. »

On pourrait composer un florilège, assez inattendu au premier abord, des louanges adressées, en un désintéressement

total, par Saint-Simon à la mémoire de Louis XIV. Bornons-
nous à cette remarque, qui concerne les dernières années du
Roi : « Cette constance, cette fermeté d'âme, cette égalité
extérieure, ce soin toujours le même de tenir tant qu'il
pouvoit le timon, cette espérance contre toute espérance, par
courage, par sagesse, non par aveuglement, ces dehors du
même roi en toutes choses, c'est ce dont peu d'hommes
auroient été capables : c'est ce qui auroit pu lui mériter le
nom de grand... »

LA MORT DE LOUIS XIV

La mort du Grand Roi n'est pas le moins admirable de ses
actes ; ses ultimes journées à Versailles forment un raccourci
dramatique de l'existence qu'il a si longtemps menée ici et
qu'il essaie encore de tenir, alors que ses forces l'abandonnent;
Dangeau, qui, à côté de son *Journal*, a rédigé un mémoire
spécial consacré aux derniers jours du Roi, dans des notes
qui trahissent l'émotion et qui pourtant ne s'attachent
guère qu'aux gestes extérieurs du Roi, laisse suivre la lente
progression de la mort ; celle-ci, pour terrasser ce vieillard
tenace et glorieux, doit lui fait lâcher pied jour après jour ;
elle gagne du terrain chaque fois qu'il doit renoncer à l'une
des obligations dans lesquelles il a enfermé sa vie à Versailles.

Depuis quelque temps, alors qu'il a supporté avec une
robustesse étonnante les revers et les malheurs les plus
accablants, on note chez lui un certain affaiblissement.
Plusieurs l'ont remarqué dès la Pentecôte. Saint-Simon, de
son œil implacable, a observé cet état de décrépitude dès le
mois de février, lors de la réception de l'ambassadeur persan.
Dangeau, pour sa part, s'aperçoit du « dépérissement » du
Roi à son Coucher le 12 août : « Il sembloit, à voir son corps
nu, qu'on en avoit fait fondre les chairs. »

La première étape de sa maladie dure une quinzaine de
jours, pendant lesquels il s'accroche à maintenir la vie de sa
Cour. Il est rentré bien mal en point, le samedi 10, de
Marly, où il était allé voir de nouvelles sculptures dans ses
jardins ; cependant, le dimanche 11, il se rend à Trianon.

Le 12, il réussit encore à laisser à minuit l'heure de son Coucher, et le mardi 13, bien qu'ayant dû se faire porter dans un fauteuil jusqu'à la Chapelle, il donne, après la messe, debout sous son dais dans la Chambre du Trône, son audience de congé à l'envoyé de Perse. Il eut bien, ce jour-là, « envie de se coucher en rentrant chez lui ; mais il fit appeler les ministres pour le conseil des finances et ne se coucha point. Il dîna comme à son ordinaire, travailla après son dîner avec M. le Chancelier, et puis se fit porter chez Mme de Maintenon, où il y eut petite musique. » Mais sa jambe, que l'on croit atteinte de sciatique et où l'on reconnaîtra bientôt la gangrène, le fait de plus en plus souffrir.

A partir du 20 août, il ne peut plus se rendre chez Mme de Maintenon ; celle-ci vient dans sa Chambre avec les dames. Ce n'est pas encore une grave atteinte au cérémonial de Versailles ; à diverses reprises déjà, quand le Roi fut atteint d'accès de goutte ou quand il fut opéré de sa fistule, dans son ancienne Chambre, à la fin de 1686, Mme de Maintenon se rendait chez lui. Une maladie du Roi déréglait quelque peu la mécanique de la Cour ; Louis XIV avait pris l'habitude de recevoir alors au lit, notamment chaque mois, lorsqu'il « prenait médecine ». Il estime, cette fois encore, être astreint à un désagrément passager, et, le 22, il choisit avec le grand maître de la Garde-robe, le duc de La Rochefoucauld, les habits qu'il veut porter en quittant le deuil du prince François de Lorraine, alors imposé à la Cour. Il doit cependant consentir à avancer l'heure de son Coucher à dix heures au lieu de minuit ; mais, jusqu'au 23, il continue de terminer la journée dans son Cabinet avec les princesses. Il soupe en public, quoique en robe de chambre, jusqu'au 24. Ce jour-là, se sentant trop mal, il doit renvoyer les courtisans.

Le lendemain, il trouve encore la force de dîner en public, « debout ». C'est jour de saint Louis ; il a fait approcher jusque sous son balcon (celui qui forme le centre de la cour de marbre), afin de mieux les entendre du fond de son grand lit, les tambours et les fifres qui sont venus lui donner l'aubade matinale. Les vingt-quatre violons jouent pendant son dîner. Mais le soir, au lieu de son souper et de la petite musique, qu'il faisait jouer depuis quelques jours dans le Salon de l'Œil-de-Bœuf, il doit demander le viatique et l'Extrême-Onction, donnant « ordre à tout, comme un homme qui va mourir ». Il a, jusqu'au jour précédent, continué de travailler chaque jour avec ses ministres et tenu les conseils aux jours exacts : le conseil d'État, les mercredis 14 et 21 et le dimanche 18 ; le conseil des Finances, le mardi 20 et les samedis 17 et 24 ; le vendredi 23, il a travaillé avec le P. Le Tellier. Maintenant, c'est fini ; sa vie de Versailles doit s'arrêter, le Roi s'effacer devant le chrétien.

Suivent quatre jours, du 25 au soir au 29, où Louis XIV, faisant ses adieux et ses dernières recommandations à Mme de Maintenon, au duc d'Orléans, au duc du Maine et au comte de Toulouse, à sa famille, à ses courtisans, au maréchal de Villeroy, à ses valets, et surtout, le lundi 26, à son arrière-petit-fils, le Dauphin, que Mme de Ventadour a fait asseoir dans le grand fauteuil à côté du lit, atteint à la plus surprenante majesté. Il se préoccupe encore de quelques détails importants, de papiers à brûler, de l'avenir de Mme de Maintenon, du gouvernement de demain, de l'installation de la Cour à Vincennes dont il fait rechercher lui-même un plan dans l'une des cassettes de ses Cabinets. Il prépare aussi son entrée dans l'autre monde, avec « un naturel, un air de vérité et de simplicité qui bannit jusqu'aux plus légers soupçons de représentation et de comédie ». Et s'il est vrai qu'il prononça, dans la demi-conscience où il se trouve, cette phrase étonnante, que rapporte Saint-Simon : « du temps que j'étois roi », comment mieux indiquer qu'il n'appartient déjà plus à la terre et que Versailles n'existe plus pour lui ?

Le château cependant n'abandonne pas ainsi son maître, et le reconnaîtra pour tel jusqu'à l'ultime marche funèbre. La vie de Versailles se poursuit dans son faste et dans son pittoresque. Au milieu du grand drame qui se joue, bien des épisodes comiques ont dû s'insérer, provoqués par le maintien des prétentions de chacun. Les antichambres et la Galerie sont pleines de monde ; ceux qui ont les entrées se tiennent dans le Cabinet du Conseil ; un flot de courtisans envahit ou déserte l'appartement du duc d'Orléans, selon les mauvaises ou les bonnes nouvelles de l'état du Roi. Celui-ci continue d'être servi avec la splendeur accoutumée. Nolhac conseillait de lire le récit de ces journées dans le *Journal* des Anthoine. Un bain est-il ordonné pour la jambe ? On le prépare « dans une grande cuvette d'argent qui servoit au Roy à laver ses pieds ». Les médecins viennent-ils examiner leur malade ? Ils le font avec une mise en scène qui devrait faire sourire le Roi lui-même et lui rappeler Molière : « Ensuite entrèrent les médecins, M. Fagon toujours à leur tête, ils luy toucherent le poulx par rang d'antiquité. »

Le 29, la messe est dite pour la dernière fois dans la Chambre de Louis XIV. Le Roi s'assoupit et prend une connaissance « animale » et plutôt « machinale que de raison ». Le 31, il faut le forcer à boire ; ce même jour pourtant, à dix heures du soir, lorsque le clergé récite les prières des agonisants, « la voix des aumôniers... a frappé la machine, qui pendant ces prières a dit à plus haute voix qu'eux l'*Ave Maria* et le *Credo* à plusieurs reprises, mais sans aucune connoissance et par la grande habitude que S.M. a de les prononcer ».

Le premier septembre 1715, à huit heures et quart du matin, Louis XIV meurt dans sa Grande Chambre, au centre de son château, « comme une chandelle qui s'éteint ».

Le corps du Roi est exposé à visage découvert dans la Chambre le premier jour, puis disposé dans un cercueil pendant huit jours dans la Chambre du Grand Appartement, selon le vieux cérémonial royal, au milieu des messes et des vêpres des morts.

La monarchie continue, mais Versailles bientôt se vide et ne vivra jamais plus comme au temps du Grand Roi. Le 9 septembre, Louis XV quitte, dans l'après-midi, Versailles pour Vincennes et, dans la soirée, le corps de Louis XIV commence solennellement sa marche vers Saint-Denis.

LE CHÂTEAU DU GRAND ROI

Depuis 1661, cinquante-quatre années se sont écoulées ; aucune d'entre elles n'a vu diminuer l'ardeur du Roi à embellir et à parfaire son œuvre. Il y eut des périodes de guerre et de disette, marquées cependant de menus gestes, qui témoignent de son affection. Il y eut aussi les grandes poussées de fièvre qui ont fait Versailles.

Louis XIV a connu ici les années enivrantes de sa jeunesse, de ses succès de Roi, de ses amours tapageuses. Il a créé jour après jour, au prix de dépenses immenses, de sacrifices énormes et d'une attention de tous les instants, l'ensemble prodigieux que l'univers admire et qui contribuera, aux yeux de la postérité, à lui valoir son nom de *Grand*.

Certes, il a subi de tristes jours : mauvaises nouvelles des guerres, poursuite insatisfaite de l'eau et échec du grand aqueduc de Maintenon, maladies et morts qui se sont multipliées dans sa propre famille et qui l'ont forcé, par deux fois dans les dernières années de son règne, à se pencher sur les plans du château et à donner un nouveau destinataire à l'appartement du Dauphin.

Il eut aussi l'orgueil de voir se réaliser l'un des plus glorieux ouvrages qu'homme eût jamais créé.

D'appartements modestes, il a fait, en s'aidant principalement de Le Brun, l'appartement peut-être le plus riche et le plus noble de l'univers, qui débute par un escalier prodigieux, se poursuit dans le marbre et les dorures, au milieu de meubles somptueux, pour s'achever dans la plus étincelante des galeries, sur les plafonds de laquelle se déroulent les exploits des grandes années de son règne. Il a multiplié les collections de ses pères, auxquelles il a su donner, notamment dans la Galerie que lui a peinte Mignard ou dans son Cabinet des Médailles, pour lequel Berain l'a conseillé, des arrangements d'un luxe et d'un pittoresque inégalés. Ses dernières installations, dans son appartement de la cour de marbre et dans sa Chapelle notamment, lui ont même permis, avec l'aide de Robert de Cotte et de menuisiers ou de sculpteurs nouveaux, de donner à l'art français des directives sur lesquelles vivra largement le XVIIIe siècle.

Les façades d'entrée, entre les mains de Le Vau, puis de Mansart, et toujours sous son contrôle royal, ont abouti à cet extraordinaire ensemble d'ailes et de saillies, que certains critiquent, il l'a compris, même parmi ses architectes, et qu'il a aimé, car il a maintenu le style et jusqu'à certaines façades du petit château de son père, tout en donnant un développement majestueux aux cours et aux prolongements du château, qui, de la cour de marbre et de la cour royale, en laissant à droite et à gauche la cour des Princes et celle de la Chapelle, bordées par la vieille-aile et par l'aile du Gouvernement, s'amplifient sur l'avant-cour, limitée par ses grilles, ses postes de garde et les deux grandes ailes des Ministres, et se poursuivent par la Place d'Armes, par les deux magnifiques Écuries et par trois avenues d'une largeur invraisemblable, pour conduire à une ville entière, surgie de terre par sa volonté, et d'un style en harmonie — du moins de son temps — avec celui du château.

Les jardins que Le Nostre et ses jardiniers, que ses ingénieurs et ses fontainiers, que Perrault, Le Brun, Mansart, une pléiade de sculpteurs et notamment Girardon, Tuby et Coysevox, d'admirables bronziers comme les Keller, ses régiments eux-mêmes l'ont aidé à modeler et à décorer, à une échelle et avec une richesse incomparables, ont été sa fierté et l'un de ses grands soucis. Il a pu penser parfois, en visitant ses fontaines, en voguant sur son Canal, en se rendant à la Ménagerie ou à Trianon, en contemplant son Orangerie, son Potager ou la gigantesque pièce d'eau voisine, que, tel un demi-dieu, lui seul était capable de créer un ensemble aussi cohérent, colossal et majestueux.

Et si, du haut du degré de Latone, se retournant comme il le conseillait à ses visiteurs, Louis XIV, considérant la façade de son château, avait été pris d'un sentiment d'énorme fierté, qui ne le lui aurait pardonné et qui ne le bénirait d'avoir, en l'espace de vingt ans, sur une première pensée de Le Vau modifiée et amplifiée par Hardouin-Mansart, selon ses goûts et ses ordres personnels, pour les besoins de sa Cour et pour la beauté de son œuvre, réussi à créer cette altière muraille ? Une géométrie toute simple, un calcul exempt de baroque et d'affectation, une étude sévère sont parvenus à donner à ce qui aurait pu n'être qu'une monotone bâtisse (415 mètres de longueur, 670 mètres de développement en comptant les retours du corps central) l'allure et le rythme du plus beau des palais.

Tout le premier étage est d'ordre ionique ; les groupes de

colonnes alternent avec les lignes de pilastres et correspondent aux puissantes saillies du socle à refends constitué par le rez-de-chaussée. La répartition de ces colonnes est sobre, savante, parfaite : quatre à chacune des deux extrémités du corps central et six au milieu ; trois groupes de quatre aux deux retours de ce corps (vers le nord et vers le sud) ; trois groupes de huit à chacune des deux grandes ailes. L'art de Versailles, le souci d'exactitude et de précision du Grand Roi paraissent se résumer dans ces quelques chiffres.

Ce château, qu'il a principalement élevé pour son plaisir et pour sa gloire, il le laisse à ses successeurs et à son peuple, comme un legs magnifique. Certains trouveront l'héritage assez lourd, mais tous seront forcés d'en peser la valeur et s'appliqueront plus ou moins à le respecter. Le temps agira sur cet ouvrage, qu'il a pu croire éternel ; l'esprit des hommes changera ; le château souffrira. Versailles cependant demeure, mais personne ne saura plus, le Grand Roi parti, en reconnaître et en faire comme lui la grandeur.

TROISIÈME PARTIE

LOUIS XV À VERSAILLES

CHAPITRE PREMIER

VERSAILLES OFFICIEL ET ROYAL

LA RÉGENCE

Période défavorable à Versailles, la Régence dure cependant trop peu pour s'avérer funeste. Philippe d'Orléans garde-t-il souvenir de l'ostracisme que, dans ce château même, lui a si souvent manifesté Louis XIV ? Versailles est abandonné. Vincennes et les Tuileries redeviennent pour un temps, comme au début du règne du Grand Roi, les deux résidences de la Cour. Mais, simple nom soixante ans plus tôt, Versailles est devenu un palais presque fabuleux.

Certains jours, la foule des visiteurs est telle, dans les anciens appartements de Louis XIV, que d'aucuns en profitent pour briser et voler des vases de cristal de roche cerclés d'or. A la faveur du public répond l'admiration des souverains de l'Europe entière. Versailles est maintenant une sorte de lieu de pèlerinage, que semble dominer la grande ombre de Louis XIV.

En 1717, le tsar Pierre Ier, durant son voyage en France, préfère, aux installations du Louvre, le séjour de Trianon ; il y peut à loisir juger, choisir, prendre sur le vif des leçons d'architecture et de grandeur, dont il se souviendra dans ses futurs tracés de Péterhof ou de Pétersbourg.

Le Régent lui-même, quand il sent monter l'impopularité, songe à Versailles. Mais le château, à l'entretien duquel on s'est contenté, six années durant, de consacrer seulement quelques milliers de livres, a besoin de « réparations extraordinaires », auxquelles, entre les mois d'avril et de juillet 1722, est affecté un fonds spécial de cinq cent mille livres. Le mobilier est aussitôt remis rapidement en état ou complété; de nouveaux rideaux de taffetas cramoisi sont livrés ; un

fauteuil confortable de maroquin rouge est commandé pour
Monseigneur le duc d'Orléans et un « petit escalier de bois
de sapin en manière de marchepied, couvert de damas
rouge », pour permettre à l'Infante-Reine, la petite fiancée
du Roi, de « monter sur son lit ».

Le château de Louis XIV s'apprête à recevoir le nouveau
souverain, qui vivra à Versailles aussi longtemps que son
arrière-grand-père, un peu plus de cinquante ans.

RETOUR DE LA COUR

Le 15 juin 1722, le Roi revient. Son enthousiasme est
grand. Il a probablement conservé, du château de ses
premières années, le souvenir d'immenses et merveilleux
jardins, de tambours et de fanfares jouant pour la Saint-
Louis, ou de l'éclat un peu forcé qui accompagne la dernière
ambassade persane. Il faut lire dans le *Journal* de l'avocat
Barbier le bref et vivant récit des premières heures passées
par ce garçon de douze ans dans son grand château retrouvé.

Le pieux enfant se rend d'abord à la Chapelle, faire visite
au Saint-Sacrement. Puis il se précipite dans les jardins, dont
il veut, malgré la chaleur, voir chacun des bosquets. Il épuise
son entourage, qui a peine à le suivre. Il remonte au château
et se dirige vers le Grand Appartement, surtout vers la
Grande Galerie, questionnant et se souvenant. Ici, rompu
lui-même de fatigue, et trouvant peut-être la position plus
commode pour détailler l'histoire de son arrière-grand-père
peinte à la voûte, il se couche sur le plancher. Heureux de
cette halte, ceux qui l'accompagnent font de même, et le
Régent en profite pour changer de chemise. Avec son mélange
de faste et de familiarité, la Cour de France est résumée dans
cet instant, qui semble annoncer l'attitude du nouveau roi à
l'égard de Versailles.

Louis XV admire Versailles, mais il veut vivre selon ses
aises. Il essaiera de rester fidèle au château de Louis XIV,
mais il adaptera celui-ci aux besoins de son existence
quotidienne et le transformera peu à peu dans les intérieurs
en un château « Louis XV », sans qu'il cesse tout à fait d'être

« Louis XIV ». Un Versailles intime, à l'aune de l'homme, va se créer aux côtés du Versailles officiel, qui demeure celui du Roi.

Observons un instant Louis XV dans sa docilité à maintenir et même à parfaire l'œuvre de Louis XIV. Il agit plus qu'avec respect filial et, dans bien des cas, s'en tient à un conservatisme des plus stricts. On l'a trop accusé, au XIXe siècle, d'avoir mal compris la grandeur de son héritage et d'avoir dénaturé le château primitif. On n'a vu que détails d'art décoratif, là où il y eut timidité, respect, désir de maintenir l'essentiel. Aurait-il voulu être révolutionnaire, les traditions et le personnel qui l'entouraient l'en auraient empêché. Il était trop « homme d'habitude » pour innover aisément.

LA PROTECTION DU CHÂTEAU

Louis XV est lié aux problèmes auxquels s'est heurté Louis XIV, aux programmes tracés par son arrière-grand-père. Il doit d'abord défendre contre les périls de l'eau et du feu l'ensemble des jardins et des bâtiments.

Versailles est construit sur un marécage, qu'il ne faut pas cesser de drainer et d'assainir. Saint-Simon se serait réjoui de la plainte du Suisse de la grille du Dragon, en 1746, dont le pavillon est transformé en un cloaque, envahi de crapauds. Louis XV, après avoir fait combler en 1736, avec une dépense de trois cent mille livres et le concours de l'infanterie, comme au temps de Louis XIV, notamment de deux bataillons suisses que le duc d'Antin a fait venir d'Alsace, l'étang de Clagny, dont les exhalaisons causent « touttes les maladies dont la ville a été affligée les étés précédents », affecte, aussitôt après, un million de livres à créer de nouveaux aqueducs, destinés à écarter de la ville « les mauvaises eaux ». Et « l'étang puant », qui subsiste entre la Pièce des Suisses et la Ménagerie, cause tout au long de son règne au service des Bâtiments bien des soucis. Encore un exemple : on verse 1 200 livres par an à un garde des rigoles, qui est chargé d'« empêcher les eaux à se réunir dans

les bas-fonds, d'y former des marais et des cloaques »,
cependant que le grand égout construit par Louis XV est
destiné à porter les eaux sales à un bassin collecteur, au-delà
de la grille-royale du bout du Grand Canal, pour les écouler
à ciel ouvert dans le ru de Villepreux.

Dans un monde plein de contradictions, les dépenses
d'assainissement s'avèrent sans cesse à reprendre. La suppression de l'étang de Clagny, qu'on vient de citer comme un
progrès, entraîne de curieuses réactions. Les habitants du
quartier, privés de ce déversoir, trouvent tout naturel d'utiliser
le bassin de Neptune. Dans l'été de 1759, les Bâtiments du
Roi constatent avec tristesse que les décharges des cuisines,
écuries, cours et logements voisins rendent les eaux de cette
pièce « si puantes et si bourbeuses qu'il est nécessaire d'y
remédier ». On a cru bon, d'autre part, de maintenir le
petit canal de Clagny, dont les eaux contribuent l'hiver à
l'approvisionnement des glacières royales ; on a, en même
temps, interdit aux blanchisseuses de la ville de laver dans
cette eau, la graisse du savon empêchant l'eau de se congeler ;
les pauvres femmes ont pris le chemin de la Pièce des Suisses,
ce qui amène pour les Bâtiments un nouveau sujet de
désolation, car la blanchisseuse de la Reine a seule le privilège
de laver dans cette pièce d'eau !

La protection contre le feu est, de même, poussée beaucoup
plus loin que du vivant du Grand Roi. De temps à autre des
incendies éclatent, comme celui de l'antichambre du duc de
Charost au bout de l'aile du Nord, en 1747, ou celui de
l'antichambre de Mme de Pompadour, en 1758. Ils sont
rapidement maîtrisés, à l'exception de celui qui détruit une
partie de la Grande Écurie, le soir de la naissance du duc de
Bourgogne, en 1751, et qui, pris d'abord pour un feu de
joie et négligé, coûte plus de cent mille livres aux Bâtiments.
L'entretien régulier des cuirs de pompe, des travaux d'adduction d'eau, en 1730, dans les deux écuries aussi bien que
dans la cour principale du château, où sont établies deux
nouvelles fontaines, sculptées par Hardy, « pour remédier
aux incendies », ou encore une surveillance spéciale établie
« de peur d'incendie » à chaque illumination et même aux
simples jours d'opéra forment autant de mesures de prudence
ordonnées sous Louis XV.

Les bâtiments réclament aussi des soins incessants, et les jardins tout autant. Dès les premières années du retour de la Cour, le « rétablissement des planchers » des divers appartements du château entraîne des travaux assez coûteux, et l'on doit, pour remplacer les poutres qui, en un demi-siècle, se sont déjà vermoulues, en faire venir de nouvelles, que l'on choisit sur les arbres de la forêt de Chambord et que l'on débarque au port de Sèvres.

L'alimentation des glacières et des réservoirs, la réfection des ciments aux voûtes de l'Orangerie ou à celles des postes de garde à l'entrée du château, les ouvrages de glaise des bassins, les treillages des bosquets, la peinture des plombs des fontaines font partie des dépenses établies annuellement ou sur des programmes spéciaux, qui doivent maintenir en bon état l'œuvre de Louis XIV.

Les familles que le Grand Roi a fixées à ce sol continuent d'en assurer l'entretien. On citera ici un exemple des traditions qui règnent à Versailles. Les taupiers de Louis XIV s'appelaient Liard : Jacques Liard, Christophe Liard ; les comptes du milieu du XVIIIe siècle inscrivent chaque année les gages du taupier de Versailles : Jean Liard. Entouré d'un personnel, grand ou petit, fortement attaché à cette terre, Louis XV, bien persuadé lui-même de ses devoirs envers le château, entretient son domaine d'une manière qui paraît naturelle, obligatoire. On s'étonne davantage de l'esprit qui le pousse à poursuivre certains grands travaux amorcés par son arrière-grand-père.

LOUIS XIV TOUJOURS PRÉSENT

Le caractère conservateur du nouveau roi se manifeste par tant de détails qu'on ne peut voir là une simple marque de routine. Le maintien, à quelques broderies ou à quelques meubles près, du Grand Appartement tel que l'a laissé Louis XIV, du Salon de l'Abondance au Salon de la Paix inclus, fournit un excellent exemple de cet état d'esprit.

Louis XV commande à Nicolas Coustou, en 1726, le grand bas-relief de marbre, *le Passage du Rhin*, destiné à remplacer

dans le Salon de la Guerre le plâtre provisoire exécuté par
Coysevox, mais il ne se résout pas à ôter celui-ci de la place
qu'il a prise une quarantaine d'années plus tôt et qu'il
occupe encore aujourd'hui. Il étudie la tranformation en une
seule pièce du Salon de Vénus et du Salon de l'Abondance,
dont l'étroitesse le choque ; attribuons à son irrésolution, au
manque d'argent ou à son conservatisme la non-exécution
de ce projet ; peu importe ; constatons que rien ne bouge.
Bien plus, Louis XV accepte la dépense, pour mieux conserver
à la postérité le souvenir des grandes compositions de Le
Brun, et malgré le désagrément que cause à sa Cour pendant
de longues années l'encombrement de la Grande Galerie par
des échafaudages, de faire relever et graver par Massé et son
équipe, en un recueil monumental d'estampes, tout le
plafond de cette galerie.

Que l'on tienne pour négligeables des actes tels que ceux-
ci ou pour secondaire la conservation quasi intégrale des
antichambres de l'appartement royal, de la Chambre de
Louis XIV, de la Chapelle, des jardins, il faut pourtant
convenir que nous devons au respect de Louis XV et de
Louis XVI pour l'œuvre de Louis XIV ce que nous admirons
encore aujourd'hui de celle-ci, malgré le vandalisme du
XIXe siècle. Louis XV accepte et comprend si bien Versailles,
à défaut peut-être de l'aimer, qu'il achève, durant son règne,
trois projets considérables que le Grand Roi a laissés à l'état
d'ébauches et que l'on examinera en leur temps : le Salon
d'Hercule, le Bassin de Neptune, l'Opéra. Cela suffirait à sa
mémoire en ce qui concerne Versailles.

DESTRUCTIONS

Mettons en regard ce qu'a détruit Louis XV et qui est
considérable. Une remarque s'impose ici. On ne touche aux
grandes décorations de Louis XIV, même dans l'appartement
intérieur du Roi, qu'avec une prudence et une lenteur qui
nous semblent respect, tant nous sentons d'hésitation et de
scrupule. On procède par étapes ; on conserve souvent
aussi. Une meilleure étude des décors subsistants permettrait

d'ailleurs de mieux reconnaître, dans ce que l'on estime superficiellement « Louis XV », plus d'un élément « Louis XIV » sauvegardé. Il faut observer aussi que ces transformations, pratiquées par échelons, se font plus radicales dans la seconde moitié du règne.

A l'intérieur du château, le passage de Louis XV est marqué par la destruction de quelques ensembles parmi les plus fameux du siècle de Louis XIV : l'appartement de Monseigneur, l'appartement des Bains, l'Escalier des Ambassadeurs, la Petite Galerie de Mignard, le Cabinet des Médailles. La liste est lourde et doit retenir notre attention cas par cas.

L'appartement de Monseigneur se désagrège lentement sous l'effet du temps et des hommes. La réfection des planchers au premier étage oblige à démonter en 1726 une partie des marqueteries de Boulle, qui paraissent avoir été vendues en plusieurs fois, en 1728, en 1746, en 1748 ; pour la même raison, le plafond que Mignard a peint dans le Grand Cabinet est déposé en 1728. Les transformations successives opérées dans cet appartement au profit du Régent, du duc de Bourbon, et surtout du Dauphin, n'autorisent pas à attribuer à Louis XV seul l'anéantissement de cet appartement célèbre et fragile.

L'appartement des Bains, dont les merveilleux ouvrages de marbre ont été plus ou moins recouverts de boiseries pour Mme de Montespan, est insensiblement détruit, pour la comtesse de Toulouse d'abord, puis pour Madame Adélaïde et Madame Victoire.

L'Escalier des Ambassadeurs, dont la suppression a été étudiée dès octobre 1741 et qui est un instant transformé en théâtre pour Mme de Pompadour, est, quoique condamné, maintenu un certain temps dans son intégrité ; le théâtre est démontable. Louis XV prend ensuite le parti de faire transposer sur toile par Picault les principales fresques, de façon à les rendre mobiles et à les conserver. La démolition une fois accomplie, en 1752, pour former de la cage de cet escalier un agrandissement des appartements et une cour intérieure, entraîne une obligation, que Louis XV poursuivra toute sa vie et que Louis XIV envisageait déjà d'assumer : créer dans cette région un escalier monumental, donnant accès au Grand Appartement. Cet escalier, que l'on dénommera depuis *escalier Gabriel*, restera inachevé. Il appartiendra à notre époque de le terminer, ce qui vient d'être fait avec une élégance digne du siècle de Louis XV, selon l'ancien projet et sur les travaux ébauchés par Gabriel.

La destruction de la Petite Galerie est progressive. Selon les dernières précisions apportées par M. Le Guillou, elle commence en 1736 au moment où Louis XV fait travailler au-dessus à l'installation de ses laboratoires. Elle se poursuit en 1753, lorsque la création d'un appartement pour Madame Adélaïde est décidée. Elle se termine lors des transformations de l'appartement-intérieur du Roi ordonnées en 1769 par Louis XV et en 1774 par Louis XVI, qui achèvent d'anéantir ce qui rappelait encore Louis XIV dans cette partie du premier étage.

Nous pouvons enfin affirmer que la disparition du Cabinet des Médailles fut, elle aussi, opérée par étapes. Aux meubles près, les premiers travaux effectués pour Madame Adélaïde laissent subsister le lambris et une partie du plafond. La suppression définitive doit être attribuée à la fin du règne de Louis XV ou au début de celui de Louis XVI.

Si l'on appelle crimes ces actes de vandalisme, qui, à l'encontre de ce qui s'est fait par la suite, remplacent par de nouveaux chefs-d'œuvre les décorations supprimées, il faut avouer que Louis XV hésite, s'habitue, s'endurcit. Il se conduit de même dans l'élaboration du « grand projet ».

LE « GRAND PROJET »

On sait que l'on désigne sous ce nom la transformation, en façades classiques et de pierre, des principales cours du château du côté de la ville, afin de donner de l'unité entre ces façades et celles qui regardent les jardins. Louis XIV, malgré les projets qui lui furent proposés et l'insistance de Colbert ou de Mansart, se refusa énergiquement à la suppression du caractère « Louis XIII » de ces façades d'entrée, que personne de son temps, hors lui, ne jugeait dignes du château. Louis XV est de même pressé par Gabriel et par l'avis unanime de ses contemporains, Blondel notamment. Il ne montre pas en définitive l'obstination de son arrière-grand-père, dont il n'a ni le caractère, ni les goûts. Comme à regret, il cède. Les cartons des Archives nationales conservent la trace du débat qui s'engagea dans son esprit et permettent, dates à l'appui, de suivre ses hésitations.

La reconstruction de l'aile avancée du château du côté de la Chapelle, qui menace ruine depuis longtemps et dont la colonnade et la lanterne réclament en 1765 des travaux urgents, est décidée au mois de septembre 1771. Louis XV, des années durant, a étudié ce problème.

Les plans qu'il approuve le 20 juillet 1771 demeurent fidèles aux façades de Louis XIV de ce côté et forment, avec leur grand étage unique sur les arcades du rez-de-chaussée, leurs balustrades, leurs hauts toits à mansardes, un prolonge-ment parfait des bâtiments du fond de la cour ; tout au plus perçoit-on quelques concessions au siècle. Les plombs des toitures sont encore « Louis XIV », mais la nouvelle lanterne est de style « Louis XV » et les fenêtres des deux pavillons qui encadrent le corps de logis principal sont surmontées de guirlandes de laurier « à l'antique ». La brique paraît devoir être remplacée par la pierre, mais les pilastres des angles demeurent d'ordre dorique, ainsi que les colonnes en avant du pavillon d'entrée. Si Louis XV avait maintenu son accord sur ce projet, l'architecture de Louis XIV serait demeurée homogène.

Quelques semaines plus tard, en un revirement subit, le Roi accepte des plans nouveaux, que Gabriel devait tenir tout prêts. Il se soumet à l'architecture classique qui va être réalisée et qui fausse depuis lors toute l'entrée du château de Louis XIV. Que s'est-il passé ? Louis XV, comme il le fait souvent en politique, voyant juste, mais décidant selon l'avis de conseillers qui peut être à l'opposé du sien, a dû dire, pressé par Gabriel qui lui vante ses grands projets de reconstruction totale des façades (dont l'urgence n'existe d'ailleurs que pour l'aile de la Chapelle) un « oui » de fatigue plus que d'enthousiasme, un « oui » d'infidélité à la mémoire de Louis XIV. Certes, il peut n'avoir pas tort d'accepter cette belle et noble architecture, qui fait l'élégance et le succès de son nouveau pavillon de Trianon ; mais il regrette l'ancienne à laquelle il est habitué, et qui forme un tout, sans compter la dépense qui, de l'avis de l'architecte, doit être plus élevée d'au moins cent mille livres, ce qui n'est pas négligeable dans ce moment de disette financière et que d'ailleurs on ne lui avouera qu'une fois son acceptation acquise. Il se résigne et inscrit aussitôt une recette de trois cent mille livres pour la reconstruction de l'aile de la Chapelle. Mais on sent que la lutte a été dure ; le 13 octobre 1771, Gabriel peut se mettre au travail et se montrer satisfait, « Sa Majesté s'étant enfin déterminé à adopter un plan général de décoration analogue à celui du côté des jardins ».

Louis XV est alors âgé, moins pourtant que Gabriel. Il est peut-être las et souvent indifférent. Il se montre énergique, par exemple, à soutenir Maupeou. Il veut aussi plaire à Mᵐᵉ Du Barry, que Gabriel a su mettre de son côté. Il cède à son architecte, estimant peut-être assurer un meilleur avenir à Versailles. Le bel amour qui l'a longtemps poussé à défendre et à compléter le château de Louis XIV a fait place, depuis bien des années, à d'autres amours, à d'autres châteaux, plus riants et moins respectables, avec lesquels il a pu s'adonner librement à sa passion de bâtir et de décorer. Il s'est façonné de Versailles une certaine image, qui date de son enfance et qui souvent l'ennuie peut-être, mais qu'il ne veut pas répudier ; il s'amuse ailleurs. Versailles est traité comme une vieille reine par un monarque infidèle, avec la dignité qui convient à son rang de première demeure de France. Depuis longtemps, Louis XV a pris le parti de mener double vie, mais il a presque intégralement maintenu, comme une sorte de façade, le Versailles de Louis XIV. En acceptant le « grand projet » de Gabriel, il pense donner plus d'éclat encore à ce Versailles, qui est celui de la tradition, celui du gouvernement, celui de la Reine et de ses enfants, celui de la Cour, celui dont le bon peuple vient se repaître les yeux, celui qui, par sa volonté bien marquée, survit presque intact dans l'appartement officiel du Roi.

Fig. 16. — *Appartement du Roi (premier étage) vers 1740.*

1. Cour de marbre. — 2. Cour royale. — 3. Cour de la Reine. — 4. Cour dite de Monsieur. — 5. Cour des Cerfs. — 6. Petite cour intérieure du Roi. — 7. Degré du Roi. — 8. Antichambre dite des Chiens. — 9. Salon-ovale ou Cabinet des pendules. — 10. Nouvelle Chambre du Roi ou Chambre de Louis XV. — 11. Cabinet de Garde-robe. — 12. Cabinet à pans ou Cabinet-intérieur (Cabinet d'angle). — 13. Ancien Salon-ovale de Louis XIV. — 14. Cabinet en niche. — 15. Petite Galerie avec ses deux salons. — 16. Degré d'Épernon. — 17. Escalier ovale montant aux Cabinets du second étage. — 18. Chambre des Bains. — 19. Pièce des Cuves. — 20. Corridor. — 21. Cabinet-doré. — 22. Escalier demi-circulaire. — 23. Cabinet de Chaise. — 24. Petit Cabinet particulier du Roi. — 25. Cabinet des perruques. — 26. Cabinet du Conseil. — 27. Grande Chambre ou Chambre de Louis XIV. — 28. Antichambre de l'Œil-de-Bœuf. — 29. Première Antichambre. — 30. Salle des Gardes du Roi. — 31. Vestibule ou loggia sur l'Escalier de la Reine. — 32. Escalier de la Reine. — 33. Grande Salle des Gardes. — 34. Grande Galerie. — 35. Salon de la Guerre. — 36. Salon d'Apollon. — 37. Salon de Mercure. — 38. Salon de Mars. — 39. Salon de Diane. — 40. Salon de Vénus. — 41. Salon de l'Abondance. — 42. Grand Escalier ou Escalier des Ambassadeurs. — 43. Cabinet des Médailles. — 44. Salon d'Hercule. — 45. Appartement de la Reine. — 46. Premier valet de chambre du Roi et passage du Roi chez la Reine.

(A comparer aux plans du même appartement vers 1693, fig. 14, p. 208, et vers 1760, fig. 20, p. 443.)

LA CHAMBRE DE LOUIS XIV

Un phénomène curieux, de caractère humain plus que royal, s'observe à Versailles. On en a vu les premières manifestations dès le règne de Louis XIV. Le premier appartement, celui du parterre du Nord, est devenu de parade, et la Chambre qu'habite effectivement le Roi a été fixée au fond de la cour de marbre. Cette Chambre, telle que Louis XIV l'a établie en 1701, va devenir pour son successeur, elle aussi, chambre de parade, la « chambre où couche le Roi » étant reportée plus loin, en retour sur la cour de marbre. La tradition se maintient en apparence, tandis que le Roi cherche à mieux assurer son confort et son repos dans ce Versailles illogique.

Les antichambres ne changent pas. En venant de l'Escalier de la Reine, on retrouvera jusque sous Louis XVI la Salle des Gardes du Roi, l'Antichambre du grand-couvert, l'Antichambre de l'Œil-de-Bœuf, telles que les a disposées Louis XIV, à de menus détails de mobilier près. L'étiquette de ces antichambres demeure la même, et parfois, comme sous Louis XIV, l'Œil-de-Bœuf est réputé « cabinet de Sa Majesté », où le Roi vient, par exemple, présider à des fiançailles princières, comme celles du duc de Chartres et de Mlle de Conti en 1743 ou, quatre ans plus tôt, celles de sa fille aînée, qui devient Madame Infante ; c'est ici également que se présentent les Six-Corps des marchands de Paris, lorsqu'ils viennent haranguer le Roi pour un événement heureux, ainsi après la proclamation de la paix d'Aix-la-Chapelle.

La Chambre de Louis XIV paraît immuable dans son décor et dans ses rites. Ses boiseries et ses dorures, sa tenture et ses meubles, le fauteuil et la table de toilette, dont les accessoires continuent d'être de riche tissu brodé, le balustre, les deux tableaux de Raphaël et du Dominiquin, que, chaque automne, on replace de part et d'autre du lit et dont on se contente de refaire les cadres et les ferrures en 1759, la place du prie-Dieu à gauche du lit, tout semble demeuré là pour attendre le Grand Roi.

L'étiquette accentue les similitudes. Les cérémonies du

Lever et du Coucher, que Louis XV maintiendra dans cette Chambre, lors même qu'il n'y dort plus, les grandes et les petites entrées, les nouvelles qu'il annonce à son Lever, le « bougeoir », la prière avec le grand aumônier, l'« ordre » donné par le Roi, l'audience publique accordée à un ambassadeur à l'intérieur du balustre, les harangues présentées par le Parlement ou par les Cours, par l'Université, par l'Académie française lors de la proclamation d'une paix, où le fauteuil royal est placé hors du balustre, le dos à la cheminée, comme lorsque le souverain reçoit des députations d'un Parlement, des États des provinces ou des Assemblées du clergé, ou encore la réception des nouveaux chevaliers de Saint-Louis, tout montre Louis XV attaché chaque jour à ce qu'a établi le Roi-Soleil.

Il est quelques points cependant où la différence d'époque se fait sentir. Les vieux courtisans notent une diminution de respect envers tout ce qui touche la personne royale : autrefois, hommes et femmes, passant devant le lit du Roi, s'inclinaient ou faisaient la révérence ; cet usage se perd et certains déplorent ce laisser-aller. Louis XV, d'autre part, et surtout en ses jeunes années, ne sait pas toujours s'astreindre aux rigoureux horaires que s'était fixés Louis XIV. « Les heures du coucher du Roi sont souvent incertaines. » Le désordre se glisse, par la faute du Roi. Alors que l'étiquette interdit de s'asseoir dans la Chambre du Roi, les aumôniers, las d'attendre, ont pris l'habitude d'utiliser les tabourets ; les valets de chambre, poussant plus loin cette tolérance, ont trouvé commode, certains soirs, de ranger les tabourets le long du lit, de s'étendre et de tirer sur eux les rideaux du grand lit royal.

Louis XV se laisse entraîner aux agréments de son siècle. Il enrichit la Chambre de Louis XIV d'un magnifique lustre de cristal de roche à douze bobèches, qui restera là jusqu'à la fin de l'Ancien Régime et que le duc de Luynes, dans ses *Mémoires*, estime à cent mille livres. Il se préoccupe aussi d'avoir moins froid que son aïeul dans cette pièce solennelle, ce qui ne va pas sans soulever d'énormes difficultés.

La Chambre de Louis XIV, avec son haut étage d'attique et ses trois fenêtre exposées à l'est, est inchauffable. La pièce voisine, le Cabinet du Conseil, serait plus confortable ; le Roi s'y installerait volontiers, mais il a pitié de ses domestiques : « Lorsque je me lève avant qu'on soit entré, j'allume mon feu moi-même et je n'ai besoin d'appeler personne. Si je passois dans mon cabinet, il faudroit appeler ; il faut laisser dormir ces pauvres gens, je les en empêche assez souvent. »

Émigrer ? Le Roi y songe. Qu'il fasse froid et qu'il soit malade, il se décide à faire dresser son lit dans le Cabinet du Conseil, qui est alors réputé Chambre. Il fait enfin installer, en 1738, dans l'ancienne Pièce du Billard de Louis XIV, en retour sur la cour de marbre, avec deux fenêtres tournées au midi et des dimensions raisonnables, une nouvelle chambre, où il couchera désormais et où il mourra. Mais il est le Roi et doit obéir aux usages fixés par Louis XIV. Lever et Coucher doivent s'accomplir dans la Chambre du Grand Roi et Louis XV continuer d'avoir froid.

Le 26 janvier 1758, il réclame l'installation d'un poêle. Mais deux mois plus tard, peut-être sur les objections de Gabriel qui n'a pas voulu défigurer la Chambre de Louis XIV, il demande l'installation d'une seconde cheminée. On s'aperçoit alors que la cheminée de 1701, « unique pour la beauté du marbre, proche de la brèche violette », est impossible à réassortir. On établit deux cheminées de marbre bleu turquin, qui sont celles demeurées en place aujourd'hui et dont les Bâtiments annoncent la pose seulement en juin 1761 ! Qu'il est donc difficile d'aller à l'encontre de ce qu'a voulu Louis XIV !

LE CABINET DU CONSEIL

Doit-on s'étonner de retrouver dans le Cabinet du Conseil le même souci d'immutabilité, la même prudence dans les modifications ? L'usage de cette pièce est le même que sous Louis XIV, le calendrier des conseils inchangé.

Dans le Cabinet du Conseil, Louis XV reçoit, comme Louis XIV, ceux à qui il donne audience officielle ; parmi beaucoup d'autres, son beau-père, Stanislas Leczinski, revenant de sa malheureuse expédition de Pologne en 1736, s'entretient longuement avec lui. Louis XV se fait présenter les dames qui viennent pour la première fois à la Cour et qu'il embrasse de bon cœur si elles sont jolies, ce dont s'abstenait Louis XIV à la fin de son règne, se trouvant trop vieux ! Les duchesses prennent ensuite le « tabouret », chez le Roi d'abord, puis chez la Reine. Il remet la calotte de pourpre aux nouveaux cardinaux. Il reçoit ses ministres ou le Premier Président, qui vient parfois à Versailles « à l'ordre, avant de prendre un parti ». Il préside les conseils, où chacun met ses papiers dans de magnifiques sacs de velours brodé. Tout demeure solennel dans cette pièce, où continue de se tenir officiellement le gouvernement de la France.

Le cadre même est conservé intact jusqu'au milieu du siècle : c'est toujours le Cabinet des Glaces de Louis XIV, éclairé de deux fenêtres sur la cour de marbre et séparé de la cour intérieure (ou ancienne cour des Bains, maintenant dite cour des Cerfs) par le Cabinet des Perruques. Le mobilier, lui aussi, reste lié à la tradition du Grand Roi ; même lorsque, pour des raisons que l'on verra plus loin, Louis XV, en 1748, fait subir au Cabinet ses premières transformations, on continue de maintenir dans cette pièce un lit de repos, ainsi qu'on l'avait vu au temps de Louis XIV ; les dimensions de la table varient à peine de quelques pouces d'un règne à l'autre ; le tissu qui, en 1749, est choisi pour le « meuble » n'est autre qu'un riche brocart livré un demi-siècle plus tôt par Charlier, cramoisi et vert, mêlé de deux ors et d'argent.

Le respect se saisit jusque dans les innovations peu à peu introduites par Louis XV. Ce ne sont d'abord que des détails de décoration. Louis XV fait acheter 18 000 livres en 1738 à la vente du maréchal d'Estrées et placer aussitôt dans le Cabinet du Conseil le bel *Alexandre* de porphyre et de bronze des anciennes collections de Girardon, que nous avons vu exposé, dix ou quinze ans durant et non sans protester, dans la Salle des Gardes de la Reine. Le voici revenu, là où Louis XV l'a voulu.

Le goût de Louis XV et son attention pour tout ce qui touche à la majesté de ce Cabinet se traduisent avec une égale délicatesse lorsqu'il s'agit des boiseries. En 1748, pour agrandir au-dessus ses Petits Appartements, le Roi, durant les voyages de Compiègne et de Fontainebleau, fait abaisser d'environ trois pieds le plafond. Les boiseries et les glaces du Cabinet sont déposées, puis reposées après démolition de la charpente de la calotte et réfection des plâtres du plafond et des corniches.

La cheminée, qui datait de l'époque de Louis XIV et qui était ornée de masques, est envoyée à Compiègne. Elle est remplacée par la superbe cheminée de marbre de griotte rouge que l'on admire encore aujourd'hui. Celle-ci est établie à Paris et ne sera livrée qu'à la fin de 1748. Elle est décorée de bronzes magnifiques, notamment de deux figures de la Vigilance et de la Justice, dont Nolhac a retrouvé les auteurs : le fondeur Le Blanc, le doreur Gobert.

En 1755, lorsqu'il fait modifier le mur méridional de la cour des Cerfs pour établir une petite terrasse et agrandir son Cabinet de Garde-robe, Louis XV décide de supprimer le Cabinet des Perruques et de donner au Cabinet du Conseil les larges dimensions que nous lui connaissons aujourd'hui. Il affecte à ce travail une somme de 120 000 livres, qui sera d'ailleurs bien dépassée, la maçonnerie à elle seule en absorbant les deux tiers. Le sculpteur Rousseau, le doreur Pollevert reçoivent l'un 21 500 livres, l'autre 23 400 d'acomptes au cours de l'année ; le travail est tout juste achevé pour le retour de Fontainebleau de 1756, mais les derniers paiements ne sont pas encore terminés quatre ans plus tard.

Les dessins de Gabriel, le choix de Louis XV, l'exécution de Rousseau ont créé ici l'un des chefs-d'œuvre de l'art de la boiserie. Rien de plus mâle que ces larges panneaux, ces fortes moulures, ces puissantes agrafes et ces trophées, qui sont encore presque « Louis XIV ». On semble s'être défié ici de la mode et des fioritures du rocaille ; des éléments antérieurs, conservés principalement aux portes donnant sur la Grande Chambre, ont pu y aider ; la destination, la dignité du lieu et le souvenir des grands conseils royaux tenus ici depuis Louis XIV y ont peut-être aussi contribué. Tout rappelle le gouvernement : trophées de paix et trophées de guerre, attributs de l'armée, de la marine ou de la justice, insignes de la monarchie.

Une certaine fantaisie apparaît cependant, comme la

marque de Louis XV et de son temps, dans la vie quotidienne. Un gros chat angora blanc somnole sur un coussin de damas auprès de la cheminée. Luynes note, en 1754, la présence dans un coin du Cabinet d'un bon nombre de têtes de cerfs, dans l'entassement desquels se trouve égaré, on ne sait trop pourquoi, une tête d'orignal du Canada. Le « rocaille », le goût du Roi et de son siècle pour les beaux ouvrages parisiens de bronze doré se retrouvent sur la grande pendule, toujours en place, que les Menus commandent en 1755 à Martinot, Gallien et Gobert, œuvre monumentale et triomphante, destinée à symboliser l'un des plus constants soucis du Bien-Aimé : la protection des arts.

Louis XV a fait installer et fera sans cesse transformer, à l'intérieur de ses appartements et jusqu'aux étages supérieurs, d'autres « cabinets », qui, pour son travail ou pour son plaisir, constituent un Versailles intime à côté du Versailles traditionnel. Dans l'esprit de chacun, le « Cabinet » demeure, comme sous Louis XIV, le Cabinet du Conseil.

Siège du gouvernement, domaine solennel où se perpétuent, mieux qu'en aucun autre château royal, les volontés de Louis XIV, Versailles conserve ces caractères aux yeux du public contemporain, et particulièrement dans le Grand Appartement.

LE GRAND APPARTEMENT

La création de Louis XIV, avec ses précieux vestiges de l'époque de Le Vau et ses magnificences ajoutées sous la direction de Mansart et de Le Brun, subsiste ici à peu près intacte. Louis XV, qui détruira l'Escalier des Ambassadeurs, ajoute, dès le début de son règne, au Grand Appartement un nouvel ouvrage de marbre, de bronze et de peinture, qui compte parmi les plus fameux de Versailles : le Salon d'Hercule. L'usage même de ce Grand Appartement, dont le nom seul dit le prestige, plus rare et par là même plus solennel, demeure conforme aux traditions de faste voulues par le Grand Roi.

Les fiançailles et le mariage de Madame Infante en 1739,

le mariage du duc de Chartres en 1743, les deux mariages du Dauphin en 1745 et 1747, les fêtes qui marquent la naissance du prince de Parme en 1751 ou les mariages des trois Petits-Fils de France en 1770, 1771, 1773 donnent autant d'occasions de jeux, de musique, de bals et de décorations extraordinaires ; des girandoles, des lustres, des fleurs, des gradins, des dames en grand habit rehaussent ces soirs-là l'Appartement. Le Salon de la Paix, qui, on le verra plus loin, a été définitivement rattaché à l'appartement de la Reine, peut, en ces occasions, s'ouvrir comme autrefois sur la Galerie, et le Salon d'Hercule être ajouté comme un attrait de plus.

La volonté de se conformer aux prescriptions du Grand Roi est si vive que, pour recevoir en audience solennelle, en 1742, l'ambassadeur de la Porte dans la Galerie, on fait rechercher les dispositions ordonnées en 1715 pour l'envoyé de Perse et que l'on se reporte au *Journal* de Dangeau ; la place du trône, la configuration des tribunes, le nombre des tapis à étendre sur le parquet de la Galerie sont étudiés avec soin. Et certains jours, comme celui où Louis XV se rend à la Chapelle pour le mariage de Madame Infante « par le grand escalier de marbre, qui faisoit un spectacle admirable par la grande quantité de monde qui y étoit placé », ne se croirait-on pas transporté au temps même du Roi-Soleil ? L'étiquette ravive les vieux souvenirs. Pour donner, en 1742, à l'ambassadeur turc son audience de congé, le Roi se tient sous son dais, dans le Salon d'Apollon, à la même place que son arrière-grand-père.

L'architecture demeure inchangée. Certes, il est regrettable que, au moment même où il fait verser à François Le Moyne sept mille livres pour le décor du grand ovale qui complète la cheminée du Salon de la Paix (1728-1729), Louis XV ait accepté de fermer ce salon d'une porte, recouverte d'une portière de tapisserie des Gobelins, avec un dessus de porte dû à Audran, qui représente *la Paix* avec ses attributs, ce qui, constate Blondel, « nuit essentiellement à la liberté du coup d'œil de l'enfilade de la Galerie ». La pose de nouvelles croisées dans la Galerie même en 1733, ou le remplacement des seuils de marbre, considérés comme trop glissants, par du parquet à toutes les pièces de l'Appartement en 1752, n'affectent pas la majesté de cet ensemble.

On peut juger autrement les innovations mobilières de Louis XV. Un esprit de tradition demeure dans le nombre et la place des guéridons ou des tabourets. Mais le décor de ceux-ci devient d'un style si différent de l'ancien que le XVIIIᵉ siècle a dû marquer en son temps d'une manière sensible le Grand Appartement, immuable en apparence. Lorsque les Slodtz donnent les modèles des nouveaux guéridons, composés de rocailles, de branchages, de palmes et de fleurs, mêlés aux armes de France ou aux chiffres royaux, qui, en 1743, viennent remplacer, dans les Salons d'Apollon, de Mercure et de Mars, ceux qu'avait commandés Louis XIV, ou lorsque, en 1770, des guéridons d'un esprit déjà « Louis XVI » sont substitués, dans le Salon de la Guerre et la Galerie, à ceux, fatigués et démodés, qui dataient de 1689, des caractères « modernes » sont introduits dans un ensemble que l'on aurait pu juger « historique ». On doit admirer l'aisance et la prudence qu'apporte ici Louis XV. Le goût et le courage qu'il met à toucher sans heurts à des pièces aussi illustres témoignent de la grandeur et de la vitalité de l'art qui porte aujoud'hui son nom.

La couleur cramoisie, mêlée à l'or, dans un effet de somptuosité facile, que reprendront, hélas ! dans leurs pompes officielles, les XIXᵉ et XXᵉ siècles, domine encore dans cet appartement. Mais les riches broderies du Grand Roi perdent leur fraîcheur et Louis XV aime la couleur. Pour renouveler les tentures du Grand Appartement, il fait établir en 1736 un devis de dépense, où de splendides étoffes, fabriquées à Lyon dans les années précédentes, sont prévues, notamment un brocart bleu et or pour le Salon de Mars. Il reste néanmoins fidèle au tissu cramoisi brodé d'or, sur lequel se détachent heureusement les beaux tableaux des collections royales, que l'on continue de disposer ici.

Il n'hésite pas à dépenser, en 1766, 20 000 livres pour faire réparer par le brodeur Aleau les grandes cariatides du Salon d'Apollon. Mais à côté de cet esprit conservateur, on le voit aussi, en 1761-1762, ayant à renouveler les rideaux du Salon de la Guerre et de la Galerie, renoncer aux couleurs traditionnelles et choisir un taffetas vert de Saxe, tissé par Jean Charton à Lyon.

De temps à autre, pour donner un aspect différent au Grand Appartement et économiser les soieries, il fait tendre les murs de tapisseries nouvellement tombées des métiers des Gobelins.

Les « bordures » ou cadres des tableaux, les pieds des tables de marbre qui se trouvent entre les fenêtres sont, de même, sans choquer personne ni diminuer la majesté voulue par Louis XIV, mis peu à peu à la mode. Les contemporains approuvent cet effort, trouvent normaux ces changements, rendent hommage à la réussite. Le duc de Luynes, signalant, au mois de mai 1743, la mise en place du nouveau trône et du dais, dont les angles sont décorés de casques, de plumes et d'aigrettes, commente de ces mots la composition des Slodtz, choisie par Louis XV : « riche et de bon goût ». Blondel, de son côté, décrivant, dans son *Architecture françoise*, le Grand Appartement, mentionne, dans le Salon d'Apollon, les torchères nouvellement exécutées, à côté d'autres meubles « d'un goût déjà assez ancien, mais d'une grande beauté ». Une époque fière de ce qu'elle produit ne renie pas forcément son passé.

Louis XV utilise de temps à autre l'Appartement de Louis XIV pour exposer des œuvres nouvelles. On vient de le dire des tentures des Gobelins ; il s'agit parfois d'une présentation limitée à quelques jours, bien typique cependant. En 1752, Louis XV fait ainsi disposer dans le Grand Appartement les tapisseries que l'illustre manufacture royale a exécutées d'après des cartons de Coypel : deux pièces de *Don Quichotte*, destinées à Marly, et une suite nouvelle des *Scènes d'Opéra*, qu'il va offrir, pour plaire à la Dauphine, à la famille royale de Saxe ; les tableaux du peintre qui ont servi de modèles sont même exposés à côté des tapisseries, afin que chacun puisse juger de l'excellence du travail.

Deux ans plus tôt, le Roi, comme pour bien marquer son attachement à la collection des plans en relief, installée depuis Louis XIV dans la Grande Galerie du Louvre, fait présenter à sa Cour pendant plusieurs jours dans la Galerie de Versailles le plan de Namur.

Veut-on encore une preuve de cette alliance de l'ancien et du moderne ? Louis XV, que l'on a vu supporter l'encombrement de sa Galerie par les échafaudages, fait exposer, en 1753, dans la Galerie même l'œuvre de Massé. Le surintendant des Bâtiments, Vandières, demande à l'auteur de présenter au Roi, puis à la Reine et à la famille royale, des recueils de ces estampes. Massé, à qui Louis XV a acheté pour le prix de 50 000 livres ses dessins originaux et, pour la Chalcographie du Louvre, ses cuivres, reçoit une pension de 1 200 livres « en considération de 33 années qu'il a employées à dessiner et graver la grande galerie du château de Versailles et les deux salons qui la terminent ».

Heureuse époque où l'on sait, dans de nombreux cas, sauvegarder le passé, tout en étant assuré de faire aussi bien ! Ce tranquille orgueil apparaît particulièrement dans la création du Salon d'Hercule, par lequel Louis XV achève le Grand Appartement selon les vœux de Louis XIV.

LE SALON D'HERCULE

Prévu et même commencé du vivant du Grand Roi sur l'emplacement de l'ancienne chapelle au premier étage, le « nouveau salon près la chapelle » est poursuivi dans le même désir de marbres et de richesse, sous les directions successives de Robert de Cotte et de Jacques Gabriel.

Dès les années 1724 et 1725, Claude Tarlé reçoit 50 000 livres d'acomptes pour ses « ouvrages de marbrerie ». Antoine Vassé, par des versements qui débutent en 1729, est payé des travaux de « sculpture en marbre et en plâtre », ainsi que des bases et des chapiteaux de bronze ou de plomb doré, qui, tout autour du Salon, rehaussent les pilastres de marbre. Vassé exécute en outre, avec une puissance digne du Grand Siècle, les bronzes qui ornent la cheminée et pour lesquels il reçoit une somme de 9 230 livres. Il est aidé, dans tous ces travaux, d'abord par Jacques Bousseau, qui va passer bientôt après en Espagne au service de Philippe V, puis par Jacques Verberckt, dont le nom se retrouvera souvent par la suite dans les belles décorations de Versailles et qui a dû travailler aux ouvrages de plâtre et de bois des bas-reliefs et des consoles qui forment la corniche et surtout à la sculpture des cadres des deux tableaux destinés à orner les murs du Salon.

Le Salon d'Hercule est percé à l'ouest de trois fenêtres ouvrant sur les jardins et d'une porte sur le Grand Appartement ; il est éclairé de quatre baies à l'est sur la cour de la Chapelle (que les travaux de la nouvelle aile réduiront à trois à la fin du règne). Il comporte deux murs obscurs sur ses deux autres faces : l'un, au nord, est accosté de portes qui ouvrent sur le vestibule de la Chapelle ; son centre, où s'appuie la cheminée, est décoré d'un toile en hauteur, tirée des collections de la Couronne, l'*Eliézer et Rébecca* de Véronèse. L'autre mur, totalement aveugle, est composé pour recevoir l'énorme tableau de Véronèse, le *Repas chez Simon*, que les Vénitiens ont offert à Louis XIV en 1664. Cette œuvre monumentale, jusque-là exposée dans la Galerie d'Apollon au Louvre, est transportée à Versailles en 1730. Elle est installée dans la bordure magnifique préparée pour l'encadrer, dont la dorure est payée 2 359 livres à Desauziers. La toile, qui avait été envoyée à Paris au moment de la Révolution, a été remise en place en 1961 avec un succès dont on ne peut que se féliciter.

Le peintre François Le Moyne reçoit la commande du plafond. Il se met à l'ouvrage au début de l'année 1733, au cours de laquelle les comptes mentionnent les couleurs et les « journées d'ouvriers » ou d'aides, dont on lui rembourse la dépense, ainsi que les planches de sapin nécessaires à « l'échafaut des peintres ». Il a, dès l'année précédente, présenté une maquette, qui a, nous n'en doutons pas, été examinée avec soin par Louis XV et qui, rachetée après la mort du peintre, est encore conservée à Versailles. Le travail est achevé en 1736 et Le Moyne reçoit, outre le remboursement de ses frais et une somme de trente mille livres pour son travail, des gratifications, une pension et le titre, que Louis XV en personne lui annonce, de premier peintre du Roi, ce qui ne l'empêchera pas de se suicider un an plus tard.

Dans une profusion de nuées, d'azur et de figures, Le Moyne a représenté l'*Apothéose d'Hercule*. Sans aucun compartiment de stuc ou de bois, comme Mignard au plafond de la Petite Galerie, il a jeté sans entraves, comme en plein ciel, sa gigantesque composition. Il se souvient des effets de perspective du Grand Escalier voisin ; plus encore qu'avec Le Brun, il a voulu lutter avec l'illustre Vénitien, dont il voyait à ses pieds, sur le mur du Salon, la toile immense, et il y a, au jugement de ses contemporains, parfaitement réussi.

Louis XV, conscient de l'enrichissement qu'il apporte à Versailles, espère que son beau Salon deviendra la Salle de Bal qui fait défaut au château de Louis XIV (si l'on excepte le Salon de Mars, trop exigu, ou la Galerie, trop vaste). Il décide de donner ici, le 26 janvier 1739, un bal à sa Cour. Luynes décrit minutieusement les gradins, la place des fauteuils du Roi et de la Reine (tournant le dos au grand tableau de Véronèse), celle de l'orchestre (sur la cheminée, recouverte d'un gradin), les lustres, les girandoles ; il ne nous laisse pas ignorer non plus le désordre qui résulte d'un trop grand nombre d'invitations ; une heure avant l'ouverture du bal, les gradins étaient pleins, et les dames de la Cour, en grand habit, attendaient dans le Salon de l'Abondance et le Salon de Vénus, sans pouvoir se placer. Le Roi, qui « demandoit à tout moment des nouvelles du salon », dut venir lui-même, nu-tête et déjà revêtu de son habit de velours bleu constellé de diamants, pour rétablir l'ordre, ce qui ne s'exécuta pas sans murmures.

Le Salon d'Hercule sert, en 1754, de cadre exceptionnel au marbre de Bouchardon, l'*Amour se taillant un arc dans la massue d'Hercule*, que Louis XV y fait exposer avant de l'installer dans l'Orangerie de Choisy. Il sera utilisé aussi de façon extraordinaire pour le souper donné, le 5 janvier 1769, à l'occasion du mariage du duc de Chartres (futur Philippe-Égalité).

Lorsqu'il détruit l'Escalier des Ambassadeurs, Louis XV prévoit la construction d'un nouvel escalier, dont le principal débouché doit être le Salon d'Hercule. Durant quelques années les marbres de ce salon unis à ceux du Grand Escalier et du Grand Appartement de Louis XIV ont formé une suite magnifique et complète. Chaque jour, se rendant à la Chapelle, le Roi et sa Cour peuvent admirer le faste et la noblesse de ce Salon, qu'ils traversent pour rejoindre le vestibule de la tribune royale.

Comme pour souligner l'unité que l'on cherche à faire régner ici, deux des sculpteurs qui ont travaillé au Salon d'Hercule, Vassé et Bousseau, sont chargés en même temps des statues de marbre, la *Gloire* et la *Magnanimité*, placées en 1730 dans les niches de ce vestibule, afin de parachever l'œuvre de Louis XIV, tant il est vrai que Louis XV s'estime responsable des travaux de son prédécesseur. Le respect qu'il porte à la tradition, les obligations de son métier royal, le souci qui le tient de la continuité de Versailles, et surtout du Versailles officiel, s'ajoutant à ses convictions intimes, l'amènent tout naturellement à conserver presque intacte la Chapelle du Grand Roi et à sauvegarder, au moins en apparence, la vie religieuse du château.

LA CHAPELLE

Honnêtement, mais mollement fidèle à la foi de ses pères, Louis XV n'a pas de peine à maintenir la dernière œuvre de Louis XIV, qui convient à la piété de son temps et qui offre, avec ses larges tribunes, sa belle lumière, son air grave et mondain tout à la fois, le plus magnifique des cadres aux cérémonies liturgiques et royales. Il achève même sur certains points ou essaie d'améliorer ce grand ouvrage.

La Chapelle retient son attention sur quelques détails d'architecture : réfection du comble de la chapelle de la Vierge, en 1733 ; arbitrage en faveur de Gabriel, en 1765, du différend qui opposait celui-ci à Marigny au sujet du clocheton qu'avait établi Louis XIV au centre de la toiture ; enfin, défoncement et suppression de l'ancienne chapelle de la communion ou chapelle d'axe, pour exécuter le vœu de son fils le Dauphin et y déposer un reliquaire de la Croix, en ajoutant une chapelle saillante, dont se serait à vrai dire passée l'architecture originale. Cette dernière chapelle, bientôt dénommée chapelle du Sacré-Cœur, est payée en partie sur des fonds remis par la Dauphine et en partie par les

Bâtiments ; commencée en 1766, elle ne sera achevée qu'en 1772.

Dans la Chapelle de Louis XIV comme dans le reste du château, Louis XV, soucieux de conserver l'unité générale de l'architecture, donne plus volontiers libre cours à son goût pour la décoration. Il montre une prédilection de tous les instants pour le bronze doré. Louis XIV lui trace ici la voie. Les divers autels du pourtour doivent être ornés de bas-reliefs, dont le Grand Roi n'a fait que commander les plâtres. De 1737 à 1747, quelques-uns des meilleurs sculpteurs de l'époque s'appliquent à donner un caractère définitif à ces ouvrages, dont le programme et les auteurs ont été étudiés, comptes en main, par Léon Deshairs.

La commande à Lyon des plus somptueuses soieries pour les ornements d'autel, l'entretien des verrières par deux descendants de ceux qui exécutèrent celles-ci à l'origine, Huvé, puis Jean Le Vieil, les réparations de l'orgue faites par Cliquot, le renouvellement des tapis de la Savonnerie sur les modèles mêmes créés pour Louis XIV laissent encore apparaître l'esprit conservateur de Louis XV, avec une netteté peut-être plus grande ici qu'en aucune autre partie du château. Continuer ce qu'a voulu Louis XIV, mais faire contribuer les ressources de l'art décoratif contemporain à rehausser l'œuvre antérieure, il est impossible d'être plus modeste et plus fidèle.

Louis XV ne serait pas de son temps ni préoccupé de sa personne au point que l'on sait, s'il n'avait essayé de rendre moins désagréables, l'hiver, les longues stations dans la Chapelle. Il n'est d'ailleurs pas seul en cause ici et répond aussi bien aux demandes de la Reine qu'à celles de ses enfants. Dans cette grande nef de pierre et de verre, au froid humide tombant de la voûte, impossible à chauffer par les moyens habituels, que peut-on faire ? Des niches tout au plus et des alvéoles calfeutrées. Louis XIV y a peut-être songé. Les deux lanternes de bronze et de glaces qu'il a installées dès l'origine peuvent répondre à ce dessein, tout en continuant l'usage des loggias vitrées qui existent dans toute église royale. Le Roi doit bien souvent s'asseoir ou s'agenouiller au centre de la grande tribune du premier étage, c'est-à-dire, pour être franc, en plein courant d'air.

La Reine, qui fait de longues dévotions à la Chapelle, s'est fait établir une niche, dont elle demande l'agrandissement en 1748 ; de même, en face d'elle, au rez-de-chaussée, Mesdames ; presque au même moment, la Dauphine en fait installer une aussi, en glaces prises dans du cuivre et dans des menuiseries sculptées et dorées, pour une dépense qui n'est pas négligeable, 5 000 livres. Comme pour ne pas être en reste, dans cette floraison de luxueuses et nobles cahutes, Mme de Pompadour, au moment de sa crise de piété, alors qu'elle est passée au rang de maîtresse-douairière, veut avoir aussi la sienne, en 1753. Louis XV médite pour lui-même quelque chose d'analogue, mais l'ampleur de la tribune royale et le désir de ne pas défigurer l'architecture l'arrêtent longtemps. En 1766, il se décide. Arnoult, son habile « machiniste », qui a jadis établi l'ascenseur de Mme de Pompadour et qu'il utilise avec succès pour ses théâtres, Arnoult, dont nous allons bientôt retrouver l'activité et l'ingéniosité à l'Opéra, lui propose un dispositif qu'il accepte. La dépense est assez forte, une vingtaine de mille livres, mais correspond à ce que souhaite le Roi : ce doit être une sorte de vaste caisson, que l'on ôte au printemps et qu'une belle décoration transforme en œuvre d'art. Guibert et Brancourt sculptent et dorent la menuiserie ; l'un des Vernet exécute même un plafond peint ; un salon « Louis XV », peut-être plus qu'un oratoire, est ainsi provisoirement disposé dans la Chapelle de Louis XIV, pour le confort et l'agrément de son frileux successeur.

LES JARDINS

L'attention de Louis XV à ne pas troubler l'œuvre de son arrière-grand-père apparaît également soutenue dans les jardins. On a rappelé l'entretien du parc, des treillages, des bassins. C'est une lutte de tous les instants, immense et toujours insuffisante.

Le parc vieillit. Louis XV pourra satisfaire à Trianon, comme son bisaïeul, ses goûts pour les fleurs et les cultures rares. Mais à Versailles, il se retranche, comme un gentilhomme campagnard, sur l'exploitation stricte de son domaine. Les grandes mesures de rénovation seront prises par son petit-fils tout au début de son règne. Il doit, lui, se pencher au jour le jour sur maints petits problèmes, la réfection des treillages et palis autour des bosquets ou la replantation de certaines allées, qui apportent, en contrepartie, des recettes non négligeables, ainsi en 1756, où la vente de près de deux milles arbres permet d'inscrire en recette dans les comptes des Bâtiments la somme de 47 000 livres.

Louis XV doit se résoudre à certaines amputations et donne l'ordre de supprimer le Théâtre d'eau, d'un entretien ruineux, pour n'en conserver que les allées. Au début de son règne, de petites dépenses ont lieu dans les bosquets de l'Arc de Triomphe, des Trois-Fontaines et des Dômes, au Labyrinthe et aux Bains d'Apollon. Les bassins des Saisons sont restaurés entre 1733 et 1743. La Pièce des Suisses, qui perd l'eau en plusieurs endroits, est l'objet de dépenses en 1762. Des travaux plus sérieux, qui n'atteindront cependant pas l'ampleur de ce qu'on verra sous Louis XVI, commencent à partir de 1765 au parterre d'eau, à Latone et à la Pyramide.

Ayant fait bâtir pour son fils en 1736 dans l'ancienne Sablonnière ou petit *bosquet du Dauphin,* auprès de Latone et des Bains d'Apollon, un charmant pavillon qu'accompagnent des volières, le Roi doit se résoudre à faire démolir celui-ci dix ans plus tard par mesure d'économie.

L'objectif principal de Louis XV paraît être l'entretien décent, sans luxe inutile, des jardins de Louis XIV. Le parterre du Nord est, selon Blondel, formé « de gazon avec plates-bandes de fleurs » et le parterre du Midi « en compartimens de broderie et de gazon », mais, au moment même où le savant architecte publie son livre, Marie Leczinska, qui voit ce parterre de ses fenêtres, demande « des fleurs dans les parterres au-dessus de l'Orangerie au lieu des bandes de gazon qui y sont ».

Les jardins de Versailles imposent au Trésor royal une lourde charge, dont quelques chiffres, empruntés aux comptes de 1725, montreront l'importance. Le paiement des jardiniers et l'entretien des allées revient à 18 000 livres par an, sans compter quelque 6 000 livres de sable de rivière. On paie à

part l'entretien et le nettoiement des marbres d'architecture
(dont une bonne partie peut concerner le château même) :
2 500 livres ; — l'entretien et le nettoiement des figures et
ouvrages de sculpture de marbre des jardins : 1 700 livres ;
— l'entretien des couleurs de bronze sur les sculptures de
plomb et d'étain des fontaines : 1 200 livres, dont le peintre
Bailly demandera en 1751 l'augmentation, spécialement à
cause du bronzage du bassin de Neptune. On paie, en outre,
un inspecteur des jardins et des bosquets et un inspecteur
du parc, aux appointements annuels respectifs de 900 et de
1 500 livres, et un taupier : 900 livres, — sans compter
Gabriel, comme contrôleur général des Bâtiments, avec 6 000
livres de pension. A cela s'ajoutent les jardins de Trianon,
de la Ménagerie, de l'hôtel du grand maître, du Chenil, de
la Chancellerie, des potagers, bien d'autres encore.

Les eaux occupent un personnel presque aussi important
que sous Louis XIV : un maître fontainier, à 3 000 livres par
an, trois compagnons fontainiers, huit garçons fontainiers,
un fondeur, chargés d'entretenir et de graisser les robinets
des fontaines, auxquels il faut ajouter les trois fontainiers
attachés à Trianon. Le Canal retient encore vingt-deux
personnes, dont les gages forment un total annuel de 16 000
livres.

Sept personnes sont, pour 10 000 livres, affectées à la
surveillance et à l'entretien des rigoles du petit-parc et du
grand-parc. Quant à la « machine de la rivière de Seyne »,
qui sert de temps à autre à alimenter les réservoirs de
Versailles, elle continue de coûter très cher : dix-huit personnes lui sont attachées, qui sont payées 13 000 livres, et un
matériel énorme est nécessaire à son entretien ; les ouvriers
blessés au service de ce monstre ne se comptent plus ; comme
s'il s'agissait de nourrir un être humain, un épicier vend de
l'huile et de l'eau-de-vie pour la machine, outre le goudron,
le suif et la chandelle qu'elle absorbe.

Les dépenses faites aux aqueducs et aux réservoirs sont
considérables d'un bout à l'autre du règne. Louis XV
s'attache, il est vrai, surtout à l'approvisionnement de la ville
en « eaux bonnes à boire » ou à des travaux d'assainissement.
Il connaît cependant les difficultés auxquelles s'est heurté
Louis XIV : l'alimentation des fontaines du parc.

Il fait établir, en 1732, sur la Pièce des Suisses le modèle d'une nouvelle machine hydraulique, dont les essais ne paraissent pas avoir donné de bons résultats. Il doit, comme Louis XIV, compter avec *son* eau. C'est toujours un spectacle exceptionnel que le jeu des eaux, donné pour les grandes fêtes, pour la première visite d'un ambassadeur étranger, ou lorsque les députés des États provinciaux viennent présenter leurs cahiers.

La vie publique du Roi demeure semblable à celle de son prédécesseur et Louis XV continue de se montrer, comme lui, dans son parc. Le maintien de Versailles fait partie des traditions royales. « Lundi dernier, le Roi alla à six heures se promener ici dans les jardins ; il y avoit longtemps qu'il ne s'y étoit promené ; il fut presque dans tous les bosquets, où l'on fit jouer les eaux. » Cette phrase pourrait avoir été écrite par Dangeau et concerner le Roi-Soleil ; elle est de Luynes et de l'année 1743.

Des carrioles de damas cramoisi galonné d'or, que poussent des Suisses, servent, comme au temps de Louis XIV, à promener les dames ; on y voit alors les sœurs de Nesle au lieu de Mme de Maintenon. A ceci près, rien ne change. Lorsque Louis XV prépare le grand enrichissement apporté par son règne aux jardins de Louis XIV, avec l'achèvement du bassin de Neptune, il ne fait encore que suivre fidèlement un programme tracé par le Grand Roi.

LE BASSIN DE NEPTUNE

Louis XV réussit ici une œuvre conforme à l'échelle de Versailles et digne du Grand Siècle qui ne put la réaliser. On a vu Louis XIV préparer l'énorme pièce d'eau et Le Brun fournir quelques dessins pour l'ornement. L'ensemble colossal et sobre, en parfait accord avec le reste des jardins, que l'on admire aujourd'hui, est, dans sa majeure partie, l'œuvre de Louis XV, de ses architectes, de ses sculpteurs.

En 1733, l'entrepreneur de maçonnerie Legoux commence à retravailler les parois du bassin, selon le tracé désormais fixé. La sculpture en pierre de ces parois, notamment le décor de « glaçons » qui ornent celles-ci, la réparation des vases et des coquilles qui ont été déjà placés au pourtour ou au bord du bassin occupent les deux ou trois années suivantes.

Puis, commence le travail des trois sculpteurs, dont le nom reste attaché à ce gigantesque ouvrage : Lambert-Sigisbert Adam, Jean-Baptiste Lemoine, Edme Bouchardon. Le premier, qui fut aidé de ses frères, est l'auteur du groupe central, le *Triomphe de Neptune,* pour lequel il sera payé 30 000 livres ; le second, qui vient tout juste d'atteindre la trentaine, exécute le groupe de l'*Océan* et reçoit 13 500 livres ; le troisième est chargé non seulement du groupe symétrique au précédent, *Protée,* mais aussi des deux admirables groupes latéraux, les *Amours aux dragons.*

Les années 1736 et 1737 sont consacrées à l'établissement des modèles en plâtre. Un atelier, ou plus exactement une fonderie, est mis en place tout auprès du bassin pour la fonte en plomb sur place des énormes groupes, dont les sculpteurs surveillent, de 1738 à 1741, la parfaite exécution ; durant ces années, comme pour mieux nous conserver le souvenir pittoresque de cette installation en plein cœur de Versailles, les comptes des Bâtiments inscrivent les diverses dépenses relatives à ce travail, depuis le bois nécessaire aux fourneaux jusqu'à l'enlèvement des résidus et des gravois.

Le 14 août 1741, Louis XV vient en calèche admirer l'ouvrage achevé et les eaux jouent pour la première fois au milieu des grands plombs, que le peintre Bailly sera chargé, l'année suivante, de mettre en « couleur de bronze ». Versailles continue de vivre, la création artistique d'y être en honneur, le Roi d'être à la tête de son temps. Dans les jardins et dans l'existence quotidienne du domaine, les traditions du Grand Siècle se poursuivent de bien des manières ; on les retrouve particulièrement dans la chasse, plus superbe encore au XVIIIe siècle qu'au XVIIe.

LA CHASSE

La chasse demeure le principal plaisir du Roi et comme la raison d'être permanente du château au milieu de ses bois.

Certains se plaignent que Louis XV y consacre trop de temps, y déploie trop d'ardeur, et ne sont pas loin de penser qu'il n'est bon qu'à cela. Comme Louis XIV cependant, il fait alterner dans sa journée conseils de gouvernement et parties de chasse, mais il met à celles-ci infiniment plus d'acharnement que ne faisait même le Grand Roi. Il ressemblerait plutôt sur ce point à son grand-père, Monseigneur ; s'il pouvait chasser tous les jours, il le ferait ; est-il plusieurs jours sans chasser, il devient triste. Son entourage ne s'y trompe pas ; la chasse est un moyen de faire sa cour au Roi, plus encore que sous Louis XIV ; d'autant mieux que le Roi s'est pris d'habitude de souper après la chasse dans ses Cabinets avec sa maîtresse ·en titre et de nommer comme convives quelques-uns des chasseurs qu'il a remarqués l'après-midi ; le duc de Croÿ, dans son *Journal*, ne cache pas l'intérêt qu'il tire des chasses et des petits-soupers du Roi pour mener à bien ses affaires personnelles.

Héritage de Louis XIV, héritage ancestral des Bourbons, la chasse devient pour Louis XV un besoin physique irrésistible. Les gelées qui, lorsqu'elles se prolongent, l'empêchent de chasser le rendent impatient. Le Roi n'aime guère le manège couvert de la Grande Écurie ; il y va cependant pour monter ses chevaux et « faire de l'exercice ». Il préfère le plein air et son parc ; ainsi fait-il démolir l'ancien Mail de Louis XIV, au-delà du bosquet de l'Ile-royale, pour y établir une sorte de manège sablé et fermé de barrières, où, quand il fait très froid et jusqu'en ses vieux jours, il peut à son aise monter à cheval. Lorsque son fils est malade, en 1752, et qu'il a dû revenir de Compiègne, l'inquiétude le tenaille, mais aussi l'absence de son sport préféré : le 9 août, il ne tient plus et se promène deux heures à cheval « uniquement pour faire de l'exercice » ; le 11 enfin, le Dauphin se trouvant mieux, il retourne à la chasse « pour la première fois ». Sa correspondance avec son petit-fils, le duc de Parme, est significative ; en homme qui vit à la campagne, il emplit ses lettres de réflexions sur le temps, l'état de la terre, l'espoir des récoltes ; il ne manque pas de signaler non plus s'il est allé ou non à la chasse et formule dans l'une d'elles ce conseil : « L'exercice et l'air sont deux choses absolument nécessaires pour se bien porter. »

Tout ce qu'a établi Louis XIV sur ce point et qui forme la magnifique ossature du domaine, est développé par Louis XV. Dès le retour à Versailles du jeune roi, en 1723, son entourage lui fait établir de nouvelles routes, qui coûtent plus de 34 000 livres, dans les bois entourant Versailles, La Celle, Rueil, Jouy, Porchefontaine, Fausses-Reposes, Verrières. La chasse constitue la plus forte et la plus durable passion de Louis XV, qu'à son tour il transmettra à son petit-fils.

Louis XV n'aime pas la chasse au faucon, qu'il ne pratique guère qu'une fois par an, comme continuateur d'une tradition ; le « vol du cabinet », qui accompagne le Roi dans les cortèges solennels, comme au Te Deum de Paris en 1752, est entretenu cependant par les envois annuels de faucons et de gerfauts de l'Ordre de Malte ou du roi de Danemark. *Sa* chasse est celle du cerf ou du daim, sans négliger la chasse à tir, en plaine ou dans son petit-parc, qui lui vaut certains tableaux que mentionnent les *Mémoires* de Luynes : le 2 septembre 1738, il abat environ 280 pièces ; un jour d'août 1741, en moins de deux heures, entre la grille qui mène à Marly et les arrières de Trianon, il tire 153 coups et tue 105 pièces.

Là où Louis XIV se contentait de prendre un cerf par chasse, Louis XV en veut deux, parfois trois. Là où Louis XIV acceptait de manquer une chasse pour laisser reposer les équipages, Louis XV exige une régularité tyrannique. Les chevaux doivent être meilleurs et les chiens plus rapides. Augmentation du nombre des meutes de une à deux, puis à trois, dépenses supplémentaires s'inscrivent. On peut suivre, en l'espace de quelques années, par les seules fournitures de meubles, le développement de cette passion royale : installation de l'équipage du sanglier, en 1733, avec un commandant, quatre piqueurs, trois valets de limiers, dix valets de chiens, huit palefreniers, un cocher du chariot, un postillon du surtout et un maréchal ; augmentation du petit équipage du lièvre, en 1734 ; établissement du nouveau chenil, en 1737, avec un piqueur, un valet de limiers, un boulanger, la femme qui a soin des jeunes chiens, deux valets de chiens, la servante du piqueur ; augmentation du personnel de ce chenil, au cours des années 1738 et 1740, avec de nouveaux piqueurs et valets de chiens, un piqueur cavalcadour, vingt-huit palefreniers. L'art n'est pas absent de ces plaisirs du Roi : c'est Gabriel qui bâtit le chenil-neuf ; ce sont Desportes et Oudry qui font les portraits des chiens. Le budget de la vénerie passe de 555 000 livres en 1730 à 660 000 en 1743, et le comte de Toulouse, que Louis XIV a nommé grand veneur en 1714, est l'un des meilleurs amis du Roi.

Louis XV, prenant de l'âge, fait en outre élever par Gabriel, pour « la commodité » de ses chasses, d'élégants pavillons ou repos de chasse, qui se multiplient à partir de 1750 et dont les plus connus sont : les Hubis, près de Vaucresson (1750), plus tard pavillon du Butard (1753) ; Saint-Hubert, sur les étangs de Pouras (1755), qui se transformera très vite en un magnifique château, aujourd'hui totalement détruit ; Fausses-Reposes (1756) ; La Muette, en forêt de Saint-Germain (1764).

LES COURSES DE TRAÎNEAUX

On doit rattacher à ce besoin d'exercices violents le goût des courses de traîneaux, qui, certains jours de grand hiver, donnent une magnificence particulière aux allées du parc, au tapis-vert, au Canal. Ici encore, Louis XV, par son sens de l'art décoratif et son amour des beaux chevaux, des harnais brillants, des jolies menuiseries vernies par Martin, reprend avec une splendeur nouvelle les parties que Versailles a déjà connues à la fin du règne de Louis XIV.

Vision éphémère, à laquelle on se prend à songer dans les allées enneigées et désertes du parc actuel ou devant les traîneaux abandonnés du petit Musée des Voitures de Trianon, ce fut aussi pour les contemporains un spectacle de rêve. Les mémorialistes de la Cour, Luynes, Croÿ et même le parisien Barbier notent ces extraordinaires féeries, dignes, en leur genre, de bien des fêtes du Versailles de Louis XIV. Au mois de janvier 1729 et au mois de janvier 1739, durant le terrible hiver qui dura de novembre 1739 à mars 1740, au mois de mars 1751, ces courses brillantes émerveillent la Cour. Marie-Antoinette prendra la relève, et Louis XV écrit, au mois de

janvier 1774, à Ferdinand de Parme : « Mme la Dauphine a
été une fois seulement en traîneaux ; vendredi, la neige
fondit à son grand regret. »

LA COUR

L'attitude de Louis XV à l'égard de son entourage est un
constant mélange de traditions et de laisser-faire, de faste et
de simplicité. Moins exigeant et plus timide que Louis XIV,
plus hautain peut-être, mais moins solennel, il sait faire voir
qu'il est le maître. Les lits de justice qu'il tient à Versailles
le montrent décidé à se faire obéir, malgré des obstacles
inexistants jusque-là. Lorsque, au début de son règne, il
commande pour son grand-couvert une vaisselle d'or, dont
l'exécution se poursuit de 1727 à 1769, il accomplit un geste
de continuité politique : « Le Roi veut estre servy en tout
comme son bisayeul », écrit l'orfèvre Germain au moment
des premières commandes.

S'appliquant à observer dans sa vie de représentation tout
ce qui est d'étiquette, il y tient la main autour de lui. « Otez
donc votre carreau », lance-t-il sans aménité en pleine
Chapelle au duc d'Harcourt, qui avait commis la négligence
de laisser l'un des coins de son carreau s'appuyer contre le
fauteuil royal.

Il surveille, comme le Grand Roi, sa propre Cour, et ne
s'intéresse pas qu'à la chronique scandaleuse ; des expressions
identiques se retrouvent dans la bouche des deux souverains :
« Mandez-lui aussi qu'il se tient bien des propos dont je suis
instruit et que l'on augmente », fait-il dire au duc de La
Rochefoucauld en l'exilant sur ses terres de La Roche-Guyon
et de Liancourt.

Il accentue peut-être même l'esprit de servilité qui règne
à Versailles. Ses petits-soupers causent bien des ravages de
bassesse. Des affres de collégien saisissent un prince de Croÿ
lorsque Louis XV, sortant de son Cabinet, arrête son regard
sur ceux qui attendent, avant que l'huissier vienne lire, sur
la liste dressée par le Roi, les noms de ceux qui sont admis.

La politique « visuelle », que nous avons observée sous le

règne précédent, continue d'exister. « Apparemment qu'un tel me boude, puisque *je ne le vois point*. » Cette phrase est de Louis XV ; elle pourrait être de Louis XIV. Même attitude de la part du Roi ; même intérêt aussi du côté du courtisan.

« Toute la famille réunie rôdait sans cesse autour de l'appartement, dans une *agitation intéressante*... Je songeai d'abord à *examiner les physionomies*. » Celui qui se repaît ici du spectacle royal, n'est plus le duc de Saint-Simon, mais le duc de Croÿ au moment de la mort de Louis XV. Versailles marque bien son monde.

La Cour, « ... une grande comédie », observe, en 1750, le même Croÿ. On pourrait ajouter que cette comédie date de Louis XIV, tant les personnages et les règles demeurent identiques.

Choisissons deux exemples de potins de Cour, l'un au début, l'autre à la fin du règne. Ne sachant rien, et le Roi étant aussi secret au XVIIIe siècle qu'au XVIIe, le courtisan invente. En 1727, lorsque le duc de Bourbon revient pour la première fois à Versailles de son exil de Chantilly, « il n'y avoit que lui et le cardinal avec le Roi, en sorte qu'on ne peut savoir que par eux ce qui s'est dit dans le cabinet, quelque curiosité qu'ait eue toute la Cour à cet événement. On dit que... ». Après la mort de Louis XV, lorsqu'on procède à l'inventaire des objets personnels qui doivent être, selon son testament, distribués à ses enfants et petit-enfants, « on prétendait, dans les pièces à côté, qu'on était obligé de faire étayer le cabinet pour soutenir tout l'or que nous entassions dans les coffres ».

Le courtisan n'évolue pas d'un règne à l'autre. Les prétentions sur les « droits », les disputes de préséance demeurent inchangées ; Louis XV, qui se défend pied à pied contre les empiètements et les privilèges que chacun s'ingénie à obtenir pour soi-même, sait avec quelle prudence il faut agir sur des points aussi délicats et qui paraissent à sa Cour d'une importance capitale. Le duc de Luynes, qui est petit-fils de Dangeau et qui possède le manuscrit du *Journal*, est plus minutieux encore que son grand-père ; moins véhément que Saint-Simon, qu'il a connu et consulté, il montre autant d'attention que lui pour observer et consigner dans ses

Mémoires les multiples détails dont est faite la vie de Versailles. Il note les innovations au milieu du maintien général des traditions. Il constate, après Saint-Simon, que ni les ducs, ni les princes de la maison de Lorraine n'accompagnent le Roi aux cérémonies de la Cène et de l'Adoration de la Croix depuis qu'une question de préséance les a opposés au temps de Louis XIV. Il observe comment la Reine reçoit le jeune duc de Chartres, sans faire entrer le gouverneur du prince, M. de Balleroy ; il ajoute, à l'instar de Saint-Simon, cette remarque : « Ce n'est que depuis quelques années que les princes du sang ont cru que c'étoit une espèce de droit pour eux d'avoir les entrées ; autrefois ils n'en avoient aucune. » Il note que, chez le Dauphin, les portes sont ouvertes à deux battants pour le duc d'Orléans, « ce que l'on croit lui avoir été accordé par le feu Roi ». Louis XV attache tant d'importance à ce dernier point qu'il précise, dans un règlement écrit, que les princesses du sang continueront à n'avoir droit qu'à un seul battant ; elles désiraient pourtant bien que, « lorsqu'elles arrivent chez le Dauphin, l'huissier ouvrît les deux battants. »

La Chapelle n'est pas exempte de ces discussions. Les embarras que font les dames pour quêter, les prétentions hiérarchiques que mettent les aumôniers dans la présentation du pain bénit, soulèvent plus d'une difficulté autour de la messe du Roi, le dimanche.

On s'amuse à Paris de ces puérilités. Voyez ce qu'écrit Barbier à propos d'une dispute qui s'est élevée entre les dames de la Reine, probablement à l'occasion de la cérémonie de la Cène, le jeudi-saint. « Il y a eu une grande affaire en Cour entre les duchesses et les femmes de qualité... Madame la duchesse de Gontaut-Biron, qui est une très jolie femme, voulut passer avec affectation devant Madame de Rupelmonde, qui est fille du maréchal d'Allègre. Madame de Rupelmonde l'arrêta par le bras. La dispute alla si loin qu'elles se traitèrent de p... et s'envoyèrent faire f... en propres termes... Le fait est avéré, et l'on convient qu'elles entendent parfaitement ce que cela veut dire. »

Habitudes, rivalités, crainte d'innover s'imposent à la vie de Versailles. Barbier lui-même écrit, avec un soupçon de reproche, à propos d'un départ de Louis XV pour Compiègne, un vendredi de juin 1728 : « Louis XIV ne partoit jamais ce jour-là. » Le carcan, dont est entourée la Cour, est maintenu par tous plus serré lorsqu'il s'agit de privilèges. Le Roi n'essaie pas de s'en dégager : « Je n'aime pas à défaire ce que mes pères ont fait », écrit-il à ce propos à celle qu'on a appelée la grande-écuyère, Mme de Brionne, en 1770. Ayant à décider au même moment de la composition de la Maison du comte de Provence, Louis XV se fait présenter l'état des charges établies par Louis XIV pour la Maison du duc de Berry en 1711.

La famille royale, — et on s'en apercevra bien à Paris dans les premiers temps de la Révolution, — est prisonnière à Versailles de sa propre Cour. Louis XV laisse, comme Louis XIV, apparaître plus d'une fois son impuissance. Le duc de Gesvres ayant réussi, comme premier gentilhomme, à obtenir du Roi une concession que celui-ci ne voulait pas faire, proclame aussitôt sa victoire : « L'ordre le plus embarrassant et le plus considérable à donner n'aurait pas autant embarrassé le Roi que celui-ci. » Et Louis XV est obligé, pour limiter sa défaite, de prescrire au duc à trois reprises, — et d'abord « si bas que M. de Gesvres ne l'avoit pas entendu » : — « Je vous ai déjà dit d'écrire sur votre livre que c'étoit sans tirer à conséquence. »

La même expression revient sous la plume de Louis XV, lorsque, pour apaiser un nouveau différend qui s'est élevé entre la maison de Lorraine et les ducs à propos du bal paré du mariage du Dauphin, son petit-fils, il fait adresser à sa noblesse, qui avait menacé de bouder les fêtes et de ne pas se rendre dans la nouvelle salle de l'Opéra, une lettre dont le ton, presque de soumission, étonne : « ... La danse au bal étant la seule chose qui ne puisse *tirer à conséquence*, puisque le choix des danseurs et danseuses ne dépend que de ma volonté, sans distinction de places, rangs ou dignités,... et ne voulant d'ailleurs, *rien changer ni innover à ce qui se pratique à ma Cour...* »

Curieux Versailles, où un monarque, que l'on dit absolu et qui passe pour hautain, parvient à grand-peine à tenir une noblesse que son prédécesseur a si étrangement domestiquée et que lui-même continue de payer, où les valets de chambre et les aumôniers se disputent jusque dans la Chambre de Louis XIV, où les choses sont belles et les gens souvent fort bas, où le Roi lui-même s'engage par écrit à ne rien changer ! Roi bien humain aussi, que ce possesseur du plus beau château du monde, que l'on verra contraint de se réfugier toujours plus loin dans l'intérieur de ses appartements pour échapper à ses courtisans, que l'on a aperçu grelottant de froid pendant de nombreuses années dans sa chambre d'apparat pour maintenir la tradition ou allumant lui-même son feu pour ne pas réveiller ses gens, esclave de sa domesticité dorée, au point d'être obligé, en 1737, par exemple, traversant à l'improviste Versailles de demander à souper à la gouvernante de ses filles, « attendu qu'il n'y a pas un officier à Versailles », ou contraint, lorsqu'il vient de recevoir le coup de couteau de Damiens, en 1757, de coucher « sur ses matelas, sans draps » dans sa magnifique Chambre, car il partait pour Trianon et « il n'y avoit ni linge pour lui, ni draps dans son lit, ni valet de chambre ».

On ne peut pas comprendre le Versailles royal, si l'on ne fait pas la part, même dans ce qu'il a de plus officiel, du pittoresque et du désordre qui y règnent, des hommes qui l'habitent, qui entourent le Roi, qui l'étouffent, et qui composent, avec leurs intérêts sordides, leurs rivalités de vanité et leurs habits resplendissants, ce qu'on appelle la Cour.

LOGEMENT DE LA COUR

Loger cette Cour, qui le tyrannise, qu'il aime et qui forme le décor quotidien de la vie du château, constitue pour Louis XV un problème encore plus ardu qu'au temps du Grand Roi et compliqué des nombreux enfants que met au monde Marie Leczinska. Comme pour se préparer aux décisions qu'il va bientôt devoir prendre et voir clair dans le dédale de son château, Louis XV fait établir par ses Bâtiments des relevés exacts : en 1732, les comptes mentionnent les dessinateurs qui aident l'arpenteur Dubois à « mettre au net les plans du château de Versailles et dépendances ».

Le travail est sans cesse à refaire. Il faut aussi loger les maîtresses, puis les déloger lorsque leur faveur diminue. Les courtisans assaillent le Roi de leurs demandes. Un changement en entraîne dix autres, et la Cour s'en préoccupe avidement. On pourrait, rien qu'avec les indications des attributions d'appartements mentionnées par Luynes, reconstituer l'histoire de chaque pièce du château, discerner les variations de crédit de tel ou tel de ses habitants. Recevoir un logement est le rêve de tout courtisan de Versailles. « Je sentis bien, écrit le prince de Croÿ, la différence et la nécessité d'y être logé pour tout, et surtout pour, dans bien des moments vides, qui se trouvent, pouvoir venir se reposer, travailler et réfléchir. »

Louis XV sait, comme Louis XIV, la terrible condamnation qu'il prononce contre un courtisan, lorsqu'il dit : « Cet homme n'aura jamais de logement tant que je vivrai. » Il se penche, avec la même attention que son arrière-grand-père, sur les plans du château. Durant la campagne des Pays-Bas de 1747, on le voit, à deux reprises au moins, donner là-dessus ses ordres aux Bâtiments. « Au camp de Malines, ce 18 may 1747. Je vous renvoye votre mémoire apostillé pour les plans qui y etoient joint » ; ou encore, de Bruxelles, du 4 juin de la même année : « Je vous renvoierés votre plan au premier jour avec mes arrangemens. »

CALENDRIER DE LA COUR

Loger sa Cour ne lui suffit pas ; il sait qu'il doit aussi l'occuper et l'amuser. Il donne quelques fêtes publiques, dont l'éclat ne le cède guère à ce qu'on a vu sous Louis XIV. Il s'astreint surtout à maintenir pour l'essentiel un rythme de vie qui découle du déroulement de l'année religieuse et des saisons aussi bien que d'habitudes ancestrales.

Le premier janvier demeure l'un des grands jours de Versailles. La procession de l'Ordre du Saint-Esprit, le matin, et, malgré bien des intermittences, le dîner ou le souper au grand-couvert maintiennent à peu près les fastes d'autrefois. C'est aussi le jour des étrennes. Louis XV, qui fait à sa maîtresse, ce jour-là, un cadeau qui ne demeure généralement pas inaperçu de la Cour, n'oublie pas la Reine et, alors même qu'il lui est depuis longtemps infidèle, il offre à la pauvre Marie, qui le lui rend de son mieux, de somptueux présents. Il descend chez ses enfants et ne néglige pas ses serviteurs. Il reçoit des mains du garde de son Trésor royal une bourse de cent jetons d'or et deux bourses d'argent.

Louis XV a pris l'habitude, qui paraît nouvelle, de se faire remettre par Hérissant, imprimeur du Cabinet du Roi, une boîte pleine de *calendriers de la Cour*, qu'il distribue autour de lui, comme pour bien marquer à ses intimes le déroulement de l'année qui s'ouvre. Les bibliophiles qui possèdent aujourd'hui l'un de ces charmants petits livres croient parfois conserver un volume de la bibliothèque du Roi ; c'est un cadeau d'étrennes, dont la reliure, aux armes ou au chiffre de Louis XV, est plus ou moins riche selon le rang du destinataire ; la plus belle, toute mosaïquée, doublée de maroquin et de moire d'argent, qu'il conserve pour lui-même, est aussi somptueuse que les broderies de son costume.

La tradition du souper des Rois, le 5 janvier, se maintient, mais, comme beaucoup d'autres, n'a plus l'éclat qu'on lui a connu au temps de Louis XIV.

Les cérémonies religieuses qui marquent la Chandeleur, la procession des palmes au dimanche des Rameaux, la Cène et l'Adoration du Saint-Sacrement le jeudi-saint, et, le lende-main, l'Adoration de la Croix, Pâques, demeurent inchan-gées. Le chapitre de l'Ordre du Saint-Esprit, le jour de la Pentecôte, la grande procession de la Fête-Dieu, avec ses tapisseries tendues et ses reposoirs décorés des plus belles fleurs des pépinières du Roule, la procession du Vœu-de-Louis XIII, le 15 août, pour laquelle Louis XV fait exécuter en 1757 une Vierge à l'Enfant tout en argent, la Saint-Louis, le 25 août, où les hautbois de la Chambre jouent à son Lever, où les tambours des Gardes-françaises et suisses battent à son dîner et à son retour de la messe, et où les vingt-quatre violons jouent au grand-couvert, enfin, après le voyage de Fontainebleau, les cérémonies de la Toussaint et du jour des Morts, la messe de minuit, forment les jalons de la vie de la Cour, marqués par le calendrier religieux.

UNE SOCIÉTÉ RELIGIEUSE

Avec sa grande Chapelle, voulue par Louis XIV, à laquelle Louis XV se rend chaque jour, accompagné de sa Cour, Versailles demeure le centre d'une société religieuse, même au temps du Bien-Aimé.

Pierre de Nolhac a finement analysé le drame qui, chaque année, agite la conscience du souverain au moment de Pâques. Le Roi Très-Chrétien n'est pas en état de grâce. « Il y a du temps que cela ne m'est arrivé », avoue-t-il, en 1769, à son petit-fils Parme. On avait connu cela au temps de Mme de Montespan, et les « maladies de politique du confesseur », et l'absolution refusée. Mais le scandale, cette fois, dure très longtemps.

La cérémonie des écrouelles, qui renouvelle, à chaque fête solennelle où le Roi a communié, des traditions d'un autre âge, est, à partir de Noël 1738, d'abord renvoyée sous des prétextes divers, puis complètement rayée du calendrier de Versailles, quel qu'en soit le scandale et le murmure de la foule. Louis XV ne triche pas. Il ne rencontre pas en vieillissant sa Maintenon. Son retour à Dieu n'aura lieu qu'à son lit de mort. Et cependant la Chapelle, tout au long de son règne, continue d'être l'un des hauts lieux de la vie de la Cour.

La Chapelle, où Louis XV, le 15 août 1722, a fait sa première communion des mains du cardinal de Rohan, est celle aussi où l'on baptise en présence de la Cour tous les princes de sa famille, et notamment, en 1737, le Dauphin et les trois Mesdames aînées. Le Roi et sa Cour s'y sont retrouvés pour la cérémonie de remise de la rose d'or que le Pape envoie à Marie Leczinska en 1736, pour un *Te Deum*, où la musique de la Chambre du Roi fait merveille.

Tous se rassemblent encore à la Chapelle pour la triste cérémonie du viatique. Cierge à la main, la famille royale, Louis XV en tête, escorté de ses grands officiers, s'en va chercher le Saint-Sacrement et le reconduit, la cérémonie terminée. Madame Henriette en 1752, la Dauphine en 1767, la Reine en 1768 sont l'objet de ce cérémonial, qui amène bien des réflexions dans le cœur du Roi.

La Chapelle est peut-être trop liée à la vie quotidienne du Roi, les « spectacles » qu'elle fournit sont trop fastueux et la musique trop pompeuse pour émouvoir fortement Louis XV. Certes, celui-ci ébauche parfois un mouvement de retour en arrière, qui inquiète ceux de son entourage intéressés à son état, surtout en 1741, après la mort de Mme de Vintimille, et en 1751, au moment du Jubilé, qui rappelle au Roi les jubilés de sa jeunesse, dont il faisait à pied les stations dans la ville, « tout au milieu des crottes ».

Louis XV bâtisseur d'églises ! Il faut pourtant convenir que, sans même citer ici Sainte-Geneviève de Paris ou l'église qu'il fait élever auprès de son château de Choisy, ses constructions à Versailles ne sont pas négligeables. En 1724, il a doté la ville d'une église nouvelle, au Parc-aux-Cerfs, avec un bâtiment « pour loger les Pères de la Mission » ; il est alors bien jeune, et rendra plus tard célèbre le Parc-aux-Cerfs d'une tout autre manière. En 1743, il commence le grand ouvrage qui se dresse encore à Versailles, non loin de l'Orangerie : la nouvelle cathédrale. Louis XV pose lui-même la première pierre de cette église. On a compulsé les *Mémoires* de Dangeau, pour être certain de ne pas aller à l'encontre de la tradition, et l'on a étudié ce que Louis XIV avait ordonné pour la pose de la première pierre de l'église Notre-Dame ou de l'église des Récollets en 1684. Mais Louis XV se reconnaît, avec son raffinement d'homme du XVIIIᵉ siècle, dans les livraisons qui sont faites à son intention d'une auge de palissandre, d'un marteau et d'une truelle d'argent. La première messe sera dite en 1754, pour la Saint-Louis, sous le vocable de qui la cathédrale est placée.

Religieuse peut-être bien souvent par habitudes héréditaires, cette société est pleine de contrastes. Aime-t-on la tradition ? Luynes remarque, en 1737, que, pour la fête des Rois, Louis XV est resté en haut, non en bas, quoique ce soit une grande fête. « Il a suivi en tout cela ce qui étoit pratiqué par le feu Roi. » Préfère-t-on une image de la galanterie du siècle ? Le même Luynes note à deux reprises au moins, au mois de mai 1740, comment le Roi, sortant du sermon, qu'il a entendu dans le bas de la Chapelle, remonte, au lieu du grand escalier de marbre, l'un des petits escaliers en vis qui avoisinent sa tribune, pour venir retrouver Mme de Mailly, qui sort des tribunes du premier étage. Veut-on mentionner un exemple du sans-gêne pittoresque qui se retrouve à tout instant à Versailles ? Le 10 mai 1767, alors que le Roi sort du salut, un inconnu grimpe dans la chaire de la chapelle et se met à gesticuler, comme pour faire un discours.

Si l'on peut douter, ainsi déjà qu'à l'époque de Louis XIV, de la sincérité des sentiments de bien des courtisans, si l'attitude du Roi paraît hésitante, il est des caractères forts. La mort dans la pénitence de Mme de Mailly, en 1751, fait songer à celle de Mme de Montespan, et le règne du Bien-Aimé n'est pas achevé que l'une des filles du Roi, Madame Louise, pour expier peut-être les scandales de son père, entre au Carmel de Saint-Denis. Le Grand Siècle est encore présent en de telles âmes.

UNE SOCIÉTÉ MILITAIRE

Il est une autre grandeur traditionnelle qu'il faut reconnaî-tre à la noblesse du XVIIIe siècle, le courage sur les champs de bataille. Louis XV le sait bien ; il est, malgré ses défauts, à la tête d'une société militaire.

Si l'on voulait tenter de recomposer par la musique un peu de l'atmosphère originale de Versailles, on devrait évoquer Louis XV par des musiques militaires. Peu guerrier cependant, mais calme à Fontenoy, redoutant la guerre, mais s'y trouvant trop souvent poussé, Louis XV ne néglige guère moins que Louis XIV l'entraînement de ses troupes ; peut-être est-il moins « caporal » que son arrière-grand-père, et pourtant, même s'il le fait par devoir, il ne se prive pas d'entrer dans le détail. La Place d'Armes, les cours du château ne semblent-elles pas avoir été créées dans ce but ?

Il passe lui-même dans les rangs les revues de ses mousquetaires ou de ses Gardes, la Reine et ses enfants profitant du spectacle aux balcons du premier étage. Il entend des fenêtres de son Cabinet les cent douze tambours, venus de tous les régiments, en 1754, pour essayer la nouvelle « marche française ». Il se fait présenter, quelques années plus tôt, dans l'Orangerie, afin d'en décider, les nouveaux exercices destinés à son armée. Il règle les détails des uniformes, spécialement celui des Cent-Suisses, qui lui est soumis en 1753 : habit de livrée, rouge parementé de bleu, que l'on change tous les ans, et bel habit brodé de cérémonie, qui ne se porte que les dimanches et jours de grandes fêtes et doit durer douze ou quinze ans, tels qu'en conserve encore aujourd'hui le Musée national suisse à Zurich.

Louis XV, dont une partie de l'éducation a été tournée vers l'armée, a assisté, quelques mois après son retour à Versailles, à Porchefontaine, au siège d'une place forte en miniature, avec tranchées et canons. Les grandes manœuvres se font plutôt dans la plaine des Sablons, aux portes de Paris, ou, comme sous Louis XIV, au camp de Compiègne. Cependant, comme à l'époque de son arrière-grand-père, le Grand Canal peut servir à des expériences de guerre ; en 1746, un capitaine du génie ne vient-il pas y expérimenter un nouveau modèle de pont de son invention ? A une époque où la puissance de l'armée marque la grandeur d'un État, Versailles demeure le centre d'une société militaire.

Les casernes et postes de garde dans la ville et autour du château, les Gardes qui accompagnent le Roi, les Suisses qui veillent dans les appartements, suffiraient à rappeler la vie militaire. L'« ordre » que donne le Roi avec une extrême ponctualité, le « mot » dont il est lui-même victime lorsque, revenant au petit matin d'un bal à l'Opéra de Paris, il trouve les portes des appartements fermées et la sentinelle qui refuse de lui ouvrir, forment autant d'indices de cette existence. Il en est bien d'autres. En 1754, on décide de ne plus parqueter, mais de maintenir seulement planchéiées, la Grande Salle des Gardes au haut de l'Escalier de la Reine et la Salle des Gardes du Roi, dont le sol est vite abîmé par le frottement des crosses de fusils. Quant à la curieuse et malsaine idée, qu'eut Louis XIV d'installer les corps de Gardes-françaises et suisses sous les rampes de l'avant-cour du château, elle vaut à Louis XV, qui ne modifie rien à la disposition initiale, de coûteuses réparations, causées par les infiltrations, et entraîne à plusieurs reprises l'intervention des Bâtiments, qui font poser de nouvelles « chapes de ciment pour empêcher la transpiration des eaux ».

Versailles, cité militaire ! On s'en rend bien compte, lorsque, dans la seconde moitié du règne, les guerres se multiplient, et pas toujours heureuses. Chaque fois que finit l'hiver, la Cour se vide d'une partie de sa noblesse, qui part à l'armée. La guerre, « terrible fléau pour tout l'univers, et quand elle commence, il n'est pas possible de savoir quand elle finira », écrit Louis XV en 1767. « Nous répondons du sang qui y est répandu », enseignait-il à son fils, le jeune Dauphin, une trentaine d'années plus tôt. Lorsque parviennent les premières nouvelles d'une bataille et que circulent les noms des morts ou des blessés, Versailles entier semble frappé, le dos courbé ; on dénombre les pertes, comme, après les ouragans, on compte dans le parc les arbres abattus ou cassés. Et puis, la vie reprend. Certains s'empressent de demander, parfois pour un tout jeune garçon dont le père vient d'être tué, le maintien d'une charge. Il arrive que la guerre atteigne jusqu'aux familles des matelots du Canal, tel ce Savary, maître calfat durant vingt-cinq ans, fils et petit-fils de marins de la flottille de Louis XIV, qui, pour obtenir un poste sur le Canal en faveur de l'un de ses fils, ajoute à ses titres de service qu'il a perdu en mer au service du Roi deux autres de ses garçons.

Vie militaire et vie religieuse peuvent se confondre en de curieux usages. Le jeudi-saint, les tambours des Cent-Suisses battent lorsque le Roi entre dans la Chapelle et non lorsqu'il en sort, car la tradition s'est établie dans ce corps que « les tambours cessent de battre et recommencent en même temps que les cloches ».

LES FEMMES ET LES PARTIS DE LA COUR

Un tableau de la Cour de Louis XV serait par trop incomplet si l'on n'y ajoutait le rôle de la femme. On parlera

des maîtresses à propos des installations privées du Roi : mais
le fait que certaines d'entre elles aient pu prendre un caractère
officiel, entraîner à leur suite un parti considérable, intéresser
l'Europe entière semble particulier à cette époque. Pourtant,
Versailles change-t-il beaucoup sur ce point, du règne de
Louis XIV à celui de Louis XV ?

Le modèle, — ou le responsable, — ici encore, paraît être
le Grand Roi. Louis XV s'y réfère, dans ses qualités et dans
ses défauts ; il maintient les traditions, louables ou blâmables,
avec la même application.

Traditions de politesse d'abord. Luynes remarque, à propos
des fiançailles de Madame Infante, en 1739, dans l'Œil-de-
Bœuf, que le Roi « eut lui-même grande attention à faire
reculer les hommes pour faire place aux dames » ; le duc
précise, dans une note, le regret de Louis XV de n'être pas
Louis XIV : « Le lendemain, le Roi dit à son souper que du
temps du feu Roi les hommes avoient bien plus de politesse
pour les femmes, et que si un homme s'y étoit mis devant
une dame, le Roi l'auroit trouvé fort mauvais. »

Traditions d'élégance. Les dames en grand habit continuent
de former le fond brillant de la Cour de Versailles ; leurs
robes sont plus amples que jamais ; les soieries de Lyon, les
broderies et les rubans de Paris, les dentelles leur donnent
un éclat insurpassé dans la richesse et l'extravagance. Louis XV
aime, comme le Roi-Soleil, les beaux bijoux ; ses propres
parures de pierreries seront imitées de tous les souverains
d'Europe. La Reine ne porte-t-elle pas, certains soirs, le
Régent et le Sancy, les deux plus gros diamants de la
Couronne, tout à la fois ? Mme de Mailly n'est-elle pas, même
au lit, en grand habit et couverte de pierreries ? L'une
des occupations officielles de Mesdames ne sera-t-elle pas
d'endosser, plusieurs fois par jour, leurs grandes robes de
Cour pour paraître devant leur père ? Louis XV, qui décide,
par exemple, lui-même du jour où l'on commencera de
mettre du rouge à Madame Adélaïde, est aussi attentif que
Louis XIV à tous ces détails ; par le plaisir qu'il éprouve
d'être entouré de jolies femmes, somptueusement habillées,
il conserve au château son éclat extraordinaire.

Traditions de galanterie aussi. Louis XV eut peut-être un

moment d'hésitation, s'il faut en croire un passage du *Journal* de Barbier, rapportant certaines débauches de jeunes seigneurs de l'entourage du Roi ; on le maria très vite. Il eut pour la Reine, durant près d'une dizaine d'années, une fidélité exemplaire, où Louis XIV n'a pu lui servir de modèle. Mais la pauvre Marie Leczinska est parfois bien maladroite, trop prolifique aussi et vite vieillie. Les belles dames de la Cour guettent le moment où elles pourront se saisir du Roi ; elles savent leur histoire de France ; les bourgeoises de Paris se mettent aussi sur les rangs et profitent sans vergogne des bals de Versailles ; l'une d'elles sachant, au bal de 1745, le Roi costumé en if, se laisse entraîner, dit-on, dans les Petits Cabinets de l'appartement royal par un if, qui n'est pas Louis XV ; c'est à ce bal « où je vis jeter le mouchoir, c'est-à-dire le Roi se déclarer pour Mme d'Etiolles », note Croÿ dans son *Journal*.

Versailles est-il plus scandaleux alors qu'au temps de la jeunesse de Louis XIV ? L'un des principaux griefs que fera la postérité à Louis XV sur sa conduite paraît avoir été lancé par les seigneurs et les dames de sa propre Cour. Que la maîtresse du Roi soit une personne de noble naissance, comme sous Louis XIV, et comme seront les sœurs de Nesle, la tradition se maintient et personne ne s'indigne, sauf le confesseur et peut-être, mais fort timidement, le vieux cardinal. Paris, où les mœurs ont singulièrement évolué, prend cependant sur Versailles une influence nouvelle ; Louis XV s'encanaille secrètement au bal de l'Opéra, comme l'avait fait son grand-père, Monseigneur. Faire sa cour à une vraie duchesse, pour obtenir une faveur du Roi, c'est admis. Qu'une femme de médiocre extraction soit présentée à la Cour, devienne dame du Palais de la Reine, reçoive un marquisat, on s'indigne. Et Mme de Maintenon ? Louis XIV est encore là.

Le courtisan, qui demeure prêt à toutes les bassesses, même s'il y répugne, s'offusque aussi de voir la maîtresse en titre, et particulièrement Mme de Pompadour, plus tard Mme Du Barry, prendre dans la politique une importance qui passait plus inaperçue sous Louis XIV, l'hypocrisie aidant. Ni Louis XV, ni son entourage ne parviennent à l'autorité ou à

l'habileté de Louis XIV et de Mme de Maintenon. Un parti
d'opposition, dont se réjouit Paris et qui cause au Roi bien
des soucis, se crée à la Cour de Versailles ; il est faible, mais
plus fort que ce qu'on avait vu s'ébaucher autour de
Monseigneur, et se reforme sans cesse, autour de la Reine,
de ses enfants, des Dauphins. Les maladresses commises par
les « dévots » lors de la maladie de Metz et la rancune du
Roi obligent ce parti à demeurer longtemps dans l'ombre. Il
grandit avec l'influence que prennent Mesdames, recule sans
diminuer de virulence devant la beauté de Mme Du Barry,
éclate au grand jour dans la dernière maladie de Louis XV ;
celui-ci n'est-il pas mort prématurément, mal soigné, du fait
des intrigues des deux grands partis de la Cour et de leurs
médecins respectifs ?

LE JEU

Il est un domaine, traditionnel aussi depuis la création de
Versailles, où libertins et dévots s'accordent pour continuer
de donner au château l'atmosphère de tripot qu'on lui a
connue sous Louis XIV : le jeu.
Occupation pour presque tous, cause de ruine pour certains,
besoin pour beaucoup, le jeu demeure l'un des chancres
qui dévorent Versailles. Parfois Louis XV, qui aime jouer,
s'inquiète des pertes de son entourage et des siennes propres ;
il interdit alors dans les maisons royales divers jeux où le
hasard a trop de part. Les joueurs tournent vite ces défenses ;
le cavagnole, cher à Marie Leczinska, n'est-il pas, au su de
tous, un dérivé du biribi qu'il a prohibé ?
On joue partout à Versailles. On verra le Roi, lorsqu'il
commence à se lasser de la Reine, se promener le soir et
comme à l'aventure dans son château. Il semble que, dans
quelque appartement qu'il entre, une ou plusieurs tables de
jeu se trouvent toujours prêtes.
Le « jeu du Roi » ne peut se dérouler sans l'observation de
certains rites, que les rivalités de la Cour entretiennent. Le
duc de Bouillon prétend-il faire tirer au Roi les cartes contre
le duc d'Aumont, qui réclame ce droit comme premier

gentilhomme de la Chambre, aussitôt la dispute entre les Lorrains et les ducs se rallume et Louis XV doit intervenir. Rien ne change à Versailles !

Le cadre demeure à peu près identique, les habitudes extérieures sont en apparence semblables. Louis XV, à certains moments, paraîtra trop replié sur ses appartements intérieurs, et pourtant à peine plus que Louis XIV dans le sien ou chez Mme de Maintenon durant la seconde moitié de son règne. Les plus belles fêtes que Versailles ait connues datent du début de Louis XIV, de la fin de Louis XV ; peu importe, la splendeur est la même. La noblesse tend à se détacher davantage du grand château qui l'enchaîne et qui l'humilie ; Paris et ses hôtels l'attirent peut-être davantage ; le Roi lui-même n'en donne-t-il pas l'exemple en prenant plaisir à d'autres châteaux ? Louis XIV, plus exigeant, n'avait-il pourtant pas suivi le même penchant, pour revenir sans cesse à Versailles ?

Versailles est la résidence royale par excellence et la capitale politique du royaume. C'est à Versailles qu'il faut être si l'on veut obtenir places et faveurs, faire sa cour auprès des ministres ou des maîtresses qui préparent l'esprit du Roi. Louis XV ne se compare pas au soleil, mais il se sait le Roi, le successeur de Louis XIV. Le public s'en rend compte également et vient à Versailles, chaque fois qu'il le peut, l'admirer comme il admirait Louis XIV.

FÊTES ROYALES

Versailles attire les bourgeois de Paris, le bon peuple qui vit dans ses provinces, aussi bien que les princes de l'Europe. Le spectacle des cours du château ne manque ni de variété ni de pittoresque. La foule y rencontre plus d'un sujet d'émerveillement. Elle peut profiter de l'arrivée d'ambassadeurs venant en audience solennelle avec une suite fastueuse de carrosses et de livrée, ainsi lors de la pompeuse ambassade de Kaunitz, en 1752. Les princes, à qui ne suffit pas d'être informés par leurs envoyés, viennent de plus en plus nombreux visiter ce lieu prestigieux : le duc de Wurtemberg en 1748, le duc de Deux-Ponts en 1754, le prince héritier de Saxe, frère de la Dauphine, en 1758, le roi de Danemark en 1768, le Prince Royal de Suède en 1771, qui apprend à Versailles la mort de son père et qui reviendra plus tard sous Louis XVI au château sous le nom de comte de Haga. La vie de la Cour de France offre au public bien des occasions de scènes extraordinaires.

Ne se croirait-on pas encore sous Louis XIV, lorsque les chevaliers de l'Ordre du Saint-Esprit défilent trois fois par an dans la cour et dans le château, se rendant du Cabinet du Conseil à la Chapelle, revêtus de leurs brillants costumes tout brodés de flammes ? Pour bien montrer que, dès son retour au château, les traditions de Louis XIV sont renouées avec splendeur, Louis XV ordonne pour la Pentecôte de 1724 la plus magnifique peut-être des processions de l'Ordre. Il reçoit ce jour-là cinquante-huit cordons bleus qu'il a faits au chapitre de la Chandeleur précédente. Le Garde-Meuble s'est surpassé ; une quarantaine des plus fameuses tapisseries de la Couronne sont tendues sur le passage et de précieux petits tapis persans ornent les fenêtres de la cour de marbre ; une galerie de charpente, comme pour le sacre à Reims, a été établie, garnie de tapisseries de verdures et, sur le plancher, d'une tapisserie bleue fleurdelisée. Le public est friand de pareils spectacles et la foule est si nombreuse « que les chambres y sont louées jusqu'à cinquante livres pour un jour et une nuit ».

La seule énumération des fêtes de Versailles présente le résumé des grandes dates de la famille royale. On assiste à l'occasion des naissances des fils et des petits-fils du Roi aux impromptus, feux d'artifice et illuminations dont la Place d'Armes et les jardins sont le théâtre : en 1729 pour le Dauphin et en 1751 pour le duc de Bourgogne, en 1753 pour le duc d'Aquitaine, qui ne vivra que quelques mois, enfin, entre 1754 et 1757, pour le duc de Berry, le comte de Provence et le comte d'Artois, qui tous trois seront rois. Les mariages des Enfants et Petits-Enfants de France attirent une foule immense ; le château prend, dans ces fêtes royales, un air populaire, qui, à l'époque, ne choque personne.

FÊTES POPULAIRES

L'aspect de kermesse et bien souvent de désordre, qui accompagne les fêtes les plus magnifiques données à Versailles, fait partie de la vie du château et des traditions héritées du Grand Roi. Le contraste surprend avec ce que l'on a connu de nos jours, et l'on à peine à le comprendre.

Lorsque Louis XV revient, après la maladie de Metz, en 1744, il est fêté pendant près d'une semaine par les Parisiens, puis est accueilli à Versailles par les bourgeois de la ville qui ont fait dresser un arc de triomphe illuminé entre la Grande et la Petite Écurie. « Quoique le public de Paris eût été suffisamment en l'air pendant cinq jours, note Barbier..., le Parisien a encore eu la constance de vouloir être témoin de la réception de Versailles. Un homme m'a dit le lendemain jeudi, qu'il y avoit plus de deux cents fiacres de Paris sur la

place du château, et par conséquent, les appartements pleins
de monde pour voir encore souper le Roi. »

Quand, au mois d'août 1752, le Dauphin, à peine guéri,
veut apercevoir de l'intérieur de sa chambre le feu d'artifice
que l'on tire au bout du parterre d'eau pour fêter son
rétablissement, il doit faire poster des gardes sur la terrasse
pour dégager ses fenêtres de la foule.

Le mariage de Madame Infante, les deux mariages du
Dauphin, les mariages des trois petits-fils du Roi constituent
des spectacles inoubliables où l'on se presse. Un grand
seigneur comme le duc de Croÿ, qui a assisté à presque tous,
« pour pouvoir dire que j'avais vu une partie de ces choses »,
ainsi qu'il le remarque lui-même, exprime chaque fois sa
surprise ; assez dédaigneux des « dames de Paris », il est bien
obligé d'accepter leur présence ; il est pris lui-même dans
les bousculades ; il observe que, lors du mariage du comte
de Provence, en 1771, « on ne s'aperçut même pas beaucoup
du manque des princes [alors presque tous exilés] et de
beaucoup de seigneurs qui avaient pris des prétextes pour
s'éloigner. Le peuple, loin de prendre parti, vint en abondance ».

Louis XV apparaît cependant plus réservé que son arrière-
grand-père et plus distant, moins mêlé à la foule, au moins
à l'époque des fêtes qui célèbrent les mariages de la fin du
règne. Croÿ observe avec une certaine tristesse, au moment
du mariage du Dauphin en 1770, lors de la grande fête de
nuit et de l'illumination des jardins, que le Roi n'est pas
sorti ; un coup d'œil distrait, des fenêtres de la Grande
Galerie où il se remet à jouer, suffit à sa curiosité.

Quel pittoresque pourtant et quelle gentillesse dans ces
grandes fêtes populaires de Versailles ! La fête de nuit, prévue
pour le 16 mai 1770, fut annulée à cause de la pluie ; « un
nombreux peuple qui resta bien mouillé, à la belle étoile,
sans avoir rien vu », ne se découragea pas ; il revint trois
jours plus tard et fut bien récompensé par un spectacle digne
du Grand Roi. Le duc de Croÿ, qui, accompagné de la
princesse de Salm et de quelques dames, a circulé ce jour-là
dans la foule, relate son émerveillement ; son récit peut être

complété des comptes inédits et fort précis des Menus-Plaisirs et illustré d'un grand dessin dû à Moreau le Jeune.

Des illuminations donnent aux jardins, dont elles accentuent encore la grandeur, un caractère de féerie. Plusieurs bosquets sont éclairés de lustres ou de girandoles : celui du Dauphin, la Salle de Bal, la Colonnade et la Salle des Marronniers. Le parterre de Latone, l'allée-royale, le pourtour d'Apollon sont garnis de lampions, de réverbères, d'ifs et de portiques de lumière. Une trentaine de bateaux, qu'on a loués et conduits par la route de Sèvres à Versailles et que mènent une centaine de mariniers, voguent sur le Canal, garnis de lanternes et de baldaquins chinois, « ce qui donnait de l'action et faisait, avec tout l'ensemble, une lieue environ d'illuminations, larges, bien perspectivées naturellement, et du plus grand effet ».

Les jardins de Versailles, sans rien perdre de leur majesté, appartiennent ce jour-là au peuple. Une fête villageoise, qui annonce celles que Marie-Antoinette offrira une dizaine d'années plus tard au cercle de ses amis dans ses jardins de Trianon, est donnée par le Roi à la foule. Deux troupes jouent en permanence ; celle de Gaudon, dont les tréteaux sont installés tout près du bassin d'Apollon et qui a établi un second théâtre en face du bassin de l'Ile d'Amour, présente un spectacle d'opéras-comiques, de vaudevilles et de funambules ; la troupe du célèbre Nicolet est installée dans le Bosquet du Dauphin et montre ses danseurs de cordes, ses acrobates, ses comédiens et ses mimes.

Le point culminant de telles fêtes demeure le feu d'artifice. Chacun en discute en connaisseur, la famille royale et la foule communiant à cet instant dans le même émerveillement et ne se gênant pas pour comparer avec les « feux » précédents, le Roi plus que d'autres, qui paie la note, toujours prodigieusement élevée. Les feux tirés pour célébrer la naissance du duc de Bourgogne, en 1751, ont coûté, l'un 460 000 livres, celui de septembre, l'autre 664 000, celui de décembre. Les réputations du premier gentilhomme de la Chambre en exercice, de l'intendant des Menus-Plaisirs ou du chef des artificiers, un Servandoni ou un Torelli, se font et se défont ces jours-là. Mais si la progression est bien réglée, si les figures finales se lisent bien dans le ciel, quel enthousiasme dans la foule, heureuse d'être venue prendre sa part du divertissement royal !

LES VISITEURS

On aimerait pouvoir retracer avec un peu de précision le contact, qui est de tous les jours et que les grandes fêtes laissent mieux apparaître, entre la famille royale et la foule par l'intermédiaire du château de Louis XIV. Cet héritage, presque médiéval, Louis XV le supporte. Versailles est public, plus ouvert qu'il ne l'est aujourd'hui, sans tickets d'entrée ni visites guidées, moins gardé malgré ses soldats et ses Suisses qu'une résidence royale ou présidentielle de notre époque. Non seulement tout un monde de petites gens, laquais ou porteurs, est sans cesse répandu dans le château et s'y retrouve nez à nez avec le Roi, mais les visiteurs venus de Paris, de la province ou de l'étranger, ont accès tout le jour aux Grands Appartements ; il faut seulement être correctement vêtu, et n'être ni moine, ni mendiant.

Le service des Bâtiments marque, chaque fois qu'il le peut, son regret de voir parc et château tellement ouverts à la foule. En 1766, par exemple, un rapport réclame un peu plus de sévérité « comme aux Tuileries ». Le jardin de Versailles, lit-on dans ce rapport, « qui a toujours été très bien entretenu, et dont la beauté a fait jusqu'à présent l'admiration de tous les étrangers, se dégrade considérablement depuis plusieurs années par la facilité des entrées publiques...; empêcher en même temps l'infection qui y subsiste pendant tous les étés par les ordures qu'on y vient faire sans aucune considération ».

Les jours de fête, on remarque plus encore que les autres jours un mouvement prodigieux. Le public semble avoir fait de Versailles son domaine ; le château ou le Roi parfois en souffrent ; le commerce versaillais ne s'en plaint pas.

Parmi les honnêtes badauds qu'attire la demeure royale, figure l'avocat au Parlement Barbier. Ouvrons son *Journal*. Il vient, dès le mois de novembre 1722, juger par lui-même de l'aspect physique de son jeune souverain ; il le voit se promener dans les jardins ; il s'en estime satisfait, le trouve beau et en bonne forme. Barbier ne peut s'empêcher de venir admirer, le 5 décembre 1729, le feu d'artifice tiré pour la naissance du Dauphin ; il note que « le pavé de Versailles à Paris, au retour, n'étoit qu'une file de carrosses ».

Ces grandes fêtes royales sont des spectacles qu'il faut voir, quelque fatigue qu'on en ait. Aussi Barbier retourne-t-il à Versailles lors du mariage de Madame Infante, en 1739, admirer le feu d'artifice. Le coup d'œil en vaut la peine. La grande terrasse est méconnaissable ; « plusieurs portiques, note le duc de Luynes, qui ressemblent ou à la Colonnade ou à Trianon » l'ont métamorphosée. Les Slodtz (qui nous en ont conservé l'image) ont dressé des îles couvertes de sculptures au milieu des deux bassins du parterre d'eau et fait surgir un immense et magnifique palais, qui barre tout l'horizon, en avant de Latone. Des tribunes ou échafauds ont été établis sur les toits du château, ce qui ne va pas sans quelques dégâts. Notre avocat s'estime heureux d'avoir pu prendre place sur la terrasse et ne regrette finalement pas les cinq heures qu'il dut attendre avant la nuit sous un soleil assez ardent.

Tous ne sont pas également favorisés. Hardy, dans ses *Loisirs*, conte la mésaventure qui arriva, le 16 novembre 1773, lors des fêtes du mariage du comte d'Artois, à un notaire parisien ; celui-ci, après avoir loué une voiture pour venir à Versailles, arrive tout heureux au château, mais la bousculade est grande à l'entrée des appartements et le bel habit neuf que notre homme a commandé pour l'occasion est à demi déchiré dans la foule. Pour comble de malheur, le pauvre notaire est soudain pris d'une diarrhée, qui l'oblige à s'éloigner. Trouvant que « les lieux communs étoient impraticables », il est obligé de donner un écu de 3 livres à un laquais qui le conduit dans des « lieux à l'anglaise ». C'est tout ce qu'il vit de Versailles ce jour-là.

Cette confiance vis-à-vis de la foule n'est pas exempte de dangers. On peut penser que son caractère sacré préserve le souverain, et l'on constate plus d'une fois que son capitaine des Gardes et ses Gardes ont un rôle de représentation. On s'étonne à peine, non plus que sous Louis XIV, de certaines insolences et que l'on puisse s'approcher du Roi à le toucher. Qu'un jour, au grand-couvert, un déserteur se jette à ses pieds et que, une autre fois, un fanatique du diacre Pâris, le conseiller Carré de Montgeron, lui présente un ouvrage qu'il vient de faire imprimer, ce n'est que conséquence de cette bonhomie, et l'on a vu plus drôle sous le règne du feu roi avec l'histoire des franges. L'attentat de Damiens est un autre épisode de cette vie royale au milieu de la foule ; le Dauphin cherche à écarter cet homme, qui approche le Roi tout de même d'un peu trop près ! La foule qu'attire le château n'est pas qu'innocente.

LES VOLEURS

Les voleurs rôdent nombreux. Il n'est pas toujours sûr de circuler à pied dans les bois qui bordent la ville, où les attentats ne se comptent plus. Les jours de fête, les tire-bourses s'en donnent à cœur joie jusqu'à l'intérieur du château et volent même des tabatières au jeu de la Reine, en pleine Grande Galerie. En 1757, Louis XV en est à son tour la victime ; sa montre disparaît et, malgré les annonces publiées, ne lui revient pas.

Le parc est aussi plein de dangers, particulièrement les bosquets, qui vont causer plus d'une mésaventure au XVIIIe siècle ; celle du cardinal de Rohan fera quelque bruit sous Louis XVI. On croit, à l'époque de Louis XV, nécessaire de laisser à l'ordinaire les bosquets fermés à clef ; des clefs gravées sont données à quelques privilégiés, dont la liste s'allonge bientôt tellement que tout contrôle devient illusoire. N'a-t-on pas surpris, au temps de la Régence, des jeunes seigneurs se livrer à d'horribles débauches dans l'un de ces bosquets ? On désigne quelques gardes, que l'on revêt même de redingotes en 1742, mais si peu impressionnants qu'on doit remplacer ces Gardes-bosquets par des Gardes-suisses. En qui cependant mettre sa confiance ? Ces Suisses ne trouvent-ils pas, en 1749, l'un des leurs en train de couper avec une serpe des plombs du Théâtre d'eau, dont il emplit ses poches ? Et s'il ne s'agissait encore que des bosquets ! Les pages sont d'une audace incroyable : non seulement ils brisent les treillages pour pouvoir pénétrer à leur aise dans ces bosquets, mais on les voit descendre avec des bottes dans les bassins et voler le plomb des canalisations. Le service des Bâtiments est d'ailleurs débordé, car il doit surveiller le chantier immense, qui demeure, lui aussi, l'une des traditions de Versailles.

ATELIERS ET CHANTIERS

Parmi les difficultés que nous éprouvons aujourd'hui à nous représenter l'ancien Versailles, figure cette notion d'une Cour magnifique vivant au milieu d'un indescriptible désordre. Les travaux incessants dont le château est l'objet sous Louis XV n'y sont pas étrangers. Louis XIV semble en avoir moins souffert que son entourage ; son château se bâtissait ou se perfectionnait, et cette pensée lui suffisait. Louis XV est à peine plus exigeant, encore qu'il essaie d'y remédier et qu'il faille distinguer sous son règne au moins deux sortes de travaux.

Les grands travaux se poursuivent des années durant, encombrant et immobilisant une partie des cours ou des jardins ; ils sont exceptionnels. En dehors de l'achèvement du bassin de Neptune, qui motive de la part de Bouchardon et des Adam l'installation de la fonderie que l'on a citée auprès de la grille du Dragon, les deux ouvrages importants se situent seulement à la fin du règne et concernent la réfection de l'aile proche de la Chapelle et l'Opéra.

Les travaux intérieurs se multiplient. Dans la seconde moitié du règne, il semble que la famille royale se soit habituée à constater, au retour de Fontainebleau, chaque année, les travaux nouvellement faits pour elle. Les architectes de Louis XIV avaient naturellement déjà cherché à placer dans l'intervalle des voyages de la Cour les travaux d'aménagement intérieur. Les Bâtiments s'en font désormais une règle ; Louis XV les y encourage.

Le Roi a-t-il besoin, pour sa Pièce du Tour, d'une

modification de cloison en 1748, il demande que celle-ci soit exécutée pendant un court séjour qu'il fait à La Muette et, dès la première nuit, le menuisier doit se mettre au travail. La correspondance des Bâtiments fourmille de détails sur la précipitation qui règne, chaque automne, autour des installations nouvelles. Les entrepreneurs, connaissant le zèle des architectes pour livrer en temps voulu les appartements qui leur sont demandés, profitent de la situation pour exiger des acomptes, toujours trop lents à venir à leur gré. Ainsi lorsque, en 1750, Verberckt, à qui l'on doit encore plus de 37 000 livres sur ses travaux de 1747, achève à la hâte, en octobre et novembre, le nouvel appartement de Mme de Pompadour au rez-de-chaussée du château, sculptant au fur et à mesure de leur livraison les panneaux apportés de Paris par le menuisier Guesnon, il menace d'arrêter son travail, prétextant qu'il doit, pour ce seul appartement, verser 300 livres de salaires par jour à ses ouvriers.

Le travail trop rapidement fait entraîne des frais supplémentaires. Il faut faire du feu pour sécher les plâtres, payer des terrines de suif pour éclairer les ouvriers, qui, besognant souvent au-delà des limites normales, reçoivent des heures supplémentaires, les entrepreneurs prenant de leur côté l'habitude de demander des gratifications, que, en 1763, par exemple, leur refuse Marigny, en invoquant la « caisse trop vide » des Bâtiments.

Il arrive, malgré tant d'efforts, que certains travaux, même d'aménagement intérieur, ne puissent être achevés en une seule saison. Nous citions, au chapitre précédent, les deux réfections successives subies en 1748 et 1755 par le Cabinet du Conseil. La première s'accomplit entre juillet et octobre, c'est-à-dire pendant les séjours de la Cour à Compiègne et à Fontainebleau ; mais la dorure doit être reportée à l'année suivante ; le 27 octobre 1749, on signale l'activité du chantier, où l'on travaille fêtes et dimanches de 4 h. du matin à 8 h. du soir ; le Roi rentre à la fin de novembre et il lui semble presque naturel de trouver la pièce achevée. Gabriel a cependant été averti des prodiges accomplis pour cet ouvrage. Tout ceci est remis en question quelques années plus tard. Mais cette fois, quoi qu'on fasse, les travaux entrepris sont tels que Louis XV doit, pendant un an, vivre dans le provisoire et faire installer le Conseil dans le Cabinet de la Pendule. La dorure est exécutée à l'automne de 1756 où, six semaines durant, une cinquantaine d'ouvriers, appartenant aux entreprises Pollevert et Duchesne, s'appliquent à dorer la Chambre du Roi, le Cabinet du Conseil et les deux petits cabinets de la cour des Cerfs.

Rappelons enfin les conditions particulières dans lesquelles se déroulent les travaux de Versailles. Les entreprises sont presque toutes parisiennes et ne travaillent pas seulement pour le Roi, quelque clientèle que celui-ci leur attire ; on voit, par exemple, des doreurs employés par Desauziers ou Brancourt tiraillés entre l'appartement de Marie-Josèphe de Saxe et les commandes de la Cour d'Espagne. Martin, le vernisseur, ne sait comment satisfaire son énorme clientèle. Il n'est guère question, d'autre part, de recruter sur place même des manœuvres à l'époque où se font les travaux habituels. Versailles, domaine rural, a alors besoin de bras. Les gens des Bâtiments acceptent parfaitement cette situation : « Il ne convient pas de détourner des ouvriers de la récolte pour des ouvrages qui peuvent se remettre », lit-on dans un de leurs rapports en 1749.

Le spectacle divers du château et de ses abords, rendu fort pittoresque et mouvementé par la foule des visiteurs et par les travaux dont Versailles ne cesse d'être le théâtre, se complète des exigences posées par le commerce et par la circulation. Il s'agit bien en effet d'exigences, que le Roi doit accepter. Qu'on en juge plutôt.

BARAQUES ET BOUTIQUES

Les cours d'accès au château offrent à nos yeux aujourd'hui, avec leurs grilles trop dorées et leur netteté, une froideur quelque peu métallique, que vient accentuer un nombre sans cesse accru d'automobiles. Que nous sommes loin du pittoresque et nauséabond désordre du XVIIIe siècle ! Ce sans-façon de la Cour de France ! Blondel, le théoricien de la belle architecture, s'en indigne. Écoutez-le, après qu'il a décrit l'architecture de l'avant-cour, regretter que tout ceci soit caché et dénaturé « par la quantité d'échopes et autres petits bâtiments qu'on a laissé construire autour des murs » ; plus loin, il se choque à nouveau de ce « ridicule amas d'échopes, de baraques ».

S'il était besoin de confirmer les dires du savant architecte, nous aurions recours, une fois encore, aux papiers des Bâtiments du Roi. Ils nous apprendraient, par exemple, que, en 1749, une demande de brevet (car tout se passe en règle et selon les formes) est faite d'un seul coup pour quatre baraques adossées au mur du corps des Gardes-françaises, c'est-à-dire à gauche de l'avant-cour. Conséquence inattendue de ces installations : les baraques viennent boucher les croisées dont les architectes de Louis XIV avaient aéré les latrines des Gardes-françaises et suisses : « Il en résulte une odeur infectée et une malpropreté insoutenable, d'autant que tout le public y va », lit-on dans un rapport de 1761.

Ces abus, dans une société encore toute basée sur le « privilège », prennent, pour ceux qui en bénéficient, la force d'un droit. Une femme qui possède l'une de ces baraques et qui la désigne comme elle peut dans ce fouillis, « la baraque située le long du mur de la première cour du château, la deuxième au-dessus de la grille du corps de garde-suisse », demande, en 1750, à transmettre ce précieux héritage, peut-être son seul bien, à son neveu, qui n'est d'ailleurs pas sans protection, car il est porteur de la princesse de Conti.

Versailles n'est-il pas un sanctuaire, dont les pèlerins rapportent toutes sortes de souvenirs, ou ont besoin tout simplement de se rafraîchir ou de se nourrir ? De là, ce pullulement d'appendices miséreux, le plus souvent obtenus en vertu de droits acquis. Un rusé, par exemple, demande la permission « de poser un petit auvent pliant à la porte du Dragon tenant au grand mur..., y en ayant toujours eu un en cet endroit ». Ici la réponse se fait attendre et l'hésitation apparaît, car Louis XV, qui doit être désolé de ces verrues, mais qui n'y peut rien, passe alors chaque jour en cet endroit pour se rendre à l'Ermitage de Mme de Pompadour.

Un autre jour, les Bâtiments prennent prétexte de ce qu'un passant a été blessé par une boule pour interdire au Suisse de la grille de l'Orangerie le petit commerce qui s'est établi à cet endroit : une véritable guinguette qui procure au Suisse et à sa femme de bons bénéfices, s'est installée là, avec des jeux de quilles, où se rendent domestiques et soldats, et causant « du libertinage ».

Les galeries publiques du château, les vestibules des escaliers, la grande salle même qui forme le passage obligé au premier étage entre l'appartement de la Reine et l'escalier des Princes (et que traverse notamment la Reine pour se rendre à la Comédie ou pour aller chez sa chère duchesse de Luynes) sont encombrés d'éventaires, d'un rang, il est vrai, plus élevé que les autres : ce sont les traditionnels marchands du Palais ou marchands suivant la Cour. Leurs installations ne facilitent guère la circulation à l'intérieur du château.

LA CIRCULATION

Qu'on essaie de se représenter l'importance de la seule « livrée » dans une Cour aussi nombreuse et aussi riche, où chacun se fait accompagner de laquais ; qu'on ajoute le nombre des chaises à porteurs, qui attendent ou se déplacent ; qu'on n'oublie pas que chaque appartement, là où nous voyons une enfilade de salles de musée, constitue un espace indépendant et fermé ; on comprendra alors qu'une lutte est sans cesse engagée dans l'intérieur du château et que se posent chaque jour des problèmes presque insolubles de stationnement ou de passage, problèmes que viennent aggraver des questions de préséance et des disputes de valets, aussi prétentieux que leurs maîtres.

Trois mentions, empruntées à la correspondance des Bâtiments du Roi, permettront d'esquisser cet aspect de Versailles. En 1746, les inspecteurs du château soulignent l'encombrement excessif que causent les chaises à porteurs dans les galeries et corridors, « ce qui fait un très mauvais effet et qui incommode le public, cela est remarqué même par l'étranger ». Qu'on ne croie pas qu'il s'agisse ici d'un mauvais argument, destiné à arracher quelque décision. En 1754, la dauphine Marie-Josèphe de Saxe se plaint, on le notera plus loin, de trouver son antichambre, entre le vestibule de l'escalier de la Reine et le parterre du Midi, encombrée de mendiants et transformée en passage public. De telles plaintes sont-elles entendues ? On peut en douter. Lorsque Gabriel propose à Louis XV, en 1769, diverses solutions pour utiliser l'emplacement du théâtre de la Comédie, si l'on doit déplacer celui-ci du fond de la cour des Princes dans l'aile nouvelle, la première qu'il préconise est le rétablissement d'un passage public pour « la dignité du château ».

Deux cas, tirés des *Mémoires* de Luynes, montrent que le problème des chaises à porteurs se complique singulièrement de questions de rang. En 1737, le duc de Luynes, toujours soucieux de l'étiquette, note le droit de chacun. Chez la Reine, une princesse du sang, comme Mlle de Clermont, doit descendre de chaise dans la Salle des Gardes, mais les Filles et Petites-Filles de France ont le droit d'aller jusqu'à l'Antichambre. De même, chez le Roi : Mesdames peuvent demeurer dans leur chaise jusqu'à l'Œil-de-Bœuf ; mais la gouvernante, qui les tient et qui les accompagne jusque-là, doit, si elle se trouve seule, descendre de sa chaise à son rang, c'est-à-dire dans la Grande Salle des Gardes, qu'on appelle justement « le magasin ».

En 1754, Luynes remarque le manège auquel s'est livrée Mme de Duras pour arrêter sa chaise et auquel la Reine est obligée de mettre fin : d'abord la Galerie haute des Princes, puis la Salle des Marchands que nous évoquions plus haut, puis le « magasin », enfin, dépassant toute mesure, l'Antichambre même de la Reine.

Plus libre, la circulation à l'extérieur n'en est pas pour autant plus facile. L'étiquette pose également ici de curieuses lois. Bonhomie et rigueur se mêlent en d'étonnants contrastes.

Lorsque, au mois d'août 1745, des travaux ont lieu dans la Salle des Marchands, au-dessus de la Comédie, et que, le Roi et le Dauphin étant retenus dans les Flandres, la Reine habite l'appartement de son fils, dans l'aile du Midi, « la cour connue sous le nom de cour des Princes est devenue cour royale... et il n'y entre que les carrosses des gens titrés ».

Lorsque le Parlement vient au château, on voit une cinquantaine de carrosses se mettre à la file et entrer au pas dans les cours, les magistrats descendre dans cette même cour des Princes, rendue à son usage normal, et les voitures se ranger dans la cour des Ministres.

Lors des mariages de la fin du règne, des lignes de circulation, utilisant les deux rampes vers la Surintendance et vers les réservoirs, avec des points de stationnement obligés, sont établies ; ceux qui vantent l'exceptionnel bon ordre qui règne alors, semblent indiquer qu'il y eut parfois pas mal de confusion. Dans plusieurs projets, établis au même moment pour la reconstruction de l'aile de la cour de la Chapelle, le péristyle existant est indiqué comme un passage qui aboutirait à un parc réservé aux voitures royales à l'entrée du parterre du Nord. Ce péristyle de la Chapelle sert d'ailleurs depuis longtemps de passage aux voitures qui vont des cours du château rejoindre Trianon ou Marly par les jardins.

La prédilection que montre Louis XV pendant la seconde moitié de son règne pour Trianon oblige à observer certaines règles. Une chaussée pavée existe, qui date vraisemblablement de l'époque de Louis XIV et que l'on doit suivre ; si Luynes note que, se rendant auprès du Roi qui séjourne à Trianon, en 1753, le carrosse du chancelier, en prenant le virage du bassin de Neptune, s'est retourné, la faute en revient au cocher qui ne suivit pas le pavé.

Les voitures, dont la construction fait alors de grands progrès, vont également plus vite que sous Louis XIV. Les accidents sont inévitables, même si l'on élargit ou multiplie les routes.

Quelques chiffres d'abord. Lorsque Louis XV, au mois de mai 1774, comprend la gravité de son état et décide de rentrer à Versailles, après avoir dit à son cocher « à toutes jambes », il met trois minutes juste de la cour du Petit Trianon à celle de Versailles, Croÿ note le temps. Un autre record est indiqué par Luynes : l'officier qui va annoncer, en 1753 la naissance du duc d'Aquitaine met une demi-heure à la montre de Versailles à l'Hôtel de Ville de Paris ; il est vrai que tous ses relais ont été pris, que des coureurs le précèdent et qu'il va recevoir des mains des magistrats parisiens une superbe tabatière d'or. Il n'en est pas toujours ainsi.

Le jour de l'inauguration de la statue de la place Louis XV (place de la Concorde), tout Versailles se rend à Paris pour admirer l'œuvre de Bouchardon et se divertir du feu d'artifice ; quelque précaution que l'on ait prise d'établir un sens unique entre Passy et Chaillot, l'embarras des voitures est assez grand. Croÿ note encore, comme un record de lenteur, qu'il a mis trois heures pour aller de Paris à Versailles en 1747, la veille du mariage du Dauphin ; c'est que l'on a cru bon d'élargir la route, mais, le pavé de Louis XIV n'ayant pas encore été agrandi, les bas-côtés sont de terres rapportées, où les fiacres s'embourbent en ce mois de février ; il en résulte quelques embouteillages et quelques désagréments.

Louis XV, grand promoteur des belles routes de France, n'oublie pas celles qu'il utilise journellement. On vient de citer celle de Paris. De même, autour de Trianon : en 1737, la route que prend la Reine pour aller du palais de Louis XIV à la Ménagerie, ou, en 1750-1751, les nouvelles avenues qui relient obliquement les jardins à l'Ermitage de Mme de Pompadour. Ou encore, lorsqu'il s'attache fortement à Choisy, le Roi fait établir, en 1749, une large chaussée par le Plessis-Piquet, qui sert également à la Cour pour se rendre à Fontainebleau.

Quoiqu'on fasse, vitesse et circulation augmentant, les accidents deviennent nombreux. Ils donnent souvent naissance à des scènes plus pittoresques que mortelles. Un carrosse versé, d'où sortent, un peu ridicules, de grandes dames, est toujours prétexte à beaucoup de joie pour les chroniqueurs et pour la foule. Dangeau notait par exemple, dès 1690, l'accident de la reine d'Angleterre, entre Saint-Germain et Trianon, menée trop grand train par un cocher, qui avait été, disait-on, l'ancien cocher de Cromwell ; et l'on s'amusera, sous Louis XVI, du spectacle de Mesdames renversées avec leur voiture entre Versailles et Bellevue. Les trains de carrosse brisés, les chaises de poste retournées plus ou moins rudement ne sont que monnaie courante, même par jour de beau temps. L'hiver, l'itinéraire Versailles-Paris est presque aussi fréquenté que l'été. Les Bâtiments font répandre du sable dans les cours du château lorsqu'il y a verglas, mais la route demeure dangereuse ; tel l'accident, qui coûte la vie au comte de Coigny et dont Louis XV se montre très affecté, du côté du Point-du-Jour à Auteuil une nuit de mars 1748, si l'on en croit du moins la version officielle. Il existe aussi des épisodes plaisants, comme celui qu'une fois encore rapporte Croÿ, continuellement sur ce trajet, lors des inondations de décembre 1741, où la crue de la Seine ayant coupé la route au Bas-Meudon et aux Moulineaux, chaises et carrosses se heurtent à des bateaux.

La circulation entre Paris et Versailles est intense à tout moment de l'année et tient à bien des raisons : la Cour et le gouvernement, les visiteurs du château particulièrement l'été ; l'hiver, on rencontre souvent sur la route des musiciens ou des comédiens qui viennent contribuer aux divertissements de la Cour et auxquels le Roi, suivant une tradition bien établie, fournit des carrosses.

LES SPECTACLES

Les divers aspects que le théâtre a pris à Versailles à l'époque de Louis XIV sont maintenus : le théâtre privé, réservé au Roi et à ses intimes, réapparaît de temps en temps ; de grands spectacles d'opéras et de ballets sont donnés lors des mariages des enfants royaux et même, en certaines années, pour le carnaval, si l'on décide de célébrer celui-ci avec un faste inhabituel : enfin, les représentations ordinaires ont lieu pour l'amusement de la Cour, selon un rythme à peu près constant, depuis le retour de Fontainebleau jusqu'à la fin du carême et se répartissent le plus souvent ainsi : lundi, concert ; mardi, comédiens français ; mercredi, comédiens italiens ; jeudi, comédiens français ; vendredi, jeu ; samedi, concert ; dimanche, jeu.

Louis XIV est obéi jusque dans son intention de doter Versailles d'une ou deux salles royales. A l'extrême fin de son règne, Louis XV réussit à achever l'Opéra, à la place fixée par son arrière-grand-père. Pour le reste, l'empirisme et la confusion demeurent. Les spectacles privés sont l'objet d'installations démontables, comme à l'époque de Mme de Maintenon : ce n'est plus la duchesse de Bourgogne qui joue, mais Mme de Pompadour ; le principe est le même, malgré des décorations plus luxueuses et plus confortables. Quant aux grands spectacles, ils peuvent se tenir, jusqu'à la création de l'Opéra, dans une salle provisoire, que l'on établira, comme on l'a fait un instant du vivant du Grand Roi, dans le manège de la Grande Écurie. Les représentations ordinaires se déroulent dans la petite salle installée par Louis XIV au fond de la cour des Princes.

LE THÉÂTRE DES CABINETS

On a pris l'habitude de désigner sous le nom de « théâtre des Cabinets » les spectacles donnés par Mme de Pompadour dans l'appartement intérieur du Roi. Nolhac a fort bien noté la place de ce petit théâtre dans la vie de la Cour ; des fragments de comptes, conservés à la Bibliothèque de l'Arsenal ou dans les registres des Bâtiments, peuvent être ajoutés aux nombreuses mentions que l'on relève chez Luynes, pour mieux saisir cet aspect de Versailles.

Il serait, à vrai dire, préférable, si l'on ne craignait d'isoler les représentations données sur ce théâtre de celles offertes publiquement à la Cour, de mentionner cette petite scène en abordant le Versailles intime de Louis XV. Le grand public n'y est pas admis, et le courtisan est d'autant plus anxieux d'être introduit à ces spectacles des Cabinets que le nombre des places est plus limité ; le Roi se trouve ainsi contraint d'ouvrir de plus en plus largement son petit théâtre, puis de l'agrandir, enfin de le supprimer lorsqu'il perd son caractère privé et qu'il arrive à se confondre, par la cohue des spectateurs, avec les théâtres de la cour des Princes, de Fontainebleau ou de Choisy.

C'est d'abord une petite scène de bois, construite à l'intérieur de la Galerie de Mignard, et sans rien gâter du décor de celle-ci. Le menuisier Léchaudé accomplit le travail dans le second semestre de 1746 et reçoit pour sa peine une somme de près de 5 000 livres. La première représentation, au moins de celles qui parviennent aux oreilles des courtisans, a lieu le 16 janvier 1747, avec le *Tartufe* de Molière. Depuis quelque temps, des représentations d'amateurs ont été données dans l'appartement de Mme de la Marck, qui est Noailles, par un groupe d'amis de Mme de Pompadour et du Roi, où jouent notamment la duchesse de Brancas et le duc d'Ayen, que l'on va retrouver sur la scène du nouveau théâtre. Mme de Pompadour manifeste un talent qui dépasse celui du reste de cette petite troupe, s'il faut admettre pour sincère le jugement des quelques privilégiés qui assistent à ces spectacles. L'orchestre est lui-même composé d'amateurs, grands seigneurs qu'accompagnent parfois des domestiques musiciens.

Une régularité apparaît à ces spectacles de 1747 ; ils ont lieu tous les lundis. Louis XV y invite la Reine, qu'il fait parfois prévenir à la dernière minute, et qui est assise, comme lui, sur une chaise à dos ; bientôt viennent le Dauphin, Mesdames auxquels on donne des pliants ; les autres spectateurs, dont le nombre s'accroît, sont assis sur des banquettes, formant un très modeste parterre. Un embryon de foyer a été créé pour les acteurs : deux petites loges en arrière du théâtre, que l'on garnit de moquette rouge à fleurs, pour les dames ; les hommes s'habillent comme ils peuvent, derrière quelques planches ou paravents, sur le palier voisin de l'Escalier des Ambassadeurs ou même dans l'ancien Cabinet des Médailles. Ces installations d'un hiver vont bientôt se développer.

A la fin de 1747, des travaux sont accomplis pour donner plus d'étendue à la scène et permettre une petite machinerie pour les ballets, puis, en reculant l'orchestre, augmenter l'espace réservé aux spectateurs, grâce à la création de petites loges. Le menuisier Léchaudé, le peintre Peyrotte, le serrurier Gamain et surtout le mécanicien Arnoult, dont le nom reviendra souvent par la suite, participent à ces travaux. Un plancher en gradin est établi et l'on installe des tabourets bas pour les spectateurs des premiers rangs. Des comédies et des opéras, des ballets et des pantomimes sont donnés tout l'hiver, que l'on peut connaître en détail aussi bien par les *Mémoires* de Luynes que par les fournitures d'habits, de perruques ou de fards destinés aux acteurs. L'une des représentations est annulée à cause d'une migraine de Mme de

Pompadour, qui est si fière de « son » théâtre, qu'elle fait un jour venir de Paris quelques-unes de ses amies pour le leur montrer avec la permission du Roi.

Le succès même de cette petite scène entraîne son déplacement vers un espace plus vaste. L'Escalier des Ambassadeurs se présente tout auprès, magnifique et peu utilisé, fournissant, par le mouvement de ses deux rampes, un tracé qui paraît presque parfait : les gradins et un balcon royal du côté de l'ouest ; la fosse de l'orchestre au creux du palier ; la scène sur le degré oriental. La construction est décidée pendant l'été de 1748 et la Galerie de Mignard est libérée. Le machiniste Arnoult travaille avec le décorateur Peyrotte et peut-être François Boucher. Le désir de Louis XV, de conserver sans dommage le grand escalier de Louis XIV, a fait imaginer une construction démontable : pour la procession de l'Ordre du Saint-Esprit des premier janvier 1749 et 1750, le théâtre disparaît ; les bois, toiles et ferrures sont remisés pendant quelques jours dans les galeries de l'aile du Nord ; Luynes donne des chiffres : dix-sept heures pour le démontage, quarante-six ou quarante-sept pour le remontage.

Cette curieuse installation, qui dut coûter environ 75 000 livres, mériterait d'être étudiée avec attention. Une gouache de Cochin, qui représente Mme de Pompadour jouant sur la scène de ce théâtre l'*Acis et Galatée* de Lully, aiderait à connaître la décoration de la salle et pourrait être complétée d'indications fournies par le *Journal du Garde-Meuble*. Le bleu, le rouge et l'or, des pilastres, des marbres feints formaient une harmonie élégante et noble, imposée peut-être par la présence du décor de l'Escalier, dont certains éléments devaient apparaître en surface. Étonnant mélange de nouveautés désinvoltes et d'une utilisation qui ne se veut pas destructrice !

La première représentation a lieu le 27 novembre 1748 avec un opéra de Rameau. Luynes donne le détail des places ; on parviendrait ainsi à connaître de façon exacte la capacité de la nouvelle salle, qui doit être d'un peu plus de cent personnes et que l'on augmente, au cours de l'automne suivant, d'un second balcon au-dessus de celui du Roi.

Le succès est considérable et les représentations magnifiques. Nous citions *Acis et Galatée* ; utilisant l'estampe tirée de Cochin, les manufactures de porcelaines allemandes de Meissen et de Frankenthal vont populariser les rôles de Mme de Pompadour et du vicomte de Rohan. En novembre et décembre 1749, ont lieu trois représentations de l'*Issé* de Destouches, dont une gouache de Saint-Aubin conserve le souvenir ; un soleil, éclairé par 1 300 bougies, provoque l'étonnement des contemporains. C'est là également que, au mois de mars 1749, Voltaire assiste à la représentation de l'une de ses tragédies, *Alzire ou les Américains*.

Théâtre royal, mais théâtre privé, le théâtre des Cabinets a vécu bien peu de temps. A l'automne de 1750, il est démonté ; ses décors seront bientôt envoyés à Bellevue ou à Choisy, et l'on commencera la dépose des fresques et des marbres du Grand Escalier pour installer de nouveaux appartements destinés à Madame Adélaïde. Il correspondait pourtant si bien aux besoins de l'époque qu'on en verra renaître le principe au temps de Marie-Antoinette avec les théâtres portatifs de la Reine. Les « petits spectacles » donnés par Mme Du Barry sont moins connus, et c'est probablement à l'intention de celle-ci que Louis XV étudie, à la fin de son règne, la création d'une salle nouvelle, dans l'aile que bâtit Gabriel.

LE PETIT THÉÂTRE DE GABRIEL

Ce ne fut qu'un projet. Quatre dessins subsistent, qui montrent comment Louis XV était prêt, au mois de janvier 1774, à doter Versailles du plus séduisant des théâtres de Cour qui eût existé. En avant de l'aile de la Chapelle qu'il est en train de reconstruire en style classique, entre la façade à colonnes et le nouvel escalier dont le Roi vient d'approuver les plans et dont on taille déjà la pierre, Gabriel réussit à placer, sur deux étages seulement, un élégant petit théâtre, traité comme une colonnade ionique, avec des dégagements pratiques, une garde-robe auprès de la loge du Roi, des loges d'artistes à l'étage supérieur.

Marie-Antoinette reprendra ce projet en 1785, en l'amplifiant. La solution prévue en 1774 aurait eu le mérite de créer le théâtre sans renoncer au grand-escalier. Louis XV connaît bien son Versailles et la complexité de ces questions. Les représentations privées ne sont pas essentielles ; il doit pouvoir distraire sa Cour tant en spectacles exceptionnels qu'en représentations ordinaires ; de là, deux problèmes qui se sont posés à lui : construire un Opéra, améliorer ou refaire la Comédie.

LE THÉÂTRE DU MANÈGE

L'emplacement qu'a jadis choisi et commencé de bâtir Louis XIV pour l'Opéra de Versailles forme un vaste quadrilatère, agréablement situé à l'extrémité septentrionale du château, auprès des réservoirs. Il offre, abandonné, une proie tentante à l'avidité d'une Cour toujours en quête de logements. Dès le début du règne de Louis XV, le duc de Charost et la princesse douairière de Conti se sont fait aménager à cette place de coûteux appartements. Versailles doit-il demeurer privé de son Opéra ?

La persistance des traditions du XVIIe siècle s'aperçoit jusque dans les expédients que l'on emploie. Au mois d'octobre 1729, lors des fêtes données pour la naissance du Dauphin, les Bâtiments ont recours aux charpentiers « pour le théâtre du ballet représenté sur la cour de marbre ». Les emplacements eux-mêmes ne varient pas.

Installer pour des fêtes un théâtre provisoire, qui puisse être transformé en salle de bal, apparaît comme une solution hybride, nécessaire, passagère et coûteuse. La place est réduite à Versailles pour de telles constructions. Le Salon d'Hercule est trop petit et la Grande Écurie fournira, comme à l'époque de Louis XIV, un emplacement de fortune. Louis XV agit ainsi, en 1745, pour les fêtes du mariage du Dauphin avec l'infante Marie-Thérèse-Raphaëlle.

La salle alors improvisée, brillamment décorée par les Slodtz et Perrot, nous est bien connue par les estampes de Cochin. C'est ici qu'ont lieu, notamment à l'époque des fêtes qui marquent les deux mariages du Dauphin, de brillants spectacles de ballets, où triomphe Rameau : *la Princesse de Navarre*, dont Voltaire a écrit les paroles, *les Fêtes de l'Hymen et de l'Amour*, qui valent au musicien, malgré les partisans de Lully, les félicitations de Louis XV.

Construit en matériaux légers, « le théâtre des écuries » dure près de sept ans. On l'entretient avec soin. Mais l'incendie de la Grande Écurie, le 3 septembre 1751, entraîne sa disparition. Avant comme après, et jusqu'à la construction de l'Opéra de Gabriel, la Cour doit se contenter, bon gré mal gré, du petit théâtre de Louis XIV.

LA COMÉDIE

Les projets ne manquent pas, durant le règne du Bien-Aimé, pour doter Versailles non seulement d'un Opéra, mais aussi d'un théâtre de comédie, où la Cour puisse s'installer suffisamment à l'aise. Une idée, qui remonte à l'époque de Louis XIV, d'installer une salle de spectacle dans la vieille-aile, sur le côté méridional de la cour royale, est réétudiée par Gabriel et par Louis XV, à deux reprises au moins, aux environs de 1740, à la fin de 1772. Une salle de Comédie est un moment prévue à l'entrée de l'avenue de Sceaux, auprès de la rampe de la Petite Écurie ; on en conserve aux Archives nationales les plans, ainsi qu'un dessin de la façade ; les travaux sont mêmes commencés en 1751, mais abandonnés l'année suivante ; sur l'ordre du Roi, on démolit ce qui a été commencé et l'on n'achèvera de payer l'entrepreneur de la maçonnerie qu'en 1779.

L'irrésolution et l'attente subsistent. La Comédie conserve sa place dans l'étroit espace que lui a assigné de façon provisoire Louis XIV, au fond de la cour des Princes. Sauf pendant les quelques années où existe la salle du Manège et, après 1770, l'Opéra, on donne là également des spectacles de ballets. La pauvreté du Versailles de Louis XV est, sur ce point, étonnante, en dépit de l'amour sincère que le Roi porte au théâtre.

Le goût de Louis XV pour la décoration l'entraîne à « moderniser » l'aspect de la petite salle de la cour des

Princes. Le besoin qu'il a de petites loges grillées et discrètes le pousse à laisser à la Reine la grande loge centrale, dont le balcon est orné du chiffre du Roi, et à préférer pour lui-même l'une des petites loges installées au rez-de-chaussée. Des modifications ingénieuses en résultent, qui ne sont que demi-mesures ; la création de loges superposées est faite au détriment de l'espace réservé aux gradins de l'amphithéâtre ; la Reine veut une garde-robe ; les lois de la Cour réclament, lorsqu'il n'y a pas à Versailles d'autre salle pour l'Opéra, des machines sur la scène et la possibilité de réunir salle et plateau en un plancher unique où danser des quadrilles.

De ces désirs contradictoires d'agrandir et d'améliorer une salle dont de gros murs forment les étroites et immuables limites, sont nées plusieurs campagnes de travaux, encore mal étudiés, que l'on peut, nous semble-t-il, résumer ainsi. Entre 1724 et 1726, premières modifications du décor de la salle, probablement sous la direction du peintre Pierre-Josse Perrot. A l'automne de 1748, agrandissement de la loge de la Reine, qui « ne laisse pas d'être une affaire par le peu de tems », — et aussi le peu de place, — dont on dispose ; la paix d'Aix-la-Chapelle vient d'être signée et l'on veut des fêtes brillantes. A la fin de 1762, nouvelles modifications, tant à la scène qu'à la salle, que les estimations prévoient de 16 000 livres, mais qui entraînent le Roi beaucoup plus loin ; Mme de Pompadour semble avoir dirigé en personne l'exécution de ce dernier travail, aidée de Girault, machiniste des Menus-Plaisirs.

Essayons d'imaginer ce que peuvent être à ce moment dans ce petit théâtre certains grands spectacles de la Cour. Le carnaval de 1763 doit être particulièrement brillant ; la guerre vient de se terminer et, au moment où est signé le traité de Paris, dans les mois de janvier et février, cinq bals sont donnés dans la salle de la Comédie.

Suivant la tradition du XVIIe siècle, le ballet est dansé sur la scène et dans la salle même, qui reçoit pour lors une décoration supplémentaire. Des seigneurs, des princes du sang, — à cette occasion le jeune et brillant duc de Chartres, — participent aux quadrilles, guidés par des danseurs professionnels et mêlés à eux.

On a cru bon de reprendre quelques ballets anciens, à succès certain, les *Saisons*, les *Éléments*. Le premier est, dès la première soirée, bissé sur-le-champ et accueilli « de battements de mains réitérés », alors que l'usage interdit d'applaudir en présence du Roi ; le second est accompagné, dans la salle et sur la scène, d'une magnifique décoration de « pierreries », c'est-à-dire de verroteries. Cette décoration, dite « de diamants », est fournie par le dessinateur des Menus-Plaisirs, Lévêque, qui se fait de beaux bénéfices en louant pour les fêtes des décorations de ce genre aussi bien que des lustres.

Deux autres ballets sont dansés lors de ce même carnaval, une *Suite provençale* et une *Noce de village* ou *May flamand*. Ce dernier laisse apparaître combien le « rustique » et les préoccupations archéologiques s'insinuent dans les goûts de la Cour. Influences de Rousseau, dont le *Devin de village* a été représenté devant Louis XV, avec le succès que l'on sait, sur le théâtre de Fontainebleau en 1752, de Greuze, dont l'*Accordée de village* a été exposée au Salon de 1761, des études historiques et d'un goût renaissant pour la peinture des écoles du Nord, tout ceci se retrouve dans ce ballet, dont une estampe connue, gravée par Martinet d'après Michel-Ange Slodtz, ainsi qu'une bonne description du *Mercure*, nous a conservé le souvenir.

La salle est décorée de verdure et de fleurs. La scène, aussi peu profonde qu'à l'époque de Louis XIV, mais améliorée quelques mois plus tôt dans sa machinerie, est plus apte aux comédies qu'aux grands spectacles. Le décor représente un château antique « du genre des anciens édifices des Flandres ». Le bourgmestre est « vêtu de noir et dans l'exact habillement des portraits de Wandeick *(sic)* et de Rembrandt », et les joueurs d'instruments sont « vêtus à la flamande et de couleur forte ». Lorsque, au milieu de la salle, le mai est planté à l'aide de cognées et de coins, et que la danse reprend autour du grand mât fleuri, le chœur chante des couplets, dont deux vers suffiront à montrer la faiblesse et le pittoresque :

> *V'la donc n'ot may qu'est planté*

ou

> *Cque jli dis qu'est ben cque j'pense.*

Le ballet a un grand succès. C'est ainsi que, bien avant les bergeries de Marie-Antoinette, s'amuse la Cour de Louis XV.

Il est pour nous une autre source d'étonnement dans l'évocation de ces brillants spectacles : la petitesse de la salle et la foule qui s'y presse.

Qu'on se représente bien l'emplacement ; il existe toujours et délimite l'ancienne salle : c'est le vestibule ou passage qui permet de communiquer du fond de la cour des Princes au parterre du Midi. Les aménagements de bois qui formaient le théâtre ont disparu ; la pierre nue, des colonnes dressées à l'époque de Louis XVIII, deux murs percés de portes, trois baies vitrées de chaque côté sont tout ce que nos yeux voient aujourd'hui. Les loges du Roi et de la Reine occupaient le fond de la salle, du côté de l'aile du Midi, et recouvraient la première de ces baies. Les deux autres baies (celle qui sert de passage et celle qui lui fait suite au nord) étaient occupées par des loges. Cette idée d'utiliser les ébrasements de ces baies pour y installer des loges était apparue à l'époque de Louis XIV, et l'on comprend sans peine que Mme de Mailly, en 1688, se soit fracassé la tête en sortant de sa loge. Ces loges étaient en effet aussi peu élevées qu'étroites, car elles étaient disposées sur deux étages ; de petits escaliers raides (sur la cour et sur le jardin) permettaient d'accéder aux loges supérieures et réduisaient encore la profondeur. Or nous sommes à l'époque des robes à paniers, dont l'ampleur faisait déjà dire à Barbier, en 1728, qu'« il ne tient plus que trois femmes dans les loges des spectacles ». Mais à Versailles, pour être vus du Roi, les courtisans accomplissent des prodiges et se compriment de bien curieuse façon.

L'état des personnes *venues* au bal du 7 février 1763 ne peut que nous surprendre et nous inciter à l'admiration. Le Roi est installé dans sa loge avec sa suite, dont le nombre n'est pas précisé ; la Reine dans la sienne, accompagnée de sa suite, c'est-à-dire de son service d'honneur, des officiers des Cent-Suisses qui ont droit d'accès sans billets dans cette loge et de cinquante-deux personnes désignées nommément. Les petites loges disposées dans les embrasures des baies sont distribuées de deux manières différentes. Celles du bas sont attribuées de droit aux premiers gentilshommes de la Chambre, au duc de Chartres, au capitaine des Gardes, aux princes du sang. Les quatre loges du haut sont « données » ; l'une, affectée à la princesse de Carignan (mère de la future princesse de Lamballe), est occupée ce jour-là, ou, selon une expression que l'on comprend sans peine, « *remplie* par les ambassadeurs, envoyés et quelques seigneurs étrangers » ; une autre de ces loges a été offerte à Mme de Praslin, en reconnaissance des services rendus par son mari à la signature de la paix. Dans chacune de ces loges s'entassent dix ou douze personnes, généralement six dames et six seigneurs, dont les noms nous ont été conservés.

Dans la salle elle-même, nous comptons soixante-quatre noms de princes et de seigneurs, curieusement rangés, sur les listes d'invitations tout au moins, par titres, ducs, marquis, comtes, vicomtes, barons, chevaliers et vulgaires « messieurs ». Ce serait encore peu s'il ne fallait ajouter le Dauphin, la Dauphine, Mesdames, la princesse de Carignan, chacun ou chacune avec sa suite ; plus les officiers qui, par leur charge, ont droit d'entrer sans billet. Ce n'est pas tout. Le ballet, rappelons-le, a lieu sur la scène et dans la salle. La gravure exécutée d'après Slodtz montre l'évolution des danseurs autour du mai ; peut-être l'art du dessinateur parvient-il à dissimuler l'espèce de bousculade que devaient provoquer tant de gens assemblés dans un aussi petit espace.

On peut calculer qu'environ trois cent cinquante personnes, spectateurs et danseurs, se pressaient dans une salle qui mesure 13 mètres sur 8 mètres. Encore faut-il soustraire de ces chiffres l'emplacement occupé par les différents bâtis et panneaux. On est confondu de voir réunis tant d'éclat et tant de gêne, de si grandes dépenses pour les spectacles et si peu pour construire une salle digne de Versailles. Le Roi s'en préoccupait cependant. L'Opéra de Gabriel est né de là.

L'OPÉRA

Louis XV, avant même la destruction de la salle du Manège, s'est bien des fois penché sur ce problème, que n'avait pu résoudre Louis XIV. La construction d'un Opéra, la réalisation des projets du Grand Roi s'imposent. On en parlera longtemps avant de réussir.

Un mémoire, daté de juin 1746 et conservé dans les papiers de Bachaumont à la Bibliothèque de l'Arsenal, se fait l'écho du grand projet : « Le bruit s'est répandu que le Roi vouloit faire construire une salle de spectacle dans le château de Versailles » ; et de citer, avec références à l'appui, quelques noms : les Slodtz, qui viennent de décorer la salle du Manège, et Boucher, qui peint des décors pour l'Opéra de Paris, Arnoult, « machiniste de l'Opéra et homme supérieur en cette partie », dont, vingt ans plus tard, on va retrouver le rôle à l'Opéra de Versailles, Bachelier, premier valet de chambre du Roi, qui peut être de bon conseil, Sallé, « connu pour les belles fêtes données à l'Hôtel de Ville », et surtout des hommes qui apprécient l'Italie, Caylus, l'antiquaire et grand voyageur, Servandoni, qui travaille lui aussi aux décors de l'Opéra de Paris, « élève du fameux Bibiene », et qui « connoit toutes les salles d'Italie », le sculpteur Bouchardon, « qui a été longtemps en Italie », et jusqu'au libraire Mariette, qui possède dans son fonds de la rue Saint-Jacques « tout ce qui a été gravé d'après les salles de spectacles d'Italie et autres ».

Avec son amertume coutumière le marquis d'Argenson recueille ces projets : « On ne parle plus à la Cour que de bâtiments et de théâtres et de tout ce qui chagrine le public. Le grand théâtre à Versailles va se reprendre et finir à l'aile neuve du château, où l'on a construit sur ce dessein l'appartement de Mme la Princesse de Conti. Pourquoi, dit-on, en construisait-on un si cher au manège, puis un nouveau manège, puis un nouveau petit théâtre des cabinets ? Que de folles entreprises, où le Roi s'engage, depuis qu'il a pris l'oncle de sa maîtresse pour directeur de ses bâtiments. »

Au moment où Argenson, loin de la Cour et souvent informé avec un certain retard, élève cette plainte, l'entreprise a déjà presque avorté. Gabriel s'est mis à l'ouvrage, a repris les plans du XVIIe siècle, élargi les projets de Vigarani et dessiné, probablement en liaison avec les Slodtz, une salle à quatre étages de balcons superposés, avec décoration rocaille et grande loge royale au fond, un peu comme au théâtre de Turin, qui a été construit une vingtaine d'années plus tôt et que l'Europe entière envie. Faute d'argent, il faut attendre la fin de la guerre de Sept Ans pour que soit repris le projet étudié en 1748, à l'époque de la paix d'Aix-la-Chapelle.

Le traité de Paris est signé le 10 février 1763. Les seconds plans de Gabriel sont datés de février 1763. Les progrès de Versailles sont, comme au temps de Louis XIV, tributaires de la guerre et de la paix. Les travaux marchent aussitôt bon train. Dès le mois de mars 1763, les entrepreneurs reçoivent quelques acomptes pour « la nouvelle salle de spectacles ». Les façades nord (sur les réservoirs) et est (sur la rue) sont achevées en 1765. Gabriel étudie à ce moment les problèmes que pose la charpente. Il poursuit cependant, en six grands projets successifs, que nous avons étudiés ailleurs et dont le dernier date de novembre 1765, l'implantation de la salle et de ses abords. A suivre sur les dessins l'œuvre de Gabriel, on admire la prudence de son génie ; on voit aussi le grand architecte rejeter progressivement les fioritures du rocaille pour imposer son propre style.

Reliant deux siècles et deux règnes, il termine, quelque quatre-vingts ans après Mansart, le long des réservoirs, le château de pierre de Louis XIV par l'une des plus majestueuses façades qui se puisse voir. Au centre de cette façade, Gabriel compose, sur un rythme de trois baies cintrées, comme au pavillon d'angle voisin, un avant-corps peu saillant, formé d'un fronton que portent des colonnes composites et que Pajou va sculpter dans la pierre d'un Apollon citharède.

Gabriel cependant progresse avec lenteur. Manque d'argent ? Peut-être. Mais aussi préoccupations d'un autre ordre. Ange-Jacques Gabriel est âgé de soixante-dix ans. Il est au sommet de sa gloire ; il lui faut réussir, comme il l'a toujours fait dans sa vie, cette entreprise extraordinaire, cette expérience unique ; dans un siècle aussi féru de théâtre, et aussi riche d'architecture théâtrale que le XVIIIᵉ, son théâtre doit être le plus beau de tous. Ce désir de perfection contribue certainement pour beaucoup, avec l'âge, aux indécisions de Gabriel. Et puis, il y a autour de lui toutes les mouches du coche qui s'agitent, les donneurs de conseils, les artistes qui s'érigent presque en commission, ceux qui ont voyagé et vantent les salles italiennes, Marigny qui veut faire l'important, le Roi lui-même, indécis, qui laisse mûrir le grand projet avant de manifester ses volontés.

Il faut, pour aboutir, un prétexte, peut-être un homme. On commence à supputer les mariages prochains des Petits-Enfants de France et la nécessité où l'on sera, soit de construire à nouveau une salle de spectacle et de bal, provisoire et ruineuse, soit d'achever dans ce dessein la grande salle d'Opéra. Gabriel hésite, craint la rude besogne et la bousculade, penche (ou feint de pencher ?) pour la salle provisoire. Le duc d'Aumont et Papillon de la Ferté, qui vont avoir, en 1770, l'un comme premier gentilhomme de la Chambre en exercice, l'autre par sa charge d'intendant des Menus-Plaisirs, la responsabilité des fêtes qui seront données à la Cour pour le mariage du Dauphin, pressent tous deux l'architecte. Un homme entre dans leurs vues, qui a leur confiance, Arnoult, le « machiniste » des Menus. C'est un sous-ordre, et qui se pousse, une sorte d'ingénieur, de mécanicien, de menuisier et d'artiste ; il a du métier et a déjà, depuis plus de vingt ans, en fait de décorations théâtrales et de salles mêmes, réussi des ouvrages réputés impossibles. C'est lui qui a transformé en théâtre démontable l'Escalier des Ambassadeurs et qui a, cinq ans plus tôt, installé un plancher mobile pour faire de l'antique salle de Fontainebleau une plaisante salle de ballets, comportant sur la scène un salon démontable pour le jeu du Roi. Arnoult continue la brillante lignée de ces artistes extraordinaires et divers, que la Cour avait jusque-là surtout demandés à l'Italie, et qui va de Léonard de Vinci à Vigarani et à Servandoni. Peut-être outrepasse-t-il parfois son rôle. Il voit le Roi, décide Gabriel, se charge d'exécuter une grande maquette de la future salle. L'importance accordée aux machines dans les opéras de l'époque, la nécessité d'installer dans les dessous de la salle des treuils pour élever le plancher de l'orchestre et du parquet, afin de transformer, pour les grands bals de la Cour, salle et scène en une gigantesque salle, rendent toute naturelle l'intervention d'Arnoult. Son dynamisme, sa foi dans l'entreprise ont, en 1768, une importance décisive. Rendons-lui hommage. Sans lui, Gabriel aurait-il achevé son ouvrage ? Les mariages de la fin du règne de Louis XV ne se seraient-ils pas déroulés dans une salle provisoire, au Manège ? L'Opéra de Versailles aurait-il été achevé avant la Révolution ? Arnoult fut un promoteur enthousiaste, un exécutant brillant, mais Gabriel sut le maintenir dans son rôle technique et demeurer *l'architecte*.

Le 28 février 1768, Gabriel ne croit pas encore au sérieux de l'affaire. Sceptique, et fort d'une longue expérience, il demande de l'argent. Louis XV l'accorde, et bien au-delà de ce qu'envisage le grand architecte. Toutes les prévisions seront dépassées. En deux ans, les travaux vont coûter plus de deux millions de livres. Encore certaines dépenses causées par l'aménagement de l'Opéra seront-elles soldées sous forme de contrats de rente et laissées par Louis XV à la charge de son successeur, et quelques entrepreneurs ou artistes, tel Pajou, ne seront-ils jamais intégralement payés de leur énorme labeur, dont nous sommes aujourd'hui les bénéficiaires.

Deux années durant, toute une partie du château va redevenir un vaste chantier et connaître une activité presque égale à celle du temps de Louis XIV. Des centaines d'ouvriers travaillent ; les maçons seuls sont encore, à la fin de 1769, à un moment où leur tâche s'achève, au nombre de deux cent cinquante. On installe les tailleurs de pierre derrière un rideau de palissades et de treillages sur le parterre du Nord. Des ateliers sont aménagés, protégés des intempéries par de simples bannes de toile, sur l'avenue de Sceaux. La surveillance des matériaux, les soins donnés aux ouvriers blessés apparaissent à nouveau dans les comptes, comme aussi les milliers de livres dépensées en chandelle, en huile ou en terrines de suif pour l'éclairage des travaux, l'hiver, la nuit ou, tout à la fin, dans la salle devenue obscure.

Gabriel a renoncé à utiliser l'entreprise Thévenin, trop endettée par plus de trente ans de travail dans les bâtiments de Versailles. Il s'est adressé à un maçon parisien, Le Tellier, dont les travaux, entre le mois d'avril 1768 et la fin de 1769, se montent à la somme de 674 000 livres. Son charpentier ordinaire, Briant, un couvreur, Yvon, plusieurs serruriers parmi lesquels figurent les Gamain et Cahon, qui a déjà travaillé aux améliorations apportées en 1762 à la petite salle de la Comédie de la cour des Princes, le plombier Lucas concourent au gros œuvre, aux diverses façades, ainsi qu'à la toiture, qui pose des problèmes difficiles à résoudre sur un aussi vaste espace, sans gêner la future machinerie.

La salle est exécutée en bois, pour son acoustique (peut-être le reconnut-on après coup) et par raison d'économie autant que de rapidité ; c'est là d'ailleurs la vieille tradition des théâtres portatifs. Menuisiers et décorateurs font merveille. Aux Guesnon et Clicot, qui travaillent depuis longtemps pour la Couronne, s'ajoute une nouvelle entreprise, Frejet et Guerne. On a aussi l'idée, — et nous pensons qu'il faut en attribuer le mérite à Gabriel lui-même, — de faire intervenir un menuisier en meubles, et l'un des meilleurs de son temps, Louis Delanois. Si la salle de Versailles nous paraît aujourd'hui si fine et si précieuse, délicate jusque dans ses moindres détails, c'est à Delanois qu'on le doit en partie. Il pousse les moulures des loges et des séparations, cintre, meuble la salle entière. Puis vient l'équipe des sculpteurs sur bois ; Guibert et Rousseau, ceux mêmes qui sculptent alors les boiseries de Versailles et de Trianon, exécutent tout ce qui est de pur ornement. Pajou se charge de ce qui est « figure », c'est-à-dire qu'il fait presque tout. Rassemblant à Paris tous les sculpteurs habiles qu'il peut trouver, jusqu'à douze ou seize travaillant en même temps, Pajou n'épargne ni sa peine, ni son talent ; au lieu d'une décoration banale d'ornements « antiques », Pajou habille la salle de Gabriel d'une multitude de bas-reliefs, de figures et de médaillons, qui l'animent. L'architecte fut dur avec lui et injuste. Pajou réclamera 159 000 livres, sur lesquelles à peine un tiers lui a été payé sous forme d'acomptes ; Gabriel, en 1773, lui proposera un règlement de 83 000 livres, que Pajou refusera d'accepter.

Louis XV s'intéresse personnellement à *son Opéra*. Certes, il y met plus de nonchalance et peut-être de timidité que ne l'aurait fait Louis XIV, mais il apporte ce goût pour l'architecture et l'art décoratif qui lui est propre. Il en connaît bien les plans, pour avoir travaillé avec Gabriel ; mais il veut *voir* par lui-même. Sous la direction de l'architecte, Arnoult et Pajou ont établi une maquette de la future salle, que le Roi vient étudier à l'Hôtel des Menus, le 11 juillet 1769.

Avec une lenteur qui gêne l'architecte et le sculpteur, Louis XV décide de renoncer à la grande loge d'apparat, prévue par Gabriel à la hauteur des secondes et troisièmes loges, et opte pour trois petites loges grillées, discrètes, confortables, joliment peintes à l'intérieur, et ouvrant à volonté sur le balcon des secondes loges.

Le Roi, après avoir fixé la date du mariage de son petit-fils et, par là, celle de l'inauguration de la salle, au 16 mai 1770, s'enquiert, au mois de mars, des premiers essais de voix. Le 7 mai, il tient à visiter le théâtre de fond en comble et donne ses indications pour les lustres de la salle. De la sollicitude royale et surtout de l'art de Gabriel, un chef-d'œuvre est né.

On doit rendre hommage à ceux, architectes, sculpteurs, peintres, menuisiers ou maçons qui, dans les dernières années du règne de Louis XV, ont doté Versailles d'un nouvel objet d'envie pour tous les souverains de l'Europe. On a dit l'enthousiasme d'Arnoult, son rôle dans l'achèvement de l'Opéra et jusque dans la maquette. Il a étudié la scène aussi bien que le mécanisme du plancher mobile de l'orchestre et du parquet, recherchant les « bois d'élite », qu'il dispute parfois à la Marine. Ce n'est pas par hasard qu'un mécanisme identique apparaît en 1771 au théâtre de la Résidence de Munich, pour élever le plancher de la salle à la hauteur de la scène.

L'Opéra de Louis XV et de Gabriel est inauguré le 16 mai 1770 par le Festin-royal donné à l'occasion du mariage du Dauphin avec l'archiduchesse Marie-Antoinette. Venant du Grand Appartement, du Salon d'Hercule et du Salon de la Chapelle, le cortège royal, à 10 heures du soir, pénètre dans la longue galerie, dite Galerie de la Chapelle. Cette galerie, récemment remise en état et vitrée, étonnamment blanche, éclairée de girandoles de cristal posées sur les anciens guéridons de la Grande Galerie, offre un spectacle qui surprend la Cour. Au fond, est placée la musique des Gardes-françaises, dont un déguisement à la turque ajoute à l'extraordinaire. Par la Salle des Gardes et son escalier de pierre, que bordent deux sphinx porteurs du chiffre de Louis XV, la famille royale pénètre dans la galerie du foyer et dans la salle elle-même. Celle-ci, dans son harmonie d'ors mêlés de bleu, de vert et de rouge, est toute brillante de ses multiples lustres, reflétés par les glaces de l'étage supérieur.

Plus encore que la salle, ou plutôt, fournissant à la salle son véritable sens, une société d'une superbe élégance forme le plus rutilant des accompagnements ; dans ses magnifiques habits de Cour, on ne peut dire qu'elle rivalise avec l'or partout répandu sur les murs ; elle éclipse cet or, l'excuse, l'explique. D'un tel spectacle, d'une harmonie si riche et si vivante, rien ne pourra jamais plus donner même un aperçu. La salle de Versailles, qui nous émeut encore lorsque nous la voyons vide, toute précieuse et peuplée d'ombres, risque de faire apparaître bien vulgaire et pauvre le plus élégant public d'aujourd'hui.

Les dames, toutes en grande parure, sont placées sur le devant des loges, comme pour décorer celles-ci. Lorsque le Roi entre, vêtu d'or et couvert de diamants, c'est, au sens propre du terme, le « couronnement » de l'œuvre. Dans une hiérarchie séculaire, dans une Cour qui s'est si bien organisée pour elle-même, une fête savamment ordonnée, un théâtre parfaitement composé constituent un cadre idéal. Pas une faute de goût, mais l'harmonie la plus difficile à atteindre, celle de la richesse.

Le plancher, relevé à hauteur de la scène, porte la gigantesque table du festin, où brille la vaisselle d'or, spécialement repolie pour cette occasion ; des barrières, peintes de marbre et d'or, séparent cette table du reste de la salle. Au fond, pris sur la scène, est monté un salon de musique, qui a été construit par Arnoult et dont l'admirable perspective encadre un orchestre de quatre-vingts musiciens. Jamais la monarchie française, qu'une vingtaine d'années sépare de sa chute, n'a été entourée d'un luxe aussi grand et aussi raffiné.

Les jours suivants, dans ce même cadre du nouvel Opéra, la féerie va se renouveler sans diminuer de magnificence. Le 17 mai, a lieu la première des représentations du *Persée* de Lully, dans la salle redevenue salle de spectacle. Le 19, après une nouvelle transformation et montage, sur la scène, d'un beau salon bleu, émeraude, or, argent et glaces, composé

d'une architecture ionique, orné d'un grand plafond peint
par Briard et de deux statues de vulgaire carton peint, mais
modelées par Houdon, a lieu le Bal-paré, où la Dauphine et
le Dauphin dansent le premier menuet, elle élégante et déjà
majestueuse, lui quelque peu lourdaud. Une esquisse de
Moreau le Jeune et bien des descriptions nous ont laissé le
souvenir de ce brillant spectacle. Louis XV est radieux ; peu
prodigue de compliments, il félicite Arnoult, le constructeur
de cette salle de bal démontable.

Les grands spectacles se succèdent : le 24 mai, l'*Athalie*
de Racine, avec une musique nouvelle de Gossec et une mise
en scène fastueuse ; le 26, nouvelle représentation du *Persée*,
plus réussie que la première ; le 9 juin, *Castor et Pollux* de
Rameau ; le 20 juin, une tragédie de Voltaire, *Tancrède*,
mais surtout un grand ballet « gothique », *la Tour enchantée*,
inspiré par la duchesse de Villeroy, dans lequel évoluent,
avec un certain désordre il est vrai, une compagnie de Gardes-
françaises et plusieurs chars attelés de vrais chevaux.

La Cour de France, où depuis, plus d'un siècle, le théâtre
a été l'objet de soins et de dépenses inouïs, possède enfin
un théâtre digne d'elle : « la plus belle salle qu'on eût jamais
vue en Europe », remarque le duc de Croÿ dans son *Journal*.

Certains esprits cependant s'inquiètent de telles dépenses.
Les spectateurs, la Cour sont émerveillés. Mais les comptes
des Menus-Plaisirs conservent la trace des sommes englouties
à chaque représentation : acteurs ou figurants, décors et
costumes ne forment qu'une partie de la dépense. L'éclairage
est ruineux. Il faut plus de 3 000 bougies pour éclairer la
salle, l'orchestre, les loges, le foyer et surtout la scène, où
des centaines de plaques de tôle et de réverbères en fer blanc,
des lampes optiques à miroirs qu'a étudiées, à la demande
d'Arnoult, l'opticien du Roy, Robiqueau, « marchand de
physique mécanique », donnent une intensité de lumière
surprenante pour l'époque. L'intendant des Menus, Papillon
de La Ferté, a beau se pencher sur ce problème, faire établir
des mèches montées sur des ressorts dans des étuis de fer
blanc, comme on en voit aujourd'hui dans les églises, se
féliciter, lors du mariage du comte de Provence, d'avoir pu
réduire, pour le Bal-paré, la consommation à 2 700 bougies,

ce qu'il note dans son *Journal* va se réaliser : « Je pense que ce local ne pourra jamais servir que dans les fêtes de très grand apparat et où l'on ne regardera pas à la dépense. »

De fait, les représentations dans ce théâtre, riche autant que bien aménagé, vont demeurer peu nombreuses. Le 14 juillet 1770, la *Sémiramis* de Voltaire, suivie d'une comédie de Poisson, l'*Impromptu de campagne*, termine les représentations données pour le mariage du Dauphin.

L'année suivante, le mariage du comte de Provence développe un programme analogue. En 1773, a lieu le mariage du comte d'Artois ; l'Opéra sert à nouveau. Les dernières années de Louis XV peuvent compter, pour la Cour et pour le public, parmi les plus brillantes de Versailles grâce à l'achèvement de ce théâtre d'une singulière beauté.

L'œuvre sera dénaturée au XIXᵉ siècle. Il est à l'honneur de notre temps d'avoir réalisé la restauration qui remit la salle à peu près dans l'état voulu par Louis XV. Le travail mérite admiration. Il fut mené avec lenteur et sagesse. Achevé en 1957, il coûta environ un milliard de francs de cette époque. Voilà une résurrection exemplaire.

CHAPITRE III

LA REINE

LA PLACE DE MARIE LECZINSKA

Aussi effacée qu'elle puisse, de loin, nous apparaître, la place qu'occupe la Reine demeure grande dans la vie de Versailles, et certainement plus qu'au temps de Louis XIV. La magnificence du bel appartement du Midi semble, depuis l'origine, nécessaire à l'équilibre, à l'existence du château. On a vu le Grand Roi, après la mort de Marie-Thérèse, tenter d'animer cet appartement par la présence de la dauphine de Bavière, puis de la duchesse de Bourgogne. Marie Leczinska occupera de 1725 à 1768 ce même appartement, qui sera remis en état pour la dauphine Marie-Antoinette ; l'interrègne n'aura duré que deux ans entre la mort de la Reine et l'arrivée de l'archiduchesse.

La présence de la Reine fait partie des rites du château. Après avoir été reçus par le Roi, les ambassadeurs aussi bien que les harangères se rendent chez elle. La place de la souveraine est marquée dans le cortège quotidien qui conduit à la Chapelle. Le Roi songe presque toujours à l'inviter à ses petits spectacles des Cabinets et, s'il dédaigne lui-même, comme cela lui arrive souvent, la Comédie, l'absence de la Reine, annoncée à l'avance, annule la représentation, comme si la présence du Dauphin ou de Mesdames n'était pas jugée suffisante. C'est chez elle que se tient d'ordinaire le grand-couvert du Roi ; c'est chez elle aussi, par un paradoxe d'autant plus curieux que son influence politique est nulle, que Louis XV fait tenir les grands lits de justice où il convoque son Parlement, en une procédure inconnue de Louis XIV.

Dans la vie même du Roi, Marie Leczinska occupe une

place, qui, même en sa tristesse, n'en continue pas moins d'apparaître jusqu'à la fin. Encore faut-il observer ici deux ou trois étapes, qui correspondent aux passions du Roi.

Tout jeune, Louis XV aime la Reine, d'un attachement que Louis XIV n'a jamais eu pour Marie-Thérèse. Marie Leczinska, sans être vive ni enjouée, n'est pas dépourvue de finesse ; sensiblement plus âgée que lui, elle n'a encore que vingt-sept ans en 1730. Elle est tendre, docile et soumise à ce jeune homme, qui trouve auprès d'elle un plaisir qui le satisfait.

La Reine n'est-elle pas d'abord vouée à donner au Roi quelques héritiers mâles, qui assureront la suite de la dynastie ? Elle fait ce qu'elle peut, mais commence par deux jumelles, au mois d'août 1727, Madame aînée, qui épousera un infant d'Espagne et deviendra duchesse de Parme, et Madame Henriette, qui mourra en 1752. Elle met au monde, moins d'un an plus tard, en juillet 1728, encore une fille, Madame troisième, qui mourra en 1733. Louis XV, le jour même de cette dernière naissance, si l'on en croit Barbier, « a dit à la Reine qu'il falloit prendre parole avec Payrat, son accoucheur, pour l'année prochaine pour un garçon ». Promesse tenue ; treize mois plus tard, la Reine, dans sa grande Chambre de Versailles, accouche d'un Dauphin, le 4 septembre 1729, puis, le 30 août 1730, d'un autre garçon, le duc d'Anjou, qui s'éteindra en 1733. Suit un répit de bien courte durée pour la pauvre Reine, qui donne le jour en mars 1732 à Madame Adélaïde, en mai 1733 à Madame Victoire, en juillet 1734 à Madame Sophie, en mai 1736 (Madame troisième ou Madame Louise étant morte dans l'intervalle), à Madame sixième, qui mourra, elle aussi, en 1744, enfin, en juillet 1737 à Madame Louise, dite Madame dernière, dont la naissance fait noter à Barbier cette observation un peu crue sur cette abondance de princesses dont Marie Leczinska dote la France : « Elle a le ventre furieusement disposé de ce côté-là ; en voilà bon nombre. » La tendre femme ne l'entend pas ainsi et adresse ce jour-là à Louis XV cette supplication touchante : « Je voudrois souffrir encore autant et vous donner un duc d'Anjou. »

Accablée par tant de maternités, ayant déjà perdu deux

de ses enfants, la Reine n'est plus très gaie, ni jolie. Louis XV, le plus bel homme du royaume, est entouré de séductrices, qui ne demandent qu'à voir renaître à leur profit le titre de maîtresse déclarée ; de haute ou de basse naissance, celles-ci se succéderont dans le cœur du Roi.

Quelques ressentiments naissent d'abord dans l'esprit de Louis XV, qui ont pu venir d'interventions politiques maladroites de Marie Leczinska, habilement exploitées. La chasse l'emporte ensuite sur tout autre sentiment, mais contribue à l'éloigner de la Reine et à lui montrer, dans de petits soupers qu'organisent la comtesse de Toulouse ou Mlle de Charolais, quelques beautés qui dessillent ses yeux. Il tombe dans les bras de Mme de Mailly, mais rien n'est d'abord public, et l'approche des grandes fêtes le ramène pendant quelque temps vers la religion, c'est-à-dire vers la Reine. Barbier peut écrire encore, en décembre 1737 : « Le Roi a couché avec la Reine vers les fêtes de Noël. Comme cela n'étoit arrivé depuis longtemps, on l'a remarqué. »

Le calvaire de la Reine commence ; elle en gravira chaque étape, sans rien ignorer, car l'usage, suivi par plus d'un roi de France, veut que la maîtresse en titre soit ou devienne dame du Palais de la Reine. Mme de Mailly, lorsqu'elle aura cessé de plaire au Roi, cédera sa place à l'une de ses sœurs, Mme de Flavacourt, tandis que la Reine demandera elle-même, en septembre 1742, une place vacante pour Mme de la Tournelle.

Les soirs que le Roi vient souper ou jouer chez la Reine et que la dame est de semaine, celle-ci demande à la souveraine, quand Louis XV est sorti, la permission de se retirer. Les courtisans observent sans pitié le manège, qui leur est familier. Même un Luynes, pourtant tout dévoué à la Reine, note cruellement, un jour de 1744 où le Roi a soupé dans la Chambre de Marie Leczinska en compagnie de Mme de Châteauroux, qui est de semaine, que la Reine « ne parut pas de trop bonne humeur ; cela a été remarqué ». Et cela se comprend !

C'est la période douloureuse de la vie de Marie Leczinska, qui s'applique à jouer, du mieux qu'elle le peut, son rôle de représentation ; toujours attachée à son époux, négligée,

elle essaie de soutenir avec dignité une situation qui en
est dépourvue du fait du Roi. Celui-ci peut lui montrer
publiquement son indifférence, son impolitesse même parfois,
elle ne se rebute pas. Il ne se rend presque plus chez elle,
note par exemple le duc de Luynes en 1741, mais elle
« continue à aller tous les matins chez lui ». Est-il indisposé,
comme cela lui arrive quelquefois, notamment au mois de
mars 1744, et obligé de garder la chambre, elle s'y rend,
pleine d'avance de patience et de résignation. « Elle entra
dans le cabinet de glaces, et y attendit près d'une demi-
heure... Au bout d'une demi-heure on ouvrit la porte de la
chambre, et la Reine y entra. »

Bien des gens trouvent alors plus de profit et d'agrément
à faire leur cour à la maîtresse qu'à la Reine. A des riens, la
défaveur se marque, et Luynes d'observer, à propos des saluts
profonds que faisaient autrefois les hommes, la main presque
jusqu'à terre : « Je vois les révérences surtout à la Reine
n'être pas plus respectueuses, quelquefois même pas autant,
qu'on les feroit à un premier ministre. »

Marie Leczinska tient tête à sa façon, se retranche derrière
les problèmes d'étiquette, mais n'en est que plus solitaire.
Elle observe dans ses promenades de marcher « toujours toute
seule entre son chevalier d'honneur et son premier écuyer ou
ses écuyers de quartier sans aucune dame auprès d'elle ». Se
réfugie-t-elle dans la piété, elle aperçoit bien souvent au
sermon le fauteuil vide du Roi auprès du sien. Joue-t-elle,
entourée d'un protocole très strict, et différent selon qu'elle
se trouve dans sa Chambre ou dans son Cabinet des Jeux, il
lui arrive de trouver Mme de Mailly en face d'elle.

Elle essaie de se distraire en jouant, en s'intéressant à la
peinture ou à la musique, en se rendant, parfois en masque,
aux bals qui se donnent chez ses enfants, en allant souper
hors de chez elle, s'invitant à l'improviste chez le cardinal de
Rohan, chez Mme de Villars ou chez les Luynes. D'innocentes
collations la conduisent à la Ménagerie, à Trianon ou à Marly.
Quel plaisir pour elle, lorsque le Roi parfois survient et
bouscule son étiquette, comme il le fait par exemple en
décembre 1738, où, après avoir couru le cerf, il entre,
mangeant un morceau de pain, chez sa femme, qui est à

table et à qui il réclame une aile de poulet ; le premier maître d'hôtel de la Reine, le marquis de Chalmazel, s'empresse, veut faire mettre un couvert ; mais le beau roi s'envole bien vite, « voulut manger debout, et s'en alla même en achevant ce petit repas », pour remonter, hélas ! dans ses carrosses et partir souper à Madrid en compagnie de Mme de Mailly.

Mme d'Étioles, prenant, en 1745, la place laissée vacante auprès du Roi par la mort de Mme de Châteauroux, mettra tout le tact possible dans ses rapports avec la Reine ; sa présentation à la Cour, au mois de septembre de cette année, oblige la nouvelle marquise, que la princesse de Conti a accepté d'introduire, à se rendre chez la Reine en sortant du Cabinet du Roi : « Le public, attentif jusqu'aux moindres circonstances de cet entretien, a prétendu qu'il avoit été fort long et qu'il avoit été de douze phrases. » Mme de Pompadour apporte du moins de la délicatesse et un respect extérieur dans son attitude à l'égard de la Reine, qui lui en sait gré. Lorsque la marquise est nommée, en 1756, treizième dame du Palais de la Reine, en surnuméraire, Marie Leczinska n'ignore pas qu'elle n'est plus pour Louis XV qu'une vieille amie fidèle ; la famille royale presque entière a adopté la marquise, un peu comme une proche parente, douce et bonne conseillère, toute pleine d'attentions charmantes.

Certes l'ancienne favorite possède la confiance du Roi, qu'elle sait conduire, comme n'a pas réussi à le faire l'épouse. Elle mourra quatre ans avant la Reine. Louis XV s'est habitué à ces deux existences. La présence de la Reine, sans lui être devenue nécessaire, fait partie de la vie de Versailles. Mais Marie Leczinka, tout en observant avec exactitude la mécanique de la Cour, est rongée de chagrin et ne s'y accoutume pas. Sa mort même lui paraît lente à venir. Le 2 mars 1768, elle demande le viatique. « Le Roi suivi de la famille royale se rend à la chapelle avec le cérémonial accoutumé pour accompagner Notre Seigneur. » La mort ne la prendra que le 24 juin. Louis XV, dans ses lettres hebdomadaires à son petit-fils, le duc de Parme, laisse apparaître, dans une inquiétude résignée, la tristesse plutôt que le chagrin que lui inspire cette perte. C'est un peu de

Versailles et de ses habitudes que, dans un château soudain

FIG. 17. — *Appartement de la Reine vers 1740.*

1. Cour de marbre. — 2. Cour royale. — 3. Cour de la Reine ou de Monseigneur. — 4. Cour dite de Monsieur. — 5. Cour des Princes. — 6. Salle des Marchands (ou des Cent-Suisses). — 7. Salon de passage. — 8. Vieille-aile. — 9. Appartement de Mlle de Clermont (ancien appartement de Mme de Maintenon). — 10. Grande Salle des Gardes du Corps ou Magasin. — 11. Vestibule ou loggia conduisant à l'appartement du Roi. — 12. Escalier de la Reine. — 13. Palier de l'Escalier de la Reine. — 14. Salle des Gardes de la Reine. — 15. Antichambre du grand-couvert. — 16. Grand Cabinet ou Salon de la Reine. — 17. Chambre de la Reine. — 18. Salon des Jeux de la Reine ou Salon de la Paix. — 19 à 28. Cabinets de la Reine. — 19. Escalier des entresols. — 20. Cabinet pour le service de la Reine. — 21. Premier valet de chambre du Roi (passage vers l'Œil-de-Bœuf). — 22. Cabinet de chaise. — 23. Oratoire ou Cabinet de Méridienne. — 24. Petite Galerie. — 25. Pièce des Bains. — 26. Grand Cabinet-Intérieur. — 27. Arrière-Cabinet. — 28. Terrasses de la Reine. — 29. Appartement du Roi. — 30. Grande Galerie.
(A comparer au plan du même appartement vers 1788, fig. 26, p. 584.)

tendu de noir, où, pour lui rendre hommage, le peuple se bouscule, la « bonne reine », la Reine en titre du Versailles de Louis XV, emporte avec elle.

L'APPARTEMENT OFFICIEL

L'appartement de la Reine reflète aujourd'hui encore assez bien l'image de la place qu'y a tenue Marie Leczinska : sa vie intime et ses peines sont inscrites dans le dédale des cabinets, que, bien avant Marie-Antoinette, elle prit plaisir à faire installer avec luxe ; sa vie officielle surtout peut être évoquée dans le grand-appartement.

La grande Salle des Gardes du Corps, face au débouché de l'Escalier de la Reine, a été bouleversée par Louis-Philippe. Elle était jusque-là revêtue de menuiserie et demeurait commune au Roi et à la Reine ; on a vu qu'on l'appelait aussi le « magasin », car elle était encombrée de chaises et de laquais, que l'on s'efforça, dans le cours du règne, de repousser dans les petites pièces qui précédaient la Salle des Marchands, avant que celle-ci devînt Salle des Cent-Suisses, auprès de l'Escalier des Princes. Dans cette Salle des Gardes, la Reine procédait, le jeudi-saint, à la cérémonie du lavement des pieds ; treize petites filles étaient assises sur une longue table disposée en face des fenêtres et devaient entendre un sermon, le chant du *Miserere*, une absoute et quelques oraisons, avant que la Reine leur lavât les pieds. Puis Mesdames et les dames de la Reine, avant de distribuer des bourses de cuir qui contenaient chacune treize écus, servaient à chacune des treize fillettes un repas complet de quinze plats ; les plats eux-mêmes étaient de bois, sauf le premier, qui était fait en pâte de pain et sur lequel étaient placés trois petits pains et une salière « aussi de pain avec du sel blanc dedans ». On doit songer avec pitié au dépit de la pauvre petite fille, qui, dans cette cérémonie de la Cène, était là pour représenter le treizième apôtre ; sur son premier plat, « la même salière y étoit, mais sans sel dedans, à cause de Judas ».

La Salle des Gardes de la Reine se trouvait à peu près telle que nous l'avons vue au temps de Louis XIV et que nous la connaissons aujourd'hui, à la propreté près. Encombrée par habitude de tables, de paravents, de lits et d'armes, de soldatesque et de valetaille, elle était complètement transformée lorsque Louis XV y réunissait son Parlement pour y tenir ses lits de justice. Des plans, que conserve la Bibliothèque nationale et que complètent quelques descriptions contemporaines, montrent ce qui fut réalisé par les charpentiers pour le lit de justice de 1732 et répété pour les cérémonies suivantes. Le Roi, comme s'il siégeait dans son Palais de Paris, était, selon une tradition immémoriale, assis au haut d'un gradin triangulaire, au coin extrême de la salle qui s'adosse à l'Escalier et à l'Antichambre de la Reine ; du côté des fenêtres, étaient disposés des gradins pour le public et une tribune pour la Reine, qu'accompagnèrent plus tard Mesdames et la Dauphine ; on plaça même à cette tribune des « jalousies », lors du lit de justice de 1759.

L'Antichambre qui suit, où stationnent à longueur de journée les valets de pied de la Reine, qui prétendent bien être les seuls, l'hiver, à avoir le droit de se chauffer à la cheminée, n'a pas reçu de modifications au XVIIIe siècle. Elle sert au grand couvert. Une tribune de menuiserie et de soierie est adossée à la Salle des Gardes, une des colonnes empiétant sur la première fenêtre ; c'est là que se tiennent les musiciens. A l'opposé de cette tribune, en allant vers le grand-cabinet voisin de la Chambre, se trouvait la cheminée, non loin de laquelle on plaçait les fauteuils du Roi et de la Reine. Un récit de Luitpold Mozart, dans la grande tournée qu'il fit avec sa famille en Europe, raconte comment le jeune Wolfgang-Amadeus, âgé de sept ans, assiste ici, en 1764, au grand-couvert, répondant aux questions posées en allemand par Marie Leczinska, qui fait office d'interprète auprès de Louis XV.

Le Grand Cabinet de la Reine ne paraît pas avoir été modifié pour Marie Leczinska, qui donne ici, comme Marie-Thérèse, ses audiences publiques, son fauteuil « au fond, face au trumeau des fenêtres », encadrée du « cercle » de ses dames, les unes assises, les autres debout, la femme du chevalier d'honneur étant, en vertu d'un privilège particulier, « assise sur un carreau ».

LA CHAMBRE DE LA REINE

Le rôle tenu par Marie Leczinska à Versailles apparaît avant tout dans la grande Chambre, qui fut celle de Marie-Thérèse.

Jeune mari encore épris de sa reine, Louis XV transforme pour elle avec magnificence cette Chambre, qu'il continue ensuite d'embellir comme pour se faire pardonner sa conduite, et qui demeure, malgré les altérations apportées depuis, l'un des plus brillants exemples du style Louis XV.

Même s'il en rejette plus tard le souvenir, le Roi sait bien que dix années de sa vie sont liées à cette chambre. Il est venu tant de fois, le soir, passant par l'Œil-de-Bœuf, rejoindre ici cette tendre, patiente et maladroite Marie ! L'une des dernières fois qu'il s'est présenté à sa porte, après bien des attentes vaines de la pauvre femme, il est même, dit-on, tombé du grand lit, du moins d'après une version qui a paru étrange à plus d'un contemporain. Il a assisté ici à la naissance en public de ses nombreuses filles et de ses deux garçons, avec cette curieuse étiquette qui autorisait seule Mlle de Clermont, comme surintendante de la Maison de la Reine, à se trouver à côté du lit, à l'intérieur du balustre. Il est entré ici bien souvent, par l'ancien Salon de la Paix, pour rendre visite à la Reine, souper avec elle à son petit-couvert, la voir recevoir une ambassadrice en audience de congé, ou simplement lui raconter l'une de ses chasses.

Cette Chambre est devenue, sous l'impulsion personnelle de Louis XV, et en tenant compte parfois des goûts de la Reine, l'une des plus belles du nouveau Versailles. L'essentiel des travaux est réalisé avant 1737 et peut, semble-t-il, se résumer comme suit.

En 1725, juste avant l'arrivée de Marie Leczinska en France, Vassé et quelques autres sculpteurs travaillent à modifier l'ancienne cheminée.

En 1730, selon un document retrouvé et publié par Pierre Francastel, le trumeau placé entre les deux fenêtres est entièrement décoré « à la moderne », tel à peu près qu'il est venu jusqu'à nous. Robert de Cotte, et non Gabriel comme on l'a longtemps cru, en a présenté les dessins ; Du Goullon, Le Goupil, et un jeune sculpteur récemment arrivé des Flandres, Jacques Verberckt, qui épousera bientôt la fille de Le Goupil, travaillent tous trois aux boiseries, et non, comme on le pensait, le seul atelier de Verberckt. La réunion n'est pas fortuite. Robert de Cotte, Du Goullon, Le Goupil sont porteurs de fortes traditions ; nous les avons rencontrés décorant notamment le buffet d'orgue de la Chapelle, en 1710, dans un style « Louis XIV » qui s'est transformé au point de devenir presque « Louis XV ». Les mêmes palmes, les mêmes fleurs, la même sève se retrouvent ici vingt ans plus tard entre leurs mains. De Cotte meurt en 1735 ; les deux autres en 1731 et 1734. Ils ont su préparer au Versailles de Louis XV l'art décoratif qui lui convient. Gabriel et Verberckt pourront suivre leur exemple.

En 1734, les dessus de porte, sculptés de palmes, de volutes et des attributs de l'Amour, et marqués d'un mouvement exubérant, sont ornés de tableaux, dus à Natoire et à De Troy, symbolisant la France et les enfants royaux.

Cependant la décoration des boiseries se poursuit selon le programme commencé en 1730. Le trumeau de la cheminée (alors du côté du Cabinet), en 1735, et, à peu près au même moment, celui en vis-à-vis (du côté du Salon de la Paix) s'accompagnent de magnifiques panneaux décorés de rocailles et de bas-reliefs d'enfants.

Le plafond reçoit quelques modifications en 1735 ; les anciens tableaux, dont l'encadrement général paraît ne pas avoir été changé, sont remplacés par d'autres peintures de caractère moins sévère. Des grisailles d'or, qui dessinent des mosaïques de rosaces et de fleurs de lis, simulent une coupole de trompe-l'œil au centre ou occupent à la voussure les quatre longs rectangles des tableaux de De Sève ; quatre camaïeux, peints par Boucher et représentant des Vertus avec des encadrements de rocailles, de fleurs, de palmes et d'enfants en plâtre, bois et carton doré, viennent rehausser ces derniers ; un certain Lemaire reçoit alors près de sept mille livres pour les travaux de peinture et de dorure qu'il accomplit sur ce plafond.

A l'automne de 1748, tout en demandant à Portail de nettoyer le plafond de la Chambre, on remplace les vantaux des portes, qui devaient dater de l'époque de Marie-Thérèse et qui se trouvaient dans un triste état. Cette mention, relevée dans les comptes des Bâtiments, expliquerait le style des portes actuelles.

Enfin, en 1764, une somme de vingt mille livres est inscrite pour redorer la Chambre de Marie Leczinska.

Les soins et les embellissements que n'a cessé de recevoir, tout au long du règne, la grande Chambre de la Reine s'accompagnent du renouvellement des soieries, qui constituent, on le sait, non seulement le « meuble » (lit, fauteuils, canapé, chaise-longue, pliants, carreaux, écran et paravent), mais aussi les rideaux de fenêtres, les portières, et surtout la tenture de l'alcôve (c'est-à-dire environ la moitié du revêtement mural de la chambre). Lyon prodigue ici ses chefs-d'œuvre, dont nous informe le duc de Luynes aussi bien que le *Journal du Garde-Meuble*.

A l'automne de 1737, la Chambre étant, dans son ensemble, achevée, un ameublement neuf est apporté. Louis XV, qui entreprend à ce moment de renouveler les soieries du Grand Appartement de Versailles et fait tisser celles de son appartement intérieur, dans le but bien avoué de « soutenir des manufactures de Lyon qui manquent d'ouvrage », a laissé la Reine choisir « celles dont les dessins lui plairont davantage », et Marie Leczinska a commandé un brocart de Lallié, dont le fond cramoisi, presque « feu », est enrichi de fleurs d'or.

Au printemps de 1743, Louis XV offre à la Reine, pour l'été, un nouvel ameublement, dont le caractère extraordinaire n'échappe pas au duc de Luynes, avec ses ornements « tout de travers, suivant le goût nouveau ». Des fleurs au naturel, rapportées, brodées, découpées ou peintes sur un fond blanc, composent d'étonnants bouquets ; les quatre panneaux muraux, de part et d'autre du lit, dessinent de grands vases de fleurs ; les bois du meuble sont eux-mêmes enrichis de guirlandes de fleurs polychromes sur un fond de dorure.

Le meuble d'hiver est remplacé, en 1764, par un nouveau meuble « de satin blanc brodé en chenille de soye nuée de plusieurs couleurs avec bordure de velours vert brodé d'or », et le meuble d'été, à son tour, en 1766, par un ensemble de taffetas chiné.

Tel est le cadre, sans cesse embelli et mis à la mode, au milieu duquel, une quarantaine d'années durant, Marie Leczinska a vécu son existence de reine de France. A la richesse solennelle du règne précédent, a fait place une fantaisie somptueuse, tout un décor d'enfants, qui rappellent à Marie les Enfants de France, *ses* enfants, des fleurs à profusion, comme elle les aime, de l'or en abondance et du blanc savamment disposé, mais aussi des couleurs vives, surtout dans les soieries.

Le reste du mobilier relève du même esprit. La grande table de marbre, placée devant le trumeau d'entre-fenêtres, auprès de laquelle la Reine se tient debout, après sa toilette, dans toutes les séances de représentation, audiences particulières accordées à des ambassadeurs ou à des ambassadrices, aussi bien qu'à la réception solennelle de la rose d'or que lui envoie le Pape en 1736, est de dimensions exceptionnelles ; elle est portée par un pied, formé de trois consoles richement refouillées de palmes et de fleurs, qu'accompagnent quatre enfants et deux dauphins ; nous avons retrouvé ce groupe, séparé du reste du pied, au Metropolitan Museum de New York. Nous ignorons encore où se trouve le corps du meuble.

Le tapis, dont une série de hasards ou de recherches nous a livré tous les éléments, est composé de deux parties. L'une, plus étroite, destinée à l'alcôve et dessinée suivant le contour du balustre, comporte en son centre, pour la place du lit, un décor de mosaïque analogue à celui des plafonds ; amputée, dépecée, elle appartient aux collections du Mobilier national. L'autre, qui est faite pour couvrir le reste de la Chambre, avec une découpure pour le foyer de la cheminée, a été retrouvée en Angleterre ; sur une initiative de René Varin, elle fut généreusement offerte à Versailles en 1951 par Mrs. Barbara Hutton.

Louis XV est là, partout présent, dans la Chambre de la Reine. Ce tapis qui lui plaît, il l'a d'abord fait tisser pour lui, à la même manufacture de la Savonnerie et sur le même modèle deux ans plus tôt, en 1728, pour sa propre Chambre, la Chambre de Louis XIV. Il est là, dans l'ovale qui surmonte la glace de la cheminée, sous la couronne royale, dans un beau portrait qu'a peint Van Loo, tandis que la Reine a fait disposer le portrait de son père, le roi Stanislas, au-dessous de la couronne de Pologne, dans l'ovale d'entre-fenêtres.

Louis XV occupe sans cesse l'esprit de la Reine ; il est là
jusque par ses cadeaux, dont Marie aime la présence ; les
deux grandes girandoles composées de figures de Vincennes,
qui se trouvent sur la table de marbre, sont un souvenir de
Noël 1752 ; l'écritoire, dont elle se sert dans sa Chambre et
que les connaisseurs estiment « de toute beauté », est également un don de son royal époux.

L'étiquette qui entoure la Reine apporte, elle aussi, le
témoignage de la présence de Louis XV, ou parfois de Louis
XIV. Marie Leczinska observe consciencieusement les usages
et les règlements de cette Cour tyrannique, fastueuse et
intéressée, qui lui dénie toute liberté. Il lui arrive de
demander au Roi ou au cardinal de Fleury de trancher un
cas délicat ; elle n'entend pas innover. Elle observe le
mécanisme des grandes et des petites-entrées, et accepte de
voir sa Chambre envahie par tous ceux à qui appartient ce
droit. Nous ne sommes pas seuls à nous étonner des foules
qui se pressent dans l'ancien Versailles. Une fois au moins,
le duc de Luynes s'en montre surpris, lorsqu'il note, le 13
octobre 1744, au retour de la Reine à Versailles, après la
maladie de Metz et les réjouissances de Paris, le nombre
prodigieux de dames qui ont accompagné la Reine dans sa
Chambre. La pièce mesure à peine dix mètres sur dix, et
personne ne franchit le balustre qui isole un bon tiers de la
Chambre ; dans ce qui reste d'espace, soixante-quatre dames
et la Reine sont là, dans leurs grandes robes, se faisant des
grâces, évoluant avec art.

Faire partie du service de la Reine, ce n'est pas seulement
un honneur ; il en découle aussi des avantages, pensions ou
gages. Ici, comme chez le Roi, chacun défend ses privilèges
et ses droits. On renouvelle, par exemple, tous les trois ans
le linge de la Chambre, c'est-à-dire les draps et les taies
d'oreillers, aussi bien que les manteaux de lit ou les beaux
couvre-pieds garnis de dentelle ; il y en a chaque fois pour
quelque trente mille livres ; tout l'ancien linge revient de
droit à la dame d'honneur ; le mari de celle-ci, le duc de
Luynes, note, en addition à ses *Mémoires,* que l'on conserve
encore au château de Dampierre, quinze paires de draps en
belle toile de Hollande qui viennent de Marie Leczinska et

qu'on appelle « les draps de la Reine ». Même processus pour la toilette, qu'on renouvelle tous les cinq ans : les riches tissus brodés d'or de la toilette ancienne sont alors attribués à la dame d'honneur, les dentelles et le linge à la dame d'atours.

Il en est ainsi à chaque échelon. On change tous les trois ans les galons d'or qui garnissent les cassettes ou coffres de la souveraine ; Mme de Luynes cherche à faire des économies sur ce point ; une protestation des intéressés survient, à qui la Reine donne raison, pour éviter qu'ils ne soient « déçus de ne pas les avoir ».

La fourniture des bougies est l'objet de bénéfices bien délimités, que précise Luynes avec sérieux : « Lorsque la Reine mange dans sa chambre, les bougies de dessus sa table appartiennent à l'huissier de la chambre ; quand elle mange dans son cabinet, c'est l'huissier du cabinet, et lorsque c'est dans l'antichambre, c'est l'huissier de l'antichambre. » Nul doute que la bonne reine ne s'applique à varier le lieu de ses repas, pour laisser à chacun ses petits bénéfices.

De plus, la Maison de la Reine possède ses fournisseurs comme sa hiérarchie propre. Le même duc de Luynes précise que, pour les concerts donnés par la Reine, « le facteur qui accorde les clavecins est différent selon que le concert a lieu chez la Reine ou chez le Roi », dans le Salon de la Paix ou dans une autre pièce du Grand Appartement.

LE SALON DES JEUX

Le Salon de la Paix est désormais incorporé à l'appartement de la Reine. On l'appelle parfois *Salle du Concert*, mais plus souvent *Cabinet ou Salon des Jeux de la Reine*, selon sa double affectation.

Le décor de Louis XIV et de Le Brun est inchangé, aux deux détails près que l'on a signalés plus haut : le *Louis XV en pacificateur*, peint par François Le Moyne en 1729 pour le grand ovale qui surmonte la cheminée ; la cloison mobile, qui ferme le Salon du côté de la Galerie.

Marie Leczinska se livre ici à l'un de ses passe-temps favoris, le jeu, le cavagnole notamment, où il lui arrive de jouer avec ses dames avant et après souper. Le comte Carl Gustaf de Tessin, qui vient à Versailles comme envoyé extraordinaire de Suède en France entre 1739 et 1742 et qui est très bien accueilli à la Cour, observe dans sa correspondance que la Reine lui ordonne souvent de jouer à sa table. Il invente même un verbe : *cavagnoler*. Il déplore l'argent qu'il perd. La Reine fait parfois elle-même de lourdes pertes. Elle tient ses comptes avec attention et range ses louis dans des rouleaux d'ivoire, qu'elle enferme dans un secrétaire de son boudoir. Louis XV, qui connaît son vice et qui ne s'en défend pas lui-même, fait de temps à autre rembourser discrètement ses pertes les plus sévères.

Comme pour bien marquer l'appartenance du Salon de la Paix à l'appartement de la Reine, le meuble établi en 1737 est composé des mêmes soieries que celles de la Chambre et du Grand Cabinet.

Dans l'atmosphère musicale où vit la Cour de France, le Salon de la Paix prend une importance particulière pour l'histoire de la musique française, dont il faut dire au moins quelques mots.

LA MUSIQUE

Certes, dans le Versailles de Louis XV, comme dans celui de Louis XIV, la musique a bien des occasions diverses de se manifester, et la tradition peut jouer ici un certain rôle. Louis XV lui-même paraît peu porté vers la musique ; il chante faux, et l'on reconnaît à la chasse sa voix rauque entre mille. Il s'intéresse volontiers, on l'a dit, aux musiques militaires et il entend avec plaisir les trompettes et hautbois de la Chambre, notamment le premier janvier, le premier mai et le 25 août. Ces jours-là, il écoute plus ou moins à son souper du grand couvert la symphonie qu'exécutent les vingt-quatre, « suivant l'usage ordinaire ». Les motets à la Chapelle, les opéras font aussi partie de ce que, bon gré mal gré, il entend au cours de l'année.

La grande musique est plutôt l'affaire de la Reine, de ses

filles, de son fils, qui y consacrent, ainsi qu'au jeu, le plus clair de leurs loisirs. Marie Leczinska, qui s'essaie à la guitare et au clavecin, pense peut-être faire plaisir aux Luynes, qui l'écoutent avec une respectueuse patience, lorsqu'elle joue chez eux de la vielle. Le Dauphin joue de l'orgue, du clavecin, de la contrebasse et du violon, et Mesdames trois ou quatre instruments chacune. On est cependant en droit de penser que la musique qu'entend la famille royale est supérieure à celle qu'elle se plaît à exécuter.

Il y aurait, en s'aidant des papiers des Menus-Plaisirs, une étude intéressante à écrire sur le déroulement des concerts donnés chez la Reine ou sur leur nombre, sans retenir ceux qui ont lieu chez Mesdames ou chez le Dauphin. On en compte, par exemple, en 1751, vingt et un au premier trimestre, cinq au deuxième, neuf au troisième, huit au quatrième. On se croirait parfois encore sous le règne de Louis XIV, car tout n'est pas que moderne dans la musique que l'on joue : beaucoup de Delalande et de Lully, à côté de Rameau et de Destouches.

Une innovation est à signaler. Les concerts chez la Reine s'interrompent d'abord le samedi, veille du dimanche de la Passion, pour ne recommencer que le lundi après Quasimodo. Puis Marie Leczinska introduit l'usage de motets et de cantates dans son salon pendant la Semaine-Sainte. La vogue de ces concerts spirituels est si grande, que Mme de Pompadour en fait autant et donne ainsi, dans le Grand Cabinet de son appartement, le *Miserere* de Delalande ou divers motets, que Louis XV vient entendre pour faire plaisir à la marquise.

LES CABINETS DE LA REINE

La vie de représentation de la Reine s'arrête à ces quelques pièces de son grand-appartement, exposé au midi. Au-delà, Louis XV a fait aménager pour elle, à l'instar des siens, des « Cabinets », des réduits, assez mal éclairés sur la petite cour de Monseigneur, exposés au nord et à l'ouest, mais magnifiquement rehaussés par l'art des architectes et des décorateurs. Dans leur disposition et leur plan, presque dans leur richesse, les Cabinets de Marie Leczinska annoncent ceux que, à la même place, habitera Marie-Antoinette ; à peu près rien n'en subsiste, mais ce qui reste de ces derniers permet d'imaginer ce qu'ont pu être, dans un autre style, les premiers. L'esprit aussi est différent ; dans le luxe aimable du XVIIIᵉ siècle, la dévotion triste de l'épouse du Bien-Aimé transparaît à chaque instant.

L'étude de ces Cabinets mériterait d'être poussée. On pourrait, à l'aide de plans et de dessins conservés aux Archives nationales, de quelques aquarelles que possède la Bibliothèque nationale, de mentions relevées dans les papiers des Bâtiments, parvenir à connaître avec assez de précision les aspects successifs de ces huit ou dix petites pièces. désignées sous le nom général de *Cabinets*.

Développant ce qui a été commencé sur la cour intérieure pour la duchesse de Bourgogne, réunissant à l'appartement de la Reine l'ancien appartement de nuit du duc de Bourgogne, Louis XV, dès l'arrivée à Versailles de Marie Leczinska, crée pour elle un petit appartement intérieur, dont les progrès présentent, quoique à une échelle réduite, un certain parallélisme avec ce qu'il commande pour lui-même.

La cour intérieure, alors encore à peu près identique à celle du Roi, commence à être ceinturée, dès l'année 1727, d'un large balcon, presque une terrasse, que viennent égayer des treillages et des caisses à fleurs, des rocailles et des sculptures en plomb. Des Bains et une Petite Galerie, aux extrémités arrondies, sont installés en 1728. Une niche pour placer un sopha, dont l'alcôve s'accompagne de petits cabinets latéraux et que surmontent des panaches de plumes, est décorée au même moment, ainsi qu'une garde-robe, qui est traitée en ébénisterie, comme celle de Louis XV. En 1730, l'Oratoire, dont la situation, au revers de la Chambre, et la décoration correspondent peut-être encore à celui de la duchesse de Bourgogne, reçoit des tableaux religieux, que peint Coypel. Tout ceci est exactement reporté sur un plan daté de 1731.

La seconde campagne de travaux importants, destinés à embellir les Cabinets de la Reine, correspond aux grandes transformations de l'appartement intérieur de Louis XV, et principalement aux années 1737-1739. Les terrasses de la Reine sont agrandies et reçoivent une nouvelle décoration de rocailles, de treillages et de pots de faïence. La Petite Galerie, qui se trouve au revers du Grand Cabinet de l'appartement officiel, prend probablement à ce moment le nom de *galerie-verte* ; Martin y fait, en 1739, des « ouvrages de vernis », en vert et or, semble-t-il, ainsi que dans l'un des cabinets, qui est probablement, en retour sur la cour, après la *Pièce des Bains*, le *Grand Cabinet-intérieur*. Ce dernier cabinet paraît être celui que décrit La Martinière dans l'édition de 1741 de son *Dictionnaire géographique* : « Ensuite on trouve un cabinet qui sert de retraite, lequel est orné de riches lambris avec des fleurs taillées sur les moulures, peintes en coloris au naturel. Le plafond est cintré en calotte ; la peinture est en manière de treillage en perspective, avec différentes fleurs et feuillages mêlés d'oiseaux. » Une esquisse subsiste, qui se rapporte, croyons-nous, à ce plafond, et dont la sève extraordinaire, peut-être née sous le pinceau des Slodtz ou due simplement à l'influence de Louis XV, contraste avec la mièvrerie qu'on trouvera dans les mêmes thèmes à l'époque de Marie-Antoinette. Plusieurs peintres sont mentionnés dans les comptes comme ayant travaillé à ce moment aux plafonds du petit-appartement de la Reine et notamment de son Cabinet, Girard, les peintres de fleurs Huilliot et surtout Perrot, qui peignait, en 1738, « les nouveaux plafonds des petits appartements du Roy et de la Reine ».

Boucher peint quelques tableaux de jeux d'enfants pour Marie Leczinska, un certain Chavanne compose pour son Cabinet une *Moisson* et une *Vendange*, et surtout Charles Coypel multiplie les tableaux de sainteté les plus rares : à côté d'un *Jardin des oliviers* ou d'une *Conversion de saint Augustin*, on voit de lui dans les Cabinets de la Reine une *sainte Azelle à la porte de son ermitage s'occupant à la lecture* et une *sainte Thaÿs dans sa cellule*. Au même moment, d'autres peintres — et d'un autre talent — peignent pour le Roi, ainsi qu'on le verra plus loin, des tableaux qui témoignent d'autres préoccupations et d'une fantaisie différente, notamment les célèbres *Chasses* des Cabinets de Louis XV.

Une troisième campagne, que Nolhac a mise en lumière, transforme à nouveau les Cabinets de la Reine, entre 1746 et 1748. Un *Cabinet de Méridienne* ou « pièce à pans de la Reine », avec une niche, est sculpté par Verberckt, à l'emplacement où se trouvait l'Oratoire et où se trouve aujourd'hui la Méridienne de Marie-Antoinette. L'ancienne Petite Galerie est désormais dénommée, comme chez Louis XV, *Laboratoire* ou encore *Cabinets des Chinois*, à cause des papiers à décor de la Chine que la Reine y fait tendre sur châssis. La *Pièce des Bains* est enrichie de boiseries sculptées par l'atelier de Rousseau, de glaces et de deux tableaux peints par Natoire d'après les *Églogues* de Fontenelle. Le *Grand Cabinet-intérieur* reçoit de Verberckt des modifications, qui conservent, semble-t-il, une partie des boiseries précédentes. Dans toutes ces pièces, qu'accompagnent, en outre, un *Arrière-Cabinet* ou *Boudoir*, deux Cabinets de *Chaise* ou de *Garde-robe*, et l'*Oratoire*, reporté sur la seconde cour dite cour de Monsieur, un travail considérable de décoration peinte ou vernie s'ajoute à la sculpture du bois ; un chiffre suffit à en montrer l'ampleur : dans les prévisions de 1747 pour des travaux neufs, une somme de 250 000 livres est inscrite pour les ouvrages de menuiserie, de sculpture, de dorure, de marbres, de glaces, de vernis, de peintures et de tableaux à accomplir dans les Cabinets de la Reine et dans les nouveaux appartements du Dauphin et de la Dauphine.

Les goûts personnels de Marie Leczinska sont ici, plus que dans le grand-appartement, respectés par Louis XV. En donnant l'ordre d'exécution, celui-ci réserve, par exemple, les choix et l'échantillonnage à faire par elle des vernis destinés à la Méridienne, ou encore, pour les tableaux, la décision de la Reine. Et celle-ci se fait un plaisir de peupler, dans les années qui suivent, ses Cabinets de peintures, plus médiocres certes que galantes, dont les Bâtiments savent apprécier la valeur à la modicité de leurs prix. Le genre ennuyeux de la peinture classique et pré-davidienne, austère et moralisatrice, ne déplaît pas à Marie Leczinska, à une époque où cette peinture n'est pas encore à la mode : Vien peint pour elle des tableaux de piété dès 1753.

Il faut imaginer cependant l'apport de couleurs et de

pittoresque que le style et les techniques du siècle de Louis XV ajoutent à ces petites pièces obscures. Lorsque, en 1753, pour accompagner probablement les tableaux qu'on vient de citer, Marie Leczinska demande « des montants en palmier... dans le même goût de ce qui luy a déjà été fait à un des bouts de ce même cabinet », ou lorsque, deux ans plus tôt, elle fait peindre en blanc et bleu sa garde-robe, elle subit la mode de son temps et s'efforce d'égayer son appartement. Lorsqu'elle-même peint un paysage d'après Oudry ou colore des estampes, lorsqu'elle meuble ses appartements de perse, de moire ou de taffetas chiné, d'ébénisteries aux couleurs vives, de laques rehaussés d'or, de porcelaines d'Orient, de Saxe ou de France, lorsqu'elle fait remplacer, en 1761, les panneaux de Chine de son Laboratoire par des « sujets chinois » peints par La Roche, Frédou, Coqueret ou Prévôt, l'attrait de son temps pour la couleur ou l'exotisme transparaît suffisamment.

C'est ici que Marie Leczinska passe sa vie privée, occupe ses loisirs à lire ses poètes favoris ou à se reposer, à dessiner, à peindre avec de jolis « petits pots de cristal à couleur monté en argent », à travailler devant ses métiers « à tapisserie », à prier devant ses nombreux reliquaires ou tableaux « de dévotion ». Elle est entourée de souvenirs. Elle a réuni les portraits de ses parents et ceux de ses enfants. Elle possède des tableaux peints par son père. Une cassette de bois de marqueterie renferme « le contrat de mariage de la Reine et autres titres de famille de S. M. ». Partout aussi, des souvenirs du Bien-Aimé. A côté de la cheminée de son Grand Cabinet, on doit vraisemblablement situer, sur un pied de bois, dans un beau coffre de palissandre, le grand nécessaire de vermeil qui rappelle l'heureuse époque de la naissance du Dauphin et qui fut acquis par le Louvre en 1955.

Bien avant Marie-Antoinette, et en imitation de ce qu'ordonne Louis XV chez lui, Marie Leczinska s'efforce de diminuer le volume des pièces et de gagner de la place en créant des entresols. Ceux-ci, déjà commencés pour elle lors de son arrivée à Versailles, sont dénommés *les entresols de la Reine*. Ils abriteront la *Bibliothèque* de Marie Leczinska, semble-t-il, au moment où l'installation de l'Oratoire obligera à déplacer les livres autres que de piété.

Ces entresols sont l'objet d'assez fortes dépenses en 1734. Les *Bains* sont établis sur deux étages superposés, l'un pour le lit, l'autre pour la baignoire. En même temps, le service de la Reine s'établit sur une partie de l'étage qui surmonte le Salon de la Paix, ainsi que l'a pratiqué Louis XV au-dessus du Salon de la Guerre. Il est encore question d'embellissements aux entresols de la Reine en 1747, et un plan, qui peut dater des environs de 1755, montre que, au-dessus de sa Garde-robe, de sa Méridienne et de son Laboratoire, Marie Leczinska a réussi à faire établir deux pièces, disposées en retrait d'un balcon sur sa cour intérieure.

Tels furent, autant qu'on peut les discerner aujourd'hui, les Cabinets où la Reine mena sa vie languissante et triste. Des préoccupations analogues ont marqué l'existence à Versailles des Enfants de France, qui vivent, comme la Reine, dans l'orbite et la dépendance du Roi.

CHAPITRE IV

LES ENFANTS DE FRANCE

LE DAUPHIN FILS DE LOUIS XV

« La misérable éducation de nos princes de la branche aînée depuis Louis XIV... ». L'observation sévère de Châteaubriand pourrait bien être prise à la lettre lorsqu'il s'agit du Dauphin fils de Louis XV. Écrasé par l'intelligence et la hauteur d'un père qui l'aimait, mais dont lui-même et ses sœurs désapprouvaient respectueusement la conduite, il fut un prince assez mélancolique. Ce n'était pas un mauvais enfant, quoique son portrait, tracé par le duc de Croÿ, à l'ordinaire indulgent, le montre, à l'âge de seize ans, encore peu évolué. Il avait certes beaucoup de bonne volonté et remplissait, comme il pouvait, sa tâche. Il suppléait à l'occasion le Roi, qui n'aimait guère venir à Paris, pour un *Te Deum* à Notre-Dame ou pour une solennité, comme la pose de la première pierre de l'abbaye de Panthemont, et il tenait alors convenablement son rang.

Lorsque son père assume seul le gouvernement, la principale mission d'un Dauphin est d'assurer l'avenir de la race. Louis s'en acquitte bien. Sa première femme, l'infante Marie-Thérèse-Raphaëlle, meurt après avoir mis au monde une fille, la première Madame. De son second mariage, avec Marie-Josèphe de Saxe, il a sept enfants ; et, si le duc de Bourgogne, le meilleur d'entre eux, meurt prématurément, deux des autres parviendront à continuer, par-delà la Révolution et l'Empire, la succession de la dynastie des Bourbons sur le trône de France.

On retrouve chez le Dauphin plus d'un trait de son ascendance paternelle. Comme son grand-père, le duc de Bourgogne, mais avec moins de personnalité, il est studieux, appliqué, honnête, pieux, peut-être avec excès ; comme lui, peu brillant militaire. Il semble avoir hérité du caractère apathique de son arrière-grand-père, Monseigneur, dominé de même par son père. S'il a parfois l'occasion, peut-être le désir secret de combattre les influences qui s'exercent autour du Roi, il le fait avec timidité. Le château cependant n'a pas à se plaindre de lui. Comme ses aïeux et comme le Roi son père, il aime les jolis aménagements, confortables et discrets, les cabinets, les entresols où l'on peut vivre en particulier plutôt qu'en prince et qu'il arrange à la mode de son temps, c'est-à-dire « Louis XV », reflet des appartements de son père, comme de Louis XIV l'ont été ceux de Monseigneur.

Un passage des *Mémoires* de Dufort de Cheverny le saisit sur le vif dans son appartement du rez-de-chaussée, en compagnie de Marie-Josèphe. L'introducteur des ambassadeurs, féru par profession d'étiquette, est presque gêné de rencontrer tant de simplicité. C'est ce qui le frappe et qu'il note : « Plusieurs fois introduit dans son intérieur... j'ai été à portée d'en juger. J'ai vu la Dauphine assise devant un métier, travaillant au tambour, dans une petite pièce à une seule croisée, dont le Dauphin faisait sa bibliothèque... Je me suis surpris plusieurs fois causant avec lui, comme si j'avais été dans une société bourgeoise. »

La Bibliothèque dont il est ici question est demeurée en place, dans l'appartement qu'habita le Dauphin pendant la majeure partie de sa vie. Au rez-de-chaussée du corps central du château, à l'angle du parterre du Midi et du parterre d'eau, cet appartement correspond à peu près à l'ancien appartement de Monseigneur, que, depuis 1684, on a pris l'habitude d'appeler appartement du Dauphin.

Le prince a vécu ici une partie de son enfance. Lorsque, à l'âge de sept ans, quittant l'appartement des Enfants de France dans l'aile du Midi, il a été mené par sa gouvernante jusqu'au Cabinet du Conseil et remis d'une façon solennelle au Roi pour être aussitôt confié à son gouverneur, le duc de Châtillon, et à son précepteur, Jean-François Boyer, évêque de Mirepoix, le petit Dauphin a éprouvé un instant de tristesse. En bon vieillard, attentif et finaud, Fleury a prévu ce moment pénible du passage de l'enfant « aux hommes ».

Dans le Grand Cabinet d'angle, dont les volets ont été fermés, il a fait dresser un théâtre de marionnettes, dont le spectacle l'amuse peut-être autant que le prince.

Dans cet appartement devenu l'appartement traditionnel des Dauphins, le fils de Louis XV va passer environ huit années. Il y grandit, mesuré régulièrement sur une toise de cuivre (qui fait encore partie des collections du Musée de Versailles). Il y souffre de ses premières maladies, ennuis dentaires ou autres. Il y travaille, apprend à écrire et à dessiner, reçoit des leçons d'histoire, une instruction religieuse aussi bien que militaire. Il subit aussi ses premières punitions. Mais de quoi peut-on priver un petit Dauphin ? De sa Cour, des prérogatives de son rang. C'est ce dont use M. de Châtillon, en lui supprimant par exemple les visites ou en le forçant à aller à la messe accompagné d'un seul valet de pied, à traverser sa Salle des Gardes sans qu'on présente les armes pour lui. Il apprend les difficultés et les nuances du protocole, reçoit tantôt solennellement, tantôt familièrement son père et sa mère. Il s'amuse également ; Chardin, le père du peintre, lui livre notamment de petits billards, son jeu préféré. Il commence à aimer la musique et doit se contraindre à danser, quelque déplaisir qu'il en ait.

Le Dauphin quitte cet appartement à la fin de 1744, quelques semaines avant son mariage (il vient d'avoir 15 ans !), pour s'installer dans le plus bel appartement de l'aile du Midi, au premier étage, là-même où l'on a vu son arrière-grand-père vivre entre 1682 et 1684, lorsque cette aile était toute neuve. On fait pour lui des frais assez considérables afin de rajeunir cette partie du château. Le grand vestibule de pierre à colonnes est boisé et aménagé en un grand salon. L'appartement du Dauphin et celui de la Dauphine qui lui fait suite reçoivent un décor nouveau, où les menuiseries, les dessus de porte, les serrureries dorées apportent une note gaie. C'est comme un prélude au thème qui va être développé deux ans plus tard, lorsqu'on reviendra à l'appartement du rez-de-chaussée ; déjà se dessine le souci de posséder un Oratoire chez la Dauphine, une Bibliothèque chez le prince et des entresols agréables pour tous deux.

La mort de Marie-Raphaëlle remet en cause cette installation. Le Dauphin n'a qu'une fille, qui mourra en 1748 ; il faut le remarier et lui faire oublier sa première femme, ce qui sera difficile, car il lui était fort attaché. La lenteur des Bâtiments, peut-être un programme trop chargé et le désir de rendre aussi parfait que possible le nouvel appartement vont forcer le Dauphin à passer les premiers mois de son mariage avec la dauphine de Saxe dans le cadre même créé pour la dauphine d'Espagne. Certes le Garde-Meuble s'ingénie à remédier à ce désagrément ; selon l'antique tradition médiévale, on fait alors appel à la tapisserie. La Chambre de l'aile du Midi est tendue d'une *Histoire d'Esther*, spécialement demandée aux Gobelins, dont on encadre même l'alcôve. On place dans la cheminée du Grand Cabinet de la nouvelle Dauphine un beau feu de bronze doré, formé d'un petit cupidon qui élève une flèche, comme une allusion à un amour qui se cherche. La vraie vie du nouveau couple commencera dans l'appartement du rez-de-chaussée.

Les travaux, dont Nolhac a donné certains chiffres et dont la maçonnerie seule coûte 54 000 livres en 1746, sont considérables. Le mariage a lieu en février 1747 ; l'installation ne sera prête qu'en novembre.

N'abordons pas cet appartement, qui contient encore d'assez beaux restes, tel qu'on le voit aujourd'hui, comme une suite de pièces devenues salles de musée, en enfilade et toutes portes ouvertes, mais essayons d'en reprendre le circuit original. Il faut le considérer comme un appartement double, qu'une vie intime réunit, la vie qu'y menèrent pendant dix-huit ans Marie-Josèphe et le Dauphin.

On devrait y pénétrer par la cour de marbre ou, à la rigueur, par le rez-de-chaussée de l'Escalier de la Reine, à l'inverse de la visite actuelle, à l'inverse aussi de ce qu'avait été l'appartement de Monseigneur. L'entrée de 1747 est située sur le côté sud de la cour de marbre, d'où quelques marches permettent de descendre dans la *Salle des Gardes* et d'atteindre la *Première Antichambre* (actuelles salles 34 et 33), en laissant sur la droite l'appartement aménagé pour Binet, premier valet de chambre du Dauphin, et sur la gauche l'ancienne cour de Monseigneur.

La *Seconde Antichambre*, qui fut naguère le Cabinet des

410

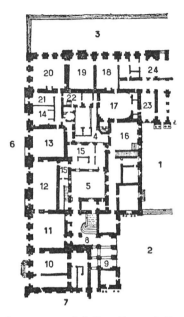

FIG. 18. — *Appartements de la Dauphine et du Dauphin vers 1755.*

1. Cour de marbre. — 2. Cour royale. — 3. Perron du parterre occidental.
— 4. Cour de Monseigneur ou de la Reine. — 5. Cour dite cour de
Monsieur. — 6. Terrasse du parterre du Midi. — 7. Passage public
conduisant au parterre du Midi. — 8. Escalier de la Reine. — 9. Péristyle
de l'Escalier de la Reine. — 10 à 15. Appartement de la Dauphine. —
10. Première Antichambre. — 11. Seconde Antichambre. — 12. Grand
Cabinet. — 13. Chambre. — 14. Cabinet à niche. — 15. Cabinets de la
Dauphine. — 16 à 22. Appartement du Dauphin. — 16. Salle des Gardes.
— 17. Première Antichambre. — 18. Seconde Antichambre. — 19.
Chambre. — 20. Grand Cabinet. — 21. Cabinet-intérieur ou Bibliothèque.
— 22. Cabinets du Dauphin. — 23. Appartement du premier-valet de
chambre du Dauphin. — 24. Galerie-basse.
(A comparer au plan de l'appartement de Monseigneur vers 1695, fig. 15,
p. 263.)

Glaces de Monseigneur, prend vue par deux fenêtres sur le
parterre d'eau et les jardins ; elle précède la *Chambre*,
de même exposition et de mêmes proportions. En partie
reconstituée dans son ancien décor par Japy et Mauricheau-
Beaupré, avec ses éléments de boiserie sculptés par Verberckt,
avec ses deux dessus de porte peints par Pierre et consacrés à

Junon et à *la ceinture de Vénus,* la *Chambre du Dauphin* possède encore sa belle cheminée flanquée des charmantes figures de bronze doré, *Zéphyre* et *Flore,* que fondit Caffiéri. C'est ici qu'il faut évoquer la maladie du prince, la petite vérole de 1752, l'abnégation de Marie-Josèphe, la consternation de la cour, la convalescence et les réjouissances qui suivirent.

Le *Grand Cabinet* du Dauphin n'a guère conservé que ses heureuses proportions. Quelques éléments de boiserie rapportés, des glaces modernes, une soierie médiocre ne suffisent pas à ressusciter l'ancien décor. Le Dauphin s'est beaucoup plu dans cette pièce où il a pris l'habitude de se retrouver avec ses sœurs pour des jeux, des conversations, des séances musicales. Il a fait placer, en 1751, leurs portraits, en dessus de porte, où Nattier les a représentées sous la figure des *Éléments* ; ces peintures, déposées sur ordre de Louis-Philippe au temps de l'installation de son musée, se trouvent aujourd'hui au Brésil, au musée de Saõ Paulo. Un énorme canapé « à confidents », placé le long du mur mitoyen de la Chambre, des fauteuils, des pliants, recouverts l'été de taffetas chiné, l'hiver d'un beau velours blanc à ramages, achevaient de donner un grand attrait à ce Salon, par lui-même clair et gai, grâce à sa belle exposition en angle sur les jardins. On pouvait même ouvrir les fenêtres, le Dauphin ayant pris la précaution de faire placer sur la terrasse une grille de ferronnerie « afin d'éloigner les curieux ».

La dernière pièce de l'appartement du Dauphin, en retour sur le parterre du Midi, a été prise, de même que le petit Cabinet de la Dauphine, qui est contigu et de forme semblable, sur l'ancienne Chambre de Monseigneur, divisée en deux par son milieu. Éclairé d'une fenêtre, boisé et ceinturé d'armoires vitrées, ce Cabinet, remis dans son état ancien aujourd'hui, est appelé *Cabinet de retraite* ou *Cabinet-intérieur* du Dauphin. Le prince vit ici une partie de la journée en compagnie de Marie-Josèphe, selon ce que confirme Dufort dans le texte cité plus haut. Les panneaux sculptés par Poullet en 1747 doivent être ceux qui se voient aujourd'hui dans l'embrasure de la fenêtre.

Les bois des sièges, dorés dans les pièces précédentes, sont peints de vert dans ce petit Cabinet, certainement assortis à la couleur des boiseries. On peut saisir ici l'importance que le Dauphin, comme la plupart des gens de son temps, attache à l'harmonie des couleurs. Pour accompagner ces boiseries et le « meuble », qui est de satin blanc brodé de chenille verte, les tapissiers du Garde-Meuble ont cru bon de choisir un gros de Tours vert pour le rideau de la fenêtre, que le Dauphin fait aussitôt remplacer par du gros de Tours blanc bordé d'une giroline de soie verte. C'est probablement pour ce Cabinet, dont le meuble est renouvelé à l'été de 1750 en taffetas chiné avec des bois peints en vert d'eau, que le Dauphin commande au même moment à Oudry « dans le genre flamand » un grand tableau, *la Ferme*, qui se trouve maintenant au Louvre. Quelques beaux meubles de bois de violette, ornés de bronzes dorés, encoignures, armoire, commode, complètent le mobilier de cette petite pièce.

En 1755, le Dauphin décide de changer le genre et les couleurs de son Cabinet-intérieur. Il possède en arrière une petite Bibliothèque entresolée, meublée de perse claire ; il en fait un Cabinet-intime, que Martin vernit pendant le voyage de Fontainebleau. Il transporte sa *Bibliothèque* dans son Cabinet du midi, qui devient bleu et or au printemps de 1756. Martin exécute les vernis. Les livres forment l'essentiel du décor. Le relieur Baillet reçoit même la commande de dos de faux livres, afin de couvrir les portes du Cabinet. La Manufacture de Saint-Gobain fournit les trente-huit glaces blanches qui sont destinées aux armoires. Le 9 avril 1756, le Garde-Meuble livre le nouveau meuble, composé de deux bergères, quatre fauteuils et un écran ; les bois sont dorés, la garniture de damas bleu galonné d'or. Le rideau de la fenêtre, en gros de Tours, est également bleu. Ces détails de couleur correspondent si bien aux demandes personnelles du Dauphin à ce moment que le meuble de son Cabinet de Compiègne, vert et blanc en 1747, est également changé en 1756 en un meuble bleu et or. Les dessus de porte devront suivre aussi la mode ; demandés d'abord à Boucher en 1756, ils seront exécutés en 1762-1763 par Joseph Vernet sous forme de *Marines*, représentant les *Heures du Jour*. Dans ce joli cabinet décoré selon ses goûts, le Dauphin achèvera de consumer ses tristes jours, qui se termineront à Fontainebleau au mois de décembre 1765.

En arrière des pièces de façade, quelques petites pièces, sombres et humides, auxquelles on donne encore parfois le nom de *caveau* comme au temps de Monseigneur, sont aménagées avec un goût et des efforts méritoires. Il n'en reste rien aujourd'hui, mais nous pouvons saisir l'influence conjuguée de Louis XV et de son fils dans la décoration, en 1756, d'une petite Garde-robe, vraisemblablement à l'angle de la cour intérieure : des vernis en bleu et blanc sur les murs, une ottomane couverte d'indienne bleu et blanc à bois rechampi des mêmes couleurs, une fontaine de Sèvres peinte en camaïeu bleu (qui paraît être celle placée plus tard par Louis XVI dans son Cabinet de Géographie et appartenant aujourd'hui au musée de Hartford, Connecticut) témoignent d'une délicatesse de goût, qui transforme avec art les plus petits recoins de Versailles.

Le Dauphin communique avec l'appartement de sa femme par un couloir étroit, qui prend naissance dans l'angle de son Grand Cabinet et qui aboutit parallèlement à la cour dans la Chambre de Marie-Josèphe. Il est probable que, très vite, et probablement bien avant les transformations de 1756, les deux Cabinets offrent au tendre ménage une communication plus facile.

MARIE-JOSÈPHE DE SAXE

L'appartement préparé pour la Dauphine en 1747 est borné par l'Escalier de la Reine, l'ancienne cour de Monseigneur, les Petits Cabinets du Dauphin, la terrasse du Midi et l'emplacement de l'ancienne chapelle. C'est un appartement distinct de l'appartement du Dauphin, même si l'un et l'autre communiquent par les intérieurs et si leur style de décoration, plus d'une fois peut-être dirigé par le goût du Dauphin lui-même, les rend semblables. Les usages de la Cour établissent entre les deux une nette séparation. Lorsque, par exemple, en 1752, les cérémonies du deuil de Madame Henriette amènent la foule des courtisans à défiler d'abord

devant le Dauphin, puis à se rendre chez la Dauphine, le
duc de Luynes note, après la traversée de la Chambre, du
Grand Cabinet, du corridor, de la petite Bibliothèque et de
la cour du Dauphin, le retour à l'Antichambre de la Dauphine
pour entrer dans l'appartement de celle-ci.

La *Première Antichambre* (actuelle salle 42), située entre
le péristyle de l'Escalier de la Reine et le jardin, s'accompagne,
comme toute antichambre princière de l'ancien Versailles,
d'un certain désordre. Au mois de juillet 1754, Marie-Josèphe
demande qu'on établisse ici une cloison vitrée avec une porte
à deux vantaux. Les Bâtiments enregistrent la plainte de la
princesse avec tant de pittoresque qu'il faut en reproduire le
texte : « Mme la Dauphine se trouvant l'hiver incommodée
du froid et toujours importunée de ce que sa première
antichambre sert d'azile à tous les mandians, de passage à
tout le monde même aux chaises à porteur qu'elle a vu sous
ses yeux traverser lad. pièce avec la livrée et les flambeaux
de celles qui étoient dedans, demande... etc. »

Dès la *Seconde Antichambre* apparaît la splendeur de la
décoration florale qui caractérise ces appartements, celui de
la Dauphine plus encore peut-être que celui de son mari. Il
faut imaginer cette grande pièce, que trois fenêtres éclairent
aujourd'hui sur une nudité complète et dont les boiseries et
les corniches ont disparu, rehaussée de sculptures de l'atelier
de Rousseau, embellie de tableaux de fleurs de Blain de
Fontenay, que l'on a spécialement fait venir de Marly en
1747, meublée enfin de grands paravents et de « formes »
ou banquettes de Savonnerie, dont un décor luxuriant de
vases et de guirlandes de fleurs efface le caractère utilitaire.

Le *Grand Cabinet*, où la Dauphine tient son jeu, où elle
soupe, où elle reçoit, « sans cesse occupée de plaire et
d'attentions », selon une remarque du maréchal de Saxe, est,
à l'origine, richement décoré ; il a également perdu ses
boiseries, ses corniches, sa cheminée, mais a conservé, comme
un souvenir des travaux qu'y fit l'atelier de Verberckt, ses
beaux volets sculptés. Les tableaux de l'*Histoire de Psyché*,
peints par Restout et Carle Van Loo pour ce Cabinet, se
trouvent aujourd'hui à Fontainebleau. La fantaisie, la mode
et la gaieté apparaissaient sur les meubles, marquetés de

fleurs par B.V.R.B., ou sur les quatre grands bras de lumière, livrés par Lazare Duvaux pour douze cents livres la paire et composés chacun d'un bouquet ou plutôt d'un buisson de fleurs en porcelaine de Vincennes. Marie-Josèphe a fait placer ici un orgue et un grand métier à tapisserie, dont l'acajou s'éclaire de ferrures dorées. Le Cabinet est surtout paré d'un meuble de taffetas flambé, dont on chuchote le prix à la Cour : cinquante mille écus. Ce meuble est assorti à celui de la Chambre.

La *Chambre* de la Dauphine est, comme chez la Reine, étroitement liée dans la mécanique de la Cour au Grand Cabinet qui la précède. Les entrées y sont « alternativement publiques ou particulières ». Lorsque la Dauphine accouche, ou lorsque, presque chaque jour, elle dîne dans ce Cabinet, « tout le monde y entre ». Une destinée semblable s'est exercée sur la Chambre et sur le Cabinet : les boiseries, sculptées par l'atelier de Verberckt, ne se sont plus maintenues que sur les volets des deux fenêtres de la Chambre ; les allégories que peignit Dumont pour placer au-dessus des deux portes, *le Sommeil entouré de songes agréables* et *l'Aurore accompagnée de petits zéphyres*, ont disparu avec leurs encadrements.

Le grand tapis, chargé de fleurs et de trophées de la Guerre, de la Paix, des Arts, et des Sciences, a été commandé à la Savonnerie sur un modèle spécialement demandé à Gravelot pour la Chambre de la Dauphine. Nous retrouverons plus loin, à l'usage de Marie-Antoinette, l'énorme et merveilleuse toilette de vermeil que Thomas Germain avait commencée pour la première Dauphine et qui fut achevée pour Marie-Josèphe.

L'appartement de la Dauphine sur la terrasse du Midi se termine, le long du Cabinet-Bibliothèque du Dauphin et éclairé comme ce Cabinet d'une seule fenêtre, par un petit *Cabinet-intérieur* ou *Cabinet à niche*, dont l'ancien décor a, lui aussi, beaucoup souffert. Il est vrai que cette pièce intime fut remaniée au moins à deux reprises. D'abord peint à la manière de Berain ou d'Audran, en 1747, de fleurs, d'oiseaux, de cartouches, et fortement rehaussé de dorures, tant autour de l'alcôve de glaces du fond de la pièce que sur les bois sculptés du meuble de satin blanc brodé de fleurs, ce Cabinet fut entièrement renouvelé un an plus tard, la première décoration ayant été posée sur un plâtre trop frais. On installa alors des boiseries, dont les expéditions se firent de Paris, aussitôt prêtes, voiture par voiture, au mois d'octobre 1748, et qui, dès que posées, furent vernies par Martin, les panneaux en blanc, les moulures et sculptures en « petit-vert », selon « l'échantillon de vernis que M. le Dauphin a choisi ». Martin se vit attribuer 6 459 livres pour son travail dans ce Cabinet et dans l'Oratoire de la Dauphine ; il en réclama 1 200 de plus, détaillant, dans sa note de protestation, les 1 189 journées d'ouvriers à 3 livres, les 417 journées de ponceurs à 2 livres 10 sols, les dépenses en peinture et matières premières et, pour lui-même, cinquante voyages de Paris à Versailles à 10 livres 16 sols chacun.

Les bois du « meuble » sont vernis des mêmes couleurs et l'on voit, dans les années qui suivent, Lazare Duvaux, le mercier en vogue du quartier Saint-Honoré, livrer à la Dauphine « un métier à travailler en vernis vert poli à relief en or », ainsi qu'un « grand cabaret à contours, de la forme d'une commode, en vernis vert poli ».

En arrière de cet appartement, sur la petite cour dite de Monseigneur, des améliorations sont entreprises, des entresols sont établis et de petites pièces décorées, afin de donner un peu d'élégance et d'intimité à de petits Cabinets fort tristes : un *Oratoire* en 1748, un nouveau *Cabinet* à l'automne de 1750, encore un *Cabinet* en 1755, dont les boiseries ont été identifiées par Racinais comme provenant de l'Arrière-Cabinet de la Reine et que Martin sera chargé de vernir l'année suivante, enfin une *Pièce des Bains* décorée de stuc, également à l'automne de 1756, et une *Garde-robe* en 1761, ornée elle aussi de stuc par Chevalier, émule des Martin, qui travaillera plus tard à Potsdam pour Frédéric II.

L'ancienne cour intérieure est en partie dépavée à la demande du Dauphin et transformée en un petit jardin, hélas ! sans soleil, dont les Bâtiments prévoient qu'il sera « très humide ». Le Dauphin, au cours de l'été de 1748, donne sans cesse des ordres pour l'établissement de ce jardin, que viennent égayer des caisses remplies de fleurs, un petit bassin, des treillages à petites mailles et même, en 1757, pour donner une illusion d'espace en face des fenêtres de la Dauphine, une perspective peinte par Frédou. La correspondance des Bâtiments indique à diverses reprises l'intérêt que porte le Dauphin à son petit jardin, auquel « il fait travailler en sa présence », tandis qu'il demande, en 1762, la pose de bancs de bois à dossier sur la terrasse du parterre du Midi, en face de son appartement et de celui de la Dauphine.

D'ultimes travaux de remise en état des vernis et des dorures sont effectués chez la Dauphine et chez le Dauphin pendant le voyage de Fontainebleau de 1765, travaux bien inutiles, car la Cour devait, cette année-là, prolonger son voyage plus que de coutume, et le Roi, la Reine, la Dauphine attendre dans l'angoisse la mort du prince. Marie-Josèphe n'habitera plus son bel appartement du rez-de-chaussée.

Louis XV doit maintenant lui trouver un nouvel appartement. Il lui offre, au rez-de-chaussée sur le parterre du Nord, l'appartement qui avait été celui de Mme de Pompadour à partir de 1750 et « où il avait résolu de ne plus rentrer ». Il aime beaucoup la Dauphine et fait entreprendre pour elle des travaux dans cet appartement. En attendant, il lui fait préparer à la hâte un appartement à l'étage de ses Cabinets, au second, sur la cour des Cerfs et sur la cour de marbre.

Ce dernier appartement qu'ont étudié P. de Nolhac et H. Racinais, nous est connu par des plans et par ce qu'on en retrouve dans l'appartement dit de Mme Du Barry. Deux *Antichambres*, dont la seconde est en angle sur la cour royale, conduisent au *Grand Cabinet* de compagnie ou ancienne Petite Galerie de Louis XV, dont les cinq fenêtres prennent jour sur la cour de marbre. En retour sur la cour des Cerfs, se trouvent la *Chambre*, dont le Roi avait fait successivement sa Salle à manger et sa Chambre des Bains, et un *Cabinet*.

La Dauphine s'installe là en septembre 1766. Elle fait transporter dans ces jolies pièces intimes ses beaux meubles de B.V.R.B., ses porcelaines, ses boîtes précieuses. Elle profite bien peu de cet appartement ! Au début de 1767, les soins que lui donne Tronchin ne suffisent plus ; le viatique lui est donné le 8 mars, avec le cérémonial habituel de la Cour ; quelques jours après, elle meurt en présence de Louis XV.

L'appartement étant jugé trop petit, son corps est exposé sur un lit de parade, dans l'appartement du rez-de-chaussée qui lui avait été destiné. « Une foule étonnante de peuple alla l'y voir. » Deux ans plus tard, presque jour pour jour, Louis XV fait présenter Mme Du Barry à la Cour et lui donne l'appartement haut de Marie-Josèphe, le dernier appartement de la Dauphine.

Un autre Dauphin et bientôt une autre Dauphine vont cependant retenir l'attention du Roi et lui rappeler parfois ceux qu'il a perdus.

LE DAUPHIN PETIT-FILS DE LOUIS XV

Ni insensible, ni aveugle, Louis XV portera dans les dernières années de sa vie le chagrin de la mort de son fils et peut-être aussi ses craintes sur l'avenir du royaume. Il ne cache pas sa préférence pour l'un de ses petits-fils, le comte de Provence, avec lequel il se sent bien plus d'affinité et qu'il trouve « beau à croquer ». Il fait ce qu'il peut pour aimer l'aîné, l'ancien duc de Berry, mais, surtout dans les mois qui suivent la mort de son fils, sa douleur est vive : « Je me distrais tant que je peux, n'y aiant point de remède, mais je ne puis m'accoutumer à n'avoir plus de fils, et quand on appelle mon petit-fils, quelle différence pour moy surtout quand je le vois entrer. »

Le garçon est âgé seulement de onze ans à la mort de son père ; le Roi n'a pas encore atteint la soixantaine. Les grands espoirs fondés sur le duc de Bourgogne se sont évanouis en 1761, lorsque celui-ci est mort, à peine âgé de dix ans. Le nouveau Dauphin est élevé avec ses frères dans l'aile du Midi.

L'influence du siècle se reflète de plus en plus sur l'éducation des Enfants de France. Le futur Louis XVI apprend la typographie, comme Louis XV durant son enfance, et l'on trouve trace, en 1766, de la fourniture par un libraire parisien de caractères, de papier et de reliures de maroquin rouge pour trois exemplaires d'un livre imprimé par le Dauphin. L'étude de la physique est surtout fort poussée et explique l'importance, que l'on soulignera plus loin, des « cabinets de physique » dans le Versailles de Louis XVI. L'abbé Nollet, qui a été chargé d'établir en 1758 pour le duc de Bourgogne une « salle de phisique » dans une dépendance des Menus-Plaisirs, poursuit au profit du Dauphin et de ses frères ses démonstrations, à l'aide d'instruments dont semblent avoir hérité le lycée de Versailles et le Conservatoire national des Arts et Métiers ; il dédie même au nouveau Dauphin son *Art des Expériences*. Les jeunes élèves sont si enthousiastes qu'ils achètent, le 29 décembre 1767, pour 600 livres une « machine hydraulique » et l'offrent « à Mesdames leurs sœurs pour leurs étrennes ».

Un Versailles inexploré, celui dont le grand parc s'anime de jeux d'enfants, apparaît lorsqu'on entr'ouvre certains cartons des Archives. Ce Versailles des Princes n'est pas moins luxueux que celui du Roi. Les « mails » que fournit, par exemple, en 1767, pour les Enfants de France l'un des meilleurs tabletiers de l'époque, Vaugeois, établi à l'enseigne du « Singe vert », sont garnis de velours et de galons d'or. Lorsque l'arctier Bletterie livre pour les petits princes des arcs et des flèches, l'un des carquois est « de maroquin rouge doré à fleurs de lis et armes Dauphin ».

Hélas, l'enfance est de courte durée pour un Dauphin ! L'avenir, un avenir que personne ne pressent, le pousse déjà ; son grand-père également, monarque vieillissant, qui sait le sort du royaume lié à celui de ce garçon. Et l'on songe bientôt à le marier...

LA DAUPHINE MARIE-ANTOINETTE

On ne fera que mentionner ici les installations préparées à l'occasion du mariage du Dauphin avec l'archiduchesse Marie-Antoinette. Nolhac les a étudiées et l'on verra ce que devient l'appartement de la Reine à l'époque de Louis XVI. Soit par le retard des travaux, soit à cause du lit de justice sur l'affaire d'Aiguillon, qui se tient au premier étage selon l'habitude, cet appartement n'est pas mis à la disposition de Marie-Antoinette dès son arrivée à Versailles.

Le Dauphin et la Dauphine s'installent d'abord « en bas »,
d'une manière qui paraît avoir été inversée par rapport à ce
qui s'est pratiqué jusque-là. Le Dauphin semble avoir été
logé dans l'ancien appartement de la Dauphine, peut-être
pour se trouver au-dessous de la Chambre de sa femme,
lorsque celle-ci s'établira au premier étage dans l'appartement
de la Reine ; un plan de 1773 indique notamment le Grand
Cabinet du Dauphin à la place de celui de Marie-Josèphe de
Saxe. L'appartement installé sur la terrasse occidentale, à
partir du Cabinet d'angle et se prolongeant jusque sur
l'ancienne Galerie-basse, c'est-à-dire plus vaste que jadis celui
du Dauphin, paraît avoir été attribué à Marie-Antoinette, en
prévoyant dès ce moment d'y loger le comte et la comtesse
de Provence, dont le mariage doit être célébré en 1771.

Constamment aux prises, dans cet immense château, avec
des problèmes d'argent et des problèmes de place, le Roi
fait inscrire, au mois d'avril 1769, une somme de 300 000
livres pour les travaux à effectuer principalement dans les
appartements de sa famille. Comme il manifeste, dès la fin
de la même année, « de l'inquiétude pour les appartements
de Monseigneur le Dauphin et de Madame la Dauphine »,
le marquis de Marigny lui répond par une demande de fonds
et signale que « l'entrepreneur de la menuiserie de Monsieur
le Dauphin et de Madame La Dauphine a annoncé qu'il ne
commenceroit à travailler que quand on lui donneroit de
l'argent. » En 1770, Louis XV réinscrit en recette une somme
de 50 000 livres pour les appartements de la Dauphine et de
la future comtesse de Provence, et autant l'année suivante.
Et pendant ce temps, Mesdames se prétendent trop à l'étroit
dans leurs propres appartements !

LES APPARTEMENTS DE MESDAMES

Le problème du logement, relativement aisé et réduit
quand il s'agit d'installer un dauphin ou une dauphine,
devient autrement complexe pour Louis XV lorsqu'il cherche
à caser ses filles. La Reine l'a comblé sur ce point : sept filles
pour un garçon vivant, au moins pendant quelque temps.

Et Argenson de tonner contre ces princesses « qui ne seront jamais bonnes à rien et qui coûteront très cher au Roi ». Elles nous ont valu, du moins dans les dépenses qu'elles causèrent, un certain nombre de chefs-d'œuvre de l'art décoratif du XVIIIᵉ siècle, dont Versailles a conservé quelques beaux vestiges.

La première solution qui s'impose à l'esprit de Louis XV pour réduire la difficulté d'installer tant de princesses est toute de paresse. Elle paraît lui avoir été suggérée par Fleury : envoyer bien loin la plupart d'entre elles. On en gardera deux ou trois à la Cour, les deux aînés, les jumelles, Madame Élisabeth et Madame Henriette, et, obtenant cette faveur de justesse, Madame Adélaïde ; on les logera dans l'aile du Midi, dans l'appartement des Enfants de France. Les quatre autres seront expédiées à Fontevrault.

Louis XV mariera, en 1739, sa fille aînée à Don Philippe, infant d'Espagne, qui deviendra bientôt duc de Parme, et Madame sixième mourra en 1744. Mais il reste alors encore cinq princesses, trois à Fontevrault et deux à Versailles. Madame Henriette, devenue Madame au départ de sa sœur, et Madame Adélaïde vont occuper en 1744 l'appartement du Dauphin au rez-de-chaussée du corps central et, retournant dans l'aile du Midi en 1746, y changeront trois fois d'appartement en moins de deux ans.

Pauvres princesses, dont la vie insipide et triste ne fait que commencer ! Se mettre en grand habit plusieurs fois par jour pour aller au Lever de leur père, à la Chapelle ou au grand-couvert, donner audience aux ambassadeurs, être attentives à l'étiquette jusque dans la promenade, être astreintes la nuit à la présence d'une dame jusque dans la chambre et ne pouvoir s'évader qu'en rêve, telle est la condition de Mesdames ! Moins douce que ses sœurs, Adélaïde eut bien quelques velléités enfantines de s'échapper, de s'enfuir en volant de l'argent à sa mère, de se vouloir duc d'Anjou ou général pour combattre les Anglais ; elle dut se résigner à son sort ; si on l'appela parfois « Monsieur », ce ne fut ni pour son tempérament fougueux, ni pour sa voix de basse, mais pour sa connaissance, presque aussi parfaite « que feu Monsieur, des usages de la Cour ». Même les repas leur seront fastidieux et Mesdames se gavent « de fruits, pâtisseries et autres drogues », qui leur paraissent, dans l'intérieur de leurs appartements, bien préférables aux « bonnes choses qu'on leur servait en public ». La musique sera leur seul vrai plaisir, presque leur seule occupation. Elles en feront avec fureur et l'on peut voir encore à Versailles, comme un souvenir durable de leur joli passe-temps, des trophées d'instruments de musique sculptés dans le bois du Grand Cabinet qui sera celui de Madame Victoire à l'angle du rez-de-chaussée du corps central ou sur les panneaux du Cabinet-doré qu'occupera Madame Adélaïde au premier étage, où a joué vraisemblablement Mozart enfant.

Louis XV aime ses filles et prend plaisir à s'entretenir avec elles. Agée de dix-neuf ans, Madame Henriette obtint son premier tête-à-tête avec son père, une demi-heure durant, que suivront beaucoup d'autres. Et lorsqu'elle habite avec Adélaïde dans l'appartement dit du Dauphin, en 1744, le Roi descend souvent par l'escalier en vis situé près de l'Œil-de-Bœuf pour leur faire visite et leur apporter de menus cadeaux.

Mme de Pompadour sent si bien naître cette influence qu'elle prétend tenir les princesses loin de l'appartement du Roi, dans l'aile des Princes. Cette aile du Midi n'a-t-elle pas, à l'origine, été principalement conçue pour loger les Enfants de France ? Mais on a vu aussi l'un des enfants préférés de Louis XIV, le duc du Maine, loger au rez-de-chaussée du corps central du château, dans l'ancien appartement des Bains. Mesdames le savent et commencent à penser que ce rez-de-chaussée, bien situé sur les parterres de l'Ouest et du Nord, pourrait être habité par les enfants royaux. Mme de Pompadour n'ignore pas non plus que Mme de Montespan, quoique disgraciée, installée à cette même place, continuait de recevoir presque chaque jour les visites de Louis XIV ; et Louis XV n'a-t-il pas lui-même pris ses habitudes dans cette région du château, en descendant fréquemment faire visite à sa chère comtesse de Toulouse ?

On verra plus loin avec quelle habileté Mme de Pompadour mène son jeu. Elle obtient pour elle-même, en 1750, l'appartement des Toulouse et des Penthièvre, au rez-de-chaussée sur le parterre du Nord et réussit pendant quelque temps à maintenir Mesdames dans l'aile du Midi, quelle qu'ait été la fureur de Madame Henriette. Celle-ci meurt en 1752. Les réflexions du Roi, l'évolution qu'elle-même opère à l'égard de la religion et de la famille royale, inclinent Mme de Pompadour à la prudence. Madame Adélaïde, maintenant Madame aînée, ne pourrait-elle être une alliée ? Au demeurant, le prétexte invoqué par celle-ci pour réclamer un nouvel appartement ne permet guère de réplique : Madame Adélaïde ne peut plus supporter de vivre là où sa sœur est morte. Le Roi demande aux Penthièvre, déjà repoussés par la marquise jusque sous le Salon de la Guerre et la Galerie, de céder pour deux ans l'appartement qu'ils occupent. Mesdames prennent pied dans cette partie du château, qu'elles n'abandonneront plus jusqu'à la Révolution.

Le problème du logement de Mesdames, malgré la mort de plusieurs d'entre elles, s'est encore compliqué du retour de Fontevrault de Madame Victoire en 1748, de Mesdames Sophie et Louise en 1750. Pendant quelques années Louis XV et ses architectes se sont en vain penchés sur cette question, qu'ils ne peuvent vraiment résoudre qu'en acceptant l'installation des princesses dans le corps central du château.

Aussitôt après la mort de Madame Henriette, Madame Adélaïde obtient la permission de quitter l'aile du Midi et de s'établir non loin de Mme de Pompadour, sur le parterre d'eau, dans ce qui reste de l'appartement attribué jadis à la comtesse de Toulouse et au duc et à la duchesse de Penthièvre. Mais cet appartement, qui fut celui des Bains et où se sont maintenus jusque-là des éléments de l'ancien décor de marbre et de bronze, doit, pour Madame, être amélioré et mis, si possible, au goût du jour. Les travaux sont prévus pour la période des voyages d'été, dont le déroulement, en cette année 1752, est troublé par la maladie du Dauphin. La princesse doit s'établir provisoirement dans l'appartement qu'occupe, au rez-de-chaussée de l'aile du Nord, auprès de la Chapelle, la duchesse du Maine, celle-ci ayant annoncé son intention de ne plus paraître à la Cour. Au retour de Fontainebleau, Madame Adélaïde prend possession de son nouvel appartement. Elle a choisi pour Chambre l'ancienne

Chambre des Bains, qui fut Chambre de Mme de Montespan et de Mme de Toulouse, et qui est décorée de belles colonnes corinthiennes, auprès du Grand Cabinet d'angle. Son Cabinet est celui du même appartement, à la suite, sur la terrasse du parterre d'eau ; de belles boiseries, probablement composées pour elle, sculptées de rocailles et de palmiers, le rehaussent. Madame est voisine de la comtesse de Toulouse, dont le nouvel appartement, un petit appartement de jour, destiné à recevoir les visites du Roi, composé d'une antichambre et d'un cabinet, en façade sur le parterre, est pris sur l'ancienne Galerie-basse.

Madame Infante, qui vient d'arriver pour un séjour d'un an et qui a logé lors de son voyage de 1749 dans l'appartement alors occupé par la comtesse de Toulouse et aujourd'hui habité par Madame Adélaïde, s'installe à la suite de sa sœur. Lorsqu'il est question, le 2 novembre 1752, de glaces à poser dans le Grand Cabinet de Madame Infante, c'est vraisemblablement du cabinet d'angle qu'il s'agit. Louis XV, qui paraît s'être un moment réservé une ou deux pièces sur le parterre du Nord, tout près de Mme de Pompadour, pour y tenir ses petits soupers, vient de reporter sa principale salle à manger au premier étage, sur la cour des Cerfs. Ainsi, cette partie de l'ancien appartement Penthièvre, réunie à celui de Madame Adélaïde et formant un Grand Cabinet et deux antichambres, peut servir au logement de Madame Infante, puisque Madame Adélaïde consent volontiers à se resserrer pour loger auprès d'elle sa sœur aînée retrouvée. Et Louis XV paraît heureux de pouvoir descendre chez ses filles par son petit escalier demi-circulaire du fond de la cour des Cerfs. Cet aménagement ne va cependant pas durer plus que le séjour de Madame Infante.

En 1753, au retour de Fontainebleau, Madame Adélaïde trouve achevé un nouvel appartement, que le Roi lui a réservé plus près de lui, et qui paraît définitif ; elle l'occupera une quinzaine d'années. A l'angle de la cour royale, c'est presque un pavillon entier du château qui est affecté à l'aînée des Filles de France, au premier étage, là où fut autrefois logée Mme de Montespan au temps de sa plus grande faveur.

L'opération nous semble aujourd'hui désastreuse, qui a

consisté à sacrifier le Cabinet des Médailles pour obtenir une grande antichambre, à supprimer la Petite Galerie de Mignard pour former les trois principales pièces de cet appartement, à démolir l'Escalier des Ambassadeurs pour donner plus de profondeur à la Chambre et installer les garde-robes, escaliers et communications, en constituant dans l'ancienne cage, d'ailleurs sensiblement réduite, une petite cour intérieure nouvelle. Lorsqu'il rentre de Fontainebleau, le 26 novembre 1753, Louis XV, aussitôt sorti de son carrosse, va voir ses enfants et ses petits-enfants, puis il monte admirer « l'appartement nouveau de Madame Adélaïde ». Celle-ci peut s'y installer aussitôt.

Les travaux ont été considérables. Dès l'été de 1752, des journées de chômage accordées à un maçon et à un charpentier, blessés dans l'appartement de Madame Adélaïde, paraissent se rapporter à cet appartement du premier étage et témoigner de l'activité du chantier. Les modifications apportées dans cette région du château à la fin du règne de Louis XV, puis sous Louis XVI, enfin sous Louis-Philippe, nous obligent à faire un sérieux effort d'imagination en lisant les anciens plans pour reconstituer l'appartement de la princesse [1].

L'entrée, qui se fait, soit par le Salon de Vénus, soit par un escalier intérieur auprès du passage public du rez-de-chaussée, longe l'ancien Cabinet des Médailles, qui se transforme en *Première Antichambre* (future Pièce des Buffets.) Vient ensuite une *Seconde Antichambre*, puis le *Grand Cabinet* ou Salle à manger qui forme l'angle ; cette dernière pièce deviendra, considérablement agrandie sur la Seconde Antichambre de Madame Adélaïde, la Salle à manger royale de 1769. La *Chambre*, avec ses deux fenêtres éclairées au midi, correspond à peu près à la future Bibliothèque de Louis XVI ; il a été nécessaire d'y établir une cheminée, dont l'emplacement seul a été maintenu ; des tapisseries des Gobelins sur les murs composent, sans frais de boiseries, le décor de cette pièce.

---

1. On pourra se reporter au plan de l'appartement du Roi vers 1789 (fig. 25, p. 522), la partie orientale de cet appartement correspondant à celui de Madame Adélaïde, modifié par les travaux de 1769 et de 1774.

Le *Cabinet-intérieur* ou *Cabinet-doré*, qui fait suite et qui, plus tard incorporé à l'appartement du Roi, deviendra la « Pièce de la vaisselle d'or », semble avoir été exécuté en deux temps et devoir plus qu'on ne le soupçonne au salon primitif de la Galerie de Mignard. Sa forme se maintient presque inchangée, malgré la suppression de l'arcade de l'ancienne Galerie et l'installation d'une cheminée à la mode face à l'unique fenêtre ; du côté de l'Arrière-Cabinet du Roi, qui fut le Cabinet-ovale de Louis XIV, le Cabinet de Madame Adélaïde demeure aussi mouvementé dans son plan que l'était le premier Salon de la Petite Galerie. Nolhac attribuait aux modifications accomplies par la princesse en 1767 les quatre magnifiques trophées qui ornent la niche. On est tenté de les croire plus anciens. On peut même se demander si la richesse et la noblesse du décor qu'on admire dans cette toute petite pièce ne sont pas nées de la conservation d'éléments antérieurs, qu'on aurait soit réutilisés, soit si peu oubliés, que les chapiteaux ioniques du Cabinet de Madame Adélaïde peuvent nous apparaître aujourd'hui d'inspiration « Louis XIV ».

Madame Adélaïde, qui a eu ses aises dans l'aile du Midi et qui est Fille aînée, veut avoir, joints à son appartement, de petites pièces intimes et des entresols, posséder aussi un *Arrière-Cabinet* comme le Roi, un *Oratoire* comme la Reine, des *Bains* comme sa belle-sœur la Dauphine. Tout ceci est achevé durant l'automne de 1753. Puis elle s'avise qu'elle n'a pas, comme le reste de sa famille, sa petite terrasse ; on la lui crée pendant le voyage de Fontainebleau de 1754.

En 1756, elle songe à sa *Bibliothèque*, qu'elle trouve trop mesquine et qu'elle souhaite aussi belle que celle du Dauphin. Une pièce, détachée de l'appartement du Roi au second étage et isolée depuis l'installation à cet étage de Mme de Beauvillier, sa dame d'honneur, ne se trouve-t-elle pas justement libre en retour sur la cour royale, au-dessus de son Cabinet ? Elle y fait mettre des armoires fermées de glaces, qu'utilisera plus tard Mme Du Barry pour ses livres.

Quant à ses Bains, qui sont à l'entresol, entre le premier et le second étage, elle demande, en 1757, avant de partir pour Compiègne, que Chevalier, qui, un an plus tôt, a rehaussé de stuc et de vernis ceux de la Dauphine, les décore ; mais, comme elle sait peut-être par son père l'état des finances et la guerre qui recommence, elle les veut sans ornements ni fleurs, « pour diminuer la dépense ». Ainsi se marque l'installation de Madame Adélaïde dans cette partie du château, d'une manière qui paraît durable. Mais, en 1768, Louis XV demande à sa fille aînée de lui céder ce bel appartement, afin d'y placer ses nouvelles salles à manger, afin surtout d'établir commodément Mme Du Barry au second étage. La princesse redescend au rez-de-chaussée, où ses sœurs habitent toutes maintenant.

Madame Victoire a, dès 1753, pris possession d'une partie de l'ancien appartement des Bains, où l'on a vu, l'année précédente, déjà s'introduire Madame Adélaïde, puis Madame Infante. A partir de ce moment, Mesdames de France vont régner sur tout cet angle du château ; la volonté de leur père devra bien souvent céder devant leurs exigences.

Supplantant, à l'ouest, Mme de Toulouse, et ayant annexé, au nord, les deux pièces libérées par leur père, Mesdames cadettes prennent rapidement possession du terrain. Victoire appelle auprès d'elle Sophie et Louise, qui, en 1754, se logent comme elles peuvent sur le rez-de-chaussée de la cour des Cerfs et sur le parterre occidental. La Chambre de Madame Sophie occupe l'ancien cabinet des Bains et celle de Madame Louise l'une des pièces que Louis XV avait fait aménager pour la comtesse de Toulouse dans l'ancienne Galerie-basse. Les princesses paraissent au début satisfaites de se voir au cœur même du château et demandent assez peu de chose. Mais leurs ambitions vont bientôt s'accroître et s'entraîner mutuellement.

En 1759, Mesdames Victoire et Sophie réclament de petits changements dans leurs Cabinets. Sous le prétexte d'être entourées d'un décor moderne et conforme à leur rang, elles cherchent à faire disparaître ce qui subsiste encore des ouvrages de Louis XIV dans l'appartement des Bains. En 1760, Madame Victoire, qui a déjà, en 1753, fait garnir sa Chambre de menuiserie, fait établir une alcôve à la mode. Deux ans plus tard, Madame Sophie demande à son tour un travail important dans sa Chambre. En 1763, Madame

428

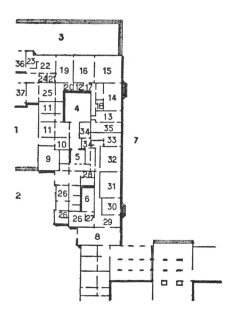

FIG. 19. — *Appartements de Mesdames cadettes et de Mme de Pompadour vers 1755.*

1. Cour de marbre. — 2. Cour royale. — 3. Perron du parterre occidental. — 4. Cour des Cerfs dite cour de Mesdames. — 5. Petite cour intérieure du Roi. — 6. Cour de la cave du Roi (actuellement Escalier des Maréchaux). — 7. Terrasse du parterre du Nord. — 8. Passage public conduisant au parterre du Nord. — 9. Petite Salle des Gardes du Roi. — 10. Degré du Roi. — 11. Appartement du capitaine des Gardes de quartier. — 12. Escalier demi-circulaire. — 13 à 18. Appartement de Madame Victoire. — 13. Première Antichambre. — 14. Seconde Antichambre. — 15. Grand Cabinet. — 16. Chambre. — 17. Arrière-Cabinet. — 18. Bibliothèque. — 19 à 21. Appartement de Madame Sophie. — 19. Chambre. — 20. Cabinet. — 21. Bibliothèque. — 22 à 24. Appartement de Madame Louise. — 22. Chambre. — 23. Cabinet. — 24. Bibliothèque. — 25. Service de Mesdames. — 26. Garde-robe aux habits de Mesdames. — 27. Escalier de Madame Adélaïde. — 28. Degré d'Épernon. — 29 à 34. Appartement de Mme de Pompadour. — 29. Première Antichambre. — 30. Seconde Antichambre. — 31. Grand Cabinet. — 32. Chambre. — 33. Petit Cabinet. — 34. Arrière-Cabinet et bains. — 35. Cabinet de la comtesse de Toulouse. — 36. Galerie-basse. — 37. Vestibule central. (A comparer à l'appartement des Bains vers 1680, fig. 10, p. 89.)

Victoire exige qu'on débarrasse son Grand Cabinet d'angle des statues et des reliefs qui l'ornaient et qui dataient de

près d'un siècle ; elle veut à leur place de belles boiseries
« Louis XV ». Le travail, que l'on peut suivre d'après les
registres et les ordres précis des Bâtiments au cours de l'été
de 1763, nous a valu de magnifiques panneaux, en partie
conservés, que Verberckt a sculptés et qui ont été à l'origine
dorés par Brancourt et par Picault.

Tout ceci s'accompagne, sur les arrières et sur la cour des
Cerfs, de multiples et incessants travaux, que réclame l'esprit
méticuleux et oisif de Mesdames : entresols, bibliothèques,
garde-robes, placards, coffres à bois, pièces de service, couloirs,
cuisines, petits escaliers ou poêles, destinés à donner quelque
confort à une partie du château qui n'a guère, à l'origine,
été prévue pour l'habitation. Elles demandent même, comme
elles l'ont vu faire chez leur frère, un arrangement d'une
partie du sol de la cour des Cerfs, en 1759 ; c'est le « jardin
de Mesdames », embelli « de petites fontaines », de rocailles
et de pots de faïence, et fermé d'une grille. Aux premiers
jours du printemps, elles font aussi voiturer des serres du
Petit Trianon des orangers qu'elles font placer sur les terrasses
du Nord ou de l'Ouest, en avant de leurs fenêtres.

La mort de Mme de Pompadour et les dispositions qui
suivirent, notamment en faveur de la dauphine de Saxe,
autorisent Madame Victoire à demander pour elle-même
l'ancien appartement de la marquise, superbement situé,
avec dix fenêtres de façade sur le parterre du Nord, tandis
que Madame Sophie prend à peu près sa place et Madame
Louise celle de Madame Sophie sur le parterre d'eau. Tout
se passe, on le voit, selon la hiérarchie de l'âge. Les trois
princesses, dans les mois qui suivent, commencent à réclamer
divers changements dans leurs appartements respectifs, quand
tout est remis en cause par le retour au rez-de-chaussée de
leur aînée, Adélaïde.

Madame s'attribue alors, comme de droit, le meilleur
appartement, celui de Madame Victoire, et bouscule ses trois
sœurs. Celles-ci vont jeter les yeux sur un espace qui demeure
encore vide, au centre du château, en façade sur le grand
parterre, c'est-à-dire presque toute l'ancienne Galerie-basse
de Louis XIV, à peine amputée par l'appartement de jour
de la comtesse de Toulouse, devenu en 1754 Chambre et

Cabinet de Madame Louise. Les travaux de 1769 sont considérables. Installant alors Mme Du Barry au château, Louis XV préfère ne pas être désagréable à ses filles. Il sacrifie la Galerie ; Madame Sophie et Madame Louise s'installent au centre de celle-ci et sur l'ancien vestibule de la cour de marbre. Au retour de Fontainebleau, le 15 novembre, Louis XV se déclare satisfait des « nouvelles pièces de son appartement... Mesdames ne l'ont pas moins été des leurs avec juste raison ».

Les travaux se poursuivent en 1770 et sont facilités, cette année même, par l'entrée en religion de Madame Louise, ce qui donne de l'extension aux appartements de Mesdames Victoire et Sophie, qui sont, ainsi que l'appartement de Madame Adélaïde, encore l'objet de dépenses en 1771, en attendant celles que les princesses continueront de réclamer sous Louis XVI.

A la mort de leur père, Mesdames peuvent être fières de posséder quelques-uns des plus beaux appartements de Versailles, appartements qu'elles ont, en une vingtaine d'années, peu à peu conquis et que montrent les plans du château dressés en juin 1774.

En venant du passage qui conduit de la cour royale à la terrasse du Nord, se développe l'appartement de Madame Adélaïde, à peu près composé comme il était au temps de Mme de Pompadour, avec ses deux antichambres, son Grand Cabinet (situé au-dessous du Salon de Diane du Grand Appartement), sa Chambre, éclairée de deux fenêtres sur la terrasse, le Cabinet-intérieur ou Cabinet en niche, la Bibliothèque qui est entresolée et que surmonte une autre Bibliothèque, établie pour Madame Victoire ; ces dernières pièces résultent de cloisonnements effectués peut-être dès l'époque du comte de Toulouse dans l'ancien Vestibule-dorique.

L'appartement de Madame Victoire fait immédiatement suite à celui de sa sœur aîné et se répartit de façon presque semblable ; on trouve, en continuant le long de la façade et prenant l'appartement de Madame Victoire à contresens, un Cabinet-intérieur, la Chambre (à l'emplacement de l'ancienne Pièce-ionique, juste au-dessous du Salon d'Apollon), le

Grand Cabinet en angle et, en retour sur la terrasse occidentale, la Pièce des Nobles et une Antichambre commune à Mesdames Victoire et Sophie, sur les emplacements respectifs de la Chambre et du Cabinet des Bains.

L'appartement de Madame Sophie commence aussitôt après, avec ses neuf fenêtres prises sur la Galerie-basse. Il est composé comme les précédents d'une Seconde Antichambre ou Pièce des Nobles, d'un Grand Cabinet, d'une Chambre et d'un Cabinet-intérieur, qui est mitoyen de l'appartement occupé par le comte de Provence. La Bibliothèque de Madame Sophie, que Chevalier décore de stucs polychromes en 1769, est située au centre de la cour de marbre, sur une partie de l'ancien Vestibule.

Les mêmes plans ou ceux des années suivantes montrent, sur les cours intérieures, le développement des Cabinets des princesses, avec leurs bains ou leurs chaises, leurs tours, leurs garde-robes à habits ou leurs services, leurs communications ou passages. L'extension sera telle qu'on en arrivera à appeler cour de Mesdames la cour intérieure du Roi. Mesdames se croient parfaitement chez elles au rez-de-chaussée de la cour des Cerfs. L'incident que raconte Mercy-Argenteau dans sa lettre à Marie-Thérèse du 18 mai 1773, où l'on voit la Dauphine éclaboussée par un seau d'eau jeté du second étage de cette cour et certainement des fenêtres de Mme Du Barry, montre comment Marie-Antoinette et la comtesse de Provence, en visite chez Madame Victoire, trouvent naturel de flâner ici et de s'arrêter pour examiner le cadran solaire établi par Louis XV.

On remarque encore aujourd'hui, dans toute cette partie du château, principalement sur la terrasse du Nord, bien des vestiges décoratifs du XVIIIe siècle. On peut faire remonter certains à l'époque des Penthièvre ou plutôt de Mme de Pompadour. On doit reconnaître en d'autres le souvenir du séjour de Mesdames. Dans l'ancienne Chambre de Madame Adélaïde notamment (actuelle salle 57), on peut distinguer ce qui provient de la marquise, — les volets, — et ce qui a été créé semble-t-il, pour Madame en 1769, — six panneaux décorés de vases de fleurs et de guirlandes et d'autres semblables, connus par des aquarelles de l'architecte Nepveu, récemment regroupés et remis en place, — la corniche elle-même datant du début de notre siècle.

Sans poursuivre davantage l'histoire de leurs appartements, constatons que Mesdames ont été logées fort honorablement. Dans un Versailles trop étroit, pressé par les réclamations de ses filles, qu'il aime bien, tout en les trouvant peut-être à certains moments encombrantes, Louis XV a réussi à leur faire plaisir. Il a dû parfois concilier leurs exigences et celles d'une Pompadour ou d'une Du Barry. Ces problèmes de logement, en apparence insolubles, semblent, au fond, l'amuser. Sa vie entière, dans son propre appartement, ne se passera-t-elle pas à tenter également de trouver un peu plus d'espace ou de confort ?

CHAPITRE V

VERSAILLES INTIME

LES INFIDÉLITÉS DU ROI

Le Roi « n'aime point Versailles », note, dès 1725, Barbier, en observant de Paris les déplacements incessants de son souverain, et notamment les fréquents séjours à Marly. De son côté, le duc de Luynes écrit en 1753 : « Il ne reste jamais plus de quatre ou cinq jours à Versailles, ordinairement deux ou trois jours. » Ce que Barbier résume en 1760 par ces mots : « Il est toujours gai quand il est hors de Versailles. »

Louis XIV, ici encore, ne lui a-t-il pas montré la voie ? Ne lui a-t-il pas transmis le goût des bâtiments, des décorations sans cesse rajeunies, des jardins que l'on transforme ? Trianon, Marly ne représentent-ils pas des infidélités qu'a faites le Grand Roi à Versailles et qui l'ont beaucoup diverti ? Versailles, presque achevé, n'apparaît-il pas comme un monument sacré, magnifique, solennel, intouchable, invivable ?

Louis XV s'ennuie bientôt dans ce château, où il devrait plus démolir que construire pour l'adapter à ses goûts. On l'a vu soigneux de son héritage au point de poursuivre certains programmes que Louis XIV a laissés incomplets. Mais le Roi se manifeste alors, plus que l'homme du XVIIIᵉ siècle.

Ce Versailles peu commode, alourdi de sa Cour, de la Reine, de ses enfants, résidence des ministres, n'est pas synonyme de plaisir. L'homme, ou plus exactement le jeune homme, se distrait un temps à des additions et à des transformations dans ses appartements intérieurs. L'année 1738 marque le point culminant de cet état d'esprit. Puis, ses maîtresses aidant, il cherche, par des modifications de détail, à loger celles-ci mieux ou plus près de lui, tout en améliorant et embellissant ses installations personnelles. Il se plaît surtout ailleurs à construire, à tailler, à décorer. Fontainebleau et Compiègne, Marly, La Muette et Choisy, Saint-Hubert, Trianon, ses pavillons de chasse bénéficieront de ses attentions. Le sort a voulu pourtant que presque tout ceci ait disparu et que Versailles soit demeuré aujourd'hui le plus riche témoin de l'art décoratif du temps de Louis XV.

L'ESPRIT DU SIÈCLE

Les goûts auxquels il a été tout jeune initié par le Régent et par son entourage, le petit château de La Muette au bois de Boulogne, où, dès la mort de la duchesse de Berry, enfant de dix ou douze ans, il « crut avoir quelque chose personnellement à lui » et où il s'est livré à ses premières expériences de mobilier, de décoration, d'architecture autour d'une Laiterie ou d'une Ménagerie, les souvenirs qu'il en a gardés, l'influence auprès de lui de quelques femmes qu'il admire, la princesse douairière de Conti, dont il reprendra la suite à Choisy, la comtesse de Toulouse, chez qui il aime se rendre à Rambouillet, puis ses maîtresses, l'hérédité aussi de Louis XIV ou de Monseigneur entraînent Louis XV à créer un nouveau Versailles, intime, secret, élégant et personnel, à l'intérieur du grand château royal qu'il conserve.

Dès qu'est franchi le Cabinet du Conseil ou le Cabinet des Perruques, commence un appartement privé, celui des « derrières » ou des « cabinets », dont la présence, déjà sensible à l'époque de Louis XIV, sera, sous Louis XV, un objet de développements, de dépenses, de raffinements inouïs, et deviendra d'autant plus un sujet de scandale que le nombre des privilégiés admis dans cet appartement est plus réduit. Des dispositions ingénieuses, des passages et des escaliers ménagent l'intimité du souverain ; les courtisans pénètrent dans les pièces du premier étage, qui constituent *l'Appartement intérieur* proprement dit, doublant l'appartement officiel, en retour de la cour de marbre ; au-delà et au-dessus, les *Petits Cabinets*, qui communiquent avec l'appartement de la maîtresse, multiplient leurs dédales et trahissent plus d'une préoccupation cachée. Des nuances et des points communs marquent d'un esprit nouveau tout ce coin du château, qu'il est bon de considérer.

Les préférences de Louis XV vont aux pièces de dimensions réduites ; profitant des servitudes du bâtiment existant, les inventant au besoin, il impose à son architecte (dont l'esprit classique souhaiterait plus de grandeur) des décrochements, des pans coupés, des courbes, tout un pittoresque qui séduit en lui le décorateur ; pour placer un lit, un sopha, des glaces, il cherche les mouvements en niches ou en alcôves. Plutôt qu'à des pièces aux plafonds élevés, dont il ne méconnaît ni la noblesse, ni la nécessité pour l'apparat, sa prédilection va aux appartements bas et entresolés. Notant, en 1754, les dépenses considérables faites pour créer à La Muette, avec beaucoup de dépense et de goût, « de jolis nids à rats... mais qui n'avaient été faits que pour la suite, et où le Roi voulait loger », le prince de Croÿ met le doigt sur une tendance particulière à Louis XV et à son temps.

Le souci du confort n'est pas étranger aux transformations des appartements du Roi. On a vu plus haut les modifications apportées jusque dans la Chambre de Louis XIV à cause des cheminées. Pareil irrespect se retrouve lorsque Louis XV accepte, en 1750, de faire déposer, de façon provisoire il est vrai, l'un des trumeaux de marbre de la Grande Galerie pour faire passer un conduit de fumée destiné à une cheminée de l'appartement de la comtesse de Toulouse. L'amélioration du chauffage est l'une des préoccupations de ce siècle.

Certains problèmes ne peuvent recevoir de solution dans ce château. Faisant suite à ceux qui amenèrent Louis XIV à faire poser des « machines fumivores » sur les toits, des fumistes, des ferblantiers, des mécaniciens sont payés tout au long du règne de Louis XV pour installer des « machines de fer blanc pour empêcher les cheminées de fumer », sans succès d'ailleurs. L'usage des doubles châssis aux fenêtres, et surtout les poêles de faïence, de terre-cuite ou de bronze, que Louis XV multiplie autour de lui, rendent l'hiver plus doux dans l'appartement royal. Un nombre infini de « riens », auxquels s'attache le Roi, par égoïsme peut-être, ou parce qu'il est bien de son temps, semblent donner plus de prix à l'existence.

A propos des appartements de la grande aile méridionale du château, Blondel remarque l'absence « des commodités essentielles » de la plupart des appartements de Versailles, « la distribution étant une des branches de l'Architecture où nous ayons fait le plus de découvertes depuis l'édification de ce palais ». Homme du XVIIIe siècle, Louis XV saura sur ce point rajeunir l'œuvre de Louis XIV. On verra plus loin comment les installations d'hygiène se développent dans tout l'appartement du Roi. Partout les serruriers posent des sonnettes. Un ascenseur est même créé pour faciliter l'accès de l'appartement situé dans l'attique du parterre Nord, où habiteront successivement Mme de Châteauroux et Mme de Pompadour ; Louis XIV, il est vrai, avait déjà fait construire une « machine » de ce genre au profit de sa fille, Mlle de Nantes, devenue Madame la Duchesse, par un « machiniste » de l'Opéra en 1697 ; la « chaise volante », qu'on appelle aussi « fauteuil volant », « machine des Petits Appartements », et qu'établit en 1743 le machiniste Arnoult, coûte près de cinq mille livres. Elle sera démontée et expédiée à Fontainebleau en 1754, alors que Mme de Pompadour habite le rez-de-chaussée du château.

Les effets des améliorations qu'apporte Louis XV pour rendre sa demeure moins inconfortable ne sont pas tous heureux. En regardant d'anciennes lithographies de Versailles ou des Trianons et en voyant les fenêtres de ces nobles architectures gâtées par la présence de volets extérieurs, on se rend compte des conséquences désastreuses et d'abord imprévisibles d'une première décision prise par Louis XV en 1742 : pour être davantage « chez lui », il fait garnir plusieurs fenêtres de ses Petits Appartements de « persannes » ou persiennes. Celles-ci vont se multiplier, chez le Roi d'abord, puis chez la Reine à l'imitation du Roi, puis chez le Dauphin, qui demande en 1748 pour sa Bibliothèque et son Cabinet d'angle sept persiennes « comme celles de chez la Reine ». Tout personnage de quelque importance veut en avoir autant et l'on verra que, sous Louis XVI, on se met à garnir de persiennes les fenêtres du Grand Trianon.

Il est des essais moins fâcheux, notamment ceux qui appliquent les progrès des sciences à l'éclairage du château.

Les réverbères et les quinquets se développeront sous Louis XVI, mais déjà Louis XV, en 1765, fait poser au bas de son escalier particulier une « lanterne optique », du prix de 400 livres, que fournit le « méchanicien » Robiqueau.

En transformant et augmentant les anciens apppartements intérieurs de son prédécesseur, Louis XV détruit, hélas ! bien des ensembles décoratifs qui nous seraient précieux aujourd'hui. Il apporte aussi, selon son style propre, un enrichissement glorieux, dont le château conserve, malgré les destructions que lui-même pourra demander ensuite ou celles qui se multiplieront sous Louis XVI et au XIXe siècle, des ensembles si remarquables qu'on doit les compter parmi les chefs-d'œuvre de la menuiserie de tous les temps.

LE STYLE DE LOUIS XV

La place qu'occupe Louis XV dans l'art décoratif français apparaît aussi grande, sinon plus, que celle unanimement reconnue à Louis XIV. Jamais peut-être un style ne s'est mieux confondu avec un homme que celui de Louis XV avec lui-même. L'influence personnelle du Roi, sa fidélité presque sans défaillance au style que la postérité marquera de son nom, présentent probablement un cas unique. Ses appartements de Versailles permettent d'esquisser et de retrouver les principaux caractères de ce style.

Louis XIV a enrichi toute cette partie du château à une date suffisamment récente pour que les décorations intérieures ne paraissent pas trop insupportables à son successeur, tout au moins dans les pièces qu'il n'habite pas effectivement. Louis XV transformera toute la décoration intérieure sur le côté nord de la cour de marbre, où il vit. Il ne touchera pas, on l'a remarqué, à ce qui se trouve à gauche et au centre, et qui va de l'Escalier de la Reine à la Grande Chambre. Cette Chambre elle-même, devenue chambre de parade, lui met sous les yeux chaque jour l'exemple de ce qu'est un décor vraiment royal, riche à l'extrême, plaisant toutefois dans son harmonie blanc et or, démodé peut-être, à peine vieilli cependant. Le style « Louis XV » n'ignorera pas et ne méprisera pas les enseignements du Grand Roi.

Ne faisant qu'une seule pièce du Cabinet du Conseil et du Cabinet des Perruques, abaissant même le plafond, Louis XV, tantôt conservant, tantôt créant, a su recomposer un décor d'une étonnante majesté. Ses démolitions elles-mêmes se font, on l'a remarqué, avec lenteur, presque avec hésitation ou regret, progressivement. Plus d'une fois, par souci d'économie ou par respect d'un bel ouvrage, les Bâtiments, certainement en accord dans ce cas avec des ordres précis du Roi, conservent des éléments « Louis XIV » et les mêlent si bien aux nouveaux qu'ils passent aujourd'hui inaperçus.

Le lien entre les deux époques et les deux styles est encore facilité, non seulement par l'esprit de tradition et de famille qui se poursuit chez les architectes, mais encore par la présence des mêmes ateliers. On en citera ici deux exemples. André Le Goupil, qui a fait partie de l'équipe des sculpteurs en boiserie de Louis XIV, travaille jusqu'à sa mort en 1733 pour Louis XV ; son gendre, Jacques Verberckt, qui pendant une trentaine d'années va renouveler bien des décors de Versailles, vit presque aussi longtemps que le Roi et meurt en 1771. L'atelier de Rousseau, qui prend la relève de celui de Verberckt, présente un phénomène encore plus net de continuité. Jules-Antoine Rousseau, que nous avons rencontré sculptant les boiseries du Cabinet du Conseil en 1755 et les appartements du Dauphin et de la Dauphine, est fils d'un sculpteur des Bâtiments, Alexandre Rousseau, qui a notamment travaillé à la décoration de la Chapelle à la fin du règne de Louis XIV ; il associe de bonne heure ses fils à son entreprise ; après la mort de Verberckt, on les rencontre ensemble dans les derniers Bains de Louis XV, puis dans la Bibliothèque de Louis XVI, assurant ainsi le lien entre les époques de Louis XIV et de Louis XVI.

Des caractères communs à Versailles se maintiennent, tandis que le style de chaque époque se forme et se précise. La noblesse des décorations peut persister et l'esprit changer insensiblement ; un curieux équilibre demeure. Les pièces du premier étage de l'appartement du Roi, avec leurs hauts plafonds et leurs grandes fenêtres, perdent un peu de leur solennité en se dépouillant de leurs colonnes et même presque partout de leurs pilastres. De l'ingéniosité, de la souplesse parviennent à dissimuler le caractère mansardé des étages supérieurs, à procurer une impression de grandeur ; un rythme, un souci habituel de symétrie donnent de la majesté aux plus petites installations.

La richesse, qui, de tradition, entoure le Roi, apparaît partout. Lorsqu'on admire aujourd'hui, au second étage de la cour de marbre, la magnificence des ébrasements de fenêtres de l'appartement de Mme Du Barry, on rend par là même hommage au goût de Louis XV et aux demandes formulées par lui pour la décoration de sa Petite Galerie en 1736 ou 1737, à une époque où Jeanne Vaubernier n'était pas encore née. Les époques se confondent dans un art surprenant. Louis XIV a fourni les modèles de ces magnifiques rosaces qui s'étalent partout ; plusieurs érudits, comme Fiske Kimball ou Alfred Marie, ont mis en lumière les premières manifestations de ce motif, caractéristique de Louis XV.

La rocaille, dont on pourrait citer, avec l'asymétrie, de timides apparitions dans le Versailles de Louis XIV, est maniée par les décorateurs de Louis XV avec une maîtrise et une ampleur qu'on doit admirer. Les excès du style qu'on appelle « rocaille » ou, à l'étranger, « rococo », parfois ortho-graphié « rokoko », existent certainement hors de Versailles, hors de Fance ; Louis XV a su les éviter et, si les mots de « déchiqueté », de « déjeté », apparaissent dans des ouvrages créés pour ses Petits Appartements aux environs de 1736 ou 1737, si les Slodtz, « dessinateurs de la Chambre du Roi » et successeurs de Berain, ont pu, par tempérament flamand, être portés vers des formes ou des décors mouvementés avec outrance ou par trop surchargés, une symétrie générale, une légèreté dans la richesse demeurent de règle, comme au temps de Louis XIV. Une belle unité subsiste dans le château même, malgré les différences de style.

Les progrès techniques de tout ordre, que la création et l'embellissement de Versailles ont entraînés du vivant du Grand Roi, donnent à son successeur d'innombrables ressour-ces. Louis XV sait jouer des couleurs et des bronzes. Il encourage à Vincennes, puis à Sèvres, la fabrication des porcelaines, dont il orne ses appartements de Versailles et qu'il pousse sa Cour à acheter en exposant lui-même les créations nouvelles de la manufacture à la fin de chaque année dans son propre appartement. Il exploite les hardiesses que permettent, dans la construction d'un bâtiment ou dans celle d'un meuble, les expériences précédemment faites. Il utilise l'art des jardins pour égayer ses appartements, se souvient des terrasses, fait appel aux treillages, demande plus que jamais aux fleurs d'être partout présentes. Son style tire de ces thèmes de nombreux éléments de pittoresque et de beauté.

L'exotisme enrichit ou excuse bien des fantaisies. Les rosaces, les coquilles, les plantes mêmes sont qualifiées de moresques, de chinoises, de persanes, comme pour expliquer leurs déformations, leur non-conformisme aux règles classiques. Les porcelaines ou les soies brodées de Chine, les perses, sont recherchées du Roi, de la Reine, de Mme de Pompadour. Les corniches fourmillent d'arabesques ou de singeries. Des chasses en pays lointains sont peintes pour Louis XV comme on avait recours aux sujets antiques au temps de Louis XIV.

Partout des femmes, des enfants, des amours, des masques ou de petits génies rieurs, aimables, environnés de fleurs, moins solennels que ceux d'autrefois dont ils sont cependant les héritiers, apportent à la décoration, tout particulièrement dans les Petits Appartements du Roi, un charme, un enjouement, dont Versailles présente, sur près d'un siècle, l'étonnant développement. Louis XV se plaît à ces jeux, à ces caprices.

L'âme complexe, déchirée, cachée de l'homme laisse apparaître aussi, dans la continuité apparente du style, d'innombrables contradictions. On perçoit une concession à un motif « antique », à des lignes droites, au milieu des rocailles et des courbes. Ce qu'on appellerait aujourd'hui le « non-figuratif », tout en caprices, en méandres, en arabesques, en « informel », paraît triompher, mêlé pourtant au « tableau », au « sujet », que l'on retrouve sculpté avec une délicatesse extrême sur la boiserie ou que peignent en dessus

de porte, voire en de grandes compositions, quelques-uns
des peintres les plus représentatifs de leurs temps, Lancret,
Oudry, Boucher ; notons que Chardin, qu'on rencontre dans
d'autres châteaux royaux, paraît exclu de Versailles ; serait-il
considéré comme trop bourgeois ?

Un sens étonnant de la hiérarchie, de la dignité se manifeste
jusque dans les Petits Appartements de Louis XV, où tout
pourtant n'est pas pur. Le souci du confort est tempéré par
ce que l'on entend maintenir de l'étiquette ; même ici, on
voit des tabourets, et bien souvent une chaise plus haute
que les autres est réservée au Roi. On croirait lire une
remarque de Saint-Simon sur Louis XIV, lorsque le prince
de Croÿ, décrivant une soirée intime passée dans les Petits
Cabinets auprès du feu, chacun assis « autour de lui, sans la
moindre distinction... avec la plus grande familiarité », ajoute
ces mots : « ... hors que l'on ne pouvait oublier que l'on
était avec son maître. » Le même Croÿ, soupant un autre
jour dans les Cabinets du Roi, définit exactement l'attitude
aimable du monarque : « ... Sans cependant que l'on eût
envie de lui manquer, car il y avait toujours quelque chose
de majestueux en lui. »

Curieux mélange que ce désir de vivre en bougeois opulent
ou en grand seigneur, d'être de son temps et d'être aussi le
Roi ! Louis XV, tout en maintenant les Grands Appartements
du château, développe à l'extrême ses appartements privés.
Il se réfugie toujours plus loin, jusque sous les toits pour
connaître un peu de tranquillité et d'intimité. Une grande
splendeur ne cesse pourtant de l'entourer. Quelques nuances
à peine séparent les différents étages du château, les différents
appartements du Roi.

L'APPARTEMENT INTÉRIEUR DU ROI

Aussitôt les cabinets « de glaces » franchis, Cabinet du
Conseil et Cabinet des Perruques, commençait pour Louis XIV
un appartement privé, qui, pris entre la cour de marbre et
la cour royale, d'une part, et la cour intérieure, qu'un
bâtiment transversal est venu peu à peu diviser en deux cours

distinctes, d'autre part, s'étendait jusqu'au Grand Escalier et au Salon d'angle de la Petite Galerie de Mignard. Tel est l'appartement dont Louis XV a pris possession.

Les deux cours seront progressivement transformées et réduites ; on les retrouvera plus loin, l'une sous le nom de *cour des Cerfs*, l'autre généralement appelée *petite cour intérieure du Roi*.

Un escalier particulier, dit *degré du Roi*, à rampes droites, existe, que Louis XV déplacera à deux reprises sans l'éloigner beaucoup de son emplacement initial et par où l'on vient de la cour de marbre. Un second escalier, demi-circulaire celui-ci, établi sur la face occidentale de la grande cour intérieure, adossé à la Grande Galerie, permet au Roi, soit de descendre vers l'ancien appartement des Bains, soit d'atteindre les entresols qui se trouvent au-dessus de ses Cabinets du premier étage.

Lorsque Louis XV s'installe ici en 1738, laissant à l'usage officiel et aux cérémonies quotidiennes la Chambre de Louis XIV avec ses Antichambres et son Cabinet affecté au Conseil, son nouvel appartement, tout privé qu'il soit, n'échappe pas à la règle royale. Il comprend une Salle des Gardes, une Antichambre, une Chambre, accompagnée d'un Cabinet de Garde-robe, et des Cabinets, dont le nombre et la diversité présentent un phénomène inconnu jusque-là.

La *Salle des Gardes* ou *Petite Salle des Gardes du Roi* est établie au rez-de-chaussée[1]. Elle est mentionnée dans des travaux du début de 1747 ou sur un plan de 1751, auprès du « passage qui sert au Roy pour monter et descendre de carrosse ». C'est là que Damiens s'est posté au mois de janvier 1757.

L'*Antichambre*, qu'on appelle encore *Pièce des Chiens*, est installée en 1738, lorsque Louis XV a fait repousser à la fenêtre suivante de la cour des Cerfs le *petit degré* montant du vestibule du rez-de-chaussée et que les Bâtiments ont posé les portes, avec leurs dessus de porte sculptés d'aigles, qui provenaient de la Pièce du Billard de Louis XIV et se trouvaient disponibles par la transformation de cette pièce en Chambre. Cette antichambre nouvelle, meublée l'hiver

---

1. Cf. fig. 19, p. 428, n° 9.

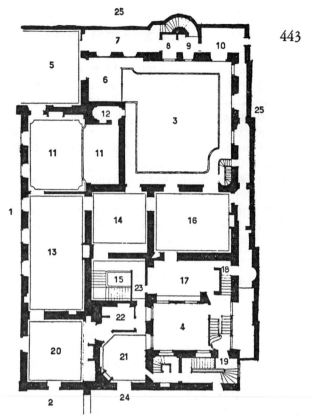

FIG. 20. — *Appartement intérieur du Roi (premier étage vers 1760).*

1. Cour de marbre. — 2. Cour royale. — 3. Cour des Cerfs.— 4. Petite cour intérieure du Roi. — 5. Cabinet du Conseil. — 6. Petite terrasse. — 7. Cabinet du Tour. — 8. Cabinet de Chaise. — 9. Escalier demi-circulaire. — 10. Cabinet-doré. — 11. Chambre de Louis XV. — 12. Cabinet de Garde-robe. — 13. Salon de la Pendule. — 14. Antichambre des Chiens. — 15. Degré du Roi. — 16. Salle à manger. — 17. Pièce des Buffets. — 18. Degré des cuisines. — 19. Degré d'Epernon. — 20. Cabinet-intérieur ou Cabinet de travail (cabinet d'angle). — 21. Arrière-Cabinet. — 22. Cabinet de Chaise. — 23. Passage vers le Degré du Roi et vers la Pièce des Buffets. — 24. Appartement de Madame Adélaïde. — 25. Grand Appartement et Grande Galerie.
(Le circuit, pour l'appartement intérieur, s'établit ainsi : 15, 14, 13, 11 ou 20. A comparer aux plans du même appartement vers 1740, fig. 16, p. 311, et vers 1789, fig. 25, p. 522.)

de huit tabourets de panne cramoisie, à bois sculptés et dorés, qui dataient de Louis XIV, reçut, pour l'été, en juin 1739, huit tabourets de maroquin citron et clous d'argent,

sur des bois peints « citron à filets rouges ». Cette date de
1739 doit être considérée comme celle de la charmante
corniche à scènes de chasse et à rocailles, qui se voit encore
aujourd'hui et qui rappelle que Louis XV, comme Louis XIV
dans une pièce voisine, aimait flatter ici ses chiens préférés.
Le cérémonial que le Roi était tenu d'observer lorsqu'il
voulait donner à ceux-ci quelque gimblette, — recevoir les
gimblettes des mains, soit du grand maître, soit en l'absence
de celui-ci, du premier maître d'hôtel ou du premier
gentilhomme de la Chambre en exercice, — suffit à montrer
le peu de liberté dont jouissait le Roi dans cet appartement.

LA CHAMBRE DE LOUIS XV

De l'Antichambre, traversant le grand cabinet qui deviendra le Salon de la Pendule, on atteint la *Chambre*, que
Louis XV a fait établir à la place de l'ancien Billard ou
Cabinet des Chiens de Louis XIV et où l'on pénètre aussi
par le Cabinet du Conseil ou par le Cabinet des Perruques ;
cette Chambre, précise Blondel, fait « partie de son appartement privé, lequel est composé de plusieurs pièces exposées
au Midi, et pourvues de commodités qu'on ignoroit encore
dans le siècle précédent ».

Pour obtenir une pièce assez spacieuse, avec une grande
alcôve au fond, Louis XV fait défoncer le mur nord, jusquelà percé de deux fenêtres sur la cour des Cerfs, et édifier
hors œuvre sur cette cour une petite construction rectangulaire. L'alcôve ainsi définie est tendue d'un tissu assorti à
celui du meuble, que l'on change hiver et été ; elle est
fermée d'un balustre et est encadrée à l'origine de deux
grands palmiers stylisés, qui se recourbent sur la traverse d'en
haut jusqu'à rejoindre les armes de France, sculptées au
milieu. La belle cheminée qui est restée en place, les trois
hautes bordures de glaces que décorent des volutes, des
rocailles, des treillages et des bustes de femmes empanachées,
une console dorée entre les fenêtres, une commode
(aujourd'hui conservée à Londres dans la collection Wallace)
fortement galbée, plaquée de bois de violette, qu'a livrée

Gaudreaux au mois d'avril 1739 et dont les bronzes, capricieux à l'extrême, ont été exécutés par Jacques Caffiéri, enfin quatre portes ou fausses portes à doubles vantaux, composent le décor permanent de la Chambre.

Le « meuble » est formé, outre le lit et la tenture d'alcôve, de deux fauteuils, de deux carreaux, de six ou huit pliants, d'un paravent, d'un écran, de deux doubles rideaux de fenêtres et de quatre portières. Les livraisons de ce meuble montrent l'achèvement de la Chambre et témoignent de ce que Louis XV a voulu ici de riche et de nouveau. Le meuble d'été, dont les premières soieries ont commencé d'être tissées en 1731, est apporté le 11 avril 1739 ; il est de brocart de Lyon, dessiné par Lallié, « fond jonquille à fleurs d'argent », sur des bois sculptés et argentés. Le meuble d'hiver, mis en place au mois de novembre suivant, est de velours « fond d'or à ramages cramoisi, partie sans envers et partie avec envers », avec d'épaisses broderies de fleurs et d'ornements « d'or vert, comme dans l'orfèvrerie » ; Luynes admire beaucoup ce meuble, dont les bois sculptés et dorés sont très riches, et il précise qu'on a travaillé à Lyon aux soieries « depuis cinq ou six ans ». Les traditions de faste et de somptueuses commandes se poursuivent de Louis XIV à Louis XV ; les vastes et beaux programmes ne font pas peur au jeune roi.

L'un des ouvrages les plus fameux du siècle, les grandes girandoles d'or, façonnées par Germain, sont posées sur la commode au mois de décembre 1747 ; elles orneront la Chambre jusqu'en 1789 ; deux sucriers d'or, « où sont détaillés les travaux de la sucrerie par de petits nègres », sont exécutés par Roettiers entre 1757 et 1764. Les girandoles pèsent environ vingt-six kilos et les sucriers trois.

Entre 1754 et 1756, des modifications, dont Nolhac a observé l'importance, interviennent dans la boiserie et paraissent provoquées par les travaux entrepris dans la Garde-robe voisine et dans le Cabinet du Conseil. L'alcôve est modifiée en même temps dans un esprit moins rocaille qu'auparavant ; le couronnement aux armes de France est maintenu, mais les palmiers disparaissent et sont remplacés par des pilastres. Une sévère étude archéologique des boiseries actuelles permettrait de distinguer ce qui revient à chacune de ces périodes ou ce qui a pu être encore changé par la suite. Le résultat le plus net de ces travaux accomplis vers 1755, si l'on compare entre eux les anciens plans, paraît être de donner à l'encadrement de l'alcôve une symétrie plus parfaite, ce qui a permis de placer de part et d'autre deux pendules monumentales, l'une à équation solaire, l'autre à équation lunaire, dont les boîtes, chargées des attributs d'Apollon et de Diane, sont livrées par l'ébéniste Joubert en décembre 1762 ; ces deux pendules, envoyées au ministère de l'Intérieur à l'époque de la Révolution, ont disparu depuis.

Comme pour marquer l'achèvement de ces travaux, un nouveau meuble d'été est commandé chez Charton à Lyon en 1757 et mis en place au printemps de 1764, œuvre précieuse dont la soie verte est brochée d'or à cornets d'abondance, du dessin de Peyrotte.

Sur la cheminée enfin est placée une grande pendule, qui semble rendre hommage au goût de Louis XV et dont héritera, à la mort du Roi, le duc d'Aumont, en même temps que de la commode et du meuble d'hiver ; la boîte de cette pendule, en forme de lyre, est surmontée d'une Renommée qui tient la couronne royale et représente la France ; on y voit aussi Minerve et trois enfants qui symbolisent les Arts.

Ces additions apportées au Versailles de Louis XIV demeurent pleines d'apparat et de splendeur. La Chambre de Louis XV est en principe réservée au sommeil. Les cérémonies du Lever et du Coucher n'ont pas lieu ici. On ne peut cependant se départir dans un pareil château d'une magnifique solennité ; le courtisan, d'autre part, cherche à s'introduire sans cesse tout auprès de son maître ; aussi l'intimité n'existe guère.

Les vieux usages du Louvre ont été pour la plupart transférés à Versailles. La vie du château s'arrête lorsque le Roi dort ; les carrosses alors n'entrent plus dans la cour, et l'on fait même sortir ceux qui s'y trouvent. Louis XV a-t-il espéré, dans sa nouvelle Chambre, décorée selon ses goûts, vivre plus tranquille que Louis XIV dans la majesté de la Grande Chambre et trouver dans son beau lit de soie une sorte de refuge ? Un de ses valets de chambre de quartier couche sur un lit de camp dans la Chambre même. Reste, comme dernière ressource, de s'isoler en fermant les rideaux. Les contemporains ont été parfois les témoins de l'air traqué du Roi et emploient les mêmes expressions étonnées : Luynes, au moment du chagrin qu'éprouve Louis XV de la mort de Mme de Vintimille en 1741, Dufort de Cheverny, lorsqu'il le voit alité des suites de l'attentat de Damiens en 1757 ou dans sa dernière maladie, observent un être solitaire, silencieux, enfermé « entre ses quatre rideaux », au milieu de son « service », qui continue de tourner autour de lui.

On rappellera plus loin les intrigues de Cour qui se jouent dans les journées qui précèdent sa mort. Dufort, en 1757, décrit l'atmosphère où se débat, dans cette même chambre, le maître de Versailles : « C'est une grande cérémonie que le bouillon qu'on donne à un roi malade ; toutes les trois heures il arrive à l'heure dite ; il est déposé sur la table de marbre, gardé par le premier maître d'hôtel, goûté par l'échanson et le médecin. L'huissier annonce le bouillon du Roi ; on ouvre les portes de la chambre, ceux qui sont dans le Cabinet le suivent ; le premier médecin, le premier gentilhomme se trouvent dans la chambre. Nous suivîmes ; le Roi était couché dans ses doubles rideaux, la chambre fort éclairée, le lit fort noir... »

Il n'y a peut-être, à cet étage du château, qu'un seul endroit où le Roi puisse être seul : sa garde-robe.

LE CABINET DE GARDE-ROBE

Moins « public » que Louis XIV, Louis XV tient à faire installer en divers points de ses appartements de Versailles, des Cabinets de Chaise ou de Garde-robe. Le but de ceux-ci est d'abord de propreté et de décence. Dans le Cabinet qu'il fait établir en 1738-1739, sous le même toit avancé que l'alcôve de sa nouvelle Chambre, ouvrant sur cette même alcôve par une petite porte sous tenture et s'éclairant sur le balcon qui longe les fenêtres du Cabinet des Perruques, Louis XV entend bien avoir un « retrait », au sens médiéval du terme, et pouvoir y trouver une solitude dont Louis XIV n'eut guère le désir.

Il s'enferme ici, parfois comme un enfant qui cherche le calme. Dépité contre Fleury, un jour de 1739, il s'en va bouder dans sa Garde-robe et fait attendre le cardinal une demi-heure ou trois quarts d'heure. Lorsque meurt ce vieil ami, en 1743, c'est aussi dans sa Garde-robe que Louis XV s'enferme pour pleurer à son aise, après en avoir « fermé la porte sur lui avec force ».

Un mélange de confort intime, voire d'élégance extrême, et de tradition apparaît dans ce Cabinet, qui fut modifié à plusieurs reprises, notamment en 1755 en même temps que le Cabinet du Conseil. Les transformations apportées ensuite par Louis XVI dans cette pièce en ont fait l'une des plus jolies de Versailles, mais ont effacé tout souvenir de Louis XV.

La « chaise à l'angloise », pourvue de robinets et de soupapes, est décorée, en 1738, de marqueteries par Jean-Philippe Boulle, qui reçoit 600 livres pour son ouvrage ; elle est ornée de bronzes dorés d'or moulu par Le Vasseur et garnie d'un bourrelet de velours. Le Roi fait entreposer ici la belle table de nuit de palissandre, qui, le soir, est placée auprès de son lit et que lui a fabriquée Gaudreaux en 1733 pour la chambre de Louis XIV. Il y conserve également une « table de découpure », que lui a donnée la Reine.

En 1743, Hébert, l'un des marchands merciers à la mode de la rue Saint-Honoré, que Mme de Mailly a probablement introduit auprès du Roi, livre pour ce Cabinet de séduisantes bagatelles, toutes de la plus jolie qualité. Un curieux vase ovale de bois peint à l'imitation de l'albâtre oriental, avec un couvercle et garni d'une cuvette de faïence, porte l'estampille d'un ébéniste aujourd'hui fameux, que ses quatre initiales ont longtemps maintenu dans l'anonymat, B.V.R.B. ; ce petit meuble original, traité tout en courbes et en moulures, que nous avons retrouvé dans une collection parisienne, a été offert récemment à Versailles à titre de dation en payement de droits de succession. Encore imaginés et fournis par Hébert, deux « fumeurs chinois » de porcelaine blanche, montés sous un berceau de feuillages de bronze doré avec fleurs de porcelaine et posés sur des bases de bronze d'or moulu, servent d'accompagnement à un pot-pourri de porcelaine et à une cassolette d'argent garnie de trois tulipes de vermeil « pour exhaler les odeurs » avec une petite lampe d'argent. Une extraordinaire fontaine à parfums, qu'un dessin attribué à l'un des Slodtz nous a permis d'identifier, est formée d'un vase de porcelaine truitée de Chine, que rehaussent un soubassement à rocailles et un cygne de bronze doré pour le robinet et qu'encadrent deux gros chiens, également de porcelaine ; cette fontaine, aussi composée sous la direction d'Hébert, nous fut révélée lors d'une vente publique à Paris en 1956 et fut achetée par un collectionneur renommé. On peut affirmer que tout subsiste d'objets d'un tel raffinement. Il suffit de les chercher pour les découvrir.

Tous les bibelots et les meubles qui ornaient le Cabinet de Garde-robe de Louis XV furent remis comme dépouilles au duc d'Aumont à la mort de son maître. Des descriptions précises, auxquelles s'ajoutent parfois des numéros d'inventaire, nous permettent de les reconnaître. On a dit plus haut que la commode, la pendule et le meuble d'hiver qui se trouvaient alors dans la Chambre, firent également partie des biens dévolus de droit au premier gentilhomme de la Chambre en exercice, qui reçut en outre le beau meuble livré en 1749 pour le Cabinet du Conseil et onze des chaises qui, depuis vingt ans, servaient à meubler le Cabinet de la Pendule.

LE CABINET DE LA PENDULE

Avec ses trois fenêtres sur la cour de marbre, le Cabinet qui est établi en 1738 entre l'Antichambre et la Chambre pour servir de salon de jeu, est obtenu par la réunion de deux pièces de l'appartement intérieur du Roi, le *Salon sur le petit escalier* de Louis XIV et le *Cabinet en niche* de Louis XV, qui sera mentionné plus loin. L'histoire en a été fort bien définie par Nolhac, qui a montré que, malgré l'unité apparente de la boiserie, le travail fut accompli par l'atelier de Verberckt en deux temps au moins.

De 1738-1739, doivent dater la cheminée et le trumeau de glaces qui la surmonte. Les autres trumeaux de glaces, sauf celui adossé au Cabinet d'angle et, selon Nolhac, un seul des beaux panneaux à sculptures dorées semblent avoir été mis en place également à ce moment. Le mur du fond, à l'est, dessine d'abord un demi-cercle, d'où le nom de *Salon-ovale* qui sera donné pendant quelque temps à ce nouveau Cabinet[1] ; la boiserie, de ce côté, est ornée à ce moment de cadrans, qui marquent le lever et le coucher du soleil et de la lune. Les mouvements sont dissimulés dans des sortes de placards, qu'indiquent les anciens plans, dans l'épaisseur de la cloison. A cause de ces cadrans, on appellera encore ce salon *Cabinet des Pendules*.

Le meuble, assorti à celui de la Chambre, est principalement composé de chaises et est accompagné de tables de diverses formes pour le quadrille, l'ombre ou le piquet. *Salon des Jeux*, tel est le nom dont on désigne assez souvent ce Cabinet.

Au mois de janvier 1754, Louis XV fait apporter ici la pendule extraordinaire que l'ingénieur Passemant a livrée à Choisy quelques mois plus tôt et dont l'horloger Dauthiau a mis une douzaine d'années à exécuter le mouvement. Les Caffiéri ont fondu et ciselé, sur un dessin choisi par le Roi, une boîte de bronze, dont le goût bizarre et le travail étonnant veulent assurément lutter avec le caractère exceptionnel du mécanisme.

La sphère de cristal, qui surmonte la pendule, laisse apparaître le mouvement des planètes autour du soleil selon le système de Copernic. Les quantièmes, les phases de la lune sont indiqués. Il faut retenir, d'une ancienne description, au moins ce passage : ... « Que le mois ait 28, 30, 31, l'effet se fait de lui-même, ainsi que les 29 février tous les quatre ans pour l'année bissextile. Il représente un quantième d'année d'une construction singulière qui fourniroit à les marquer pendant dix mil ans, si la pendule existoit, ce qui s'opère au moyen de 40 chiffres distribués par dix sur quatre sercles consentriques, les chiffres sur chaque sercle depuis un jusqu'à dix. Chaque cercle a une étoile de dix rayons, qui le

---

1. On pourra se reporter, pour cette partie de l'appartement du Roi vers 1740, à la fig. 16, p. 311, avant de reprendre la fig. 20, p. 443.

fait agir, savoir le premier en 10 ans, le second en 100 ans, le troisième en 1 000 ans, le quatrième en 10 000, chaque cercle fait mouvoir celui qui le suit au moyen de son étoile, à commencer par celui de dix ans, qui au bout de sa révolution fait passer un rayon du second, ainsi des autres, cette opération se fait la nuit du dernier jour de l'an au premier de l'autre année... » Aussi, le 31 décembre, Louis XV ne se couchait pas avant minuit pour voir jouer ce « miracle de science ». La mise en place de ce monument extraordinaire (qu'on peut encore voir tel que l'a vu Louis XV) va fixer définitivement le nom de la pièce : *Cabinet de la Pendule.*

En 1760, la suppression des cadrans astronomiques et l'installation de la pendule de Passemant sur un socle de marbre au fond du Cabinet entraîne la réfection du mur oriental. Nolhac a cité les ordres donnés en octobre et novembre pour hâter la pose des boiseries nouvelles, le travail de nuit, la livraison des glaces destinées au trumeau qui, au lieu de la porte centrale donnant sur le Cabinet d'angle, va rendre ce mur symétrique avec celui qui s'adosse à la Chambre ; d'autres glaces sont apportées en novembre pour le trumeau situé auprès de la dernière croisée et pour les trois fausses croisées à petits carreaux. Reliés par une belle corniche de rocailles et d'arabesques, ces divers éléments, que vingt-deux années séparent, réussissent, à force de talent, à donner une noble unité au Cabinet de la Pendule. Le même phénomène, des dates à peu près semblables, vont se retrouver dans le Cabinet voisin.

LE CABINET-INTÉRIEUR

Éclairé d'une fenêtre sur la cour royale et d'une fenêtre en retour sur la cour de marbre, ouvrant par une large porte sur l'ancien Salon-ovale de Louis XIV, qui ne disparaîtra complètement qu'aux environs de 1755-1760, et sur le nouveau Salon-ovale ou des Pendules, le Cabinet d'angle occupe la partie orientale du Cabinet des Tableaux de Louis XIV, qui en avait fait, on s'en souvient, revêtir les murs de damas cramoisi.

Les premières modifications apportées ici par Louis XV en 1735 se bornent, semble-t-il, à créer deux pans coupés, dont le mouvement est plus conforme que le carré à la mode de son temps, du côté de l'ancien Salon-ovale, et à dresser une cloison percée d'une porte sur le nouveau Salon-ovale. Les murs continuent d'être tapissés de damas cramoisi. Le travail est peu considérable, mais magnifique. Une belle cheminée de griotte rouge sculptée est placée dans le pan coupé de gauche (angle nord-ouest), sous un trumeau dont le bois, refouillé avec maîtrise par Verberckt et son équipe, est décoré de rocailles, de trophées, d'enfants et de fleurs.

Le Cabinet est alors souvent désigné, à cause de sa forme et de sa situation, comme *Cabinet à pans et du coin* de l'appartement intérieur du Roi. L'usage que fait Louis XV de cette jolie pièce, claire et bien exposée, d'où il peut s'amuser à observer le mouvement des cours du château et où, d'après Luynes, en 1741, il se tient « presque toujours », lui vaut les noms les plus divers : *Cabinet aux Tableaux*, à cause des tableaux précieux, tirés des collections de la Couronne, que Louis XV, comme son arrière-grand-père, fait exposer ici sur un fond de damas, — *Salle à Manger*, selon le plan que fit dresser Blondel aux environs de 1742, — *Pièce aux Agates*, soit en souvenir des installations de Louis XIV, soit à cause du transfert ici des pierres gravées de l'ancien Cabinet des Médailles, — *Pièce où est le médaillier*, par la présence du meuble somptueux livré par Gaudreaux le 10 janvier 1739 et disposé dans le pan coupé symétrique à celui de la cheminée pour abriter les camées et intailles du Cabinet royal ou l'*Histoire métallique* du nouveau règne.

Le Cabinet devient l'un des plus luxueux et des plus beaux de l'appartement intérieur du Roi. Certains courtisans l'appelleront le *Cabinet-intime*, d'autres le *Cabinet-intérieur*, terme qui prévaudra, ou simplement le *Cabinet*, lorsque, avec le développement de la politique secrète de Louis XV, le « cabinet à pans » servira de *Cabinet de travail* et prendra la forme presque carrée que nous lui connaissons aujourd'hui.

Le goût de Louis XV s'est manifesté d'abord par des détails : un écran de cheminée, en amarante massif, couvert « de papier des Indes fond d'or peint de différentes figures chinoises... dont le milieu est à coulisse et les côtés s'ouvrent en deux feuilles de paravent par des charnières et se ferment avec de petits verrouils à ressorts, le tout de bronze doré d'or moulu », — un bureau de bois de violette, « chantourné de tous sens », que nous avons retrouvé au ministère des Finances et dont le plateau de velours s'ouvrait en deux compartiments pour former écritoire et pupitre à crémaillère, — un « grand bas d'armoire en forme de bibliothèque », dont la porte centrale est enrichie d'un bas-relief de Minerve et qui appartient depuis la fin du XVIIIe siècle au ministère de la Marine.

Au mois de juin 1753, les intentions de Louis XV se précisent. Les pans coupés sont maintenus, mais tout ce qui est « en étoffe » et a servi jusque-là à recevoir des peintures doit disparaître et faire place à de riches boiseries. Aux renseignements donnés là-dessus par Charles Hirschauer et Pierre de Nolhac, on pourrait ajouter une liste, portée au crayon sur l'un des plans conservés aux Archives nationales, qui permet de connaître le prix assigné à la sculpture de chacun des panneaux décorés à ce moment. Les dix grands panneaux, qui comptent, avec ceux de la Chambre de la Reine, parmi les plus beaux du style Louis XV à Versailles et qui sont sculptés de fleurs à profusion, d'agrafes et de tableaux d'enfants, sont inscrits pour 120 livres pièce. Quelques pilastres « arabesques » sont ajoutés, au prix de 52 livres chacun, à ceux de 1735 qui sont conservés. Les deux trumeaux de la cheminée et du médaillier, les deux cintres des fenêtres (que Nolhac a pensé pouvoir remonter à l'époque de Louis XIV), les deux grands panneaux des portes avec leurs dessus de porte peints sont maintenus.

Le travail est lent. « La sculpture qu'on y fait demande du temps pour la bien traiter », selon l'observation d'un rapport publié par Nolhac. On exécute seulement à l'automne de 1754 la dorure ; la vivacité de celle-ci oblige les Bâtiments, sur une remarque du Roi, à faire redorer les bras de bronze que l'on a conservés de la décoration précédente.

En 1759-1760, les travaux qu'entraîne la suppression, signalée plus haut, de l'ovale du Cabinet de la Pendule et qui détruisent ce qui avait pu se maintenir jusque-là du

Cabinet-ovale de Louis XIV, amènent de nouvelles modifications du Cabinet d'angle. Les pans coupés sont abattus. La cheminée, avec son trumeau, est repoussée au fond de la pièce, au milieu du mur septentrional, telle que nous la voyons aujourd'hui, le passage n'étant plus assuré de ce côté que par une petite porte sous boiserie. Le 6 mars 1760, un plan détaillé des nouveaux conduits des cheminées est donné aux entrepreneurs. La porte donnant sur le Cabinet de la Pendule est remplacée par le trumeau du médaillier, que viennent accoster deux portes doubles (l'une étant simulée), surmontées vraisemblablement à ce moment, ainsi que l'a observé Nolhac, du médiocre trophée sculpté qui décore les deux couronnements. Quelques nouveaux panneaux de boiserie sont ajoutés ; « tout le vieux » est réemployé.

Louis XV, à qui Joubert a livré, au mois de mai 1755, afin de ranger ses collections de médailles, deux encoignures assorties au médaillier de 1739 et, au mois de décembre 1759, un « bureau de travail » de laque rouge (sorti de France à une époque récente et appartenant maintenant au Metropolitan Museum de New York), fait étudier par l'ébéniste et mécanicien Jean-François Oeben la confection d'un grand secrétaire à cylindre, que Riesener achèvera après la mort d'Oeben et livrera en mai 1769. Ce chef-d'œuvre, où l'art du marqueteur et celui du bronzier vont de pair avec l'ingéniosité mécanique, coûte à Louis XV quelque 62 000 livres. Connu sous le nom de *bureau du Roi*, il a été transporté du Louvre à Versailles de notre temps. Ses bronzes ont triste aspect au milieu des dorures qui l'accompagnent dans la pièce. Le secrétaire a été modifié à l'époque de la Révolution, servit beaucoup, fut plusieurs fois restauré. Une copie, restituée selon le meuble primitif, dont les dorures et les patines s'accorderaient à celles des boiseries et des autres meubles (Louis XV ? Louis XVI ?), eût été préférable. L'art du XVIIIᵉ siècle fut un art réfléchi et tout en nuances. Il ne peut s'improviser dans les cabinets ministériels d'aujourd'hui.

Dans l'appartement du premier étage, le Cabinet-intérieur forme un lieu de retraite, vite envahi par tous ceux qui prétendent approcher le Roi. De là, l'obligation de créer au-delà un Arrière-Cabinet, qu'on étudiera un peu plus loin avec l'ensemble des Cabinets.

LES CABINETS DU ROI

Il nous paraît difficile de définir avec trop de rigueur les limites des Cabinets de Louis XV, qui constituent, à côté ou au-dessus de son appartement intérieur, devenu rapidement une annexe de son appartement officiel, de Petits Appartements où pénètrent seulement ceux qu'il veut bien y appeler nommément.

En se basant sur la topographie de cette région de Versailles, on pourrait distinguer trois zones différentes dans ces appartements intimes : le prolongement de l'ancien appartement privé de Louis XIV jusqu'à l'angle de la cour royale et au bout de la Petite Galerie de Mignard ; — le pourtour de la cour des Cerfs au premier étage ; — enfin les Cabinets des étages supérieurs. On pourrait, en s'appuyant sur les campagnes de travaux, marquer quelques étapes du Versailles intime, que sans cesse crée et refait le Roi. On est aussi tenté de chercher une raison à ces bouleversements du château de Louis XIV.

Louis XV devrait être accusé d'inconstance ou de gaspillages, si l'on ne voyait en lui un besoin de beauté. Sa vie sentimentale s'inscrit au milieu de ces changements, se lit parfois encore aujourd'hui sur ces murs abandonnés. Il faut observer l'esprit dans lequel ces Cabinets ont été établis, leur destination, le manque de place, et comment un changement opéré sur l'un d'eux a souvent des répercussions sur beaucoup d'autres. Louis XV bâtit et rebâtit un fragile édifice dans des régions dédaignées de Louis XIV ; il crée selon son style un vrai « château de cartes », essayant de tromper son ennui, de trouver sa tranquillité et peut-être son bonheur. Notre regret est vif de ne pouvoir, des trésors d'art dépensés ici, saisir aujourd'hui que de rares vestiges.

Les contemporains ont soupçonné l'importance des Cabinets du Roi, où peu de gens, en dehors des domestiques et des quelques habitués de l'intimité du souverain, eurent le droit d'entrer. Luynes, le bon Luynes, a répété les rumeurs qui circulent sur les dépenses insensées qui s'y font ; comme il est honnête, il précise en 1737 . « L'on avoit dit que les petits cabinets du Roi à Versailles coûtoient 15 ou 1 600 000 livres. M. Gabriel m'a dit que depuis 1722, que S. M. a commencé à y faire travailler, jusque aujourd'hui la dépense, suivant les états arrêtés, ne monte qu'à 580 000 livres. »

Durant ces quinze années qui ont retenu l'attention d'un Luynes et au bout desquelles, ne l'oublions pas, Louis XV n'est encore âgé que de 27 ans, un nouveau Versailles s'élabore au prix de dépenses considérables, qui représentent environ le quart de ce que coûtera plus tard l'Opéra. Des cabinets « à niches » pour le repos, un autre pour le tour et d'autres pour le jeu, des bains et des garde-robes, des bibliothèques de plus en plus étendues, des salles à manger d'hiver et d'été, des cuisines et des laboratoires, des volières et des terrasses donnent une physionomie nouvelle, presque mystérieuse, à tout ce qui entoure la cour des Cerfs ; des escaliers intérieurs, constamment modifiés et multipliés, des couloirs, des passages, de petites antichambres, assurent à l'intérieur des Cabinets des communications faciles au Roi ou à son service.

La proclamation de la passion de Louis XV pour Mme de Mailly, puis pour ses sœurs, ne change rien d'essentiel à ces premières installations ; elle les confirme plutôt. Les transformations que se met à ordonner le Roi en 1735 d'une partie de l'appartement intérieur de Louis XIV entraînent le développement des Cabinets jusque sur le premier étage.

Le règne de Mme de Pompadour amène la création du Théâtre des Cabinets dans la Galerie de Mignard. Lorsque la marquise est installée au rez-de-chaussée et que Madame Adélaïde vient habiter auprès de son père, une salle à manger s'ajoute, au premier étage, aux modifications pratiquées alors dans les étages supérieurs.

L'installation de la Dauphine de Saxe au second, puis celle de Mme Du Barry incitent le Roi, en logeant sa fille aînée au rez-de-chaussée dans l'ancien appartement de Mme de Pompadour, à déplacer et à embellir ses salles à manger du premier étage et à modifier ses installations des autres étages, dont la présence paraît désormais si nécessaire à la vie privée du souverain que Louis XVI continuera sur ce point ce qu'a inventé Louis XV. Les Cabinets du Roi, dont la cour des

Cerfs constitue le centre, sont liés pendant plus de soixante ans à l'existence quotidienne du château.

LA COUR DES CERFS

La cour intérieure du Roi, longtemps appelée aussi cour des Bains, a été, on s'en souvient, divisée en deux parties inégales par Louis XIV.

La plus grande des deux cours ainsi créées prend le nom de *cour des Cerfs* après que le jeune Louis XV, pour donner à celle-ci un peu de fantaisie, a fait accrocher, sur les parties nues des façades, en 1723, des têtes de cerfs, comme il les a vues, rehaussées de peinture au naturel, dans l'une des galeries de Fontainebleau ; ces têtes, d'abord au nombre de vingt-quatre, dont le sculpteur Hardy a, pour 1 550 livres, fourni les plâtres avec les « creux d'icelles », et que le même sculpteur complétera en 1729 d'une tête de daim et d'une tête de cerf, portent des bois qui proviennent des chasses du Roi. Un balcon de fer forgé ceinture presque complètement cette cour à la hauteur de son premier étage.

La seconde cour, simplement dénommée *petite cour intérieure du Roi*, intéressera plus spécialement les services, les cuisines, les offices.

L'une et l'autre de ces deux cours sont encore, lorsque Louis XV arrive à Versailles, dans leur état « Louis XIV », avec tables de pierre sur parements de brique et triglyphes au premier étage, fenêtres basses encadrées de pilastres de pierre au second étage sur la grande cour, lucarnes à frontons alternativement triangulaires et arrondis sur la petite cour.

Louis XV, désireux d'être tranquille dans ses « intérieurs » et harcelé par le manque de place, trouve naturel d'utiliser ces deux cours pour obtenir de nouvelles pièces, ainsi que Louis XIV a commencé de le faire. Dans cet immense château, où tout espace qui paraît disponible est destiné tôt ou tard à servir de logements, où l'emplacement réservé pour la construction de l'Opéra, la Galerie-basse du corps central, bientôt la cage même de l'Escalier des Ambassadeurs sont guettés comme proies, les cours intérieures forment des espaces vides bien tentants, qui se réduisent progressivement, comme mangés par les bâtiments : cours de Monseigneur et de la Reine, cour de la Chapelle lors de la reconstruction par Gabriel de la nouvelle aile, à la fin du règne, cours du Roi surtout, dont on voit, d'un plan à l'autre, Louis XV diminuer les superficies et surélever les bâtiments.

La *cour des Cerfs* intéresse trop directement le Roi pour n'être pas l'objet de modifications continuelles, plus encore que la *petite cour*. Ces changements parviennent à lui donner peu à peu une physionomie « Louis XV » et même une unité d'architecture, qui se perçoit encore aujourd'hui malgré les ravages répandus par les architectes de Louis-Philippe et de Napoléon III. Le Roi, procédant par étapes, fait d'abord établir un second étage, puis un troisième ; en 1735 et 1736, il transforme complètement les façades de ces deux étages, pour équilibrer les baies et modifier les toitures, en veillant à ce que, vue de la cour royale ou de la cour de marbre, l'architecture de Louis XIV n'en paraisse pas altérée. Il est entraîné à de nouveaux changements des façades sur le mur méridional de la cour par les installations successives de sa Chambre en 1738, de sa Garde-robe et de la terrasse du Cabinet du Conseil en 1755, d'un Cabinet de Chaise au second étage en 1767 ou 1769. Il doit agrandir à plusieurs reprises les cuisines qui servent à ses petits-soupers, ce qui l'oblige à modifier en 1763 les étages supérieurs de la façade orientale. Ne renonçant à rien de ses curiosités scientifiques, il surveille de près l'éclairage du cadran solaire qu'il a fait établir sur le mur nord de la Cour.

Tout autour de sa cour des Cerfs, Louis XV se sent véritablement chez lui, encore que des nuances marquent les timidités qu'il éprouve à l'égard de ce qu'a créé son arrière-grand-père. Au premier étage, il conserve en partie ou détruit avec lenteur les décorations de Louis XIV ; la richesse, la dorure continuent de régner. Aux second et troisième étages, où tout est récent et lui est personnel, un goût plus fantasque et plus nouveau, des couleurs fraîches où triomphe l'art des Martin, témoignent des préférences du Roi, lorsqu'il se croit libre.

L'ARRIÈRE-CABINET ET LES CABINETS PARTICULIERS

En arrière du Cabinet d'angle de l'appartement intérieur, le beau et triste Cabinet-ovale de Louis XIV, éclairé d'une fenêtre sur un coin de la petite cour intérieure, se maintient assez longtemps ; le Roi paraît d'abord ne rien vouloir y changer, mais il y réclame aussi un peu de bien-être. Il demande, en 1738, un poêle de bronze ; le serrurier Fontaine, qui établit ce poêle dans l'une des quatres niches, doit lui donner « la même forme des piédestaux des groupes ».

Les remaniements du Cabinet d'angle entraînent la disparition du Salon-ovale, qui fait place à une pièce de dessin trapézoïdal, communiquant vers l'est avec le Cabinet-doré de Madame Adélaïde et vers l'ouest avec un passage qui conduit à un Cabinet de Chaise, au Degré du Roi et, un peu plus tard, par un arrondi pris sur la petite cour, à la Pièce des Buffets près de la Salle à manger du premier étage.

Le nom d'*Arrière-Cabinet du Roi* que, dès lors, on donne à ce cabinet, dénaturé par divers remaniements sous Louis XVI et au XIXe siècle, indique assez ce que Louis XV espérait y trouver : une table pour travailler en paix, des rayonnages pour ses dossiers, un passage facile et discret vers son escalier personnel pour introduire les gens de son « Secret ».

L'ancien Cabinet aux livres de Louis XIV est appelé pendant quelque temps *Cabinet en niche*, après le transfert des livres de Louis XV au second étage. Il est assez souvent difficile, dans l'état actuel de nos connaissances, de suivre avec précision l'emplacement des divers « cabinets particuliers du Roi », que garnissent sans cesse les gens du Garde-Meuble. Dans tous ses Petits Appartements, à tous les étages de la cour des Cerfs, Louis XV fait établir des cabinets intimes, dont le dessin d'alcôve abrite un sopha, comme il en existe au même moment chez Marie Leczinska.

Sur le côté occidental de la cour des Cerfs, au premier étage, entre le Cabinet des Perruques et la porte du Salon d'Apollon, se trouvent des pièces peu profondes, où l'on a déjà vu Louis XIV établir un Cabinet de Chaise et un passage vers le Grand Appartement. Louis XV fait arranger cette petite enfilade dès les premières années de son règne, afin

d'obtenir trois pièces intimes : un *Petit Cabinet-particulier*,
dont le dessin octogonal subsistera jusqu'à la destruction du
Cabinet des Perruques en 1755, — un *Cabinet de Chaise*,
de forme oblongue, — une petite pièce qui sert de *passage*
vers l'escalier demi-circulaire, — et, communiquant avec la
Salle du Trône et avec le corridor qui longe le Grand
Appartement sur la face nord de la cour des Cerfs, un
Cabinet-doré.

On hésite à voir dans les jolies boiseries blanc et or, que
conserve aujourd'hui ce dernier Cabinet et auxquelles Charles
Mauricheau-Beaupré assignait la date de 1722, un ouvrage
de la fin du règne de Louis XIV ou du début de celui de
Louis XV, d'autant plus que le Cabinet-doré reçut un
moment, à son extrémité nord, une forme à pans coupés et
que ses armoires en firent probablement un Cabinet des
Perruques après 1755. On songe, devant l'art précieux de ces
boiseries, au talent de l'atelier de Du Goullon, à l'inspiration
de Robert de Cotte. Il faudrait placer ici, pour accroître
l'harmonie dorée qui séduit encore aujourd'hui le visiteur,
les deux pieds de table, mouvementés sans excès, ornés d'une
grande coquille et des armes de France, que livrèrent en
1730-1731 le sculpteur Roumier et le doreur Bardou « pour
servir dans un petit cabinet doré près la garde-robe du Roy ».
Ces deux meubles rares, dont la « table » est formée d'un
plateau de stuc gravé des Chasses du Roi, furent envoyés à
Compiègne quelques années plus tard. Ils revinrent à Versailles au temps de Louis-Philippe et furent mis dans le Cabinet
de la Pendule, où ils sont restés depuis.

Le Cabinet-particulier, voisin du Cabinet des Perruques,
deviendra, en 1755, agrandi par le retrait du mur de la
nouvelle Salle du Conseil, *Cabinet du Tour* et sera lui-même
transféré, pour peu de temps semble-t-il, dans l'entresol
immédiatement au-dessus.

LE CABINET DU TOUR

Les études de Racinais complètent fort utilement celles que
commença Nolhac sur les Cabinets du Roi. Les plans

publiés et classés par le premier permettent de suivre le développement des Cabinets de Louis XV et d'éclairer ce que l'on peut tirer des papiers du Garde-Meuble.

En 1722, une somme de 12 000 livres est affectée à la « construction d'une petite chambre dans le comble du château de Versailles, au-dessus du petit appartement du Roy pour mettre le tour de S. M. » La plus forte dépense est consacrée à la sculpture par Thibault du lambris de menuiserie. Deux fenêtres, au second étage, sur le mur occidental de la cour des Cerfs, au-dessus de ce qui devient presque au même instant le Cabinet-particulier du Roi au premier étage, éclairent cette première installation, que l'on atteint par le petit escalier demi-circulaire.

Le jeune souverain, comme Louis XIII enfant, aime tourner le bois, l'ivoire, l'argent ; son professeur, Mlle Maubois, lui inculque ce goût, qu'il transmettra à ses filles et à son petit-fils Louis XVI, et qui va le pousser à ne plus pouvoir se passer d'un tour dans ses Cabinets. En 1740, Louis XV offre à Mme de Mailly un cure-dent d'ivoire, qu'il a tourné de ses mains ; trente ans plus tard, il donne à la dauphine Marie-Antoinette une pendule d'ivoire, aussi tournée par lui.

En 1737, le besoin de faire précéder d'une antichambre le Cabinet-particulier, établi auprès de sa Petite Galerie du second étage, oblige Louis XV à retirer son tour de ce premier emplacement, où il reviendra en 1764 après avoir été changé au moins quatre fois de place !

LES BAINS

Une autre préoccupation constante de Louis XV à l'intérieur de ses Cabinets est la présence d'une intallation pour ses Bains : une *Pièce des Cuves*, munie de deux baignoires, l'une pour l'eau chaude, l'autre pour l'eau froide ; une *Chambre des Bains*, avec un lit pour se reposer après le bain ; au-dessus de la Pièce des Cuves, des réservoirs et une chaudière.

Dès le mois d'août 1723, on livre un meuble pour la Chambre des Bains du Roi, chambre dont nous ignorons

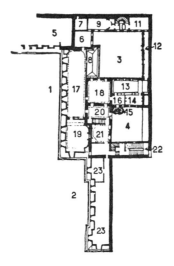

FIG. 21. — *Petits Appartements du Roi (second étage) vers 1741.*
1. Cour de marbre. — 2. Cour royale. — 3. Cour des Cerfs. — 4. Petite
cour intérieure du Roi. — 5. Dessus du Cabinet des Perruques. — 6.
Cabinet-particulier. — 7. Chaise. — 8. Toit de l'alcôve de la Chambre du
Roi. — 9. Antichambre. — 10. Escalier demi-circulaire. — 11. Premier
Cabinet de la Bibliothèque. — 12. Galerie de la Bibliothèque. — 13.
Grande Pièce de la Bibliothèque. — 14. Cabinet de la Bibliothèque. —
15. Escalier ovale. — 16. Passage et Garde-robe. — 17. Petite Galerie. —
18. Salle à manger d'hiver. — 19. Cabinet de la Petite Galerie ou Cabinet
d'angle. — 20. Antichambre. — 21. Cabinet Lazure. — 22. Degré
d'Epernon. — 23. Distillation.
(A comparer au plan de l'appartement de Mme Du Barry vers 1770, fig.
23, p. 486)

l'emplacement. En 1728, pendant le voyage de Fontainebleau,
la Chambre des Bains, avec une alcôve et un mur cintré, la
Pièce des Cuves, à côté, sont établies au premier étage, sur
la face orientale de la cour des Cerfs, face au Cabinet-doré
et à l'escalier demi-circulaire, avec lesquels elles communiquent par un long corridor parallèle au Grand Appartement.
Le faïencier Branlard a fourni pour 800 livres des carreaux de
« fayence d'Holande », et le chaudronnier Martin une cuve
ovale de cuivre rouge.

Le Degré du Roi, lorsqu'on le repousse sur la cour des
Cerfs, aux environs de 1738, pour faire place à la nouvelle

Antichambre des Chiens, force à réduire les dimensions de la Chambre des Bains et à disposer en arrière de celle-ci, en l'éclairant sur la petite cour intérieure du Roi, la Pièce des Cuves[1].

A la fin de 1750, Louis XV, pour établir l'une de ses salles à manger au premier étage, transporte ses Bains dans

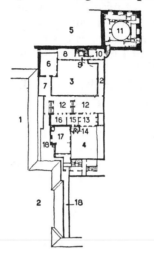

FIG. 22. — *Petits Appartements du Roi (troisième étage) vers 1741.*

1. Cour de marbre. — 2. Cour royale. — 3. Cour des Cerfs. — 4. Petite cour intérieure du Roi. — 5. Dessus de la Grande Galerie. — 6. Salle à manger d'été. — 7. Terrasse. — 8. Antichambre des Buffets. — 9. Escalier demi-circulaire. — 10. Cabinet à niche. — 11. Petit appartement au-dessus du Salon de la Guerre. — 12. Terrasses. — 13. Pièce du Tour. — 14. Escalier ovale. — 15. Antichambre. — 16. Laboratoire. — 17. Cuisines. — 18. Terrasses.

l'angle opposé de la cour des Cerfs et au troisième étage, là où, pendant une dizaine d'années, a été installée sa salle à manger d'été. La Chambre des Bains occupe l'emplacement même de cette salle à manger, éclairée de quatre fenêtres sur l'angle sud-ouest de la cour des Cerfs et sur la terrasse voisine ; la Pièce des Cuves prend la place de l'ancienne Pièce des Buffets ; les deux pièces sont dallées de marbre.

En 1755, les Bains sont transférés au-dessus du Cabinet

---

1. Cf. fig. 16, p. 311, n°s 18 et 19.

du Conseil, à la place où avait été établi depuis 1748 le Cabinet du Tour. La Chambre prend jour sur la cour de marbre, la Pièce des Cuves sur la cour des Cerfs, vers laquelle, selon un plan publié par Racinais, sont dirigées les trémies d'évacuation des eaux. Dans l'étage mansardé au-dessus de cette pièce (qui forme un quatrième étage), sont disposées les cuves et chaudières nécessaires à l'alimentation. Il semble que, à partir de 1761, l'eau, jusque-là montée par des porteurs, ait été conduite dans des tuyaux de cuir, analogues à ceux employés pour l'incendie et fournis par un cordonnier du nom de Desmoulins.

Afin de permettre l'installation des Bibliothèques du Roi, les Bains repassent, en 1763, sur le côté oriental de la cour des Cerfs, au second étage, presque au-dessus de l'emplacement qu'ils occupaient jadis au premier ; Louis XV avait installé là successivement des Bibliothèques, des salles à manger et même une cuisine. On presse l'installation à l'automne de cette année, et, sur la demande du Roi, on décide de poser des dalles de liais, où l'on avait prévu des carreaux de marbre blanc et noir. Les angles de la Chambre du lit ayant une forme concave, on commande à Joubert quatre précieuses « encoignures » de marqueterie, qui sont de plan cintré.

Louis XV, après la mort de son fils, installant ainsi qu'on l'a vu au chapitre précédent la Dauphine Marie-Josèphe dans une partie des Cabinets du second étage, est contraint d'abandonner ces aménagements et de transporter ses Bains au premier étage, sur le côté occidental de la cour des Cerfs, auprès du Cabinet du Conseil, où il a établi son Cabinet du Tour une dizaine d'années plus tôt. Il s'applique cependant à créer une installation qu'il voudrait définitive, non loin de son Arrière-Cabinet. La pièce principale subsiste, prise sur l'ancien appartement de Madame Adélaïde ; elle s'éclaire sur la petite cour (aujourd'hui couverte) à laquelle a donné naissance l'ancien Escalier des Ambassadeurs. Une somme de quinze mille livres est réservée, en 1770, à cet ouvrage, qui doit être effectué pendant le voyage de Compiègne ; la dépense sera plus élevée du double environ et le travail ne s'achèvera probablement qu'à l'automne de 1771, sinon plus tard.

L'atelier des Rousseau, auquel on doit la sculpture de ces derniers Bains de Louis XV, a traité avec un art raffiné, appliqué et réaliste, des scènes de plein air, baignades, pêches, chasses aux oiseaux sauvages, disposées sur de grands médaillons, dorés en plein, que portent des rubans et qu'encadrent des roseaux. Des dauphins, des cygnes, des jets d'eau, des fleurs, des bas-reliefs d'animaux ou d'enfants, et, jusque dans les ébrasements de la fenêtre, des chutes d'instruments de toilette et de barbier, mêlent ici curieusement l'esprit précis que l'on va trouver dans la décoration sous Louis XVI et le pittoresque souvent irréel qui caractérise le style de Louis XV. La dorure est exécutée avec un soin extraordinaire : rien qu'en acomptes pour cette pièce, Brancourt reçoit 3 400 livres en 1770 et 5 000 en 1771 ; et Nolhac a pu écrire, avec un peu de sévérité, mais avec assez de raison, de ce petit cabinet, que « la dorure est peut-être de qualité plus excellente que la sculpture » ; encore faudrait-il faire la part des remaniements effectués sous Louis XVI et au XIXᵉ siècle.

LES BIBLIOTHÈQUES

On a dit Louis XV paresseux. Son désir de s'instruire apparaît cependant sur les plans de ses Cabinets. D'un bout à l'autre de son règne, sa Bibliothèque sera l'objet de son attention, s'agrandira, restera tout près de lui et subira le minimum de déménagements.

Déjà, en 1723, alors qu'il est âgé seulement de treize ans et vient de rentrer à Versailles, Louis XV fait exécuter quatre meubles « plaqués d'amaranthe et autres », des « armoires en bibliothèques » rehaussées de bronze doré, qui sont, semble-t-il, destinées à remplacer dans le Cabinet aux livres de Louis XIV les armoires à fond d'écaille et de cuivre, abîmées par manque d'entretien.

Ayant établi son Cabinet du Tour au second étage de la cour des Cerfs, Louis XV entrevoit le petit domaine qu'il peut se tailler ici, sans nuire au Versailles de son aïeul, et qu'il envisage pour l'instant uniquement tourné vers les affaires sérieuses. On peut, sans forcer, établir que les petits Cabinets, qui seront cause de scandales savamment exploités par les ennemis du Roi, sont nés autour d'une bibliothèque !

Les premiers ouvrages datent de 1726 et se poursuivent à l'automne de 1727, où le *Journal du Garde-Meuble* enregistre les meubles (un fauteuil et des banquettes couverts de damas vert, une table à écrire « de bois de la Chine et amarante », des chandeliers et des mouchettes de Germain), livrés pour « la nouvelle bibliothèque de S. M. » et pour « le petit cabinet du roi attenant la Bibliothèque ». Débouchant de l'escalier demi-circulaire, Louis XV, au lieu de tourner à droite vers son Tour, entrait, à gauche, dans son *Premier Cabinet de Bibliothèque*, situé juste au-dessus du Cabinet-doré du grand étage ; en retour sur la cour des Cerfs et adossée aux parties hautes du mur des salons du Grand Appartement, commence la *Galerie de la Bibliothèque*, dont la première moitié est achevée en 1727.

Une somme de 50 000 livres est inscrite en 1728 pour la continuation de la Bibliothèque du Roi. Pendant le séjour de Fontainebleau de cette année, maçons, charpentiers, menuisiers, sculpteurs et doreurs travaillent à la suite de la *Galerie* et à la *Grande Pièce ensuite*, qui est installée en retour d'équerre, sur le mur oriental de la cour des Cerfs.

Les boiseries des armoires à livres du premier Cabinet et de la Galerie, qui nous sont connues par des relevés de 1764 publiés par Racinais, sont sculptées d'agrafes, de motifs rayonnants, de treillages, d'une frise d'oves, dans un esprit encore « Louis XIV » ou « Régence », par l'atelier de Du Goullon, Le Goupil et Taupin et par l'atelier de Bidault et Maurizant ; divers fondeurs et doreurs, Sautray, Le Reître, Le Blanc, Héron, fournissent les bronzes dorés destinés à la serrurerie des fenêtres, des portes ou des armoires, les bras de lumière, les feux des cheminées. Des tablettes de marbre sont disposées entre les fenêtres. Les meubles « d'augmentation », dont les uns sont de damas cramoisi et les autres de damas vert, sont apportés en octobre et décembre 1728.

Louis XV fait établir dès 1728, ainsi qu'a bien voulu me l'indiquer M. Le Guillou, un escalier lui permettant de monter de ses Bains à sa Bibliothèque et à ses Laboratoires au-dessus. En 1738, un escalier ovale est bâti hors œuvre sur la petite cour intérieure du Roi et permet d'aménager un passage et une petite garde-robe.

Un dernier *Cabinet de la Bibliothèque* a été ajouté de ce côté, prenant jour sur la même petite cour en 1728 et un autre en 1732 sur la cour des Cerfs jusqu'à l'angle sud-est (qui deviendra salle à manger en 1738). Des banquettes de damas vert, à bois sculpté et doré, sont livrées le 25 octobre 1732 « pour servir dans une pièce d'augmentation de la Bibliothèque du Roi ». En outre, Verberckt reçoit paiement de 12 441 livres pour « les ouvrages de sculpture en bois qu'il a accomplis pour les cabinets et la Bibliothèque du Roi en 1732 ».

Peut-on connaître, par ses livres, les préoccupations intellectuelles de Louis XV à ce moment ? Il existe plusieurs catalogues de sa Bibliothèque particulière ; l'un est daté de 1730, un autre, — fait à noter, — est relié aux armes du cardinal de Fleury. On doit être prudent à juger les goûts d'un prince d'après les livres de sa bibliothèque. Quels choix lui sont personnels ? Quels sont les volumes qu'il n'ouvrira jamais ? Il est ici bien des secrets.

Il est avéré pourtant que Louis XV s'intéresse passionnément à l'histoire, surtout à *son* histoire, à celle de son royaume. Nul souverain n'achètera comme lui des souvenirs historiques : portraits venant des collections de Gaignières et de Clairambault, ou, lors de la démolition de la Sainte-Chapelle de Bourges, le portrait de Charles VII que l'on attribue à Fouquet, une armure de Philippe VI, un couteau qui servit, dit-on, à l'assassinat de Jean sans Peur sur le pont de Montereau ; c'est le côté « antiquaire » (au sens ancien du mot) de l'esprit de Louis XV. Aussi ne s'étonne-t-on pas de le voir placer, au centre de la Galerie de sa Bibliothèque, des cartes chronologiques ou géographiques, qui s'enroulent et se superposent à l'aide de rouleaux montés à ressorts et dont Meissonnier dessine, en 1732 ou 1733, les ornements, formés de cartouches en rocailles, selon sa manière, et de lignes d'oves en accord avec la boiserie de la Galerie. Plusieurs de ces cartes appartiennent aujourd'hui à la Bibliothèque municipale de Versailles et ont été reproduites par Alfred

Marie. Le Roi les consulte si souvent que l'on doit, en 1736, fournir des draps de toile blanche fine « pour remplacer trois pareils draps détruits à Versailles pour coller derrière les cartes de géographie du Roy ».

Louis XV fait encore ajouter, en arrière de la Nouvelle Pièce créée en 1732 et s'éclairant sur sa petite cour, une *Pièce d'augmentation*, qui sert peut-être de « magasin ». Un chiffre donnera un aperçu de l'extension que, en l'espace de quelques années, il réussit à donner à sa Bibliothèque ; celle-ci, à l'exception de cette dernière pièce, se développe sur plus de la moitié du second étage de la cour des Cerfs et est éclairée de onze fenêtres, pour lesquelles on livre, en 1738, des rideaux de mousseline brodée.

Les plus beaux jours de la Bibliothèque de Versailles cependant sont passés ; d'autres passions que celle des livres occupent désormais Louis XV, sans que celle-ci le quitte complètement.

A partir de 1738, les installations de sa nouvelle Salle à manger du second étage, que l'on verra dans un instant, réduisent peu à peu ses Bibliothèques dans leur fraction orientale. Mais l'utilisation de l'ancien appartement de Mme de Mailly lui permet, en 1751, alors que la Grande Pièce de la Bibliothèque devient à son tour Salle à manger, d'étendre les rayonnages sur tout l'étage mansardé de l'aile de la cour royale.

L'installation de Madame Adélaïde au premier étage, en 1753, et celle de sa dame d'honneur, Mme de Beauvillier, au-dessus, réduisent à nouveau la capacité de la Bibliothèque, dont Louis XV décide, en 1763, le regroupement au-dessus du Cabinet du Conseil, à la place de ses Bains. La majeure partie des installations du second étage de la cour des Cerfs, qui subsistait jusque-là, est démontée ; au début de février 1764, les maçons, charpentiers et menuisiers sont au travail. La Bibliothèque principale, dont les boiseries, fort simples, sont presque toutes demeurées en place, est éclairée de trois œils-de-bœuf sur le fond de la cour de marbre. À côté, se trouve un Cabinet, qui prend jour par une fenêtre sur la paroi méridionale de la cour des Cerfs et dont le fond cintré abrite une sorte de niche et d'alcôve, cabinet que Louis XVI démolira pour agrandir la première pièce. À la suite, ouvrant par trois baies sur le mur occidental de la cour des Cerfs, ancienne Antichambre des Buffets pour la Salle à manger d'été entre 1735 et 1745, se trouve un Cabinet allongé, garni d'armoires. Des passages et des escaliers mènent soit à ce Cabinet, soit à la Petite Galerie un peu plus bas, ou aux terrasses au-dessus.

LA PETITE GALERIE

Comme Louis XIV dans son appartement intérieur du premier étage, Louis XV prévoit, au milieu de ses Cabinets, mais au second étage et dans un esprit très différent, une Petite Galerie. Les découvertes de M. Le Guillou ont apporté des précisions qui avaient échappé jusqu'ici aux historiens et qui seront bientôt publiées par lui. L'opération se déroule en deux temps, 1735 et 1738. Elle porte sur l'étage mansardé qui, au-dessus de l'appartement intérieur du Roi sur la cour de marbre, est percé de fenêtres exposées au midi.

En 1735, la Galerie est éclairée de quatre lucarnes sur cette cour. À la suite, vers l'est, se trouve une salle à manger, qui possède aussi deux croisées sur la cour de marbre et, en retour, une autre croisée sur la cour royale et qui, de plus, est dotée de quatre lanterneaux. Nous retrouverons cette salle à manger sous la rubrique suivante, trois pages plus loin.

La Galerie de 1735 est destinée à servir de salon d'assemblée et de jeu après les soupers des retours de chasse, au moment où Louis XV est fortement épris de Mme de Mailly. Le décor se compose principalement de grandes peintures, d'abord au nombre de six, qui représentent des « chasses étrangères » ; ces toiles, qui sont aujourd'hui rassemblées au musée d'Amiens et dont certaines sont encore somptueusement encadrées de vestiges du lambris original, sont payées en 1736 par des acomptes qui varient, selon la largeur, entre 2 000 et 2 400 livres à quelques-uns des meilleurs peintres de l'époque, à Carle Van Loo, *la chasse de l'ours*, à Lancret, *la chasse du léopard*, à De Troy, *la chasse du lion*, à Boucher, *la chasse du tigre*, à Pater, *une chasse chinoise*, à Parrocel, *une chasse de l'éléphant.*

En 1738, les dispositions nouvelles prises au sujet des salles à manger s'accompagnent de changements dans l'architecture. Les murs sont remaniés. La Galerie est allongée. Elle bénéficie d'une cinquième fenêtre, prise sur l'ancienne Salle à manger, qui devient un *Cabinet.* Trois tableaux supplémentaires sont alors commandés pour la Galerie, à Parrocel, *la chasse du taureau sauvage*, à Carle Van Loo, *la chasse de l'autruche*, à Boucher, *la chasse du crocodile.* L'ensemble paraît achevé le 8 juillet 1738, où l'on fournit de la « mousseline brodée en plein à ramages très fine pour 10 rideaux de fenêtres à 5 croisées de la petite galerie intérieure, à côté de la nouvelle salle à manger du Roy. »

La Petite Galerie a probablement présenté le décor le plus raffiné des Cabinets de Louis XV. Associer la sculpture délicate des profonds ébrasements de fenêtres, dont les ornements subsistent, et les tableaux d'Amiens entourés de leurs cadres nous permet de deviner la dignité et le charme qui régnèrent ici. Il faut imaginer aussi les couleurs des boiseries et les meubles. La Galerie paraît avoir été peinte d'abord en jaune d'or par Martin ; les huit banquettes et les douze chaises, couvertes de damas vert à galons ou à houppes d'or, qui sont livrées en 1738, reçoivent des bois dorés, comme sont probablement dorés à l'origine les encadrements des glaces. En 1763, Louis XV fait repeindre sa Galerie « à l'encaustique » en gris-blanc, avec « les moulures et les sculptures en vert-tendre ». Peu après, ainsi qu'on l'a vu au chapitre précédent, celle-ci devient le Grand Cabinet de Marie-Josèphe de Saxe, et elle sera divisée en deux en 1768, avant d'être incorporée à l'appartement de Mme Du Barry.

A l'extrémité orientale, se trouve le *Cabinet d'angle* ou *Cabinet de la Petite Galerie*, que nous venons de citer et qui prend la place de la Salle à manger de 1735. Ce Cabinet, dont le dessin est mouvementé, est éclairé par deux lucarnes sur la cour de marbre, l'une d'elles ayant été ouverte à ce moment, et par la lucarne en retour sur la cour royale. Deux des quatre lanterneaux de 1735 demeurent probablement pendant quelque temps et sont indiqués sur plusieurs plans.

Le Journal du Garde-Meuble appelle encore ce Cabinet, le 17 juillet 1738, « la pièce aux lanternes », en inscrivant la fourniture de deux banquettes cintrées et de dix chaises de damas cramoisi à bois dorés. Luynes mentionne, au mois d'avril 1742, comme incorporée à l'appartement de Mme de Mailly et meublée d'une niche de toile découpée, la pièce des petits cabinets « peinte en vert où il y avoit des lanternes dans le toit que l'on a bouchées ». Il la cite à nouveau, au mois de décembre de la même année, comme *Salon des jeux*. Les boiseries de cette pièce, si l'on en croit Piganiol, ont été sculptées de trophées de chasse.

Ce cabinet d'angle paraît avoir été encore remanié en 1753 étant alors *Cabinet des jeux*, et en 1760, étant *Salle à manger*. C'est ici, dans un petit cabinet formé par l'un des panneaux cintrés du lambris et sous la pente du toit, que Croÿ montre, au mois de janvier 1747, après un souper, Louis XV préparant son café. Les modifications apportées en 1760 et lors des installations de Marie-Josèphe de Saxe et de Mme Du Barry semblent n'avoir laissé subsister que les ébrasements de fenêtres du lambris primitif.

SALLES À MANGER

Ce n'est plus le siècle où Louis XIV était heureux de souper dans une antichambre et, fastueusement servi, de s'offrir en spectacle au public. Certes Louis XV, au grand-couvert, continue de suivre cette tradition, par devoir royal. Mais il prend l'habitude de petits-soupers dans ses Cabinets, en compagnie de sa maîtresse, de quelques dames, de quelques courtisans fidèles, qu'il désigne lui-même et qu'il distingue le plus souvent parmi ceux qui ont chassé avec lui le même jour. D'où la création, nouvelle à Versailles, de salles à manger, qui commencent à apparaître vers 1732.

Louis XV, au plus fort de sa passion pour Mme de Mailly, en 1735, fait établir des tables « servantes », dont les plateaux, le tiroir à couverts, les caissons d'étain pour tenir les bouteilles dans la glace, permettent de réduire à rien la présence des domestiques. La même année, le Roi commande, pour l'une de ses salles à manger des Cabinets, deux tableaux aujourd'hui conservés à Chantilly, qui montrent les progrès de la gastronomie et l'atmosphère épicurienne recherchée, le *Déjeuner de jambon*, payé 2 400 livres à Lancret, le *Déjeuner d'huîtres*, le même prix à De Troy.

Louis XV pousse aussitôt le luxe jusqu'à posséder deux salles à manger, l'une d'été et l'autre d'hiver. La *Salle à manger d'été* est située au troisième étage, sur la cour des Cerfs, entourée de balcons et de terrasses, dont il nous faudra dire quelques mots plus loin. Aménagée, selon M. Le Guillou, dès 1732, puis reconstruite plus grande en 1735, celle-ci nous est connue par des plans, que publia Racinais, et par des livraisons de sièges, tables, rideaux, ou d'un beau tapis de la Savonnerie, dessiné par P.-J. Perrot, livraisons qui sont inscrites dans le Journal du Garde-Meuble en 1735 et 1736. On la désigne comme « salle à manger du Roy de la terrasse sur le château de Versailles ». Établie *grosso modo* deux étages au-dessus du Cabinet des Perruques, elle ouvre par quatre fenêtres (dont une porte-fenêtre) sur le mur méridional de la cour des Cerfs et sur une large terrasse en retour.

La *Salle à manger d'hiver* est installée en 1735 au second étage. C'est alors une sorte de pièce double à l'angle de la cour de marbre et de la cour royale, en prolongement de la Petite Galerie (alors à quatre fenêtres, ainsi qu'on l'a noté précédemment). Elle est reportée en 1738 sur la face orientale de la cour des Cerfs, dans une pièce établie en Bibliothèque en 1732 et devenue contiguë à la Petite Galerie.

Il faut imaginer dans ces salles à manger, gagnées peu à peu sur les attiques et les toitures de Versailles, les premiers soupers du Roi, qui intriguent les courtisans et auxquels bien peu réussissent à se faire nommer. Avant Croÿ, Luynes les observe. En juillet 1737, au moment où la Reine est près d'accoucher de Madame Louise, il remarque l'attrait qu'exercent sur le jeune souverain les toits tout proches de sa Salle à manger d'été. « Le Roi continue à souper deux fois par semaine dans ses cabinets ; mais il ne boit plus de vin de Champagne et ne reste plus si longtemps à table... Depuis quelque temps il monte après souper sur les toits du château, et se promène avec ceux qui ont eu l'honneur de souper avec lui jusqu'au bout de l'aile neuve et de là jusqu'à celui de l'aile des Princes. » Gabriel se hâte même de faire griller à son insu une fenêtre qui lui avait servi à descendre chez Mme de Tallard.

Le problème des installations se complique du fait que, pour chacune de ces deux Salles à manger, d'été et d'hiver, Louis XV cherche à disposer de plusieurs autres pièces : une antichambre, qui sert de *Pièce des Buffets* aux seigneurs autorisés à venir manger debout, un *Cabinet pour le jeu* après le souper, et même un *Petit cabinet-particulier*, sans parler des garde-robes.

La Petite Galerie du second étage donnera au Roi les dégagements nécessaires ; un *Cabinet à niche*, accompagné d'un *Cabinet de Chaise*, la précède, au-dessus du Cabinet des Perruques et au-dessous de la salle à manger d'été ; le Cabinet d'angle qui la suit servira peut-être même à certains moments, on l'a dit, de salle à manger aussi bien que de salon de jeu. La Salle à manger d'été est, de même, dotée d'une Antichambre, assez étroite il est vrai, éclairée de trois fenêtres sur le mur occidental de la cour des Cerfs, auprès de l'escalier demi-circulaire.

En 1745, la Salle à manger d'été et sa Pièce des Buffets sont supprimées ; on a vu, cinq ans plus tard, les Bains du Roi sur leur emplacement. Peut-être la Salle à manger du second étage est-elle seule utilisée pendant quelque temps. Croÿ désigne celle-ci de façon précise, la première fois qu'il se rend aux soupers des Cabinets, le 30 janvier 1747. Peut-être aussi, à quelque temps de là, Louis XV utilise-t-il ainsi qu'on l'a dit lors de l'installation de Madame Adélaïde au rez-de-chaussée, une ou deux pièces qu'il semble s'être réservées auprès de la comtesse de Toulouse et de Mme de Pompadour, probablement sur l'emplacement de l'ancien Salon-ionique des Bains de Louis XIV. En 1750-1751, en tout cas, les deux Salles à manger des Cabinets du Roi se retrouvent, mais chacune descendue d'un étage.

Au premier étage, sur le côté oriental de la cour des Cerfs, Louis XV, à la place de ses Bains, fait établir, à l'automne de 1750, une *Salle à manger* nouvelle, que précédera, sur la petite cour intérieure, une *Pièce des Buffets*, aménagée ou agrandie par deux fois au moins, en 1754 et en 1765. Une partie de la disposition de la première de ces deux pièces subsiste encore aujourd'hui, malgré de sévères remaniements dans les boiseries.

Au second étage, juste au-dessus de la Salle à manger précédente, Louis XV, en 1751, pendant le voyage de Fontainebleau, continuant de rogner sur ses Bibliothèques, décide d'utiliser la Grande Pièce de sa Bibliothèque sur la cour des Cerfs pour former une nouvelle *Salle à manger*, l'ancienne devenant Antichambre. Cette Salle à manger disparaît en 1756 pour donner naissance à une cuisine et à une pièce « pour dresser le fruit » ; elle semble avoir été, à peu près à ce moment, reportée dans le Cabinet d'angle au bout de la Petite Galerie.

Les perturbations qu'entraîne dans les Cabinets du Roi l'installation, au second étage, de Marie-Josèphe de Saxe, puis de Mme Du Barry, obligent Louis XV à reprendre à Madame Adélaïde l'appartement du premier étage sur la cour royale qu'occupait celle-ci depuis une quinzaine d'années sur l'emplacement de l'ancienne Galerie de Mignard, afin de donner à ses salles à manger une disposition harmonieuse, qui paraît définitive et que Louis XVI modifiera assez peu.

Louis XV trouve ces nouvelles pièces achevées et meublées à son retour de Fontainebleau, à la fin de l'automne de 1769[1]. Le Cabinet-doré de Madame Adélaïde sert à la fois de passage à son appartement intérieur et de *Pièce d'exposition pour la Vaisselle d'or*. La Chambre de la princesse devient *Salon d'assemblée ou des jeux* ; ce sera, avec ses deux fenêtres sur la cour royale, — et après un remaniement total de ses boiseries, — la Bibliothèque de Louis XVI. La Salle à manger du Roi, que l'on appellera, pour la distinguer de l'autre salle à manger du premier étage, la *Salle à manger aux salles neuves*, prend ses dimensions actuelles ; quatre fenêtres l'éclairent sur la cour royale, dont deux en retour ; de belles boiseries l'enrichissent, qui, assez remaniées au XIXe siècle, sont en cours de restauration aujourd'hui. La *Salle à manger des seigneurs* ou *Pièce des Buffets*, éclairée

1. Cf. fig. 25, p. 522, n°s 31 et 33 à 35.

d'une seule fenêtre, est située à côté, sur l'espace aménagé une quinzaine d'années plus tôt pour Madame Adélaïde lors de la destruction de l'Escalier des Ambassadeurs. L'ancien Cabinet des Médailles, ouvert sur le Salon de l'Abondance, paraît servir d'Antichambre.

CUISINES ET LABORATOIRES

Les déplacements successifs des salles à manger à l'intérieur des appartements du Roi ne simplifient pas l'installation des cuisines ; Louis XV, qui est gourmand, cherche à placer celles-ci à proximité de celles-là ; d'où, pour ses architectes, un casse-tête presque permanent et, pour les contemporains, un dédale invraisemblable, dans lequel les plans publiés par Racinais nous permettent de nous retrouver aujourd'hui.

D'une façon générale, les *cuisines* ont été établies au troisième étage et plus tournées du côté de la petite cour intérieure que de la cour des Cerfs. Lorsque Louis XV est amené à faire établir certaines de ces cuisines sur cette dernière cour, il n'omet pas de faire murer les fenêtres de ce côté. Au contraire, sur le côté est de la cour des Cerfs, ouvrant sur des terrasses du troisième étage, au-dessus des dernières pièces de la Bibliothèque, il possède longtemps des *laboratoires*, qu'il est parfois assez délicat de distinguer des cuisines.

Louis XV fait-il ici des expériences de physique ou de chimie, comme en fera Louis XVI dans ses laboratoires des mêmes étages ? S'amuse-t-il simplement à cuisiner ? Lorsqu'on lit le titre d'un volume à ses armes, daté de 1740, que possède la Bibliothèque nationale, *le Nouveau Cuisinier royal et bourgeois*, doit-on penser à un livre de recettes destiné à quelque officier, ou faut-il imaginer à la lettre ce royal cuisinier aux goûts bourgeois, confectionnant ses gâteaux, ses omelettes ou ses chocolats dans les Cabinets du troisième étage de son château ? La réponse semble fournie par une livraison du 13 décembre 1732, « pour servir dans la petite cuisine nouvellement faite sur la terrasse au-dessus de la bibliothèque du Roy à Versailles : douze tabliers, pour le Roy, de toile d'Hollande, dont six à deux léz, plisséz, avec poches et bavettes, et six à un lez avec poches seulement, tous sur une aune de haut ; vingt-quatre tabliers d'officiers à un lez de toile blanche de Guibert..., le tout marqué de deux W couronnéz ».

Des plans, qui datent de 1738 et 1741 et que Racinais a reproduits, montrent les *Laboratoires* de Louis XV s'étendant au second étage, au-dessus de la Petite Galerie de Mignard, jusqu'à l'angle de la cour royale et de l'avant-cour, où se trouve un *Cabinet de distillation*. Distillation de fleur d'oranger ? Distillation d'alcool ? Louis XV s'intéresse en tout cas lui-même à ces opérations. En 1757, on mentionne encore « une croisée au laboratoire où le Roy distille ».

Il est vrai que les Laboratoires du Roi cèdent de plus en plus la place aux Cuisines proprement dites. Il suffira d'indiquer ici que, sur un plan des Cuisines du troisième étage daté du 12 mars 1763, on observe que les changements incessants et les additions de pièces peu à peu aménagées à cet usage sous les toits ont abouti à cinq différences de niveau au moins, qui portent chaque fois sur quelques marches seulement. On signalera aussi la diversité des noms : la grande-cuisine, qui existe déjà en 1732, sur le côté méridional de la petite cour, l'aide-à-la-cuisine, la rôtisserie, la pâtisserie, les resserres, les fourneaux, lavoirs et réservoirs, enfin le cabinet et la chambre de l'officier de bouche qui dirige tout ce service, Lazure d'abord (probablement un fils de Louis Lazure, que les comptes des Menus-Plaisirs désignent en 1664 comme chef du Gobelet du Roi), Bécary ensuite.

On note, un moment, une cuisine au second étage et même une petite cuisine particulière au premier étage, près de l'escalier demi-circulaire. Cependant, peu après l'installation d'une Salle à manger à cet étage, les escaliers intérieurs ne suffisant plus, Arnoult est amené à inventer, en 1755, un *buffet mouvant*, qui paraît avoir été une sorte de monte-plats.

LES TERRASSES

On a, dans les pages précédentes, plusieurs fois mentionné les terrasses. Louis XV, afin de vivre des instants heureux dans un cadre agréable et paisible, s'ingénie à trouver de la place. A grands frais et non sans de gros soucis pour ses architectes, il se réserve un petit domaine particulier au troisième étage de la cour des Cerfs. Il transforme ce coin en un « étage des terrasses ». Il en fait une sorte de jardin suspendu. Des treillages, des rocailles, des fontaines et des fleurs composent, dans le haut de la cour, un curieux décor, qui diminuera peu à peu vers la fin de son règne, et dont Louis XVI, puis les architectes du XIXᵉ siècle, supprimeront toute trace.

Ce fut un domaine merveilleux. Les *Cabinets* et les *Volières* se succèdent ici au temps de Louis XV, dont ils semblent une forte passion. Le Roi les modifie à mainte reprise. Il les établit en retrait, au long de balcons élargis en terrasses. On a rencontré la Salle à manger d'été, créée en 1732-1735 sur l'emplacement d'un cabinet de Lazure. En 1729, Louis XV avait fait aménager le « nouveau cabinet du Roi à la place de la vollière d'oiseaux », dans l'angle de la cour opposé à celui de cette salle à manger, semble-t-il, c'est-à-dire à gauche en sortant de l'escalier demi-circulaire [1]. Ce *Cabinet* coûte près de 18 000 livres. Il est enrichi d'un lambris sculpté en bois et en plâtre par l'équipe habituelle menée par Du Goullon. Il est décoré de tableaux d'animaux peints par Desportes et Oudry. Leblanc fournit des bras et des chenets de bronze doré.

En 1732, le Cabinet devient le *Cabinet des oiseaux*. On conçoit l'attrait exercé sur Louis XV par ces installations extraordinaires qui surgissent à sa demande dans la vieille demeure. Le jeune homme décide au même moment de se faire établir, dans l'angle extrême de la cour des Cerfs et un peu plus haut encore, les « petits cabinets de retraite du Roi au-dessus du Salon de la Guerre ». L'accès se fait par une douzaine de marches montant du Cabinet des oiseaux. Il trouve là un petit appartement de trois pièces avec une garde-robe, qui entoure la calotte du Salon de la Guerre et qui devient l'un des mieux exposés du château et au plus haut, prenant vue sur le parterre d'eau et le parterre du Nord. Dans les derniers jours d'août 1732, Gaudreaux et Tilliard apportent les premiers meubles destinés aux trois cabinets,

---

1. Cf. fig. 22, p. 463, nᵒˢ 10 à 12.

l'un de damas cramoisi, un autre de damas jaune, le dernier de damas vert.

Louis XV poursuit son plaisir d'être entouré de volières. Celles-ci seront modifiées, déplacées à plusieurs reprises. Elles restent présentes à l'étage de ses terrasses, même après qu'un *Cabinet à niche* aura remplacé celui des oiseaux. Au printemps de 1748, il donne des ordres pour qu'on agrandisse son *colombier*, « qui est trop petit pour la quantité de pigeons qu'on y met », ainsi que son *poulailler*, « trouvant que les poules qui sont sur la terrasse des petits appartements sont logées trop petitement ». Une aquarelle, qui date de cette année 1748 et qui est conservée parmi les papiers des Bâtiments du Roi aux Archives nationales, fait rêver sur l'élégance de ces installations. Elle fournit le « plan, profil et élévation de la volière à construire sur la terrasse des Petits Appartemens ».

Cette aquarelle présente de nobles treillages. Elle donne un aperçu de ce que sont alors les terrasses du Roi. Les toits de Versailles sont devenus un monde presque irréel. Un lieu de délices aussi. Louis XV l'entend bien ainsi : petits soupers et secrètes amours. L'appartement étroit, mais magnifiquement situé au-dessus du Salon de la Guerre, ne lui sera pas inutile. Avant de le donner à Mme de Châteauroux, il y a probablement reçu Mme de Mailly.

MADAME DE MAILLY

Avec la plus grande discrétion d'abord, peut-être dès les environs de 1733, dans un appartement lointain dans lequel il se rend déguisé, puis, « ayant toute honte secouée et paraissant avoir pris son parti », lorsque le scandale est devenu public, Louis XV, à l'instar de Louis XIV, installe ses maîtresses successives auprès de lui, dans un appartement tout proche et presque dépendant du sien. Le besoin qu'il a de la femme, pour son plaisir certes, mais aussi pour se confier, pour être moins seul, pour être moins roi, se traduit à Versailles par des transformations qui ne cessent guère pendant près de quarante ans. Lorsque la Reine ne lui suffit plus et qu'il lui faut une maîtresse, une amie, chez qui prendre ses « habitudes » et aller chaque jour, Louis XV étudie les plans du château et se demande où la loger.

On sait le succès qu'eurent auprès du Roi les filles du marquis de Mailly-Nesle. La première qui ait réussi à attirer le jeune homme et le retenir quelque temps est l'aînée, Louise, qui, par son mariage avec un cousin, est comtesse de Mailly et que Louis XV a connue auprès de la Reine, dont elle est dame d'honneur. La seconde, Pauline, qui s'appelle Mlle de Nesle jusqu'à son mariage avec le marquis de Vintimille en 1739, reçoit au mois d'août 1741 un logement, que Louis XV a repris au duc et à la duchesse de Fleury. Luynes note les visites qu'y fait le Roi ; il annonce, peu de temps après, que Mme de Vintimille doit accoucher dans l'appartement du cardinal de Rohan ; on sait l'accident qui survient, l'anxiété du Roi, l'impuissance des médecins, la triste nouvelle qu'il apprend à son réveil ; Louis XV pleure dans son lit une partie de la journée, descend dans l'après-midi, par son petit escalier demi-circulaire, chez la comtesse de Toulouse, chez qui il se réfugie ensuite à Saint-Léger-en-Yvelines. Ceci se passe le 9 septembre 1741.

Le mois suivant, la faveur de Mme de Mailly apparaît plus éclatante que jamais. Déjà titulaire de plusieurs appartements dans le château, notamment dans l'aile du Nord, où le Roi se rend fréquemment, peut-être quelque temps installée dans les petites pièces aménagées au-dessus du Salon de la Guerre, elle reçoit un appartement au second étage, sur l'aile de la cour royale précédemment affectée aux Laboratoires du Roi et à ses Cabinets de distillation. Le Roi feint de donner cet appartement à l'un de ses intimes, le marquis de Meuse. Notons l'emplacement : « au-dessus de la petite galerie du Roi », c'est-à-dire au-dessus de la Galerie de Mignard et de l'endroit où fut logée Mme de Montespan au temps de sa faveur. Doit-on souligner que Louis XIV a choisi les grandes pièces du premier étage, Louis XV l'étage des mansardes ?

L'appartement de Mme de Mailly, dont on peut suivre la distribution intérieure sur la description qu'en donne le duc de Luynes au mois de février 1742 et sur les plans qu'a publiés Racinais, semble convenir au Roi ; il y établira plus tard, ainsi qu'on l'a vu, pendant quelque temps une partie de sa Bibliothèque. Les deux principales pièces, dont la dernière est en angle, sont sommairement décrites par Luynes : « La chambre, qui est jolie, mais fort petite, éclairée par une seule fenêtre, et où il y a un lit en niche ; ensuite le cabinet où il y a deux fenêtres et qui est joli et à peu près comme la chambre. C'est là que le Roi travaille à ses plans, les après-dînées, et quelquefois écrit. »

Luynes ajoute, au mois de mai, que Louis XV, pour donner plus de commodité « au petit appartement de Mme de Mailly », a fait agrandir le degré (dit d'Epernon) sur la petite cour intérieure et a ajouté comme « salon d'assemblée » le cabinet d'angle de la cour de marbre, au bout de sa Petite Galerie. Mme Du Barry s'installera là une trentaine d'années plus tard.

Mais la plus jeune des sœurs de Mme de Mailly, Marie-Anne, qui a épousé, en 1734, le marquis de la Tournelle et qui est veuve depuis 1740, plaît beaucoup au Roi. Mme de la Tournelle supplante sa sœur, la fait chasser au mois de novembre 1742 de son petit appartement, fait fermer celui-ci. Mme de Mailly n'aura plus qu'à vivre éloignée de Versailles et à mourir dans la dévotion et le repentir, comme l'a fait jadis Mme de Montespan. Mme de la Tournelle, qui sera créée duchesse de Châteauroux à la fin de l'année suivante, est installée dans un appartement voisin de celui du Roi le 22 décembre 1742.

MADAME DE CHATEAUROUX

Un plan, daté du mois de novembre et conservé aux Archives nationales, a précisé les intentions du maître. Dans l'attique du corps central, qui, au second étage et au-dessus du Grand Appartement, regarde le parterre du Nord et qui, par-delà la pente boisée inclinée vers le bassin de Neptune, prend vue sur les lointains de la forêt de Marly, Louis XV, délogeant les Matignon et le maréchal de Coigny, installe du même coup deux des sœurs de Nesle, Diane, qui devient à ce moment, par son mariage, duchesse de Brancas et de Lauraguais, et, plus près de lui, Mme de la Tournelle.

Les deux appartements sont desservis par le degré d'Épernon ; celui de Mme de Lauraguais est situé, en gros, au-dessus des salons de Mercure et d'Apollon. Le Roi communique avec ce dernier appartement par le troisième étage de ses Cabinets et par des pièces qu'il fait incorporer à l'appartement de sa maîtresse : l'ancienne chambre de Lazure, sur le côté occidental de la cour des Cerfs, là où l'on a vu avant 1729 des volières et où il fait installer des Bains pour elle, ainsi que le petit appartement qui entoure la calotte du Salon de la Guerre.

Luynes formule, au mois de mai 1743, l'observation suivante : « Mmes de la Tournelle et de Lauraguais ne sortent presque jamais. Elles n'ont pas de cuisine. Quand le Roi soupe au grand couvert, elles envoient quérir leur souper chez le traiteur, n'ayant ni l'une ni l'autre d'autre cuisine que le potage que leurs femmes font dans leurs garde-robe... Le Roi monte chez elles au sortir du grand couvert. »

La remarque de Luynes devient bientôt inexacte, car le Roi, peu après, sacrifie son ancien Cabinet du Tour pour y faire établir la cuisine de Mme de Châteauroux en même temps que, repoussant les Lauraguais vers le dessus des derniers salons, il agrandit l'appartement de sa maîtresse.

Ces installations vont être de très courte durée ; le Roi part pour les Flandres, où Mmes de Châteauroux et de Lauraguais le rejoignent ; Louis XV tombe malade à Metz ; la belle duchesse est renvoyée, puis, au moment où le Roi la rappelle à Versailles, meurt subitement le 8 décembre 1744. Le chagrin du Roi est immense. Louis XV s'enferme à La Muette, y demeure jusqu'à Noël, puis séjourne à Trianon. Le carnaval cependant le ranime ; celui de 1744 avait étalé le triomphe de Mme de Châteauroux ; celui de 1745 donne au duc de Luynes l'occasion « de parler de nouvelles amours du roi et principalement d'une Mme d'Étioles, qui est jeune et jolie ; sa mère s'appelait Mme Poisson ».

MADAME DE POMPADOUR

L'appartement de la duchesse de Châteauroux pourra recevoir cette Mme d'Étioles, que Louis XV crée bientôt marquise de Pompadour. Celle-ci, d'abord venue au moment de Pâques en secret à Versailles et logée, d'après ce que suppose le duc de Luynes, « dans un petit appartement qu'avait Mme de Mailly et qui joint les petits cabinets », fait embellir l'appartement de Mme de Châteauroux, que Croÿ appelle « l'appartement d'en-haut, de la maîtresse ». Elle s'y installe lorsque Louis XV revient de la campagne de 1745, dite campagne de Fontenoy, et qu'elle est officiellement présentée à la Cour le 14 septembre.

« On a fait quelque changement, mais on a laissé le meuble », constate d'abord Luynes. Pendant trois ans, Mme de Pompadour occupe la même chambre que Mme de Châteauroux et reçoit ici la Cour. « Tout le monde y va », note en 1746 le prince de Croÿ, qui a assisté à sa toilette. Le même grand seigneur, qui sait plus utile de venir ici que chez la Reine, remarque, en 1747, que le duc de Chartres, le maréchal de Saxe et toute la Cour attendent longtemps le lever de la marquise, un jour qu'elle est incommodée. On faisait antichambre dans les pièces situées au-dessous de celles-ci pour le Lever du Roi dans les belles années du Versailles de Louis XIV.

La faveur extraordinaire de Mme de Pompadour exige de nouveaux embellissements à cet appartement. Ceux-ci ont lieu principalement durant l'été de 1748. On travaille alors « à l'exaussement de la cage de son fauteuil volant », qui est celui qu'inventa Arnoult pour Mme de Châteauroux. On pose « le lambris neuf de son alcôve » et, dès le début d'août, « on achève les vernis de la Chambre et du Cabinet ; on pose les bras et les serrures. » Mme de Pompadour a en effet demandé le cloisonnement du Grand Cabinet de l'appartement de Mme de Châteauroux, au-dessus du Salon de Mercure ; elle y installe sa Chambre et, de l'autre côté, son Cabinet. Nolhac a reconnu l'élégante alcôve et les jolies boiseries, que l'on peut supposer avoir été sculptées par l'atelier de Verberckt.

Des changements se préparent cependant assez vite dans la vie de Mme de Pompadour ; les rapports de la marquise avec le Roi vont se transformer, et la situation de son appartement s'en trouver modifiée. Par un curieux parallèle avec ce que Louis XIV, dans une évolution analogue de sentiments, décida pour Mme de Montespan, Louis XV établit Mme de Pompadour au rez-de-chaussée du corps central du château, où il peut, comme son arrière-grand-père, descendre de son appartement dans « un appartement d'amitié », en apparence semblable. Mais entre les deux marquises, quelle différence ! La première s'accroche au Grand Roi et assiste au triomphe de Mme de Maintenon ; la seconde, toute en finesse, affecte de croire que le Roi la comble en lui donnant ce grand appartement, formé de ce qu'abandonnent pour elle la comtesse de Toulouse et le duc de Penthièvre, et en lui accordant les honneurs de duchesse. Elle sera l'amie et la conseillère, et chacun le saura. « Ils la ménageaient tous, et elle en agissait bien. » Elle se préoccupera sans scrupules excessifs des plaisirs du Roi, ceux qu'il montre et qu'elle développe en lui pour les bâtiments, la décoration, les jardins, et ceux, plus secrets, qu'elle connaît bien ; par l'intermédiaire de ses valets de chambre, elle le surveillera discrètement ; elle s'assurera que les jolies filles qu'on lui fournit sont sans danger pour elle et pour la politique qu'elle mène. Elle prend bien garde de laisser s'installer l'une d'elles dans les Petits Appartements des second et troisièmes étages. Elle fait donner au duc et à la duchesse d'Ayen, qui ont sa confiance, dès le mois de mai 1751, l'appartement qu'elle occupait elle-même dans l'attique. Mlle O'Murphy, le séduisant modèle de Boucher, lui cause de l'inquiétude à partir de 1753. Elle consent alors à l'installation au premier étage de Madame Adélaïde, dont elle redoute pourtant l'influence et l'inimitié. Louis XV, resserré dans ses appartements, n'aura plus d'autres ressources pour se distraire que d'aller chez Lebel, son valet de chambre, ou dans une petite maison du Parc-aux-Cerfs.

Mme de Pompadour, installée dans son nouvel appartement du rez-de-chaussée, par son intelligence et son énergie, par sa manière de gouverner un homme, moins dur, il est vrai, que Louis XIV, fait songer à Mme de Maintenon. Croÿ, qui la connaît et l'utilise à ses fins, établit à plusieurs reprises un parallèle entre les deux femmes. Mme de Pompadour s'essaie même à la piété, sans parvenir à y entraîner le Roi ;

au début de 1756, au moment où elle est déclarée dame du Palais de la Reine, les courtisans murmurent qu'elle a exigé de faire maigre dans les Cabinets et qu'elle a pris un jésuite pour confesseur ; elle demande au peintre La Roche deux tableaux de piété pour son Oratoire, et les ambassadeurs qui, le mardi, se rendent chez elle, la trouvent à son métier de tapisserie. Croÿ se rappelle alors qu'il a écrit trois ans plus tôt : « Son système, que j'avais entrevu depuis plusieurs années, de gagner l'esprit du Roi, et, suivant à la lettre Mme de Maintenon, de finir par être dévote avec lui pouvait, à ce que l'on ajoutait, ne pas avoir le temps de s'établir. »

Son appartement de 1750 nous est bien connu par les ordres donnés aux Bâtiments, qu'a publiés Nolhac, et par le plan qu'en a fait graver Blondel [1]. En venant du passage voûté qui relie la cour royale à la terrasse du Nord, on y trouve deux antichambres, un Grand Cabinet, qui est à pans coupés et qu'éclairent trois fenêtres, la Chambre, située au-dessous d'une partie du Salon de Mars, salon dont on fait relever le plancher pendant le voyage de Compiègne de l'été de 1751, « pour en rompre le bruit au moyen de bourre et de carreau entre les lambourdes », enfin un Petit Cabinet. En arrière, sur la petite cour intérieure et sur le passage de la cour des Cerfs, sont situés des Bains, une Méridienne, une Garde-robe et un Arrière-Cabinet.

Il est aisé, par l'inventaire de la marquise publié par Jean Cordey, d'imaginer le beau mobilier de son appartement : sa Chambre, soit de perse rehaussée d'or, soit de satin brodé à fond jaune paille, sa chaise longue et son grand fauteuil « en confessionnal », ses tables à jeu, ses tables servantes et ses tables chiffonnières, ses tambours et métiers à tapisserie, son beau clavecin de Ruckers, ses porcelaines des Indes ou de Sèvres.

« Elle avait, écrit Dufort de Cheverny, le grand art de distraire l'homme du royaume le plus difficile à amuser, qui aimait le particulier par goût, et sentait que sa place exigeait le contraire ; de sorte que, dès qu'il pouvait se dérober à la représentation, il descendait chez elle par un escalier dérobé, et y déposait le caractère de roi. » Elle meurt avec un stoïcisme

---

1. Voir le plan fig. 19, p. 428.

souriant, le 15 avril 1764, dans cet appartement, qui deviendra trois ans plus tard celui de Madame Victoire, puis de Madame Adélaïde.

MADAME DU BARRY

« Un Roi qui s'ennuie, à qui on ne parle que de misère dans le travail, qui est épris d'une jolie femme, qui ne voit plus qu'elle et ce qui lui est abandonné pour en tirer parti, est à plaindre ». Ainsi s'exprime le duc de Croÿ en 1771, en essayant d'analyser la psychologie de Louis XV et le « crédit prodigieux » de la nouvelle maîtresse.

Mme Du Barry, qui, selon Nolhac, aurait habité chez Lebel dès la fin de 1768, est présentée à la Cour le 22 avril 1769. Elle est, de toutes les maîtresses de Louis XV, celle qui a soulevé le plus de répulsion au XIXe siècle ainsi qu'auprès d'un fort parti des contemporains. Ses origines sont assez douteuses, mais elle est si belle que Louis XV (âgé seulement de soixante ans en 1770) en devient follement amoureux. « Presque tous les courtisans allèrent chez elle », observe, dès l'été de 1769, Croÿ, qui la boude ostensiblement. Notons aussi que Louis XV, foncièrement indifférent à ce que l'on peut penser de lui, « pour qui la foule n'est personne », trouve autour de lui des courtisans auxquels il est habitué et qui, chaque fois, se mettent au service de la nouvelle sultane : un maréchal de Soubise, un maréchal de Richelieu, parmi bien d'autres.

On pourrait être tenté d'excuser Louis XV en le replaçant dans les mœurs de son temps, ainsi que l'a fait avec bon sens, en 1750, l'avocat Barbier. « Sur vingt seigneurs de la Cour, il y en a quinze qui ne vivent point avec leurs femmes et qui ont des maîtresses ; rien n'est même si commun à Paris entre particuliers : il est donc ridicule que le Roi, qui est bien le maître, soit de pire condition que ses sujets et que tous les rois ses prédécesseurs. »

Louis XV installe Mme Du Barry au second étage de ses Cabinets, lui formant un appartement à peu près semblable à celui qu'il avait donné à la Dauphine. Des travaux de cloisons et surtout de dorure sont effectués sur les boiseries, qui sont déjà anciennes pour la plupart ; des acomptes versés en 1770 aux principaux entrepreneurs en situeront l'essentiel : 5 000 livres au maçon La Guêpière, 3 000 au charpentier Briant, 2 200 au serrurier Cahon, 3 500 aux menuisiers

FIG. 23. — *Appartement de Mme Du Barry vers 1770.*

1. Cour de marbre. — 2. Cour royale. — 3. Cour des Cerfs. — 4. Petite cour intérieure du Roi. — 5. Degré du Roi. — 6. Degré d'Épernon. — 7 Première antichambre. — 8. Bains. — 9. Deuxième antichambre ou salle à manger. — 10. Passage. — 11. Grande pièce (ancienne antichambre) — 12. Bibliothèque. — 13. Salon d'angle. — 14. Grand Cabinet ou Galerie. — 15. Chambre. — 16. Chaise. — 17. Garde-robe de veille. — 18. Bibliothèque du Roi. — 19. Cabinet du Roi. — 20. Escalier demi-circulaire.
(A comparer au plan des Petits Appartements du Roi au second étage vers 1741, fig. 21, p. 462).

Guesnon et Clicot, 600 seulement au sculpteur Guibert, et 15 000 au doreur Brancourt.

Quelques projets, qui ont été étudiés dès 1767, sont exécutés à ce moment, notamment une *Garde-robe* et une *Chaise* en saillie sur la cour des Cerfs, au-dessus de l'alcôve de la Chambre de Louis XV. La *Bibliothèque* de Madame Adélaïde, au-delà du Cabinet d'angle, est remise en état.

Des *Bains* nouveaux sont installés, dont la dépense est signée par Gabriel en 1772.

L'appartement existe encore aujourd'hui, assez fortement restauré, plus apparent cependant que l'ancien appartement de Louis XV qui lui a donné naissance. Grâce à un inventaire des meubles de la jolie comtesse et à ses comptes, que conserve la Bibliothèque nationale, on peut en suivre la distribution. Le mobilier était d'un luxe étourdissant, mais d'une exécution hors de pair ; le style en était déjà largement « Louis XVI ». Mme Du Barry ayant adressé la plupart de ses commandes à l'ébéniste Leleu, au menuisier Delanois, au mercier Poirier, on sent naître ici, en 1771 et 1772, un style nouveau, qui n'est plus celui de Louis XV.

La *Chambre*, qui est prise sur la partie occidentale de la Petite Galerie et où Louis XV peut entrer par sa Bibliothèque des combles, est meublée d'un grand lit à colonnes richement sculpté et doré, de treize chaises et d'une extraordinaire commode décorée de grandes plaques de porcelaine de Sèvres. Sur la cheminée se trouve la pendule des Trois-Grâces, qu'on attribue à Germain.

Ce qu'on appelle encore *Petite Galerie* (et qui n'en est plus qu'une partie) ou *Grand Cabinet*, et qui ouvre par trois fenêtres sur la cour de marbre, est meublé de deux grands canapés, de dix-huit chaises, dont une plus haute pour le Roi, et de deux belles consoles. Sur des étagères, sont disposés quantité d'objets précieux, porcelaines, cristaux de roche, laques, ainsi qu'une petite boîte de bois des Indes qui provient de la vente de Mme de Lauraguais. Ici se trouve aussi une niche à chien.

Le *Salon*, qui forme l'angle, sert au jeu. Vingt-quatre chaises et fauteuils, un grand canapé et un grand fauteuil, à bois fortement sculptés et dorés, sont couverts de soie jaune brodée de paysages et de figures. Une commode de laque, une autre incrustée de porcelaines, un piano à orgue, des groupes de bronze produisent un curieux effet d'entasssement et d'opulence un peu lourde.

La *Salle à manger*, qui fut celle de Louis XV entre 1738 et 1751, reçoit trente chaises de table, et une plus grande que les autres pour le Roi. Quant à la petite *Bibliothèque*, elle est meublée de vert et blanc.

Trésors éphémères, luxe de femme parvenue trop vite à une grande fortune, objets raffinés aussi, tout ceci demeurera bien peu de temps à Versailles et prendra le chemin de Louveciennes après la mort de Louis XV. Mais quelque chose en restera ; la dauphine Marie-Antoinette, qui n'est jamais venue chez Mme Du Barry et qui agit en face d'elle avec la prudence que l'on sait, se souviendra, devenue reine, de ce que l'on a créé pour la grande courtisane. Louis XV est un vieil homme fatigué par une existence qu'il a trop bien vécue, accablé, malgré son indifférence de surface, par des soucis d'autant plus lourds qu'il n'a pu les confier à personne. Le style délicat qu'il a su donner peu à peu à ses appartements de Versailles marque son temps, son goût personnel. Il ne songe pas à changer là-dessus, mais il sait accepter, voire admirer, comme un homme d'un autre âge, ces nouveautés parfois tapageuses, dont il paie la note, tout en sachant le Trésor royal terriblement vide.

Mme Du Barry, par un curieux paradoxe, a vécu durant quelques années à Versailles avec un luxe de reine, au milieu de meubles déjà « Louis XVI » et dans un cadre encore « Louis XV ». Au même moment, dans un autre coin du grand domaine, à Trianon, une expérience analogue se déroule, qui fut encouragée par Mme de Pompadour, mêlant déjà deux styles et deux époques, dont la première reine sera également Mme Du Barry.

CHAPITRE VI

TRIANON

LE GRAND TRIANON

Louis XIV semble indiquer à son arrière-petit-fils, à Trianon comme à Versailles, le chemin qu'il doit suivre à l'égard des Bâtiments : conserver, embellir, créer. Peut-on dire cependant que, dans le petit palais comme dans le grand château, le Bien-Aimé travaille et vit à une échelle qui n'est plus celle du Grand Roi ? Les différences d'époque et de caractère semblent se percevoir jusque dans les mots : il y aura désormais un Petit Trianon à côté du palais de Trianon. Et pourtant un nouveau chef-d'œuvre va naître !

D'abord apparaît ici l'esprit longtemps conservateur de Louis XV, attentif à ne rien changer des ouvrages de son bisaïeul. Avec les beaux jardins, les fleurs, les orangers, se perpétuent, quoique sur un pied plus réduit, les traditions du règne précédent. L'architecture, les décorations intérieures n'ont pas épuisé leur succès et sont à peine démodées ; elles ont fortement inspiré, il n'y a pas bien longtemps, la duchesse de Bourbon pour son palais parisien, et Louis XV paraît se souvenir du Trianon de Louis XIV lorsqu'il construit l'aile nouvelle de Choisy. Il est bon d'ajouter aussi que le Roi négligera longtemps ce palais, dont ses années d'enfance lui ont pourtant laissé un souvenir enchanté ; il semble même tout près de l'abandonner à la Reine.

Marie Leczinska aime Trianon ; elle y va souvent en promenade, avec ses enfants et ses dames, dîne, joue, fait de la musique. Luynes nous la montre même, un jour qu'elle voulait y souper, obligée de renoncer à ce repas à la suite d'une dispute entre les officiers de la Fruiterie et ceux du Gouvernement. Le roi Stanislas réside à Trianon, lorsqu'il vient la voir. La Reine semble avoir choisi le grand appartement de gauche, du côté du Canal, celui que Monseigneur a habité à partir de 1703, et apprécie particulièrement le Cabinet des Glaces. Elle fait meubler, en 1744, sa Chambre d'un taffetas chiné « fond blanc à fleurs aurore, vert et blanc ». Trianon va-t-il, sous Louis XV, devenir le domaine de la Reine ?

Une phrase de Luynes, à la date de 1741, laisse entendre que Louis XV aurait déjà offert ce château à son épouse. La pauvre Marie semble passer à côté de ces lieux, que d'autres femmes vont rendre célèbres. Elle hésite ; elle aurait préféré Louveciennes, que Louis XV a donné à la comtesse de Toulouse. Le Roi cependant commence à s'intéresser à Trianon ; il y vient, mais pas avec la Reine ; le sort de ce coin de terre se joue de nouveau autour de quelques femmes. Louveciennes, Trianon, Mme Du Barry, ce sont les dernières amours de Louis XV. Il faut auparavant franchir quelques étapes.

Le duc de Luynes, avec sa précision coutumière, suit pas à pas les desseins du Roi. Comme l'aurait fait son arrière-grand-père, Louis XV, au mois d'août 1743, sortant de séances de travail avec ses ministres, se rend à Trianon en calèche avec quelques dames, en l'occurrence deux des sœurs de Nesle, Mme de Lauraguais et Mme de la Tournelle, « entra d'abord dans les jardins, où il se promena assez de temps... se promena beaucoup dans le château, où l'on fait quelques réparations aux parquets, qui sont en mauvais état. De là, le Roi fit le tour du canal, vint aux potagers, où il entra en calèche, par la grille du côté de la pièce des Suisses. Il revint ensuite travailler avec M. de Maurepas jusqu'au grand couvert ». Louis XV réfléchit ; au cours de cette visite, il s'est entretenu avec Gabriel ; il ébauche quelques projets.

A la fin de l'année suivante, la mort brutale de Mme de Châteauroux pousse Louis XV à venir ici, en plein hiver, cacher son chagrin, avec quelques courtisans et quelques dames qui ont été les intimes de la duchesse. En peu de jours, le château est remis en état et l'on enlève, pour y parvenir, les ouvriers qui travaillent à ce moment au nouvel appartement de Mesdames à Versailles. Luynes observe, non sans raison, les inconvénients de ce voyage imprévu à Trianon : « Le lieu, qui n'est point habité depuis longtemps, a grand besoin de réparations ; autant il est agréable l'été et pendant les grandes chaleurs, autant est-il triste et froid pendant l'hiver. » Ce séjour, où Louis XV travaille, joue et chasse, loin de le rebuter, semble l'attacher à ce joli château. Celle qui succédera à Mme de Châteauroux dans le cœur du Roi et qui prendra quelques mois plus tard possession de l'appartement de Versailles laissé vacant par la mort de la duchesse, Mme d'Etioles, bientôt marquise de Pompadour, verra très vite le parti qu'elle peut tirer de l'attrait qu'exerce sur le Roi la création de Louis XIV.

Ce ne sont, au début, que simples réparations d'entretien. En septembre 1746, par exemple, les Bâtiments travaillent au rétablissement des *ha ! ha·!* ou fossés qui clôturent le jardin de Trianon et qui ont laissé leur nom à la route qui borde, à l'ouest, le petit domaine. Au mois de décembre 1747, cela devient plus sérieux et Gabriel présente un rapport d'ensemble sur la remise en état de Trianon.

Les travaux suivent la paix d'Aix-la-Chapelle. En octobre et novembre 1749, on pose les glaces et on apporte les meubles de l'appartement du Roi et de celui de la marquise. Les travaux se poursuivent encore pendant un an ou deux, soit dans ces deux appartements, soit dans les logements destinés aux dames, aux seigneurs ou aux officiers de la Cour. Louis XV s'est installé sur l'ancien jardin du Roi ; il prend pour lui l'appartement de Louis XIV et donne à Mme de Pompadour celui de Mme de Maintenon. Deux époques, deux styles se mêlent un instant dans ces appartements, dont quelques traces se voient encore malgré les transformations opérées au XIXe siècle. Des boiseries ou des cheminées « Louis XV » se joignent à ce qui demeure de Louis XIV. Gabriel ajoute des entresols. Il enrichit d'ornements « rocaille » et d'un tambour, destiné à ouvrir sur un semblant de chapelle, le Salon des Colonnes de Mansart.

Le Roi, tout en agrandissant la Chambre, y conserve la plupart des meubles de son arrière-grand-père. Il embellit ses Cabinets, aussi bien que l'appartement de Mme de Pompadour, de soies blanches des Indes peintes ou brodées de couleurs vives, de sièges ou de lits à la mode, dont les bois sont en accord avec les tissus, de commodes, d'encoignures, de secrétaires aux marqueteries fleuries ou aux brillants vernis, estampillés de B. V. R. B., de porcelaines montées en bronze, achetées à Hébert ou à Lazare Duvaux. Le goût de Louis XV et celui de la marquise se conjuguent pour offrir ici, dans un cadre « Louis XIV » à peu près respecté, un ensemble harmonieux, où la vie paraît agréable.

Dans ce Trianon rajeuni, on se trouve chez Louis XV, mais aussi chez Mme de Pompadour ; celle-ci possède sa « pièce d'assemblée » et tient sa cour. Les séjours que fait ici le souverain deviennent habituels et n'échappent pas à l'avocat parisien Barbier, dont la remarque est si juste qu'il faut la reproduire ici : « Le Roi a été passer quatre jours à Choisy. Il fait aussi quelquefois des voyages et séjours de deux ou trois jours à Trianon, dans le parc de Versailles, où l'on a fait de petits appartements que l'on a meublés à la nouvelle mode. Trianon étoit abandonné auparavant, et n'étoit fait même que pour quelques fêtes, et pour faire collation après la promenade pour Mesdames. Mais, à présent, cela fait maison de campagne. On les multiplie autant qu'on peut, afin de diversifier les objets et les voyages, attendu que le Roi a une grande disposition à s'ennuyer partout, et c'est le grand art de madame de Pompadour de chercher à le dissiper. »

Louis XV est désormais fixé à Trianon par la jolie et spirituelle marquise, mais aussi par le goût que celle-ci cultive en lui des jardins et des bâtiments ; comme sous Louis XIV, les fleurs et les plantes rares vont faire la renommée et le succès de ce lieu.

LES JARDINS DE TRIANON

On doit à nouveau distinguer ce que Louis XV se plaît à maintenir et les créations personnelles auxquelles il s'attache. L'entretien des anciens jardins de Louis XIV, quoiqu'un peu déchus de leur splendeur primitive, fait partie de son respect des traditions. Son œuvre propre l'occupera pendant un quart de siècle à des jardins nouveaux, qu'on nommera bientôt le

Petit Trianon. Deux étapes de la vie du Roi vont se trouver inscrites dans l'histoire même de Trianon.

Les comptes des Bâtiments mentionnent d'abord, en certaines années, des paiements précis effectués pour ces jardins, outre les dépenses qui concernent l'entretien habituel : restauration en plomb aux « quatre pucelles » ou Nymphes, jadis sculptées par Hardy au bassin supérieur du jardin des Marronniers ; remise en état du bassin du Platfond et du réservoir de Chèvreloup en 1739 ; « rétablissement des deux parterres du jardin en face du palais », que fournissent en buis, rosiers ou oignons de fleurs les pépinières du Roule en 1746. Ceci laisse prévoir un intérêt plus soutenu, que saura exploiter Mme de Pompadour.

Le 22 mars 1749, les Bâtiments établissent un plan pour le jardin fleuriste de Trianon ainsi que pour la construction d'une Ménagerie, l'amour des fleurs se mêlant à la gourmandise. Louis XV, qui connaît les ressources du grand Potager de Versailles, entretient, comme Louis XIV, un « conducteur des fruits » chargé de ravitailler sa table non seulement dans les divers châteaux royaux, mais, par exemple, en Flandre lorsqu'il est à l'armée, ou encore, en 1748, lorsqu'il se rend au Havre ou même chez la marquise à Crécy. Il ne néglige pas ces détails. Le 15 juin 1750, le registre des Bâtiments transcrit la remarque suivante : « Comme le Roy paroist se soucier des salades de Trianon, en ayant fait cueillir la dernière fois qu'il y est venu, je lui en envoyerai... » Et dès le lendemain, des salades et des fraises sont expédiées à Compiègne.

Le regain de faveur dont va bénéficier Trianon a des origines qui ne sont pas seulement artistiques : maison commode où retrouver sa maîtresse et quelques amis, beaux jardins fleuris, gastronomie. Le goût du Roi pour l'architecture et les jolies décorations, l'intérêt qu'il porte aux expériences et à la terre vont donner un sens et même un style aux dépenses qui sont faites.

Les comptes des Bâtiments reflètent ces préoccupations. Ouvrons-les à l'année 1753 et relevons de petites dépenses qui concernent Trianon : coutil « pour les berceaux de fleurs de Trianon », — caisses « pour les orangers en palissade du

494

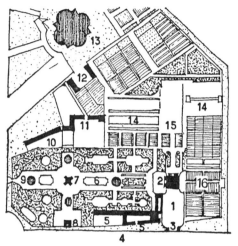

FIG. 24. — *Petit Trianon vers 1770.*

1. Cour d'entrée. — 2. Château de Trianon. — 3. Pavillons de garde. —
4. Route vers le Grand Trianon. — 5. Communs. — 6. Jardin français. —
7. Pavillon du Jardin français. — 8. Salon-frais. — 9. Ever-green. — 10.
Corps de garde. — 11. Ferme et Ménagerie. — 12. Jardinier. — 13.
Réservoir. — 14. Serres. — 15. Jardin fleuriste. — 16. Jardin botanique.
(A comparer au plan du Petit Trianon vers 1789, fig. 28, p. 636.)

petit jardin du palais de Trianon », — « filets à pavillon...
pour garantir des oiseaux les figuiers », — toile ou stores
« pour couvrir la nouvelle serre des peschers du palais de
Trianon ».

LA NOUVELLE MÉNAGERIE

On croirait revoir, à une échelle réduite, le développement
des premières dépenses de Louis XIV à Versailles. L'extérieur,
les jardins, les remuements de terre, les fleurs, les cultures
forcées absorbent presque tout ; une Ménagerie apparaît ;
une nouvelle « piccola casa » est créée, puis une seconde ; le
chef-d'œuvre mûrit lentement.

Deux passages, que nous extrayons des registres de travaux
pour 1749, montreront l'attention qu'apporte, notamment

au nouveau pavillon et à ce qui l'entoure, le Service des Bâtiments, sous le contrôle de Gabriel et de Louis XV. Ainsi, le 14 juillet : « Que tous les ouvrages de la Ménagerie de Trianon vont très bien, que l'on a commencé le ravalement extérieur du pavillon, que le bâtiment de la Laiterie sera dans peu élevé à hauteur, et tous les plâtres de celuy de la serre du jardin des fleurs seront entièrement achevés cette semaine. » Ou encore, le 17 octobre : « Que tous les ouvrages de la nouvelle ménagerie vont très bien... que le S. Guesnon vient de lui mander que toute la menuiserie du Pavillon estoit très avancée et que celle concernant le Sallon est envoyée au Sr Verberck pour en faire la sculpture. »

Les glaces sont posées au mois de juillet 1750 et marquent l'achèvement du charmant *Pavillon du Jardin français,* dont le salon central est décoré par Verberckt dans un esprit délicieusement champêtre, à la corniche notamment. Malgré les restaurations qu'a subies ce pavillon, on ne peut qu'admirer la perfection de cet art, l'esprit désinvolte et raffiné qui l'a fait naître. Les acomptes versés aux entrepreneurs au cours de l'année 1749 indiquent suffisamment que, dans l'intention de ses créateurs, la bâtisse n'est estimée qu'en fonction du décor éphémère qui l'encadre : 89 000 livres pour les ouvrages de maçonnerie et de terrassement, 36 000 pour les treillages.

Un art nouveau, que Louis XIV a contribué à développer, à Trianon notamment, fait depuis quelques temps la renommée de certains menuisiers et serruriers parisiens, l'art du treillageur, qui transforme le style des jardins ; Mme de Pompadour en connaît les ressources et vient de s'en servir pour orner ses jardins de Bellevue ; le peintre Lajoue, que protège la marquise, se sert au même moment du treillage pour donner un charme « Louis XV » à ses décorations de plein air.

Le Roi, qui a depuis une vingtaine d'années, comme on l'a vu au chapitre précédent, manié cet art avec succès sur les terrasses de ses appartements de Versailles, est prêt à toutes les fantaisies de cet ordre. Les parterres de la Ménagerie sont terminés à l'automne de 1750, et le jardinier Belleville demande à ce moment des oignons pour les garnir. On pourrait croire alors la Ménagerie terminée, Trianon achevé.

D'extraordinaires treillages vont venir embellir les jardins, parfaire l'ensemble. Ce n'est pourtant qu'un commencement.

Le 18 septembre 1751, Louis XV fait établir un devis général, dont quelques extraits indiquent ce qui se prépare : « Nouveau pavillon et jardin particulier du Roi... Pavillon de treillage... Portique avec pilastres d'où partiront des tilleuls en boule... Cours de la volière et des poules communes dans la nouvelle enceinte derrière les cours des belles poules... Jardin des couches et figuerie... » Le fer seul « du treillage en arcades et sur le pavillon du nouveau jardin du Roi » doit peser vingt mille livres.

Le nouveau pavillon qui est alors construit et dont quelques tilleuls marquent encore aujourd'hui le souvenir est niché dans la verdure et tout recouvert de treillages ; il s'appellera, reprenant une dénomination du Grand Trianon, *Salon-frais*. Des plans et des dessins, conservés aux Archives nationales et signalés par Desjardins, nous en ont laissé l'image. Les boiseries, dont Charles Mauricheau-Beaupré a retrouvé deux panneaux remontés dans l'Antichambre du Petit Trianon, sont préparées par Guesnon et sculptées par Verberckt, dans le cours de 1753, de corbeilles et de guirlandes de fleurs qui prolongent à l'intérieur le décor de la façade et des portiques. Les glaces sont posées au printemps de 1753 ; le 23 juillet de cette année, « les treillageurs achèvent les corbeilles du dessus des portiques du Salon Frais de Trianon ». Des orangers sont apportés du Roule, de La Muette, de Compiègne et même de Versailles. Un grand tapis, que Chevillon dessine en « camailleux vert », est commandé à la Savonnerie. Une grâce fragile, une majesté précaire semblent marquer ici le règne du Bien-Aimé.

C'est un passe-temps royal que cette Ménagerie de Trianon. Les allées du « jardin particulier du Roi », qui contournent les pavillons, sont traitées, non à la française, mais, comme dans l'ancien Jardin des Sources ou dans le futur Hameau, en lignes sinueuses et pittoresques, en plein bois, favorables à la promenade ou à la mélancolie. Avant Marie-Antoinette, dans un décor moins faussement rustique et plus noble que ne sera le sien, Louis XV, à Trianon, joue au fermier. On fournit, en 1757, la toile et le coutil destinés à « construire un chapeau pour le colombier », et l'un des gondoliers du Canal occupe ses loisirs à tresser un filet « pour couvrir le parquet des faisans ». Les poulaillers, selon une remarque de Luynes, sont « aussi magnifiques qu'on en peut faire ». En 1751, on a livré des draps pour la servante et pour le vacher, des tabliers pour la servante de la Laiterie et d'autres « pour le service de la Laiterie », ainsi que des « serviettes de petite Venize superfine pour le Roy à la Laiterie ». On se préoccupe aussi de faire venir du Louvre quelques belles sculptures, dont l'effet s'ajoutera à l'élégance des petites constructions de pierre ou de treillage. Une note de juillet 1756 le précise : « voir avec Cochin pour l'envoi de deux statues à tirer de la Salle des Antiques à placer aux deux bouts du berceau du Salon frais ».

De tout ceci, rien ne subsiste, hormis le joli pavillon en étoile du jardin français et une partie de la Ferme. Une gouache anonyme, offerte au château de Versailles en 1934, des estampes d'après Lespinasse permettent d'imaginer, avec les aquarelles des Bâtiments qui dorment dans les Archives, le charme particulier de ces jardins et de cette Ménagerie, où la verdure compte bien plus que la pierre. Le prince de Croÿ, souvent invité à Trianon à ce moment, en a prévu le caractère éphémère. Il a visité avec le Roi à diverses reprises « toutes ses serres chaudes de plantes rares, celles de fleurs, la ménagerie des poules qu'il aimait, — la Marquise lui ayant donné tous ces petits goûts, — le joli pavillon, les jardins fleuristes, les herbiers et légumiers ; tout cela était distribué avec beaucoup de goût et... coûtait immensément, sans rien faire de beau à rester ».

Le public admire aussi ces jardins, et, comme à Versailles, l'abus se glisse aussitôt. Les nouveaux jardins de Trianon ouvrent « avec le même passe-partout à l'angloise des Cabinets du Roi à Versailles ». Il existe un grand nombre de fausses clefs et l'on y trouve « tous les jours des compagnies sans sçavoir comment elles y sont entrées... ; on y vole non seulement les fruits, mais jusqu'aux oignons des fleurs ». Pauvre roi, qui croyait s'être réservé un petit coin de terre où être tranquille avec sa maîtresse et quelques intimes ! Marie-Antoinette se montrera plus autoritaire dans ce même Trianon.

La note que nous venons de citer date de 1757. On perçoit, dans les années précédentes, la présence de la femme à qui ces jardins et ces amusements semblent consacrés. N'a-t-on pas fait composer, en gros de Tours cramoisi bordé d'or, avec des manches d'anisier tourné, des « parasols à main... pour le service des Dames au Palais Trianon ? » N'a-t-on pas demandé « 24 chaises de jardin sculptées » et pliantes, « pareilles à celles de l'Hermitage ? »

L'ERMITAGE

Mme de Pompadour, connaissant bien les servitudes du Versailles royal et même de Trianon, en apparence plus particulier, a eu fort heureusement la prudence de se constituer, aux lisières des parcs de Versailles et de Trianon, un petit ermitage, où se retirer avec son amant ; elle agira de même à Fontainebleau ou à Compiègne. Gabriel s'était préparé là un jardin privé, qu'il ne peut refuser de céder à la marquise, d'autant plus que la terre appartient au Roi, qui accepte bien volontiers de l'offrir à la dame à titre viager au mois de février 1749. L'étude que Mlle Langlois a consacrée à l'Ermitage montre, dates à l'appui, que Mme de Pompadour, sûre d'elle-même, n'avait pas attendu ce don pour transformer les jardins et faire élever, dès 1748, une petite maison, dont bien des vestiges ont subsisté.

Le Roi se plaît visiblement à l'Ermitage, où il retrouve en plus petit et plus solitaire ce que la marquise l'entraîne à accomplir à Trianon : des cultures et des élevages de grand prix, quelques bâtiments soignés, une extrême délicatesse de goût. « Il n'y a rien de si joli que le goût qu'elle a mis dans ce petit séjour. J'admirai surtout ses fleurs : c'étaient les jacinthes, alors, et, dans sa ménagerie, une espèce de faisan couleur de feu et jaune d'or. » Le prince de Croÿ, qui fait ces remarques en 1754, a, quelques années plus tôt, visité avec le Roi ce Trianon en miniature et n'a pu s'empêcher d'admirer « tout ce joli lieu qui avait bien coûté ».

LE JARDIN BOTANIQUE

Croÿ, témoin attentif et curieux des expériences de Trianon, vient souvent dans ce coin. Son penchant pour les sciences, et notamment la botanique, l'y attire. Il a suivi les leçons de Bomare et commencera lui-même bientôt d'écrire une *Histoire naturelle*. Il connaît les goûts du Roi et trouve sur ce terrain l'un des moyens de lui faire sa cour Il possède lui-même dans ses domaines du Hainaut un château de l'Hermitage, où il se propose de dépenser pas mal d'argent, si le Roi lui accorde les hauts postes qu'il ambitionne. Croÿ expose sans vergogne dans son *Journal* son manège et comment, pour retenir l'attention du maître, il parvient à l'intéresser à ses projets de bâtisse. « Malgré la neige et le grand froid, le Roi alla, à l'ordinaire, et suivant sa routine, à toutes ses ménageries et serres chaudes. Enfin, il vint au petit château au milieu du jardin. *C'est là que je le voulais,* et pourquoi j'avais fait faire mes plans. Je les avais sous mon habit où ils m'embarrassaient assez. Je priai M. le duc d'Ayen, qui était le plus hardi à me servir, de dire au Roi de me les demander. Il le lui dit plusieurs fois. Le Roi me les fit tirer. Je paraissais me faire prier. Il regarda le plan général du parc, raisonna sur le projet de la maison. »

Assailli par ses courtisans dans Versailles, Louis XV, à Trianon, se croit à l'abri des quémandeurs ! Ses jardiniers, les Richard, et surtout Jussieu sont, eux du moins, sincèrement attachés au travail scientifique que, au prix de dépenses énormes, il leur permet d'accomplir ici. L'esprit de progrès, appliqué par Louis XIV aux cultures de Trianon ou aux serres du Potager de Versailles, se poursuit avec magnificence.

En 1751, Louis XV fait demander « à Londres, à Amsterdam et dans les Iles, d'où on pourra les faire venir par mer jusqu'à Rouen », des plants d'ananas, destinés à ses nouvelles serres. Les comptes ou la correspondance des Bâtiments notent, presque chaque année, des exigences nouvelles du Roi. Celui-ci, le 25 juillet 1754, après s'être promené deux heures à Trianon, réclame l'établissement d'un mur à un des bouts de la nouvelle serre chaude pour y avoir des pêchers en espaliers, de quoi renouveler ceux des serres chaudes. Les

Bâtiments notent, en novembre de la même année, l'état d'avancement de la nouvelle serre. Au mois de juin suivant, Louis XV demande deux autres petites serres chaudes pour les ananas. En 1766, les Bâtiments inscrivent pour le nouveau jardin et les nouvelles serres chaudes de Trianon des acomptes de 10 000 livres pour la maçonnerie, de 3 000 pour la menuiserie, de 2 000 pour la vitrerie. Des dessins existent, aux Archives nationales, de ces constructions étonnantes. En 1769, 6 000 livres sont prélevées sur la cassette du Roi « pour construire une nouvelle serre à fruits, à Trianon », dont les seuls acomptes versés à l'entreprise de maçonnerie s'élèvent à 9 600 livres. Et ainsi jusqu'à la mort de Louis XV. Des paiements sont encore faits aux ouvriers employés de décembre 1773 à mars 1774 « à faire les terrasses des serres chaudes du Petit Trianon ».

Outre ses fleurs, ses animaux, ses serres, Louis XV aime trouver ici en toute saison, comme l'a essayé Louis XIV dans un coin de son premier Versailles, des arbres verts, qu'on appelle maintenant, l'anglomanie commençant — malgré la guerre — à s'insinuer à la Cour, « evergreen ». Croÿ, qui cherche à profiter des expériences menées ici pour les jardins de son Hermitage et qui prend plaisir à converser de botanique avec Claude Richard, mentionne en 1757, en 1762, en 1771, la galerie d'arbres verts avec des cabinets ou le bosquet d'*evergreen* que le Roi s'est amusé à faire planter. Lorsque, plusieurs années après la mort de Louis XV, il revient dans l'ancien jardin botanique, il crut « être fou ou rêver », de ne plus rien y retrouver de ce qui avait coûté tant de dépenses. Quelques arbres subsistent des extraordinaires plantations de Louis XV, et, fort heureusement, le beau pavillon de Trianon.

LE PETIT TRIANON

N'attachons pas trop vite, à vouloir l'opposer à celui de Louis XIV, l'épithète de petit au style de Louis XV. Son Trianon n'est pas le grand et l'Ermitage de Mme de Pompadour n'a pas la majesté de Clagny. L'échelle est plus réduite et l'on peut considérer avec un peu de tristesse les plafonds bas des appartements qu'il aime. Un tel souci de perfection anime cependant toutes ses créations, le soin du détail le plus recherché, le mieux étudié, retient si bien son esprit, une pureté de goût, une absence d'excès, une sûreté dans la conception comme dans l'exécution aboutissent à un art si dépouillé et si reposant, qu'il en sort une indéniable grandeur. Le Petit Trianon est le chef-d'œuvre du siècle, dont Nolhac pourra écrire : « On n'a jamais réussi de ligne plus pure. Dans la fine demeure de pierre française que garde ce site privilégié du domaine de nos rois, semble renaître quelque image de la perfection hellénique. »

Le nom de Petit Trianon précède d'ailleurs la construction du noble pavillon dont Louis XV va définitivement marquer cette terre. Dès 1759 au moins, il est question des rosiers de quatre bosquets du Petit Trianon, des orangers de la serre du Petit Trianon et même d'un tournebroche destiné aux cuisines du Petit Trianon.

Mme de Pompadour, attentive à flatter les goûts du Roi, est peut-être responsable de la construction du nouveau bâtiment. Lorsqu'on s'étonne de l'esprit « antique » ou déjà « Louis XVI », avec lequel est traité ce joli cube de pierre, à cinq fenêtres seulement sur chacune de ses faces et chacun de ses étages, orné de pilastres ou de colonnes sur trois de ses côtés, et sans aucun décor sur celui qui regarde l'ancien jardin botanique, on est tenté d'y retrouver l'influence de la marquise, plus tôt convertie que Louis XV au nouveau style.

Qu'elle ait pressé le Roi de construire, au milieu de ses jardins de Trianon, cette petite maison, qu'elle l'ait poussé à choisir, parmi les projets présentés par Gabriel, le plus sobre et le moins « Louis XV », cela semble peu douteux et dut se décider à la fin de 1761. On voit figurer la masse du bâtiment, dont la forme carrée s'est imposée après quelques tâtonnements, sur un plan daté du 7 novembre, signé de Gabriel et approuvé le 9 décembre par Jussieu, à qui le Roi a fait demander son avis sur le nombre et les mesures des planches qui doivent être établies dans le jardin botanique.

Les Bâtiments inscrivent pour la première fois en recette, le 23 mai 1762, une somme de 30 000 livres, « pour employer à la construction d'un nouveau pavillon à Trianon ». Les entrepreneurs de maçonnerie Thévenin, Guiard et Poncet reçoivent bientôt pour 22 000 livres d'acomptes et, le 29 mai 1762, Belleville, l'un des jardiniers de Trianon, reçoit un acompte pour les ouvrages de terrasses « qu'il va faire pour la construction d'un nouveau pavillon à Trianon ».

Suivant la tradition de Louis XIV, le petit château dont va s'enrichir Versailles marque la fin d'une guerre, la Guerre de Sept Ans, et célèbre à sa manière le traité de Paris. Les fonds nécessaires à sa construction et peut-être à quelques autres ouvrages du même moment, l'Opéra notamment, sont versés par le ministère des Affaires étrangères. Le duc de Praslin est inscrit en recette pour 700 000 livres en 1763 et pour 120 000 livres au troisième trimestre de 1764 dans les registres des Bâtiments, qui donnent les noms de chacun des entrepreneurs et les acomptes versés à ceux-ci. Des plans cotés existent pour ces années indiquant le tableau de chaque « campagne », assise par assise.

Louis XV, comme jadis Louis XIV pour son Trianon, est à chaque instant présent et suit les progrès de la bâtisse. Il est là, en septembre 1764, lorsque les charpentiers commencent « à élever le bois pour leur comble ». Il voit les sculpteurs de Guibert travailler derrière leurs bannes de grosse toile aux chapiteaux corinthiens des façades ou aux modillons de l'entablement. Guibert, qui est beau-frère de l'un de ses peintres préférés, Joseph Vernet, et dont on va retrouver l'atelier appliqué au travail du bois à l'intérieur du pavillon, reçoit, en 1766, pour ses ouvrages de pierre des années 1764 et 1765, un parfait paiement de 24 000 livres.

Louis XV, dont la présence est signalée sur le chantier, en 1765, le jour de la Saint-Barthélemy, arrête le détail de la cour d'entrée, avec ses grilles et ses guérites, et décide, au mois de décembre, du plan de la Bibliothèque botanique qu'il entend voir installer au rez-de-chaussée, là où sera plus tard établi le Cabinet de toilette de Marie-Antoinette. Il se fait présenter les dessins de la rampe d'escalier et des balcons qui doivent orner le vestibule. Ces ferronneries magnifiques, destinées à être ornées de son chiffre et de fleurs de lis jusque sur le vase du départ de la rampe, sont l'œuvre soit de Louis Gamain, qui reçoit en 1766 pour 12 500 livres d'acomptes, soit d'un autre serrurier parisien, Brochois, auquel on verse en 1767 une somme de 18 800 livres. Le 14 décembre 1766, les travaux sont si près de leur fin, que Gabriel remet à Belleville, pour les opérations de terrassement, les plans de la demi-lune qui doit précéder le château.

Le Roi paraît « fort content » de sa nouvelle maison. L'architecte De Wailly reçoit en 1767 une gratification de 1 200 livres pour ses dessins des « vues de Trianon qu'il a présenté à S. M. ». L'atelier de Guesnon et Clicot travaille cette année-là activement à la pose des boiseries, qui, dans les pièces principales, sont sculptées avec une profusion florale extraordinaire par l'atelier de Guibert et qui passent ensuite entre les mains du peintre-doreur Brancourt. Un acompte de 2 000 livres au « poseur de sonnettes », un autre de 20 000 à la Manufacture des Glaces, semblent indiquer que la fin du travail est proche.

En 1768, tandis que les travaux extérieurs se continuent en terrassements, plantations ou treillages, et que des pavés, pris à la Place d'Armes de Versailles, servent à établir la nouvelle avenue qui précède le château et la chaussée qui conduit de Trianon à la grille-royale du Canal, l'achèvement des intérieurs se poursuit. Plusieurs peintres ont entrepris les toiles qui leur ont été commandées : Caresme, deux dessus de porte de mythologies pour l'Antichambre [1] ; Doyen, Vien, Pierre et Hallé des allégories représentant *la Pêche, la Chasse, la Moisson* et *la Vendange* pour la Grande Salle à manger ; Renou les dessus de porte aux Amours pour la Petite Salle à manger ; Lépicié et Jollain quatre dessus de porte destinés au « Grand-Cabinet fleuriste » ou Salon et représentant *Adonis en anémone* et *Narcisse en narcisse, Clitie en tournesol* et *Hyacinthe changée en la fleur du même nom.*

Louis XV commande à Loriot pour les deux Salles à manger des tables « mouvantes », tables qu'on appelle aussi « magiques » et qui, montant de l'étage inférieur, sont destinées à éviter la présence des domestiques. Le Roi apprécie depuis longtemps ce genre de commodités, que semble,

---

1. On pourra se reporter au plan intérieur du Petit Trianon vers 1789, fig. 27, p. 630.

chose étrange, lui avoir indiqué en 1740 son beau-père Leczinski. Il en a fait installer à Choisy et à La Muette. Il en demande deux à Trianon : une grande (que cantonnent quatre buffets, aussi mécaniques) pour la Grande Salle à manger et une plus petite pour la pièce suivante. Loriot prévoit une dépense de 56 000 livres ; Louis XV lui donne, en 1770, un logement au Louvre et, en 1771, une gratification de 12 000 livres.

Mme Du Barry sera la reine éphémère de cette petite maison, mais Louis XV paraît ne pas vouloir oublier Mme de Pompadour. La marquise est en quelque sorte présente dans l'architecture, dans les jardins, au milieu des fleurs qui décorent les boiseries. Détail curieux, qui ne peut avoir échappé au Roi, les cheminées sont à elle ; deux proviennent de l'hôtel d'Évreux (actuel Élysée) ; celle du Cabinet de Retraite du Roi (plus tard Chambre de Marie-Antoinette), que nous voyons encore en place aujourd'hui, a été sculptée de guirlandes et de rosaces à l'antique pour la Chambre de Mme de Pompadour à Saint-Hubert !

Mme de Pompadour est morte en avril 1764. Quatre ans plus tard exactement, les meubles du petit château dont elle a rêvé avec le Roi sont mis en place. Le *Journal* et les comptes du Garde-Meuble permettent de les connaître et d'imaginer l'intérieur de la jolie demeure.

Le bel étage s'étend au rez-de-chaussée sur les deux faces sud-ouest (côté du Potager et du Jardin français) et nord-ouest (côté du Fleuriste) ; on le nomme plutôt premier étage aujourd'hui que l'on entre par la cour et le grand escalier. Il comprend, outre l'Antichambre, les deux Salles à manger et le Salon des Jeux, dont les meubles de damas, aux bois sculptés par Foliot et peints en blanc, comportent dans chaque pièce une chaise plus haute que les autres pour le Roi. Deux garde-robes, puis, sur le jardin botanique (ou futur jardin de la Reine), de petites pièces basses, que surmonte l'entresol du premier valet de chambre du Roi, meublées de gros de Tours broché, forment la Bibliothèque, le Cabinet de Retraite du Roi, enfin, en angle sur le jardin fleuriste, une petite pièce à niche (futur boudoir de Marie-Antoinette), d'où part un escalier qui monte au-dessus ; c'est

la Pièce du Café du Roi, que garnit d'abord un canapé, et
pour laquelle Louis XV fait établir par Riesener un chef-
d'œuvre, une petite table mécanique à écritoire.

Au premier étage, se trouvent les appartements, notamment celui du Roi, dont les boiseries sont enrichies de fleurs
et dont la Chambre, avec son lit à colonnes, est meublée de
bois doré et de lampas cramoisi et blanc à figures chinoises.

Louis XV se plaît dans ce petit château. Il fait bâtir des
Cuisines, des Offices. Son dernier ouvrage, comme Louis XIV
à Versailles, sera consacré à la Chapelle, qu'il étudie avec
une tribune royale et une lanterne ; des dessins de Gabriel,
datés du 27 juillet 1773 et destinés au menuisier et au
marbrier, donnent le tracé de l'autel et le détail du carrelage.
Le Roi n'en verra pas l'achèvement.

C'EST À VERSAILLES QU'IL FAUT MOURIR

Le 28 avril 1774, Louis XV, qui séjourne au Petit Trianon
avec Mme Du Barry « et les courtisans ordinaires », et qui est
fiévreux depuis quelques jours, doit quitter brusquement
cette jolie maison. La Martinière, son premier chirurgien,
« homme décidé et un des seuls qui lui parlassent avec
force…, lui dit que c'était à Versailles qu'il fallait être
malade, et le força à monter en voiture sur le soir, en robe
de chambre, son manteau par-dessus ». Une halte chez
Madame Adélaïde, « pour donner le temps de faire son lit »,
et Louis XV se retrouve dans sa Chambre de Versailles, au
premier étage.

Dans les jours qui suivent, son état empire. La petite
vérole évolue mal. Le Roi va mourir. Il le pressent peut-être
déjà. Il essaie de se rassurer ; on essaie de le rassurer. Deux
partis s'agitent et s'inquiètent autour de lui, chargés d'intérêts
divers, plus spirituels peut-être ici que là : celui de ses filles
et celui de sa maîtresse. Galant homme, Louis XV veut éviter
à Mme Du Barry les avanies que reçut Mme de Châteauroux
lors de sa maladie de Metz. Roi Très-Chrétien, Louis XV
souhaite mettre, mais le plus tard possible, et lorsque tout
espoir sera perdu, sa conscience en règle avec Dieu, se

réconcilier avec Lui, se faire pardonner peut-être par ses sujets.

Quelque jugement que l'on puisse porter sur la vie privée et publique de Louis XV, on doit lui reconnaître une belle et ultime fermeté devant la mort. Versailles et la Cour ne sont pourtant pas faits pour de tels sentiments ; ce n'est pas ici le séjour des morts. La vie brillante et creuse qu'on mène est comme à l'opposé de cette triste et sérieuse réalité. On évite même de mourir dans ce château, où, le Roi présent, pas un cadavre ne doit demeurer. Les corps sont jetés encore tièdes hors de ce grand navire ; de là, tant d'enterrements quasi clandestins, de morts furtivement transportés hors du château, comme on fit notamment de Mme de Pompadour ; ou bien, s'il s'agit d'une princesse, de la Reine, ou du Roi lui-même, la Cour laisse la place ; carrosses attelés, on attend l'annonce des derniers moments et c'est comme une fuite éperdue vers un autre château. Louis XIV entraînant à la hâte, par le bras, jusqu'à Marly, Monseigneur au moment même de la mort de la Dauphine, ou Louis XV s'engouffrant avec sa famille à Trianon lorsque meurt Madame Henriette, les traditions sont les mêmes. Et pourtant, on sait mourir ; Louis XV est même familier, inquiet, obsédé de la mort.

La belle, noble et rude agonie de Louis XIV semble avoir hanté l'esprit de son successeur. Au milieu de sa noblesse, qui sait, elle aussi, mourir sur les champs de bataille et qui plus tard (à de rares exceptions près, comme la toute récente comtesse Du Barry) saura, comme le feront Louis XVI et Marie-Antoinette, monter avec une vraie grandeur et sans trembler à l'échafaud, Louis XV a souvent pensé à la mort ; des réflexions, qui paraissent parfois saugrenues et que rapportent les contemporains, trahissent des préoccupations d'autant plus vives qu'il appréhende la confession finale. Louis XIV avait d'ailleurs habitué les murs de Versailles à entendre de telles phrases, poussant un courtisan soudain frappé d'apoplexie à se considérer dans un miroir et à ne pas tarder à mettre ses « affaires » en ordre. Louis XIV a montré l'exemple de la mort à celui qui, cinquante ans durant, a pris sa suite à Versailles, et Louis XV a pensé maintes fois à cette ultime « représentation », où l'homme

s'apprête à se trouver bientôt seul devant Dieu, tandis que le
Roi, une dernière fois, doit apparaître seul en face de sa Cour.

Entouré des belles boiseries dorées de la Chambre qu'il
s'est créée selon ses goûts à l'époque de sa jeunesse, devant
les bronzes de la commode qui, sous ses yeux fatigués,
dansent comme des flammes, Louis XV, installé dans un
petit lit de damas rouge, en avant du balustre et de son
grand lit à colonnes, repasse peut-être sa vie dans sa tête
embrouillée. Il se tait. Sur sa gauche, par la porte du Salon
de la Pendule et par l'intérieur de ses appartements, entrent
et s'interrogent ses intimes, et ce vieux roué de Richelieu,
son compagnon de plus de quarante années. Sur sa droite,
comme dans un Jugement dernier des vieux tympans gothiques, lui viennent, par le Cabinet du Conseil, ceux qui
représentent le devoir, ses filles, ses aumôniers et l'archevêque
de Paris, qui, tardant comme les autres à lui montrer la
gravité de son état, obtiennent de lui, après qu'il a bien vu
son visage et compris sa maladie, les mots de repentir et de
regret, qui permettent les dernières paroles d'absolution.

Mort moins vigoureuse et moins nette que celle de Louis XIV,
mort sérieuse cependant, qui, dans un dernier sursaut, témoigne de la ressemblance et des différences entre les deux rois.
Louis XIV est mort au centre de son château, continuant de
s'offrir en spectacle et disant jusqu'au bout les nobles phrases
dont il était accoutumé. Il a fallu que Louis XV fût poussé
jusqu'ici, de son trop confortable château de Trianon, par son
chirurgien. Sa Chambre de Versailles est renfoncée dans un
angle de la cour de marbre, à l'entrée de ses appartements
privés, qu'il a tant choyés et où il a tant aimé. L'agitation est
extrême autour de lui. Il n'acquiert lui-même que bien tard la
sérénité souhaitée. Sa mort est plus humaine, moins majestueuse ; elle relève pourtant de la même tradition. Les deux
grands créateurs de Versailles, les deux seuls rois qui y sont
morts, ont accompli le dernier acte avec la dignité voulue.

« VIVE LE ROI ! »

Versailles doit continuer à vivre. Louis XV est mort le 10
mai à une heure de l'après-midi. Une foule de monde

« garnissait les cours et l'avenue d'un air plus badaud que
touché... Le chemin de Versailles n'était qu'une file de
voitures, ce qui, près de Paris, et surtout au Cours-la-Reine
et sur la terrasse des Tuileries, attirait un concours frappant
qui aurait été le plus beau spectacle, sans l'horreur de
l'événement qui l'occasionnait ». Le duc de Croÿ, qui note
tous ces détails, décrit aussi le départ de la Cour.

« Tous les carrosses du Roi et de la nombreuse famille
royale, à huit chevaux, vinrent dans la cour, où il y avait un
très grand monde. A cinq heures et un quart de l'après-
midi, le nouveau Roi y monta, paraissant pénétré, et ils
partirent tous pour Choisy. On cria un peu « Vive le Roi ! »
et tout ce contraste était frappant, seize carrosses superbes à
huit chevaux, un peuple innombrable garnissant jusqu'au
bout de l'avenue, et les acclamations en opposition de ce
qu'on venait de quitter, faisant un mélange d'horreur et
d'éclat qui fait bien voir le songe des grandeurs. »

QUATRIÈME PARTIE

VERSAILLES SOUS LOUIS XVI ET MARIE-ANTOINETTE

CHAPITRE PREMIER

LA VIE PRIVÉE DU ROI

L'HÉRITAGE DE LOUIS XIV

Se rappelant son passage à la Cour, en 1786-1787, Chateaubriand s'écrie dans ses *Mémoires*, avec un enthousiasme lucide : « On n'a rien vu quand on n'a pas vu la pompe de Versailles. Louis XIV était toujours là. »

Chassée par la mort de Louis XV et l'épidémie au château de Choisy d'abord, puis à La Muette et à Compiègne, la Cour rentre à Versailles le premier septembre 1774. Louis XVI prend possession de l'appartement de son grand-père, qu'il a fait désinfecter et remeubler, Marie-Antoinette de son appartement de Dauphine. La vie semble renaître au château, telle que l'a fixée Louis XIV et continuée Louis XV, à de menus détails près.

Le rythme quotidien et les rites qui accompagnent le Roi demeurent en apparence inchangés. Une existence extraordinaire se poursuit, comme hors du réel et du temps. La Cour de France, où le faste du XVIIᵉ siècle et les raffinements apportés par le XVIIIᵉ se mêlent à une bonhomie et à un invraisemblable mélange de prodigalités et d'économies sordides, conserve encore quelque chose de médiéval. Luxe et pittoresque ne cessent de s'y côtoyer ; c'est là, nous semble-t-il, le fonds habituel de l'atmosphère de Versailles.

CONTRASTES

A de multiples nuances, qui découlent principalement des caractères de la Reine et du Roi, on sent la décadence proche. L'héritage de Louis XIV semble trop lourd à ses successeurs.

Le divorce s'accentue, de plus en plus sensible dans le château même, entre l'homme et le souverain ; hors des actes officiels, le Roi disparaît dans ses intérieurs ; mais où Louis XV se conduisait encore en grand seigneur et en imposait par sa hauteur, Louis XVI n'est plus qu'un bon bourgeois, bien souvent mené par sa femme. Tout ce qui est représentation l'ennuie. La plupart des traditions cependant persistent, quoique mêlées à une vie plus familière, qui augmente le contraste et donne un curieux relief aux quinze années que dure à Versailles le nouveau règne.

Le Roi, qui est âgé seulement de vingt ans en 1774, peut apparaître comme un gros garçon balourd, niais et maladroit, si peu majestueux et parfois si mal habillé que la méprise advenue au duc de Croÿ n'étonne guère ; celui-ci, se rendant au Coucher, n'a pas reconnu dans l'Œil-de-Bœuf cette « espèce d'abbé » qui l'interpelle : c'est Louis XVI. Il est pourtant le Roi, c'est-à-dire en principe l'âme du château, et il y est attaché avec application, avec l'esprit consciencieux qu'il apporte à ce qu'il fait. De là, chez cet homme, on pourrait presque dire chez cet enfant attardé, un certain dédoublement, qui n'est que trop manifeste.

Un inventaire encore inédit, qui fut dressé à la veille de la Révolution et auquel on fera appel dans les pages qui suivent, décrit tout son appartement intérieur et permet de saisir presque sur le vif tantôt la continuité et tantôt le contraste qui existent entre Louis XV et le nouveau roi.

L'appartement des maîtresses est supprimé. Là où logeait Mᵐᵉ Du Barry et où se développait une partie des Cabinets de Louis XV au second étage, Louis XVI installe, dès le mois de juillet 1774, le duc de Villequier et Maurepas, qui devient son mentor, ainsi que ses premiers valets de chambre, dont l'un au moins, déjà à son service alors qu'il n'était encore que duc de Berry et qui lui sera fidèle jusqu'au bout, Thierry, bientôt baron de Ville d'Avray, pourrait avoir exercé sur lui une influence intime assez forte. Le Roi gouverne en principe ; on s'apercevra bientôt qu'il peut être gouverné, et Marie-Antoinette ne se fera pas faute de le montrer.

LA BIBLIOTHÈQUE DU ROI

En même temps, comme pour confirmer le sérieux de ses goûts, il fait établir une Bibliothèque au premier étage, sur l'emplacement de l'ancienne Chambre de Madame Adélaïde, que Louis XV a transformée quelques années plus tôt en Salon de Jeu et dont le mur a été repoussé sur la petite cour intérieure obtenue jadis par la suppression de l'Escalier des Ambassadeurs et souvent dénommée désormais *cour de la cave du Roi*. Gabriel est chargé de ce travail ; c'est le premier ordonné par Louis XVI à Versailles.

Les plans ont été arrêtés le 18 juin 1774. Dès le mois d'août, le maçon Lanoue reçoit un substantiel acompte sur cet ouvrage, qui est rapidement mené. Les belles et sobres boiseries des armoires et des encadrements subsistent toujours, chef-d'œuvre du style Louis XVI commençant, chef-d'œuvre aussi de l'atelier des Rousseau. Deux bas-reliefs, rappelant par leur composition les « tableaux » de l'Opéra, représentent Apollon, la France et les Arts. Ne sont-ils pas là comme l'annonce de ce que l'on espère du *nouveau règne* ? Le libraire Fournier décore les dos de faux livres qui garnissent les deux portes conduisant à la Salle à manger d'une part, à l'ancienne Pièce de la Vaisselle d'or d'autre part.

Quant à la cheminée, avec ses enfants de marbre sculptés par Boizot et ses bronzes ciselés par Gouthière, Louis XVI l'a fait enlever, telle une prise de guerre, de l'extraordinaire salon qu'a créé son grand-père à Fontainebleau pour Mme Du Barry et l'installe ici comme un témoin silencieux de sa touchante honnêteté.

Le catalogue de ses livres existe encore, ainsi que beaucoup de ceux-ci. Nous avons retrouvé à Fontainebleau, transformée au XIXe siècle en table de conseil, la table d'acajou, d'un diamètre de six pieds, que Louis XVI a fait mettre au centre de la pièce pour poser des volumes ; une autre petite table, aussi d'acajou, faite par Riesener, est placée près des fenêtres et lui sert à lire ou à écrire. L'échelle de bibliothèque, également en acajou, est munie d'une sorte de fauteuil canné, sur lequel le Roi peut se percher devant ses rayons. Une mappemonde, des biscuits de Sèvres, qui représentent

Corneille, La Fontaine, Molière, Montesquieu, Daguesseau et Molé, donnent encore à l'ensemble un air d'austérité dans le luxe, qui n'a rien d'apprêté. Les quelques privilégiés qui ont pénétré dans cette Bibliothèque sous Louis XVI ont noté le désordre des livres, des marques, des papiers. Les éléments de pittoresque et d'art sont mêlés selon les meilleures traditions de Versailles. Plus d'un trait du caractère de Louis XVI transparaît ici : le chasseur, l'amateur de belles mécaniques, l'homme solitaire.

Sur la commode, face à la cheminée, sont posées des girandoles, qui figurent des cors de chasse ; elles sont en or et soigneusement protégées par des vitrines de glace et de cuivre. La pendule, extraordinaire et monumentale, en marbre blanc, surmontée d'un aigle de bronze doré, est composée de cinq cadrans, dont une boule de cristal laisse étudier les mouvements. Près des fenêtres, une longue lorgnette d'approche permet au Roi, dans ses moments de solitude et d'oisiveté, d'observer le va-et-vient des cours du château ; comme si c'était là le complément de toute bibliothèque royale, Louis XVI possède dans sa *Bibliothèque des combles*, qu'il a héritée de Louis XV, au-dessus du Cabinet du Conseil, et auprès de laquelle il fait même établir un *Belvédère*, deux lunettes semblables.

CARACTÈRE DE LOUIS XVI

D'autres pièces de l'appartement intérieur du Roi aideront-elles encore à préciser l'existence de l'homme au milieu de son grand château, à l'écart des pièces officielles ? Que, dans le passage voisin du Degré qui le conduit au bas de la cour de marbre, il ait fait placer un thermomètre ou un tableau donnant les noms des officiers de sa musique, il n'y a là que prévoyance de la part d'un homme qui tient à connaître la température avant de descendre dans ses jardins, ou qui, ne possédant pas l'infaillible mémoire des individus qu'eurent un Louis XIV ou un Louis XV, ne veut pas s'exposer à quelque bévue. Mais que, dans l'escalier qui lui permet, par un passage entresolé, d'atteindre, sans passer par l'Œil-de-

Bœuf, les Petits Appartements de la Reine et la Chambre de
Marie-Antoinette, il ait fait décorer les murs de cartes, de
tableaux montrant les états voisins de la Diète impériale,
d'un tableau représentant le système de Copernic et d'un
autre marquant l'état des Trappes de France, voilà qui laisse
rêveur. Que nous sommes loin des galanteries du grand-
père ! Et pourtant, que de ressemblances entre les deux
hommes !

LOUIS XVI ET LES ARCHITECTES

On a vu Louis XV créer autour de la cour des Cerfs et
jusque sous les toits, pour ses distractions et ses plaisirs, des
pièces intimes et discrètes. Louis XVI paraît suivre une ligne
de conduite identique, à la frivolité près. Pendant le court
espace de son règne, il fait surhausser les façades de la cour
des Cerfs et dirige en personne l'aménagement de petites
pièces ou de galeries, qu'il destine à son usage particulier et
que ne desservent pas moins de quatre escaliers.

On dira plus loin quelques mots de ces installations et
l'on parlera des grands travaux de son règne. Il faut signaler
dès maintenant combien l'homme est ouvert aux problèmes
d'architecture. Nous le trouverons conscient de la valeur de
l'œuvre du Grand Roi à Versailles. Comme Louis XIV, il
aime parcourir les chantiers, examiner les travaux et s'en
rendre compte par lui-même. Comme Louis XV, il étudie
les plans, sur lesquels il intervient souvent de sa main.

On peut affirmer, papiers des Bâtiments à l'appui, que le
bel escalier dit de Provence, au bout de l'aile du Midi,
est son œuvre ; l'emplacement était vaste et le problème
compliqué, si l'on voulait donner de la majesté à cet escalier,
tout en demi-paliers par suite de la dénivellation des
appartements sur jardin ou sur rue. Louis XVI se fait remettre
les plans et, quelque temps après, le 25 avril 1788, donne,
avec ses ordres, son propre projet aux architectes ; ce projet,
dont le seul défaut est de coûter plusieurs milliers de livres
de plus que le leur, lui fait honneur, tout inachevé que soit

l'ouvrage. Le pauvre roi ne devait pas en voir la réalisation ; au printemps de 1790 on travaillait encore à l'emmarchement.

Il faut également noter, avant de considérer les transformations, en apparence secondaires, mais multiples, de l'appartement intérieur du Roi, combien les demandes du souverain sont précises, claires, rapidement exécutées et combien les architectes sont entraînés à résoudre les difficultés nées des caprices royaux.

L'expérience du règne de Louis XV n'a pas été inutile. Modifier ou transformer un escalier n'est qu'un jeu ; ces escaliers, que les besoins de la circulation et de simples exigences de service ou de confort multiplient dans le Versailles du XVIIIᵉ siècle, sont devenus pour les charpentiers des Bâtiments un exercice courant. Une mention comme celle-ci, relevée parmi les ordres de 1784, illustre ces dispositions réciproques du client et de l'exécutant : le Roi « a ordonné de faire changer un petit escalier dans une pièce de ses intérieurs, et cet arrangement a été fait dans la journée ». Lorsque le Roi décide, en 1787, de faire reconstruire la majeure partie de l'escalier dit d'Épernon, qui, partant de sa petite cour intérieure, parfois dénommée alors petite cour de Mesdames ou cour de Madame Adélaïde, monte à l'appartement du premier valet de chambre ou à celui du duc de Villequier, il invoque pour principale raison qu'il existe une dénivellation de huit marches pour entrer dans l'ancienne Salle des Buffets, près de la nouvelle Pièce de la Vaisselle d'or (ou Salle à manger de Louis XV en 1750) ; il profite d'une absence de quelques jours de Mesdames pour faire démolir l'escalier, prévoyant que sa reconstruction ne demandera pas plus de trois semaines.

Louis XVI, en 1777, fait transférer ses Bains au premier étage de la cour des Cerfs, à côté du Cabinet du Conseil, là où Louis XV les avait un moment installés en 1765. L'installation demeure encore visible aujourd'hui, avec la place des deux baignoires, la chaudière et le réservoir dans l'entresol au-dessus. Ceci entraîne une modification assez profonde des Cabinets du Roi, et notamment du Cabinet du Tour, que Louis XVI avait probablement remis à cet emplacement, où l'on a vu Louis XV déjà le situer entre les années 1755 et 1764.

LES CABINETS DU ROI

Le développement des Cabinets, l'esprit nouveau qui y règne, les curiosités scientifiques ou mécaniques que Louis XVI y accumule méritent d'être observés. Le duc de Croÿ, tout retiré qu'il fût de la nouvelle Cour, n'a pu s'empêcher d'en être intrigué et a voulu s'en informer par lui-même. « Je vis un jour à Versailles, écrit-il en 1782, l'appartement intérieur du Roi ; il était extrêmement augmenté sous celui-ci et rempli de choses très curieuses. »

La cour des Cerfs continue de former le centre des Cabinets du Roi ; mais ceux-ci, amputés de l'ancien appartement de Mᵐᵉ Du Barry, réclament plus de place, qu'il faut trouver par de nouvelles constructions sur les toits, en un quatrième étage, ou par annexion d'une partie du premier étage.

Ces Cabinets intéressent directement l'homme. Louis XVI suit pas à pas les travaux qui s'y font, donnant ses ordres « de moment en moment ». Il est, comme son grand-père et comme beaucoup de ses contemporains, curieux de physique et de mécanique. On a voulu faire de lui un serrurier. La légende, propagée dès la fin du XVIIIᵉ siècle et accréditée par une partie de son outillage, vient peut-être aussi de ce qu'il employait l'un des Gamain pour ses travaux ; en 1784, François Gamain, qui s'intitule « serrurier des Batimens et des petits cabinets du Roi », est même tellement « occupé chez le Roi », qu'il doit prendre pour associé un maître serrurier de Versailles.

Comme son grand-père ou comme Mesdames, Louis XVI ne peut se passer de son tour. Il décide, après le changement qu'on vient de voir à ses Bains, d'établir son Cabinet du Tour au deuxième étage, sur le côté occidental de la cour des Cerfs, non loin de sa Bibliothèque des combles. Il donne l'ordre, en 1778, « de supprimer le petit escalier tournant descendant de sa bibliothèque pour entrer dans la pièce du tour et de le rétablir droit ». L'année suivante, il annexe à la suite une pièce de l'appartement de ses premiers valets de chambre et fait installer une seconde pièce pour ses tours.

Les Cabinets de Louis XVI sont loin de se limiter à la vulgaire forge que le XIXᵉ siècle a retenue. Ils comprennent des ateliers de menuiserie et d'horlogerie aussi bien que de serrurerie. Ils tiennent à la fois du laboratoire et du conservatoire. Ce que nous appellerions aujourd'hui la « Défense nationale » en constitue l'un des buts ; et l'on ne s'y est pas trompé en l'an II, lorsqu'on envoya au Cabinet central des Armes, sur le quai Voltaire à Paris, une partie du matériel « du cabinet du ci-devant Roy ».

Henry Racinais a réussi à fixer l'emplacement des divers Cabinets de Louis XVI, qui, à la veille de la Révolution, semblent avoir été répartis de la manière suivante au pourtour de la cour des Cerfs :

— au premier étage, en suivant le mur mitoyen de la Grande Galerie, après le Cabinet des Bains, le Cabinet de Chaise et le passage de l'escalier demi-circulaire, se trouve l'ancien Cabinet-doré, devenu *Cabinet de Géographie* ; le corridor sur le côté nord est aménagé en *Bibliothèque, Passage des Cartes* et *Cabinet d'Artillerie* ; il rejoint l'ancienne Salle à manger de 1750, devenue *Pièce de la Vaisselle d'or* ;

— au second étage, au-dessus des Bains et du nouveau *Cabinet de Géographie*, les *Cabinets de Menuiserie et du Tour*, sur la face ouest, se prolongent au nord par la *Galerie de Géographie*, plus tard *Galerie d'Électricité*, établie sur l'ancienne Galerie de Bibliothèque ou de Géographie de Louis XV, galerie dont l'éclairage est augmenté par le percement de trois nouvelles fenêtres en 1780 ; l'appartement du premier valet de chambre et celui du duc de Villequier sont situés sur les deux autres faces ;

— au troisième étage, jadis étage des terrasses, un cabinet allongé continue d'exister à la suite de la Bibliothèque de 1755 (ou *Bibliothèque des combles*, située sur la cour de marbre) ; ce cabinet, qui deviendra *Cabinet du Billard*, communique par quelques marches avec une pièce dite *Supplément de Bibliothèque*, que trois fenêtres éclairent sur la face ouest de la cour des Cerfs ; après l'escalier demi-circulaire, un second *Supplément de Bibliothèque* est aménagé sur une pièce reprise au premier valet de chambre ; la façade nord, construite sur l'emplacement d'une ancienne terrasse en 1780, est percée, comme l'étage au-dessous, de sept fenêtres et abrite une étroite galerie, qui devient *Cabinet de Physique* et *Cabinet de Chimie* ;

— au quatrième étage enfin, qui est mansardé, se trouvent, sur la face ouest, les *Cabinets de Serrurerie*, que des escaliers droits font communiquer avec le *Cabinet du Billard* et avec un *Belvédère* auprès de l'escalier demi-circulaire ; le corridor qui fait suite, au nord, et qui n'existe plus, est consacré à la mécanique, les *Cuisines* et les dépendances de celles-ci se trouvant comme par le passé sur la face est, aux troisième et quatrième étages.

LES LABORATOIRES

L'inventaire royal, abordant cette région du château, dévoile plus d'une préoccupation de Louis XVI. Rien que par les tableaux, dessins ou gravures que celui-ci a fait accrocher sur les murs, on croit retrouver ses pensées : celles de l'homme qui vit à la campagne, avec les cartes des environs de Paris et des tirés des forêts royales ; — celles du monarque qui « commence d'être sensible à la flatterie », avec des allégories à la gloire de la France et du Roi ; — celles du souverain qui s'inquiète de sa marine, avec d'innombrables dessins ou plans des ports de France et même une représentation du combat d'Ouessant, qui vient de mettre aux prises, en 1778, Anglais et Français.

La nomenclature du matériel, outillage, instruments ou maquettes, ne manque pas non plus d'intérêt. Les « Pièces des Tours » renferment les établis, tours, râteliers, outils et armoires. Les Cabinets de Géographie et les Cabinets de Physique ne sont pas consacrés au seul délassement.

Lorsque Louis XVI se fait livrer, en 1784, des glaces soufflées de la manufacture de Cherbourg pour la machine électrique de ses Cabinets, on peut ne retrouver dans ce détail que la trace d'un amusement passager, ou bien y voir un sérieux besoin d'expériences, résultant du voyage de Franklin. Lorsque l'inventaire, en d'interminables listes, énumère les modèles d'artillerie (dont beaucoup proviennent du « cabinet d'artillerie » que le marquis de Fraguier offre au Roi en 1785), ou les armes, qui se composent aussi bien d'un « petit model de pistolet de cavalier » ou de « calibres de fusils de soldats » que d'un « chariot de forge d'artillerie », d'un « mortier en cuivre pour éprouver la poudre » ou d'un « model d'une forte batterie avec détente de la manufacture de St-Étienne », on est obligé de considérer tout ceci comme sérieux.

Des modèles de bateaux, d'ancres ou de « grue pour décharger les vaisseaux », ou encore « une petite boete de noyer, dans laquelle sont différents petits outils pour servir à la construction des vaisseaux » témoignent de préoccupations navales et l'on doit voir là plus que des jouets. La renaissance de l'armée et de la marine de France s'est alors opérée dans les bureaux, dans des écoles et par le travail de quelques grands ministres ; elle s'élabore aussi par des études et des méditations dans les Petits Cabinets de la cour des Cerfs au château de Versailles. On ne peut pas porter de jugement sur Louis XVI sans songer à sa parfaite application et sans essayer de percer sa vie secrète, que Versailles nous révèle quelque peu.

Qu'il y ait eu de l'excès et comme un caractère trop manuel chez ce royal et curieux mécanicien, on en convient sans peine. Mais l'intérêt qu'il apporte à ces détails n'est peut-être pas négligeable. C'est un voyageur en chambre qui connaît bien son sujet. Sa mémoire étonne son entourage, lorsqu'il parle de géographie, et les voyages du capitaine Cook n'ont guère pour lui de secrets. Les documents maritimes intéressant la France s'étalent sur les murs, ports de mer, plan du Havre, carte de la navigation intérieure de la Bretagne, et surtout des vues de Cherbourg, où il a examiné lui-même, en 1785, la construction de la grande digue, dont Napoléon Ier et Napoléon III poursuivront l'achèvement.

Le XVIIIe siècle en général, son grand-père en particulier, lui ont inculqué le goût de tout ce qui est science et recherche. Louis XVI n'achète-t-il pas, en 1777, au libraire Blaizot une collection de l'Encyclopédie avec les volumes de supplément qui paraissent à ce moment et qu'il paie sur sa cassette privée ?

Il y aurait une amusante poursuite à faire de tout ce qui

garnissait alors les Laboratoires et les Cabinets du Roi. Comme on se trouve à Versailles et chez le Roi, on atteint un luxe presque irréel. Ces maquettes et ces outils devaient être si beaux qu'on peut affirmer *a priori* leur existence aujourd'hui. On découvrirait probablement à Paris même la plupart des petits modèles. Les outils, qui étaient nombreux et précieux, presque tous à manches de bois de violette montés à viroles d'argent, entraîneraient assez loin, peut-être jusqu'en Allemagne ; ils furent, en effet, selon un document publié jadis par Lery, attribués en l'an II à la manufacture d'armes que dirigeait Boutet à Versailles, et l'on sait que cette manufacture, qui devint célèbre sous le Directoire et l'Empire, fut pillée par les Prussiens en 1815.

Le sérieux apporté par le Roi dans l'établissement de ses Cabinets des étages supérieurs contraste avec l'usage que son grand-père s'était plu à leur donner. Lorsque Louis XVI monte le même escalier demi-circulaire, qu'on a pris l'habitude au XIXᵉ siècle de dénommer *escalier de la forge*, c'est pour y sentir l'odeur de la limaille, du cuivre, des cordages et de la cire. Tout au plus, en faisant installer, vers 1780, une Pièce du Billard à côté de sa Bibliothèque des combles, s'accorde-t-il de céder à son innocente passion pour ce jeu.

L'APPARTEMENT INTÉRIEUR DU ROI

L'appartement du premier étage demeure, pour le reste, conforme à ce qu'il était sous Louis XV. Les modifications y sont assez peu nombreuses et, sauf celles que l'on a dites à propos de la nouvelle Bibliothèque ou des Bains et d'autres que l'on signalera dans la Garde-robe ou le Salon des Jeux, concernent plus le mobilier que le décor mural et la distribution d'ensemble.

Lorsqu'on entre par le Cabinet du Conseil, la Chambre où couche le Roi, qu'a créée et où est mort Louis XV, n'apparaît changée que par ses meubles, encore que les girandoles et les sucriers d'or, exécutés pour le Bien-Aimé, soient toujours en place, de même que, de part et d'autre

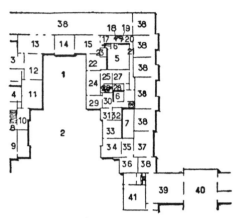

FIG. 25. — *Appartement du Roi (premier étage) vers 1789.*

1. Cour de marbre. — 2. Cour royale. — 3. Cour de la Reine. — 4. Cour de Monsieur. — 5. Cour des Cerfs. — 6. Petite cour intérieure du Roi. — 7. Cour dite de la cave du Roi. — 8. Escalier de la Reine. — 9. Grande Salle des Gardes. — 10. Vestibule ou loggia sur l'escalier de la Reine. — 11. Salle des Gardes du Roi. — 12. Première Antichambre. — 13. Antichambre de l'Œil-de-Bœuf. — 14. Grande Chambre ou Chambre de Louis XIV. — 15. Cabinet du Conseil. — 16. Petite terrasse. — 17. Bains. — 18. Départ de l'escalier du passage entresolé conduisant chez la Reine et de l'escalier demi-circulaire. — 19. Cabinet de chaise. — 20. Cabinet de Géographie ou ancien Cabinet-doré. — 21. Corridor devenu Bibliothèque et Cabinet d'Artillerie. — 22. Chambre du Roi ou Chambre de Louis XV. — 23. Cabinet de Garde-robe. — 24. Cabinet de la Pendule. — 25. Antichambre des Chiens. — 26. Degré du Roi. — 27. Pièce de la Vaisselle d'or ou ancienne Salle à manger. — 28. Ancienne Pièce des Buffets. — 29. Cabinet-intérieur. — 30. Arrière-Cabinet. — 31. Cabinet-doré ou ancienne Pièce de la Vaisselle d'or (ou ancien Cabinet-intérieur de Madame Adélaïde). — 32. Très-Arrière-Cabinet (ou Salle de Bains de 1770). — 33. Bibliothèque (ancien Salon des Jeux de 1769). — 34. Salle à manger aux salles neuves. — 35. Pièce des Buffets ou du Billard. — 36. Salon des Jeux (ancien Cabinet des Médailles) — 37. Salon de Vénus. — 38. Grand Appartement et Grande Galerie. — 39. Salon d'Hercule. — 40. Vestibule de la tribune de la Chapelle. — 41. Foyers et dépendances de la nouvelle Comédie (aile Gabriel).
(A comparer au plan du même appartement vers 1760, fig. 20, p. 443.)

de l'alcôve, les deux grandes horloges aux attributs de Diane et d'Apollon.

LE CABINET DE GARDE-ROBE

La Garde-robe, qui donne dans cette alcôve et dont les boiseries forment aujourd'hui l'un des plus jolis décors du règne de Louis XVI, ne sera transformée qu'en 1788. Les travaux étant commencés, Louis XVI, au moment de partir pour Rambouillet, le 18 juin 1788, donne des ordres pour les planchers et pour la nouvelle cheminée qu'il veut de griotte d'Italie.

Est-il permis de retrouver, dans la sculpture qu'ont dû exécuter les frères Rousseau, quelques-unes des préoccupations signalées plus haut ? Les attributs du commerce, de l'agriculture, de la marine, de la guerre, des sciences ou des arts, sont mêlés d'arabesques, de feuillages, de roses et de rubans. C'est, au milieu d'une fantaisie qui ne se dément pas, le prolongement des allégories sculptées ou peintes dont Louis XV s'était entouré. C'est aussi, avec une précision que la virtuosité des sculpteurs a permise, un répertoire magnifique des outils, des instruments et des appareils d'un siècle chercheur ; la machine pneumatique, le goniomètre sur son trépied, la machine électrique avec ses conducteurs et son plateau voisinent avec le vulgaire pot de fleurs, la faucille et la bêche. Jusqu'à la fin de l'Ancien Régime, l'art de Versailles sait demeurer à la fois humain et parfait, réaliste et poétique, traditionnel et nouveau.

LE CABINET-INTÉRIEUR

Si l'on traverse le Cabinet de la Pendule, dont l'aspect n'a guère varié, avec ses anciennes et riches boiseries et sa grande pendule de bronze « Louis XV », et dont l'usage s'est réduit à rien, pièce de passage ou d'antichambre, et non plus destinée au jeu, on pénètre dans le Cabinet-intérieur, qui, à l'angle de la cour de marbre et de la cour royale, continue d'être une pièce essentielle à la vie du château et intéressante à plus d'un titre, événements qui s'y déroulent, objets et meubles qui s'y entassent.

Le Cabinet-intérieur demeure pièce de travail et reste,

comme sous le règne précédent, doté de deux bureaux. Il sert aussi à recevoir de façon discrète ceux que le Roi préfère ne pas entretenir dans le grand Cabinet du Conseil ; c'est là que Louis XVI fait introduire, en 1778, le prince de Condé et le duc de Bourbon lors du duel du comte d'Artois, ou, en 1785, le cardinal de Rohan au moment où éclate l'affaire du collier.

Les belles boiseries, qu'a jadis sculptées l'atelier de Verberckt, sont envahies par la foule des tableautins ou des objets dont on les recouvre et qui, dans le pêle-même et l'entassement, forment un extraordinaire raccourci d'histoire

Louis XVI se manifeste naturellement ici de bien des manières, avec son portrait en biscuit de Sèvres, avec deux portraits de la Reine, avec des tableaux rappelant son sacre ou son mariage, tandis qu'un médaillon représente une pyramide élevée à la gloire de son règne et que, sur la commode, un beau candélabre de porcelaine et de bronze dit *de l'Indépendance américaine* commémore l'un des grands succès de son gouvernement. L'avenir, s'il savait le lire, se trouve même inscrit sous ses yeux, avec un médaillon qui montre d'un côté le château des Tuileries et de l'autre la place Louis XV. Le chrétien est marqué par un petit tableau « sur lequel est écrit le Pater », et l'attrait qu'exerce sur lui la campagne avec des vues de Saint-Hubert, une peinture sur marbre « représentant un chasseur », un « thermomètre royal à 4 thuyeaux » ou une « lunette d'approche sur son pied de cuivre ».

La dynastie est comme résumée sur ces murs. Un petit portrait figure le Dauphin, père du Roi, entouré de ses cinq enfants, tandis que, sur un autre tableau, sont transcrites les dernières paroles de ce prince. Louis XV est aussi partout présent dans son ancien Cabinet : sur les médaillons qui ornent la pendule ou le sommet de son secrétaire, sur un portrait en biscuit de Sèvres, et surtout par cinq grandes gouaches de Blarenberghe qui sont consacrées à ses campagnes des Flandres, du siège de Tournay à la bataille de Fontenoy. Enfin, à deux ou trois petits portraits de Louis XIV, s'ajoute curieusement un dessin à la plume « représentant Henry 4 et Gabrielle d'Estrée ».

Quelques illustres contemporains achèvent de donner à cette pièce sa physionomie d'intimité royale : l'empereur Joseph II, le pape Pie VI, Kien-Long, l'empereur de Chine, en biscuit de Sèvres. On aurait pu de même remarquer dans le Cabinet de la Pendule une figure équestre de Frédéric II, également en porcelaine de Sèvres. Ce que sont aujourd'hui les photographies dans les salons privés des quelques souverains qui règnent encore, la miniature, la gravure, le biscuit en donnaient un équivalent infiniment précieux sur les murs de Versailles.

Le pittoresque et surprenant assemblage que tout ceci dénote ne doit pas faire oublier la dignité de l'ensemble, l'harmonie même que l'on continue de poursuivre, en un raffinement sans cesse plus poussé. Que nous sommes loin des reconstitutions fantaisistes que l'on a pu voir depuis ! Le bureau de laque rouge, le médaillier et les encoignures jadis exécutés pour Louis XV sont peu à peu remplacés sous Louis XVI par d'autres meubles, qui ont, eux aussi, survécu et dont la marqueterie et les bronzes sont proches parents, à qui sait voir, du grand secrétaire à cylindre.

LE TRÈS-ARRIÈRE-CABINET

Un curieux phénomène de la vie de Cour entraîne de plus en plus le Roi, dans ce vaste château, à chercher au moins une pièce où il puisse se retirer. On a vu que Louis XV, bien plus que Louis XIV, a éprouvé ce besoin. Les appartements des étages supérieurs ont été créés dans ce sens. Louis XV a de même placé, à côté de son Cabinet-intérieur, un Arrière-Cabinet, que bien vite son successeur jugera insuffisamment secret.

Une pièce se présente, surmontée d'un entresol, en retrait de l'Arrière-Cabinet, la Salle des Bains des dernières années de Louis XV, qui prend jour alors sur la petite cour dite de la cave du Roi. Louis XVI établit là son *Très-arrière-cabinet.* Le superlatif dit, à lui seul, le développement du mal dont souffre le souverain, repoussé chez lui toujours plus loin par la pression de ses courtisans, dans ce château où il étouffe.

On appelle aussi ce réduit *Pièce de la Cassette*, car c'est ici, dans cette petite pièce aux belles boiseries, « qui ci devant faisoit les anciens Bains de Louis XV », qu'il faut imaginer Louis XVI comptant ses rouleaux d'or et dressant lui-même ses comptes privés avec une minutie touchante et puérile. Il fait redorer ce Cabinet en 1784, et l'on peut penser que la dorure de plusieurs tons d'or qui donne aux jolies baigneuses sculptées dans le bois des panneaux un caractère plus précieux encore date en partie de cette époque.

A côté, se trouve, juste avant la nouvelle Bibliothèque du premier étage, l'ancienne Pièce de la Vaisselle d'or, plus anciennement Cabinet-doré de Madame Adélaïde. Dans le cadre opulent des extraordinaires boiseries de cette dernière pièce, au cœur de son appartement, Louis XVI entasse les souvenirs et les curiosités : encore des portraits de famille et des tableaux des batailles de Louis XV, une gravure qui représente la mort de Montcalm dans un cadre aux armes de France, d'autres tableaux que le propriétaire terrien et le chasseur aime retrouver partout auprès de lui, plans de Versailles et cartes des bois environnants.

Les porcelaines, vases ou tableaux, comptent parmi ce que la manufacture de Sèvres a produit alors de plus précieux ; quelques biscuits les accompagnent. Les meubles sont aussi riches que curieux : deux petites tables sur leurs pieds de bronze doré sont formées de bois pétrifié ; un cabinet bas, en acajou et en ébène, est tout orné de panneaux d'histoire naturelle, oiseaux, papillons et plantes, composés en cire et en plumes ; le meuble existe toujours, dans une collection française.

La pièce sert de passage au Roi, lorsqu'il sort de sa Bibliothèque pour aller se promener dans ses jardins ; on y trouve, à côté d'un thermomètre de Ciceri, une collection de cannes ; la description de celles-ci et leur luxe font songer aux cannes de Catherine II, que conserve le musée de l'Ermitage ; l'une est à lorgnette, toute enrichie de diamants, une en ivoire, une autre à poignée de porcelaine montée d'or, une autre enfin est creuse et contient un petit parasol ; elles aussi résument à leur manière le luxe de Versailles.

LES SOUPERS DU ROI

La Bibliothèque franchie, les trois dernières pièces de l'appartement intérieur sont bien connues de ceux qui, surtout au début du règne, ont le privilège d'assister aux petits-soupers du Roi. On peut les atteindre par le Salon de Vénus ou par un escalier particulier, qu'utilisent aussi les courtisans lorsqu'ils viennent, au mois de décembre, admirer et acheter les porcelaines de Sèvres que Louis XVI, comme son grand-père à la fin de son règne, expose et vend dans sa Salle à manger. Celle-ci forme l'angle de la cour royale ; on a vu Louis XV en faire sculpter les boiseries par l'atelier de Verberckt en 1769. Louis XVI donne à cette pièce, de cramoisie qu'elle était, une délicate harmonie bleue, avec le velours des chaises, le taffetas des rideaux, le grand service de Sèvres et les tableaux de même porcelaine qui décorent les murs et qu'il a fait composer par une transposition à son usage des anciennes *chasses royales* d'après Oudry.

La pièce voisine, aujourd'hui dénaturée par les transformations de Louis-Philippe, communique avec le Salon de Vénus par la magnifique porte qui fermait jadis le palier de l'Escalier des Ambassadeurs. On la dénomme *Salle du Billard*. Durant les soupers royaux, un plancher de chêne recouvre le billard ; c'est alors une *Pièce des Buffets*, où les seigneurs qui ne sont pas assis viennent manger un morceau.

La table des Cabinets du Roi continue d'être l'une des meilleures de France. Thierry de Ville d'Avray, qui a pris le contrôle général de ces Cabinets, veille sur l'organisation intérieure et, dans le règlement qu'il fait prendre en juin 1782 pour le service de la Bouche, entre dans tous les détails, y compris le partage de la desserte entre les officiers.

La *Cuisine* et la *Rôtisserie* des Petits Appartements, au troisième étage, sont repeintes au même moment, et les demandes faites aux Bâtiments par Chavet, qui dirige alors le service de la table du Roi dans son appartement intérieur, permettent de distinguer, dans le dédale des offices, la grande pièce du dressage, « où se fait le pastillage », le « dressage où l'on sable », l'office « aux fourneaux », ou encore, sous les combles, une petite pièce destinée à « servir de serre à fruits pour conserver des fruits d'hiver ». On voit même, en 1787, le Roi rendre aux cuisines de ses Petits Appartements une pièce qu'il avait incorporée à ses Cabinets de Physique.

Après le souper, le Roi, sa famille et ses invités jouent, soit au billard dans la pièce qui a servi de Buffet, soit autour des tables de piquet, de tri, de whist ou de tric trac, installées dans la pièce suivante. Celle-ci, pendant quelque temps dénommée *Nouvelle Pièce des Jeux du Roy*, fut établie en 1775 sur l'emplacement de l'ancien Cabinet des Curiosités de Louis XIV, déjà rattaché aux appartements de Madame Adélaïde et de Louis XV ; elle est destinée à remplacer le Salon de 1769, que Louis XVI vient de transformer en Bibliothèque.

LE CABINET DES JEUX

Ce *Salon des Petits Cabinets* ou *Cabinet des Jeux* forme la dernière pièce de l'appartement intérieur du Roi au premier étage. Il est éclairé d'une fenêtre sur un balcon de la cour royale. Une belle cheminée fait face à l'unique porte d'entrée, par où l'on vient de la Salle du Billard ou du Buffet. En 1785, lors de l'installation de la salle de la Comédie dans l'aile Gabriel, Louis XVI fait étudier un passage qui lui permettrait de se rendre aisément dans cette partie du château, mitoyenne de son appartement. Il en profite alors pour faire restaurer son Cabinet des Jeux et redorer la boiserie.

Le Salon des Jeux a été décrit de façon sommaire par le duc de Croÿ et avec plus de minutie par le comte d'Hézecques, alors page du Roi. Des recherches sur l'ancien mobilier de Versailles nous ont permis de retrouver l'essentiel de son mobilier.

Le Cabinet est rythmé, par ordre de Louis XVI et dès l'installation de 1775, par quatre nobles encoignures, que composa spécialement l'ébéniste Riesener et que surmontent de belles girandoles, récupérées vraisemblablement sur les dépouilles de Mᵐᵉ Du Barry à Fontainebleau. Les chaises, exécutées au même moment, sont jugées dix ans plus tard d'un modèle trop vieillot et sont remplacées par l'une des plus parfaites créations du style qui porte le nom de Louis XVI. Aux murs, dix gouaches de Blarenberghe, consacrées comme celles du Cabinet-intérieur aux campagnes de Louis XV, et partout des porcelaines et des biscuits de Sèvres, choisis parmi les plus récents chefs-d'œuvre de la manufacture royale, complètent le décor de ce salon, l'un des plus équilibrés peut-être de tout l'appartement du Roi.

Quelque envahissant que soit le flot des courtisans, cet appartement continue d'être hiérarchisé comme au temps de Louis XV. Les Cabinets des étages supérieurs échappent à presque tous. L'appartement intérieur est assez ouvert et plus luxueux que ces Cabinets. Ce que connaît de l'appartement du Roi le grand public demeure inchangé et date des deux règnes précédents. Il est temps de dire combien Louis XVI, qui aime l'art de son époque et qui cherche à se soustraire à la « représentation », reste lié à celle-ci et, par elle, à la tradition.

CHAPITRE II

LA VIE PUBLIQUE

L'APPARTEMENT OFFICIEL

Louis XIV, revenant alors à Versailles, n'aurait rien retrouvé de son appartement intérieur et Louis XV fort peu de ses Cabinets. Ils auraient, au contraire, l'un et l'autre, parfaitement reconnu leur appartement officiel, où tout paraît définitivement stable. La progression n'a pas plus varié que l'étiquette ; les courtisans sont demeurés les mêmes et portent les mêmes noms ; leur cercle qui attend le Lever du Roi, le Suisse tout-puissant et immuable qui récite les mêmes mots et reçoit d'eux d'un air altier des étrennes qui, au dire de Mercier dans son *Tableau de Paris*, se montent à quelque cinq cents louis d'or, le Roi qui sort pour donner le « mot », rien ne change ici.

A une foule de détails on pourrait croire aussi au caractère intangible des créations du Roi-Soleil. Quiconque pénètre par l'Escalier de la Reine dans les pièces qui précèdent la Chambre de Louis XIV rencontre les mêmes troupes, la même enfilade, le même public. Les lustres de bronze de la Salle des Gardes ou la grande composition de Parrocel (qu'on a remplacée sous Louis XV par une copie pour la mieux conserver), les portières des Gobelins, tissées d'après Le Brun, dans l'Antichambre du grand-couvert, le décor complet et la plupart des meubles du Salon de l'Œil-de-Bœuf forment autant de témoins du règne du Grand Roi et prouvent la fidélité de ses successeurs à sa mémoire.

LA CHAMBRE DE LOUIS XIV

La Chambre surtout continue d'être considérée, dans le rituel de Versailles, comme la *Chambre de Louis XIV*. Les présentations, les audiences, le défilé des députations et jusqu'aux petits riens honorifiques inventés par lui, le bougeoir, les pantoufles, le prie-Dieu, tout semble fixé pour l'éternité.

Les tableaux accrochés aux murs demeurent ceux qu'il a choisis et les meubles à peu près ceux qu'il a connus, du moins jusqu'en 1785. Même à ce moment, Louis XVI, faisant remplacer le meuble et la tenture, continue d'obéir à l'esprit de majesté imposé par le Roi-Soleil. Le lit, non plus à colonnes, mais à la duchesse, prend les allures d'un trône ; c'est celui que le jeune Louis-Philippe, alors duc de Chartres, a admiré et dont il se souviendra plus tard ; le dossier est sculpté de cornes d'abondance et des attributs de la guerre et de la justice ; le couronnement, décoré d'un pélican et surmonté de la couronne royale, est orné de casques ; des attributs militaires se retrouvent sur les pilastres de la tenture au fond de la pièce. Tout le tissu du meuble, un brocart cramoisi et de deux ors avec lisérés brochés de vert, est lui-même d'une richesse encore digne du Grand Siècle.

LE CABINET DU CONSEIL

Le Cabinet du Conseil porte davantage l'empreinte de Louis XV. Les boiseries demeurent celles qu'a voulues celui-ci, ainsi que le mobilier, traditionnellement composé de deux ou de trois fauteuils et d'une vingtaine de pliants.

C'est ici qu'ont lieu, suivant une tradition invariable, les prestations de serment des grandes charges royales, le Roi assis dans son fauteuil, le récipiendaire, mains jointes dans les siennes, à genoux sur l'un des carreaux assortis au meuble et réservés à cet effet. Ici également se tiennent, selon des rites séculaires, les chapitres de l'Ordre du Saint-Esprit ou, aux jours mêmes fixés par Louis XIV et observés par ses deux successeurs, les conseils des ministres.

La table ovale, dont les dimensions sont demeurées à peu près les mêmes, est avancée ces jours-là au centre de la pièce. L'*Alexandre* de porphyre continue, appareillé à un *Scipion* de marbre blanc, de veiller aux délibérations. Parmi les vases de Sèvres que Louis XVI fait installer sur la cheminée de Louis XV, les deux plus remarquables sont surmontés d'un Mars et d'une Minerve de bronze, comme si l'on entendait symboliser par là le gouvernement de la France d'alors, qui se tient à mi-chemin des guerres excessives et des paix de faiblesse et qui, à défaut d'une politique intérieure raisonnable, se montre sage dans les affaires extérieures.

Louis XV ayant supprimé le Cabinet des Perruques, Versailles ne possède pas alors, comme d'autres châteaux royaux, de cabinet « à la poudre », où le Roi refait sa toilette au débotté. Cependant la tradition demeure si forte que l'opération se déroule toujours auprès du Cabinet du Conseil, où se tiennent ceux qui ont les entrées : Louis XVI se poudre dans la Chambre ou dans le Cabinet de Garde-robe de son appartement intérieur.

Le Versailles des dernières années de la monarchie reste comme hanté par la tradition et par la présence de Louis XIV, qui maintient ses propres habitudes sur ses successeurs ou leur fait reprendre presque inconsciemment ses goûts.

LE GRAND APPARTEMENT

On a vu Louis XIV choisir d'abord le blanc relevé d'or pour les rideaux de la Grande Galerie et Louis XV préférer des couleurs plus vives. Par quel sentiment de tradition, contraint ou inné, est-on conduit, en renouvelant au mois d'avril 1789 les rideaux de la Galerie et ceux du Salon de la Guerre, à choisir la couleur primitive ? Louis XVI, à un siècle de distance, revient au blanc broché d'or.

L'attitude du Roi et de son entourage est pleine du même respect, de la même timidité, du même conservatisme en face de tout le Grand Appartement. On verra plus loin que celui-ci, dans le grand projet de reconstruction du château, doit être épargné. Le décor de tout ce qui existe entre la Grande Galerie et le Salon de l'Abondance est effectivement maintenu sous Louis XVI, non seulement dans les plafonds, les boiseries ou les marbres, mais dans l'esprit même de l'installation.

Il en va de même de la Chapelle, où le poids des traditions religieuses s'ajoute à celles qu'a fixées Louis XIV. Les très rares innovations apportées ici par Louis XV sont maintenues, notamment l'installation, au début de l'hiver, de la grande tribune, tapissée de damas cramoisi, qu'a inventée Arnoult.

LE RESPECT DES TRADITIONS

Il est vrai que le calendrier religieux concourt, autant que celui prescrit par le Roi-Soleil, à donner à Versailles un aspect immuable. Les grandes fêtes liturgiques marquent l'année. La vie de la Cour assure le maintien des usages établis. Le château impose un certain genre d'existence, dont Marie-Antoinette elle-même a bien du mal à se libérer et auquel un personnel nombreux demeure solidement attaché. Comme, d'autre part, on se trouve à la campagne, c'est-à-dire lié au rythme des saisons, on conçoit mieux encore le respect des traditions dont est entouré le château. Quelques exemples suffiront à montrer ce caractère de Versailles.

La procession des chevaliers du Saint-Esprit, le premier janvier, le 2 février et le jour de la Pentecôte, les cérémonies de la Semaine-Sainte, la procession du vœu de Louis XIII le 15 août, et surtout celle de la Fête-Dieu qui se déroule toujours des cours du château à la paroisse et que Louis XVI décide, en 1785, de rendre encore plus fastueuse en faisant tendre les belles tapisseries de la Couronne des deux côtés de son passage au lieu d'un seul établi jusque-là, le grand-couvert plus brillant aux jours de fête, la musique au Lever du Roi le premier janvier ou l'aubade du 25 août, ou encore la coutume qu'ont prise Mesdames de commander pour la fête du Roi des robes plus somptueuses encore qu'à l'habitude, redonnent au château, chaque année, aux jours voulus par Louis XIV, la même physionomie joyeuse.

Les traditions se maintiennent jusque dans de plus menus détails. Louis XIV recevait les ambassadeurs à Versailles le mardi : Marie-Antoinette est astreinte, le mardi, à quitter Trianon pour venir recevoir les ambassadeurs à Versailles. Un Croÿ note dans son *Journal* avec la même minutie qu'aurait

534   SOUS LOUIS XVI ET MARIE-ANTOINETTE

eue jadis un Dangeau ou un Luynes des nuances infimes du protocole, qui, risibles aujourd'hui, continuent alors d'être d'un grand intérêt ; il observe ainsi que, pour l'audience du comte du Nord, — le fils de Catherine II voyageant incognito, — « on n'ouvrit qu'un battant » de la porte du Roi.

On peut expliquer de telles persistances par le maintien d'un personnel, grand ou petit, dans des charges inchangées. Les perturbations qu'apporte ici Marie-Antoinette comptent assez peu : pour une Polignac ou un Coigny, qui supplantent une Rohan ou un Beringhen, jusque-là possesseurs quasi héréditaires des places de gouvernante des Enfants de France ou de premier écuyer, que de postes solides d'un siècle à l'autre, non seulement chez les Lorraine, les Condé ou les La Rochefoucauld, mais jusque dans les emplois les plus humbles ! En un siècle et demi, trois rois ont habité Versailles. Leur vie matérielle est non seulement enfermée dans un château dont les grandes lignes ne varient pas, mais prise aussi dans les dynasties qui les enserrent presque à leur insu. Et s'il ne s'agissait que des gestes extérieurs de leur existence !

L'éducation des princes impose à ceux-ci une espèce de moule, qui doit se traduire jusque dans leur écriture. Rien ne paraît plus typique à cet égard que la charge de maître à écrire, qui, par le jeu des survivances et par l'attachement d'une famille, se maintient, comme bien d'autres, de Louis XIV à la Révolution dans la même lignée. Dumesnil de St-Cyr, qui est chargé, en 1782, d'apprendre à écrire aux Enfants de France est neveu d'un Dumesnil, qui a assumé la même tâche auprès du duc de Bourgogne, de ses frères et de ses sœurs. Ce Dumesnil était neveu du maître à écrire de Louis XV et de ses enfants, Pierre-Charles Gilbert, lui-même fils de Charles Gilbert, qui avait été le maître à écrire de Monseigneur et de ses enfants et qui se trouve ainsi arrière-grand-père de Dumesnil de Saint-Cyr. Une même famille et quatre titulaires de la charge en cent vingt années ! Une remarque semblable pourrait être faite à propos du maître à dessiner : il s'appelait Silvestre en 1674 et Silvestre un siècle plus tard.

Tout ce monde, les grands et les petits, tient fortement au respect du passé. « Ici, chacun se glorifie de l'emploi qu'il exerce, et se croit, pour ainsi dire, membre de la Couronne, pour peu qu'il approche de la botte du monarque. » Est-ce par culte des ancêtres, paresse d'esprit ou bas intérêt ? L'ombre de Louis XIV semble continuer de planer sur la Cour de Versailles.

Chacun s'était jadis préoccupé, maréchal de Villeroy en tête, de modeler le jeune Louis XV à l'image de son bisaïeul ; de même, les courtisans notent avec une satisfaction évidente que Louis XVI reprend bien des habitudes et des gestes de son grand-père ; ils se rassurent à la pensée que rien ne va changer, dans le château non plus que dans leur propre existence.

Nous avons cité Croÿ. Ce grand seigneur se félicite, tout au début du règne, de voir le nouveau roi prendre comme d'instinct les attitudes de Louis XV, se placer au même endroit, dans le coin du Cabinet du Conseil, près de la porte de sa Chambre, pour parler à ses veneurs. « Aux maîtresses près, c'était absolument tout comme si ç'avait été le feu Roi. » Certes, on regrette de ne pas trouver chez lui la belle prestance de Louis XV, ni la majesté de Louis XIV. On loue sa bonhomie, mais on déplore son gros rire, sa brusquerie dans les cérémonies, le dandinement de sa démarche, sa vue basse, bientôt son embonpoint, qui ne lui donnent pas la grande dignité d'extérieur accoutumée. Qu'importe, si Versailles continue.

Et Versailles continue. Le château peut paraître un peu vide aux vieux courtisans, peut-être par la faute du Roi, qui se replie trop sur son travail avec ses ministres ou sur les petites occupations de ses laboratoires, ou du fait de la Reine qui, renfermée sur sa société intime, dégoûte parfois les anciennes familles et tend à faire de Versailles, si le mot du duc de Lévis n'est pas trop fort, « une petite ville de province, où l'on n'allait qu'avec répugnance et dont on s'en allait le plus vite possible ».

Versailles demeure jusqu'en 1789 le siège du gouvernement, le séjour habituel du Roi. Celui-ci s'applique à être aussi impénétrable que Louis XV ou Louis XIV, et il a de temps à autre des velléités d'autorité. Il est toujours le dispensateur des grâces, même s'il a fallu d'abord plaire à la

Reine, comme jadis à Mme de Maintenon ou à Mme de Pompadour. Ainsi le château reste-t-il fidèlement le centre des intrigues, et ceci compte aussi parmi les solides traditions de la Cour.

Dans un monde qui ne change guère en apparence, le déroulement des saisons, les occupations et les obligations des mois contribuent à maintenir ce grand domaine campagnard toujours semblable à lui-même.

LA LUTTE CONTRE LE FROID

L'hiver impose ses duretés et ses plaisirs. Les grandes constructions de Louis XIV demeurent, quoi qu'on fasse, impossibles à chauffer ; mais janvier et février continuent d'être, avec les spectacles et les bals du carnaval, parmi les plus brillants mois de l'année. Certains jours, la route est difficile à cause du verglas, et la Reine qui, le 31 décembre, attend dans son appartement les visites traditionnelles, trouve parfois que la Cour est bien déserte. Elle et ses équipages prennent alors le chemin de Paris. D'autres jours, au contraire, la circulation est extraordinaire. Mme d'Oberkirch, rentrant la nuit, en février 1786, d'un bal de la Reine, s'émerveille de voir la route de Versailles à Paris pleine de carrosses et de porteurs de torches et animée comme par « une procession de fantômes ». L'hiver devient-il très rude ? Les courses de traîneaux dans le parc ressuscitent le luxe rutilant et joyeux de l'époque de Monseigneur ou de la jeunesse de Louis XV.

Le château et ses habitants luttent comme ils peuvent contre le froid. Les doubles châssis aux croisées sont de plus en plus nombreux ; les thermomètres aussi ; à les consulter, on sent peut-être davantage encore le froid, notamment dans le grand hiver de 1776 ou dans celui de 1784, où la cérémonie de l'Ordre pour la Chandeleur se tient par un froid de — 4° à l'intérieur de la Chapelle ; ou encore, durant le terrible hiver de 1788, où Louis XVI fait allumer des feux aux carrefours pour les malheureux.

Tout procédé nouveau de chauffage continue d'être essayé et la lutte contre la fumée, sous les ciels d'un Versailles embrumé, se poursuit depuis Louis XIV avec le même insuccès. Le séjour de Franklin en France entraîne une invention qui paraît ingénieuse : une trappe, un régulateur ou modérateur améliorent la combustion et réduisent la fumée ; les Bâtiments font un essai de la « cheminée franklinienne » pendant l'hiver de 1778 chez le duc de Villequier, au-dessus de l'appartement du Roi ; deux ans plus tard, le comte d'Artois demande l'installation de cet appareil sur la cheminée de son Cabinet. Puis la mode passe à la Suède ; une installation a été faite avec succès chez la comtesse de Provence en 1787 par un poêlier suédois, que la Reine fait aussitôt venir pour chauffer, à l'aide d'un seul poêle, deux pièces ensemble de son appartement intérieur. On en arrive à de petites installations qui annoncent celles du XIXe siècle : en 1789, Mesdames font pratiquer dans leurs deux Bibliothèques « des bouches de chaleur qui puissent parcourir toute la superficie desdites bibliothèques et les échauffer dans leur entier ». Au même moment, au mois de juin 1789, Louis XVI se décide à faire installer dans la Chapelle « deux poêles avec bouches de chaleur » pour chauffer la tribune royale. Dépense inutile ! La Cour ne passera pas le prochain hiver à Versailles...

Les risques d'incendie demeurent naturellement nombreux, et les feux de cheminée se multiplient en fin de saison. Une organisation plus perfectionnée protège le château : pompes à incendie et tuyaux de cuir comme sous Louis XV, piquet d'incendie ou « garde », strictement réglementé, installé dans une « chambre de veille », composé de maçon, couvreur et ramoneurs, et astreint à des tournées d'heure en heure sur les combles du château.

LA CHASSE

Le printemps redonne au parc sa verdure et sa beauté. La chasse, que le Roi pratique en toute saison sur son immense domaine, est encore plus plaisante parmi les jeunes pousses. Et Versailles, de Louis XIII à Louis XVI, est demeuré le royaume de la chasse. Est-ce par goût ancestral que chaque souverain maintient sa terre en cet état, sa maison sur ce pied ? N'est-ce pas plutôt l'existence de ce vaste domaine boisé, son aménagement même, qui entretiennent ce goût d'un règne à l'autre ? Louis XVI ne démérite pas de ses devanciers.

Si appliqué qu'il soit au gouvernement, il chasse autant qu'il le peut « sans manquer au temps des affaires ». Il lui arrive d'écourter sa chasse pour se consacrer au travail, « ce que le feu Roi n'aurait pas fait », note Croÿ ; il lui arrive aussi, pour aller chasser, d'abréger une cérémonie de l'Ordre du Saint-Esprit, dont la procession s'achève en une galopade sans dignité, le comte d'Artois criant « à tue-tête pour faire avancer, comme à la chasse » ; quelque grands chasseurs qu'eussent été Louis XIV et Louis XV, on n'aurait pas vu pareille déraison sous leurs règnes. La Reine ne tient pas une bien grande place dans la vie de Louis XVI, non plus qu'aucune autre femme, non plus que le jeu. Il avoue « n'aimer que la chasse », qui est à peu près son seul délassement, avec la lecture et ses travaux de laboratoire.

Lorsqu'au printemps, dans son grand parc que le joli vert humide d'Ile-de-France lui rend plus séduisant que jamais, le Roi se livre à son passe-temps favori, il peut être fier de son Versailles. Quelle est l'étendue du domaine ? Il lui est difficile de le dire. Il sait qu'il a encore augmenté les terres de ses aïeux. Dans la deuxième année de son règne, n'a-t-il pas consacré des dizaines de milliers de livres à de nouvelles clôtures, au nord, du côté de Rocquencourt, du Chesnay et de Glatigny ? Le pourtour des murs, à la mort de Louis XV, ne formait-il pas déjà un circuit de quatorze lieues ?

Si, par mesure d'économie, il décide la démolition de Saint-Hubert, tout en conservant les terres et les beaux étangs, n'acquiert-il pas au même instant de son cousin Penthièvre le domaine voisin de Rambouillet, dont son grand-père appréciait l'abondant gibier, dont il rêve même un instant de reconstruire le château, mais qu'il ne parvient pas à faire accepter à la Reine ? N'a-t-il pas enrichi le domaine de nouveaux « repos de chasse », sur l'étang de Marcoussis (1774), au Pont-Colbert (1778), sur l'étang de Colin-Porcher et dans la forêt des Alluets (1781), qui s'ajoutent aux pavillons du Butard, de Fausses-Reposes, de Verrières et de Trappes ?

Comme Louis XIV, et plus que Louis XV, il aime la chasse au tir. Sans être un cavalier de la qualité de Louis XV, il mène son cheval vite et vigoureusement. La chasse est, comme pour ses prédécesseurs, sa conversation préférée, qui le rend intarissable, à son Coucher aussi bien qu'au débotté.

Il tient un compte minutieux de ses tableaux de chasse. Il pense, en roi de France, avoir la durée devant lui. Il prépare et écrit de sa main ces états, dans le calme de son Très-Arrière-Cabinet. On les possède encore. Ils sont tracés en blanc jusqu'en 1806. N'avait-il pas de même établi en personne, sur un carnet spécial, les livraisons prévues pour son grand service de Sèvres jusqu'en 1804, — 1804 qui sera l'année du couronnement de Napoléon Ier.

LES JARDINS

Les mois d'avril et mai annoncent, par l'activité des jardiniers et des fontainiers, l'approche de l'été. Chaque année, la grande saison des jardins et des fleurs se prépare à Versailles.

Certes, toute l'année, le travail ne manque pas dans ces immenses jardins. L'hiver, sur les grands parterres enneigés, il faut casser la glace des bassins et la serrer dans les glacières ; il faut aussi livrer aux bûcherons les arbres que le vent a abattus. Le printemps voit les bêchages et les labours, l'inspection des conduits des fontaines, la mise en état des chariots de promenade, qui sont en damas comme au temps de Louis XIV, la mise à flot des bateaux sur le Canal, dont deux chaloupes au moins et une gondole conservent leurs ornements qui datent du règne du Grand Roi. En avril, on installe les bancs de bois sur le parterre du Midi, et en mai l'on sort la fameuse collection des orangers de la Couronne, qu'au préalable on s'inquiète de rencaisser s'il y a lieu. Et subitement, en même temps que les premiers jours d'été, le grand jardin de Versailles apparaît à tous couvert de fleurs et toujours aussi beau.

Ce n'est pas sans un effort considérable que Louis XVI maintient, avec une continuité qui profite à lui-même, mais aussi à son peuple, le parc de Le Nostre dans sa splendeur primitive. Ici encore, admirons en lui le respect du Versailles traditionnel.

LA REPLANTATION DU PARC

Le règne commence par un acte de courage. Le Roi décide le remplacement général des arbres, à ce moment juste centenaires. Malgré les critiques et les regrets, sachant travailler pour l'avenir et faire œuvre utile, il se prive de ces magnifiques ombrages et se condamne à voir pour longtemps un parc maigre et comme rétréci, des murs trop rapprochés, une statuaire trop blanche et dépouillée de son « voile de verdure ».

Durant les deux hivers de 1774-1775 et 1775-1776, les jardins de Versailles apparaissent dans un énorme désordre d'arbres abattus et de terres retournées. Les sculptures seules sont épargnées et forment comme les jalons ou les garants d'un parc qui parviendra jusqu'à nous selon le tracé fidèle voulu par Louis XIV. Et l'on reconnaît si bien la grandeur de l'œuvre entreprise que les Bâtiments demandent à Hubert Robert de fixer, en deux tableaux devenus célèbres, les vues du jardin « lors de sa destruction en 1774 et 1775 ».

La replantation s'accompagne d'une remise en ordre méthodique. On a pris les conseils de l'abbé Noslin, contrôleur des pépinières du Roi. On estimait en 1775 à deux cent mille le nombre des chênes en plants de trois ans qui seraient nécessaires. De nouvelles pépinières ont été aménagées ; les treillages et les clôtures de chaque bosquet sont repris un à un, et tous les piédestaux des statues réparés. Le hasard a fait retrouver, en 1882, sur une des marches de marbre du parterre du Nord une date gravée, 1784, qui marque la fin de ce travail. On peut suivre dans les comptes rendus de travaux des Bâtiments le soin qui préside à cette résurrection des jardins de Versailles. On sent, au mois d'octobre 1783, un soupir de satisfaction : il n'y a plus que

LA VIE PUBLIQUE

20 000 livres environ à trouver « pour finir le treillage du parc ». La Révolution pourra passer et les années d'incurie. L'œuvre de Louis XIV est, sur ce point, pour longtemps préservée.

Malgré la mode des jardins anglais ou des arbres exotiques, malgré l'influence de la Reine, Louis XVI a été tenace : en moins de dix ans, au prix d'une dépense considérable, le parc de Louis XIV est remis « tout comme devant ». Les concessions ou les amoindrissements de sa part ont été minimes. Il faut les noter.

L'un des plus anciens bosquets, la *Girandole*, et son symétrique, que l'on nomme encore parfois le *Bosquet-Dauphin*, sont remplacés par de simples *quinconces*, dont le tracé subsiste aujourd'hui.

La Reine (pour son malheur, car c'est là que se tient probablement, une nuit de 1784, la rencontre du cardinal de Rohan et de Mlle d'Oliva, prélude à l'affaire du collier) veut avoir son Bosquet et Louis XVI consent à la destruction du Labyrinthe. Bien des arbres « des Iles » qu'on admire aujourd'hui dans le fouillis du *Bosquet de la Reine* doivent être contemporains de Marie-Antoinette. Les assises de pierre pour les grilles qui sont destinées à clore ce nouvel ouvrage sont posées en 1781.

LE BOSQUET DES BAINS D'APOLLON

La même année 1781 est également marquée par l'achèvement d'un nouveau bosquet ou plus exactement d'un bosquet rénové, celui des *Bains d'Apollon*. Au nord de Latone, à l'emplacement du petit jardin du Dauphin et du Bosquet d'Apollon, le style de cette époque a fait naître une composition pittoresque et très étudiée, en vue d'abriter les groupes fameux qu'avaient exécutés environ un siècle plus tôt Girardon, Regnaudin, Tuby, Marsy et Guérin et qui changent alors de place et de décor pour la quatrième fois.

Hubert Robert prépare le projet, d'après lequel le sculpteur Yves-Eloi Boucher et un nommé Defer établissent, en 1777, le modèle qui présente, dans un cadre mi-grotte, mi-ruine antique, les anciens groupes de la grotte de Thétis. On peut être certain que ce « rocher », de peu antérieur à celui de Trianon, ne déplut pas à la Reine. Le travail est aussitôt entrepris.

Le maçon Thévenin reçoit, de 1778 à 1781, quelque 355 000 livres pour la construction de cette rocaille, à laquelle s'ajoutera la réfection du vieux réservoir dit des Jambettes, destiné à l'alimenter en effets d'eau. Certes, la sculpture est superbe ; mais elle date de Louis XIV. Le romantisme de l'ensemble, qu'accentuent les grands arbres, n'ajoute rien à la beauté de Versailles. Au caprice de Mme de Montespan, qui avait créé à cette même place le bosquet du Marais, semble répondre cent dix ans plus tard un caprice de Marie-Antoinette.

Pour le reste, si l'on excepte d'inquiétants desseins sur le bosquet de l'Arc de Triomphe et sur ce qui avoisine les réservoirs et l'Opéra, Louis XVI, pour le plus grand bien du domaine, s'est montré d'un conservatisme absolu, aidé par la sérieuse tradition du service des Bâtiments. Lorsque, par exemple, Madame Elisabeth, qui marque une prédilection pour le coin du parc voisin de la route de Saint-Cyr, pêche à la ligne dans le bassin de l'Ile-royale ou lorsque cette même princesse, à l'instar de son grand-père et comme le fait aussi le comte d'Artois, transforme l'allée du Mail en manège et réclame divers aménagements, notamment le relèvement de cette allée, les Bâtiments étudient ces demandes, mais répondent que la modification souhaitée altérerait trop le dessin original : « Les charmilles et les allées qui vont de cette allée à l'Ile d'Amour seront trop enterrées. »

Comment Versailles et ses jardins ne resteraient-ils pas le domaine de la tradition ? A l'avènement de Louis XVI, il existe encore parmi les chefs jardiniers un Le Normand, à la tête des fontainiers un Denis, parmi les gondoliers ou matelots du Canal un Mazzagathy, des Juste, un Palmarini, tous noms que l'on relève déjà dans les comptes au temps de Louis XIV. Le château leur appartient autant qu'au Roi. Ces serviteurs du domaine, si modestes soient-ils, vivent dans le respect de ce qui s'est fait.

On peut en dire autant du public. L'été surtout, des foules

énormes viennent de Paris et de la province visiter un château qui est aussi un peu le leur et qui demeure, pour les esprits simples, le palais de Louis XIV. Carrosses ou coches, piétons ou cavaliers encombrent les routes qui mènent au château. La baronne d'Oberkirch note, en 1784, que la nouvelle promenade des Champs-Élysées à Paris est gâtée par la poussière, par la circulation et par le bruit de la route de Versailles, notamment par les « carabas », lourdes voitures attelées de huit chevaux, « qui contiennent vingt personnes et mettent six heures et demie pour aller à Versailles ». Mercier, d'autre part, dans une addition à son *Tableau de Paris*, remarque, quatre ans plus tard, la rapidité des « enragés », chevaux nourris de foin « qui vont à Versailles et en reviennent en trois heures de temps ».

Nous signalerons plus loin quel pittoresque les foules continuent d'apporter à l'intérieur du château. Dans les jardins, quel mouvement ! Au mois de juillet 1781, Louis XVI, qui se rend plusieurs fois par jour à Trianon pendant les séjours de la Reine et dont la voiture prend le virage du bassin de Neptune à un train rapide, décide qu'aucune voiture ni cavalier, hors la famille royale, ne pourront désormais passer entre les bassins de Neptune et du Dragon. Et quelle joie pour le bon peuple lorsque les eaux marchent !

Louis XVI et son administration ont, à l'égard des fontaines et des réservoirs établis par Louis XIV, une vigilance sans défaut. Continuant le Grand Roi dans son château, sauvant et conservant le domaine, Louis XVI mérite d'être justifié, au moins sur Versailles, des dépenses de la Cour. Il envisage même, en 1777, avec son directeur des Bâtiments, le comte d'Angiviller, de réparer l'aqueduc de Maintenon pour achever le canal de l'Eure et il fait étudier en 1784 une transformation de la Machine de Marly.

En attendant, la remise en état des jardins s'accompagnant de celle des bassins et des conduits, un esprit méthodique poursuit la réparation des grands réservoirs centenaires : en 1780-1781, ceux qui se trouvent sous le parterre d'eau et que Louis XV a déjà restaurés à la fin de son règne ; en 1782-1783, les Jambettes ; en 1785-1786, Montbauron et la butte de Picardie. Admirable travail qui conserve Versailles !

Il semble que le pauvre roi ait réussi pour Versailles ce que les politiques, quelque application qu'il y mît, l'ont empêché de réaliser pour l'ensemble du royaume. Et toujours la même bonté, un sens de l'humain, qu'on prend souvent pour de la faiblesse ! Pensant à sa manière remédier à la crise des farines, qui aggravait l'agitation, le 14 août 1789, à la demande des meuniers des vallées de l'Yvette et de la Bièvre qui se plaignent de la sécheresse, Louis XVI interdit le jeu des eaux, même pour la Saint-Louis, « jusqu'à ce que la ville de Versailles et ses environs soient convenablement approvisionnés de farine ».

Les visiteurs délicats préfèrent s'écarter des foules qu'a toujours attirées le spectacle des eaux. Ils s'éloignent des terrasses bruyantes et vont faire le tour de la Pièce des Suisses ou de l'Orangerie, dont le parterre, en juillet, embaume prodigieusement. Les Bâtiments ont bien du mal à entretenir cette Orangerie et à la préserver des infiltrations d'eau. Loriot, qui a mis au point pour Louis XV les tables mécaniques de Trianon, propose, en 1774, un nouveau ciment de son invention, « impénétrable à l'eau ». Le maçon Guiard applique le produit, et Loriot reçoit une sérieuse gratification : 80 000 livres. A la mort de celui-ci, Mique doit constater de nouvelles infiltrations, et des réparations provisoires sont décidées en 1787, « en attendant que les circonstances permettent » de faire mieux.

Le gros public va s'amuser un peu, s'il en sait le chemin, à la Ménagerie. Les chameaux et les dromadaires, les lions et les tigres, les oiseaux de toutes sortes, l'éléphant, qui est venu de Chandernagor en 1772 et se noiera dix ans plus tard, le vieux pélican et le rhinocéros font la joie de tous. La création de Louis XIV continue d'être appréciée également de la famille royale, et l'on demande au peintre Durameau de restaurer, en 1787, le décor qu'Audran avait composé pour la duchesse de Bourgogne.

Le soir, le peuple peut espérer un concert de musique militaire sur le parterre du Midi. On apercevra peut-être la famille royale et l'on sera, avec un peu de chance, témoin d'une de ces petites scènes qui touchent les cœurs, si l'anecdote est vraie, de Marie-Antoinette assise sur un banc et envoyant chercher un coussin pour une promeneuse anonyme, en état de grossesse fort apparente. D'autres cependant, selon leur humeur, tiennent des propos malveillants sur cette présence de la Reine parmi la foule, les beaux soirs d'été. Il n'en reste pas moins qu'une tradition se maintient : les jardins de Versailles permettent au public, comme sous Louis XIV et Louis XV, de voir ses souverains, de profiter d'une partie de leur luxe.

VOYAGES DE LA COUR ET BÂTIMENTS

L'automne entraîne la longue absence de la famille royale. C'est l'époque traditionnelle du voyage de Fontainebleau, des grands travaux d'architecture, des modifications et des aménagements nouveaux à l'intérieur du château. La Cour, de plus en plus impatiente d'améliorations et de confort, et surtout la Reine n'attendent pas toujours cette saison pour manifester des exigences multiples. Le moindre petit voyage peut entraîner, on l'a dit, quelques velléités de travaux, et ces voyages continuent d'être nombreux au long de l'année, avec, de temps à autre, une faveur plus marquée pour l'une ou l'autre des demeures royales.

Compiègne, dont le séjour annuel reste de tradition et où se poursuivent les nouveaux bâtiments commencés par Louis XV, La Muette, où Marie-Antoinette apprécie le voisinage des Polignac, Choisy, qui, après une dizaine d'années de vogue, sera démeublé en 1787, Saint-Hubert, que l'on abandonne au profit de projets éphémères sur Rambouillet, Marly, qui plaît visiblement à la Reine, les Tuileries, où elle se fait aménager un nouvel appartement en 1784, Saint-Cloud, que Louis XVI achète pour elle au duc d'Orléans et qui devient à partir de 1785 l'objet de transformations coûteuses, le petit château de Trianon enfin, où les séjours de la Reine se multiplient, sans compter Bellevue, que Louis XVI a donné à Mesdames, l'Ermitage de Mme de Pompadour, qui, après avoir été séjour du duc de La Vrillière et des Maurepas, passe, en 1781, à Mesdames, en faveur desquelles Louis XVI accepte de faire modifier l'année suivante la clôture du parc, Montreuil, qui intéresse Marie-Antoinette au moment de la faillite des Guémené et qui devient en 1783 la petite maison de Madame Elisabeth, toutes ces demeures font partie du domaine de la Couronne. Quelles vont être, dans l'immensité des charges qui incombent aux Bâtiments du Roi, les dépenses qui concernent particulièrement Versailles ?

On a cité les principaux aménagements de l'appartement intérieur du Roi et l'on dira plus loin ceux que la Reine réclame chez elle, mais il faut s'arrêter un instant ici sur la situation du service des Bâtiments et sur l'ensemble des travaux exécutés à Versailles pendant le règne.

Dès le début, Turgot fait placer à la Direction des Bâtiments, pour remplacer Marigny, l'un de ses plus proches amis, un Flahaut, dont le nom de comte d'Angiviller va rester à la postérité. Angiviller se révèle un excellent administrateur et un homme de goût ; il a la confiance de Louis XVI, il cède à la Reine ce qui lui paraît inévitable et gère au mieux, dans un moment difficile, le patrimoine qui lui est confié.

On peut ranger les dépenses architecturales du château à cette époque sous trois rubriques principales : l'entretien, les transformations annuelles, les grands travaux.

L'entretien est parfaitement assuré. Si le XIXe et le XXe siècle avaient continué d'entretenir Versailles comme le fit le XVIIIe, on n'aurait pas eu à entendre se répéter de temps en temps des appels angoissés pour la sauvegarde du château. On a vu plus haut comment Louis XVI s'applique à conserver et à protéger le domaine, notamment les jardins. Même souci pour le bâtiment lui-même. Le bon état des toitures à la mort de Louis XV permet d'être attentif à d'autres points. Des croisées neuves sont posées, en 1781, sur tout le Grand Appartement ; celles du Salon de la Guerre et du Salon d'Hercule ne seront dorées qu'en 1783. Le peintre-verrier Jean Le Vieil, à qui les Bâtiments ont confié sous Louis XV la restauration des vitraux de la Chapelle, poursuit son travail jusqu'en 1776 au moins. Le Grand Trianon lui-même, pourtant bien dédaigné, est remis presque à neuf ; un contemporain note, en 1780, que ses marbres sont « comme sortant des mains de Louis XIV ».

Les travaux d'automne et les améliorations ou modifications réclamées par la famille royale sont devenus, on l'a vu, plus qu'une habitude, un droit. Mesdames manifestent chaque année leurs petites exigences ; leurs appartements du rez-de-chaussée pourraient servir à illustrer un état d'esprit général.

Les grands travaux, auxquels pousse la Reine et que le Roi, avec Angiviller, tente de freiner, sont d'une autre conséquence pour le château. L'état des finances intervient ici heureusement ; la Révolution également. Ce n'est pas dire que tout soit absurde dans les projets qui sont établis ou dans ce qui est exécuté. Dans certains cas, on poursuit des idées qui remontent à Louis XV, sinon à Louis XIV. Dans les projets les plus insensés se maintient une part de tradition.

Gabriel, dès le début du nouveau règne, a pris, avec une retraite bien méritée (et très dorée), le titre de premier architecte honoraire du Roi, aux appointements annuels de 11 000 livres. La Reine a fait mettre à sa place son architecte, qui fut celui de Marie Leczinska, Richard Mique, qui lui a déjà rendu des services à Trianon. Mique recevra en fixe 15 000 livres par an, outre les travaux qui vont passer par ses mains. Gabriel reste cependant présent au château par l'intermédiaire de Jean-François Heurtier, qui est élève de Lécuyer, longtemps contrôleur du château sous les ordres de Gabriel ; Heurtier, comme inspecteur général de Versailles, château et dehors, est bien placé pour assurer la continuité de quelques grands principes, notamment en ce qui concerne le « grand projet ».

Est-ce une tradition des Bâtiments que de mal payer les entrepreneurs qui travaillent pour le Roi ? On l'a beaucoup répété. Ce fut vrai à certains moments du règne de Louis XV, et surtout dans la seconde moitié de ce règne ; ce ne l'est peut-être plus sous Louis XVI. Angiviller est d'accord avec le Roi pour mettre de l'ordre dans les comptes et entreprendre seulement ce que l'on peut payer. On liquide les mémoires arriérés, et notamment le désordre des dépenses de l'Opéra. Ce que nous connaissons des comptes de cette époque semble montrer des paiements réguliers. Lorsque, en 1777, les menuisiers Guesnon et Clicot menacent de cesser leurs travaux, invoquant les versements qu'ils ont à effectuer chaque quinzaine à leurs ouvriers et prétextant qu'ils ont épuisé tout crédit auprès de leurs parents et amis, ils reprennent des formules de temps plus anciens ; ils se voient répliquer aussitôt qu'ils n'ont pas encore fourni leurs derniers mémoires et, de fait, on voit par les comptes que 115 000 livres, représentant le total de leurs travaux de 1774 et 1775, leur ont été payées en 1775.

Le bon ordre d'une comptabilité permet de voir clair, de payer les dettes, mais n'alimente pas une caisse tributaire du Trésor royal, qui se débat dans les difficultés que l'on sait. La sagesse de Louis XVI contraste avec la conduite de Louis XV. Les grands travaux s'en trouvent fortement ralentis.

LE « GRAND PROJET »

Louis XV, s'il a réussi à terminer l'Opéra, a laissé à son petit-fils la lourde charge du chantier ouvert pour la reconstruction de l'aile de la Chapelle, que nous appelons *aile Gabriel*. Les travaux sont poursuivis et menés à bien. D'avril à décembre 1774, les entrepreneurs Thévenin et Pécoul reçoivent pour la maçonnerie 169 000 livres d'acomptes.

Mais à quoi sert d'achever cette aile, avec tous les travaux complémentaires qui en résultent, notamment les changements à apporter à la grille de la cour royale, que l'on repose en 1782, si, en même temps, ne se poursuit l'exécution du grand projet mis au point par Gabriel et accepté par Louis XV ? Sinon, on n'aboutirait qu'à rendre dissymétrique et boiteuse l'entrée du château : brique et pierre, d'un Louis XIV archaïsant, à gauche et au fond ; pierre et style classique, à droite. Revenir en arrière ? Louis XVI eut en politique, à l'égard du Parlement notamment, de ces revirements, de ces réactions contre la conduite prise par son grand-père. Il n'en est plus temps ici, à moins d'un immense effort de reconstitution, moins difficile alors qu'il le serait aujourd'hui, mais à contre-courant de l'opinion presque unanime. Poursuivre sur le fond de la cour et sur la vieille-aile ce que Louis XV a commencé ? On y songe sérieusement. Faire mieux encore et, dans un rêve extravagant, développer le projet de Louis XV à ses extrêmes limites ? Le « grand projet » de Louis XVI est né de ce désir de continuer la tradition de son aïeul et de rendre Versailles plus beau qu'au temps de Louis XIV.

En 1780, un concours est établi pour la reconstruction des cours d'entrée du château. Six architectes au moins y participent : Boullée, qui s'est signalé à tout Paris par son originalité et aussi par sa mégalomanie, Peyre l'aîné, qui vient d'entreprendre avec Charles De Wailly le nouveau Théâtre Français (que depuis l'on appela Odéon), Potain, qui est contrôleur des Bâtiments pour le château de Fontaine-bleau, Peyre le jeune, qui s'applique depuis quelques mois à reconstruire le Palais électoral de Coblence, Pierre-Adrien Paris, dessinateur des Menus-Plaisirs et par là protégé des premiers gentilhommes de la Chambre, Darnaudin, que l'on trouve bientôt après en relations avec le premier valet de chambre du Roi, Thierry de Ville d'Avray.

En 1787, les plans sont payés à ces divers architectes et la dépense totale de leurs projets arrêtée à la somme totale de 46 000 livres. Est-ce signifier que tout espoir est abandonné d'opérer cette grande reconstruction ? Probablement pas ; on la reporte plutôt à des temps meilleurs, où l'on ne parlerait plus de déficit et d'embarras financiers.

On connaît différents dessins ou plans signés de l'un ou de l'autre de ces architectes. Les plus intéressants, par l'état d'esprit qu'ils dénotent et par les précisions qu'ils donnent, nous semblent être ceux de Paris, que conserve, avec le portefeuille de cet architecte, la Bibliothèque municipale de Besançon.

Si nous ne retrouvions, confirmé par les archives des Bâtiments, le nom de Paris, nous penserions à quelque amusement d'architecte, tant la mégalomanie du projet se rattache aux études de ceux qui, autour de Ledoux, bâtissent ou rêvent, avec une imagination puissante et charmante, des édifices cyclopéens et si grandioses que seul le théâtre pouvait pleinement les réaliser ou tout au moins, par ses décors, en donner l'illusion.

Les plans dressés par Paris pour Versailles subissent l'influence de la mode. La brique et la pierre, le mouvement même des cours d'entrée choquent tous nos classiques. Architectes de Louis XIV, de Louis XV et de Louis XVI sont d'accord sur ce point. Cependant, là où Louis XIV a maintenu ce qui lui plaisait, ses successeurs ont cédé au goût de leur temps ; leur volonté pourtant s'est réduite à une ébauche.

« Le hazard », écrit Paris (qui peut-être a su provoquer cette heureuse coïncidence), « fit que je me rencontrai exactement avec l'idée que le Roi en avait tracé au bout de la plume ». Ainsi Louis XVI, s'il avait trouvé l'argent nécessaire et régné davantage, aurait consenti au gigantesque projet que nous allons voir et que renforce une autre volonté, superposée à la sienne et bien présente dans ces plans, Marie-Antoinette.

Refaire en style noble les façades d'entrée du château, tel est le premier objectif, déjà accepté par Louis XV. Donner à la Reine, bien plus que dans les projets de Gabriel, la place qu'elle estime lui être nécessaire, tel est le sens exact du projet de Paris.

Rien n'est touché aux façades sur le parc. L'aile Gabriel, tout juste achevée, est conservée et commande le style des nouvelles façades d'entrée. La Chapelle, les Écuries sont maintenues, et même le Grand Commun, bien qu'il soit de brique et de pierre. Tout le reste est « enveloppé », comme l'a fait quelque cent vingt ans plus tôt Le Vau du château de Louis XIII sur les jardins. La cour de marbre, supprimée et fermée par une nouvelle façade, donne naissance à deux cours intérieures, celle du Roi à droite, celle de la Reine à gauche, que sépare un escalier monumental, dont le château a bien besoin depuis la démolition de l'Escalier des Ambassadeurs. Cet escalier central doit conduire, au premier étage, aux appartements royaux.

En symétrie à l'aile Gabriel, on prévoit que l'aile du Midi ou vieille-aile sera refaite et élargie. Les cours de la Chapelle et des Princes seront fermées et rattachées aux deux ailes des Ministres, elles-mêmes rebâties et augmentées, sur la Place d'Armes, vers le nord et vers le sud, de deux bâtiments en retour d'équerre. La Place d'Armes, qui a conservé, à vrai dire, depuis Louis XIV, un aspect fort négligé, prend la forme d'un gigantesque pentagone, dont la base serait formée par ces deux ailes nouvelles et par les grilles d'entrée, et que viennent compléter, entre le château et les Écuries, deux grands bâtiments. Ceux-ci, dessinés sur un plan légèrement semi-circulaire, sont des casernes, destinées aux Gardes-françaises et aux Gardes-suisses.

Colonnades, obélisques, fontaines achèvent de donner à l'ensemble un caractère théâtral et fantastique, digne des plus belles descriptions de l'antiquité.

On prévoit un bouleversement presque complet de l'intérieur du château. Certes, le Grand Appartement, du vestibule de la Chapelle au Salon de la Paix, est conservé, comme si l'on n'osait pas commettre ce sacrilège à l'égard de Louis XIV ; mais le reste du premier étage, modifié par les nouvelles dispositions architecturales, doit être remis à la mode.

Les deux nouvelles cours intérieures, qui sacrifient les façades de la cour de marbre et les petites cours du Roi et de la Reine, entraînent la destruction de l'appartement intérieur du Roi d'une part, des deux antichambres du Roi, de l'Escalier de la Reine et de son appartement intérieur d'autre part. Deux appartements énormes et symétriques sont prévus dans la nouvelle distribution : le Roi, à droite, la Reine, à gauche, selon la plus honnête tradition, mais avec quelle ampleur et quel progrès pour la Reine !

A la Chambre du Roi et au Cabinet du Conseil, situés sur la nouvelle cour de droite, correspondent, sur celle de gauche, la Chambre de la Reine et la Pièce du grand-couvert. Le Roi, en outre, possédera, car c'est l'usage, sa chambre de parade que l'on disposera en façade, comme l'a voulu Louis XIV, mais à droite, non plus au centre ; car la Reine aura la sienne, du côté gauche ; une galerie, prise sur la nouvelle façade d'entrée, reliera les deux chambres de parade, qui se font face.

La Reine doit avoir son escalier particulier, qui sera situé à peu près à l'emplacement du vieil Escalier des Princes et qui lui permettra de descendre à son Théâtre. Ce Théâtre, simple petit théâtre destiné aux comédies, est prévu le long de l'ancienne cour des Princes et doit être aussi ample que celui un moment projeté par Louis XIV à ce même emplacement pour son Opéra. Ce Théâtre fera pendant à la Chapelle, dont il aura à peu près les dimensions.

Projet fou ? Oui, par la dépense qu'il eût causée en des temps bien peu propices, par la destruction aussi qu'il aurait entraînée de presque toute l'œuvre de Louis XIV et de Louis XV. Mais, comme dans toute folie, il montre des lueurs de raison, une apparence de logique. Il ne fait au reste que pousser à l'extrême les remaniements commencés par Louis XV, qui avait lui-même anéanti l'Escalier des Ambassadeurs et plus d'une décoration de Louis XIV. Peut-on, d'autre part, admettre que la Reine continue à vivre dans de petites pièces, sur de sombres cours garnies de treillages, qui font de son appartement intérieur une sorte de prison dorée ? Elle a besoin d'un Théâtre, d'une Salle de bal, de Salles de jeu, et l'on verra plus loin à quels expédients bizarres de baraques et de maisons de bois, installées sur la cour royale ou le parterre du Midi, elle se croira obligée, en attendant la réalisation de ce projet, qui lui semble indispensable. Sous les plus excellents prétextes, le château de Louis XIV, sans la Révolution, eût été bien menacé.

Quelque inquiétude que laissent ces projets aux fervents de Versailles, on peut dire que, bon gré mal gré, Louis XVI laisse en définitive, en 1789, le château, dans son architecture extérieure comme dans le tracé de ses jardins, tel que Louis XV le lui a légué, tel aussi que Louis XIV l'a connu, à quelques détails près. La monarchie française n'a jamais paru aussi brillante que dans ce cadre de Versailles. La Cour de France, prise dans sa propre magnificence, s'y trouve plus éloignée que jamais de réalités qu'elle ignore trop. Le drame révolutionnaire se prépare autour de l'insolente splendeur du château.

LES FÊTES

Qui n'aurait été ébloui d'un luxe aussi parfait ? Qui n'aurait été rassuré de voir celui-ci s'étaler aussi tranquillement devant tous ? Les grandes fêtes traditionnelles continuent de se dérouler aux applaudissements du bon peuple, durant les quinze années versaillaises du règne.

Fêtes de famille, qui attirent les foules parisiennes. Le mariage de Madame Clotilde, célébré par procuration avec le futur roi de Sardaigne, en 1775, est aussi brillant que le mariage de ses frères avec les deux princesses de Savoie aux dernières années de Louis XV. L'Opéra sert à nouveau de cadre précieux au Festin-royal le 21 août, au Bal-paré le 22. Le 26 août, a lieu la représentation d'une tragédie à grand spectacle, composée par le comte de Guibert et demandée par le Roi, *le Connétable de Bourbon*, où l'on voit, au milieu d'un camp qui se veut « gothique », Bayard porté sur un pavois. La pièce a d'ailleurs du succès et sera reprise, le 30 novembre de la même année, dans le même Opéra, accompagnée d'un ballet-pantomime du danseur Noverre, *Médée et Jason*, qu'a réclamé la Reine.

On assiste plus tard aux naissances, longtemps attendues, qui sont célébrées avec le faste coutumier, plus accentué pour les garçons que pour les filles : Madame Royale, la future duchesse d'Angoulême, en 1778, le Dauphin en 1781, le duc de Normandie, que l'histoire connaîtra sous le nom de Louis XVII, en 1785, Madame Sophie en 1786. Accouchement public, comme à l'ordinaire, dans la Grande Chambre de la Reine, baptême, et, si c'est un prince, *Te Deum* à la Chapelle, feu d'artifice et impromptu.

Il faut aussi songer aux jours qui attristent la vie du château. Le grand deuil pris pour six mois en décembre 1780 pour la mort de la mère de la Reine, l'impératrice Marie-Thérèse, deuil qui fait annuler toutes les fêtes du carnaval cet hiver-là. La mort de Madame Sophie, tante du Roi, en 1782, que précède la touchante et belle cérémonie du viatique, ou la mort de la jeune princesse Sophie, âgée de onze mois, en 1787, troublent moins la Cour que celle du petit Dauphin, survenue à Meudon le 4 juin 1789.

Les souverains et princes étrangers n'attirent plus trop la foule, depuis qu'ils ont pris l'habitude de venir incognito. Leurs visites sont pourtant nombreuses durant ces quinze années : le comte de Falkenstein (Joseph II) en 1777 et en

1781, le prince et la princesse de Hesse-Darmstadt en 1780, le comte et la comtesse du Nord (Paul Petrovitch, fils de Catherine II, qui sera le tsar Paul Ier et sa femme, princesse de Wurtemberg et nièce de Frédéric II) en 1782, le comte de Haga (Gustave III, roi de Suède, déjà venu treize ans plus tôt) et le comte d'Oels (prince Henri de Prusse, frère de Frédéric II) en 1784, le comte et la comtesse de Nellembourg (archiduc Ferdinand, gouverneur de Lombardie, frère de Marie-Antoinette, et sa femme Marie-Béatrice d'Este) en 1786.

Pour privées que soient ces visites, elles n'en causent pas moins des problèmes de protocole et d'assez fortes dépenses. La Cour de Versailles, son faste, le merveilleux jardin continuent d'attirer tous ces princes, que la Maison de France sait recevoir magnifiquement. Lorsque Joseph II, inquiet de voir Louis XVI ne pas donner d'enfants à sa sœur, vient en bon parent et en conseiller délicat, il en profite, lui, l'ancien ennemi héréditaire, pour visiter en curieux une partie de la France, et Versailles en particulier. Pour la première fois, bien avant Napoléon Ier, les murs du château résonnent de cette appellation : l'Empereur ! Tout intime que soit cette visite, des questions d'étiquette se posent, qui sont par exemple curieusement réglées dans un demi grand-couvert tenu par Marie-Antoinette dans sa Chambre de Versailles, où elle-même, Louis XVI et Joseph II sont tous trois assis autour d'une table ronde sur les tabourets qui composent le meuble de cette chambre et qui servent d'habitude aux dames de la Reine.

L'OPÉRA

Une bonne partie des réceptions causées par ces visites princières se déroule à Trianon, mais la Cour est fière de son fameux Opéra et tient à le montrer, si dispendieux soit-il. On joue pour Joseph II, le 5 mai 1777, *Castor et Pollux* de Rameau, dont la reprise coûte environ 60 000 livres. Nouveaux spectacles, en 1782, dans le même Opéra pour le grand-duc Paul, avec une reprise de la *Reine de Golconde*, le 23 mai, l'*Iphigénie en Aulide* de Glück et le ballet *Ninette à la Cour* de Gardel, le 29 mai, enfin Bal-paré, le 8 juin. Les fêtes données pour le comte et la comtesse du Nord, qui pourtant ne couchent pas au château, se contentant d'y avoir un appartement où ils reçoivent, sont si coûteuses que le seul service des Menus-Plaisirs les inscrit pour une dépense de plus de 200 000 livres au chapitre du second quartier de 1782. L'Opéra est à nouveau ouvert, en 1784, pour Gustave III de Suède avec l'*Armide* de Glück, le 14 juin, comme si le Théâtre royal de France avait été créé pour étonner tous les rois de l'Europe.

AMBASSADES

D'autres spectacles, moins brillants peut-être, mais aussi plus ouverts et plus pittoresques, marquent le règne de Louis XVI. Les ambassades d'Orient amusent toujours la foule par le faste bigarré qu'elles déploient ; la famille royale se réjouit des présents étranges qu'elles apportent ; le gouvernement en retient les effets politiques et d'alliances. Celle qu'envoie le bey de Tunis, en 1777, et surtout celle qu'adresse au roi de France Tippo-Sahib, l'ennemi des Anglais, en 1788, rappellent les heures les plus glorieuses du Versailles de Louis XIV ; pour recevoir les envoyés du padichach ou « ambassadeurs Indiens », ainsi qu'on les appelle, le Salon d'Hercule est, par extraordinaire, transformé en Salle du Trône.

FRANKLIN

Il est une autre réception, qui, pour plus discrète qu'elle eût été, n'en retint pas moins l'attention des plus avertis. Lorsque, le 20 mars 1778, après avoir attendu dans le Salon de l'Œil-de-Bœuf, Benjamin Franklin, accompagné de Silas Deane et d'Arthur Lee, fut introduit par Vergennes dans la Grande Chambre du Roi et que Louis XVI lui eut adressé quelques mots d'amitié à l'intention du Congrès américain, la guerre se trouvait en fait déclarée à l'Angleterre. Quelques esprits perspicaces se demandèrent alors si, en face de ce vieillard original et déjà célèbre, de ce patriarche à la tête chauve et au nez chargé de besicles, le roi de France ne venait pas de décider du sort d'une nation nouvelle, susceptible un jour de dominer l'Europe.

MONTGOLFIER

La naissance de la navigation aérienne ne passe pas inaperçue du public. Deux expériences successives ont lieu à Versailles. La première est accomplie par Montgolfier en présence de Leurs Majestés dans l'avant-cour du château, le 19 septembre 1783 ; pas d'être humain à bord de la « machine aérostatique », mais quelques animaux, comme on ferait aujourd'hui pour de premiers essais de parcours interplanétaires. Le « globe », selon le terme alors employé, retombe une demi-lieue plus loin. Louis XVI se rend compte de la portée de l'affaire et décide d'honorer d'une hospitalité royale, en le plaçant à la Ménagerie de Versailles, le mouton qui a été le premier être vivant à ouvrir « la route des airs ». Montgolfier reçoit un cadeau de 6 000 livres, et bientôt d'autres honneurs.

Le 23 juin 1784, dans l'après-midi, Pilâtre de Rozier, qu'ont précédé dans l'intervalle plusieurs expériences faites en d'autres lieux, se prête, à Versailles, à une ascension de grand apparat. En présence de la famille royale, du roi de Suède, de la Cour et d'une foule considérable, la montgolfière « Marie-Antoinette », magnifiquement décorée, est préparée dans l'avant-cour du château. Vergennes lui-même met le feu au foyer. La musique joue l'ouverture du *Déserteur* de Monsigny. Au milieu du bruit des tambours, des applaudissements et des cris, l'aéronaute, qui a pris avec lui comme passager le chimiste Louis Proust, alors pharmacien en chef de la Salpêtrière, s'élève un peu avant 5 heures dans le ciel et disparaît un quart d'heure plus tard en direction du nord-est. L'atterrissage a lieu après une navigation d'une quarantaine de minutes dans la forêt de Chantilly. Ainsi, après les expériences des eaux à l'époque de Louis XIV ou celles des cultures nouvelles sous Louis XV, Versailles demeure fidèle à sa mission d'extraordinaire terrain pour le progrès des sciences.

Le château paraît alors moins propice aux expériences politiques. L'application du jeune roi ne suffit pas ; l'espèce de fermeté et d'indépendance qu'il semble vouloir pratiquer au début de son règne ne résiste pas aux interventions de la Reine et de son entourage. Versailles s'identifie d'autant plus aux errements de Louis XVI que celui-ci continue l'habitude, prise par Louis XIV et par Louis XV, de ne plus se rendre à Paris dans les moments difficiles ; il faudra qu'il y soit forcé par l'émeute.

LITS DE JUSTICE ET DÉPUTATIONS

Les lits de justice, comme au temps de Louis XV, se tiennent à Versailles. Au mois de mai 1775, avant même le sacre, pour conjurer les premières émeutes, au mois de mars 1776 pour soutenir la grande réforme de Turgot, qu'il abandonnera quelques mois plus tard, entre 1785 et 1788 pour appuyer la malheureuse politique financière de Calonne, puis celle de Brienne, Louis XVI convoque chez lui le Parlement de Paris pour lui imposer ce qu'il croit être sa volonté.

L'usage, d'autre part, se poursuit de recevoir à Versailles les députés des États provinciaux, Languedoc, Bretagne ou autres, qui viennent remettre leurs cahiers de doléances. Le Roi les voit défiler devant lui, dans la Chambre de Louis XIV, leur fait montrer les eaux dans le parc, les fait conduire en gondole à la Ménagerie et à Trianon, mener en voiture à Marly : après quoi, ils peuvent rentrer chez eux. Cette douce tradition versaillaise, empreinte de bon ton et toute marquée de la fierté du grand château, a-t-elle entraîné une funeste erreur d'optique au moment des grandes assemblées qui amorcent la Révolution ?

Les deux Assemblées des Notables de 1787 et de 1788 ne paraissent en effet que prétexte à déployer l'énorme appareil dont la Cour de France est capable, à éblouir, à endormir par de bonnes paroles ceux qui se préoccupent du déficit financier. Elles se tiennent dans la cour de l'hôtel des Menus-Plaisirs, avenue de Paris, où l'on utilise les petites maisons de bois des plaisirs de la Reine. Est-ce sérieux ?

LES ÉTATS GÉNÉRAUX

Pourquoi le château s'inquiéterait-il davantage de l'Assemblée des États Généraux ? Même emplacement, mêmes maisons de bois. Un peu plus de faste, et voilà tout. On fera un grand dais neuf pour le trône royal, et tel que Louis XIV n'en aurait pu rêver de mieux composé en casques, en trophées, en panaches. Le Roi, le 2 mai, reçoit les députés des trois Ordres en habits de cérémonie dans le Salon d'Hercule. Le 4, a lieu, du château à la ville et de Notre-Dame à Saint-Louis, la plus éblouissante procession que Versailles ait peut-être connue ; toute la Cour s'y déploie avec ses beaux costumes et ses coûteuses survivances d'un autre âge ; on y voit pour la dernière fois marcher le grand fauconnier de France, le marquis de Vaudreuil, avec les fauconniers du Roi, qui font songer aux enluminures gothiques, tenant leurs beaux oiseaux sur leurs poings gantés de cuir. La cathédrale Saint-Louis, intérieurement meublée de gradins montés pour la circonstance, semble préparée pour un sacre !

La situation change cependant assez vite, mais l'insouciance demeure presque partout dans les milieux de la Cour. Des émeutes pour le prix du pain ? Ne les a-t-on pas connues déjà à plusieurs reprises jusque dans la ville de Versailles ? On se rappelle celle du 2 mai 1775, et les mémoires signalent que, sous Louis XV, en 1740, et même sous Louis XIV, en 1692, des séditions ont eu lieu contre les boulangers de la cité royale.

Certains esprits paraissent pourtant s'inquiéter. Une curieuse note, conservée dans les papiers des Bâtiments, montre que, le 10 juillet 1789, Heurtier se préoccupe de la fermeture des grilles « qui deffendent tous les abords du château, au moment où il en seroit besoin ». L'architecte s'aperçoit qu'il n'y a ni clefs, ni serrures. La tradition médiévale, encore existante dans le Louvre de Henri IV, s'est perdue, qui voulait que, chaque soir, les clefs du château, portes fermées, fussent apportées dans la Chambre et placées sous l'oreiller du Roi. Heurtier doit donc constater « qu'on n'étoit pas dans l'usage de fermer depuis bien longtems » les grilles de Versailles. En attendant que soient fabriquées de nouvelles serrures, ce qui demandera du temps, il va faire poser des cadenas.

Cependant les imprudences se multiplient et l'agitation règne dans l'entourage de la Reine. Faut-il mettre à ce compte le banquet offert à l'Opéra par les Gardes du Corps à leurs camarades des régiments venus de l'Est et du Nord, le 1er octobre 1789, dont le scandale, habilement exploité, contribue à la marche sur Versailles le 5 et à l'invasion du château le 6 ? Ce n'est pas là une nouveauté. La vocation de l'Opéra, on l'a vu, est de servir éventuellement de salle de bal ou de festin. Les Gardes du Corps, rappelant le bal qu'ils donnèrent en 1751 pour la naissance du duc de Bourgogne, ont, sur ce même théâtre, offert à Leurs Majestés, le 30 janvier 1782, pour célébrer la naissance du Dauphin, un grand Bal-paré, où la Reine a même dansé avec l'un des Gardes de la compagnie de Noailles, et dont on pria d'ailleurs sans façon le Roi de payer une partie de la dépense. C'est la vie presque quotidienne de Versailles que ce mélange de désinvolture et de faste. Les semaines et les mois où les États Généraux, puis l'Assemblée nationale se tiennent dans la ville, se déroulent dans un climat d'enthousiasme et de pressions, de laisser-faire et d'hésitations, qui résume à sa manière le Versailles d'Ancien Régime.

LE PUBLIC

Pour qui veut bien se pencher sur l'existence du château et même de la ville, l'étonnement demeure complet de voir comme un double courant sans cesse animer l'un et l'autre. Les détails les plus sordides côtoient le luxe le plus raffiné. Des abus et des gaspillages immenses se joignent au plus sincère désir d'économies. Les nouveautés les plus audacieuses coexistent avec les plus solides traditions. Plus d'un contemporain a été surpris de ces contradictions, qui vont peut-être s'exagérant, plus se prolonge la vie de la Cour dans le château de Louis XIV et plus grande est la faiblesse du Roi. Aucun peut-être n'a porté un témoignage aussi vif qu'Arthur Young en 1787.

Après avoir visité l'appartement du Roi, l'agronome anglais, un peu déçu des disparates de l'architecture, se livre à quelques réflexions qu'il est bon de citer ici : « C'était un amusant spectacle de voir les têtes de voyous qui se promenaient, sans être surveillés, dans le palais et même dans la chambre à coucher du Roi, des hommes dont les haillons montraient qu'ils se trouvaient au dernier degré de la pauvreté, et j'étais la seule personne à se demander avec un étonnement comment diable ils pouvaient s'y trouver. Il est impossible de ne pas aimer ce sans-souci, ce laisser-aller, cette absence de toute suspicion. » Bel hommage rendu à la plus saine des traditions entretenues par les rois de France à Versailles, leur familiarité avec le menu peuple !

On citerait vingt exemples de cette absence de morgue, de cette bonhomie des uns et des autres. Le duc de Croÿ vient-il de recevoir des mains du Roi le bâton de maréchal de France, qu'il désirait ardemment et depuis longtemps, il le remet tout simplement, ayant à faire ses visites chez la Reine et chez les princes, au Suisse de l'Œil-de-Bœuf. La surprise du grand-duc Paul de Russie, traversant la Grande Galerie, est entière, de recevoir aux oreilles les réflexions plus d'une fois impertinentes qu'inspirait à la foule l'irrégularité de sa physionomie !

Mercier, dans son *Tableau de Paris*, ne peut se défendre de noter le spectacle et les propos innocents du badaud : « Le Parisien, le jour de la Pentecôte, prend la galiote jusqu'à Sèvres, et de là court à pied à Versailles, pour y voir les princes, la procession des cordons bleus, puis le parc, puis la ménagerie. On lui ouvre les grands appartements ; on lui ferme les petits, qui sont les plus riches et les plus curieux. Ils *(sic)* se pressent à midi dans la galerie, pour contempler le Roi, qui va à la messe, et la Reine, et Monsieur, et

Madame, et monseigneur comte d'Artois, et madame comtesse d'Artois ; puis ils se disent l'un à l'autre : « As-tu vu le roi. — Oui, il a ri. — C'est vrai, il a ri. — Il paroît content. — Dame ! c'est qu'il a de quoi. »... »

BARAQUES

Les baraques continuent d'être attachées au château, comme le peuple à son roi. Certes, elles ont leur hiérarchie : simples armoires formant boutiques pour les marchands de dentelles, de livres, de fleurs ou de jouets, ou bureau de la Loterie installé par Campan, dans l'Escalier de la Reine ou dans la Galerie des Princes ; baraques numérotées au flanc des murs de la façade d'entrée, dont on continue de s'arracher la survivance, et qui sont maintenant inscrites sur un « plan général des baraques du pourtour du château » ; baraques plus sordides qui se multiplient dans la ville et qui semblent accrochées comme lierre à tout mur qui appartient au Roi ; toutes se maintiennent ou se développent dans un désordre et avec une désinvolture qui étonnent.

Un jour de 1784, Louis XVI veut sortir de son Potager par l'une des grilles que l'on voit encore sur la rue de Satory (actuelle rue du Maréchal-Joffre). Il trouve installé là un cabaret, « ce qui lui a déplu ». Encore cette baraque se trouve-t-elle en situation régulière, puisque, démolissant sur ordre du directeur général des Bâtiments, hostile (et on le comprend !) à la prolifération de ces verrues, les baraques adossées au mur des Petites Écuries sur l'avenue de Sceaux, on a autorisé ceux qui les ont édifiées à se réinstaller le long des murs du Potager. Un autre jour, c'est une vieille baraque de foire, à laquelle personne ne faisait plus attention, sur l'avenue de Saint-Cloud, que l'on découvre au réveil transformée en une grande baraque de marchande de modes, surgie là dans la nuit.

Les avenues du château, aux abords de la Place d'Armes, et celle-ci en particulier, sont toujours demeurées à l'état de chantier. Les pierres s'y entassent comme au temps de

Louis XIV, servant de « réceptacle aux ordures de tous les passans » ou favorisant « les déjections du peuple ».

HYGIÈNE

Il y aurait un chapitre quelque peu nauséabond à écrire sur l'hygiène et la propreté du château. Les fosses d'aisances se sont multipliées depuis un demi-siècle et leur vidange pose des problèmes sans cesse renouvelés, qui forcent à mainte expérience. Un sieur Jean Viot de Fontenay annonce-t-il l'exploitation de « pompes antiméphitiques », on essaie aussitôt son procédé, en dressant la liste de toutes les fosses du château.

Les foules qui visitent chaque jour le château compliquent singulièrement ce problème. On calcule, en 1780, que si, pour vingt-neuf fosses d'aisances, on donnait pour chacune d'elles douze sols par jour à des journaliers qui seraient à leur poste de 5 h. du matin à 9 h. du soir l'été, ce serait encourager ces malheureux à la mendicité ; les Bâtiments cependant estiment que vingt sols seraient trop lourds à leur budget. Les latrines des Gardes-suisses, à l'entrée de l'avant-cour, sont devenues depuis longtemps publiques ; un rapport de 1785, insistant sur l'urgence des réparations qu'il faut y faire, précise, peut-être avec excès : « Le soldat ne peut plus y entrer sans risque d'y être enseveli. » Les Archives nationales conservent trace des études et des projets qui sont faits pour remédier à cette situation.

On conçoit qu'une malpropreté trop étendue nuise à la salubrité du château. Marie Leczinska s'inquiéta des souris, Marie-Antoinette des punaises. Les rats pullulent. Un certain Samuel Hirsch, « destructeur de rats », vient-il proposer une pâte de son invention, on accepte volontiers son offre et, chaque année, depuis les dernières années du règne de Louis XV, on lui verse des sommes qui vont de 500 à 800 livres. Tout ce qui vit autour du château et qui vit du château, que ce soit la Cour ou que ce soit la ville, qu'il s'agisse même des animaux, semble porté à une échelle telle qu'on n'entrevoit plus de remède.

Louis XVI, qui est animé d'excellentes intentions, croit sincèrement à la possibilité d'une remise en ordre. La méthode qu'on le voit appliquer au rétablissement progressif du parc et du château le prouve ; la minutie qu'il met à tenir ses comptes personnels dénote la même illusion. A quoi servent de petites économies dans un immense gaspillage, ou les efforts d'un seul, fût-il le Roi, alors que tant et tant profitent de ce vaste désordre, dont le noble château de Louis XIV forme le centre et le point d'attraction ?

CHAPITRE III

LA COUR

LE GASPILLAGE

Louis XVI lui-même se trouve comme inconsciemment pris dans des habitudes ou des exigences, qui lui apparaissent si naturelles qu'il ne peut les rejeter. Lorsqu'il affirme au duc de Coigny sa volonté d'économies et qu'il ajoute, devant l'air peut-être respectueusement sceptique du premier écuyer, « ceux qui trouveront à redire, je les briserai comme ce verre », il est sincère et brise effectivement un verre. Et après ? On verra plus loin que le duc n'aura guère à se plaindre des économies effectuées dans son service.

Les gens qui entourent le Roi et que celui-ci pensionne sont innombrables. La liste du personnel de sa Maison, en 1775, occupe vingt-cinq pages in-8° dans l'édition de ses comptes privés publiée par Beauchamp. Louis XVI estime-t-il que tous sont indispensables ? Tous en tout cas tiennent à leur place. Est-il utile que deux horlogers se trouvent chaque matin à son Lever pour régler sa montre et « mettre les pendules d'accord » ?

Tout est luxe autour du Roi. Il devient ainsi plus difficile de juger ce qui est nécessaire et ce qui l'est moins. Les objets de toilette, par exemple, sont, par tradition, très riches, couverts de brocart d'or rebrodé de paillettes ; peut-être est-ce obligé dans le somptueux cérémonial du Lever et dans le cadre de la Chambre de Louis XIV ; mais l'usage s'est pris d'avoir une autre toilette pour le débotté, qu'on appelle la toilette de chasse et qui tend à devenir presque aussi riche que la première.

Qu'on ouvre les comptes des Cabinets, gérés par l'habile Thierry de Ville d'Avray, on trouvera le même luxe invraisem-

blable. Le Roi aime le bon café. C'est son droit. Louis XV a
établi le « café du Roi » en une sorte d'institution sacrée.
Un exemple montre à quels abus on est parvenu. Au mois
d'avril 1786, arrivent du Caire par l'intermédiaire de la
Chambre de Commerce de Marseille huit fardes de moka,
qui pèsent 2 380 livres et reviennent à 6 847 livres, ce qui
fait un prix de 2 l. 17 s. 6 d. par livre. Rien à dire jusqu'ici.
Mais ce café, après essai, paraît, bien qu'on le reconnaisse
« d'une excellente qualité, beaucoup trop jeune, et il est
nécessaire de l'attendre ». Une nouvelle commande s'ensuit
au consul général de France à Alexandrie de huit autres
fardes, qui vont coûter à peu près le même prix. Lorsqu'il
s'agit de telles quantités, à un pareil moment, ceci peut
sembler un gaspillage coupable, dont on accuserait aisément
ceux qui vivent du Roi.

Louis XIV et même Louis XV ont organisé Versailles pour
contribuer au luxe de la table royale. L'affaire devient-elle si
mal administrée, ou trop de gens se nourrissent-ils sur le
domaine, sans souci d'un roi trop faible ? L'ancien mécanisme
paraît déréglé, si l'on en juge à de nombreux indices.

On élève traditionnellement à la Ménagerie des canards et
des oies, qui sont destinés à la table du Roi ; mais, sous
Louis XVI, on prétend ne plus pouvoir les servir ; les uns
meurent trop tôt, les autres prennent un mauvais goût ; la
faute en incombe, dit-on, au mauvais entretien des pièces
d'eau.

Le Roi aura-t-il plus de chance avec son grand Potager ? Il
apprend en 1787 que la récolte des fruits a été mauvaise et
qu'il faut acheter ceux-ci au dehors, où ils valent d'ailleurs
« excessivement cher ». De même pour le poisson. Thierry
signale à son maître dans le même rapport sur les dépenses
des Petits Cabinets que l'étang de Saint-Hubert, que l'on
croyait pourtant poissonneux, « n'a rien fourni pour les
voyages de Rambouillet ». Mauvaise exploitation ? Malhonnê-
teté ?

LES ABUS

Tant de gens ont pris l'habitude de vivre aux frais du
Roi ! Et l'impuissance du monarque régnant ne fait que les

encourager. Versailles devient, sans qu'on s'en soucie, l'une des causes de la Révolution qui s'annonce. Il faudrait, pour éviter celle-ci, réformer probablement l'institution de Louis XIV tout entière. Louis XVI en est incapable.

Quelques-uns voient clair, mais s'en voudraient pour eux-mêmes d'être entendus. Nous avons maintes fois cité le duc de Croÿ. Il est perspicace et juge qu'un grand plan de réformes, à la Cour comme ailleurs, est à peu près impossible, « à moins d'une refonte si dure que c'eût été écraser tout le monde, une immensité ne vivant que sur le Roi. Louis XIV et même Louis XV ont monté trop haut, et, quand on l'a fait, on ne peut plus descendre ».

La « maison » des princes est formée d'une domesticité d'honneur qui est composée des plus grands noms de France et que double une domesticité réelle, aussi jalouse que la première de ses prérogatives. Tout service de Chambre ou de Garde-robe bénéficie des commandes qui sont faites par lui et qui lui reviennent « de droit » à un moment ou à un autre. On a déjà vu à quel gaspillage, de temps à autre vaguement réprimé, aboutissent les « renouvellements ». Plus ceux-ci sont fréquents, plus vite chacun se partage ce qui est déclaré hors d'usage.

Prenons en exemple le service des Enfants de France. Berceaux et layettes donnent lieu à une distribution, qu'on attribue, en une répartition bien hiérarchisée, à la gouvernante, aux sous-gouvernantes, nourrice, remueuses, etc. Louis XVI, pris d'une belle énergie, décide, en 1787, de substituer aux attributions en nature une indemnité dite de berceau, qu'il fixe, en ce qui concerne la gouvernante des Enfants de France, et pour nous en tenir à elle seule, à 45 000 livres par prince ou princesse et pour une période qui doit être en principe de cinq ans. Le duc de Normandie est né le 27 mars 1785 ; il doit, comme Dauphin, passer entre les mains des hommes le 27 mars 1790. Lorsque Mme de Polignac s'exile aussitôt après la prise de la Bastille, elle fait établir son compte. Du 27 mars 1785 au 16 juillet 1789, cela fait 4 ans 3 mois et 19 jours, soit 38 725 livres, qui lui reviennent. Mme de Tourzel, qui la remplace, recevra le complément des 45 000 livres, soit 6 275 livres. On n'est pas plus régulier, ni plus sordide.

Lorsque le premier Dauphin passe, en juin 1787, aux mains de son gouverneur, le duc d'Harcourt, celui-ci demande au Roi de fixer lui-même son traitement. Louis XVI se fait présenter l'état du traitement de son propre gouverneur, le duc de la Vauguyon, alors qu'il était lui-même Dauphin : 125 400 livres par an. Il inscrit le duc d'Harcourt pour 240 000 livres. On n'a pas le geste plus royal.

N'allons pas croire cependant que les « droits » à bénéficier des largesses du Roi ne s'appliquent qu'aux grands. Certes, ceux-ci se voient attribuer des sommes auprès desquelles celles offertes aux petits n'existent guère. Pourtant le plus modeste travailleur est amené à faire valoir son « droit ». On a vu plus haut que, depuis Louis XIV, des indemnités sont attribuées pour accidents de travail et des pensions de retraite ou de vieillesse accordées aux anciens employés ou à leurs veuves. Peut-être ce qui n'est encore que charité ou justice tend-il à se laisser pénétrer, sous Louis XVI, des idées à la mode et à devenir institution ; une « salle de philanthropie » est installée au Grand Commun. Les usages qui sont basés sur des précédents continuent d'être les plus forts.

On a signalé dans les jardins un des ouvrages importants de ce règne, le nouveau bosquet des Bains d'Apollon. Quelle n'a pas été alors la négligence de Louis XVI, peut-être mal convaincu pour sa part de l'importance de cette amusante décoration, en « oubliant » de venir poser la première pierre du nouvel ensemble ! Une réclamation des ouvriers maçons lui est transmise, précisant que, pour tout ouvrage d'une certaine importance, « l'usage est que le Roy ou le Ministre pose la première pierre, et cet usage donne lieu à un pourboire au profit des ouvriers desdits travaux ». En rappelant cette règle ou « tout au moins le pourboire », l'entrepreneur Thévenin précise que ce pourboire ne saurait être inférieur à trois cents livres.

Justice ? Abus ? Tout se confond dans des habitudes de vie fort anciennes. Traitements, salaires ou charges se complètent d'avantages en nature ou en argent, qui, surtout lorsqu'il s'agit de faibles sommes, paraissent très raisonnables.

Les exigences, en se développant et souvent en utilisant la protection de la Reine, entraînent de graves excès, qui sont de tout ordre. Dépenses superflues, vanités puériles, errements esthétiques, prétentions multipliées, rendent difficiles les réformes souhaitées par le Roi.

ÉCONOMIES IMPOSSIBLES

Au mois d'août 1789, on voit Mme de Tourzel s'inquiéter de la provision de bois pour l'hiver qui vient et que personne n'envisage de passer à Paris. Cela n'est que normal. Depuis quelques semaines gouvernante des Enfants de France, qui ne sont plus que deux et qui logent au rez-de-chaussée du château, dans l'appartement des Dauphins, elle croirait cependant indigne de sa charge de consentir à une diminution de consommation. Celle-ci n'a d'ailleurs cessé d'augmenter dans les années précédentes et coûte fort cher au Trésor. La note suivante donne l'explication de cette dépense, que personne ne tient à voir réduire : « Indépendamment des appartements de Mgr le Dauphin et de Madame fille du Roi, celui de Madame la gouvernante et de sa suite, celui de Madame la sous-gouvernante qui loge auprès de Madame, tout le service des princes ayant logement, chambre ou cabinet au château, est chauffé aux dépens de la Fourrière des Enfans de France. »

Veut-on un autre exemple de ces abus impossibles à réprimer ? La Reine, on l'a vu, a fait clore de grilles le nouveau bosquet qui porte son nom, ainsi que le Bosquet d'Apollon. Elle et le Roi, la famille royale et quelques personnes seulement qui touchent à leur service doivent avoir les clefs de ces deux bosquets. Soit par passe-droit, soit par fausses clefs, le nombre de ceux qui peuvent y entrer devient peu à peu tellement grand qu'il n'y a plus, en 1788, qu'un moyen de revenir sur cet excès de prétentions : faire changer les serrures des deux bosquets. Le même phénomène s'est déjà produit sous Louis XV.

L'importance et le rang de chacun paraissent devoir se juger aux demandes adressées aux Bâtiments. Nous retrouverons plus loin l'exigeante société de la Reine. La mendicité des grands, voulue et entretenue par Louis XIV, présente quelque chose de choquant dans la situation qui avoisine la Révolution. Changements de cloisons ou frais de peinture dans les appartements sont accordés de plus en plus facilement, donc plus aisément réclamés. La pose de persiennes et de doubles châssis devient une obligation pour les dames du service de la Reine ou de la comtesse d'Artois ; certains de nos contemporains, qui croient avoir recréé du « Louis XVI » en mettant de petits carreaux aux fenêtres, s'étonneraient bien de voir ces dames, prises d'émulation, réclamer les unes à la suite des autres le remplacement des vieilles menuiseries et des petits carreaux d'autrefois par « des grands carreaux » à la moderne. L'argument le plus fréquemment mis en avant est le besoin de lumière que réclame leur service.

Versailles paraît un gouffre où la monarchie, terriblement endettée par la guerre d'Amérique, se laisse entraîner. Le château, par son immensité et le pied sur lequel Louis XIV a tout placé, en est-il seul responsable ? Faut-il accuser les hommes, la faiblesse de Louis XVI, l'appétit insatiable des courtisans, l'impossibilité des réformes ? Lorsque Necker met le doigt sur les gaspillages de la Maison du Roi, c'est Versailles entier qui semble visé.

Toute courbe qu'on essaierait de tracer des dépenses de la Cour montrerait une progression continue de Louis XIV à Louis XVI et, sous le règne de celui-ci, des premières années aux dernières. L'année 1781 semble le point de départ d'un excès de dépenses, comme si l'étendue du déficit devait désormais rendre insouciant. C'est l'année de la naissance du Dauphin. Est-ce, de la part du Roi, une incapacité de réforme, une indulgence excessive, un trop grand optimisme et comme la certitude d'une monarchie assurée de vivre, puisque physiquement la succession royale est enfin assurée ?

On a cité plus haut quelques dépenses des Cabinets du Roi ou celles des Enfants de France. Revenons sur ces deux rubriques.

Louis XVI n'a pas laissé la réputation d'un alcoolique et les soupers de ses Petits Cabinets ou ceux qu'il prend chez la comtesse de Provence le trouvent entouré de la Reine et de sa proche famille. Cependant, dans les dépenses des Cabinets, le « vin du Roi » représente une énorme dépense : 6 567 livres en 1785, 8 527 en 1786, 16 040 en 1787, 48 780 en 1788 (dont une bonne quantité de champagne, que l'on rachète notamment à un ami des Polignac, Vaudreuil, ruiné par la chute de Calonne), 60 899 en 1789 (dont près des trois quarts en champagne). Ne doit-on pas accuser, plutôt que le Roi, son entourage et ceux qui profitent de pareils achats en un tel temps ?

Il en va de même des dépenses de la gouvernante des Enfants de France, que l'on peut suivre à l'aide de quelques jalons. En 1751, Mme de Marsan a dépensé 199 830 livres, en comprenant la layette du duc de Bourgogne ; dans les années 1765-1775, elle ne dépassa jamais 200 000 livres par an, même lorsqu'elle eut à composer le trousseau de Madame Clotilde. Les chiffres s'enflent bientôt. Mme de Guémené, qui ne doit gouverner que Madame Royale au berceau, demande 299 000 livres en 1779 et 239 005 en 1780, 539 000 en 1781, en comprenant la layette du Dauphin. Ceci semble par trop exagéré et, du moins lorsque Mme de Guémené est disgraciée, les langues se délient ; certains parlent de malversations et, sans accuser la gouvernante en personne, trouvent qu'elle « place mal sa confiance et on en abuse ». La situation sera-t-elle meilleure avec Mme de Polignac ? Il ne semble guère. La seule layette du duc de Normandie va coûter 246 787 livres.

Il est deux chapitres des budgets de la Maison du Roi qui, de tout temps, ont compté parmi les plus lourds : les Bâtiments et les Écuries. Les dépenses des Bâtiments nous ont valu Versailles, celles des Écuries l'une des plus brillantes époques du cheval français. Mais le règne de Louis XVI surpasse-t-il en éclat ceux de Louis XV ou de Louis XIV ? Pourquoi alors les dépenses deviennent-elles écrasantes ?

Les comptes des Bâtiments, avec leur système d'acomptes et de paiements plus ou moins retardés, sont, surtout sous Louis XV, difficiles à établir avec une netteté suffisante, année par année. Nous prendrons une moyenne, qui nous est fournie par le vérificateur de Versailles lui-même.

On peut évaluer que l'ensemble du département de

Versailles coûta au Trésor royal, entre 1765 et 1777, environ 600 000 livres par an ; de 1778 à 1784, la moyenne annuelle passe à un peu plus d'un million de livres. Et cependant, en dehors d'un entretien, qui fut, il est vrai, très sérieux, en dehors aussi de l'achèvement de l'aile de la Chapelle et de quelques jolis ensembles de boiseries, rien d'extraordinaire ne marque ce règne. Où passe l'argent ? Le coût de la vie certes est enchéri, mais les Bâtiments tiennent les prix serrés vis-à-vis des entrepreneurs ; certains d'entre eux, les serruriers par exemple, se plaignent, en 1783, d'être astreints à pratiquer leurs prix sur une adjudication qui date de 1754, alors que « tout en général est augmenté au moins du quart ».

Quels sont donc les travaux qui engloutissent tant d'argent ? Un peu dans l'appartement du Roi, à peine plus dans celui de la Reine, un peu chez la famille royale en général, mais surtout, semble-t-il, dans les innombrables demandes des courtisans, qui obtiennent les travaux qu'on leur aurait refusés sous Louis XV et qu'ils n'auraient même pas osé demander sous Louis XIV. De plus, à côté des traditions de grande architecture que Louis XVI essaie de maintenir, que de dépenses nouvelles, utiles peut-être, mais lourdes !

Louis XV a introduit l'usage des persiennes à Versailles, qui, après lui, se sont multipliées aux fenêtres du château. En 1782, on décide même d'en doter tout le Grand Trianon, ce qui cause d'ailleurs un accident plus comique que grave ; un ouvrier qui fait des trous dans la pierre, du côté des Sources, pour poser ces persiennes, a appuyé son échelle contre une croisée fermée, croyant le bâtiment inhabité, et voici qu'une femme de chambre, de l'intérieur, ouvre la croisée sans malice, recevant sur elle l'ouvrier et l'échelle.

En 1785, une invention déjà un peu ancienne de Franklin entraîne pour les Bâtiments, au moment où le grand homme vient de rentrer en Amérique, des dépenses imprévues. La Reine demande, et « le plus promptement possible », qu'on place un paratonnerre sur le petit salon qu'elle a fait installer sur la terrasse du bout de l'aile du Midi. Madame Victoire aimerait aussi avoir un paratonnerre au-dessus de sa tête. Devant cette offensive bien réglée, Louis XVI décide une protection complète du château, mais comme il ne veut pas agir à la légère lorsqu'il est question de la sécurité de sa belle demeure, il fait prendre les avis de l'Académie des Sciences.

Là où les Bâtiments maintiennent cependant un certain ordre, les Écuries du Roi paraissent bien éloignées de pareils soucis. Turgot essaya sans succès d'obtenir des réductions de la part du grand écuyer, le prince de Lambesc, dont la mère, « grande écuyère » pendant la minorité de son fils, avait reçu l'assurance que celui-ci ne perdrait « rien de ce qu'avait son père ».

LES ÉCURIES

Les Écuries semblent vouloir démontrer que, aux yeux de ses successeurs, Louis XIV n'a pas vu assez grand. Il a pourtant édifié deux magnifiques bâtiments, installé un vaste manège couvert, réorganisé avec splendeur le glorieux service des Écuries royales. Louis XV a dû ajouter l'Hôtel de Limoges et quelques autres annexes. Il fut contraint de louer des écuries en ville, dont le loyer, en 1778, revient déjà à 35 000 livres par an. Thierry de Ville d'Avray, toujours prêt à rendre des services rémunérés, fait alors construire avenue de Saint-Cloud des écuries pour plus de cent chevaux, écuries qu'il loue ensuite au Roi. Pour les chevaux du Roi ? C'est là toujours le même problème.

Certes, chevaux de selle et chevaux de carrosse destinés au Roi ou à la famille royale sont nombreux dans les deux Écuries, mais les comptes ou listes, qu'a publiés Henri Lemoine, montrent ici encore la source des abus ; que de chevaux prêtés et d'attributions exagérées ! De Louis XIV à Louis XVI, le nombre des chevaux a triplé et le chiffre des dépenses sextuplé. Sur les 1 300 chevaux de la Grande Écurie, le grand écuyer en conserve plus de 100 pour son usage personnel. La Petite Écurie compte au même moment 1 083 chevaux. Or les chiffres respectifs des deux Écuries au milieu du règne de Louis XV étaient de 700 et de 680 chevaux. Les dépenses suivent la même progression. Celles de la Grande Écurie, d'environ 3 millions de livres en 1777, dépassent 4

millions en 1786. Celles de la Petite Écurie montent de
2 200 000 en 1781 à 2 800 000 en 1784 et 3 400 000 en
1786.

Le scandale est si manifeste, l'exagération et la mauvaise
volonté si bien établies que Louis XVI montre, pour une
fois, une certaine énergie. Au mois d'août 1787, Brienne lui
fait signer un nouveau règlement des Écuries : la Petite Écurie
est supprimée et rattachée à la Grande, non sans que le
duc de Coigny reçoive de substantielles compensations ; le
personnel, aussi bien que le nombre des chevaux, subit
d'assez notables réductions, et surtout les prêts de chevaux
sont interdits. Ainsi le budget total des écuries royales pour
1789 arrive-t-il à s'établir, locations comprises, à 3 477 000
livres, avec un total de 942 personnes et 1 125 chevaux.

Il serait faux pourtant de juger les gaspillages, qui sont
peut-être ici plus grands qu'ailleurs, comme totalement
improductifs. Il faut, à leur propos, faire quelques remarques.

Il est des dépenses que doit se permettre une vieille
monarchie, des souvenirs qu'elle peut vouloir conserver et
qu'il est souvent regrettable de supprimer. Ce ne sont pas
les chapitres les plus coûteux ; ils ont le parfum d'époques
lointaines. La France médiévale paraît encore vivante, avec
Montjoie, le roi d'armes, les hérauts, qui portent les noms
des plus anciennes provinces françaises, le juge d'armes, les
porte-épée de parement et le généalogiste ; même s'ils ne
doivent paraître que deux ou trois fois dans le règne, la foule
aime les voir dans leurs splendides habits brodés ; il faut les
conserver et les montrer, comme on expose au Garde-Meuble
de Paris et bientôt au Museum du Louvre les plus vénérables
et les plus inutiles œuvres d'art que possèdent les collections
royales.

Il faut de même maintenir, pour tout ce qui est « représentation », les trompettes, les hautbois, les tambours et les
fifres, qui appartiennent traditionnellement aux Écuries du
Roi. Louis XVI n'a pas pour la musique claire et guerrière
qu'exécutent ceux-ci un goût marqué, et les compositeurs
modernes ne s'intéressent plus à eux. C'est un luxe démodé,
mais tellement extraordinaire, que ce serait grand dommage
de s'en priver pour de dérisoires économies.

Et les carrosses ! Ils sont coûteux aussi, mais comme ils sont beaux ! Ils sont, depuis un siècle, l'orgueil toujours renouvelé de la Petite Écurie de Versailles. Certes il existe bien des abus. Dès son avènement, Louis XVI dut payer la dépense de deuil pour les carrosses et la livrée royale des Écuries, qui se montèrent à plus de six cent mille livres ; la même somme avait été comptée six ans plus tôt au moment de la mort de Marie Leczinska. Carrosses, voitures et chaises témoignent de la richesse et du goût de la Cour de France ; ils glorifient l'admirable travail des menuisiers-carrossiers et des vernisseurs parisiens. On les entretient comme de grandes œuvres d'art. Au mois de novembre 1787, on établit un devis de plus de trois mille livres pour restaurer le carrosse du sacre, y mettre des roues neuves, réparer la dorure, retoucher la peinture des panneaux « pour la rendre dans sa première vigueur ». Quel dommage que la Révolution ait dispersé ou dilapidé l'extraordinaire collection de Versailles ! Il est bon de lire les pages écrites par M. Rudolf Wackernagel sur ces superbes voitures. Des carrosses conservés à Stockholm, à Moscou, à Munich ou l'ensemble du musée de Lisbonne permettent aujourd'hui d'imaginer l'émerveillement et le plaisir que le visiteur pouvait tirer de cette partie des dépenses des Écuries du Roi.

Enfin, il est encore au moins un point sur lequel les prodigalités réfléchies d'un Louis XIV, plus personnelles d'un Louis XV, plus nonchalantes d'un Louis XVI ont été profitables au royaume : c'est le prestige du cheval français. Ne parlons pas ici des haras de la Couronne, que les achats continuellement faits au nom du Roi au Maroc, en Espagne ou ailleurs maintiennent en très grande renommée ; ces haras ne sont pas situés à Versailles même. En revanche, grâce à Versailles, à ses écuries et à ses manèges, au vaste personnel appointé par le Roi, l'école d'équitation française est devenue universellement réputée. Et l'on y tient. Les économies de 1787 n'entraînent guère de restrictions sur ce chapitre.

Pour remplacer, l'hiver, la carrière de la Grande Écurie, on construit, en cette même année 1787, un second manège couvert de 35 toises de long, que l'on prolonge, en 1788, sur le manège qui existait déjà et qui sert à l'école d'équitation, de façon à pouvoir, pendant la mauvaise saison, ne faire des deux qu'un seul et immense manège. Quel bel hommage aussi rendu à cette école de cavalerie de Versailles, que cette anecdote, rapportée par H. Lemoine et survenue à l'un des écuyers de Versailles, Pierre-Marie d'Abzac ! Celui-ci, émigré, se trouvant à Berlin et visitant sans se faire connaître les écuries du roi de Prusse, demande à monter un cheval très dur, que personne ne peut tenir et dont il se rend maître en quelques instants : « Vous êtes le diable, s'écrie l'écuyer prussien,... ou bien M. d'Abzac. »

Versailles est alors la ville du cheval. Les Écuries du Roi sont admirables de bâtiments et de tenue. Elles ne contiennent pourtant qu'une partie de la population chevaline de la ville royale. Les écuries de la Reine, luxueusement rebâties dans l'ancienne rue de la Pompe (rue Carnot) sur l'ordre de Marie-Antoinette et entretenues avec tout le faste dont celle-ci aime à s'entourer, sans compter celles, plus réduites, qu'elle a fait aménager dans les communs de Trianon, les écuries de Monsieur sur l'avenue de Paris et celles du comte d'Artois dans la rue de Satory, les écuries des princesses, celles de tous les habitants du château, celles de louage, le service de la Cour, l'immense circulation des chevaux qui conduisent de Paris visiteurs ou commerçants, seigneurs, bourgeois ou artisans, continuent de donner à Versailles une physionomie, un parfum particulier. La ville entière sent le crottin ; pas de rue où l'on ne respire la forte odeur du cheval.

De même qu'elle se penche à certains moments sur les petits et sur les grands, l'administration royale n'oublie pas les chevaux, même ceux des autres. Elle a, ici encore, sous Louis XVI comme sous ses prédécesseurs, des préoccupations immuables. En 1778, les Bâtiments dépensent 73 000 livres pour la construction d'un grand abreuvoir public, en remplacement de celui qui se trouvait près de la porte du Dragon et qui est supprimé à la suite de tractations de terrains, où nous trouvons mêlés le comte de Provence, Thierry de Ville d'Avray, premier valet de chambre du Roi, et Soufflot, l'un de ses architectes. Le bien de tous peut ne pas desservir certains intérêts privés.

LA VILLE

Chacun, dans le château, a pris l'habitude de vivre autant que possible aux frais du Roi. La même évolution se développe en ville. Louis XIV n'a-t-il pas créé cette petite cité pour qu'elle vive dans l'orbite de son château ? Le château ne déborde-t-il pas de plus en plus sur la ville, au point que l'un et l'autre arrivent à se confondre ?

Louis XIV a tracé Versailles et ses avenues, distribuant les permis de bâtir, élevant une église. A sa mort, selon MM. Duby et Le Roy Ladurie, la population atteignait plus de 15 000 habitants, « en comptant la troupe et les occupants du château ». Louis XV a magnifiquement développé cette ville, se préoccupant des eaux, édifiant à grands frais, près du château même, plusieurs ministères, construisant une cathédrale. Que peut faire Louis XVI, sinon laisser cette progression se poursuivre et la ville royale s'étendre, souvent aux frais du Trésor royal, mais au profit aussi des droits que perçoit le Domaine ?

A côté des maisons basses de Louis XIV ou des façades aux jolis balcons sinueux de Louis XV, l'époque de Louis XVI a laissé sa marque à Versailles dans de hautes et nobles façades de pierre que soulignent les balustres ou les anneaux de fer forgé de leurs balcons.

Ce qui a été construit du côté de l'aile du Midi, sur la rue de la Surintendance (actuelle rue de l'Indépendance-Américaine) sous Louis XV, va recevoir comme un pendant à la suite de l'aile du Nord, sur le prolongement de la rue des Réservoirs. On vient de signaler, à propos du nouvel abreuvoir, les spéculations dont ces terrains, donnés par Louis XVI au début de son règne en apanage à Monsieur, ont été l'objet. Le Roi est amené à racheter peu à peu tout ce qui s'étend de l'ancien hôtel de Mme de Pompadour à l'angle de la rue qui mène au bassin de Neptune. Il fait construire de 1777 à 1779 l'hôtel du Gouvernement et plus tard l'hôtel du Garde-Meuble. Il donne à Mme de Montansier l'autorisation d'élever un théâtre, qui existe encore et auquel, sous le nom de *Théâtre de la Ville*, la Cour se rend assez souvent par un

« corridor » tracé en arrière des bâtiments, le long des réservoirs et du jardin.

Comme chacun devient plus exigeant, reconstructions ou aménagements se multiplient. L'hôtel de Mademoiselle, qui date de Louis XIV et a servi de résidence à Gabriel, n'est plus digne de Mique ; on le démolit en 1776, pour le reconstruire dans les années suivantes aux frais des Bâtiments, comme « logement du premier architecte ». Calonne lui-même, qui aurait dû être plus soucieux d'une situation financière qu'il connaît mieux que personne, demande, en 1784, des transformations à l'hôtel du Contrôle-Général.

Le nouveau quartier de Versailles créé par Louis XV s'étend encore du côté de Montreuil, qui sera annexé en 1786. Des plantations d'arbres et surtout la construction d'un nouvel aqueduc, pour lequel le Roi dépense, entre 1777 et 1779, des dizaines de milliers de livres, retiennent l'attention des Bâtiments. Les courtisans sont à l'affût des avantages qu'ils peuvent retirer pour leurs propriétés des travaux d'urbanisme financés par le Trésor royal. Ils y apportent, il est vrai, leur contribution. Mme de Guémené verse 12 000 livres en 1777 et Vergennes 4 000 en 1779 pour participer aux frais de conduites et de branchements qui leur sont destinés.

F. Evrard a calculé que, entre 1740 et 1789, la ville de Versailles a doublé d'étendue et que, à cette dernière date, avec une population d'environ 70 000 habitants, elle est devenue la sixième du royaume.

Les avantages que tire la ville de la présence du château sont évidents. Des grands seigneurs aux tenanciers de baraques, presque aucun ne serait là si, à des titres divers, les uns ou les autres n'y avaient intérêt. Le Roi, le château font vivre la ville. Auberges et cabarets n'existeraient pas non plus sans le mouvement incessant que donne le château. On recense, en 1789, dans la ville 251 cabaretiers et 65 limonadiers. Il est d'excellentes hôtelleries, comme celle qu'on appelle *Hôtel des Ambassadeurs*, rue de la Chancellerie, près de la Place d'Armes, ou celle que tient Touchet le Baigneur, à l'enseigne de *Louis XIII* ou du *Juste*, rue du Vieux-Versailles, où descend Joseph II lors de son voyage à Versailles. Il en est aussi de sordides, pleines de voleurs ou de filles à soldats. Les mêmes contrastes qui existent dans le château entre l'extrême faste et la plus triste misère se retrouvent dans la ville, et toujours le même pittoresque. Angiviller éprouve, par exemple, les plus grandes difficultés à supprimer un pâturage à vaches qui s'est maintenu en pleine avenue de Paris.

Le luxe et le gaspillage qui se pratiquent au château profitent aussi à d'innombrables commerces. Des particuliers et surtout les limonadiers de la ville guettent ce qui sort des glacières du Roi, que les Bâtiments ont, l'hiver, tant de peine à remplir. Angiviller s'aperçoit, en 1783, qu'une partie de la glace distribuée soit pour le service du Roi, soit à ceux qui sont autorisés à en recevoir, est ainsi détournée de façon malhonnête.

La limite est difficile à maintenir entre ce qui est licite et ce qui ne l'est pas. Si les femmes de chambre de Mesdames, par exemple, reçoivent les robes de leurs maîtresses, c'est bien pour les revendre, et l'on voit la châtelaine de Grignon, Mme de Galard, en difficulté d'argent, ne pas hésiter à venir à Versailles acheter en solde trois robes qui viennent de la garde-robe des princesses. De même, le serdeau est officiellement reconnu et possède ses baraques établies le long du château, où l'on revend en victuailles aux touristes les restes des tables royales ; cependant, lorsque des officiers du serdeau « oublient » dans ces baraques des nappes ou de la vaisselle du Roi et qu'ensuite on revend celles-ci en ville, il y a peut-être abus.

Les renseignements recueillis par Fernand Évrard sur les mœurs à Versailles à l'époque de Louis XVI montrent que, à la veille de la Révolution, la police s'avère incapable de discipliner la ville. Celle-ci demeure cependant une ville militaire, mais avec toute la faiblesse dont Louis XVI est capable. Le Roi, dès son avènement, a pratiqué de dures économies sur les troupes de sa Maison. Il s'intéresse à l'armée avec son application coutumière. Il n'est pas, comme ses ancêtres, physiquement doué pour le commandement de ses soldats et l'on sait de reste que ses ordres, en face des mouvements de foule, seront plus mous que précis, au point de favoriser l'émeute. Mais il étudie avec attention le sort des hommes. Ne parlons pas ici des grandes réformes d'intérêt général, mais seulement des troupes cantonnées à Versailles.

Les Bâtiments poursuivent leurs efforts pour assainir les corps de garde à l'entrée du château, fâcheusement installés par Louis XIV en sous-sol des terrassements de l'avant-cour. Les casernes créées par Louis XIV ou reconstruites par Louis XV demeurent inchangées sur la Place d'Armes ou sur l'avenue de Sceaux, en attendant que le « grand projet » permette de les incorporer, immenses, modernes et belles, au château lui-même. Cette réalisation aurait-elle changé le déroulement des premières journées révolutionnaires ? Il ne semble pas, car les bâtiments existants sont vides en octobre 1789 ou peuplés d'éléments peu favorables à la Cour.

Constatons, ici encore, que, malgré une immense bonne volonté et le souci de poursuivre les traditions des deux rois qui l'ont précédé à Versailles, Louis XVI ne réussit qu'à demi. Il maintient le domaine aussi magnifique, mais plus dispendieux que jamais, et finit par le perdre. Il n'est pas seul responsable. A côté de lui gouverne aussi une figure légère et volontaire, la Reine. Versailles n'est plus sous Louis XVI le château du Roi seul ; il est également celui de Marie-Antoinette.

CHAPITRE IV

MARIE-ANTOINETTE ET VERSAILLES

LE RÔLE DE MARIE-ANTOINETTE

On aurait une idée bien fausse du Versailles de cette époque, si on le limitait à la personne de Louis XVI. La Reine, pour la première fois dans l'histoire du château, tient un rôle, qui n'est plus seulement de représentation et dont elle occupe la vedette avec un éclat grandissant, au détriment du Roi. Un drame à deux personnages semble se dérouler, dont les acteurs sont de taille fort différente. Marie-Antoinette possède la séduction, dont est dépourvu son époux, mais elle n'en a pas le sérieux. Versailles, avant la Révolution, commence d'être la victime de cette aventure, où se joue l'avenir du château et que le Roi mène bien mollement.

Quel contraste avec les deux reines précédentes ! Marie-Antoinette est à la tête d'un parti, soutient ses créatures et prend dans la vie du pays, dans celle du château, une place nouvelle. Elle est souvent en personne à l'origine des grâces et des disgrâces. Qui veut faire une belle carrière doit lui faire sa cour ; le ministre qui lui déplaît, même si le Roi l'appuie, a, surtout à partir de 1781, ses jours comptés. Marie-Antoinette impose ses gens et ses goûts. Elle donne aux Bâtiments ou au Garde-Meuble des ordres, que les plus sages essaient tout au plus de tempérer. Elle est la Reine de Versailles.

La monarchie, à ne la considérer qu'à l'intérieur du château, devient en quelque sorte bicéphale. Le Roi demeure un contrepoids, mais trop faible. La Reine souhaite être libre, mais est à son insu prisonnière de la coterie qui l'entoure et qui l'isole à son propre profit.

Cette dualité saute aux yeux de maint visiteur. Arthur

Young, dont nous invoquions plus haut le témoignage à propos de l'appartement du Roi, relate, en octobre 1787, ce dialogue significatif : « J'aurais désiré voir l'appartement de la Reine, mais on ne m'y autorisa pas. Sa Majesté y est-elle ? — Non. — Pourquoi ne pas le visiter alors comme celui du Roi ? — Ma foi, Monsieur, c'est autre chose. »

Puissante et frivole, elle tient une place unique. De même qu'elle essaie, pour son agrément, de se dégager du protocole, elle cherche à desserrer le carcan de grandeur dans lequel Louis XIV, par son château, a enfermé sa dynastie. Il y fallait une force singulière. Elle échouera, et sa tentative, tout inconsciente qu'elle ait été, contribue au développement de la Révolution. Il semble que le peuple, en quelque sorte habitué à *son* château comme à ses rois, lui en ait voulu. Ses dépenses, considérables certes, mais secondaires dans l'énorme gaspillage de la Cour, vont à contre-courant de ce qu'il est accoutumé d'accepter. Elles sont à la fois trop voyantes et trop privées, pas assez monarchiques ; on les trouverait normales, s'il s'agissait du Roi ou même de ses maîtresses, ainsi que sous Louis XV. Les règlements qu'elle fait afficher dans ses jardins de Trianon ou de Saint-Cloud et qui commencent par ces mots, « Par ordre de la Reine », choquent les vieilles habitudes. Ses ennemis, qui sont nombreux, exploitent dans leurs libelles et leurs accusations perfides ce qui, chez elle, apparaît comme original, étrange, indépendant, étranger. Le drame de Marie-Antoinette ne pourrait-il se résumer sous ce titre : l'Autrichienne à Versailles ?

PARTICULARISME DE LA REINE

Curieuse figure que la sienne, sans laquelle Versailles ne serait pas aujourd'hui ce qu'il est, bien qu'elle ait plus songé à détruire qu'à conserver le Versailles de Louis XIV, et sans le prestige tenace de qui l'imagination populaire manquerait d'un excitant, quoique, de son temps, elle ait été de la part du vulgaire l'objet de plus de haine que d'admiration. Peut-être représente-t-elle le mystère, jusque-là inconnu au château ? Derrière les fenêtres de l'appartement de Mme de

Montespan ou sur les terrasses des Cabinets de Louis XV, chacun savait ce qui se passait, devinait aisément qui pouvait s'y trouver. Les murs, comme enveloppés de mousseline, derrière lesquels se retranche Marie-Antoinette, laissent prise à l'incertitude, au doute, peut-être à la calomnie. Au lieu de l'existence terne, claire et publique des deux reines précédentes, on rencontre, à une bien mauvaise époque pour les finances du pays et sous un ciel politique alourdi par un gouvernement faible, une vitalité débordante et trop souvent secrète.

La Reine, par son caractère et par la flatterie qui forme un cercle autour d'elle, par l'espèce d'abandon physique dans lequel la tient le Roi et qu'elle lui rend, devient comme isolée dans Versailles. Elle a son domaine propre, qui est Trianon. On l'a vue faire établir dans les jardins, sur l'emplacement du Labyrinthe, son Bosquet particulier. Dans le château même, elle développe ses Petits Appartements, dont elle multiplie le nombre, comme si elle était Louis XV. N'ayant pas d'attache avec cette vénérable demeure, mais devant y vivre et voulant vivre à sa manière, elle n'apporte au maintien de ce qui existe ni respect, ni souci de tradition.

Tant de témoignages contradictoires l'entourent, qu'il est nécessaire de définir ceux sur lesquels on essaiera de s'appuyer. Violemment attaquée de son temps, elle fut magnifiquement défendue par quelques fidèles, qui furent d'autant plus désintéressés qu'ils n'avaient pas fait partie de sa « société », mais pour qui elle était « la Reine ». La sollicitude inquiète de Marie-Thérèse à l'égard de sa fille se traduit dans la correspondance de l'impératrice et de Mercy-Argenteau, qui a la valeur d'un journal, intelligemment utilisé par Pierre de Nolhac. Les mémoires qui la concernent sont, même authentiques, presque tous dénués de valeur ; écrits après la Révolution et souvent à l'époque de la Restauration, sur le mode attendri, par des gens qui cherchaient à se mettre en valeur, sinon à se faire pardonner, comme l'hypocrite Mme Campan dont on a fait trop de cas, ils sont pour le moins marqués de défaillances de mémoire. Louanges et légendes furent reprises au temps de l'impératrice Eugénie, qui avait voué à Marie-Antoinette un véritable culte, tandis qu'à l'opposé Michelet dénonce « sa parole hautaine..., le bleu trop bleu de l'œil, le regard fixe, à faire baisser les yeux ».

L'exposition Marie-Antoinette qui s'est tenue à Versailles en 1955, établie sans esprit critique et sans connaissances suffisantes, est loin d'avoir apporté un progrès. Les cartons des Archives nationales conservent encore de grandes richesses. Les ordres seuls donnés par la Reine aux gens des Bâtiments ou du Garde-Meuble permettraient de suivre presque au jour le jour son existence à Versailles, ses préoccupations et ses goûts ; on y puisera largement ici ; pour les Bâtiments, Nolhac nous a montré le chemin.

LES DÉPENSES DE MARIE-ANTOINETTE

Marie-Antoinette est dépensière comme une femme à la mode, comme une favorite, non comme une souveraine. Versailles ne nous a guère habitués jusque-là à une telle abondance de travaux au profit de la Reine. Celle-ci devient, en quelque sorte, le Roi faisant travailler pour sa maîtresse. Lorsque, en 1783, elle ordonne la transformation de son Grand Cabinet-intérieur, qui va devenir la belle pièce blanc et or, sobre et riche, noble et jolie, que nous admirons aujourd'hui, les Bâtiments s'inquiètent. C'est, pendant le voyage de Fontainebleau, le grand chantier de cette année-là : le sculpteur et le doreur, « les Srs Rousseau et Dutant (Dutemps) à eux deux seulement ont de 220 à 230 ouvriers, et l'atelier général en compose (*sic*) environ 450 ». On se croirait revenu à l'époque où Mme de Pompadour s'installait dans l'appartement du rez-de-chaussée.

Il est difficile de chiffrer ses dépenses, tant sont complexes les paiements de ce qu'elle ordonne, tant ont été dissimulées par ses partisans au moment de la Révolution les traces de ce qui aurait pu lui être reproché. Son rang lui a laissé croire que rien n'est trop beau pour elle, et ses caprices sont devenus des ordres. Marie-Thérèse, sentant cette tendance croître chez sa fille, la met en garde, sans succès d'ailleurs.

Comment Marie-Antoinette ne serait-elle pas entraînée à exiger de plus en plus vivement ce qui lui plaît, alors que le

Roi, après avoir fait mine de lui résister, finit presque toujours par céder ? L'attitude du joaillier Böhmer est typique à cet égard ; lorsqu'il compose pour elle le grand collier de

FIG. 26. — *Appartement de la Reine (premier étage) vers 1788.*

1. Cour de marbre. — 2. Cour royale. — 3. Cour de la Reine ou de Monseigneur. — 4. Cour dite de Monsieur. — 5. Cour des Princes. — 6. Salle des Cent-Suisses. — 7. Passage. — 8. Vieille-aile. — 9. Appartement du duc de Duras (ancien appartement de Mme de Maintenon). — 10. Grande Salle des Gardes. — 11. Vestibule ou loggia conduisant à l'appartement du Roi. — 12. Escalier de la Reine. — 13. Palier de l'Escalier de la Reine. — 14. Salle des Gardes de la Reine. — 15. Antichambre du grand-couvert. — 16. Grand Cabinet ou Pièce des Nobles, — 17. Grande Chambre. — 18. Salon des Jeux (Salon de la Paix). — 19 à 30. Cabinets de la Reine. — 19. Escalier des entresols. — 20. Service de la Reine. — 21. Escalier conduisant au Petit Appartement du rez-de-chaussée. — 22. Cabinet de Chaise. — 23. Cabinet de la Méridienne. — 24. Bibliothèque. — 25. Supplément de Bibliothèque. — 26. Grand Cabinet-intérieur ou Cabinet-doré. — 27. Arrière-Cabinet. — 28. Pièce des Bains. — 29. Chambre des Bains. — 30. Antichambres. — 31. Appartement du Roi. — 32. Grande Galerie.
(A comparer au plan du même appartement vers 1740. fig. 17, p. 390.)

diamants qui fera tant de bruit et qu'elle n'achète pas, le bijoutier peut à bon droit penser son refus tout passager ; il a pour lui des expériences antérieures. N'a-t-il pas, en décembre 1775, proposé à la Reine de belles boucles d'oreilles dont il demandait plus de 300 000 livres ? Marie-Antoinette les a montrées à ses intimes et les a trouvées dignes d'elle. Elle a versé un acompte et les a gardées, puis a prié le Roi de les payer, ce qu'il a fait galamment sur sa cassette personnelle en vingt-quatre versements, qui s'échelonneront jusqu'en 1782.

Autant que la dépense, la rapidité dans l'exécution montre des caprices de favorite. Dès qu'il s'agit d'elle, les expressions de « très précipitamment », de « travaux poursuivis jours et nuits » sont employées. Le renouvellement du décor du Grand Cabinet-intérieur, que nous citons deux pages plus haut, est l'objet, le 17 novembre 1783, d'une note des Bâtiments où perce à la fois l'inquiétude pour « l'immensité de la besogne qui reste à faire » et le souci d'être prêt pour le retour de la Reine : « Il sera fini à fleur de corde, mais il sera fini. »

Elle est femme et changeante, reine et exigeante. S'avise-t-elle, comme en 1786, que son Salon du grand-couvert n'a pas de persiennes, il les lui faut immédiatement : elles devront être « faites, peintes, ferrées et mises en place d'ici à 8 jours ». On devine en même temps sa déception et sa moue d'enfant gâtée, lorsque, rentrant à Versailles, à l'automne, elle ne trouve pas terminés des travaux, dont elle méconnaît parfois l'importance, comme elle se soucie peu des dépenses qu'ils causent. En voici un exemple, pris sur le vif.

LE GRAND CABINET-INTÉRIEUR

En 1779, Marie-Antoinette fait opérer un premier remaniement des Cabinets de Marie Leczinska au revers de son Grand Appartement, sur la cour intérieure. Elle séjourne beaucoup à Marly cette année-là, où elle est toute au plaisir du théâtre. Elle en profite pour faire exécuter à Versailles des travaux, dont le programme est arrêté et communiqué aux Bâtiments dès le début de mai. Le 27 octobre, la Reine vient examiner l'état de ses Cabinets ; ils sont presque achevés ; elle s'en déclare satisfaite.

On lui signale cependant qu'elle ne trouvera pas, à son retour de Marly, les glaces qu'elle a demandées dans la niche de son Grand Cabinet-intérieur ; ces glaces sont « extraordinairement grandes » et causent un peu de retard. « S.M. a répondu que cela lui était indifférent, puisque le meuble de son nouveau cabinet ne serait pas fait non plus pour le retour. » Ce meuble, elle l'a également voulu « extraordinaire » ; nous l'avons retrouvé, dispersé aujourd'hui et, pour la majeure partie, aux États-Unis. Les bois, tout sculptés de fleurs, sont magnifiques, mais combien plus encore la soierie qui les accompagnait ! C'était un tour de force de la fabrication lyonnaise. Mique ou la Reine elle-même ont imaginé de rajeunir tout le décor du Cabinet en couvrant les murs, en ornant les fenêtres et la niche, en garnissant les sièges d'un satin blanc broché d'arabesques, de fleurs et de médaillons d'une finesse prodigieuse. Charton, qui a livré à Louis XV quelques-unes de ses plus belles soieries, s'est chargé de ce travail, dont une partie est reprise « en broderie à l'imitation du broché ». Il a beau « faire travailler tous les métiers à la fois et accélérer l'exécution du meuble », celui-ci n'est livré à la Reine qu'à la fin de décembre. La soierie seule revient à environ cent mille livres. Moins de quatre années plus tard, Marie-Antoinette fait tout mettre en boiserie !

Le même Cabinet-intérieur offre alors une image semblable de précipitation dans la dépense. Le 21 mai 1783, le Garde-Meuble livre un meuble d'été de pékin bleu et argent à fond blanc, destiné à ce Cabinet et comprenant une tenture murale en six pièces. Des études préparatoires à l'exécution des nouvelles boiseries, qui ont rendu ces soieries inutiles et qui furent achevées pendant le voyage de Fontainebleau, portent les dates des 28 et 30 mai 1783. Au printemps suivant on doit effectuer sur le meuble même un changement « à cause de celui fait dans la construction par les Bâtiments ».

LE CABINET DE LA MÉRIDIENNE

On accuse aisément, dans les services des Bâtiments, Mique, cette sorte d'intrus que la Reine a imposé comme premier architecte, des retards et des indécisions. Mais combien plus Marie-Antoinette en est-elle responsable ! Ordres et contre-ordres se succèdent dans le cours d'un même travail, qui, une fois achevé, provoque encore de nouveaux changements. La campagne de travaux de 1781 peut en fournir un exemple.

C'est l'époque où, dans l'euphorie d'une grossesse que l'on espère d'un Dauphin, de nouveaux aménagements sont décidés. Le Cabinet de la Méridienne est alors transformé et, reprenant la forme octogonale qu'il a eue jadis, est complété d'une alcôve de glaces et reçoit un décor de menuiserie. La Bibliothèque est en même temps modifiée. La Reine demande, d'autre part, que l'on change son balcon sur la cour intérieure, après l'avoir débarrassé des vieux treillages qui datent de Marie Leczinska, et que l'on pose un nouvel escalier qui lui permettrait de descendre commodément chez Madame. La Reine veut qu'on profite de son séjour à Marly pour exécuter tout ceci.

Avril et mai 1781 sont une époque de fièvre pour les Bâtiments. Le 14 mai, la Reine envoie dire « par un des garçons de sa Chambre, qu'elle vouloit absolument que ses travaux fussent terminés dimanche matin pour son arrivée ». Pourtant Mique a laissé bien des incertitudes sur les plans de la Bibliothèque voisine ; peut-être ne connaît-il pas lui-même ceux-ci avec précision.

Dans les derniers jours de mai, le Garde-Meuble commence à livrer le mobilier. Mais de nouveaux changements surviennent, qui vont nécessiter d'autres travaux et prendre tout l'été : modifications aux portes de la Bibliothèque et surtout aux boiseries du Cabinet de la Méridienne, dont les menuiseries sont en partie déposées. En septembre, les architectes peuvent souffler un peu : la Bibliothèque, le Cabinet et l'escalier sont finis. Aux gens du Garde-Meuble de travailler ; le meuble de grenadine bleue qu'ils ont établi n'est qu'un pis-aller passager. La Reine fait mettre aussitôt en chantier la broderie d'un meuble de satin blanc, qui lui sera livré à l'automne suivant et qui donnera à son joli Cabinet de la Méridienne la physionomie qu'elle lui souhaite, celle aussi qu'il eût été bien de faire revivre aujourd'hui...

Le goût du changement, qui agite la Reine et déroute

quelque peu les lentes habitudes des grands services de la
Cour, présente de bons et de mauvais côtés. Il est parfois
inspiré par de petites jalousies de femme. En 1778, Marie-
Antoinette demande que, dans sa Grande Chambre de
Versailles, on coupe, « comme ils le sont à l'appartement de
la comtesse d'Artois », les châssis des croisées, qui datent
probablement de l'époque de Louis XIV. Et Nolhac a pensé
que l'un des principaux mobiles des exigences de Marie-
Antoinette pour sa Bibliothèque venait de n'être pas en reste
avec ses belles-sœurs Provence et Artois.

L'ardeur de vivre qui anime la jeune Reine fait songer à
celle qu'eut jadis la duchesse de Bourgogne. Elle bouscule,
comme elle, certains aspects du château ; elle contribue,
comme elle, à créer un style nouveau. Dédain de la tradition,
goût des nouveautés les plus tapageuses vont tantôt menacer,
tantôt embellir le Versailles de Louis XIV, jusque-là tant
bien que mal conservé.

LE GRAND APPARTEMENT DE LA REINE

La Reine, dans les trois ou quatre années qui précèdent
1789, s'attaque à son Grand Appartement. On a vu les
projets révolutionnaires de reconstruction du château, projets
qui datent de 1780, projets qui donnent à son appartement
une importance telle qu'elle ne peut y avoir été étrangère.
Mais les circonstances sont peu favorables à une dépense aussi
forte et Marie-Antoinette semble ne plus pouvoir vivre dans
un cadre aussi désuet. Les transformations qui ont été réalisées
à son intention dans la Grande Chambre en 1770 sont peu
de chose en comparaison de ce qui attend le vénérable
appartement des reines Marie-Thérèse et Marie Leczinska.
Son appartement intérieur étant rajeuni, Marie-Antoinette
n'hésite pas. Elle souhaite, notent les Bâtiments en 1786,
« un nouveau décor à son appartement ». On va voir qu'elle
s'applique avec méthode à la réalisation de ce souhait.

LA CHAMBRE DES REINES

Commençons par la Chambre. Les soieries qui recouvrent la presque totalité des murs datent de 1770-1771. Le plafond a déjà été restauré et quelque peu modernisé par ordre de Louis XV à ce moment. Marie-Antoinette apporte sa marque personnelle en faisant tisser aux Gobelins, pour mettre au haut des trois glaces, à la place des portraits placés par Marie Leczinska, ceux de sa mère, Marie-Thérèse, de son frère, Joseph II, de son mari, le roi régnant. Elle veut pouvoir, quand il lui plaît, cacher les grandes glaces de cette pièce et fait établir des stores de soie verte, munis d'un petit mécanisme de manœuvre. Elle fait placer, durant l'été de 1782, un parquet neuf. Tout cela n'est encore que détail ; elle va rénover la tenture et le meuble. Ce sera surtout l'affaire de l'année 1786.

Le meuble d'hiver reste à peu près traditionnel : un brocart cramoisi et or, que l'on rajeunit ou enrichit, selon son goût pour le clinquant et la fantaisie, de paillettes, de broderies et de bouillons, les croisées s'ornant de cantonnières et d'embrasses. Elle a, dès 1784, fait exécuter des bordures de bois doré d'un nouveau modèle pour encadrer les tissus de l'alcôve, de même qu'elle fera retoucher, en 1787, la sculpture du canapé de ce meuble.

Le meuble d'été sera encore plus conforme à ses goûts. Elle choisit d'abord un brocart bleu et blanc à décor de fleurs et de papillons, que Pernon, le fournisseur habituel de la Couronne à ce moment, tisse à Lyon. Le meuble, pourtant essayé sous ses yeux, ne lui plaît pas ; elle le fait envoyer à Fontainebleau et préfère un beau gros de Tours blanc, broché et brodé de bouquets de fleurs, de rubans et de plumes de paon, qu'un autre fabricant lyonnais, Desfarges, livre en 1787. C'est le tissu que l'on voit encore aujourd'hui sur les murs de la Chambre. La science de Charles Mauricheau-Beaupré, la générosité de la Fédération de la Soie ont accompli ce miracle, en redonnant à la Chambre de Marie-Antoinette une partie du décor voulu par la Reine. On aurait dû ne pas pousser plus loin cette résurrection, qui fut conduite avec tact et exactitude.

La rénovation des soieries s'accompagne d'autres tentatives pour mettre progressivement tout l'ensemble au goût du jour. Le coffre aux diamants, qui demeure jusqu'en 1787 celui qu'elle a reçu comme Dauphine, reste à sa place, à droite de la cheminée, à l'intérieur du balustre. La table de nuit, que chaque soir on apporte à côté de son lit, date du temps de Marie Leczinska, et la grande toilette de vermeil que l'on installe au milieu de la Chambre, sur une table couverte de dentelles et de mousselines, est un chef-d'œuvre de Germain, jadis composé pour les Dauphines, belles-filles de Louis XV, restauré et mis à ses armes en 1770. Bien des changements se préparent. Au cours de l'année 1786, on redore le balustre, on pose une nouvelle cheminée et une console assortie, qui remplace entre les fenêtres celle de Marie Leczinska et qui reçoit la grande nef d'or, de rubis et de diamants, orgueil de l'ancien Cabinet des Médailles de Louis XIV.

La cheminée, qui est une belle pièce de marbre de griotte rouge avec rehauts de bronzes, a été retrouvée et remise en place par Mauricheau-Beaupré et André Japy. Elle n'a pu être installée durant le voyage de Fontainebleau de 1786, et la Reine a désigné le jour où on doit la poser. Il est facile d'imaginer la scène dans la grande familiarité de Versailles : « Le Roi et la Reine sont venus voir les ouvriers et ont paru satisfaits. »

L'année ne s'achève pas sans que la Reine manifeste de nouveaux désirs, laisse apparaître ses véritables intentions : il s'agit bien d'une transformation totale et progressive de sa Chambre ; elle entend remplacer par son décor à elle celui des règnes précédents. Elle voudrait faire redorer tout le plafond. Elle se préoccupe aussi de ces boiseries qui, avec leurs rocailles, leurs palmes et leurs tableautins, sont vraiment d'une autre époque et « tout à fait usées ». Ne pourrait-on au moins les redorer ? La pose de « boiseries neuves » ne représenterait d'ailleurs qu'un petit travail, « le reste de la pièce étant en étoffe ».

LE CABINET DES NOBLES

Que les projets de la Reine, en attendant la reconstruction de cette partie du château, s'étendent à l'ensemble de son Grand Appartement sur le parterre du Midi, il n'en faut pas douter. La pièce qui précède sa Chambre, le Cabinet des Nobles, a été l'objet, en 1785, d'une transformation où Mique a su répondre à son désir, sans trop de frais, mais détruisant presque tout l'état antérieur.

On ne conserve guère que le plafond. Au lieu des tapisseries et des marbres de Louis XIV, des boiseries blanc et or à la mode et des soieries vertes, d'une couleur qu'elle aime, sont posées sur les murs. La Reine a choisi ce principe de tendre les murs, en alternance avec de hautes glaces, par souci d'économie. Le projet de Mique prévoyait une dépense de 36 000 livres et se fût monté à 50 000 avec un décor tout de boiseries. Mais il faut ajouter quelque 2 000 livres pour une belle cheminée de marbre bleu turquin, dont les bronzes, modelés par les Rousseau, seront exécutés par Gouthière, et 12 ou 13 000 livres pour deux encoignures et trois grandes commodes, qui seront demandées à Riesener pour remplacer des meubles déjà vieux d'une quinzaine d'années. Nous avons retrouvé les encoignures, deux des commodes et la cheminée, qui ont retrouvé leur place d'origine.

L'ANTICHAMBRE DU GRAND-COUVERT

Marie-Antoinette s'intéresse encore, en 1786, à son Antichambre. C'est ici qu'elle tient son grand-couvert, qu'elle donne des concerts et des bals. Le plafond, avec ses larges compartiments et ses dorures, les murs plaqués de marbre ou couverts de tapisseries anciennes ne lui plaisent guère.

Elle demande en 1786 la suppression du lambris de marbre et son remplacement par un lambris de menuiserie. L'expérience qu'elle a faite dans la pièce précédente lui paraît heureuse. Qu'on applique ici le même programme et que la Pièce du Grand-Couvert soit « arrangée convenablement et proportionnellement à ce qu'on a déjà fait pour le Salon des Nobles ».

Ce n'est pas dire que Marie-Antoinette soit, de parti pris, ennemie du style Louis XIV, mais une certaine grandeur l'ennuie. On le voit bien ici où, tout en admettant, au moins provisoirement, le principe des tapisseries des Gobelins sur les murs, elle fait remplacer l'austère tenture des *Fructus Belli* par la tenture de la *Galerie de Saint-Cloud*, tissée d'après Mignard, plus avenante, claire et fleurie. Cette antichambre est, de plus, destinée à être transformée par les tapissiers du Garde-Meuble de la Couronne, avec tribune et gradins tendus de damas touge pour les musiciens et le public, les jours de grand-couvert. Lorsqu'il y a bal, les Menus-Plaisirs disposent les décorations qu'a ordonnées la Reine et qu'a dessinées Paris selon ses goûts : pilastres ioniques peints en imitation de lapis-lazuli, miroirs et franges d'argent, faux plafond peint de nuages, d'amours et de fleurs.

Marie-Antoinette ne demande pas nécessairement la destruction de ce qui existait auparavant, si on peut l'en débarrasser autrement. Le plafond du Grand-Couvert lui est désagréable ; à la fin de 1786, on envisage de le camoufler de façon permanente. La Salle des Gardes, qui ne l'intéresse pas, pourra conserver intégralement le décor de Louis XIV, murs de marbre et chambranles des portes compris.

LE SALON DE LA PAIX OU SALON DES JEUX

La menace est grave et précise sur un décor d'une importance qui nous paraît essentielle à Versailles, le Salon de la Paix. Ici, nous devrions accuser la Reine de vandalisme, si la Révolution n'était venue empêcher la réalisation de ses terribles projets. Il faut dire à la décharge de Marie-Antoinette qu'on a alors perdu depuis longtemps l'habitude de considérer cette pièce comme formant ensemble avec le Salon de la Guerre et la Galerie. On a vu Louis XIV attribuer le Salon de la Paix à la duchesse de Bourgogne et Louis XV le rattacher définitivement à l'appartement de la Reine. Le grand panneau mobile qui sépare depuis lors le Salon de la Galerie isole en quelque sorte ce Salon, dont le décor ne convient plus au goût de la Reine.

On doit reconnaître aussi que Marie-Antoinette passe dans

cette pièce une partie de ses journées. Elle y tient le plus souvent son jeu. Elle y fait même installer pendant quelque temps un petit théâtre. Le duc de Croÿ, qui est l'un des plus fidèles témoins de la Cour de Versailles, note, lorsqu'il séjourne au château, chaque détail avec une étonnante précision, que viennent confirmer les documents d'archives conservés.

Croÿ décrit, le 17 janvier 1779, la première réception que donne la Reine après la naissance de Madame Royale. Marie-Antoinette s'est assise sur une chaise-longue, dont nous voyons, quelques jours plus tôt, les marchands de soieries et de passementeries du Garde-Meuble livrer le satin blanc et les galons. Plus de deux cents dames défilent devant la Reine ; elles sont en grand habit, avec d'immenses coiffures de trois pieds de haut, « comme une flotte ». De la Chambre, on passe dans le Salon du Jeu ou Salon de la Paix, où se trouve « un théâtre en forme qu'on y avait fait, car on ne peut s'en passer. Ainsi, elle allait à la comédie, au coin de son feu, avant d'être relevée ». Ce théâtre, qu'en ce mois de janvier 1779 désigne d'une phrase vague l'Intendant des Menus-Plaisirs, Papillon de La Ferté, nous le connaissons suffisamment pour comprendre combien les œuvres, même les plus célèbres, comptent peu aux yeux de Marie-Antoinette.

Les Bâtiments ont commencé, le 9 janvier, à dresser cette petite salle de spectacles improvisée dans le Salon de la Paix. « On s'y prend avec toutes les précautions possibles pour ne rien endommager. » La décoration même nous est connue par les papiers des Menus-Plaisirs. Aussi absurde que puisse paraître cette installation dans un tel décor, elle respecte assez bien ce décor, essaie de se fondre avec lui. L'orchestre, l'avant-scène que marquent deux pilastres corinthiens, sont peints à l'imitation du marbre vert-campan ; les armes du Roi et de la Reine surmontent la scène, « dans une gloire avec des enfants qui soutiennent des guirlandes de fleurs ». Peut-être est-il cependant désagréable, pour la perspective de la noble Galerie, d'apercevoir un escalier de cinq marches destiné à monter sur la scène. Mais on ne peut trouver encore rien de grave dans la réalisation de cet extravagant caprice de la Reine.

En 1786, l'esprit est bien changé. La Reine a demandé « qu'on tentât tous les moyens possibles de donner de la gaieté et de la propreté à son Salon du jeu ». Les Bâtiments semblent perdre la tête. Heurtier, l'inspecteur du château, lui d'ordinaire si paisible, rédige un rapport effrayant. Il ne nie pas la difficulté du problème, et, comme pour mieux répondre au désir de sa souveraine, il accable le décor de Louis XIV. « Rien dans cette pièce, qui est toute revêtue de marbre, n'est proportionné à son usage actuel. Les ornemens en sont lourds. » Les peintures du plafond « malgré tout ce qu'on a fait pour les raviver, ne présentent, et surtout à la lumière, que des grandes taches noires ». Il reproche aux marbres la condensation qu'ils provoquent, ou plutôt qu'ils accentuent, et que l'on comprend aisément. Soixante pliants ou tabourets, qui composent le meuble de cette pièce, nous permettent d'imaginer l'entassement des joueurs dans un salon qui mesure environ dix mètres sur dix. Comme la Reine mène un jeu d'enfer, surtout son grand pharaon, l'émotion des joueurs contribue encore à rendre cette pièce malsaine. La mesure proposée par Heurtier, et peut-être suggérée par la Reine, est radicale : suppression des marbres « et de tous les ornemens pezans ou mesquins de bronze ou de plomb », remplacement de la cheminée de Louis XIV et du grand ovale de Le Moyne par une cheminée à la mode surmontée d'une glace, établissement de menuiseries dessinant des arcades pour correspondre aux cintres des fenêtres, enfin camouflage du plafond de Le Brun et établissement d'un faux plafond abaissé, « sur lequel on peindrait un ciel léger et clair ».

Il est d'usage de répéter que la Révolution a été funeste à Versailles. Ici, nous avons hâte de la voir arriver. Que peuvent l'autorité et le goût d'Angiviller contre de telles menaces ? Le directeur des Bâtiments essaie de gagner du temps. Il se tourne vers Durameau et lui demande un rapport. Ce peintre aimable et médiocre jouit alors d'une grande autorité. Il a peint à Versailles le plafond de l'Opéra. Il est académicien, peintre de la Chambre du Roi, garde des tableaux de Sa Majesté. Il a eu l'occasion de se mesurer au talent de Le Brun, lorsqu'il a peint son morceau de réception, *l'Eau*, pour le plafond de la Galerie d'Apollon au Louvre. Il a peut-être eu la modestie de reconnaître le génie du peintre de Louis XIV. Il est en tout cas pour Angiviller un précieux allié. Durameau demande le maintien de « cette décoration, qui est majestueuse et d'un très beau stile ».

La Reine doit, pour l'instant, se contenter de faire redorer son meuble, de le faire recouvrir d'un gros de Tours blanc broché de fleurs, de faire disposer aux croisées des cintres avec des draperies, des écharpes et des glands, selon son goût, de faire mettre dans la cheminée, à défaut d'autre changement, un grand feu décoré de lions dont l'harmonie et la justesse de proportions sont merveilleusement accordées à la grande cheminée de Louis XIV et que nous avons eu la chance de faire revenir dans cette cheminée, *sa* cheminée, grâce à la générosité de l'heureux possesseur de cette œuvre monumentale, le collectionneur Richard Penard y Fernandez. Les mauvais desseins de la Reine sur le Salon de la Paix s'arrêteront là, et c'est fort heureux.

BILAN DU MÉCÉNAT DE LA REINE

Tout n'est pas que négatif ou nuisible dans le passage de Marie-Antoinette à Versailles. Il y a en elle de la Pompadour, mais aussi du Louis XIV ou du Louis XV, de la frivolité certes et des fantaisies de demi-reine, parfois de la grandeur ou de la hauteur, beaucoup d'idées créatrices et fécondes à côté de décisions ridicules.

A-t-elle bien compris l'architecture ? Il ne semble pas. Ce qu'on vient de voir et ce qu'on dira des maisons de bois dont elle afflige Versailles est fâcheux. Si elle eut le privilège d'être la châtelaine de Trianon, rendons-en grâce à Louis XV, dont elle dénatura bien souvent l'œuvre par des constructions postiches et des baraques. Elle eut le goût de faire élever le Temple de l'Amour et surtout l'élégant Belvédère ; c'était en 1777-1778. Il y a, tout à côté, le puéril rocher et elle s'est complu davantage dans le pittoresque et la fantaisie de son hameau, qui date de 1783. Elle aime trop la pacotille, même de haute qualité, pour respecter Mansart ou Gabriel.

Grande, elle le fut, mais au Temple, à la Conciergerie, à l'échafaud, dans la pauvreté et non dans la richesse. A Versailles, elle se montre avant tout féminine et attachante, séduisante et hautaine, reine sotte et funeste. Grande dame certes, et essayant de concilier ses devoirs de mère et d'épouse avec ses amitiés personnelles. L'auréole lui viendra plus tard, de son courage et de son martyre, hors de Versailles, lorsqu'elle apparaîtra dans une sobre majesté, presque virile, malheureuse et impuissante, aux côtés de son pauvre époux. Nous avons protesté contre le non-sens qu'a représenté la coûteuse acquisition par le musée de Versailles de l'ébauche, faite par Kucharsky, d'un portrait de Marie-Antoinette aux Tuileries. Ce n'est pas là notre reine de Versailles, triomphante et d'une stupide légèreté. Nolhac avait vu juste. Celle-ci a été peinte par Mme Vigée-Lebrun, dans ses robes et ses coiffures extraordinaires, parmi les fleurs, à l'époque de l'insouciance. Elle aime le luxe et le nouveau. Elle détruit ou projette de détruire, mais elle est prodigue et recrée à sa manière.

De son règne de quinze ans, qu'a-t-elle fait ? Que nous reste-t-il dans le château actuel ? En apparence peu de chose, hors les remaniements signalés plus haut et quelques ensembles de boiseries dans ses Petits Appartements. Des dépenses « immenses » qu'elle reconnaîtra, lors de son procès, avoir été entraînée à faire à Trianon, qu'est-il demeuré ? Un théâtre élégant et riche, le Belvédère et le Temple de l'Amour, un boudoir, quelques jolies masures. Il serait injuste de considérer seulement ce qui subsiste. Le temps et les hommes se sont comme appliqués à recouvrir ou à dénaturer son œuvre à Versailles. Que celle-ci plaise ou non, c'est bien d'œuvre qu'il s'agit.

Œuvre fugace peut-être. Œuvre secondaire dans une aussi grandiose demeure, œuvre égoïste d'une reine trop repliée sur elle-même, œuvre de modiste. Que l'on mette, si l'on veut, dans ces mots une pointe de critique ; on ne peut nier leur exactitude ; ils qualifient, à notre avis, l'œuvre de Marie-Antoinette à Versailles.

LE « *STYLE MARIE-ANTOINETTE* »

Est-ce un reproche que de comparer le rôle de la Reine, durant quelques années, à celui d'une grande créatrice de modes ? Paris tire assez d'éclat depuis quelque deux siècles des renouvellements incessants de la mode, Marie-Antoinette elle-même a accordé suffisamment d'importance à Rose Bertin sa principale « marchande de modes », à Léonard son coiffeur, pour qu'on ne voie de ce côté une victoire de son goût. On peut regretter qu'elle n'ait pas trouvé près d'elle une main plus ferme pour l'endiguer ou la guider au-delà de la frivolité. Si l'on est parfois tenté d'appeler « Marie-Antoinette » le style « Louis XVI », à qui la faute ?

Le décor de ses appartements donne une importance grandissante aux passementeries, aux draperies, aux franges, aux cocardes, aux glands. Elle fait orner ses fenêtres de cantonnières et de pentes. Ce goût « tapissier » est-il celui de l'époque ou celui que la Reine communique à son époque ? Il est le sien à Versailles et à Trianon. Elle l'impose aux ébénistes qui travaillent pour elle et qui doivent, Riesener notamment, reproduire en bronze sur les meubles qui lui sont destinés de fausses draperies ou des rubans. On peut penser que, grâce à elle, le style Louis XVI, tourné vers l'antique, est demeuré léger et a évité les excès qui marqueront le style « Empire ». Peut-être n'est-ce pas négligeable.

La Reine aime le changement, le mouvement, le renouvellement. Et pourtant, durant les quelque dix années où elle s'impose vraiment, elle témoigne d'une constance dans ses goûts et ses choix qui est remarquable. Elle est entourée de quelques fournisseurs, qui créent pour elle leurs plus grands chefs-d'œuvre : Lyon pour les soieries qu'elle fait souvent rebroder et compléter à Paris, le menuisier Georges Jacob, l'ébéniste Riesener, l'horloger Robin, le mercier Daguerre, qui enrichit sa collection de laques et de pierres dures aux montures précieuses. Tous ont comme un culte pour elle ; il ne semble pas que ce soit seulement un attachement de commerçants à une cliente extraordinaire ; dans l'amour de leur métier, ils ont montré du respect pour une femme dont les goûts sont bien tranchés et qu'ils approuvent. Elle leur fut fidèle jusqu'aux Tuileries ; eux, conservèrent jusqu'à son emprisonnement au Temple, bien cachés, les dépôts qu'elle leur avait confiés. Ils ont pu, dans une certaine mesure, infléchir ou orienter ses goûts ; elle avait aussi une autorité suffisante pour leur imposer les siens. Pas de pièce importante de mobilier ou de décoration qu'elle n'ait étudiée sur modèle et jugée avant de la faire exécuter. Il y a bien un style Marie-Antoinette.

Elle aime la clarté, la lumière, comme elle aime la vie. Elle souffre de l'obscurité de ses Petits Appartements de Versailles et leur préfère Trianon. La gamme de ses couleurs préférées est restreinte : le vert, le lilas, le bleu, mais surtout le blanc. Satin blanc, gros de Tours blanc forment le fond de presque tous ses meubles. On a vu comment, après un premier meuble bleu, elle fait établir pour sa Méridienne un beau meuble blanc et choisit également un fond blanc pour la soierie à plumes de paon du meuble d'été de sa Grande Chambre en 1787.

Elle aime les fleurs. Tout ce qui l'environne est fleuri, ses jardins de Trianon et ses portraits, ses robes mêmes. On rêve de fleurs et de bouquets devant les descriptions des tissus ou des dentelles que livre Mme Eloffe, « marchande de modes de la Reine » ou devant cette brève mention qui dort dans un carton des Archives nationales : « 1783. Habit garni en fleurs de Trianon. 1976 livres. » Son service doit réclamer aux Bâtiments, pour sa garde-robe aux habits, une nouvelle disposition de tablettes et de mains-tirantes en 1779, les habits et robes de la Reine étant « garnis de fleurs et de pomponnages qui ne permettent plus de les mettre les uns sur les autres sans les perdre entièrement ».

On hésite à dire qui, de tous ceux qui travaillent pour elle, l'entoure de plus de fleurs ? Sa bouquetière qui fleurit ses appartements ? Les Richard, ses jardiniers de Trianon ? Ses sculpteurs et ses ciseleurs, qui, dans le bois ou le bronze, prodiguent les fleurs, traitées avec une invraisemblable minutie ? Pas un morceau de tenture non plus, exécuté pour elle, qui ne soit tissé ou brodé de fleurs. Grâce au goût de Marie-Antoinette, le style dit Louis XVI est encore plus fleuri que celui de Louis XV. Les appartements de la Reine ont été surchargés de fleurs.

Ses demandes sont aussi précises, lorsqu'il s'agit de son confort personnel. Les comptes sont pleins de ces petits riens, souvent coûteux, qu'elle rend impérieux s'ils doivent lui donner un peu d'agrément. Citons-en quelques-uns au hasard. En 1781, elle fait acheter du velours vert pomme pour garnir deux banquettes de pied et deux appuis de fenêtre de sa Bibliothèque de Trianon, d'où elle aime, en parcourant quelque livre, rêver à ses projets de hameau. L'année précédente, Riesener lui a établi une sorte de lampadaire d'un modèle nouveau qu'il décrit ainsi, dans son français un peu germanique : « un pied de lustre de bois d'acajou, avec une tige courbe en acier, ayant des contrepois de l'autre pour le pouvoir haussé et beser à volonté ».

Elle a le goût des meubles mécaniques. Mercklein, artisan d'origine allemande, s'ingénie, au moment de la naissance de Madame Royale, en 1778, à mettre au point pour sa Chambre de Versailles un lit à dossier réglable ; il crée pour elle une table qui puisse servir à la fois pour manger, pour la toilette, pour lire ou pour écrire. Riesener exécute l'ébénisterie de plusieurs tables de ce genre, qu'elle destine à ses divers appartements et qui sont presque toutes aujourd'hui conservées aux États-Unis.

Ses fantaisies et ses demandes peuvent prendre les aspects les plus variés. Elle profite du voyage de Fontainebleau de 1786 pour faire poser une conduite d'eau sur le balcon de sa cour intérieure de Versailles, auprès de sa Garde-robe, dont la chaise, notons-le en passant, est un ouvrage de grand prix, en laque et en bronze doré. Elle adopte parfois les idées les plus bizarres que peut lui suggérer son entourage. Elle décide, en 1785, de faire démolir les armoires de l'ancienne Bibliothèque de Madame Sophie, devenue celle de son Petit Appartement du rez-de-chaussée de la cour de marbre. Cette destruction doit être opérée sans délai, car elle veut faire disposer des glaces dans les renfoncements pour y installer un éclairage indirect, tamisé de « gazes de diverses couleurs ». L'ouvrage à peine commencé, le contre-ordre survient. « Il y a de quoi perdre la tête », constate mélancoliquement Heurtier en rendant compte à Angiviller de cette fantaisie qui fait long feu.

Le bon et le mauvais se côtoient dans les inventions et les créations de la Reine. Elle n'a pas la sûreté de goût d'un Louis XV. On pourrait parfois la comparer à Louis XIV en ses premières années de Versailles. Elle veut du riche et de l'extraordinaire. On doit noter qu'elle choisit, dans les collections de la Couronne, pour orner ses appartements, des bronzes maniérés de la suite de Jean Bologne, renvoyés par Louis XV à Paris, et les gemmes du goût le plus compliqué, voire le plus douteux, que Louis XIV ait fait venir d'Allemagne au début de son règne.

Elle est prise dans le courant de retour à l'antique, parce que c'est la mode, mais elle a été élevée à admirer les contorsions du rococo autrichien. De là peut-être, chez elle et, par elle, autour d'elle, un curieux et net amalgame d'une grammaire décorative austère et d'une surcharge d'ornements fleuris ou chiffonnés.

Nous ne pensons pas qu'il faille sous-estimer son rôle dans l'évolution des styles français. Si l'on réunissait dans une même exposition un nombre suffisant d'œuvres authentiques et créées pour elle, on marquerait aisément son apport à l'art de son temps, et l'on verrait que cet apport n'est pas négligeable. Il faudrait vraisemblablement reconnaître aussi que son goût l'attire vers ce qu'on est convenu d'appeler les arts mineurs ou décoratifs. Se tourne-t-elle vers le grand art, les résultats sont assez décevants, les artistes qu'elle choisit bien secondaires : ses préférences, en sculpture, vont à Deschamps, un décorateur employé par Pajou pour l'Opéra de Versailles, ou à Boizot, dont les meilleures réussites se situent dans le biscuit de Sèvres, en peinture à Gautier-Dagoty, plus éblouissant qu'adroit, ou à des étrangers de seconde classe comme Wertmuller ou Kucharsky. Mme Vigée-Lebrun ne marque-t-elle pas elle-même, toute brillante et représentative qu'elle soit des cercles de la Reine, un affadissement de l'art, pourtant déjà superficiel, d'un Nattier ou d'un Drouais ? N'en accusons pas trop vite Marie-Antoinette. On a parfois reproché à Louis XV et même à Louis XIV de n'avoir pas su distinguer, parmi les peintres de leur temps, quelques-uns des plus grands. Peut-être doit-on observer ici l'une des conséquences de l'art de Cour, de l'art qui s'impose dans la vie de Versailles.

L'APPARTEMENT INTÉRIEUR DE MARIE-ANTOINETTE

On ne comprendrait rien non plus à la manière dont Marie-Antoinette manifeste son activité artistique, ni à son existence, si l'on oubliait son souci d'être seule, seule avec quelques intimes, une petite société qu'elle s'est choisie et dont elle varie insensiblement les partenaires durant son règne rapide, ainsi qu'on l'apercevra au chapitre suivant.

La Reine s'applique à n'être pas dérangée, semble ne pas vouloir être vue. Fatigue de l'étiquette ? Désir d'être libre ? Qu'on n'aille pas voir là des preuves de son amour pour Fersen ; les premières manifestations dans ses appartements de sa recherche de solitude datent d'une époque où elle connaissait encore peu le beau Suédois. Elles trahissent peut-être un instinct secret. Elles auront des conséquences regrettables. Les libelles s'empareront de cette vie de reine, qui n'est pas aussi limpide qu'au temps de Louis XIV ou de Louis XV. L'inconduite dont on accusait jadis le Roi, les bals de l'Opéra et les découchers, les intrigues peut-être, on les reprochera à Marie-Antoinette. Fatale conséquence d'un château trop pesant, mal adapté pour la Reine à une existence qui ne serait pas que de représentation ou de tristesse !

Le fait même que, dans le corps principal du château, l'appartement intérieur se développe et s'étende, témoigne d'une sorte de réaction, qui n'a rien de blâmable, vers plus d'espace et de lumière. Chaque étage se marque en même temps par des cloisons, des portes, des verrous et des consignes, comme pour délimiter ce qui n'est plus à la reine, mais qui appartient à la femme, où elle peut enfin espérer être elle-même. Obtient-elle du Roi, en 1779, un nouveau Cabinet qui sera désormais intégré à « ses intérieurs, » elle exige aussitôt un escalier venant exclusivement de son appartement, « condamnant toute autre entrée. »

Lorsque, au mois d'avril 1781, elle décide de transformer son Cabinet de la Méridienne, non seulement elle fait placer aux deux portes de belles targettes de bronze à son chiffre, mais elle indique sa volonté de la façon la plus nette à Heurtier, qui s'inquiète de ces modifications ; elle insiste pour qu'on déplace la porte de la Bibliothèque de ce côté,

602   SOUS LOUIS XVI ET MARIE-ANTOINETTE

« désirant que le passage de sa chambre à coucher fût commun à sa bibliothèque et à son nouveau cabinet, et ne voulant pas que l'on passe par son cabinet pour aller à sa bibliothèque, S.M. désirant être seule quand elle le jugera à propos sans gêner son service et sans en être gênée. »

L'APPARTEMENT DU REZ-DE-CHAUSSÉE ET LES CABINETS DE LA REINE

L'appartement intérieur ne lui suffit pas. Il lui faut un petit appartement privé, bien à elle, indépendant et commode. Louis XV n'a-t-il pas eu ses Cabinets et Louis XIV son Appartement des Bains ?

Le Grand Appartement des Reines au premier étage lui semble trop solennel et ses Cabinets et entresols trop tristes. Elle veut avoir son petit-appartement, clair, isolé et d'accès facile. Elle le prendra au centre même du château, au rez-de-chaussée.

Au fond de la cour de marbre, ce nouvel appartement de la Reine est composé de quelques pièces, que l'on s'efforce aujourd'hui de reconstituer. Détruit par Louis-Philippe, il fut longtemps ignoré et presque nié par les historiens. Des plans, des enregistrements d'ordres, quelques indications et découvertes de mobilier, un inventaire détaillé des glaces établi en l'an IV et conservé aux Archives des Yvelines nous l'ont peu à peu révélé. M. Le Guillou a poussé très avant son étude à l'aide des demandes et des mouvements des magasins que rédigèrent les architectes, inspecteurs et commis de Versailles, au fur et à mesure des travaux faits chez la Reine. L'existence de cet appartement fut très brève. Il est né cependant d'une volonté bien arrêtée.

La mort de Madame Sophie, en 1782, devient le prétexte de cette nouvelle audace de la Reine. Ce sera son « petit appartement sur la cour de marbre ». Il est limité par l'appartement de Madame Victoire au nord, celui du comte de Provence à l'ouest, mais elle y descend directement de son appartement intérieur du premier étage, sans témoins. La première installation qu'elle y fait faire est celle de sa chambre, qui est aménagée à la fin de 1783. Le Garde-Meuble de la Reine modifie le lit de damas vert qui lui a servi pour ses dernières couches, et l'installe dans ce « petit appartement que S.M. affectionne », qu'on appelle encore le « nouveau logement de la Reine ».

Elle fait aussi disposer des portes battantes de drap vert, de façon à le bien calfeutrer. La Bibliothèque de stuc de Madame Sophie devient la sienne ; elle en fait garnir les armoires de rideaux de taffetas vert. Elle ordonne aussi qu'on remplace la croisée de cette Bibliothèque, qui forme la baie centrale de la cour de marbre, par une porte-fenêtre avec persienne. Ainsi sera-t-elle indépendante.

Le mobilier est élégant et parfaitement à la mode, de richesse moyenne, d'un goût de grande bourgeoise ou d'actrice bien conseillée, plus que de reine. Jacob lui fournit des sièges, aux lignes parfaites, aux sculptures assez sobres. Les meubles que fabrique Riesener pour cet appartement sont de bel acajou moucheté et peu chargés de bronzes. La toilette, également en acajou, comme pour faire contraste avec les dentelles et les orfèvreries de la toilette de la Grande Chambre, est garnie d'ustensiles de Sèvres et de cristal doré. Marie-Antoinette possède désormais dans le château, comme le Roi, un double appartement.

Dans le moment qu'elle crée son appartement du rez-de-chaussée, la Reine ne néglige pas d'étendre et d'embellir les entresols de son appartement intérieur, qui forment en quelque sorte ses Cabinets. Il y aurait une curieuse étude à consacrer à ses menus, à sa vaisselle, à ses dépenses. Les documents abondent, insuffisamment exploités.

Dès le début du règne, la Bouche de la Reine a pris une première extension. A la fin de 1780, Marie-Antoinette se fait établir une nouvelle salle à manger, élégante et fraîche, toute meublée de perse. A voir la quantité de vaisselle d'argent qu'elle envoie à la Monnaie, le 20 septembre 1789, on peut être assuré du luxe et de la profusion qui règnent chez elle. La Reine possède non seulement des couteaux à lames et montures d'or, comme il y en eut beaucoup à l'époque, mais plusieurs couverts, six cuillers à café, deux cuillers à sucre, une pince à sucre et une passoire à thé, qui sont en or.

Un état sommaire dressé en 1780 de la dépense de sa table montre sur tous les chapitres des dépenses considérables. 165 jours gras à 401 livres par jour, 130 jours maigres à 795 livres, 10 jours maigres à 548 livres et 60 jours de table extraordinaire pour une soixantaine de couverts à 1 703 livres donnent un total d'environ 277 000 livres pour l'année. Quant à la bougie et à la chandelle, elle revient, pour le même temps, à un peu plus de 100 000 livres.

Même luxe pour son billard. C'est un jeu qu'elle aime. Dès l'été de 1776, elle en précise l'installation. Les plans le situent dans l'entresol qui surmonte la Méridienne. La queue dont elle joue est rehaussée d'or et démontable. A côté du Billard, se trouve un Boudoir, qu'elle fait meubler de toile de Jouy. Ces entresols de la Reine, que Nolhac qualifie avec raison de « pièces étroites encombrées de meubles charmants », mériteraient d'être mieux étudiées. Des rapprochements entre fragments de décor et meubles subsistants permettraient de connaître ses goûts personnels. C'était là son domaine, presque autant que Trianon.

On a vu, notamment dans les années 1781 et 1783, la rénovation qu'elle poursuit des Cabinets et de la Bibliothèque de son appartement intérieur du premier étage. Aux approches de la Révolution, elle songe à améliorer son petit-appartement du rez-de-chaussée. Le départ de Madame vers le pavillon extrême de l'aile des Princes, l'installation du premier Dauphin et de son gouverneur, le duc d'Harcourt, bientôt remplacés par Madame Royale et le nouveau Dauphin, eux-mêmes accompagnés de leurs gouvernantes, entraînent des changements dont elle profite.

En 1788, elle fait modifier la chambre de cet appartement ; de grandes glaces viennent ajouter un peu de lumière à l'éclairage médiocre venant de la cour de marbre ; une belle cheminée de marbre de griotte rouge est installée. Elle empiète alors sur le logement du premier valet de chambre du Dauphin, sans se soucier des perturbations qu'elle cause dans le service de son fils.

Cet appartement du rez-de-chaussée l'intéresse de plus en

plus. Elle veut, durant l'été de 1788, faire paver de carreaux de marbre blanc et noir la pièce qui a été gagnée sur les dépendances de l'appartement du Dauphin et qui devient celle de ses Bains. Elle s'avise ensuite d'améliorer celle-ci sans trop de dépenses. Elle demande que, pendant le voyage de Marly de juin 1789, on élève le sol de cette pièce jusqu'au niveau de la cour de marbre. On pense replacer, au moins pour l'instant, les boiseries et les croisées en retrouvant la hauteur primitive aux dépens de l'entresol au-dessus, que longe le passage du Roi, sous la Chambre de Louis XIV. Elle ne verra pas l'achèvement de ce travail, qui est en cours d'exécution au mois de janvier 1790.

La présence de Marie-Antoinette à Versailles n'apparaît pas seulement dans ses divers appartements, dans ses transformations, dans ses projets. Une société nouvelle, qui gravite autour d'elle, ruine lentement le grand château de Louis XIV avec la même désinvolture, la même splendeur, la même insouciance.

CHAPITRE V

LA VIE DE LA REINE À VERSAILLES

LA FAMILLE ROYALE

Les Petits Appartements de Marie-Antoinette ne s'expliquent, non plus que Trianon, sans la société choisie, exclusive et fermée, dont est entourée la Reine, société d'hommes et de femmes, membres de la famille royale, pour une part, coterie qui s'attache à elle par affection sincère ou par intérêt, d'autre part.

Les frères du Roi viennent au premier rang de cette société insolente et cynique, qui donne au Versailles de cette époque sa physionomie particulière.

Le comte et la comtesse de Provence habitent d'abord l'ancien appartement du Dauphin, juste au-dessous de celui de la Reine, puis se transportent, en 1787, à l'extrémité de l'aile Sud. De même que leur « maison » est énorme et considérable leur dépense, le luxe de leurs appartements devient extrême.

Les goûts de Monsieur se rencontrent avec ceux de la Reine sur bien des points. Lequel entraîne l'autre ? A Brunoy, il possède un magnifique théâtre. A lire le plan de la « folie » que lui a bâtie Chalgrin, près de la Pièce des Suisses, on retrouve un confort analogue à celui que recherche la Reine : salle à manger, salon, chambre à coucher, bains, cabinet, boudoir et billard. La rivière de son jardin est l'objet d'autant de soins que celle de la Reine à Trianon : en 1788, Chalgrin donne des ordres pour la construction d'un bateau spécial, avec balustrade de fer, et pour l'achat d'écopes, destinées à « jeter de l'eau sur les gazons » qui bordent cette rivière. Même minutie sur tout ce qui concerne l'intérieur. Georges

Jacob, Riesener, Daguerre sont ses fournisseurs, comme ils sont ceux de la Reine.

Deux femmes encadrent Monsieur : l'une est sa chère comtesse de Balbi, pour qui il s'est établi près de la Pièce des Suisses et dont les Bâtiments du Roi doivent aménager et décorer de glaces l'appartement du grand château, car elle est dame d'honneur de Madame ; l'autre est son épouse, princesse de Savoie, acariâtre et autoritaire, qui aime comme lui les constructions et les décorations nouvelles.

Madame, qui commence à faire élever le château de Rocquencourt, que la Révolution laissera inachevé, possède aussi son Pavillon, comme Monsieur a le sien ; on le trouve à l'autre bout de la ville, dans le quartier de Montreuil. Madame s'intéresse à ce petit domaine, qui n'est pas sans rappeler Trianon. Elle y bâtit un joli théâtre, un pavillon de musique, œuvre de Chalgrin, dont l'élégance subsiste, un peu déformée par des additions et prise dans un regrettable lotissement. La salle d'entrée est peinte en trompe-l'œil d'un décor de jardins, comme dans l'une des maisons de bois de la Reine. Chalgrin dirige l'aménagement du jardin anglais et du hameau ; le premier date de 1783 et comporte rocailles, grotte, roches et chute d'eau ; le second, élevé en 1784, avec bergerie, grange et hangar, réchauffoir et chambre des garçons, présente comme un reflet du hameau de Trianon.

Louis XVI a établi, dès le début de son règne, que certains des soupers de ses Cabinets, qui rassemblent désormais la famille royale, pourraient avoir lieu chez Madame. Joseph II a assisté à l'un de ces soupers. Un escalier communique directement avec l'appartement de la Reine. Lors du passage du Dauphin « aux hommes », à l'âge de cinq ans, un changement d'appartement est nécessaire. Monsieur et sa femme quittent le rez-de-chaussée du corps central pour s'installer alors, au mois de février 1787, au bout de l'aile du Midi, dans le pavillon d'angle qui portera désormais leur nom.

L'une des pièces essentielles de ce nouvel appartement sera sa Salle à manger. Peut-être celle-ci n'est-elle pas très vaste, mais toute la famille royale s'y réunit souvent et y mange, selon une phrase maintes fois citée du comte d'Hézecques, le « potage aux petits oiseaux », que la princesse prépare elle-même avec ce qu'elle rapporte de Montreuil et qu'elle impose à ses convives. Au mois de juillet 1788, Madame prend prétexte de ces soupers pour demander la pose d'une cheminée, au lieu d'un poêle qui, — du moins elle l'affirme, — incommode la Reine ; elle exige que le travail soit accompli pendant le séjour d'un mois que fait alors celle-ci à Trianon.

La Reine ! Comme elle les domine ! La jalousent-ils ? L'imitent-ils ou les suit-elle ? La réponse, difficile à faire en ce qui concerne les Provence, l'est moins envers le comte d'Artois. Séduisant et sot, tel est assurément Charles-Philippe, qui sera tel encore plus tard sous le nom de Charles X. Entraîné, dit-on, lui-même par le jeune duc de Chartres, le futur Philippe-Égalité, il sera plus d'une fois le mauvais génie de Marie-Antoinette. Il a un goût féminin et futile, qui s'accorde à merveille avec celui de la souveraine.

Comte et comtesse d'Artois habitent au château le grand appartement central de l'aile du Midi, qui fut tour à tour celui de Monseigneur, du Dauphin fils de Louis XV ou de Mesdames au temps de leur jeunesse.

De la comtesse d'Artois, peu de chose à retenir, sinon que, sœur de la comtesse de Provence, elle montre les mêmes petites jalousies vis-à-vis de la Reine, et partant les mêmes exigences. L'année 1781 marque, comme chez Marie-Antoinette ou chez Madame au même moment, des demandes pour rajeunir sa bibliothèque ou établir dans son Cabinet une niche de glaces. L'année suivante, cette Bibliothèque et le petit Cabinet voisin doivent être embellis et dorés. En 1786, il faut des armoires à portes de glaces pour « supplément de Bibliothèque ».

Le comte d'Artois, client de Jacob et d'Hubert Robert, aime l'antique tout rehaussé de fleurs et de draperies. Il aime la fantaisie. Puisqu'il est colonel-général des Suisses et volontiers guerrier, du moins dans ses propos, il s'entoure de canons et de trophées d'armes, qui pourraient n'être que des trophées d'amour. Comme il est très lié avec Mme de Polastron, il rejoint aisément par les Polignac et par son charme personnel l'esprit de la Reine. Dès 1776, il s'est fait installer un *Cabinet turc* à Versailles. Plus que ses coûteuses installations du Temple, que Marie-Antoinette reverra tristement un soir d'août 1792, Bagatelle, avec ses gracieux aménagements et ses jardins pittoresques, a pu impressionner la Reine.

En 1781, les Petits Appartements du comte d'Artois sont, eux aussi, en pleine rénovation. Dans cette partie du château, traditionnellement marquée par de jolis entresols, il se fait préparer un nouveau petit Cabinet, dont les pilastres sont peints d'ornements et d'arabesques et dont le goût dut plaire à Marie-Antoinette. Il a, dès le début de cette année, fait agrandir sa Salle à manger et modifier sa Bibliothèque. Les baguettes de bois doré de cette Bibliothèque seront vendues en l'an V, et des panneaux épars subsistent à son chiffre, comme des témoins d'un appartement raffiné entre tous, que l'établissement de la Galerie des Batailles a totalement détruit.

Si Mesdames, trop empressées jadis auprès de la Dauphine, se tiennent de plus en plus à l'écart de la Reine, Madame Élisabeth, au contraire, prend dans le cœur de la souveraine une place grandissante et lui sera fidèle jusqu'à la mort. Elle est peu exigeante, la sainte princesse, mais elle est quand même prise par l'atmosphère du château. Ce qu'elle voit ses trois belles-sœurs demander, elle le réfléchit à sa manière, le réclame à son tour, presque comme une obligation de son rang. Il lui faut, à elle aussi, des persiennes à ses croisées, une Bibliothèque et des Bains, une niche de glaces, des entresols confortables. Il lui faut une petite « folie » à l'écart du grand château ; c'est Montreuil, aujourd'hui dénaturé, mais encore entouré de son grand parc, que le Roi son frère achète pour elle en 1783 et dont elle fait jusqu'en 1789 améliorer les installations intérieures.

On a dit que Marie-Antoinette avait cherché à rapprocher d'elle ses enfants en les installant au rez-de-chaussée du corps central. Ici, le château commande, et la tradition plus que la Reine. Les Dauphins précédents ont habité cette partie du château, Mesdames aussi quelques mois. Les changements faits à cette occasion sont cependant nombreux.

Madame Royale, après la mort de Madame Sophie, sa grand-tante, est installée dans l'ancien appartement de celle-ci, à l'automne de 1782 ; quelques cloisons et passages nouveaux sont aménagés. Le Roi, qui paraît veiller à cette installation plus que la Reine elle-même, tient à ce que l'entrée de cet appartement demeure fixée sur la cour de marbre. L'année suivante, la Reine reprend cet appartement. Il semble que la jeune princesse retourne alors dans l'aile du Midi.

En 1787, le premier Dauphin, et surtout le duc et la duchesse d'Harcourt, qui s'installent avec faste, prennent possession de l'appartement traditionnel, situé au-dessous du Grand Appartement de la Reine. Le jeune prince meurt à Meudon, le 4 juin 1789. Un mois plus tard, jour pour jour, le duc de Normandie, devenu Dauphin, et sa sœur Madame Royale, quittant l'aile des Princes, viennent habiter avec leur suite les anciens appartements des Dauphins de France. Le lendemain, 5 juillet, la Reine donne des ordres précis pour l'installation de ses enfants. Ceux-ci auront déjà quitté Versailles pour les Tuileries alors que, dans l'hiver de 1790, se poursuit l'arrangement d'un nouvel appartement pour Madame Royale.

LES AMIS DE MARIE-ANTOINETTE

L'affection que porte la Reine à ses enfants n'enlève rien à l'amitié qu'elle peut accorder à leur gouvernante. Celle-ci fut d'abord Mme de Guémené, qui était Soubise, et survivancière depuis 1767. La place appartient traditionnellement à la famille de Rohan. Saint-Simon s'étonnait déjà, en 1709, de cette continuité : la duchesse de Ventadour, qui succédait à sa mère la maréchale de La Mothe, avait eu pour survivancière la femme de son petit-fils, la princesse de Soubise, puis la duchesse de Tallard, née Rohan, qui éleva les enfants de Louis XV ; cette dernière eut comme successeur, en 1754, la comtesse de Marsan, elle-même fille du prince de Soubise. Ce nouvel exemple de continuité dans le Versailles du XVIIIe siècle est brutalement rompu par la faillite de Rohan, en 1782.

Marie-Antoinette fait alors donner cette charge à sa très

chère amie, Mme de Polignac, à qui elle a fait récemment obtenir le titre de duchesse. Celle-ci, lorsqu'elle n'était encore que comtesse Jules de Polignac, avait été installée par la Reine, avec son mari nommé survivancier du premier écuyer de la Reine, dans une partie d'abord, puis dans tout l'ensemble du bel appartement qu'occupait le duc d'Aumont dans la vieille-aile. La situation de cet appartement, excellente en soi, est agréable à l'amitié de la Reine. Un plan, établi au mois d'octobre 1781, montre les facilités d'accès. L'appartement occupe au premier étage toute l'aile comprise entre la cour royale et la cour des Princes, le pavillon d'angle entre les colonnes étant alors habité par le duc de Penthièvre. Le maréchal duc de Duras, collègue du duc d'Aumont comme premier gentilhomme de la Chambre du Roi, occupe l'ancien appartement de Mme de Maintenon, qu'il semble mettre plus ou moins à la disposition de la Reine. Celle-ci, venant de la Grande Salle des Gardes, peut entrer chez Mme de Polignac par un passage qui dépend de cet appartement, sans même pénétrer dans la Salle des Cent-Suisses.

En 1782, devenue Gouvernante des Enfants de France, Mme de Polignac s'apprête à quitter cette installation magnifique, qu'un texte dénomme le « plus beau logement de Versailles » et qu'on destine au grand chambellan, le duc de Bouillon. Elle s'établit alors dans l'appartement des gouvernantes, que vient de quitter Mme de Guémené, non sans que des travaux assez importants aient été accomplis à l'automne pour elle et son mari. Les dépenses sont effectuées, dit-on, en fonction des enfants royaux, mais on n'est plus à l'époque où la gouvernante, observant strictement l'obligation de sa charge, couchait dans un grand lit à colonnes dans la chambre même des enfants. L'amie de la Reine, qui accepte les profits de la place, a fait établir, selon un texte signalé par Nolhac, deux chambres distinctes, que sépare une porte à glace sans tain.

L'appartement de Mme de Polignac est, à vrai dire, un bel appartement de réception, destiné à accueillir la Reine et son entourage. On y trouve notamment un grand Salon de compagnie, un Salon frais ou « salon à treillages », comme en possédait déjà la duchesse dans sa maison de Montreuil et comme Marie-Antoinette en voudra un pour elle à Trianon, une Salle à manger confortablement meublée en velours rayé cramoisi et blanc de quinze fauteuils et de dix-sept chaises, et surtout une Salle de Billard, dont le meuble est en toile de Jouy et la tapisserie, « plissée en tuyaux avec 26 écharpes », conforme aux goûts de la Reine. A côté de son Boudoir, Mme de Polignac demande aux Bâtiments d'établir, en 1787, une petite Bibliothèque.

Les Polignac sont exigeants, pour eux, leur famille, leurs amis. Marie-Antoinette se lassera même de leur avidité. Il leur faut dans le parc, près de l'Ermitage et de Trianon, un petit jardin, avec un quinconce, dont on établit la clôture en 1781. Deux ans plus tard, le duc demande un agrandissement du terrain, pour y construire une petite serre. Au bout de leur appartement de l'aile du Midi, ils jouissent déjà d'un jardin d'hiver, que Nolhac a décrit d'après les souvenirs du duc de Lévis. C'est d'abord une construction provisoire, qui va s'amplifier et durer une bonne dizaine d'années et qu'a fait établir sur la terrasse du Midi, au-dessus de la Petite Orangerie, Mme de Guémené. Celle-ci avait demandé, en 1778, que le hangar de sa terrasse « ci-devant couvert en toile, soit à l'avenir couvert en planches » ; il n'en coûta que 600 livres aux Bâtiments. En 1781, Mme de Guémené fait remplacer cette espèce de tente par un bâtiment plus important, avec un véritable comble, des croisées et un carrelage de marbre. La Reine intervient personnellement en novembre 1782 pour demander des additions à ce carrelage ; elle trouve, dans cette construction ridicule, de quoi satisfaire ses occupations préférées, conversation, musique et jeu.

Marie-Antoinette varie cependant les caprices de ses grandes faveurs d'amitié. Elle s'est un instant entichée de Louise-Thérèse de Rothe, comtesse de Dillon. Elle a, depuis longtemps, cessé d'avoir pour la princesse de Lamballe cette fougueuse amitié qui lui a fait donner la charge de surintendante de sa Maison à la belle-fille du duc de Penthièvre et attribuer à la princesse le bel appartement de celui-ci, au bout de l'aile du Midi, à l'angle de la Surintendance. A deux reprises, Mme de Lamballe devra déménager, sans pour autant quitter cette aile. Marie-Antoinette préfère maintenant, de son pas rapide, reprendre le chemin de la vieille-aile, où, après l'extrême faveur accordée à Mme de Polignac, elle a installé la tranquille Mme d'Ossun, sa dame d'atours, sœur du duc de Guiche.

On sent à des nuances, dans les caprices parfois extravagants de ces dames et dans la façon dont on leur obéit, le degré de leur influence. En 1783, lorsque Mme de Lamballe demande la construction d'une galerie en quelque sorte parallèle à celle de Mme de Polignac, qui viendrait, sur la rue de la Surintendance, prolonger son appartement et surplomber la cour de la Bouche de Mesdames (future cour de Monsieur), Angiviller fait intervenir le Roi pour rejeter cette demande, invoquant la dépense, mais surtout le fait que ces appendices « blesseront l'ordonnance du château ». Mais lorsque, presque au même moment, en pleine façade du château, en avant semble-t-il de la colonnade de Louis XIV qui termine la vieille-aile, Mme d'Ossun fait établir par les Menus une tente pour y recevoir la Reine, les Bâtiments protestent, puis, la marquise maintenant son ordre, s'inclinent. Mme d'Ossun récidivera d'ailleurs deux ans plus tard, sur ce qu'elle estime être « sa terrasse », et Marie-Antoinette, on le verra plus loin, fera bien pis.

Il semble en effet que tout soit permis à la souveraine et à son cercle d'intimes et de flatteurs. Les audaces de la jeune femme effraient sa mère, l'Impératrice. Comme elle a ses favorites successives, Marie-Antoinette a ses favoris, « messieurs amusants » chargés de l'égayer, pour la plupart des jeunes gens, élégants et légers autant que peu recommandables, dont la troupe est conduite par le comte d'Artois et dont s'effraient les vieilles barbes de la Cour : le baron de Besenval, avec qui Croÿ lui reproche de « ricaner » sur tous ceux qui se présentent, Besenval qui se montrera, dans ses *Mémoires*, bien grossier envers elle, — le duc de Lauzun, qu'elle devra mettre à la porte de chez elle, — de jeunes fats qui lui doivent tout, le comte d'Adhémar, le duc de Coigny, le comte de Vaudreuil, le duc de Polignac, — de grands noms de l'ancienne Cour aussi, le duc de Duras, le duc de Noailles, le comte de Guines, un certain nombre d'étrangers, le prince de Ligne, pour qui elle montre une faveur marquée, le comte Esterhazy, que l'on a dit désintéressé et pour lequel Louis XVI inscrit à certains moments dans ses comptes des sommes d'argent qu'il remet à la Reine pour payer ses dettes, le comte Axel de Fersen, que la Reine a fait nommer colonel du Royal-Suédois et qui rentre de la guerre de l'Indépendance américaine en 1783, après quatre ans de séjour aux États-Unis.

JEUNESSE DE LA COUR

Il faut dire ici, pour apprécier avec un peu d'indulgence les occupations de la Reine, l'extrême jeunesse de celle-ci et de son entourage. En 1780, Marie-Antoinette n'a encore que 25 ans, Louis XVI 26 ans, le comte de Provence l'âge de la Reine, le comte d'Artois 23 ans, et Madame Élisabeth 16 ans. Et voici déjà six ans que dure le règne ! Les vieilles tantes ne sont pas, après tout, tellement vieilles : Madame Adélaïde est la plus âgée avec 48 ans seulement. La princesse de Lamballe a 31 ans, à deux ans près le même âge que le duc de Chartres, le futur Philippe-Égalité. Mme d'Ossun a 29 ans, la comtesse Jules de Polignac 31 ans, sa fille, la duchesse de Guiche, la « Guichette », 12 ans et sa belle-sœur, la comtesse de Polastron 16 ans. Vaudreuil, Besenval et Coigny font figures d'ancêtres, avec leur 56, 58 et 53 ans, sans avoir parfois plus de tête que les autres ; Lauzun a 33 ans, Guines 45 ans, Fersen 25 ans, comme la Reine. C'est aussi l'âge de Mme Vigée-Lebrun, portraitiste de cette société, où l'on est précoce, plein de fureur de vivre. Fautes et maladresses ne manqueront pas. Bien des têtes tomberont encore toutes jeunes. Pour l'instant, Marie-Antoinette et les siens animent un coin de Versailles.

Un coin de Versailles, telle paraît être l'expression correcte pour désigner le mouvement particulier donné par la Reine au grand Château. Le propre de son existence, à la fois agitée et repliée sur sa société, est de faire le vide autour d'elle. La tendance, déjà observée à l'époque de Mme de Maintenon ou de Mme de Pompadour, se développe, sans que l'autorité personnelle du Roi ou sa prestance vienne former contrepoids. La création de Louis XIV, s'il est vrai que celui-ci l'a voulue comme une domestication de sa plus haute noblesse, se détourne peu à peu de son sens. Les grâces, par lesquelles Louis XIV et même Louis XV s'attachaient les grands seigneurs, passent maintenant presque uniquement par la Reine et sont détournées par elle au profit d'une coterie restreinte. Une partie de la noblesse déserte la Cour. Certains jours où la Reine reçoit, elle s'étonne de ne trouver presque personne. Les vieux surtout rechignent. Beaucoup rentrent dans leurs hôtels parisiens. D'autres se retirent dans leurs châteaux. Versailles, dans les années qui précèdent la Révolution, pourrait avoir joué, par la politique inconsciente de la Reine, un rôle qu'il y aurait lieu d'étudier de plus près. Si quelques grands seigneurs, renfermés sur leurs terres, ont réussi à passer dans un calme relatif et presque heureux les plus dures années de la Révolution, c'est peut-être qu'ils étaient déjà devenus comme étrangers à cette Cour d'un style nouveau qui était celle de Marie-Antoinette.

La Reine donne parfois elle-même l'exemple de cette désertion de Versailles. Ses déplacements à Paris sont innombrables, et moins officiels que privés. « La reine régnante a fait placer des réverbères depuis Versailles jusqu'à la barrière de la Conférence », lit-on en 1783 dans le *Tableau de Paris*. N'est-elle pas aussi la première depuis un siècle parmi les rois et les reines de France à se faire réaménager un appartement aux Tuileries, dont la date, 1784, coïncide avec celle de son Petit Appartement de la cour de marbre ?

Cette jeunesse fougueuse qui passe pourrait se comparer à celle de la duchesse de Bourgogne. N'est-ce pas le même entrain un peu fou ? Quand on voit, par exemple, au carnaval de 1776, Marie-Antoinette présider à son jeu de Versailles, partir dans la nuit à Paris au bal de l'Opéra, revenir à 7 h. du matin et faire une visite au Roi, comme autrefois Marie-Adélaïde l'aurait fait auprès de Louis XIV, et, comme elle, repartir, mais cette fois pour un spectacle plus moderne, une course de chevaux à l'anglaise dans la plaine des Sablons, on admire sa vitalité, mais on constate aussi que Versailles en bénéficie peu.

LE JEU

Le jeu est de tradition au château, toujours terrible ; la Reine a su le rendre plus effrayant que jamais. Son pharaon est redoutable et les joueurs pas toujours honnêtes ni de la meilleure noblesse. Lorsque Joseph II vient à Versailles, Marie-Antoinette se modère et l'Empereur, qui est bien renseigné, ne voit pas sur les tables les monceaux d'or qui y circulent d'ordinaire. En parcourant les inventaires de Versailles dans les années qui précèdent la Révolution, on rencontre des tables à jeu partout, chez les garçons de la Chambre du Roi aussi bien que dans l'Antichambre de la Reine. On a déjà vu que Louis XVI et Marie-Antoinette possèdent un goût commun, celui du billard ; aussi les appartements des grandes amies de la Reine sont-ils tous dotés d'une salle de billard.

LA LECTURE

Marie-Antoinette a peu de goût pour la lecture. Même si la phrase de Besenval a quelque chose d'excessif, — « hors quelques romans, elle n'a jamais ouvert un livre », — ses Bibliothèques, celles de ses amies, celles de ses belles-sœurs paraissent relever en partie d'un décor plus flatteur que vraiment nécessaire. Notons cependant l'insistance dont témoigne le développement de sa bibliothèque personnelle : première Bibliothèque de son appartement intérieur de Versailles (1772, 1774 et 1777), seconde Bibliothèque du même appartement (1779), où les Bâtiments avouent leur impuissance devant cette nouvelle dépense, « d'autant plus qu'elle est assurément inévitable », troisième Bibliothèque (1781) et supplément à cette Bibliothèque (1783), Bibliothèque de l'appartement de la cour de marbre (1784), sans compter la Bibliothèque de Trianon.

Campan, qui lui sert de bibliothécaire, a peut-être intérêt à ces accroissements ou transformations. C'est lui qui achète les livres de la Reine ; il tient à ce droit, qui doit être lucratif, si l'on songe que les mémoires du relieur de la Reine, Martial, même lorsque celui-ci fournit aux Bâtiments les dos de livres destinés à garnir les portes de passage, sont transmis par les soins de Campan. Lorsqu'il y a démolition de la Bibliothèque antérieure, comme en 1781, on le voit demander à racheter boiseries, glaces et tablettes de marbre, après estimation conclue avec Mique.

Tout n'est pas blâmable dans l'activité de Campan. Si nous pouvons aujourd'hui connaître avec précision la composition et jusqu'au classement des bibliothèques de la Reine, c'est à son ordre qu'on le doit. Dès 1779, Vente, le libraire-relieur, est chargé d'imprimer un premier catalogue de la Bibliothèque de la Reine. Que celle-ci se soit fait lire par son lecteur ou par une de ses dames quelque roman ou quelque pièce de théâtre, qu'elle ait même feuilleté certains livres, c'est possible. Marie-Antoinette a dû surtout apprécier au milieu de ses livres un abri d'un instant, où se reposer et être seule. Elle n'était pas tournée vers l'étude.

LA FORMATION D'UNE COLLECTION

La Reine semble avoir exercé une activité plus originale dans son goût du bibelot. Il est parfois difficile de distinguer chez un collectionneur ce qui est amour vrai de l'objet d'art et ce qui est puérile participation à la mode de son époque. Marie-Antoinette est femme trop en vue et trop entourée d'amateurs mondains pour échapper à ce doute, mais elle sent aussi cette obligation de son rang. Elle règne sur un château où le décor complémentaire demandé à l'objet précieux est comme de tradition dans les appartements. Le chemin lui a été tracé d'avance. Les Cabinets de Marie Leczinska comme ceux de Louis XV ou de Louis XVI n'étaient-ils pas remplis d'objets d'art ? Mme Du Barry n'a-t-elle pas acquis une notoriété de bon aloi en réunissant des bronzes précieux, des pierres dures montées d'or ou des meubles auxquels des panneaux de laque ou de porcelaine donnaient un caractère unique ? Ne l'avait-on pas conduite elle-même, lorsqu'elle était Dauphine, faire à Paris le tour des magasins des principaux merciers du quartier Saint-Honoré ?

618 SOUS LOUIS XVI ET MARIE-ANTOINETTE

Les belles pendules, les riches candélabres, les lustres extraordinaires, les pierres rares, cristaux, jaspes, sardoines ou lapis, montés en or ou en bronze avec un art exquis, les bois pétrifiés qu'elle reçoit de son pays, les anciens laques surtout, dont elle se compose une imposante collection, s'entassent dans ses appartements. Elle est cliente du marchand Grancher, mais surtout de Daguerre. Son nom figure dans quelques-unes des grandes ventes de son temps, principalement à la vente du duc d'Aumont. Sa personnalité est aussi accusée dans le choix des objets d'art que dans celui du mobilier. Elle aime le travail extraordinaire et les compositions quelque peu compliquées, presque surchargées. Quelle que soit l'appréciation que l'on puisse porter sur ses goûts, son rôle de collectionneur ne peut être sous-estimé.

LA MUSIQUE

Il est un domaine dans lequel elle pénètre avec une sorte de passion, celui de la musique, du théâtre et de la danse. L'éducation qu'elle a reçue, les traditions de la Cour de Vienne, qui rejoignent ici celles de la Cour de France, vont la servir et lui permettre de dépenser à profusion, pour le bien et pour le mal du château.

La musique est le moins coûteux et le plus innocent des passe-temps de la Reine. La solide organisation de la bande des « vingt-quatre » ou celle de la chapelle royale, les concerts réguliers, l'habitude prise par Marie Leczinska et ses enfants de jouer de divers instruments de musique lui fournissent un terrain bien préparé.

Elle aime jouer du clavecin et surtout de la harpe. Si l'on consacrait un jour une exposition à Marie-Antoinette, on devrait y faire figurer l'un de ses clavecins. Quant aux harpes, elle en a eu plusieurs, moins qu'on ne lui en attribue. Elle chantait avec plaisir. L'une des raisons qui semblent l'avoir attirée chez Mme d'Ossun fut la musique et les petits concerts auxquels elle participait.

LE THÉÂTRE

Plus encore que la musique pure, le théâtre est l'une de ses grandes préoccupations, et ceci dès son arrivée en France comme Dauphine. Spectatrice assidue, et pas seulement à Versailles, elle multiplie les théâtres autour d'elle. Les anciens théâtres de la Cour ne lui suffisent pas. Elle a ses loges à Paris, aux Italiens, aux Français et à l'Opéra. Les premiers gentilshommes de la Chambre, dont dépendent les spectacles, s'évertuent à lui plaire. Fontainebleau et Choisy sont de grandes salles royales ; mais elle veut que le théâtre puisse la suivre dans ses déplacements et fait établir des théâtres ambulants, qu'elle fait dresser à La Muette, plus tard à Saint-Cloud, et jusque dans ses appartements de Versailles. Réalisant un projet longtemps caressé par Louis XV, elle dote le château d'une nouvelle salle de Comédie.

L'Opéra de Gabriel s'avérait trop vaste et trop coûteux, la salle de Comédie établie par Louis XIV au fond de la cour des Princes trop resserrée. Une idée saugrenue est présentée, qui aurait permis d'établir une petite salle démontable à l'intérieur de la grande salle de l'Opéra ; un « assemblage d'échafauds en charpente, dont les divisions formeraient autant de loges amovibles », aurait constitué l'ossature de ce théâtre. Le projet est abandonné.

Marie-Antoinette, sans attendre la salle nouvelle prévue dans la reconstruction du château, pousse à une réalisation immédiate, en apparence provisoire. L'emplacement choisi est celui du bel escalier que Gabriel a commencé de construire dans la nouvelle aile pour donner accès aux appartements du Roi, non loin du Salon d'Hercule.

On a vu Louis XV projeter, en avant de cet escalier et sans nuire à celui-ci, l'installation d'un petit théâtre. Marie-Antoinette veut une salle plus vaste. La cage de l'escalier servira. C'est un théâtre, comme elle les aime, c'est-à-dire tout en loges et tout en bois et de dimensions modestes. La scène est importante, puisque, sous prétexte d'économies, on veut pouvoir utiliser les décors et la machinerie de Fontainebleau. C'est un peintre à la mode, Hubert Robert, qui est chargé de brosser, sans souci de durée, un décor d'arabesques sur châssis entoilés.

Cette salle, exécutée par les Bâtiments et les Menus-Plaisirs du Roi dans le courant de l'année 1785, est vraiment née de la volonté de la Reine. On sent, on voit ses exigences, lorsqu'on en étudie les projets. Une grande loge royale est prévue au premier étage ; elle sera exécutée, mais affectée au service du Roi. Louis XVI, Marie-Antoinette, les princesses auront leurs loges au rez-de-chaussée.

La Reine, tout en préférant, comme jadis Louis XV, l'intimité de petites loges basses, ici disposées comme des baignoires, n'entend pas pour autant se priver d'une visibilité parfaite : des études subsistent, où se reconnaît la silhouette de Marie-Antoinette, assise dans la petite loge centrale de droite (celle de gauche étant destinée au Roi), avec indication du champ visuel par rapport aux spectateurs du parquet. Elle fait en même temps étudier l'accès particulier à sa loge, qui doit être séparé de celui affecté à la loge du Roi, comme elle possède un foyer différent. Outre Trianon, outre le théâtre de la Montansier où elle se rend souvent, elle possède désormais dans le château même un théâtre à sa convenance.

Elle dispose, de plus, d'un certain nombre de théâtres ambulants qui intéressent, eux aussi, son existence à Versailles.

LES « MAISONS DE BOIS »

Il n'est pas étonnant qu'une reine comme elle, quelque peu légère et volage, ait aimé vivre dans des décors aussi passagers et mobiles, composés avec élégance, dans un faste de clinquant. Le principe même des maisons de bois démontables se retrouverait très lointainement dans l'histoire de la Cour : sous Louis XI, ou dans les tentes fastueuses de Louis XIV ou de Monseigneur, et surtout dans les maisons de bois qu'avait fait établir Louis XV pour Compiègne, pour Saint-Hubert ou pour ses campagnes militaires. Marie-Antoinette n'a-t-elle pas été reçue à Kehl, en 1770, dans une construction provisoire, décorée de belles tapisseries de la Couronne, telle qu'on en édifiait traditionnellement aux

frontières pour la « remise » à la France des princesses
étrangères ? Elle va établir pour ainsi dire en institution,
pour son plaisir, l'usage de ces baraques de luxe.

Pierre de Nolhac leur a consacré quelques lignes, en citant
des extraits du comte d'Hézecques ou du duc de Lévis, qui
concernent celles du parterre du Midi en 1787 ou de la
terrasse de Mme de Polignac en 1782. Il est bon d'insister
davantage sur ces « palais ambulants », qui vont donner une
bien curieuse physionomie au Versailles de Marie-Antoinette.

La Reine aime beaucoup danser. Elle aime aussi le jeu,
elle aime le théâtre. Les maisons que construisent ou
aménagent à son intention les Menus vont peu à peu devenir
de magnifiques salons, spécialisés pour l'un ou l'autre de ses
plaisirs, ou aptes à se transformer, juxtaposés, en une
merveilleuse petite ville des fêtes de la Reine.

Dès le voyage de Compiègne de 1774, Marie-Antoinette a
fait venir une maison de bois de Saint-Hubert pour y établir
un billard. Quatre ans plus tard, elle fait construire en bois,
dans un bosquet de Marly, une salle de spectacles, toute
provisoire, qu'au printemps suivant, en 1779, elle fait
améliorer, agrandir et couvrir d'ardoises. L'intérieur de ces
maisons est analogue à celui des installations qu'elle fait
dresser par les Menus pour ses bals dans son grand-appartement de Versailles, voire dans le Salon d'Hercule, ou
chez Mmes de Polignac ou de Noailles. Sur un travail de
charpenterie, dont le menuisier Francastel s'est fait une
spécialité, on tend de la toile ou on colle du papier. Des
draperies, le plus souvent bleues à franges d'argent, viennent
former, grâce à l'art du tapissier, un joli décor au goût de la
Reine.

L'imagination travaille ; les demandes de Marie-Antoinette
augmentent. Puisque les finances royales ne sont pas assez
solides pour reconstruire Versailles et donner à la Reine les
agréments qu'elle aimerait y trouver, les maisons de bois
vont prodiguer leurs ressources. Ces petits palais se présentent
pourtant comme de coûteuses fantaisies. En 1785, les seuls
mémoires du menuisier, du serrurier et du peintre les
concernant se montent à un peu plus de 100 000 livres. Non
seulement on entretient et répare les maisons précédentes,

622 SOUS LOUIS XVI ET MARIE-ANTOINETTE

mais on en construit d'autres, selon un plan accepté par le Roi, « destinées à placer une salle de spectacles, salle de jeu, salles de buffets, etc. »

LES BALS DE LA REINE

Quoique limités à une Cour restreinte, les bals de la Reine n'ont jamais été aussi brillants. Déjà, en 1775, Papillon de la Ferté s'inquiétait de voir leur dépense monter à 100 000 livres pour l'année, alors qu'il n'était guère question de ces dispendieuses baraques. En principe, c'est le Roi qui offre ces bals à la Reine, c'est-à-dire que la Reine a obtenu de les faire payer par les Menus, y compris ses habits et ceux des dames et seigneurs des quadrilles. Et quels habits extraordinaires ! On peut connaître quelques-uns d'entre eux grâce aux papiers de cette bonne administration des Menus. Parmi les aquarelles de Boquet, qui mériteraient d'être exposées pour connaître avec plus d'exactitude les goûts et la société de la Reine, il en est une qui fait rêver et qui, au-dessous de l'altière et jolie silhouette, porte cette légende : « La Reine. Fond blanc, lamponné d'une gaze très clair, draperies de satin bleu, nuages en gaze d'Italie, le tout orné d'argent et plumes de paon. » Costume de bal ou presque de ballet.

On peut connaître les personnages, on peut aussi imaginer le décor de ces bals à l'intérieur des maisons de bois commandées en 1785. Pierre-Adrien Paris était dessinateur des Menus. Il a légué ses papiers à la Ville de Besançon, qui les conserve encore dans sa Bibliothèque municipale. De plaisantes aquarelles représentent la Salle à manger, la Salle de jeu, la Salle du billard. Un détail suffira à montrer comment, à propos de l'éclairage du Billard, un goût pittoresque et royal, raffiné et dédaigneux de la dépense, parvenait à donner à ces petites maisons un caractère extraordinaire : « Les réverbères sont des tambours de basques et c'est une branche de lys qui porte la lumière ».

Les intérieurs apparaissent d'un charme presque tradition-nel, qui n'est peut-être pas exempt d'une certaine mièvrerie.

Mais ne doit-on pas taxer Marie-Antoinette d'inconscience, lorsqu'il s'agit de trouver une place pour ces baraques ?

En 1786, pour le carnaval, elle les fait installer en pleine façade du château, sur la cour royale, du côté de la vieille-aile. Combien les exigences de Mme d'Ossun, tout à côté, sur sa terrasse, paraissent alors discrètes devant un sans-gêne si scandaleux à l'égard de Louis XIV ! La Reine songe en même temps à utiliser l'ancienne Salle de la Comédie, toute proche et maintenant désaffectée, pour en faire une Salle de Bal. Son projet se développe et voici les extravagances qu'elle impose pour le carnaval de 1787.

Les maisons de bois sont alors installées sur la terrasse du Midi, prenant la valeur de cinq fenêtres sur le corps principal du château et de trois fenêtres sur l'aile du Midi. Le principal accès est obtenu par le passage voûté conduisant de la cour royale à la terrasse, qui forme l'« entrée du bal », avec un poêle à chaque bout et un tambour « pour empêcher la communication du froid » ; d'autre part, l'entrée de la famille royale est prévue par un passage oblique, qui prend naissance au perron de l'appartement du Dauphin. Quant à la vieille salle de théâtre de la cour des Princes, elle est aménagée en salle à manger, avec une sorte d'hémicycle obtenu par le mouvement de l'ancienne scène.

Du côté de l'aile du Midi, se trouvent le Foyer ou Promenoir et la Salle du Billard ; du côté de l'appartement du Dauphin, le Salon de Jeu, avec une salle de jeu particulière pour le Roi. Au centre, prend place la grande Salle de Bal, dont le fond, en hémicycle du côté de l'Orangerie, forme Salle de Buffet avec « fontaines jaillissantes... qui composent le tableau ou vue qui termine ce côté ».

Cette installation fantasque a été ingénieusement étudiée, et tout est prévu, sauf l'effet malheureux dont souffre l'architecture de Louis XIV d'un pareil entassement de cabanes. Dès le mois de novembre 1786, les Bâtiments se sont préoccupés de l'adduction d'eau sur ce coin du parterre du Midi. On remarque le soin apporté aux perspectives de l'intérieur ; quatre encoignures de glaces sont placées aux angles de la Salle de Bal ; le Cabinet de Toilette, qui se trouve à l'angle sud-ouest, et qui est demi-circulaire, est décoré d'une grande glace dans le fond pour donner l'illusion d'une rotonde.

Le chauffage a, de même, été judicieusement établi. Dans ce Versailles des derniers jours de la monarchie, on préfère le confort à la rude majesté du règne du Grand Roi. Les sources de chaleur ont été si bien réparties qu'on est presque arrivé à créer un réseau de chauffage moderne ; aux quatre coins de la Salle de Bal notamment, on voit des « poêles avec des tuyaux de chaleur qui échauffent toutes les pièces principales ».

Le caractère ingénieux de cet extraordinaire palais, dressé comme une insulte à la face du grand château, apparaît encore mieux si l'on songe aux combinaisons auxquelles il se prête. Les trois maisons, « qui servent au Salon de Jeu, à la Salle de Bal et à celle des Buffets, composent en se réunissant une Salle de Spectacles capable de contenir cinq cents personnes ; elle a été disposée pour qu'on puisse s'y servir des décorations de celle de la Cour des Princes et son théâtre est tel qu'on peut y donner des actes d'Opéra ». La collection Paris possède des plans et des coupes de ce curieux théâtre, qui doit remplacer celui à demi ruiné de Marly.

Le brillant et coûteux carnaval de 1787 sera le dernier de Versailles. La situation s'aggrave de mois en mois. Marie-Antoinette ne peut plus l'ignorer. On a besoin de ses jolies maisons de bois pour de dernières fêtes, où se retrouvera la Cour et dont Versailles forme encore une fois le fond. Les petites maisons de bois de la Reine sont démontées et réinstallées dans la cour principale de l'Hôtel des Menus-Plaisirs. La grande maison, composée par la réunion des trois autres pour former, ainsi qu'on vient de le voir, une grande salle de spectacles, est remontée avec ses colonnes et ses arcades. Elle sera le théâtre des deux Assemblées des Notables et de la réunion des États Généraux, comme si le sort de Versailles était de traiter des événements les plus graves dans un air de fête. Tout au plus, le grand dais qui surmonte le trône du Roi vient-il décorer le fond de l'hémicycle et remplacer le buffet.

Les maisons de bois de la Reine ont vécu. Elles ont formé, pendant quelques brèves années, l'un des aspects originaux, sinon heureux, du passage de Marie-Antoinette à Versailles, qui peut se résumer en ces mots : goût du nouveau et du confortable, dédain pour ce qui a précédé. Ajoutons-y l'énormité des dépenses pour des résultats médiocres en regard de ce que les règnes antérieurs ont fait de Versailles. N'omettons pas non plus la « présence » même de la Reine, qui se suit encore aujourd'hui et peut porter à l'indulgence. Marie-Antoinette possède, en outre, son domaine propre, Trianon, où sa personnalité s'épanouit plus librement qu'à Versailles.

CHAPITRE VI

TRIANON

LE DOMAINE DE LA REINE

Trianon, dont le parc et la destinée ont été d'abord fixés par Louis XIV, dont le petit château a été bâti par Louis XV, va devenir, du vivant même de Marie-Antoinette, et plus encore pour la postérité, son domaine à elle, le symbole de ses goûts, l'abîme de ses dépenses, la source de sa légende. Pour son plaisir et pour le nôtre, pour son malheur aussi, Marie-Antoinette est la Reine de Trianon, plus encore que de Versailles.

Louis XVI, dans les premiers jours de son règne, épure en quelque sorte l'ombre de son grand-père en poursuivant Mme Du Barry. L'exil de la jolie comtesse à Pont-aux-Dames ne représente qu'un aspect de cette mise en ordre. On a vu les appartements de Versailles marqués de la même intention. Lorsque Marie-Antoinette, heureusement conseillée, demande au Roi le Petit Trianon de Gabriel pour en faire « une maison de campagne à elle en propre », Louis XVI l'accorde aussitôt, comme heureux d'exorciser du souvenir de Mme Du Barry cette charmante maison, qui avait abrité les amours de celle-ci et du feu Roi.

Le don du petit domaine remonte, d'après Mercy-Argenteau, aux premiers jours de juin 1774. La Cour est alors éloignée de Versailles. Le 14 août, Louis XVI se fait livrer à Compiègne par Maillard, joaillier des Menus-Plaisirs, un passe-partout de Trianon, garni de 531 diamants, dont la façon seule revient à 1 500 livres et le prix total à plus de 6 000 livres. Nul doute qu'il ne l'ait offert à la Reine le lendemain, jour de sainte Marie, comme la clef d'un nouveau royaume.

LES DÉPENSES DE TRIANON

Marie-Antoinette va marquer définitivement cette terre de sa présence ; comme agissait le Grand Roi, mais dans un tout autre style, elle fera bouleverser la terre pour lui donner le genre qui lui convient. Elle souhaitait, constate joliment Nolhac, un domaine particulier « où elle pût jouer à son gré avec les fleurs et les arbres ». Elle sera partiellement fidèle à la tradition d'un Louis XIV et d'un Louis XV, qui voulurent faire de Trianon un jardin merveilleux, où des sommes énormes s'engloutissent en cultures et en expériences.

Elle fera remodeler le sol, et, pour le rendre pittoresque, y ajoutera des collines, des rivières et des rochers. Ne lui reprochons pas, comme Fouquier-Tinville, les dépenses qu'elle y fit. Le charme poétique de son Trianon demeure. Quant à l'argent, la Reine se trouvait, par la faute de Versailles, comme isolée et séparée du peuple, au point de ne pouvoir se rendre elle-même compte du gaspillage qui l'entourait. Ses dépenses lui paraissaient normales. Elle y mettait plus d'inconscience que de réflexion, et ce fut progressif : « On avait été entraîné dans les dépenses peu à peu », avouera-t-elle lors de son procès.

Une première étape des dépenses de la Reine la montre surtout préoccupée de son jardin.

Dès l'été de 1774, le maçon Guiard établit le nouveau mur de clôture ; Deschamps, le sculpteur, s'applique « aux modèles du nouveau jardin de la Reine », que fait établir Mique, son architecte, pour les lui présenter ; les anciens jardiniers de Louis XV, Belleville et Richard, travaillent comme entrepreneurs aux fouilles et aux terrassements. Il s'agit de la première création du jardin anglais avec sa rivière et son île.

Les travaux dépassent bien vite les ressources normales des Bâtiments du Roi, et, le 22 août 1775, une recette de 100 000 livres sur le Trésor Royal doit être inscrite « pour les travaux du jardin de la Reine ». Ceux-ci marchent bon train dans le cours de 1775. Le nouveau parc « anglais » ou « chinois » (les deux termes s'emploient) prend forme dans un charmant désordre.

Pour bien montrer ses goûts de caprice et de jeunesse, son dédain du conformisme, la Reine fait élever, presque sous les fenêtres du joli pavillon de Louis XV, une bizarre installation de goût chinois, qu'elle développera par la suite : c'est là qu'elle dispose son jeu de bague, avec des dragons pour les hommes, des paons pour les dames en guise de chevaux de bois. Le charpentier Taboureux, le serrurier Roche, le sculpteur des Menus Bocciardi, le doreur des Bâtiments Dutemps reçoivent, en 1776, de substantiels acomptes pour ce curieux manège. En juillet et août 1776, la Reine donne plusieurs fêtes à Trianon. Ce n'est encore qu'un prélude.

On peut situer au cours des quatre années suivantes des dépenses autrement importantes, qui témoignent d'un engouement progressif.

Dans le château même, les demandes sont encore modestes. La Reine, qui a probablement transformé l'année précédente en un petit Cabinet la pièce d'angle qu'on appellera plus tard son Boudoir et où Louis XV avait placé son Café et un escalier intérieur, fait repeindre, à l'automne de 1777, la totalité des appartements. Elle fait aménager quelques pièces pour ses invités, pour le Roi, pour Mme de Lamballe. Lorsque Mme Campan signale dans ses *Mémoires* que Marie-Antoinette couchait à Trianon « dans un lit très fané qui avait même servi à la comtesse Du Barry », elle écrit quelque chose d'exact et note un phénomène qui fut d'ailleurs tout passager. La Reine a pris pour elle, en effet, le beau lit sculpté que le Garde-Meuble a livré en 1772 pour la maîtresse de Louis XV « au Petit château de Trianon ». Le sait-elle ? Le contraire paraît impossible. Mais, comme elle a peut-être le goût moins fin que la favorite, elle fait dorer, en 1777, le lit et le meuble qui l'accompagne, en blanc jusque-là. Elle choisit cependant des étoffes presque semblables, qui sont des soieries de Chine : un pékin fond blanc, peint de fleurs et branchages de diverses couleurs, existait du temps de Mme Du Barry ; un pékin fond blanc, peint en fleurs naturelles et oiseaux, sera celui de Marie-Antoinette. Dès ce moment, d'assez fortes dépenses d'argenterie ou de linge de table en Venise montrent que la Reine entend avoir à Trianon sa maison, indépendante de Versailles, et montée sur un grand pied de faste.

Elle a vu qu'elle pouvait y recevoir ses amis, loin de toute contrainte, et s'y adonner notamment à son nouveau plaisir, le théâtre, dont on verra plus loin la dépense ; la salle de spectacles remonte à cette époque.

Ce n'est pas tout. Trianon n'est-il pas d'abord un jardin ? Un gouffre aussi, semble-t-il, car chacun donne son avis et les exigences de la Reine se multiplient. Le 9 mai 1777, le Roi doit faire inscrire sur le Trésor une nouvelle ordonnance de 252 000 livres « pour les travaux du jardin de la Reine ».

Ces travaux, fouilles et remuements de terres, plantations, constructions, sont dirigés en deux sens bien différents : classiques d'une part, le *Théâtre*, qui est achevé en 1779, le *Temple de l'Amour*, qui est construit en 1777-1778, tandis qu'on fait exécuter un moulage du célèbre groupe de Bouchardon, déjà exposé au Louvre, dont le sculpteur Mouchy exécutera en marbre la copie, enfin le *Salon du Rocher*, l'élégant octogone ou belvédère de pierre, qui surmonte le petit lac et qui est bâti, décoré et meublé en 1778-1779 ; d'autre part, les fantaisies du jardin anglais entraînent la Reine dans des dépenses qui, pour puériles qu'elles apparaissent parfois, n'en semblent que plus considérables. On invoquera ici, encore une fois, le témoignage du duc de Croÿ. Celui-ci ne s'est pas habitué au ton donné par la Reine à la nouvelle Cour. Comme curieux de botanique, il regrette les cultures expérimentales de Louis XV à Trianon. Il note dans son *Journal*, à la date du 21 avril 1780 : « A la place de la grande serre chaude (qui était la plus savante et la plus chère de l'Europe), des montagnes assez hautes, un grand rocher et une rivière. Jamais deux arpents de terre n'ont tant changé de forme, ni coûté tant d'argent. »

Une dernière étape des dépenses de la Reine, — si tant est que celles-ci aient jamais été interrompues, — peut se situer à partir de 1783. Elles se poursuivent sur plusieurs plans à la fois, le décor intérieur du petit château, les jardins, les amusements de la Reine. De 1783 à 1785, le hameau s'élève, tandis que Marie-Antoinette songe à ce qu'elle pourrait inventer pour adapter à son goût le château de Louis XV.

LE CHÂTEAU

Elle ne sait pas combien les années lui sont comptées pour les embellissements qu'elle projette. Elle avait, en 1774, achevé la Chapelle et, en 1781, fait agrandir les communs, qui désormais rejoignent à peu près le Grand Trianon. Un plan, qui date de cette époque, indique les différentes

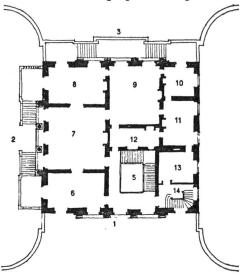

Fig. 27. — *Le château de Trianon (premier étage) vers 1789.*

1. Cour d'entrée. — 2. Jardin français. — 3. Jeu de bague et ancien Jardin fleuriste. — 4. Jardin de la Reine (ancien jardin botanique). — 5. Grand escalier. — 6. Antichambre. — 7. Salle à manger. — 8. Billard (anciennement petite salle à manger de Louis XV). — 9. Salon de compagnie. — 10. Boudoir de la Reine (anciennement Pièce du Café et escalier intérieur de Louis XV). — 11. Chambre de la Reine (anciennement Cabinet du Roi). — 12. Cabinets de garde-robe. — 13. Cabinet de toilette (anciennement Bibliothèque botanique de Louis XV). — 14. Escalier du second étage.

cuisines qui s'étendent à partir de la Chapelle, entre la Cour des Cuisines et le jardin ; la seule énumération de ces cuisines montre sur quel pied est montée la Maison de la Reine : viandes froides, — potages et entremets, — grandes et moyennes entrées, — pâtisserie des entremets, — rôtisserie, — pâtisserie.

En 1783, elle fait établir dans le château même une nouvelle chambre pour la duchesse de Polignac. L'année suivante, elle transforme la Salle à manger d'angle de Louis XV, au principal étage, en Salle de Billard.

Son appartement personnel la préoccupe surtout. Elle a pris pour elle les petits cabinets entresolés de Louis XV sur l'ancien jardin botanique. En 1787, son Boudoir, qui forme l'angle nord-ouest du pavillon, est décoré de nouvelles boiseries, composées d'arabesques et de fleurs, que nous admirons encore. Elle a fait établir à grands frais par Jacob en 1783 un nouveau lit pour sa Chambre. En 1788, elle fait broder à Lyon des soieries pour ce lit, et les Bâtiments du Roi présument qu'elle va demander pour la Chambre de nouvelles boiseries. Là s'arrêtent, en dehors des dépenses, assez élevées il est vrai et le plus souvent heureuses qu'elle fait pour le mobilier, les transformations principales de Marie-Antoinette à l'intérieur même du château.

Destiné à ses amusements, le petit domaine est organisé à sa convenance, sans souci de la dépense, sans respect non plus de l'architecture établie par le feu Roi. Après avoir installé, presque au flanc du château, son jeu de bague, elle fait cerner celui-ci d'une galerie disposée en demi-cercle, dont les toitures chinoises et l'aspect de pacotille devaient former un effet cocasse auprès du chef-d'œuvre de Gabriel. On croirait que les nobles architectures des règnes précédents sont désormais considérées à Trianon ou à Versailles comme de simples annexes de ce qui semble à la Reine presque l'essentiel, c'est-à-dire les masures et baraques coûteuses qui servent à ses plaisirs.

Elle demande l'installation pour ses bals d'une grande tente ovale, que les plans nous montrent accolée au joli pavillon du jardin français. Elle fait aménager un passage souterrain pour aller du petit château à la galerie chinoise et de là, par des passages de toile qu'on monte et démonte suivant les besoins, à cette salle de bal du jardin français et au théâtre. Seul paraît compter son agrément personnel, à Trianon plus qu'ailleurs.

Dès 1777, elle précise aux Bâtiments du Roi, à qui revient la dépense, « que tout ce qui regarde le Petit Trianon soit suivi par M. Mique ». Richard Mique lui est tout dévoué ; il lui doit sa place de premier architecte. Il paiera même de sa tête en 1794 les services qu'il lui a rendus. Mais comme il fait piètre figure à côté de Gabriel ! Peut-être n'est-il pas toujours désintéressé ; certaines dépenses ne le trouvent pas rétif. Lorsqu'il propose de décorer le hameau de vases de faïence au chiffre de Marie-Antoinette, il commande ceux-ci à la manufacture lorraine de Saint-Clément, dont il est le principal associé.

Bonnefoy Du Plan, concierge de Trianon, est régisseur du domaine ; il est garde-meuble de la Reine pour ses appartements privés dans les différents châteaux royaux et sert un peu de factotum. Des sommes énormes lui passent par les mains, notamment lors des fêtes que donne Marie-Antoinette. Un instant incarcéré à l'époque de la Terreur, il deviendra baron de l'Empire et personnage honoré de la Restauration. Pierre de Nolhac, évoquant son portrait par Boze que conserve le Musée de Versailles et qui date des beaux jours de Trianon, a bien situé cette figure encore assez énigmatique. Bonnefoy occupe certainement une place considérable dans l'histoire du Petit Trianon comme dans la vie quotidienne de Marie-Antoinette. Il a dû connaître plus d'un secret : on devrait bien lui consacrer une étude attentive.

Quelques bribes, tirées des papiers des Bâtiments, du Garde-Meuble ou des Menus, le montrent aux prises avec les différents services de la Maison du Roi, qui souhaiteraient intervenir davantage, puisqu'ils règlent la plupart des dépenses, mais qui doivent capituler devant les ordres de la Reine que leur transmet Bonnefoy. Un document de 1783, intéressant pour la vie du château, mériterait notamment d'être publié. Il s'agit d'une sorte de justification du garde-meuble de la Reine en face des demandes d'un autre puissant personnage, Thierry de Ville d'Avray, garde-meuble de la Couronne. Ces subalternes semblent tenir dans leurs mains l'intimité des souverains.

Bonnefoy fixe avec netteté l'importance du petit château. « Souvent le couvert mis à Versailles à 1 heure et demie, il a vu un quart d'heure après la Reine à Trianon et son dîner dans des voitures. Il faut enfin se représenter que la Reine, faisant le chemin à pied en 12 minutes, il n'y a point de rayon de soleil qui ne doive déterminer le concierge à être sur ses gardes. »

Bonnefoy énumère ensuite certaines de ses activités : le mobilier, que la Reine est en train de faire renouveler et qui n'est pas encore achevé, les spectacles, et jusqu'au soin des lignes et à la préparation des pêches. Le service de Trianon, souligne-t-il, est réduit : lorsque la Reine y couche, elle n'amène avec elle que trois femmes, un garçon de la Chambre, et deux coiffeurs. La batterie de cuisine, l'argenterie, le linge lui causent bien du souci. Il revient sur ce dernier point l'année suivante, pendant les séjours de la Reine de l'été 1784, pour réclamer des nappes rondes : « La Reine mange tous les jours en tables rondes de plus ou moins de diamètre, suivant le nombre de personnes, et je ne puis mettre dessus que des nappes d'un quarré long quatre fois trop grandes, ce qui fait un mauvais effet... »

C'est encore Bonnefoy Du Plan qui transmet en 1780 aux Bâtiments les ordres de Marie-Antoinette pour arranger dans les mansardes une pièce « qu'elle destine à servir de lieu de retraite aux seigneurs et dames qu'elle invite à ses fêtes, mais qu'elle dispense de manger avec elle ».

La Reine possède en Mique et Bonnefoy deux serviteurs fidèles et discrets, qui l'aident à transformer son domaine à sa guise, à écarter les importuns, à donner des fêtes et des spectacles où elle s'affirme reine indépendante et gentiment campagnarde.

LES FÊTES

Complétant Dussieux, Desjardins et Nolhac, Léon Rey a pu dresser un tableau, encore trop sommaire, des principales réceptions que donne Marie-Antoinette à Trianon et qui s'accompagnent de soupers et d'illuminations magnifiques et coûteuses.

En 1777, elle fait reconstituer dans ses jardins une foire avec des boutiques, comme jadis Mme de Montespan dans une fête célèbre, où les grandes dames de la Cour se font marchandes ; la Reine, qui offre cette fête au Roi, est elle-même vendeuse de limonade ; cette réjouissance coûta, dit-on, 400 000 livres. Necker s'inquiète de telles dépenses. Louis XIV a pu se les permettre ; elles paraissent maintenant hors de saison.

Lorsque, trois ans plus tard, avec l'inauguration du Théâtre de Trianon, Necker entrevoit le surcroît d'argent qu'il va devoir trouver pour les petits spectacles de la Reine, il s'entretient de ce problème avec Papillon, l'Intendant des Menus. Il faut céder et payer.

Marie-Antoinette prend l'habitude de donner à Trianon des fêtes éblouissantes aux étrangers de marque reçus par la Cour : à son frère Joseph II en 1777 et en 1781, au grand-duc Paul de Russie en 1782, à l'ambassadeur d'Angleterre, le duc de Manchester en 1783, au roi de Suède Gustave III en 1784. Quelques aquarelles ou gouaches nous en ont conservé le souvenir.

Mais ces fêtes sont exceptionnelles. Elles constituent peut-être aux yeux des cours de l'Europe une sorte de consécration de Trianon, une manifestation aussi du pouvoir personnel de la Reine, qui reçoit à la place du Roi. Elles ne forment pourtant ni la vie quotidienne, ni le but du petit domaine.

Marie-Antoinette, ici plus que dans toute autre maison royale, entend faire régner ses goûts. Dans son château personnel et dans ses jardins, qui, pour coûteux qu'ils soient, prétendent être « champêtres » et sans apprêts, elle veut vivre loin de toute étiquette, non comme une reine, mais comme une grande dame, qui, selon la mode du moment, se pique de simplicité. « Seule la grande magnificence qui y régnait pouvait faire soupçonner qu'on fût à la Cour », note Esterhazy dans un passage de ses *Mémoires* cité par Nolhac. Mme Campan fait, de son côté, une remarque qui a été souvent reproduite et qui paraît situer avec exactitude le ton qu'a donné la Reine à sa petite maison « Elle y avait établi les usages de la vie de château ; elle entrait dans le salon sans que le piano-forte ou les métiers de tapisserie fussent quittés par les dames et les hommes ne suspendaient ni leur partie de billard, ni celle de trictrac. » Style et genre de vie apparaissent à Trianon plus caractérisés encore qu'à Versailles.

LE « STYLE TRIANON »

Le style pittoresque, riche et fleuri, volontiers « tapissier », que la Reine a introduit dans le grand château de Louis XIV, sévit à plus forte raison dans sa résidence privée. Nous avons souligné ailleurs comment, pour meubler son Salon du Rocher, Marie-Antoinette se fait présenter des modèles de fauteuils en cire et en bois, où sont rassemblés des éléments classiques, conformes à la sobre architecture du pavillon de Mique, et des ornements fleuris, qui s'accompagnent, au dossier et sous le siège, de draperies imprévues, comme pour aller de pair avec le caprice des arabesques et des attributs champêtres ou imaginaires peints sur le stuc des murs par Le Riche.

Quelle critique un parfait courtisan comme le prince de Ligne trouve-t-il à adresser à l'une des plates-bandes de fleurs du jardin anglais ? D'avoir « l'air un peu trop ruban ». C'est peut-être un compliment aux yeux de la Reine. Les rubans se mêlent aux fleurs sur les soieries, sur les meubles commandés par Marie-Antoinette pour son Trianon. Ce domaine n'est-il pas depuis un siècle celui même des fleurs ? Mais quels curieux excès ! La Reine fait disposer dans ses jardins des lanternes garnies de fleurs de porcelaine !

Pourtant, avant de juger et de supputer des fautes de goût, il faudrait pouvoir reconstituer avec exactitude quelques ensembles. Si l'on considère le meuble de Jacob qui a été acquis par Versailles en 1941 et dont la sculpture polychrome, presque provocante et surchargée de jasmin, de muguet, de pommes de pin ou de motifs de vannerie, s'accompagne de fleurs brodées en laine sur un fond blanc, on est d'abord tenté de crier à l'enfantillage et au mauvais goût. Une étiquette ancienne donne cette indication : « Chambre à coucher du Treillage ». Et l'on se met à songer à ces décors intérieurs composés en façon de treillages et de palissades fleuries, comme il y en eut déjà sous Louis XV, à ces rêves de rusticité qui accompagnent au XVIIIᵉ siècle les beaux palais dorés. Ce meuble en est une expression, peut-être un peu maladroite et outrée, qu'il faudrait savoir replacer dans son véritable cadre.

636

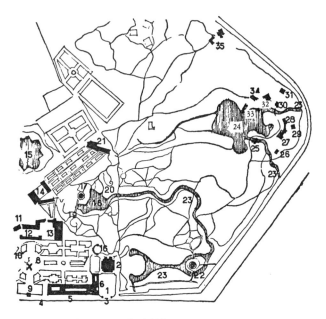

Fig. 28. — *Petit Trianon vers 1789.*

1. Cour d'entrée. — 2. Château de Trianon. — 3. Pavillons de garde. — 4. Route vers le Grand Trianon. — 5. Écuries, cuisines et communs. — 6. Chapelle. — 7. Jardin français. — 8. Pavillon du jardin français. — 9. Salon-frais. — 10. Jardin anglais de Louis XV. — 11. Corps de garde. — 12. Ménagerie. — 13. Théâtre. — 14. Jardinier. — 15. Réservoir. — 16. Jeu de bague. — 17. Belvédère ou Salon du Rocher. — 18. Petit lac. — 19. Rocher. — 20. Grotte. — 21. Orangerie et serres. — 22. Temple de l'Amour. — 23. Rivière. — 24. Grand lac. — 25. Moulin. — 26. Boudoir. — 27. Maison de la Reine. — 28. Maison du billard. — 29. Réchauffoir. — 30. Colombier. — 31. Maison du gardien. — 32. Grange ou salle de bal (détruite). — 33. Tour de Marlborough, Pêcherie. — 34. Laiterie de préparation (détruite) et Laiterie de propreté. — 35. Ferme (en partie détruite) et Vacherie.
(A comparer au plan du Petit Trianon vers 1770, fig. 24, p. 494.)

Il est bon de considérer aussi le désir d'économies, naïf autant qu'imprévu, mais conforme aux traditions de Louis XIV, qui anime la Reine au milieu de ses dépenses les plus folles. On le remarquera plus loin à propos du théâtre de Trianon. Dans le petit salon en rotonde de la Ferme, par exemple, plutôt que de commander des bas-reliefs de pierre (ou peut-être dans l'attente de ceux-ci), on demande au peintre Sauvage, dont les grisailles sont alors à la mode, d'exécuter des trompe-l'œil ; on lui verse 1 200 livres en 1787 pour peindre le plafond de ce salon « en voussure d'appareil », les croisées et la porte « en bois d'acajou ». Le hameau tout entier ne constitue-t-il pas, à lui seul, une extraordinaire fantaisie champêtre, moins coûteuse en apparence qu'un palais ?

LE HAMEAU

Il y a du théâtre dans ces installations, mais on y trouve aussi une sensiblerie sincère, empruntée à la littérature et à la peinture de l'époque. Le grand château de Versailles, son luxe pesant, son étiquette sévère sont responsables du petit village de Trianon, des fausses et charmantes masures que la Reine dispose avec art autour du lac creusé par son ordre au centre de son jardin.

Pierre de Nolhac a décrit avec tendresse chacune de ces maisons. Les unes n'existent que pour leur effet de pittoresque, d'autres sont bâties pour les séjours de la Reine et le plaisir de ses invités ; elles sont comme doublées de maisonnettes destinées au service.

La *tour de la Pêcherie*, dite *tour de Marlborough*, qui attire, sur son petit promontoire, les visiteurs qui se sont embarqués sur la rive occidentale du grand lac, est l'une des originalités du hameau de la Reine : anglomanie, paix toute neuve avec l'Angleterre, chanson naïve que fredonne Mme Poitrine, la nourrice du Dauphin, tout lui donne un caractère d'inédit et de mode qui sourit à la Reine.

Le duc d'Orléans possède un minaret dans son hameau de Monceau ; Mesdames vont édifier dans leur hameau de Bellevue, comme Madame à Montreuil, une « maison de l'ermite », ce qui les oblige à faire bâtir un petit campanile pour abriter la cloche du saint homme et à se procurer une vaisselle de bois par souci de vérité. Marie-Antoinette rejette pendant quelque temps ces puérilités ou ces trop fortes velléités d'exotisme. Les chinoiseries du jeu de bague auprès de son château lui suffisent dans ce genre. Un village normand, aux murs lézardés, aux toits de chaume ou de roseaux dépaysera juste à son gré la reine de France. La tour, dont la plate-forme supérieure prend l'apparence d'un phare, sert d'observatoire, d'où l'on peut admirer l'ensemble du petit domaine. La base sert de Pêcherie, où est rassemblé le petit matériel dont Bonnefoy Du Plan a la garde.

Au pied de la tour, ont été placées les deux laiteries. La première, dite *laiterie de propreté*, restaurée au temps de Louis XVIII, formait, avec ses murs clairs, ses quatre tables de marbre, sa vaisselle de porcelaine, une pièce où dresser un buffet de laitages. Elle était, semble-t-il, moins luxueuse que celle, à peu près contemporaine, de Rambouillet et rappelait ces endroits exquis et frais que la littérature bucolique entretenait de tradition dans les maisons royales.

De l'autre côté du sentier, se trouvait une autre laiterie, dite *laiterie de préparation*, aujourd'hui détruite, où l'on écrémait le lait, battait le beurre et fabriquait crèmes et fromages.

Plus loin, un peu à l'écart, les choses devenaient plus sérieuses : c'était la *ferme* proprement dite, dont une partie subsiste encore, avec son porche surmonté de deux boules de pierre, avec sa *vacherie* pittoresque et mouvementée. L'exploitation commença le 1er juillet 1785. Quelques jours plus tard, on fit venir de Touraine un bouvier, Valy Bussard, que vinrent bientôt rejoindre sa femme et ses deux enfants. Le 11 juillet, Mique demandait aux Bâtiments, d'ordre de la Reine, que l'on fît une dérivation de la conduite de l'ancienne serre des plantes étrangères de Louis XV pour alimenter la vacherie, ainsi que la salle à manger du hameau. Il y avait là un taureau, des vaches et des veaux, des « biques », chèvres et moutons, que l'on traitait avec un soin particulier. Léon Rey a noté dans les papiers de Valy, à propos de l'envoi de Suisse de plusieurs de ces animaux, une demande de la Reine : « Que le bouc soit blanc et pas méchant. »

Revenant sur les bords du lac, on rencontrait une *grange*, qui, comme en d'autres hameaux, dissimulait une *salle de bal* qui se voulait villageoise. Celle-ci n'existe plus ; mais, à côté, subsiste l'aimable *colombier*, à défaut du *poulailler* disparu, auprès du pont qui enjambe la rivière. En arrière, a été reconstitué de notre temps, avec ses arceaux de treillages, le *jeu de boules*. Plus en arrière encore, se dresse la *maison du gardien*, le suisse Jean Bersy, et la *lingerie*.

La vie que l'on prétendait mener dans ce décor, qui, pour ressembler au théâtre, n'en était pas moins réel, entraînait ses exigences. Il fallait songer au service du petit village. Que le *moulin* établi sur le lac, en face de la tour de Marlborough, ait été construit, avec sa vraie roue, pour moudre le grain ou pour produire seulement un heureux effet, on peut en discuter. Mais, derrière la *maison de la Reine*, c'est uniquement pour le service de celle-ci que l'on a construit comme un embryon de cour des offices. La jolie masure dont le plan est en équerre comporte, d'une part, une grande cuisine avec de petites offices et un garde-manger, — c'est le *réchauffoir*, — d'autre part, une sorte de pavillon de domestiques, qu'on appelle la *maison des valets de pied*.

Marie-Antoinette s'est réservé les bâtiments qui bordent le côté oriental du grand lac et qui sont aussi les premiers que l'on rencontre en venant à pied de Trianon et en longeant la rivière. Deux corps principaux, avec de multiples décrochements, escaliers ou balcons, sont reliés l'un à l'autre, au rez-de-chaussée comme à l'étage, par une galerie de bois. A gauche, est la *maison du billard* ; le salon du billard est accosté de deux garde-robes, l'une pour les dames, l'autre pour les seigneurs ; au-dessus se trouve un petit appartement, que Mique semble s'être fait attribuer comme pied-à-terre. A droite, la *maison de la Reine* proprement dite comprend au rez-de-chaussée la salle à manger et le cabinet du trictrac, au premier étage l'appartement de la Reine, composé de trois pièces principales et surmonté de mansardes. Le jardinet de la Reine, que les restaurations de Patrice Bonnet ont reconstitué, avec ses palissades, ses carrés de légumes et ses arbustes fruitiers, rejoint une dernière construction, disposée en retrait, fort pittoresque elle aussi, avec son toit de roseaux, sa lucarne, son appentis et son vieil escalier de pierre : c'est le *boudoir* ou *petite maison de la Reine*, dont un salon et une garde-robe forment l'essentiel.

Le côté artificiel et maniéré de tout ceci est évident. Nous le percevons encore aujourd'hui malgré les restaurations et l'envahissement de la végétation qui ont apporté plus d'une transposition de l'état primitif. Il est certain que le négligé savant et le sans-façon voulu avec lesquels ces amusants petits bâtiments furent conçus et traités sont difficiles à imiter, à entretenir. Lorsque le hameau, déjà restauré au XIXᵉ siècle et menaçant ruine après la guerre de 1914, fut remis en état grâce à la générosité de John D. Rockefeller junior, de vives critiques s'élevèrent, qu'approuva de son autorité Pierre de Nolhac. Le vieux maître s'indigna, prit vigoureusement parti et vint, en 1933, constater qu'on avait « saccagé » son Trianon. Peut-être, dans son émotion, n'avait-il pas tout à fait tort. Les œuvres d'art du passé ne se recréent pas aisément, surtout lorsque celles-ci sont composées de ce pittoresque fragile qui donnait tant de charme au hameau de la Reine.

L'effet de rusticité, obtenu par les colombages, les crépis, les toitures, l'aspect en quelque sorte désordonné, branlant et misérable des extérieurs, s'augmentait, par contraste, du luxe des décors intérieurs et des meubles. Le prince de Condé, dès 1774-1775, dans son hameau de Chantilly, qui subsiste en partie aujourd'hui, avait donné le ton de ces constructions : guinguettes et chaumières au dehors, palais au dedans. L'originalité étant de règle, la surprise devait aller jusqu'au saisissement. Lorsque les envoyés de Tippo-Sahib vinrent à la Cour en 1788, Marie-Antoinette ne fit-elle pas reproduire leurs portraits en cire (comme fera bientôt à Londres Mᵐᵉ Tussaud), pour les grouper, fumant leurs pipes, avec leur interprète et un esclave, et les installer dans l'une de ses chaumières de Trianon ?

LA VIE DE LA REINE À TRIANON

« Mon jardin », dit-elle en parlant de Trianon, dès avant la construction du hameau. Elle demande à la princesse de Hesse-Darmstadt, dans un billet qu'a publié Nolhac, de venir sans apparat, « comme on est à la campagne », et le prince de Ligne de noter de son côté : « On se croit à cent lieues de la Cour. »

Pourtant, jusque dans l'originalité affectée de son petit domaine, bien des traditions de la Cour continuent d'apparaître. On appelle des spécialistes anglais pour donner des conseils sur l'entretien des gazons. On ne fait pourtant que développer une tendance déjà latente au temps de Louis XIV, comme si, fatigué de ses grands parterres ensoleillés et symétriques, le Grand Roi avait voulu préfigurer pour ses successeurs un moyen de s'en distraire : le Labyrinthe de Versailles, les Sources de Trianon, certains bosquets de Marly, par leur dessin tout en méandres et leurs verdures, la Ménagerie avec ses élevages divers, annoncent les ermitages, les fermettes, les « evergreen » de Louis XV, bien avant les fantaisies de Marie-Antoinette.

Celle-ci toutefois, à Trianon comme à Versailles, manifeste un besoin d'isolement, que même Louis XV ne poussa pas si loin. Les consignes qu'elle donne à Bonnefoy Du Plan montrent que, non seulement le petit château, mais les jardins ne sont que par exception ouverts au public. La Reine est ici chez elle et, lorsque des visiteurs ont été autorisés à pénétrer dans le jardin et qu'elle y survient, on les dissimule aussitôt, comme il arriva à un habitant de Nancy, Cognel, en 1787.

Ce désir d'être seule, entourée de quelques amis, recevant le Roi et sa famille, donnant quand il lui plaît des fêtes, faisant sur son petit domaine des séjours qui, de 1779 à 1788, sont de plus en plus longs, soulève l'envie de ceux qui ne participent pas à cette intimité et ne peuvent plus faire à Versailles, comme par le passé, leur cour à la souveraine. Marie-Antoinette pousse fort loin sa volonté de n'être pas dérangée, et de la façon la plus étrange. Elle fait établir dans le Boudoir de son petit château par Mercklein et Courbin, mécanicien et serrurier de la Couronne, un système de glaces qui, montant du sous-sol, recouvrent les fenêtres et isolent la petite pièce de l'extérieur. Quelles raisons poussent la Reine à se faire créer un boudoir ainsi calfeutré de glaces ? Elle fera installer de la même façon son boudoir turc de Fontainebleau. Désir d'être seule et de n'être pas gênée ? Elle donne prise à la médisance. Dès la fin de 1789, ceux qui visiteront sa grotte de Trianon, aménagée de telle façon qu'on peut apercevoir ceux qui approchent et s'éloigner sans être vu par un passage dérobé, s'étonneront d'aussi ingénieuses facilités.

Marie-Antoinette veut être libre de voir à Trianon qui lui plaît. Mais elle donne aussi une part dans sa vie, et même dans sa vie de Trianon, à son mari et à ses enfants. En 1777, elle fait aménager dans le petit château un cabinet particulier pour le Roi, dont le mobilier magnifique sera demandé à Riesener. Louis XVI y aura même un miroir d'acajou « pour servir à se raser », mais il ne couchera jamais dans le petit château de la Reine. Certains jours, il fera plusieurs fois le voyage entre Versailles et Trianon, revenant toujours passer la nuit au grand château.

Marie-Antoinette mène à Trianon une vie qu'elle aime et où l'on retrouve, à la représentation près, ce qui l'entoure à Versailles, le style étant peut-être un peu plus maniéré, précieux et faussement simple dans le petit château que dans le grand.

Le jeu, qui constitue l'une des bases de son existence, est conduit avec la même ardeur. En 1779, par exemple, Marie-Antoinette se fait broder par Tremeau, le brodeur de la Couronne, « très diligemment », « très richement » aussi, deux bourses de velours bleu céleste ornées de ses armes, dont le prix se monte à 380 livres. On a vu qu'elle fait établir en 1784 le billard au bel étage de son pavillon et qu'elle n'oublie pas d'avoir dans son hameau une « maison du billard ». Avant cette création, ne pouvant se passer de ce jeu qu'elle aime, elle a parfois recours à des installations provisoires. En 1781, Masson, le paulmier du Roi, doit lui monter spécialement pour son séjour de l'été, où elle va recevoir son frère, un billard dans le fond du jardin, qu'ensuite on démontera.

La lecture l'occupe-t-elle beaucoup ou celle-ci n'est-elle que prétexte à rêverie ? La Reine demande en tout cas dans son château une petite bibliothèque entresolée, au-dessus de son boudoir d'angle, au mois de juin 1780. On possède encore les plans et les élévations de cette bibliothèque, qu'il serait facile de rétablir. Les armoires et les lambris sont moulurés, sans sculpture. Les portes, grillées de laiton, sont garnies de rideaux de taffetas vert. Les livres, dont on possède le catalogue et dont subsistent encore pas mal d'exemplaires, sont simplement de veau jaspé à filets, avec les armes de Marie-Antoinette sur les plats, et marqués au dos de la couronne royale avec les lettres C. T. (Château de Trianon). Comme la bibliothèque s'accroît, on doit, ainsi qu'à Versailles, procéder à un agrandissement, qui a lieu en 1784.

Il ne semble pas que l'on puisse employer à Trianon, pour les objets d'art dont la Reine s'entoure, le mot de collection ; certes tout ce qui l'environne, dans les objets de bronze notamment, est si raffiné, que l'on y aurait aisément tendance. Plutôt que d'entasser comme dans son appartement intérieur de Versailles des œuvres curieuses et de grand prix, elle paraît avoir cherché ici des ensembles décoratifs, où dominent les motifs fleuris et champêtres. Lorsqu'on se plaît à rassembler ceux-ci par la pensée ou lorsqu'on en rencontre des épaves, ignorées et dédaignées, on éprouve quelque tristesse du peu d'attention qu'y donne notre époque. On se met à envier l'initiative de l'impératrice Eugénie, en 1867, qui avait tenté, avec les moyens de son temps, de redonner vie au petit château, en consacrant une exposition au souvenir de la Reine. On n'a pas fait mieux aujourd'hui, mais les prétentions « scientifiques » se sont accrues, hélas !

LE THÉÂTRE

On doit se réjouir des soins dont le théâtre de Marie-Antoinette a bénéficié, grâce à la donation Rockefeller, juste avant la dernière guerre. La Reine n'aurait pu se plaire à Trianon, si elle n'y avait eu son théâtre. Et quel théâtre ! L'un des plus charmants théâtres de Cour.

Après quelques séances dans la Galerie du Grand Trianon en 1775, elle avait fait établir une salle provisoire, dans l'ancienne Orangerie de Louis XV. On y donna des spectacles en 1776, puis en 1777, au moment du séjour de Joseph II, que Croÿ note en son *Journal*, enfin en 1778, où, aussitôt le séjour de la Reine terminé, l'Orangerie est démolie pour la construction du rocher et du pavillon contigu.

Au mois de juin 1778, Mique, qui a bien étudié le théâtre de Choisy et surtout l'Opéra de Versailles, a ouvert le chantier de ce qui va devenir pour la postérité « le théâtre de la Reine ». Il a soumis à sa souveraine une séduisante maquette en cire coloriée, avec un éclairage, des tentures et des rideaux réalisés en soie. L'essentiel du travail sera achevé en un an. Le 30 juin 1779, le brodeur de la Couronne, Tremeau, livre le somptueux rideau de scène, qu'il a dû exécuter « très diligemment » en moins d'un mois. Le prix de ce rideau, qui occupa une « grande quantité d'ouvriers se succédant jour et nuit », revint à lui seul à 4 200 livres, à quoi s'ajoutent 144 livres « pour le pourboire aux ouvriers et les éguilles aux ouvrières ».

L'ensemble de la dépense du théâtre de Trianon s'élève, d'après Nolhac, à 141 200 livres. Si l'on examine les comptes, deux points retiennent l'attention. Boullet, « mécanicien » des Menus-Plaisirs, reçoit à lui seul 22 734 livres ; c'est assez dire combien la Reine a insisté sur la perfection des dispositifs de la scène, en même temps qu'elle demandait à Mique de se conformer aux mesures du plateau de Choisy (dont les dimensions étaient les mêmes que celui de Fontainebleau et qu'on reprendra également pour la nouvelle salle de Versailles en 1785), afin de pouvoir utiliser éventuellement les décors établis par les Menus pour les théâtres du Roi. D'autre part, une dépense à peu près égale est réservée au sculpteur Deschamps. Celui-ci, qui a travaillé à l'Opéra du grand château dans l'équipe de Pajou, va, sous la conduite de Mique, embellir la salle de Trianon, « d'une richesse en dorures, qui, écrit Mercy-Argenteau, devient presque un défaut et qui a été un objet de grandes dépenses ».

L'ambassadeur de Marie-Thérèse voyait juste en comparant la nouvelle salle à celle de Gabriel à Versailles ; elle en était comme une réduction aimable, un peu bâclée. La forme même, en U évasé, la machinerie, le décor d'acanthes du second balcon, les oculi que surmonte un plafond ovale (*Apollon entouré des Grâces et des Muses*, payé 9 600 livres à Lagrenée le jeune), la couleur enfin, la dorure abondante, un peu de blanc, des soieries bleues, dont on précise le ton, « bleu clair », tout ceci est comme hérité du grand Opéra. Il faut reconnaître cependant que la décoration sent la pacotille, en un curieux mélange de richesse et d'économie. La sculpture est traitée en carton-pâte plus souvent qu'en bois. La dorure, confiée au peintre des Menus-Plaisirs, Boquet, s'inspire de ce que l'on ferait pour des fêtes ; le cuivre se mêle à l'or.

Aux souvenirs du grand château s'ajoutent d'autres influences : des trophées en chute à l'avant-scène comme à Choisy, un style « Louis XVI » plus évolué, avec des arabesques et des sphinx, des cariatides mouvementées au bord de la scène qui émergent de draperies de carton doré, comme soudain resurgies du rococo de quelque théâtre d'Europe centrale, et partout le goût tapissier de la Reine. A ce que nous voyons encore dans le décor sculpté, s'ajoutaient, en vrai tissu et en passementerie, des drapés, des franges, des glands. Ce n'était plus ici Gabriel ou Louis XV qui s'imposaient, ce n'était plus le théâtre de la Cour de France, mais le petit théâtre de la Cour de Marie-Antoinette, théâtre plus amusant que noble, sorte de réminiscence inconsciente des petits théâtres de Mme de Pompadour.

Comme la maîtresse de Louis XV, la Reine entend jouer elle-même sur *son* théâtre. On a vu plus haut quel est son plaisir. Comédies souvent entremêlées d'ariettes ou de musique, où elle peut chanter, œuvres de Sedaine, *le Devin de village* où elle tient le rôle de Colette, *le Barbier de Séville* où elle joue celui de Rosine, se succèdent entre 1780 et 1785, sans compter les troupes qui viennent de Paris jouer devant la Reine, la famille royale et quelques invités privilégiés.

Le théâtre de Trianon fut un théâtre bien vivant. La Révolution le vida ; la plupart des décors furent envoyés à Paris, aux Orphelins de la Patrie dans l'ancienne abbaye de Saint-Martin-des-Champs. Napoléon 1er, Louis-Philippe y firent de fâcheuses modifications, tout en le sauvant. Notre époque lui a presque rendu sa splendeur primitive, sauvegardant même l'ancienne machinerie de bois. Derrière sa façade toute simple de petit temple antique, le vestibule avec ses bas-reliefs de plâtre modelés par Deschamps représentant les

Muses, le foyer, la petite salle intime et précieuse, les loges mêmes des artistes professionnels ou princiers qui y jouèrent, tout demeure et tout concourt à évoquer fidèlement le souvenir et les goûts de la Reine.

CHAPITRE VII

LA FIN DE VERSAILLES

L'ILLUSION MAINTENUE

Le beau rêve de Marie-Antoinette à Trianon, la frivolité, les gaspillages, les amitiés, l'art de Versailles aussi vont brusquement s'achever dans le sang. Un mécontentement grandissant, l'exploitation habile que certains en font, de mauvaises récoltes, de dures saisons qui provoquent la misère, l'impuissance de la Cour à réformer son luxe et de Louis XVI à gouverner, entraînent la catastrophe, où Versailles va presque sombrer.

Il est possible que Louis XIV, en construisant son grand château, ait inconsciemment causé la ruine de sa dynastie. L'isolement du Roi, la domestication de la noblesse, l'énormité des dépenses, l'habitude même de ces dépenses sont allés s'accentuant. A côté de la nation, une société s'est créée : elle a fait vivre le château, elle y a vécu ; elle va le déserter ou le quitter.

Il est curieux de voir comment réagit la Cour aux événements de 1789. Au début, ce n'est qu'une fête ou qu'un incident dans la vie de Versailles. Le Roi paraît trop faible. L'Assemblée des États Généraux est une menace pour l'aristocratie française. Déjà l'entourage de la Reine a souffert d'économies imposées par Necker et n'a pas caché son hostilité. Ce n'est peut-être qu'un mauvais moment à passer. On essaie de se rassurer.

Marie-Antoinette, déjà impopulaire, se donne davantage en cible lorsqu'elle prend la défense des privilégiés qui l'entourent. Doit-elle vraiment s'inquiéter ? Cette réunion des États n'est-elle pas un acte royal, dont on retrouve bien des précédents dans l'histoire de la France ? La monarchie française a pu lui paraître plus triomphante et glorieuse que jamais dans la grande procession du 4 mai 1789. L'ouverture des États se déroule elle-même comme une fête, aussi pompeuse et réglée qu'aurait pu la souhaiter Louis XIV. Le discours du Roi semble encore d'un maître absolu et, sur l'instant même, ne comporte pas de réplique. Comme pour accroître cette impression de fête royale, les hasards de l'existence, ou plutôt des raisons de service, car tout est préparé par les Menus-Plaisirs et par le premier gentilhomme de la Chambre d'année, ont voulu qu'elle se déroulât, — et la Reine ne l'ignore pas, — dans les maisons de bois imaginées par elle, plus brillamment arrangées que jamais.

Au caractère sacré et jusque-là inviolable du Roi, s'ajoute certainement l'envoûtement que cause Versailles même. Pour la noblesse, le « service du Roi » paraît tout naturel ; que l'intérêt se mêle souvent à la fidélité pure, peu importe ; la famille royale et ceux qui la servent ne songent même plus aux liens qui les attachent, tant ils sont devenus habitude. Le duc d'Orléans lui-même, s'il a déjà les calculs machiavéliques qu'on lui prête, est fidèle aux usages du château lorsqu'il y réside ; comme premier prince du sang, il assiste aux cérémonies du Lever royal ou à la réception des membres de l'Assemblée ; tout au plus lui reproche-t-on de se mêler trop souvent au Tiers, comme député élu de Villers-Cotterets.

Est-ce une illusion ? Le château, le Roi, qui, depuis plus d'un siècle, forme le centre de ce château, sont-ils doués d'une telle puissance ? Les députés du Tiers eux-mêmes se laissent prendre à ce luxe et à cette magnificence, qu'ils ne peuvent s'empêcher d'admirer. Jusqu'à Paris et pendant de longs mois la monarchie se survivra, avec sa pompe admise, reconnue comme nécessaire et naturelle. Il faudra de nouveaux venus, des gens qui n'auront pas connu Versailles ou qui y viennent en émeutiers aveugles, pour échapper au sortilège. Un rien suffit pour que le charme agisse : que l'on songe au revirement des harangères introduites chez le Roi le 5 octobre...

PREMIERS DÉPARTS

Les cérémonies d'ouverture des États Généraux sont le dernier grand spectacle que se donne à Versailles la monarchie d'Ancien Régime. L'Assemblée devenue Nationale, certains discours qui s'y tiennent, la prise de la Bastille commencent à causer bien des inquiétudes.

Le Roi, par calcul, nonchalance ou résignation, par atavisme et éducation peut-être aussi, demeure imperturbable. Sa vie, de mai à octobre 89, se poursuit sans changement, partagée entre le travail, la chasse et la représentation. Tout au plus, à partir de juillet, les petits soupers de la famille royale paraissent ne plus se tenir dans l'appartement de Provence, trop lointain, mais chez la Reine.

Autour de la souveraine, l'agitation est plus grande. Commence-t-on à sentir le poids de certaines fautes, excès ou imprudences ? Dans les jours qui suivent le 14 juillet, quelques appartements se vident. Le comte d'Artois part le premier et se rend à Turin, bientôt rejoint par sa femme et ses enfants. Les Polignac prennent en même temps, dans la nuit du 16 juillet, le chemin de l'exil et partent pour l'Angleterre ; Nolhac a noté leurs préparatifs « faits à la hâte, le billet d'adieu de la Reine apporté vers minuit, enfin ce départ qui ressemble à une fuite, le duc et la duchesse, leur fille, la duchesse de Guiche, et leur sœur, la comtesse Diane, abandonnant dans les ténèbres ce Versailles où ils ont si brillamment vécu ».

Puis la vie du château reprend son rythme. On pourrait croire encore à des troubles de courte durée et prévoir un retour des esprits au calme, que de menues réformes et quelques sacrifices accompagneraient, et l'existence recommencerait comme autrefois. Les installations que l'on fait pour l'Assemblée sur l'avenue de Paris sont en baraquements de bois provisoires, que l'on démontera, la fête ou la crise passée. A quoi songe, le 4 août 1789, une princesse aussi peu dépensière que Madame Elisabeth ? A transformer son boudoir turc de Montreuil, avec des meubles pittoresques et beaucoup de draperies. Quelques gestes sont-ils nécessaires pour apaiser les critiques ? Marie-Antoinette, le 20 septembre 1789, envoie à la Monnaie, en un geste patriotique, un peu de vaisselle et sa petite toilette de vermeil.

Déjà la Cour s'organise pour l'hiver ; la Reine, on l'a vu,

ordonne de nouveaux travaux dans son appartement du rez-de-chaussée, et Mme de Tourzel s'installe tout à côté avec le nouveau Dauphin. Les imprudences vont reprendre aussi. Le Banquet des Gardes du Corps, qui provoque la marche sur Versailles, est la plus fameuse de ces inconséquences, car comment appeler d'un autre nom les contre-ordres donnés à ce moment par Louis XVI, sur les interventions de la Reine, aux ordres qu'il a précédemment donnés et qui sont peut-être sages ?

L'ENVAHISSEMENT DU CHÂTEAU

Si le château veut résister, il suffit, en face d'une horde avinée et mal armée, fatiguée par une longue route, de le vouloir avec un peu de fermeté. Les *Mémoires* du comte de Saint-Priest montrent les mesures prises par le Roi. Celui-ci charge le comte de Mun, qui se trouve être le plus ancien lieutenant-général présent au château, homme d'expérience, ayant largement dépassé la cinquantaine et grand-croix de l'Ordre de Saint-Louis, d'organiser la défense. Alexandre-François de Mun, qui descend du duc d'Antin et qui, par son mariage avec une Helvétius, ne paraît pas hostile aux idées nouvelles, reçoit le commandement de tous les Gardes du Corps ; il prend un certain nombre de dispositions, qui eussent suffi, semble-t-il, à détourner la colonne des manifestants.

Mais la Reine intervient, avec son incorrigible favoritisme. Elle fait rapporter la décision du Roi et nommer le gendre de sa chère duchesse de Polignac, pour l'instant éloignée d'elle. Le duc de Guiche, qui vient de terminer son quartier de capitaine des Gardes, est âgé de trente-deux ans et n'a jamais encore exercé de grand commandement. Une curieuse lettre de justification adressée par La Fayette, le 8 octobre 1789, au comte de Mun montre les conséquences de cette légèreté : la grille de la Surintendance ouverte et celle de la cour des Princes à peine gardée, aisément forcée par une troupe d'environ deux cents personnes, à forte proportion de femmes, l'absence de défense, l'appartement de la Reine presque aussitôt pris pour objectif.

Le retour à Versailles des Gardes-françaises, licenciés quelques semaines plus tôt et incorporés à la Garde nationale, revenus dans la nuit, laisse place à bien des équivoques. La Fayette a prétendu avoir été obligé par ses troupes de venir à Versailles et les avoir accompagnées pour tenter de les contrôler. Il est à peu près certain que les Gardes-françaises, au moins par nonchalance, sont responsables de la facilité avec laquelle ont été franchies les grilles. Il semble aussi qu'ils aient ensuite contribué à sauver l'appartement du Roi.

Un passage célèbre des *Mémoires* de Mme de La Tour du Pin relate, pièce par pièce, l'invasion du château. La grille des Princes traversée, les émeutiers, par le passage de la Comédie, pénètrent dans la cour royale et la cour de marbre, envahissent le Grand Escalier. La porte de droite sur le palier du premier étage donne sur la Salle des Gardes de la Reine, que défendent quelques Gardes du Corps. Ceux-ci doivent se laisser massacrer, après avoir fait avertir Marie-Antoinette. Les femmes de chambre de la Reine poussent les verrous des belles portes dorées de l'Antichambre et de la Pièce des Nobles. Habillée à la hâte, Marie-Antoinette sort par son alcôve et par son appartement intérieur, cependant que Louis XVI, arrivé jusqu'à la Chambre de la Reine par son corridor privé, a de la peine à revenir sur ses pas et à se faire ouvrir la porte de l'Œil-de-Bœuf, déjà barricadée.

Les envahisseurs se sont alors retournés sur l'appartement du Roi, où s'est réfugiée Marie-Antoinette. Ils pénètrent dans la Salle des Gardes et dans l'Antichambre, et s'apprêtent à donner l'assaut au Salon de l'Œil-de-Bœuf, où se sont regroupés les Gardes du Corps. Une anecdote, rapportée par Georges Moussoir, veut qu'à ce moment, à la porte de glaces qui ouvre de ce salon sur la Galerie, se soit présenté un détachement d'anciens Gardes-françaises commandé par un jeune sergent nommé Lazare Hoche, avec ces mots : « Ouvrez ! Ce sont les Gardes-françaises qui viennent payer la dette de Fontenoy. » La Fayette cependant survient. Avec une fatuité égale à celle du jeune duc de Guiche, dont il a exactement l'âge, il s'est porté, la veille au soir, garant de la sûreté du château ! L'apparition de la famille royale au balcon de la Chambre de Louis XIV, en un lamentable spectacle, semble donner satisfaction à la foule.

LE DÉPART DE LA COUR

Le Roi promet de se rendre à Paris. Peut-on voir encore ici le maintien d'une tradition ? Le départ est rapide, improvisé, pressé par la populace qui souhaiterait faire cortège à la famille royale et manifester sa victoire. Ce voyage n'a pas été prévu sur le calendrier de la Cour. Il sera définitif, alors qu'on paraît le croire provisoire.

L'illusion se maintient d'un retour rapide à Versailles, d'une vie qui reprendrait dans le grand château royal comme autrefois. Les Tuileries sont, à y bien songer, l'une des résidences du souverain, que Louis XIV a habitée dans sa jeunesse et Louis XV dans son enfance, avant de venir s'établir à Versailles.

Il est possible aussi que plus d'un Parisien ait désiré soustraire son roi à l'influence néfaste et coûteuse du château, devenu synonyme des fautes du gouvernement et des abus de la Cour, et voir désormais le chef installé dans sa ville, non plus dans son château immense et lointain. Existe-t-il là une intention, comme inconsciente et touchante, de rejeter sur le château les erreurs qui ont pu se commettre en trois règnes et dont la principale semble bien être d'avoir isolé le Roi de son peuple ? Un pareil sentiment s'était fait jour à Paris pendant la minorité de Louis XV. Barbier note, en 1720, dans son *Journal* : « L'on dit aussi que le Roi ira à Versailles ; alors *ils* feront ce qu'ils voudront ». *Ils*, c'étaient alors le Régent et son entourage ; en 1789, ce sont la Reine et ses amis. C'est un peu le château de Louis XIV que l'on accuse.

En quelques jours, en quelques heures, Versailles se vide. Fait pour le Roi, le château sans lui s'inanime et se fige. Soudain ce grand corps apparaît comme exsangue.

Qui ne songerait alors à la vanité de tant d'orgueil et, devant cet adorable squelette, à la beauté de l'art humain ?

Après les journées de tumulte, dans le calme revenu, le promeneur qui s'égarerait en ce milieu d'octobre 89 dans le parc, encore plus glorieux qu'abandonné, hésiterait entre l'admiration ou la mélancolie. S'il remonte les marches de Latone et, fidèle aux consignes jadis tracées par Louis XIV, s'il laisse ses yeux se repaître de l'énorme façade qui brille soudain devant lui, s'il s'arrête un instant et se met à réfléchir, il doit faire effort pour s'assurer qu'il n'est pas le jouet d'un rêve !

Voici cent ans tout juste que Louis XIV achevait l'aile du Nord. Rien n'a changé en un siècle des lignes immuables que le Roi-Soleil a tracées sur ce sol. Tout au plus voit-on se profiler sur la droite les clochers bulbeux de la cathédrale de Louis XV. Les jardins sont plus beaux et plus jeunes que jamais grâce à Louis XVI, et leurs fleurs sont merveilleuses sous le soleil d'automne.

La noble architecture de Mansart, dont la pierre s'est légèrement dorée et doucement patinée, se dresse encore intacte et couronnée, sur l'immense balustrade qui barre le ciel, de trophées guerriers et de drapeaux, telle qu'en ses beaux jours l'antique monarchie.

Les innombrables fenêtres, avec leurs rideaux ou leurs reflets de glaces, ne présentent pas encore l'image de la mort. Elles semblent vous observer. Quelques ombres circulent ici ou là ; ce sont des fonctionnaires, des domestiques. La grandeur s'estompe, et déjà ces fenêtres se referment sur le vide. Pourtant, voici peu de semaines, tout le « sang » royal circulait et vivait derrière ces murs : à gauche, dans l'aile du Nord, les enfants du comte d'Artois et les Condé ; de l'autre côté, dans l'aile du Midi, Madame Élisabeth, le comte d'Artois et, au-delà, le comte de Provence ; au corps central, Madame Victoire et le Dauphin au rez-de-chaussée, et, au premier étage, le passage quotidien de la Cour. A défaut de ces hôtes illustres, un semblant d'animation pourrait entretenir d'espoir un observateur superficiel.

LE CHÂTEAU SEUL

Le château n'est pas entièrement déserté. On aimerait supposer qu'il s'agit d'une crise, d'une sorte de Fronde populaire, d'une période mineure pour l'autorité royale comme à l'époque d'une Régence. Les vieux serviteurs de la monarchie, qui connaissent leur histoire et croient à la force des institutions, se désolent, mais ne désespèrent pas. Ils vont utiliser cet abandon forcé du grand château pour le rendre plus beau que jamais et le préparer à des lendemains qu'ils escomptent triomphants.

Il y aurait une curieuse histoire à écrire du travail obscur, efficace autant qu'inutile, qui s'est fait à Versailles entre 1789 et 1792. Il faudrait tenir un calendrier, modelé sur les espoirs ou les bévues de la famille royale, où l'on verrait au jour le jour s'inscrire ou s'anéantir les efforts accomplis pour maintenir le château et le conserver « prêt ». Les Bâtiments et le Garde-Meuble ne restent pas inactifs.

La remise en état des appartements ne bénéficie-t-elle pas d'un calme inhabituel en tout autre temps ? Le rapport qu'a fait dresser Angiviller en 1788 par le peintre Durameau est repris. Les peintures de la Grande Galerie commencent à être restaurées en 1790, comme si la monarchie avait à cœur de laisser à la postérité un château parfait.

De leur côté, les fonctionnaires du Garde-meuble de Versailles, jaloux de « leur » bien, demeurent vigilants et minutieux à l'extrême. Les copies et les récolements des inventaires du château se multiplient dans ces quelques années. Aucune concession de leur part ; tout est inscrit et, s'ils ont dû laisser partir à Paris un certain nombre de meubles, ceux-ci sont notés, surveillés, suivis, réclamés par Versailles et ramenés au château, dès qu'ils ont été, aux Tuileries, remplacés par d'autres que l'on estime moins provisoires.

La phrase, souvent citée, de Louis XVI à son ministre de la Guerre, La Tour du Pin, en partant pour Paris : « Vous restez le maître ici ; tâchez de me sauver mon pauvre Versailles », semble, au-delà des illusions d'un homme attristé, montrer que le château a déjà changé de mains.

C'en est fini de la gloire de Versailles. André Chénier, « le premier promeneur solitaire de Versailles », passant à

Versailles l'année 1793, l'avant-dernière année de sa courte vie, constate et chante :

> *O Versailles, ô bois, ô portiques...*
> *Par les dieux et les rois Elysée embelli...*
> *Tout a fui, des grandeurs tu n'es plus le séjour...*

ÉPILOGUE

ÉPILOGUE

VERSAILLES SANS ROI

Le château de Louis XIV a-t-il aujourd'hui cessé de vivre ?
Sa mort devrait n'être qu'apparente. Projets et déceptions,
espoirs, malheurs ou maladresses se sont multipliés depuis
près de deux siècles. Reconnaissons cependant que rien n'a
été accompli qui soit sans remède.

La décision de la Convention et du ministre Roland de
vendre le mobilier de Versailles fut absurde. Perte sans contrepartie pour le patrimoine français, cette mauvaise opération
financière voulait être un prélude à la condamnation du
château en tant que résidence. Soyons heureux : Versailles
ne fut pas brûlé, comme les Tuileries le furent en 1871. Les
ventes eurent lieu aux enchères publiques, d'abord dans
l'ancien appartement de la princesse de Lamballe, sur la cour
des Princes, puis aux Petites Écuries, du 25 août 1793 au 11
août 1794. Elles livrèrent au marché et au hasard plus de
17 000 numéros ou articles de valeur et de composition très
variables. Trente-cinq grands cahiers, qui forment les procès-
verbaux de ces ventes, permettent de rêver, de pleurer ou de
s'irriter en vain. Quelques meubles furent sauvés, et de
première importance, soit qu'ils eussent été envoyés à la
famille royale à Paris en octobre 1789 et en 1790, soit qu'ils
fussent réservés pour des ventes ou des échanges préparés
avec plus de soin. Félicitons-nous. Une petite partie de ceux-
ci fut accaparée par le Directoire : elle fut à peu près conservée
à la nation française à la faveur du besoin de gloriole et de

richesse de quelques citoyens. Les autres existent, souvent loin de France.

Prélude, disions-nous, La Convention étudie la vente du château lui-même. Les années passent vite, les régimes aussi. Barras, en nivôse an VI, adressait un message au Conseil des Anciens, inquiet de l'attitude des visiteurs qui manifestaient du respect, comme si le château attendait un maître. Il souhaitait « déroyaliser » Versailles, conserver le château comme une œuvre d'art, démembrer le parc, afin d'empêcher une réutilisation en palais. Il n'en eut pas le temps, mais l'idée demeurait.

Pendant un siècle, les désastres s'abattront sur Versailles, peu compensés par des nouvelles rassurantes. Les bâtiments sont trop vastes, le nom trop célèbre, le château trop abandonné et tentant, à la fois trop loin et trop près de Paris, pour ne pas conduire à l'extravagance. Le 21 janvier 1798, pour fêter la mort de l'ancien tyran, on plante un Arbre de la Liberté au centre de la cour royale. Bonaparte, en 1800, utilise divers appartements du château, en particulier l'appartement intérieur de Louis XV, comme une annexe des Invalides !

L'Orangerie devient prison à certains moments : en 1792, pour les otages amenés d'Orléans, qui seront massacrés non loin de là ; en 1871, pour les combattants de la Commune, qui seront exécutés ou déportés. Quelques mois plus tôt, le 18 janvier 1871, le roi de Prusse s'est fait proclamer empereur d'Allemagne dans la Galerie des Glaces. Comme en réplique, la Galerie sert à la signature, le 28 juin 1919, du traité de paix avec l'Allemagne, qui met fin à la première guerre mondiale. Le Grand Trianon n'est pas épargné. On y jugera Bazaine en 1873. On y signera, le 4 juin 1920, le traité de paix avec la Hongrie.

Le gouvernement de Thiers, installé à Versailles, est à l'origine de deux stupidités encore : transformation de l'Opéra de Louis XV en salle d'assemblée pour le Sénat ; construction en 1875, au centre de l'aile du Midi, d'une vaste salle en hémicycle, destinée à la Chambre des Députés ou à la réunion des deux Chambres en Congrès pour l'élection des Présidents de la République.

Versailles est-il à ce point incompris et méprisé ? A côté de ces étranges manières, une longue oscillation, tantôt fait place à une idée de musée, tantôt amorce un retour à l'état de château.

UN MUSÉE ?

Le désir d'affecter le château à un musée apparaît dès 1792. L'initiative semble venir des habitants de Versailles, cherchant à combattre les projets sauvages dont on rêve à Paris. Les tableaux des collections royales qui décoraient le Grand Appartement ou qui étaient entreposés et exposés à la Surintendance des Bâtiments, tableaux que les Versaillais auraient souhaité conserver, sont envoyés au Museum du Louvre. En piètre dédommagement, le Comité de Salut public décide la fondation, dans le château ou ses dépendances, de divers musées (de peinture, de sculpture, d'histoire naturelle), d'une bibliothèque et d'écoles centrales du département. Le 24 novembre 1793, le Directoire de Seine-et-Oise annonce la création d'un *Musée spécial de l'École française*.

Cette décision est sérieuse. Le château est sauvé. Des peintures françaises des XVIIe et XVIIIe siècles, parmi lesquelles on compte la *Vie de saint Bruno* par Lesueur et la collection des *morceaux de réception* présentés à l'Académie royale, sont exposées dans le Grand Appartement et dans une partie de l'aile du Nord ; on y ajoute les grandes toiles de Rubens, *la Vie de Marie de Médicis*, détachées sous Louis XVI de la Galerie du Luxembourg. Les sculptures du parc sont, en outre, incorporées au programme.

Les demandes d'œuvres d'art du Premier Consul et les projets de l'Empereur sur le château amenuisent les collections, puis entraînent la suppression de ce musée, qui était à la gloire de l'art classique français.

Louis-Philippe d'Orléans, devenu roi des Français, conçoit un musée d'une autre ampleur. Il y dépense une énergie étonnante. Il y engloutit des sommes considérables, plus de vingt millions de francs, pris sur sa Liste civile. Il décide de fonder un musée qui sera à la fois d'histoire et d'iconographie

(1833). Il consacre ce musée « à toutes les gloires de la
France », sa dynastie et la révolution de 1830 n'étant pas
exclues. Il met définitivement Versailles à l'abri des convoitises
et des affectations saugrenues. A quel prix cependant ! Le
gros œuvre est sauvegardé, et les plus précieuses des décorations existant dans le corps central. Que de dépeçages aussi,
de pertes, de destructions ! Une partie des appartements
est anéantie ou dénaturée. Les boiseries ou les cheminées
disparaissent presque partout. De nombreux tableaux, affectés
comme de force à cette utilisation nouvelle du château, sont
agrandis ou diminués, tandis que d'autres sont commandés
à des artistes vivants.

Un concert d'éloges presque unanime salue l'inauguration
de ce musée par Louis Philippe, le 10 juin 1837. Victor
Hugo est présent. Il se montre aussi plat courtisan que les
autres. Il est là, en uniforme de la Garde nationale. Fier
d'être reconnu par le souverain, il le complimente et lui
déclare « que le siècle de Louis XIV avait écrit un beau livre
et que le roi avait donné à ce beau livre une magnifique
reliure ».

La Galerie des Batailles est admirée à l'égal de la Galerie
des Glaces. Elle a obligé à démolir la quasi-totalité des
appartements de l'aile du Midi. L'architecte du château,
Nepveu, et l'illustre Fontaine, prêt à servir tous les régimes,
ont réalisé une vaste perspective et un décor qui ne sont pas
sans rapports avec la Grande Galerie du Louvre. De grands
tableaux, celui de Delacroix, la *Bataille de Taillebourg*, qui
fut très vite célèbre, et d'autres fort médiocres, ainsi que de
nombreux bustes, glorifient l'histoire militaire de la France
depuis Tolbiac jusqu'à Wagram.

Une très large place est faite dans ce musée à Napoléon
Ier. On voit aussi des batailles ou des faits qui intéressent la
personne de Louis-Philippe : Valmy et Jemmapes dans la
salle de 1792, l'accès au trône dans la salle de 1830, et même
un exploit militaire datant de 1832, la prise de la citadelle
d'Anvers où fut présent le Prince Royal. Un prolongement
est préparé sur les expéditions d'Algérie auxquelles participent
plusieurs autres de ses fils. La pensée suivie par le Roi s'étend
à presque tout le château.

Les ailes du Midi et du Nord sont bouleversées. Au rez-de-chaussée du corps central, qu'on appelle alors le corps de logis, les anciens appartements du Dauphin et de Mesdames souffrent beaucoup, afin d'installer sur les murs, avec une méthode qui se veut rigoureuse, d'innombrables portraits de célébrités de tous les siècles, dans des moulures uniformes, avec additions d'inscriptions pour instruire le public. Et partout, dans les galeries de pierre et jusque dans la cour d'entrée (avec des statues gigantesques, dont quelques-unes avaient été sculptées dès le règne de Charles X pour décorer le pont de la Concorde à Paris et qui seront ôtées de la cour en 1931), tout un peuple de bustes et de sculptures poursuit l'idée de représenter les hommes illustres. « Hôpital des gloires de la France », s'écrie perfidèment Balzac.

Le succès est attesté par des imitations à l'étranger, telle la National Portrait Gallery de Londres ou le château de Frederiksborg au Danemark, qui devint aussi musée historique et didactique. Le programme du roi des Français était simple : exalter dans le cadre de Versailles des personnages célèbres et des faits importants de l'histoire du pays. Il fut maintenu par tous les régimes qui sont venus depuis. Les conservateurs de Versailles, avec honnêteté et non sans mérite, s'employèrent à le compléter de tableaux et de portraits nouveaux, afin de prolonger ce musée jusqu'en notre temps.

L'un d'eux, Eudore Soulié, protestait déjà en 1875 « contre le système d'encastrement des tableaux à poste fixe » ; il avouait « ne pas avoir une grande tendresse pour ces collections mal formées et mal digérées ». Les années passant, la présentation de cet ensemble hétéroclite devenait insupportable.

Les efforts de rénovation entrepris par Pierre de Nolhac peu après 1900 entendent dégager l'ancien château des doctrines où Louis-Philippe l'avait contraint. Un musée ? Oui, encore, mais retrouvant un peu de la vie, de l'histoire et de l'art du XVIIIe siècle. Nolhac fut secondé par André Pératé et Gaston Brière. Il eut un continuateur remarquable en la personne de Charles Mauricheau-Beaupré. Celui-ci assuma une présentation nouvelle. De concert avec les architectes du château, il s'appliqua maintes fois à remettre en place les anciennes boiseries. Il conserva des portraits et des tableaux d'histoire, à condition qu'ils fussent en rapport avec les anciens occupants des appartements. Il élagua beaucoup et s'attacha à une exposition élégante. Il ne recula pas devant le document, pourvu qu'il fût authentique. Il rassembla des épaves retrouvées ici ou là des anciens décors et même de la statuaire des jardins. Il fit une large place à l'histoire du château, que l'on avait trop dédaignée. Le musée qu'il ouvrit en 1948 parvenait à former un tout harmonieux.

UN CHÂTEAU ?

De temps à autre, s'est manifesté depuis 1789 le projet d'un Versailles qui serait de nouveau habité. Projet redouté par certains pour des raisons politiques, projet redoutable si l'on tente de « moderniser » le château pour en faire une résidence « utile ». Ne vaudrait-il pas mieux souhaiter un château donnant l'apparence d'être habité et ne l'étant pas ?

Napoléon Ier songe sérieusement à habiter Versailles après son mariage avec Marie-Louise. Le château s'appellera désormais palais. L'architecte Dufour et surtout Fontaine reçoivent des ordres précis : travaux de restauration, qui sont nécessaires ; — désirs, qui sont inquiétants, d'agrandir le château, afin de loger la Cour impériale ; — étude d'une reconstruction des façades sur les cours d'entrée en reprenant le « grand projet » du temps de Louis XVI ; — consigne de ne pas dépenser plus de six millions de francs. En même temps, des soieries superbes sont commandées à Lyon pour le décor des appartements. La guerre empêchera d'aller plus loin.

Louis XVIII n'abandonne pas cette idée. Ses raisons sont dynastiques et de tradition. Dès 1814, des travaux commencent, qui se poursuivront après les Cent-Jours. Les fleurs de lis sont rétablies sur les plafonds et les boiseries. Des tapis sont commandés à la Savonnerie. Des projets d'aménagement sont amorcés. L'architecte Dufour achève ce que Napoléon avait ordonné pour la façade d'entrée de la Vieille-aile : construction d'un haut pavillon à colonnes, destiné à faire

pendant à celui que Gabriel avait édifié du côté de la
chapelle. La symétrie l'exige. Hélas, un état du château
remontant à Louis XIV est détruit en même temps. Un
gouverneur est nommé, un intendant, un commandant des
Suisses. Beaucoup de vieux serviteurs de la monarchie logent
au château, comme si la vie devait reprendre comme autrefois.
La duchesse d'Angoulême, Charles X font des visites à
Versailles, pour évoquer des souvenirs ou former des rêves
d'avenir. La révolution de 1830 disperse gens et projets.

Napoléon Ier, non sans réalisme, avait porté son premier
effort d'habitation sur les Trianons, qui s'animent à partir
de 1804-1805. Soit pour sa sœur, devenue princesse Borghèse,
ou pour Madame Mère, soit bientôt pour lui-même, puis
pour l'impératrice Marie-Louise, qui se plaira au Grand
Trianon, il meuble à nouveau ce célèbre palais, en ayant
principalement recours à l'ébéniste Jacob-Desmalter. Le mobilier et les bronzes seront de style Empire, dans un cadre qui
est resté à peu près celui de Louis XIV et de Louis XV. C'est
ce que nous voyons encore aujourd'hui. Rien de trop blâmable
en cela, si du moins l'harmonie des couleurs est respectée.
Napoléon commet aussi quelques dégâts. Il condamne notamment l'élégante et superbe ouverture voulue par Louis XIV
entre les deux ailes et fait vitrer le péristyle, afin de former
une galerie de circulation intérieure. L'état ancien sera rétabli
cent ans plus tard.

Louis-Philippe n'écarte pas complètement la pensée d'un
château de Versailles qui pourrait être habité, lors même
qu'il y crée son musée personnel de l'histoire de France.
Deux raisons l'y poussent : ses souvenirs du temps où, jeune
duc de Chartres, il avait connu le Versailles de Louis XVI ;
le besoin qu'il éprouve de surveiller au plus près le grand
chantier qui le passionne. Dans le corps central du château,
au premier étage, un amalgame s'opère.

Tout n'est pas faux dans ce qu'il ordonne. Il met de la
fougue, du romantisme, une certaine malice aussi à vouloir
redonner vie aux appartements de Louis XIV, ou tout au
moins à les présenter selon ce qu'il en a retenu. Il entend
reconstituer avec un peu d'exactitude la Chambre du Grand
Roi, telle qu'il croit l'avoir vue ; il dispose d'un mobilier,

qu'il ne peut croire authentique, même si les garnitures sont d'ancien « point de Saint-Cyr » ; le lit est « à la duchesse », comme le fut celui de Louis XVI en 1784, et cela lui paraît l'essentiel. Bien mieux, à côté de son musée, il recrée un circuit des anciens appartements du Roi et de la Reine. Il a le sens royal, qui fera défaut à ceux qui viendront ensuite. Il nous trompe aussi, tantôt de bonne foi, tantôt dans le dessein de ressusciter à moindres frais un coin de l'ancien château. La notion d'appartement n'est pas rejetée. Ce bel effort mérite d'être noté.

Le roi des Français, dans ses reconstitutions ou ses inventions, n'oublie pas le présent. On l'a compris lorsqu'il s'agit d'images, faits ou portraits. Il ne dédaigne pas quelques détails concernant sa vie quotidienne. Par exemple, il fait placer dans l'ancienne salle à manger de Louis XV dix-huit chaises et une robuste « table à manger » d'acajou, bien typique de son temps, afin de pouvoir, s'il le veut, déjeuner « chez lui ». Le hasard nous a fait retrouver au Louvre cette table, qui sert aujourd'hui aux réunions du Conseil des Musées Nationaux et du Comité des Conservateurs. Un inventaire établi en 1840 permet de connaître avec précision les appartements du château, tels que Louis-Philippe les a fait meubler, erreurs et bonne volonté se trouvant curieusement associées. Si l'on veut se divertir et se plonger dans un panégyrique enflammé de l'œuvre réalisée par le souverain à Versailles, on lira le guide illustré, *Versailles ancien et moderne*, que le comte Alexandre de Laborde publia en 1841 et dont la dédicace porte ces mots : « Au génie de la magnificence et du goût ».

Au temps de ses travaux à Versailles, Louis-Philippe préféra pour lui-même le Grand Trianon, dont il fit quelque peu modifier ou compléter le mobilier et les installations (appartements, chapelle, cuisines, calorifère). Après lui, ce château sera abandonné, mais restera meublé. Le duc d'Aumale y résidera à l'époque du procès de Bazaine. De nos jours, on y songera encore. Une installation sera préparée pour le général de Gaulle, qui la jugera sévèrement et qui n'habitera Trianon qu'une nuit.

Un effort pour remeubler le Petit Trianon tel qu'au temps

de Marie-Antoinette fut entrepris par l'impératrice Eugénie. Ici aussi, du romantisme et de l'erreur, quelle qu'ait été la sincérité.

Nous passerons sur les velléités de remeubler Versailles qu'ont eues de notre temps quelques ministres. Projet fort louable en soi. Il y aurait fallu des connaissances, le sens de l'harmonie, un programme, exclure l'invention de mauvais aloi, accepter dans certains cas des copies, pourvu qu'elles fussent exactes, en accord avec les boiseries et patinées avec discrétion. Espérons que M. Pierre Lemoine, qui est un élève de Mauricheau-Beaupré, restera assez longtemps en place pour pouvoir établir et amorcer le programme désiré.

A côté du « remeublement » du corps central du château, qui est possible et souhaitable, il est un autre point sur lequel notre époque devrait réussir à redonner à Versailles son faste de château : les eaux, ce que la foule appelle « les grandes eaux », et tous les jours. Là où Louis XIV a échoué, les Français d'aujourd'hui pourraient connaître le succès. Les difficultés techniques n'existent plus. Lorsqu'on remarque ce qui a été fait en quelques années pour les fontaines de Paris, on pense à Versailles. Les questions de pompage ou de purification de l'eau se résolvent facilement. Un problème sérieux de canalisations et de retour de l'eau se présentera. Ce seront des dépenses heureuses. Versailles, château royal, jardins animés tout le jour du jeu des fontaines, pourquoi pas ?

SPECTACLES, FÊTES ET BANQUETS

On ne fera que rappeler des utilisations du château, qui ont pu être voulues dans des buts de propagande et dont les effets ont toujours été néfastes. Mégalomanie dans le prétexte, trivialité souvent dans l'exécution, esprit d'envie devant les fastes de Louis XIV, de Louis XV ou de Louis XVI, adaptations fâcheuses des appartements de Versailles à l'usage que, pour un jour, on veut leur donner, tout cela se mêle. Faux éclat, plutôt que résurrection du château. Le reproche doit être fait à tous les régimes qui ont gouverné la France depuis

Louis-Philippe. Celui-ci, dans les fêtes d'inauguration de son musée, qui coïncident avec la célébration du mariage de son fils aîné avec la princesse Hélène de Mecklembourg, n'a-t-il pas inscrit banquet dans la Galerie des Glaces et spectacle dans l'Opéra de Louis XV ?

Il serait malséant d'insister sur ce mésusage de Versailles. Les intentions peuvent être honnêtes. On veut honorer un souverain dont on pourrait avoir besoin : la reine Victoria (1855), le tsar Nicolas II (1896), le roi George VI (1938), et beaucoup d'autres. On recherche un cadre glorieux pour quelque célébration : le centenaire des États Généraux (1889), la paix à laquelle on aspire (1946), une Europe que l'on souhaite (1983). Chaque fois, de tristes bilans suivent ces entreprises au caractère artificiel. Versailles est plus ou moins déshonoré. La Galerie des Glaces devient salle de banquet. L'Opéra sert presque aussi souvent que sous l'Ancien Régime. La Galerie des Batailles est même louée à des particuliers pour des réceptions mondaines ou publicitaires.

La critique n'atteint pas les fêtes de nuit, qui sont depuis longtemps organisées par un comité versaillais autour du bassin de Neptune. Sans trop de gêne ni de dégâts pour les jardins, ouvertes à un large public, ces fêtes ont recueilli une approbation unanime. Les vrais problèmes ne sont-ils pas de décence et de dignité ? Du bon sens et de la modestie, serait-ce trop demander ?

ENTRE LE RÊVE ET L'ESPÉRANCE

Ce château au sort incertain, à l'histoire déformée, meublé sans finesse et comme en désordre, travesti, sans âme, victime de campagnes tapageuses, est-ce celui que nous souhaitons visiter ?

Les hésitations, les erreurs ne doivent pas décourager. Sommes-nous assez fiers de notre Versailles ? L'essentiel nous a été conservé, passé glorieux, noblesse incomparable des bâtiments et des jardins, décors dont on nous envie la richesse et l'unité. L'entretien est à peu près assuré, quoique, par deux fois, il ait fallu recourir à la générosité de la famille

Rockefeller (1925 et 1954). La cour de marbre a été remise à son ancien niveau ; c'est heureux, bien qu'on ait quelque regret de l'éclat trop vif et du dessin peu satisfaisant du dallage, de même que l'on déplore, à l'extérieur comme à l'intérieur du château, trop de dorures désaccordées. La restauration de l'Opéra fut effectuée par André Japy avec un tact et un succès qu'on ne saurait trop louer. L'escalier Gabriel, préparé dès le XVIIIe siècle, vient d'être achevé avec bonheur par l'architecte en chef, M. Jean Dumont. Du mobilier, on parlera ailleurs, dans des ouvrages spécialisés.

Songeons au Versailles de demain, qui serait un peu la découverte de celui d'hier, un exploit de grandiose mise en scène, la résurrection d'un autre temps. Travaillons à gagner « une sorte de victoire sur la mort », pour reprendre une expression chère à Mauricheau-Beaupré. Il suffirait d'un peu de poésie et de vérité, de quelques dépenses et d'un esprit de ténacité, d'un moment d'amour désintéressé pour faire d'un Versailles imaginaire une réalité.

En attendant, vivons, ou rêvons à demi. Un Versailles existe, qui est déjà à notre portée. Que le lecteur me permette de lui servir de guide et de lui poser une dernière question. Connaissez-vous Versailles ?

Connaissez-vous ce château ignoré des touristes, qui s'appellerait Versailles ? Versailles du Grand Roi, du Soleil et des Saisons. Cherchez-le, trouvez-le. Quelques moments de loisir, quelques déplacements à l'heure opportune vous apprendront, mieux que tous les livres, à aimer plus à fond un site qui, depuis trois cents ans, conserve sa vertu magique.

L'hiver le rend à son abandon et à sa beauté orgueilleuse. Attendez la neige et que Paris s'embourbe. Choisissez une matinée qui bénéficie d'un soleil pâle, mais brillant. Venez de bonne heure. Vous apprécierez le dessin des parterres dépouillés de fleurs. Vous marcherez dans les allées d'un parc dont vous saisirez mieux la rigueur. Entrez dans le château. Il est vide. Oubliez des aménagements que vous jugeriez vulgaires. Il règne une étrange clarté. Les plafonds sont baignés de douceur par les reflets de la neige. Vous y lirez ce que Louis XIV a voulu.

Le printemps vous donnera d'autres joies. La lumière d'Ile-

de-France favorise la statuaire. Les groupes établis sur les
corniches des cours, les masques qui rythment la façade du
côté des jardins, les statues de bronze, de marbre ou de
pierre disposées comme pour votre plaisir en décor des
parterres ou dans les bosquets tout au long de vos pas, vous
apparaîtront dans leur art délicat et fort, au gré des nuances
que leur accorde le soleil. Vous comprendrez les programmes
savants qui les ont fait naître. Vous visiterez un musée de
plein air à la gloire des sculpteurs français des siècles de
Louis XIV et de Louis XV.

L'été ne doit pas vous rebuter. Négligez Saint-Simon, qui
vous effraierait de cette « vaste zone torride, au bout de
laquelle il n'y a plus, où que ce soit, qu'à monter et à
descendre ». Ignorez les foules harassées et transpirantes,
écrasées du poids de leurs horaires. Soyez libre. Venez sur le
tard et jouissez d'un spectacle plus noble. Visitez les petits-
appartements, maintenant déserts. Si vous en avez le pouvoir,
montez sur le toit ou, de l'une des fenêtres centrales de la
Galerie, observez le soleil qui cherche à se placer dans l'axe
du Grand Canal, comme sur l'ordre du Grand Roi. Profitez
de la sérénité de l'heure. Avec un peu de chance, vous verrez
jouer les eaux, qui jailliront pour un essai fugitif. Vous
redirez les vers de Pierre de Nolhac :

> L'été resplendissait au miroir des fontaines,
> Le triomphe des eaux chantait dans les conduits ;
> Aux degrés du palais, le parterre et le buis
> Unissaient les parfums qu'avaient aimés les Reines...

L'automne peut vous réserver une autre surprise. Quittez
Paris par l'ancienne plaine de Grenelle, comme si vous alliez
voir Monseigneur à Meudon ou rendre visite au cardinal de
Fleury en sa retraite d'Issy. Arrêtez-vous sur un modeste
terrain tout animé de machines. Prenez un hélicoptère et
survolez Versailles. Le parc, le château et même la ville se
présenteront à vous en volumes plus qu'en plans, selon les
masses ordonnées par Louis XIV et par Le Nostre. Les
frondaisons aux couleurs mêlées, les jeux du soleil et des
nuages, un art subtil humanisent ce qui n'est pas de
quelconque urbanisme, mais un trait de génie. Sous vos

yeux, dans sa grandeur et ses fantaisies, se déroule un paysage créé par des hommes, une nature domptée, des perspectives et une majesté qui n'existent qu'ici.

Ne pensez plus aux détails, aux attributions d'auteurs ou aux chronologies dont disputent les érudits, aux déboires, ratages ou gaspillages survenus depuis plus d'un siècle et récemment encore. Admirez d'un peu haut. Voyez ce qui est là. Vous devrez réprimer un instant d'émotion. Une synthèse vous est offerte. Canal et parc, Trianon (celui de Louis XIV, le « Grand »), l'immense façade du château dans ses justes dimensions et comme étalée au long de ses parterres dans une placidité sublime, l'Orangerie et les Suisses, les avenues qui se perdent dans les lointains, vous embrassez tout dans son unité. Vous observez que rien ne peut être ajouté, ni retranché, ni le calcul être différent. Tout semble normal et spontané, créé depuis toujours, chef-d'œuvre apaisant. Les proportions sont exactes, fortes, amples et non géantes, prises dans une science sans défaut. Vous venez de contempler la perfection sur la terre.

Hélas, il faut rentrer. Reprenez votre voiture et retournez à Versailles pour recevoir encore quelques impressions de cette heureuse journée. Si vous vous laissez gagner par la nostalgie, vous irez aux Trianons, superbes et élégants, mais un peu tristes en cette saison. Si vous aimez la splendeur, vous vous arrêterez à l'Orangerie, vous monterez les Cent Marches, par l'escalier de gauche, tout près des arbres, et soudain vous verrez surgir le château. La pierre est dorée par le soleil. Les fenêtres de la Galerie semblent éclairées pour une fête nouvelle. Si, en repartant, vous croyez voir les Écuries s'animer, laissez-vous aller à votre illusion. Les administrations, les vandales ne sont plus là. Les chevaux sont revenus. Un carrosse s'ébranle au bruit des fanfares, comme autrefois. Un grand spectacle va renaître. Et si vous pénétrez dans le château, peut-être le trouverez-vous remeublé. Du moins, imaginez votre plaisir d'un instant et peut-être de demain. Un rêve ? Préférez le mot *espérance*.

FIN

ANNEXES

SOURCES ET BIBLIOGRAPHIE

La connaissance du château réside d'abord dans un examen aussi critique qu'il se peut de l'architecture et des décors qui subsistent aujourd'hui. Des textes et des plans, le plus souvent encore inédits, des tableaux, estampes, dessins, toutes vues anciennes, dont beaucoup sont précises et quelques-unes publiées, contribuent à l'étude. On aimerait ajouter les résultats de fouilles et de sondages, qui ont été rares jusqu'ici. Regrettons que l'archéologie s'intéresse plus aux vestiges d'un palais assyrien qu'à Versailles, peut-être trop près de nous.

Les sources manuscrites et la bibliographie présentées ici correspondent à peu près à ce qui a été consulté au cours des années passées à préparer ce livre et à interroger Versailles.

Consulter ne veut pas dire épuiser. Il reste encore, il restera longtemps, beaucoup de travail à accomplir pour approfondir cet immense sujet et peut-être un jour le saisir dans sa totalité. De plus, les documents utilisés ne sont pas les seuls ; certains nous ont échappé ; d'autres ont été négligés, volontairement, par faute de temps, ou par ignorance. On en découvrira peu à peu beaucoup d'autres, qui sont inconnus ou inexploités.

Les sources manuscrites reposent pour l'essentiel sur les archives des Bâtiments du Roi aux Archives nationales (série O^1). Le moindre des plans et dessins que conserve ce trésor ferait l'orgueil d'une bibliothèque privée ou d'un musée américain. Tous étaient entassés depuis plus d'un siècle dans des cartons, mal pliés, souvent proches de la ruine. On ne pouvait, à quelques années de distance, rouvrir l'un de ces cartons, eux-mêmes assez délabrés, sans y constater un désordre accru et de nouveaux dégâts, parfois des disparitions (heureusement rares). Dénoncer ce scandale auprès de chacun des directeurs des Archives nationales qui se sont succédés depuis une cinquantaine d'années, aboutissait aux mêmes paroles d'impuissance et d'espoir. Il faut rendre hommage à l'énergie de M. Jean Favier, qui nous a sortis de cette situation.

On pourrait presque dire que ce fonds incomparable contient à lui seul l'histoire du château. Le ministre de Bavière à Paris, au temps de Louis II, et Pierre de Nolhac, dès la fin du XIXe siècle, furent parmi les premiers à en découvrir et à en faire apparaître les ressources. Le voici maintenant sauvé. Plans et dessins sont désormais étalés à plat et sont restaurés peu à peu. Bien plus, une publication générale en donnera le catalogue détaillé. Un premier volume a paru :

— *Archives nationales. Versailles. Dessins d'architecture de la Direction générale des Bâtiments du Roi*, tome I, *Le château, les jardins, le parc, Trianon*. Catalogue par Danielle Gallet-Guerne, avec la collaboration de Christian Baulez. Avant-propos par Jean Favier. Paris, Archives nationales, 1983.

Un index topographique très utile, un certain nombre d'illustrations, un avant-propos d'une intelligence claire du sujet, une introduction exposant le sort des principaux documents d'architecture concernant Versailles complètent ce volume.

Sans quitter les instruments de travail fournis par les Archives nationales, on citera, à côté de l'ancien *Répertoire numérique général de la série O¹, papiers de la Maison du Roi*, publié par M. de Curzon, deux catalogues récents, où se trouvent des documents utiles à l'histoire du château :

— *Catalogue général des cartes, plans et dessins d'architecture. Série N.*, 1958-1974, 4 vol. ; le t. III par Michel Le Moël et Claude-France Rochat.
— *Documents du Minutier central concernant l'histoire de l'art (1700-1750)*, 2 vol., 1964-1971, par Mireille Rambaud.

De nombreux fonds plus modestes de dessins ou de plans s'ajoutent à ce que possèdent les Archives nationales : Cabinet des Dessins du Louvre, Bibliothèque de l'Institut, Bibliothèque du Musée des Arts décoratifs de Paris, Bibliothèque municipale de Besançon, Kunstbibliothek de Berlin (qui s'est enrichie de la collection réunie par l'architecte Hippolyte Destailleurs et dont un catalogue a été publié en 1970 par Ekhart Berckenhagen), Biblioteca Estense de Modène, parmi bien d'autres. Des documents intéressants existent aussi en France et hors de France dans des musées ou bibliothèques, voire dans des collections privées.

Trois ensembles méritent une mention particulière. Le premier forme une sorte de prolongement des papiers des Bâtiments : c'est le fonds Robert de Cotte à la Bibliothèque nationale. Ce fonds, qui s'est formé principalement dans les agences de Hardouin-Mansart et de son beau-frère de Cotte, est divisé entre le Cabinet des Manuscrits (correspondance, comptes) et le Cabinet des Estampes (plans, dessins). Le Cabinet des Estampes possède, en outre, des dessins ou aquarelles qui se rapportent à Versailles par le moyen du Garde-Meuble ou des Menus-Plaisirs, ainsi que de nombreuses représentations utiles et variées dans sa série topographique.

Stockholm abrite au Musée national deux fonds d'une grande richesse. Le fonds Tessin et le fonds Cronstedt abondent en documents, tantôt projets, tantôt ouvrages réalisés à l'époque de Louis XIV, architecture, mais aussi décoration et même orfèvrerie. Tous ceux qui étudient Versailles ont, depuis une cinquantaine d'années, compulsé ces dessins et cherché à les identifier. Les premiers furent D. Moselius, R.A. Weigert et Carl Hernmarck. Un catalogue est en cours de préparation.

Versailles, dans les bibliothèques du château (Conservation et Architecture) ou à la Bibliothèque municipale, conserve des ressources qui n'ont pas été suffisamment mises en valeur. La première de ces bibliothèques est riche, ce qui est normal ; elle s'est accrue à plusieurs reprises de recueils d'aquarelles ou de plans. A l'agence d'architecture, on remarquera notamment l'ensemble extraordinaire que constituent les grandes planches aquarellées, où l'architecte Nepveu a reproduit en coupe les élévations d'une partie des appartements avant les destructions de Louis-Philippe. Un Versailles inattendu ressuscite là, qui est à peu près celui de 1789. Peut-on présenter deux souhaits ? D'abord, que soient mises sous les yeux des visiteurs, dans chaque salle concernée par ces images, des reproductions qui auraient le mérite de montrer, mieux que bien des discours, un état ancien et vrai, au moins à un certain moment ; une exposition discrète, entre les fenêtres par exemple, renseignerait avec bonheur. Le second vœu serait que, sans attendre, fût publié ce véritable trésor, qui recrée presque miraculeusement le cadre du XVIIIᵉ siècle, pour certaines pièces tout au moins.

Soulignons enfin que notre richesse en plans et dessins prend son intérêt profond lorsque ceux-ci sont expliqués par des textes contemporains, manuscrits ou imprimés. Le fonds le plus vaste, essentiel, se trouve tout naturellement, ici encore, aux Archives nationales dans les papiers venus des Bâtiments du Roi. Les comptes qui se trouvent là (à l'exception des années 1664-1667, dont les registres font partie des *Mélanges Colbert* à la Bibliothèque nationale) ont été publiés pour l'époque de Louis XIV :

— Guiffrey (Jules), *Comptes des Bâtiments du Roi sous le règne de Louis XIV (1664-1715),* Paris, Imprimerie nationale, 5 vol., 1881-1901 (*Collection de Documents inédits sur l'histoire de France*).

Les comptes qui s'étendent de 1716 à 1775 sont restés inédits (Arch. nat., 0¹ 2216 à 2278-2). Ils sont moins développés que ceux du temps de Louis XIV et, par là, d'une interprétation plus délicate. Nolhac fut le premier à les utiliser avec succès.

Les ordres, mouvements des magasins, correspondance des Bâtiments du Roi révèlent d'innombrables détails, souvent encore inédits ou attendant d'être mis en lumière correcte. D'autres documents, qui

intéressent en apparence les meubles seulement et l'accessoire et qui
sont conservés dans la même série 0[1], sont issus du Garde-Meuble de
la Couronne ou des Menus-Plaisirs, inventaires, ordres, comptes. Ils
sont utiles à l'histoire du château. Il n'est pas superflu de connaître
par ses rideaux le nombre et les dimensions des fenêtres d'une pièce
pour situer celle-ci avec certitude, non plus que de savoir ce qui la
garnissait pour l'imaginer à un moment donné.

L'énorme correspondance de Colbert ne laisse pas d'étonner et de
récompenser ceux qui l'ont pratiquée. Une partie a été publiée. Le
reste, dans sa majeure partie, repose au Cabinet des Manuscrits de la
Bibliothèque nationale dans les recueils manuscrits des *Mélanges
Colbert*.

Des papiers ou registres épars dans les différentes institutions qui
viennent d'être citées peuvent compléter ou préciser certains points. Il
en existe à la Bibliothèque nationale, dans les bibliothèques de
Versailles, à Stockholm, aussi bien que dans les archives du château
de Chantilly, à la Bibliothèque de l'Opéra et ailleurs. La liste serait
longue à dresser ; elle variera au hasard de nouvelles découvertes.

Venons-en à ce qui est imprimé et qui pourrait constituer la
bibliothèque d'un amoureux de Versailles. On divisera cette bibliographie en deux parties : avant 1934 ; depuis 1934.

Publications antérieures à 1934.

La bibliothèque constituée par Henri Grosseuvre servira de modèle.
On aura tout intérêt à se reporter, comme à une liste idéale, au
catalogue publié par l'étude Ader et l'expert Jules Meynial pour la
vente annoncée du 16 au 18 avril 1934. Ce catalogue comprend 548
numéros, gravures et divers objets compris. La bibliothèque fut achetée
en totalité pour le château de Versailles et pour la Bibliothèque
municipale. A côté de manuscrits, dessins et autres documents, on
trouvera dans ce catalogue la nomenclature, souvent en plusieurs
éditions et quasi complète, de ce qui a été publié en livres ou estampes.
Il suffira d'en condenser ici la liste par nom d'auteur et par siècle,
avec renvois aux numéros du catalogue préparé pour cette vente
Grosseuvre.

— XVIIe siècle.
Félibien, 61 à 63, 166 à 170. — Scudéri, 94 à 97. — Silvestre, Le
Pautre, 154 à 157. — Perelle, 136 à 142. — Baudet (Escalier des
Ambassadeurs), 188. — Audran, (Galerie de Mignard) 195. --
Thomassin (sculptures), 159. — S. Le Clerc (Labyrinthe), 180 et 181.
— Mansart (Clagny), 131.

— XVIIIe siècle.
Félibien (Chapelle), 171. — Surugue (Escalier des Ambassadeurs),

189. — Massé (Grande Galerie), 190. — Monicart (*Versailles immortalisé*), 132. — Saly (*Vases*), 153. — Piganiol, 90. — La Martinière, 45. — De Mortain, 146. — Thomassin, 146. — Jombert, 120. — De Fer, 54. — Rigaud, 150. — Le Rouge, 78 à 81. — Hébert, 58. — Thiéry, 99 (une table du *Guide* a été publiée par Furcy-Raynaud, Paris, Picard, 1928). — Dulaure, 58 (éd. 1786 ; des rééditions très amplifiées ont été publiées dans le premier tiers du XIXᵉ siècle).

— XIXᵉ siècle.
Villiers (1802 à 1828), 101. — Fontaine (1836-1837), 115. — Alexandre de Laborde (1841), 69. — J.-A. Le Roi (vers 1860), 77. — Dussieux (1881), 59. — Desjardins (*Le Petit Trianon*), 56.

— XXᵉ siècle.
Il s'agit avant tout de l'œuvre de Pierre de Nolhac, 133, 134, 87, 88, 231 à 235. — On n'oubliera pas les superbes albums de planches, précédées de notices, que publièrent Nolhac, 135 et 196, Brière, 112, et Deshairs, 114.

Nous ajouterons peu de chose à ce résumé. Les volumes de Nolhac, qui constituent son *Histoire du Château de Versailles* et ses *Études sur la Cour de France,* furent l'objet de deux rééditions (sans les illustrations et les références qui accompagnent les grands livres publiés entre 1889 et 1918), l'une chez Calmann-Lévy, l'autre chez Conard (1925-1930).

Deux beaux livres de Nolhac ne figurent pas dans le catalogue Grosseuvre, sans qu'on comprenne pourquoi :
— *Versailles inconnu,* Conard, 1925.
— *Versailles. Les Jardins,* Manzi-Joyant, 1906.
Parmi ce qui n'a pas été inscrit au catalogue, bien qu'antérieur à 1934, et que nous n'aurons pas l'occasion de signaler dans la suite de cette bibliographie, on doit citer encore un livre remarquable :
— Pératé (André), *Versailles,* Laurens, 1927. Ce livre a été écrit par un humaniste et par un poète, par un esprit exact aussi, qui fut pour Nolhac un adjoint aussi efficace que modeste.

Il est indispensable d'ajouter, avant comme après 1934, de nombreuses revues savantes et d'histoire de l'art, dans lesquelles se rencontrent très fréquemment des renseignements et documents, articles, reproductions, qui peuvent concerner Versailles. Certaines seront citées dans le cours de cette bibliographie.

Depuis 1934.

Tout ce qui est guide ou album d'illustrations est intéressant. Il en est de très beaux. Il en est de travail original. Il en est d'inutiles, qui serviront à parfaire une collection, si l'on veut réunir tout ce qui a été produit dans ce genre depuis l'époque de Louis XIV. Nous ferons une place à part à un guide, modeste d'apparence, publié sur mauvais

papier et pauvrement illustré dans une période de disette, mais d'une richesse de renseignements incroyable et d'une consultation facile :
— Mauricheau-Beaupré (Charles), *Versailles. L'histoire et l'art. Guide officiel.* Paris, éd. des Musées nationaux, 1949.

Une source d'information mise récemment à notre disposition et d'une ampleur peu banale doit être citée avant toute autre. Elle sera désormais nécessaire à ceux qui voudront étudier le château, ses jardins et ses dépendances : c'est l'ouvrage publié entre 1968 et 1984 (le dernier volume étant posthume) par Alfred Marie, avec le concours de sa sœur, Mlle Jeanne Marie. Il faut rendre hommage à ce qui apparaît comme la somme d'une existence consacrée à étudier et à aimer Versailles. Il faut admirer l'énergie qui a été dépensée pour aboutir à une édition aussi imposante que celle-ci. Les six tomes forment un total de plus de 2 000 pages. Ils sont répartis en quatre volumes sous les titres suivants :

I. — *Naissance de Versailles. Le château. Les jardins.* Paris, Vincent, Fréal & Cie, 2 tomes, 1968.
II. — *Versailles. Son histoire. II. Mansart à Versailles.* Paris, Jacques Fréal, 2 tomes, 1972.
III. — *Versailles au temps de Louis XIV. III. Mansart et Robert de Cotte.* Paris, Imprimerie nationale, 1 tome, 1976.
IV. — *Versailles au temps de Louis XV. 1715-1745.* Paris, Imprimerie nationale, 1 tome, 1984.

Le lecteur ne trouvera là aucun effort de synthèse, mais il sera émerveillé de la quantité des documents offerts. Destinée à la consultation plus qu'au délassement, parcimonieuse en tables, index ou références bibliographiques, la publication est établie sous forme de dossiers, à l'exception du dernier volume, rédigé comme une chronologie, année par année. Le premier volume donne des vues plus larges que les autres ; les renvois des planches au texte le rendent aussi plus commode. Tous se présentent comme la conversation d'un érudit de haut niveau. Ils sont remplis de renseignements, les uns de caractère courant, d'autres inédits, voire inconnus jusqu'ici. Comme en tout travail humain, des imperfections existent, peut-être des erreurs d'interprétation ou des affirmations prématurées, que certains pourront critiquer. Le neuf et l'utile dominent.

De ce vaste recueil, on peut faire deux parts. Le texte et les illustrations représentent environ la moitié de l'ouvrage. Le reste est fait de matériaux. Depuis Nolhac, chaque historien de Versailles recourt à peu près aux mêmes sources imprimées et s'efforce de réunir dans sa bibliothèque de grandes publications anciennes ou modernes, dont il tire une partie de son fichier. Recopier les textes (Guiffrey, Sourches, etc.) et les faire réimprimer in-extenso a pris à l'auteur un temps considérable. Les chercheurs de demain lui seront reconnaissants de leur avoir préparé ces dossiers. Ils rencontreront aussi, parmi les documents moins connus, des textes transcrits sur l'inventaire mobilier de Versailles daté de 1708 ou sur le *Journal du Garde-Meuble,* textes dont nous n'avons cessé, depuis une trentaine d'années au moins, de souligner l'importance et que voilà en partie imprimés.

La reproduction en très grand nombre de plans, dessins, estampes est d'un tout autre intérêt. Ce qui était plus ou moins connu, aux Archives nationales, à la Bibliothèque nationale, à l'Institut, à Stockholm, se trouve rassemblé et mis à sa place dans les dossiers. La consultation et l'étude deviennent plus aisées. Les confrontations sont facilitées par la connaissance profonde de Versailles qui fut celle d'Alfred Marie. Notre lecteur trouverait là, par exemple, l'illustration d'un volume comme celui-ci.

Il y a plus. Les découvertes de Marie ont été nombreuses, comme le sont les images publiées pour la première fois. L'apport est considérable. A l'opposé, on doit mettre le chercheur en garde contre ce qui est affirmé à propos des meubles, de l'orfèvrerie ou des tapis de la Savonnerie : de ce côté, l'erreur est presque constante, sauf dans le dernier volume, pour des raisons qu'un lecteur averti comprendra aisément. Ce ne sont là que détails dans un ouvrage que l'on prendra pour essentiel, au sens littéral de ce mot.

Une autre publication de grande importance appelle des remarques de même ordre :

— Racinais (Henry), *Un Versailles inconnu. Les Petits Appartements des Roys Louis XV et Louis XVI,* Paris, Lefèvre, 2 vol. (texte, planches), 1950.

L'auteur appartint au Service d'Architecture du château. Il fut un passionné de Versailles et un travailleur scrupuleux. Il accumula les textes, plans, dessins. Il fournit une documentation unique. Son volume apporte aux travaux de Nolhac des précisions nouvelles et nombreuses. Il est de lecture assez difficile. Il pourra provoquer des mises au point et de petites critiques, qui apporteront la preuve du travail utile de défrichage accompli par Racinais.

A vouloir énumérer toutes les études, et même à s'en tenir aux plus sérieuses, consacrées depuis 1934 (à quelques exceptions près) à tel ou tel point particulier ou général, on serait entraîné très loin. Nous en citerons quelques-unes, sommairement classées sous quinze rubriques différentes, division qui est elle-même assez arbitraire. Quelques abréviations de caractère courant ont été employées : *B.A.F.* (pour *Bulletin de la Société de l'Histoire de l'Art Français*), *N.A.A.F.* (pour *Nouvelles Archives* de la même Société), *G.B.A.* (pour *Gazette des Beaux-Arts*), *R.H.V.* (pour *Revue de l'Histoire de Versailles*).

1. — *Généralités*

— Mauricheau-Beaupré (Charles), *Versailles,* Monaco, Les Documents d'Art, 1948.
— Gébelin (François), *Versailles,* Alpina, 1965, livre d'une écriture élégante et fine, illustration intelligemment choisie.
— Blunt (Anthony), *Art and Architecture in France 1500 to 1700,* Penguin Books, 2ᵉ éd., 1957.
— Mâle (Émile), *L'art religieux du XVIIᵉ siècle,* dernière éd., Colin, 1984. Au chapitre IX, les p. 336-369 étudient la Galerie des Glaces, l'Escalier des Ambassadeurs, la Chapelle et son vestibule, les sculptures de la cour de marbre et des jardins.

2. — *Architecture*

— Hautecœur (Louis), *Histoire de l'architecture classique en France,* Picard, I, 1943, p. 525-527. — II, 1948, p. 264-270, 282-296, 382-390, 531-563, 574-577, 629-641. — III, 1950, p. 236-241, 270-275, 573-582. — IV, 1952, p. 80-89, 102-105. — VI, 1955, p. 43-45.
— Battifol (Louis), *Le château de Versailles de Louis XIII,* ds *G.B.A.,* 1913-2, p. 341-371.
— Coural (Jean), *Documents inédits sur le premier château de Versailles (1623-1629),* ds *B.A.F.,* 1959, p. 135-143.
— Hirschauer (Charles), *Anciens plans de Versailles,* ds *R.H.V.,* 1927, p. 43-56.
— Mauricheau-Beaupré (Ch.), *Un document inconnu sur les premiers travaux de Louis XIV. La « basse-cour » de 1662,* ds *R.H.V.,* 1933, p. 31-40.
— Le Guillou (Jean-Claude), *Remarques sur le corps central du château de Versailles à partir du château de Louis XIII,* ds *G.B.A.,* févr. 1976, p. 49-60.
— Le même, *Aperçu sur un projet insolite (1668) pour le château de Versailles,* ds *G.B.A.,* févr. 1980, p. 51-58.
— Le même, *Le château-neuf ou enveloppe de Versailles. Conception et évolution du premier projet,* ds *G.B.A.,* déc. 1983, p. 193-207.
— Kimball (Fiske), *The Genesis of the Chateau neuf at Versailles, 1668-1671. I. The initial projects of Le Vau, et II. The Grand escalier,* ds *G.B.A.,* 1949-1, p. 353-371, et *ibid.,* 1952-2, p. 115-122.
— Laprade (Albert), *François d'Orbay,* Vincent, Fréal, 1960.
— Bourget (Pierre) et Cattaui (Georges), *Jules Hardouin-Mansart,* Vincent, Fréal, 1960.
— Jestaz (Bertrand), *Jules Hardouin-Mansart : l'œuvre personnelle, les méthodes de travail et les collaborateurs,* ds *École nationale des Chartes. Positions des thèses...,* 1962, p. 67-72 (thèse restée inédite).

— Kimball (F.), *Mansart and Le Brun in the genesis of the Grande Galerie de Versailles*, ds *The Art Bulletin*, mars 1940, p. 1-6.
— Gallet (Michel) et Bottineau (Yves), *Les Gabriel*, Picard, 1982 (ouvrage collectif).
— Verlet (Pierre), *Les treillages de l'appartement de la Reine à Versailles*, ds *Revue du Louvre*, 1953-4, p. 213-216.
— Raïssac (Muriel de), *Richard Mique, architecte du roi de Pologne, de Mesdames et de Marie-Antoinette*, mémoire présenté à l'École du Louvre, 1967 (resté inédit).
— Jallut (Marguerite), *Cabinets intérieurs et Petits Appartements de Marie-Antoinette*, ds *G.B.A.*, mai-juin 1964, p. 289-354.
— Le Guillou (J.-C.), *L'appartement de Madame Sophie au château de Versailles. Formation et Métamorphoses, 1771-1790.* ds *G.B.A* mai 1981, p. 201-218.

3. — Décor intérieur, boiseries, etc.

— Kimball (Fiske) et Marie (Alfred), *Unknown Versailles. The appartement du Roi (1678-1701)*, ds *G.B.A.*, 1946-1, p. 85-112.
— Kimball (F.), *Le style Louis XV. Origine et évolution du rococo*, Picard, 1 vol., 1949 (trad. française).
— Francastel (Pierre), *Note sur la décoration de la Chambre de la Reine au XVIII⁵ siècle*, ds *R.H.V.*, 1927, p. 227-234.
— Hirschauer (Charles), *Le cabinet d'angle et sa décoration*, ds *R.H.V.*, 1917-1918, p. 273-284.
— Baulez (Christian), *Versailles, de quelques portes et cheminées*, ds *B.A.F.*, 1974, p. 72-88.

4. — Peintures

— Soulié (Eudore), *Notice des peintures et sculptures composant le Musée impérial de Versailles*, 2ᵉ éd., de Mourgues, 3 vol., 1859-1861.
— Constans (Claire), *Musée national du château de Versailles. Catalogue des Peintures*, Réunion des Musées nationaux, 1980.
— Engerand (Fernand), *Inventaire des Tableaux du Roy rédigé en 1709 et 1710*, Leroux, 1899.
— Le même, *Inventaire des Tableaux commandés et achetés par la Direction des Bâtiments du Roi (1709-1792)*, Leroux, 1901.
— Nolhac (Pierre de), *Les peintures du château de Versailles en 1788*, ds *N.A.A.F. (Mélanges Guiffrey)*, 1916, p. 271-280.
— Hulftegger (Adeline), *Notes sur la formation des collections de peintures de Louis XIV*, ds *B.A.F.*, 1954, p. 124-134.
— Marot (Pierre), *Recherches sur les origines de la transposition de*

la peinture en France, Nancy, extr. des *Annales de l'Est,* 1950, p. 1-44.

5. — Mobilier, objets d'art, etc.

— Coüard (E.), *L'intérieur et le mobilier du château de Versailles à la date de la journée des Dupes (1630),* ds *R.H.V.,* mai 1906, p. 97-122, et août 1906, p. 198-208.

— Guiffrey (Jules), *Inventaire général du Mobilier de la Couronne sous Louis XIV,* 2 vol., 1885.

— Fenaille (Maurice), *État général des tapisseries de la manufacture des Gobelins...,* Impr. nationale, 6 vol., 1903-1923.

— *Inventaire des Diamans de la Couronne..., des Bijoux...* (gemmes, bronzes, etc.), Impr. nationale, 1791.

— Verlet (P.), *Les gemmes du Dauphin,* ds *Art de France,* 1963, p. 135-153.

— Weigert (Roger-Armand), *Recherches sur quelques dessins de la vaisselle du Grand Roi,* ds *R.H.V.,* 1931, p. 206-221.

— Hernmarck (Carl), *Claude Ballin et quelques dessins de pièces d'argenterie du Musée national de Stockholm,* ds *G.B.A.,* 1953, p. 103-118.

— Verlet (P.), *Louis XV et les grands services d'orfèvrerie parisienne de son temps,* ds *Pantheon,* 1977-II, p. 131-142.

— Weigert (R.-A.), *Le meuble brodé de la Salle du Trône de Louis XIV à Versailles,* ds *R.H.V.,* 1930, p. 199-206.

— Verlet (P.), *Le mobilier royal français,* 3 vol. parus 1945-1963.

— Labbé de la Mauvinière (Henri), *Deux documents artistiques concernant la Chambre de Marie-Antoinette à Versailles,* ds *G.B.A.,* 1924, p. 314-316.

— Lery (Edmond), *Le Cabinet de Physique des Enfants de France,* ds *R.H.V.,* 1935-4, p. 260-270.

— Le même, *Les outils de Louis XVI,* ds *R.H.V.,* 1931, p. 87-94.

— Verlet (P.), *Le grand service du roi Louis XVI,* ds *Faenza,* 1948, p. 120-121.

— Le même, *Some historical Sèvres porcelains preserved in the United States,* ds *The Art Quarterly,* autumn 1954, p. 230-241.

— Tuetey (Alexandre), *Inventaire des laques anciennes et des objets de curiosité de Marie-Antoinette confiés à Daguerre et Lignereux... le 10 octobre 1789,* ds *N.A.A.F. (Mélanges Guiffrey),* 1916, p. 286-319. A compléter, pour la place de ces objets dans l'appartement de la Reine à Versailles, par l'*Intermédiaire des chercheurs et des curieux,* 1908, col. 881-884.

6. — Chapelle.

— Deshairs (Léon), *Documents inédits sur la chapelle du château de Versailles (1689-1772),* ds *R.H.V.,* 1906, tir. à part, et *Revue de l'art ancien et moderne,* XIX, 1906, p. 217-230.
— Petzet (Michael), *Quelques projets inédits pour la chapelle de Versailles, 1688-1689,* ds *Art de France,* I, 1960, p. 315-319.
— Pradel (Pierre), *Le symbolisme de la Chapelle de Versailles,* ds *Bulletin monumental,* 1937-3, p. 335-355.
— Dufourcq (Norbert), L'orgue de la Chapelle de Versailles et le petit orgue de Mesdames : ds *Les Monuments Historiques de la France,* 1962-2, p. 62-66 ; ds *Le Livre de l'orgue français,* Picard, 6 vol., 1968-1983 ; ds *Revue musicale,* avril 1934 et ds *Recherches...,* VI, 1966.

7. — Opéra, théâtre, musique.

— Numéro spécial de *Les Monuments Historiques de la France,* 1957-1, consacré à l'Opéra de Versailles : *Les théâtres successifs du château de Versailles* (Jean Feray) ; *L'inauguration de l'Opéra en 1770* (textes et documents) ; *Décors et costumes de l'Opéra de Versailles pour les spectacles de 1770* (Pierre Verlet) ; *La restauration du théâtre* (André Japy).
— Verlet (P.), *L'Opéra de Versailles,* ds *Revue d'Histoire du Théâtre,* 1957-III, p. 133-154, suivi d'une bibliographie critique.
— Dufourcq (Norbert), dont l'œuvre immense a été en partie tournée vers la musique à la Cour de Versailles. Parmi ce qui a été écrit par lui ou publié sous sa direction, on citera notamment : *Versailles et les musiciens du Roi, 1661-1733,* Picard, 1971 (Marcelle Benoit) ; — *Musiques de Cour. Chambre, Chapelle, Écurie, 1661-1733,* Picard, 1971 (la même) ; — *Les musiciens du roi de France,* P.U.F., coll. *Que sais-je ?* (la même) ; — *Dix années à la Chapelle Royale de musique... 1718-1728,* Picard (M. Benoit et N. Dufourcq) ; — des monographies publiées dans la coll. *La vie musicale en France sous les rois Bourbons,* Picard : *Nicolas Lebègue* (Dufourcq), *Marcel-Richard Delalande* (Benoit et autres), *André Campra* (Barthélemy), *Jean-Philippe Rameau* (Berthier).

8. — Aile du Midi.

— Poignant (Simone), *Les filles de Louis XV. L'aile des Princes,* Arthaud, 1970.
— Stratmann (Rosemarie), *Le pavillon de Provence au château de Versailles depuis la construction jusqu'à la Révolution,* mémoire présenté à l'École du Louvre, 1965 (resté inédit).

9. — Jardins, sculptures, fontaines.

— Louis XIV, *Manière de montrer les jardins de Versailles*, introd. de Raoul Girardet, Plon, 1951.

— Ganay (Ernest de), *Le Nostre*, Vincent, Fréal, 1962.

— Francastel (Pierre), *La sculpture de Versailles. Essai sur l'origine et l'évolution du goût français classique*, Morancé, 1930.

— Le même, *La replantation du parc de Versailles au XVIIIe siècle*, ds *B.A.F.*, 1950, p. 53-57.

— Brunet (Gaspard), *Les statues des jardins de Versailles*, P.U.F., 1933.

— Pinatel (Christiane), *Les statues antiques des jardins de Versailles*, Picard, 1963.

— Souchal (François), *Les statues aux façades du château de Versailles*, ds *G.B.A.*, févr. 1972, p. 65-110.

— Francastel (P.), *Girardon*, Les Beaux-Arts, 1929.

— Souchal (F.), *Les Slodtz*, de Boccard, 1967.

— Le même et La Moureyre (Françoise de), *Les Frères Coustou*, de Boccard, 1980.

— Pradel (Pierre), *Documents nouveaux sur le parc de Versailles*, ds *B.A.F.*, 1936-II, p. 190-193.

— Seymour (Charles), *Versailles' fountains. Two sculptures from the theatre d'eau in America*, ds *G.B.A.*, 1942, p. 41-52.

— Barbet (Louis-Albert), *Les eaux de Versailles*, Dunot, 1907.

— Mousset (Albert), *Les Francine, créateurs des eaux de Versailles, intendants des eaux et fontaines de France de 1627 à 1784*, ds *Mém. Soc. Hist. Paris et Ile-de-Fr.*, t. LI, 1930.

10. — Trianons et Ménagerie.

— Danis (Robert), *La première maison royale de Trianon, 1670-1687*, Morancé, 1927.

— Josephson (Ragnar), *Le Grand Trianon sous Louis XIV d'après des documents inédits*, ds *R.H.V.*, 1927, p.5-24.

— Jestaz (Bertrand), *Le Trianon de marbre ou Louis XIV architecte*, ds *G.B.A.*, nov. 1969, p. 259-286.

— Schnapper (Antoine), *Tableaux pour le Trianon de marbre, 1668-1714*, Mouton et École pratique des Hautes-Études, 1967.

— Ledoux-Lebard (Denise), *Le Grand Trianon, Meubles et objets d'art*, De Nobèle et Musées nationaux, 1975.

— Gébelin (François), *Les fontaines de plomb du Grand Trianon*, ds *B.A.F.*, 1937, p. 103-119.

— Rey (Léon), *Le Petit Trianon et le Hameau de Marie-Antoinette*, Vorms, 1936.

— Mabille (Gérard), *La Ménagerie de Versailles*, ds *G.B.A.*, janv. 1974, p. 5-36.
— Le même, *Les tableaux de la Ménagerie de Versailles*, ds *B.A.F.*, 1974, p. 89-101.

11. — Écuries.

— Lemoine (Henri), *Les Écuries du Roi sous l'Ancien Régime*, Versailles, 1934 (*Bibl. Hist. de Versailles*).
— Delafosse (Marcel), *Pour une histoire des chantiers : Note sur la construction de la Grande Écurie à Versailles*, ds *Bull. Commission Antiquités de Seine-et-Oise*, t. LX, 1968-1969, p. 79-82.
— Lablaude (Pierre), *La restauration des Écuries du Roy à Versailles*, ds *Les Monuments Historiques de la France*, 1971-4, p. 18-51.
— Wackernagel (Rudolf), *Der Französische Krönungswagen*, Berlin, 1966.

12. — La ville.

— Evrard (Fernand), *Versailles, ville du Roi (1770-1789)*, 1935 (*Doc. inédits Hist. économique Révolution*).
— Le même, *Les mœurs à Versailles sous Louis XVI*, ds *R.H.V.*, 1928, p. 85-110 et 178-204.
— Levron (Jacques). *Versailles, ville royale*, La nef de Paris éditions, 1964 (avec une bibliographie importante).
— Le Roy Ladurie (Emmanuel), ds *Histoire de la France urbaine de Georges Duby*, Seuil, t. 3, 1981.
— Harlay (Ch.), *Le château de Clagny à Versailles*, Versailles, Bourdier, s.d.
— Langlois (Rose-Marie), *L'Ermitage de Madame de Pompadour*, ds *R.H.V.*, 1947, p. 22-84.
— Lesort (Paul), *Le pavillon de Madame à Montreuil*, ds *R.H.V.*, 1913. Voir aussi *Châteaux et Manoirs de France, Ile-de-France*, vol. V, par Ernest de Ganay, Vincent, Fréal, 1939.
— Guillaume (Jeanne), *Un grand souvenir versaillais, actuellement menacé, sera-t-il sauvegardé ?* (sur le château de Madame Elisabeth à Montreuil), ds *Les Monuments Historiques de la France*, 1971-4, p. 52-89.
— Moisy (Pierre), *Deux cathédrales françaises, La Rochelle et Versailles*, ds *G.B.A.*, 1952-I, p. 89-102.
— Hachette (Alfred), *Le Couvent de la Reine à Versailles (Lycée Hoche)*, Laurens, 1923.

13. — Après 1789.

— Dutilleux (A.), *Le Muséum national et le Musée spécial .u l'École française à Versailles (1792-1823),* ds *Réunion Sociétés Beaux Arts des Départements,* 1886, p. 101-136.

— Vauthier (Gabriel), *Notes sur le Muséum de l'École française,* ds *R.H.V.,* 1927, p. 25-42.

— Tuetey (Alexandre) et Guiffrey (Jules), *La Commission du Muséum et la création du Musée du Louvre,* 1910 (*Soc. Hist. Art. fr.*).

— Boyer (Fernand), *Le transfert des œuvres d'art de Marly et Versailles aux Tuileries et au Palais Bourbon 1796-1798,* ds *R.H.V.,* 1935-4, p. 250-259.

— Hachette (A.), *Réflexions de Roland sur l'administration de la liste civile,* ds *R.H.V.,* 1930, p. 5-15.

— Davillier (baron Ch.), *La vente du mobilier du château de Versailles pendant la Terreur,* Aubry, 1877 (tir. à part).

— Verlet (P.), *Chapeaurouge et les collections royales françaises,* ds *Festschrift für Erich Meyer,* Hambourg, 1957, p. 286-294.

— Guiffrey (Jules), *Destruction des plus belles tentures du Mobilier de la Couronne en 1797,* ds *Mémoires Soc. Hist. Paris et Ile-de-Fr.,* t. XIV, 1887 (tir. à part).

— Goncourt (Ed. et J. de), *Histoire de la société française pendant le Directoire,* éd. 1913, p. 108-114.

— Anonyme, *Explication des ouvrages de peinture, sculpture... des artistes de cette commune exposés dans la première salle du Musée du Palais national de Versailles,* an VIII à an X.

— Lery (Edmond), *Napoléon Ier et le domaine de Versailles,* ds *R.H.V.,* 1927, p. 76-82.

— Jacob (J.P.), *Le Cicerone de Versailles,* an XII.

— Marie (Alfred), *Le château de Versailles sous Napoléon Ier,* ds *Bull. de l'Institut Napoléon,* n° 47, avril 1953.

— Potocka (comtesse), *Mémoires (1794-1820),* publ. par Casimir Stryienski, Plon, 1897.

— Anonyme, *Guide de l'étranger. Nouvelle description des ville, château et parc de Versailles...,* Versailles, 1826.

— Chateaubriand (vicomte de), *Mémoires d'Outre-Tombe,* éd. Levaillant, t. III., p. 638 et 642 (Charles X à Trianon en 1830).

— Francastel (Pierre), *La création du Musée de Versailles et la transformation du palais (1832-1848),* Versailles, 1930 (*Bibl. Hist. de Versailles*).

— Laborde (comte Alexandre de), *Versailles ancien et moderne,* 1841.

— Gaehtgens (Thomas W.), *Versailles. De la résidence royale au musée historique,* Anvers, Fonds Mercator, 1984 (avec une introduction historique sur le château par Pierre Lemoine et une bibliographie).

— Chennevières (Ph. de), *Souvenirs d'un Directeur des Beaux-Arts*, extr. de *L'Artiste*, 1883-1889, notamment 4ᵉ partie, p. 1-41, *Eudore Soulié*.

— Sur les travaux entrepris après la donation Rockefeller de 1925, voir *R.H.V.*, 1925 à 1936.

— Nolhac (Pierre de), *La résurrection de Versailles. Souvenirs d'un conservateur 1887-1920*, Plon, 1937.

14. — *Histoire générale.*

— Lavisse (Ernest), *Histoire de France*, Hachette, t. VII à IX, 1905-1910.

— Mousnier (Roland), *Les XVIᵉ et XVIIᵉ siècles*, t. IV de *Histoire générale des civilisations*, dir. Maurice Crouzet, P.U.F., 5ᵉ éd., 1967.

— Mousnier et Labrousse (Ernest), *Le XVIIIᵉ siècle. L'époque des « Lumières ». (1715-1815)*, t. V, *ibid*, 5ᵉ éd., 1967.

— Braudel (Fernand), *Civilisation matérielle, économie et capitalisme*, Colin, 3 vol., 1978.

— Bluche (François) et Solnon (Jean-François), *La véritable hiérarchie sociale de l'ancienne France. Le tarif de la première capitation (1695)*, Genève, Droz, 1983.

— Chaunu (Pierre), *La civilisation de l'Europe classique*, Arthaud, 1984, avec bibliographie.

— Le même, *La civilisation de l'Europe des Lumières*, Flammarion, 1982.

— Antoine (Michel), *Le Conseil du Roi sous le règne de Louis XV*, Genève, Droz, 1970.

— Sauvel (Tony), *Les Salles du Conseil. Recherches sur les lieux où a siégé le Conseil du Roi*, 1951 (extr. de *Études et Documents*).

— Battifol (Louis), *Le roi Louis XIII à vingt ans*, Calmann-Lévy, 1913.

— Labatut (Jean-Pierre), *Louis XIV roi de gloire*, Impr. nationale, 1984.

— Goubert (Pierre), *Louis XIV et vingt millions de Français*, Fayard, 1966.

— Gaxotte (Pierre), *Louis XV*, Flammarion, 1980.

— Girault de Coursac (Paul et Pierrette), *Enquête sur le procès du roi Louis XVI*, La Table ronde, 1982.

— Levron (Jacques), *La vie quotidienne à la cour de Versailles aux XVIIᵉ et XVIIIᵉ siècles*, Hachette, 1965.

— Bluche (François), *La vie quotidienne au temps de Louis XIV*, Hachette, 1984.

— Le même, *La vie quotidienne de la noblesse française au XVIIIᵉ siècle*, Hachette, 1973.

— Le même, *La vie quotidienne au temps de Louis XVI*, Hachette, 1980.
— Reiset (comte de), *Modes et usages au temps de Marie-Antoinette. Livre-journal de Madame Eloffe, marchande de modes... 1781-1793*, Firmin-Didot, 2 vol., 1885.
— Granges de Surgères (marquis de), *Répertoire historique et biographique de la Gazette de France... 1631-1790*, Leclerc, 4 vol., 1902-1906.
— Deville (Étienne), *Index du Mercure de France 1672-1832*, Schemit, 1910.

15. — Mémoires, souvenirs, lettres, etc.

Le terrain est immense, l'intérêt divers, la fidélité variable. L'énumération ci-dessous, qui comprend une cinquantaine de noms, ne prétend pas être complète. Les éditions sont celles qui ont été utilisées au cours de nos recherches, citées parfois par commodité personnelle ; il peut y en avoir d'autres, qui soient meilleures ou plus récentes. La liste est donnée comme une indication. Elle a été rangée dans un ordre qui correspond *grosso modo* à la période parcourue par ces textes. Le nom de l'éditeur a été supprimé, celui de l'auteur de la publication ou celui de la collection, au contraire, a été retenu dans quelques cas.
— Héroard, *Journal*, 2 vol., 1868 (publ. Soulié et Barthélemy).
— Goulas (Nicolas), *Mémoires*, 3 vol., 1879 (*Sté Histoire de France*).
— Loret, *La Muze Historique*, 4 vol., 1857-1878 (publ. Ravenel et de la Pelouze).
— Grande Mademoiselle (Anne-Marie-Louise d'Orléans, duchesse de Montpensier, dite la), *Mémoires*, 4 vol., 1858-1859.
— Ormesson (Olivier Lefebvre d'), *Journal*, 1860-1861 (*coll. des Documents inédits*).
— Montglat (marquis de), *Mémoires*, 1838 (*coll. Mém. sur l'Hist. de France*).
— Vigarani, *Inventaire des papiers manuscrits de Gaspare, Carlo et Lodovico Vigarani, conservés aux arch... de Modène*, 1913 (publ. par Gabriel Rouchès).
— Chantelou (P. de), *Journal du voyage du cavalier Bernin en France*, 1885.
— Colbert, *Lettres, instructions, mémoires*, 8 t. en 10 vol., 1861-1862 (publ. Pierre Clément, *coll. des Documents inédits*).
— Sévigné (marquise de), *Lettres de Mme de Sévigné, de sa famille et de ses amis*, 13 vol., 1862 (publ. Monmerqué, *coll. Grands Écrivains*), et *Correspondance*, 3 vol., 1972-1978, (*coll. Pléiade*).
— Sourches (marquis de), *Mémoires*, 13 vol., 1882-1893 (publ. Cosnac et Pontal).

— Dangeau (marquis de), *Journal*, 19 vol., 1854-1860 (publ. Soulié, Dussieux, etc.).
— Choisy (abbé de), *Mémoires...*, 1966 (publ. Mongrédien).
— Tessin (Nicodème, dit le Jeune), *Relation* de sa visite à Marly, Versailles, Clagny, etc. en 1687 (publ. Francastel), ds *R.H.V.*, 1926, p. 149-167 et 274-300).
— Le même et Daniel Cronström, *Correspondance* (extraits, 1693-1718), Stockholm, 1964 (publ. R.-A. Weigert et C. Hernmarck).
— Spanheim (Ezéchiel), *Relation de la Cour de France en 1690*, 1882 (*Sté Histoire de France*).
— Hébert (François, curé de Versailles), *Mémoires*, 1927.
— Madame (Elisabeth-Charlotte, *Palatine*, duchesse d'Orléans), *Lettres*, 1961 (publ. Hubert Juin, Club du meilleur livre).
— Louis XIV, *Mémoires*, 1927 (publ. Jean Longnon).
— Louis XIV, *Lettres* (extraits), 1930 (publ. P. Gaxotte).
— *La Correspondance administrative sous le règne de Louis XIV*, 4 vol., 1850-1855 (publ. Depigne, *coll. des Documents inédits*).
— Anthoine, *La mort de Louis XIV. Journal des Anthoine*, 1880 (publ. Drumont).
— Saint-Simon (duc de), *Mémoires*, 43 vol., 1879-1918 (publ. Boislisle, *Grands Écrivains*).
— Narbonne (Pierre), *Journal...*, 1866 (publ. J.-A. Le Roi).
— Barbier, *Journal*, 8 vol., 1885.
— Luynes (duc de), *Mémoires*, 17 vol., 1860-1865 (publ. duc de Luynes, Dussieux et Soulié).
— Tessin (Carl Gustaf), *Lettres inédites*, Gotembourg-Paris, 1983 (publ. Gunnar von Proschwitz, sous le titre *Tableaux de Paris et de la Cour de France 1739-1742*).
— Scheffer (Carl Fredrik), *Lettres particulières à Carl Gustaf Tessin 1744-1752*, Stockholm, 1982 (publ. Jan Heidner).
— Argenson (marquis d'), *Journal et Mémoires*, 9 vol., 1859-1867 (*Sté Histoire de France*).
— Hardy (S.-P.), *Mes Loisirs*, 1912 (tome I seul paru).
— Louis XV, *Lettres* de Louis XV à l'infant Ferdinand de Parme, 1938 (publ. Amiguet).
— Croÿ (duc de), *Journal*, 4 vol., 1906-1907 (publ. Grouchy et Cottin).
— Papillon de la Ferté, *Journal*, 1887 (publ. E. Boysse).
— Véri (abbé de), *Journal*, 1928 (publ. J. de Witte).
— Moreau (Jacob-Nicolas), *Mes Souvenirs*, 2 vol., 1898-1901 (publ. Hermelin).
— Dufort de Cheverny, *Mémoires*, 2 vol., 1886.
— Mercy-Argenteau, *Correspondance secrète entre Marie-Thérèse et le comte de Mercy-Argenteau...*, 3 vol., 1874 (publ. A. d'Arneth et A. Geffroy).

— Oberkirch (baronne d'), *Mémoires,* 2 vol. s.d. (publ. comte de Montbrison).

— Louis XVI, *Comptes,* 1909 (publ. comte de Beauchamp).

— Esterhazy (comte Valentin), *Mémoires,* 1905 (publ. E. Daudet).

— Campan (Mme), *Mémoires sur la vie privée de Marie-Antoinette,* 2 vol., 1928 (publ. Fr. Funck-Brentano). L'édition de 1822, 3 vol., a pour titre *Mémoires et Anecdotes historiques.*

— Besenval (baron de), *Mémoires,* 4 vol., 1805-1807.

— Bachaumont, *Mémoires secrets,* Londres, 35 vol., 1781-1789.

— Hézecques (d'), *Souvenirs d'un page de la Cour de Louis XVI,* 1895.

— Mercier (Louis-Sébastien), *Tableau de Paris,* Amsterdam, 8 vol., 1782-1783.

— Lévis (duc de), *Souvenirs et portraits, 1780-1789,* 1815.

— Saint-Priest (comte de), *Lettre...* (sur les journées des 5 et 6 octobre 1789), Imprimerie royale, 1789.

— La Fayette, *Une lettre inédite (8 octobre 1789) du général de La Fayette au comte de Mun relative aux journées révolutionnaires des 5 et 6 octobre 1789,* ds *Annuaire-bulletin de la Société de l'Histoire de France,* t. LXXXII, 1946-1947, p. 212.

— Tilly (comte Alexandre de), *Mémoires pour servir à l'histoire des mœurs de la fin du XVIIIe siècle,* 1965 (publ. Chr. Melchior-Bonnet).

— Tourzel (duchesse de), *Mémoires... 1789-1795,* 2 vol., 1893 (publ. duc Des Cars).

— La Tour du Pin Gouvernet (marquise de), *Journal d'une femme de cinquante ans, 1778-1815,* 4 vol., 1907-1911.

— Boigne (comtesse de), *Mémoires. Récits d'une tante,* 5 vol., 1921-1923 (le premier volume intéresse Versailles et s'étend jusqu'en 1814).

Généalogie abrégée de la Maison de Bourbon dans ses rapports avec Versailles

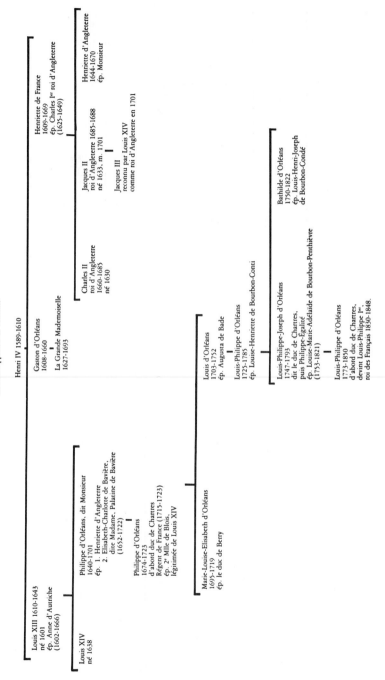

Henri IV 1589-1610

Louis XIII 1610-1643
né 1601
ép. Anne d'Autriche
(1602-1666)

Gaston d'Orléans
1608-1660
=
La Grande Mademoiselle
1627-1693

Henriette de France
1609-1669
ép. Charles Ier roi d'Angleterre
(1625-1649)

Louis XIV
né 1638

Philippe d'Orléans, dit Monsieur
1640-1701
ép. 1. Henriette d'Angleterre
2. Elisabeth-Charlotte de Bavière,
dite Madame, Palatine de Bavière.
(1652-1722)

Charles II
roi d'Angleterre
1660-1685
né 1630

Jacques II
roi d'Angleterre 1685-1688
né 1633, m. 1701

Henriette d'Angleterre
1644-1670
ép. Monsieur

Jacques III
reconnu par Louis XIV
comme roi d'Angleterre en 1701

Philippe d'Orléans
1674-1723
d'abord duc de Chartres
Régent de France (1715-1723)
ép. 2e Mlle de Blois,
légitimée de Louis XIV

Marie-Louise-Elisabeth d'Orléans
1695-1719
ép. le duc de Berry

Louis d'Orléans
1703-1752
ép. Augusta de Bade

Louis-Philippe d'Orléans
1725-1785
ép. Louise-Henriette de Bourbon-Conti

Louis-Philippe-Joseph d'Orléans
1747-1793
dit le duc de Chartres,
puis Philippe-Égalité
ép. Louise-Marie-Adélaïde de Bourbon-Penthièvre
(1753-1821)

Bathilde d'Orléans
1750-1822
ép. Louis-Henri-Joseph
de Bourbon-Condé

Louis-Philippe d'Orléans
1773-1850
d'abord duc de Chartres,
devint Louis-Philippe Ier,
roi des Français 1830-1848.

Louis XIV 1643-1715
ép. Marie-Thérèse d'Espagne
(1638-1683)

Louis, dit le Grand Dauphin
ou Monseigneur
1661-1711
ép. Marie-Anne-Christine-Victoire de Bavière
(1660-1690)

enfants légitimés

a) de Mlle de La Vallière

b) de Mme de Montespan

Duc de Bourgogne
1682-1712
ép. Marie-Adélaïde
de Savoie
(1685-1712)

Duc d'Anjou
1683-1746
ou Philippe V
roi d'Espagne
(1700-1746)

Duc de Berry
1686-1714
ép. Marie-Louise-Elisabeth
d'Orléans (1695-1719)

1er Duc de Bretagne
1704-1705

2e Duc de Bretagne
1707-1712

Louis XV
né 1710

1re Mlle de Blois
1666-1739
ép. Louis-Armand Ier
prince de Conti

Duc du Maine
1670-1736
ép. Anne-Louise
de Bourbon-Condé

Louis-Charles
de Bourbon,
comte d'Eu
1701-1775

Mlle de Nantes
1673-1743
ép. Louis III
de Bourbon—Condé,
dite Madame la Duchesse

2e Mlle de Blois
1677-1749
ép. duc de Chartres
plus tard Régent

Comte de Toulouse
1678-1737
ép. Marie-Victoire-Sophie
de Noailles
(1688-1766)

Duc de Penthièvre
1725-1793
ép. Marie-Thérèse
Félicité d'Este
(m. 1794)

Prince de Lamballe
1747-1768
ép. Marie-Thérèse-
Louise de Savoie-
Carignan
(1749-1792)

Louise-Marie-
Adélaïde
1753-1821
ép. L.-P.-J.
d'Orléans
(Philippe-Égalité)

Louis XV 1715-1774
né 1710
ép. Marie Leczinska
Princesse de Pologne
(1703-1768)

Madame Ainée
Louise-Elisabeth
1727-1759
dite Madame Infante
ép. Don Philippe
Infant d'Espagne,
Duc de Parme

Madame
Henriette
1727-1752

Madame
Troisième
1728-1733

Louis, Dauphin
1729-1765
ép. 1. Marie-
Thérèse-Raphaëlle
d'Espagne
(1726-1746)
2. Marie-Josèphe
de Saxe
(1731-1767)

Duc d'Anjou
1730-1733

Madame
Adélaïde
1732-1800
dite aussi
Madame

Madame
Victoire
1733-1799

Madame Sophie
1734-1782

Madame Sixième
1736-1744

Madame Louise
1737-1787

Duc de Bourgogne
1751-1761

Louis XVI 1774-1793
né 1754
Duc de Berry,
Dauphin (1761-1774),
ép. Marie-Antoinette
de Lorraine,
archiduchesse
d'Autriche
(1755-1793)

Louis XVIII 1814/15-1824
né 1755
comte de Provence,
dit Monsieur.
ép. Marie-Joséphine-
Louise de Savoie
dite Madame
(1753-1810)

Charles X 1824-1830
né 1757. m. 1836
comte d'Artois
ép. Marie-Thérèse
de Savoie
(1756-1805)

Madame Clotilde
1759-1802
ép. le Prince
de Piémont
(1751-1819)
qui devint en 1796
Charles-Emmanuel IV,
roi de Sardaigne

Madame Elisabeth
1764-1794

Marie-Thérèse-Charlotte
dite Madame Royale
1778-1851
ép. 1799 le duc d'Angoulême

Louis, Dauphin
1781-1789

Louis-Charles
1785-1795
duc de Normandie,
puis Dauphin
(Louis XVII)

Marie-Sophie
1786-1787

Duc d'Angoulême
1775-1844

Sophie, dite
Mademoiselle
1776-1783

Duc de Berry
1778-1820

Branche de Bourbon-Condé et Bourbon-Conti
remontant à Louis de Bourbon, prince de Condé (1530-1569),
oncle de Henri IV

Henri de Bourbon, prince de Condé
1588-1646

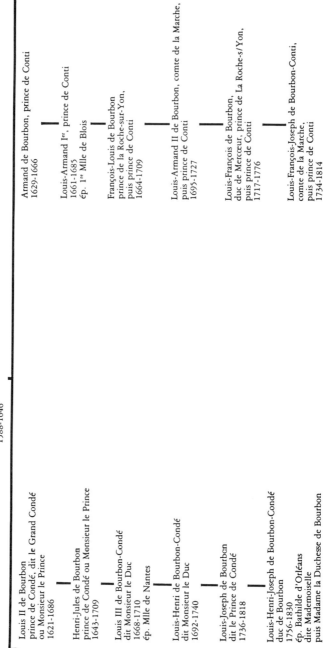

Louis II de Bourbon
prince de Condé, dit le Grand Condé
ou Monsieur le Prince
1621-1686

Henri-Jules de Bourbon
prince de Condé ou Monsieur le Prince
1643-1709

Louis III de Bourbon-Condé
dit Monsieur le Duc
1668-1710
ép. Mlle de Nantes

Louis-Henri de Bourbon-Condé
dit Monsieur le Duc
1692-1740

Louis-Joseph de Bourbon
dit le Prince de Condé
1736-1818

Louis-Henri-Joseph de Bourbon-Condé
duc de Bourbon
1756-1830
ép. Bathilde d'Orléans
dite Mademoiselle
puis Madame la Duchesse de Bourbon

Armand de Bourbon, prince de Conti
1629-1666

Louis-Armand Ier, prince de Conti
1661-1685
ép. 1re Mlle de Blois

François-Louis de Bourbon
prince de la Roche-sur-Yon,
puis prince de Conti
1664-1709

Louis-Armand II de Bourbon, comte de la Marche,
puis prince de Conti
1695-1727

Louis-François de Bourbon,
duc de Mercœur, prince de La Roche-s/Yon,
puis prince de Conti
1717-1776

Louis-François-Joseph de Bourbon-Conti,
comte de la Marche,
puis prince de Conti
1734-1814

INDEX DES NOMS DE PERSONNES

DUMESNIL (les), maîtres à écrire : 534.

DUMONT (Jacques, dit le Romain), peintre : 415.

DUMONT (Jean), architecte : 669.

DURAMEAU (Louis), peintre : 544, 594, 595, 654.

DURAS (Jean-Baptiste de Durfort, maréchal duc de) : 161, 247.

DURAS (Angélique-Victoire de Bournonville, maréchale de) : 362.

DURAS (Emmanuel-Félicité de Durfort, duc de), premier gentilhomme de la Chambre : 611, 613.

DUSSIEUX (L.) : 132, 633.

DUTEMPS, doreur : 583, 628.

DUVAL, rocailleur : 68.

DUVAL, sculpteur : 109, 170.

DUVAUX (Lazare), marchand mercier : 415, 416, 492.

E

ELBEUF (Charles III de Lorraine, duc d') : 60.

ELISABETH PÉTROVNA, tsarine : 134.

ELISABETH-PHILIPPE-MARIE-HÉLÈNE DE FRANCE, dite Madame Elisabeth, sœur de Louis XVI : 542. 546, 609, 614, 649, 653.

ELOFFE (Madame), marchande de modes : 598.

EPERNON (Jean-Louis de Nogaret de la Valette, duc d') : 28.

ERRARD (Charles), peintre : 38, 49, 55, 63.

ESOPE : 110, 266.

ESTE (Marie-Béatrice-Eléonore d'), reine d'Angleterre, seconde femme de Jacques II : 269, 282, 288, 289, 364.

ESTERHAZY (comte Valentin) : 613, 634.

ESTRÉES (Gabrielle d') : 524.

ESTRÉES (Victor-Marie, comte, puis maréchal duc d') : 315.

EUGÉNIE DE MONTIJO, impératrice des Français : 582, 643, 667.

EVRARD (Fernand) : 577.

F

FAGON (Guy-Crescent), médecin : 193, 294.

FÉLIBIEN (André) et Félibien, sieur des Avaux : 60, 67, 79, 80, 81, 85, 86, 97, 103, 104, 113, 118, 193, 212, 226.

FERDINAND DE LORRAINE, archiduc d'Autriche, gouverneur de Lombardie : 554.

FERSEN (comte Axel de) : 601, 614.

FLAHAUT, voir Angiviller.

FLAVACOURT (Hortense de Mailly-Nesle, marquise de) : 387.

FLÉCHIER (Esprit), orateur sacré : 238.

FLEURY (André-Hercule, cardinal de) : 397, 407, 421, 467, 670.

FLEURY (André-Hercule de Rosset, duc de) : 479.

FOLIOT (les), menuisiers : 504.

FONTAINE, serrurier : 459.

FONTAINE (Pierre-François-Léonard), architecte : 662, 664.

FONTANGES (Marie-Angélique de Scorailles de Roussille, duchesse de) : 92, 93.

FONTENELLE, sculpteur : 175.

FONTENELLE (Bernard le Bovier de), écrivain : 403.

FORBIN-JANSON (Toussaint, cardinal de) : 239.

FORDRIN (Alexis), serrurier : 205.

FOUQUET (Jean), peintre de Charles VII : 467.

FOUQUET (Nicolas), surintendant des Finances : 25, 31-34, 39, 55, 66, 169.

FOUQUIER-TINVILLE (Antoine-Quentin) : 627.

FOURASTIÉ (Jean) : 142.

FOURNIER, libraire : 513.

FRAGUIER (marquis de) : 519.

FRANCASTEL, menuisier : 621.

FRANCASTEL (Pierre) : 159.

FRANCINI ou Francine, fontainiers : 67, 113, 169, 184.

FRANÇOIS Ier, roi de France : 38, 40, 88, 148, 206.

FRANKLIN (Benjamin) : 519, 537, 555, 571.

comtesse de), gouvernante des Enfants de France : 570, 610.

MARSY (les frères), sculpteurs : 38, 56, 64, 68, 90, 98, 109-111, 229, 541.

MARTIAL, relieur : 616.

MARTIN, chaudronnier : 462.

MARTIN (Jean-Baptiste), peintre : 183.

MARTIN (les), vernisseurs : 333, 359, 402, 412, 416, 458, 470.

MARTINET, graveur : 373.

MARTINOT (Gilles), horloger : 56.

MARTINOT (Claude), horloger : 317.

MASSÉ (Jean-Baptiste), graveur : 151, 306, 321.

MASSIALOT, auteur du *Nouveau cuisinier...* : 475.

MASSILLON (Jean-Baptiste), orateur sacré : 238.

MASSON, paulmier : 642.

MASSON (Hilaire), jardinier : 21, 22.

MASSOU (Benoît), sculpteur : 98, 110, 175, 179.

MATIGNON (marquis et marquise de) : 480.

MAUBOIS (Mlle), tourneur : 461.

MAUPEOU (René-Nicolas-Charles-Augustin de), chancelier : 310.

MAUREPAS (Jean-Frédéric Phélypeaux, comte de), ministre d'Etat : 490, 512, 545.

MAURICHEAU-BEAUPRÉ (Charles), conservateur : 21, 49, 101, 250, 410, 460, 496, 589, 590, 663, 667, 669.

MAURIZANT, sculpteur : 466.

MAZARIN (Jules, cardinal) : 25, 28, 29, 32, 35, 37, 38, 58, 222, 283.

MAZELINE (Pierre), sculpteur : 110, 175, 177, 179, 221, 231.

MAZZAGATHY (les), gondoliers : 542.

MECKLEMBOURG (princesse Hélène de), duchesse d'Orléans : 668.

MEISSONNIER (Juste-Aurèle), dessinateur et ornemaniste : 467.

MENOURS (Jacques de), jardinier : 21, 22.

MERCADÉ, orfèvre : 110.

MERCIER (Louis-Sébastien) : 530, 543, 560, 615.

MERCKLEIN, mécanicien : 599, 641.

MERCY-ARGENTEAU (Florimond-Claude, comte de), ambassadeur d'Autriche en France : 431, 582, 644.

MESDAMES, filles de Louis XV : 90, 326, 338, 341, 346, 348, 362, 364, 367, 375, 385, 391, 392, 400, 419, 420-432, 490, 492, 507, 516, 517, 533, 537, 545, 547, 578, 608, 609, 613, 637, 663.

Voir les huit noms qui suivent :

— ELISABETH (Madame de), dite Madame Infante, duchesse de Parme : 312, 317, 318, 346, 352. 355, 386, 421, 424.

— HENRIETTE (Madame) : 342, 386, 413, 421-423, 506.

— ADÉLAÏDE (Madame), dite Madame : 91, 92, 231, 232, 307, 308, 346, 369, 386, 421-427, 429-431, 456, 459, 464, 468, 473, 474, 485, 486, 505, 516, 528, 614.

— VICTOIRE (Madame) : 91, 307, 386, 422, 423, 427-431, 485, 571, 602, 653.

— Madame Troisième : 386.

— Madame Sixième : 386, 427.

— SOPHIE (Madame) : 386, 423, 427, 429-431, 553, 599, 602, 603, 609.

— LOUISE (Madame) : 343, 386, 423, 427, 429, 430, 472.

MESGRINY (Jean, comte de), ingénieur : 186.

MEUSE (Henri-Louis de Choiseul, marquis de) : 479.

MEZIÈRES, maçon : 140.

MICHELET (Jules) : 583.

MIGNARD (Pierre) : 87, 91, 92, 127, 230, 232-234, 263, 275, 287, 295, 307, 323, 592.

MIQUE (Richard) : 544, 547, 577, 586, 587, 591, 617, 632, 633, 635, 638, 639, 644.

MODÈNE (duchesse de) : 136.

MOLÉ (Mathieu), chancelier : 514.

MOLIÈRE : 32, 58, 59, 62, 71, 118, 281, 282, 294, 366, 514.

MOLLET (Claude), jardinier : 21, 22.

MONICART : 90, 264.

MONSIEUR, voir Orléans (Gaston),

INDEX TOPOGRAPHIQUE

Cet index est rangé, à l'intérieur du château, par appartements, afin de contribuer, si possible, à rétablir cette notion, trop effacée par l'esprit « musée ». Nous avons cru utile cependant d'ajouter entre parenthèses, pour les appartements du corps central, la regrettable numérotation des salles, qui survit depuis le XIXᵉ siècle. Les principaux renvois sont indiqués en chiffres italiques.

I. CHATEAU

—   du duc de Bouillon : 611.
—   du duc de Bourgogne : 255, 256, 279.
—   de Mlle de Clermont (voir 2. *m.* App^nt de Mme de Maintenon).
—   du duc de Duras : 611.
—   de la comtesse d'Ossun : 613.
—   du duc de Penthièvre : 611, 612.
—   de la comtesse de Polignac : 611.
— Pavillon Dufour : 50, 664.

2. *APPARTEMENTS DU CORPS CENTRAL*
(château-vieux et château-neuf)

a) Grand Appartement

— **Escalier des Ambassadeurs** ou Grand-Escalier (voir ce mot).
— **Salon d'Hercule** ou Salon de la Chapelle, — Chapelle de 1682 à 1710 (salle n° 105) : 156, 221, 237, 239, 241, 306, 317, 318, *321-324*, 381, 546, 555, 558, 621.
— **Salon de l'Abondance** (s. n° 106) : 86, 221, 306, 323, 532.
— **Salon de Vénus** ou Pièce de marbre (s. n° 107) : 82, 86, 97, 99, 120, 152, *221*, 306, 323, 527.
— **Salon de Diane** (s. n° 108).
Premier Salon en haut du Grand Escalier, — Salon du Billard : *82-86*, 99, 127, 221, 273.
— **Salon de Mars** (s. n° 109).
Salle des Gardes, — Salon du Bal : *82-86*, 221, 319, 323, 484.
— **Salon de Mercure** (s. n° 110).
Antichambre, — Chambre du Lit, — Salon de la Pendule : *82-86*, 162, 221, 224, 294, 319.
— **Salon d'Apollon** (s. n° 111).
Grande Chambre du Roi, — Chambre du Trône : *82-86*, 222-225, 318-320, 459.
— **Salon de la Guerre** (s. n° 112).
Salon de Jupiter, — Grand Cabinet ou Cabinet du Conseil, — Salon de la Guerre : *82-86*, 152, 163, 221, 222, 306, 319, 477, 478, 532, 546.
— **Grande Galerie** dite Galerie des Glaces (s. n° 113).
Sur l'emplacement de la terrasse de Le Vau, de la Petite Chambre et du Petit Cabinet du Roi, d'une part, de la Petite Chambre et de l'Oratoire de la Reine, d'autre part : 38, 79, 82, 86, 87, 95, 138, 139, 150-152, 155-157, 161-163, 177, 212, *220-225*, 258, 269, 286, 293, 295, 302, 306, 318-321, 352, 356, 381, 398, 435, 532, 560, 593, 651, 660, 662, 668, 670, 671.
— **Salon de la Paix** (s. n° 114).
Grand Cabinet de la Reine, — Salon de la Paix, — Grand Cabinet de la duchesse de Bourgogne, — Cabinet des Jeux ou Salon de Musique de la Reine, — Salon des Jeux de la Reine : 95, 152, 163, 221, 256-258, 273, 318, 388, 393, 398, 399, *592-595*.

b) Appartement du Roi dit appartement de Louis XIV

— **Vestibule** ou loggia sur l'escalier de la Reine : 209.
— **Salle des Gardes du Roi** (s. n° 120).

(Voir aussi les trois pièces suivantes) : 87, 91, 138, 226, *232-235*, 275, 287, 295, 308, 323, 366-368, 425, 455, 456, 474.
— **Pièce du Café du Roi** dite **Cabinet-doré** de Madame Adélaïde (s. n° 132).
App^nt de Mme de Montespan, — Premier Salon de la Petite Galerie, — Cabinet-doré de Madame Adélaïde, — Pièce du Café du Roi ou Pièce de la Vaisselle d'or : 91-92, 422, 426, 459, 474, 513, 526.
— **Bibliothèque de Louis XVI** (s. n° 133).
App^nt de Mme de Montespan, — partie de la Petite Galerie, — Chambre de Madame Adélaïde, — Salon des Jeux de Louis XV, — Bibliothèque du Roi en 1774 : 91-92, 425, 474, *513-514*, 526, 527.
— **Salle à manger** dite aux salles neuves (s. n° 134).
App^nt de Mme de Montespan, — partie de la Petite Galerie et Salon du bout, — Grand Cabinet de Madame Adélaïde, — Salle à manger du Roi en 1769 : 91-92, 425, 474, 513, 527, 666.
— **Salle des Buffets** ou Billard (s. n° 136).
Palier de l'Escalier des Ambassadeurs, — Seconde Antichambre de Madame Adélaïde, — Salle à manger des Seigneurs, des Buffets ou Salle du Billard : 425, 474, 475, 527.
— **Salon des jeux** ou ancien **Cabinet des Médailles** (s. n° 137).
Cabinet des Médailles ou des Raretés, — Première Antichambre ou Salle des Buffets de Madame Adélaïde, — Salon des Jeux en 1775 : 221, *230-232*, 295, 308, 367, 425, 474, 475, *528-529*.

d) Appartement des Bains (voir *k*. app^nts de Mesdames, Madame Victoire).

e) Cabinets du Roi (premier étage).

— **Cabinet des Termes** ou des Perruques.
(Voir app^nt du Roi, Cabinet du Conseil).
— **Cabinet des Bains.**
Cabinet de Garde-robe, — Petit Cabinet-particulier, — Cabinet du Tour, — Cabinet des Bains, — Cabinet du Tour, — Cabinet des Bains : 228, 460, 462, 463, 516-518.
— **Cabinet de Chaise** ou de Garde-robe : 460, 518.
— **Passage** vers l'escalier demi-circulaire : 228, 460, 518.
— **Cabinet-doré.**
Passage de la Garde-robe aux Grands Appartements, — Cabinet-doré, — Cabinet des Perruques (?), — Cabinet de Géographie : 228, 359, 460, 518.
— **Corridor.**
Bibliothèque de Louis XVI et Cabinet d'Artillerie : 518, 519.
— **Salle à manger** des Cabinets dite de 1750. (s. n° 129). Premier-valet de chambre du Roi, — Bains de Louis XV, — Degré du Roi, — Salle à manger en 1750, — Pièce de la Vaisselle d'or : 424, 462, 463, 473, 476, 516, 518.
— **Pièce des Buffets.**
Créée en 1754 et agrandie en 1765 pour accompagner la pièce précédente, — détruite au XIXe siècle : 474, 516, 518.

f) Cabinets du Roi (deuxième étage).

— **Antichambre** auprès du Cabinet d'angle de la Petite Galerie.
Cabinet auprès de l'Antichambre des Cabinets, — Cabinet Lazur, —

Antichambre des Cabinets, — Première Antichambre de la Dauphine, puis de Mme Du Barry, — Deuxième Antichambre du duc de Villequier : 417, 476, 512.
— **Cabinet d'angle de la Petite Galerie.**
Pièce aux lanternes, — Cabinet-vert de Mme de Mailly, — Cabinet des Jeux, — Salle à manger, — Seconde Antichambre de la Dauphine, — Cabinet de Mme Du Barry, — Grand Cabinet du duc de Villequier : 417, 469-473, 480, 487, 512, 537.
— **Petite Galerie.**
Petite Galerie de Louis XV, — Grand Cabinet de la Dauphine, — Chambre et Grand Cabinet de Mme Du Barry, — Chambres de l'app^{nt} du duc de Villequier : 417, 439, *469-470*, 473, 487, 512.
— **Salle à manger d'hiver de Louis XV.**
Nouvelle Pièce de la Bibliothèque et magasin, — Salle à manger d'hiver, — Antichambre de la nouvelle Salle à manger, — Bains de Louis XV, — Chambre de la Dauphine, — Salle à manger de Mme Du Barry, — Chambre de l'app^{nt} du premier-valet de chambre du Roi : 417, 464, 467, 468, 473, 474, 487, 512.
— **Grande Pièce de la Bibliothèque.**
Grand Pièce de la Bibliothèque et escalier, — Salle à manger, — Cuisine, — Bains du Roi, — Cabinet et Bains de la Dauphine, — Première Antichambre et Bains de Mme du Barry, — Antichambre et Garde-Robe du premier-valet de chambre du Roi : 417, 426, 466, 474, 487, 512.
— **Bibliothèque de Madame Adélaïde.**
Bibliothèque de Madame Adélaïde, puis de Mme Du Barry, — Cabinet de Maurepas : 426, 468, 486, 488, 512.
— **Cabinets de distillation** (aile avancée sur la cour royale)
Salle à manger d'hiver (?), — Cabinets de distillation, — App^{nt} de Mme de Mailly, — Bibliothèque, — App^{nt} de la duchesse de Beauvillier, — App^{nt} du comte de Maurepas : 426, 468, 476, 479, 480, 512.
— **Galerie de la Bibliothèque.**
Bibliothèque et Galerie de Géographie et de Chronologie, — Corridor de l'app^{nt} de Mme Du Barry, puis du duc de Villequier, — Galerie de Géographie, puis d'Électricité : 466-468, 512, 517-519.
— **Premier Cabinet de la Bibliothèque.**
Rattaché en 1766 à l'app^{nt} de la Dauphine, puis à celui de Mme Du Barry, enfin à celui du duc de Villequier, — Cabinet du Tour de Louis XVI : 466, 517-519.
— **Passage de l'escalier demi-circulaire.**
— **Cabinet du Tour.**
Cabinet du Tour, — Antichambre du Cabinet-particulier de la Petite Galerie, — Cabinet du Tour et Cabinet de Menuiserie : 461, 517-519.
— **Cabinet-particulier de la Petite Galerie.**
Cabinet à niche, — Bibliothèque (voir pièce suivante) : 461, 473.
— **Bibliothèque dite des combles** (sur la cour de marbre).
Cabinet du Tour, — Chambre des Bains, — Bibliothèque : 464, 468, 469, 514, 517, 518, 521.

g) Cabinets du Roi (étages des terrasses, laboratoires et cuisines) : 463, 464, 469, 472, 475-478, 481, 518-521, 527, 528.

h) Appartement de la Reine.

— **Salle des Gardes** (s. n° 118).
Chapelle de 1672, — Salle des Gardes de la Reine : 82, *94-96*, 253, 256, 270, 362, 391-392, 592, 651.
— **Antichambre** dite du grand-couvert (s. n° 117).
Salle des Gardes de la Reine, — Antichambre de la Reine : *94*, 253, 256, 270, 362, 392, 398, 585, *591-592*, 616, 651.
— **Grand Cabinet** ou Salon des Nobles (s. n° 116).
Antichambre, — Salon de la Reine : *94*, 256, 392, 398, 399, *590-591*, 651.
— **Chambre** (s. n° 115) : *95*, 254, 256-258, 386-388, *392-398*, 399, 420, 515, 553, 554, *588-590*, 593, 599, 651.
— **Salon des jeux**.
(Cf. Grand App^{nt} Salon de la Paix).
— **Cabinet de la Méridienne**.
Oratoire et Cabinet-doré de la duchesse de Bourgogne, — Oratoire et Cabinet de Méridienne de Marie Leczinska, — Escalier de la Dauphine, — Cabinet de la Méridienne en 1781 : 256, 401, 403, *586-587*, 598, 601.
— **Bibliothèque**.
Petite Galerie, — Laboratoire ou Cabinet des Chinois, — Bibliothèque : 401-403, 587, 601-602, 616.
— **Supplément de Bibliothèque**.
Cabinet de l'app^{nt} de nuit du duc de Bourgogne, — Bains de la Reine, — Supplément de Bibliothèque : 256, 403, 616.
— **Cabinet-intérieur** ou Cabinet-doré.
Chambre de l'app^{nt} de nuit du duc de Bourgogne, — Grand Cabinet-intérieur de la Reine, — Cabinet-doré en 1783 : 156, 256, 402-404, 583, *585-586*.
— **Arrière-Cabinet** : 403, 416.
— **Pièce des Bains**.
Garde-robe de l'app^{nt} de nuit du duc de Bourgogne, — Bains de Marie Leczinska, puis de Marie-Antoinette : 256, 401-403.
— **Chambre des Bains**.
Petit Cabinet et Oratoire de Marie Leczinska, — Chambre des Bains de Marie-Antoinette : 403.
— **Entresols de la Reine** : 404, 405, 604.
— **Petit appartement du rez-de-chaussée**.
(Voir Vestibule de la cour de marbre).

i) Appartement du Dauphin fils de Louis XV (ancien app^{nt} de Monseigneur).

— **Salle des Gardes** (s. n° 34).
Salle des Gardes du Dauphin et du comte de Provence : 408, 409.
— **Première Antichambre** (partie de la s. n° 33).
Première Antichambre du Dauphin et du comte de Provence : 409.
— **Seconde Antichambre** (s. n° 50).
Antichambre de la Palatine, — Cabinet des Glaces de Monseigneur, — Seconde Antichambre du Dauphin et du comte de Provence : *264*, 265, 307, 410.
— **Chambre du Dauphin** (s. n° 49).
Chambre de la Palatine, — Cabinet-doré de Monseigneur, — Chambre du Dauphin et du comte de Provence : *264*, 307, 352, *410-411*.
— **Grand Cabinet** (s. n° 48).
Chambre de Monsieur et Cabinets de Monsieur et de Madame, — Grand

Cabinet de Monseigneur, — Grand Cabinet du Dauphin et du comte de Provence : *262-264*, 273, 307, 408, *411*, 413, 420, 436.
— **Cabinet-Bibliothèque** (s. n° 47).
Partie de l'Antichambre de Monsieur et de la Chambre de Monseigneur, — Petit Cabinet-Bibliothèque du Dauphin fils de Louis XV, du Dauphin petit-fils de Louis XV (Louis XVI) et du comte de Provence : 254, *262*, 407, *411-413*, 436.
— **Cabinets et Arrière-Cabinets** : 260, 261, 265, 266, 412, 413.

j) Appartement de la Dauphine Marie-Josèphe (ancien app^nt de Monseigneur).

— **Première Antichambre** (s. n° 42) : 362, 414.
— **Seconde Antichambre** (s. n° 43) : 262, 414.
Vestibule de l'app^nt de Monseigneur.
— **Grand Cabinet** (s. n° 44).
Salle des Gardes de Monseigneur. — Grand Cabinet de la Dauphine de Saxe, puis du Dauphin (Louis XVI), — Grand Cabinet de la comtesse de Provence : *262*, *414-415*, 420.
— **Chambre** (s. n° 45).
Salle des Gardes de Monsieur, — Antichambre de Monseigneur, — Chambre de la Dauphine de Saxe, du Dauphin (Louis XVI) et de la comtesse de Provence : *262*, 413, *415*.
— **Cabinet-intérieur** (s. n° 46).
Partie de l'Antichambre de Monsieur et de la Chambre de Monseigneur, — Cabinet-intérieur de la Dauphine de Saxe, du Dauphin (Louis XVI) et du comte de Provence : *262-263*, 411, *415-416*.
— **Cabinets et Arrière-Cabinets** : 416.

k) Appartements de Mesdames (ancien app^nt des Bains et app^nt de Mme de Pompadour).

— **Première Antichambre de Madame Adélaïde** (partie de la s. n° 59).
Partie du Salon dit des Ambassadeurs et de la Salle des Gardes de la Prévôté de l'Hôtel, — Première Antichambre de Mme de Pompadour : 430, 484.
— **Seconde Antichambre de Madame Adélaïde** (partie de la s. n° 59).
Partie du Salon dit des Ambassadeurs et de la Salle des Gardes de la Prévôté de l'Hôtel, — Seconde Antichambre de Mme de Pompadour : 304, 430, 484.
— **Grand Cabinet de Madame Adélaïde** (s. n° 58).
Partie du Cabinet du duc de Penthièvre, — Grand Cabinet de Mme de Pompadour : 400, 430.
— **Chambre de Madame Adélaïde** (s. n° 57).
Chambre du duc de Penthièvre, — Chambre de Mme de Pompadour : 358, 430, 431, 484.
— **Cabinet-intérieur de Madame Adélaïde** (partie de la s. n° 56).
Partie du Vestibule-dorique de l'appartement des Bains, — Petit Cabinet de Mme de Pompadour : *89*, 430, 484.
— **Bibliothèque de Madame Adélaïde** (partie de la s. n° 56).
Partie du Vestibule-dorique de l'appartement des Bains et de l'app^nt du duc de Penthièvre, — Cabinet de la comtesse de Toulouse : *89*, 430, 537.
— **Cabinet-intérieur de Madame Victoire** (partie de la s. n° 56).

Partie du Vestibule-dorique de l'appartement des Bains et de l'app^{nt} du duc de Penthièvre : *89*, 430.
— **Chambre de Madame Victoire** (s. n° 55).
Pièce-ionique de l'appartement des Bains, — Cabinet de l'app^{nt} du duc de Penthièvre, — Salle à manger de Louis XV ? : *88-90*, 124, 427, 430, 473.
— **Grand Cabinet de Madame Victoire** (s. n° 54).
Cabinet des Mois de l'appartement des Bains, — Cabinet de Mme de Montespan, — du duc du Maine, — de la comtesse de Toulouse : *90*, 232, 275, 307, 422, 424, 429, 431.
— **Seconde Antichambre de Madame Victoire** (s. n° 53).
Chambre des Bains, — Chambre de Mme de Montespan, — du duc du Maine, — de la comtesse de Toulouse, — de Madame Adélaïde : *90*, 232, 275, 307, 424, 431.
— **Première Antichambre de Mesdames Victoire et Sophie** (s. n° 52).
Cabinet des Bains, — Cabinet de Mme de Montespan, — du duc du Maine, — de la comtesse de Toulouse, — de Madame Adélaïde, — Chambre de Madame Sophie : *90-91*, 307, 424, 427, 431.
— **Appartement de Mesdames Sophie et Louise** (voir Galerie-basse et Vestibule central).

l) Appartement de Mme de Montespan.
   (voir aussi : *d.* App^{nt} des Bains) : 82, *91-93*, 99, 219, 275

m) Appartement de Mme de Maintenon : 207, 209, 232, 253, 255, 273, *276-280*, 282, 285, 289, 292, 611.

n) Appartement de Mme de Mailly : 468, *478-480*, 482.

o) Appartement de Mme de Châteauroux : 436, *480-481*, 482.

p) Appartement de Mme de Pompadour : 436, *481-485*.

q) Appartement de Mme du Barry : *485-488*, 512, 517.

3. CHAPELLE

35, 41, 94, 117, 123, 131, 132, 140, 151-153, 225, 230, *235-244*, 272, 280, 284, 285, 292, 296, 302, 306, 318, 321, *323-326*, 334, 336, 341-343, 345, 350, 385, 389, 394, 399, 438, 533, 536, 537, 546, 550.

4. COURS

— des Bains (voir cour des Cerfs).
— de la cave du Roi : 307, 425, 464, 513, 525.
— des Cerfs : 75, 153, 227-229, 315, 316, 359, 417, 427, 429, 431, 442, 444, 455-469, 475, 484, 486, 515-517..
— de la Chapelle : 296, 322, 363, 458, 550.

5. ESCALIERS

6. GALERIES

7. OPÉRA

8. *PASSAGES*

— de la Chapelle : 363.
— du Midi : 279, 623.
— du Nord : 231, 430, 484.
— des Princes (ancien Théâtre de la Comédie) : 280, 362, 371, 374, 651.
— du Roi chez la Reine : 514, 605, 651.

9. *PAVILLONS*

— Conti (voir Opéra).
— Dufour (voir vieille-aile).
— Gabriel (voir aile de la Chapelle).
— d'Orléans (voir aile du Midi).
— de Provence (voir aile du Midi).

10. *SALLES OU SALONS*

— voir Grand appartement, Salon du Roi, etc.
— Salle des Cent-Suisses, Salon de marbre ou des Marchands (s. n° 145) : 279, 361, 362, 391, 611, 662.
— Grande Salle des Gardes, dite Magasin (s. n° 140). Chapelle de 1676 : 94, 344, 361, 362, 391, 611.

11. *THÉÂTRES*

— des Cabinets (voir Escalier des Ambassadeurs et 2-c. Appartement intérieur du Roi, Petite Galerie).
— de la Comédie : *281,* 361, 366, 369-370, *371-375,* 380, 528, 619, 620, 623.
— de l'Opéra (voir ce mot).

12. *VESTIBULES*

— de la Chapelle : 239, 322, 324, 381.
— de la cour de marbre (ou vestibule central) incorporé à l'app^{nt} de Mme Sophie et au petit app^{nt} de Marie-Antoinette) : 170, 430, 431, 599, *602-605,* 650.
— de la Reine : 262, 362.
— du Roi (voir 2-c. Petite Salle des Gardes de l'app^{nt} intérieur du Roi).

II. JARDINS

436, 481, 488-507, 533, 542, 547, 554, 557, 571, 575, 581, 582, 595-599, 611, 616, 620, *626-646,* 660, 665, 666, 671.

III. VILLE

1. Avenues : 55, 60, 62, 106, 116, 246, 250, 296, 371, 379, 561, 578, 671.
2. Casernes : 344, 551, 579.
3. Chenil : 248, 251, 328, 332, 333.
4. Clagny : 22, 31, 50, 52, 65, 72, *104-105,* 114, 153, 155, 181, 182, 184, 303, 304.
5. Écuries : 43, 45, 116, 140, 153, *245-248,* 283, 284, 286, 296, 304, 331, 351, 366, 370, 371, 375, 550, 561, 572-575, 659, 671.
6. Églises : 117, 342, 533, 558, 576.
7. Ermitage : 91, 360, 364, 498, 545, 612.
8. Grand Commun : 117, 153, 169, 550, 567.
9. Menus Plaisirs (Hôtel des) : 380, 419, 558, 624.
10. Ministères : 116, 576, 577.
11. Montreuil : 546, 577, 607, 609, 611, 649.
12. Parc-aux-Cerfs : 151, 182, 204, 251, 342, 483.
13. Place d'Armes : 45, 106, 116, 244-245, 250, 296, 343, 351, 360, 503, 508, 551, 561, 562, 579.
14. Réservoirs : 64, 106, 107, 113, 121, 129, 151, 152, 181-183, 328, 542, 543.
15. Surintendance : 116, 151, 153, 363, 650, 661.
16. Théâtre Montansier : 576, 620.
17. Vieux-Versailles : 117, 577.

TABLE DES PLANS

TABLE DES MATIÈRES

TROISIÈME PARTIE

LOUIS XV A VERSAILLES

QUATRIÈME PARTIE

VERSAILLES SOUS LOUIS XVI
ET MARIE-ANTOINETTE

Achevé d'imprimer en février 1992
sur presse CAMERON
dans les ateliers de B.C.A.
à St-Amand-Montrond (Cher)
pour le compte de la librairie Arthème Fayard
75, rue des Saints-Pères - 75006 Paris

35-14-7374-04

ISBN 2-213-01600-3

Dépôt légal : mars 1992.
N° d'Édition : 7643. N° d'Impression : 92/84.
Imprimé en France

35-7374-8